O LIVRO VERMELHO

O
LIVRO VERMELHO
LIBER NOVUS

C.G. JUNG

Editado *por* Sonu Shamdasani

Prefácio *de* Ulrich Hoerni

Tradução:
Liber Novus: Edgar Orth
Introdução: Gentil A. Titton e Gustavo Barcellos

Revisão da tradução: Dr. Walter Boechat

EDITORA VOZES
Petrópolis

Direitos de publicação em língua portuguesa – Brasil:
2010, Editora Vozes Ltda.
Rua Frei Luís, 100
25689-900 Petrópolis, RJ
www.vozes.com.br
Brasil

Direção de arte: Larry Vigon
Projeto gráfico: Eric Baker Design Associates
Scans: Digital Fusion
Editoração: Dora Beatriz V. Noronha
Diagramação: AG.SR Desenv. Gráfico

ISBN 978-85-326-3975-2 (Brasil)
ISBN 978-0-393-06567-1 (Estados Unidos)

O *Livro Vermelho* é uma publicação dos herdeiros de C.G. Jung e um dos volumes da Série Philemon,mantida pela Fundação Philemon

PHILEMON SERIES

Dados Internacionais de Catalogação na Publicação (CIP)
(Câmara Brasileira do Livro, SP, Brasil)

Jung, C.G., 1875-1961.
O Livro Vermelho : Liber Novus / C.G. Jung ; editado por Sonu Shamdasani ; prefácio de Ulrich Hoerni ; tradução: Liber Novus, Edgar Orth ; introdução, Gentil A. Titton e Gustavo Barcellos ; revisão da tradução, Walter Boechat. – Petrópolis, RJ : Vozes, 2010.

Título original : The Red Book : Liber Novus
Bibliografia

4ª reimpressão, 2021.

ISBN 978-85-326-3975-2

1. Jung, Carl Gustav, 1875-1961 2. Psicanalistas – Suíça – Biografia 3. Psicologia junguiana
I. Shamdasani, Sonu. II. Hoerni, Ulrich. III. Titton, Gentil A. IV. Barcellos, Gustavo.
V. Título.

10-00037 CDD-150.1954

Índices para catálogo sistemático:
1. Jung, Carl Gustav : Psicologia analítica 150.1954
2. Psicologia analítica junguiana 150.1954

Impresso na Itália – Mondadori Printing, Verona

SUMÁRIO

Nota: Os números em preto se referem à tradução.
Os números em vermelho se referem ao fac-símile

OS ANOS DURANTE OS QUAIS
me detive nessas imagens interiores constituíram a época
mais importante da minha vida.
Neles todas as coisas essenciais se decidiram.
Foi então que tudo teve início, e os detalhes posteriores
foram apenas complementos e elucidações.
Toda minha atividade ulterior consistiu em elaborar o que
jorrava do inconsciente naqueles anos e que inicialmente me
inundara: era a matéria-prima para a obra de uma vida inteira.

C.G. JUNG, 1957

Prefácio

Desde 1962, a existência do *Livro Vermelho* de Jung era amplamente conhecida. Contudo, só a partir da presente publicação ele está finalmente acessível a um público amplo. Sua gênese é descrita em *Memórias, Sonhos, Reflexões* de Jung e esteve sujeita a numerosas discussões na literatura secundária. Por isso, aqui irei apenas esboçá-la sucintamente.

O ano de 1913 foi decisivo na vida de Jung. Ele começou um autoexperimento que veio a ser conhecido como seu "confronto com o inconsciente" e durou até 1930. Durante esse experimento, Jung desenvolveu uma técnica para "chegar ao fundo do [seu] processo interior", "traduzir as emoções em imagens" e "compreender as fantasias que estavam se agitando... 'subterraneamente'". Mais tarde ele deu a esse método o nome de "imaginação ativa". Jung registrou primeiramente essas fantasias em seus *Livros Negros*. Depois revisou esses textos, acrescentou reflexões sobre eles e copiou-os em escrita caligráfica num livro intitulado *Liber Novus* encadernado em couro vermelho, acompanhado por quadros pintados por ele mesmo. Sempre foi conhecido como *Livro Vermelho*.

Jung compartilhava suas experiências interiores com a mulher e companheiros mais próximos. Em 1925, fez um relatório de seu desenvolvimento profissional e pessoal numa série de seminários no Clube Psicológico de Zurique, nos quais mencionou também seu método da imaginação ativa. Fora disso, Jung era cauteloso. Seus filhos, por exemplo, não estavam informados de seu autoexperimento e não notaram nada de anormal. Evidentemente, teria sido difícil para ele explicar o que estava ocorrendo. Já era um sinal de condescendência se permitia que um de seus filhos o observasse escrevendo ou pintando. Assim, para os descendentes de Jung, o *Livro Vermelho* sempre fora cercado por uma aura de mistério. Em 1930, Jung terminou o experimento e pôs de lado o *Livro Vermelho* – inacabado. Embora tivesse seu lugar de honra em seu estudo, deixou o livro descansar por décadas. Enquanto isso, as intuições e conhecimentos que obtivera através dele informaram diretamente seus escritos subsequentes. Em 1959, com a ajuda do antigo esboço, ele tentou completar a transcrição do texto para o *Livro Vermelho* e terminar um quadro incompleto. Iniciou também um epílogo, mas, por razões desconhecidas, tanto o texto caligráfico como o epílogo terminam abruptamente no meio da frase.

Embora Jung tenha pensado efetivamente em publicar o *Livro Vermelho*, nunca deu os passos necessários. Em 1916 publicou por própria conta os *Septem Sermones ad Mortuos* (Sete sermões aos mortos), uma pequena obra que nasceu de seu confronto com o inconsciente. Mesmo seu ensaio de 1916 intitulado "A função transcendente", em que descrevia a técnica da imaginação ativa, não foi publicado antes de 1958. Existem diversas razões para o fato de ele não ter publicado o *Livro Vermelho*. Como ele próprio afirmou, o livro estava inacabado. Seu crescente interesse pela alquimia como tema de pesquisa desviou sua atenção. Num olhar retrospectivo, ele descreveu a exposição detalhada de suas fantasias no *Livro Vermelho* como uma necessária mas enfadonha "elaboração estetizante". Ainda em 1957, declarou que os *Livros Negros* e o *Livro Vermelho* eram registros autobiográficos que ele não queria publicados em suas Obras Completas, porque não tinham caráter erudito. Como concessão, permitiu que Aniela Jaffé citasse excertos do *Livro Vermelho* e dos *Livros Negros* em *Memórias, Sonhos, Reflexões* – possibilidade de que ela fez pouco uso.

Jung morreu em 1961. Seu espólio literário tornou-se propriedade de seus descendentes, que fundaram a Sociedade dos Herdeiros de C.G. Jung. A herança dos direitos literários de Jung trouxe uma obrigação e um desafio aos herdeiros: levar a cabo a publicação da edição alemã das Obras Completas. Em seu testamento Jung expressara o desejo de que o *Livro Vermelho* e os *Livros Negros* permanecessem com sua família, sem, contudo, dar instruções mais detalhadas. Já que o *Livro Vermelho* não se destinava a ser publicado nas Obras Completas, a Sociedade dos Herdeiros concluiu que este era o desejo final de Jung a respeito da obra, e que isto era uma questão inteiramente privada. A Sociedade dos Herdeiros guardou os escritos inéditos de Jung como um tesouro; não se pensou em publicações ulteriores. O *Livro Vermelho* permaneceu no gabinete de trabalho de Jung por mais de vinte anos, confiado aos cuidados de Franz Jung, que assumiu a casa do pai.

Em 1983, a Sociedade dos Herdeiros colocou o *Livro Vermelho* numa caixa-forte, sabendo que era um documento insubstituível. Em 1984, o recém-nomeado comitê executivo mandou fazer cinco reproduções fotográficas para uso da família. Pela primeira vez, os descendentes de Jung tinham a oportunidade de olhar o livro mais de perto. Este manuseio cuidadoso teve seus benefícios. O bom estado de conservação do *Livro Vermelho* deve-se, entre outras coisas, ao fato de que, durante décadas, só raramente foi aberto.

Quando, depois de 1990, a edição alemã das Obras Completas – uma *seleção* de obras – estava chegando ao fim, o comitê executivo decidiu começar a examinar todo o material inédito acessível com vistas a futuras publicações. Assumi essa tarefa porque, em 1994, a Sociedade dos Herdeiros colocou sobre meus ombros a responsabilidade pelas questões arquivísticas e editoriais. Verificou-se que havia todo um *corpus* de esboços e variantes relativos ao *Livro Vermelho*. Daí veio à tona que a parte que faltava do texto caligráfico existia na forma de esboço e que havia um manuscrito intitulado *Aprofundamentos*, que continuava onde o esboço terminava, contendo os *Sete sermões*. No entanto, se e como este material essencial poderia ser publicado permanecia uma questão aberta. À primeira vista, o estilo e o conteúdo pareciam ter pouco em comum com as outras obras de Jung. Muita coisa era obscura e, em meados da década de 1990, não havia sobrado ninguém que pudesse proporcionar informação de primeira mão sobre esses pontos.

Mas, desde o tempo de Jung, a *história* da psicologia viera adquirindo sempre maior importância e podia agora proporcionar uma nova abordagem. Enquanto trabalhava em outros projetos eu entrei em contato com Sonu Shamdasani. Em longas conversas discutimos a possibilidade de ulteriores publicações de Jung, tanto em termos gerais como no que diz respeito ao *Livro Vermelho*. O livro surgiu num contexto específico com o qual um leitor do século XXI já não está mais familiarizado. Mas um historiador da psicologia seria capaz de apresentá-lo ao leitor moderno como um documento histórico. Com a ajuda de fontes primárias, ele poderia encaixá-lo no contexto cultural de sua gênese, situá-lo na história da ciência e relacioná-lo com a vida e as obras de Jung. Em 1999, Sonu Shamdasani elaborou uma proposta de publicação seguindo esses princípios orientadores. Com base nesta proposta, a Sociedade dos Herdeiros decidiu na primavera de 2000 – não sem discussão – liberar o *Livro Vermelho* para publicação e confiar a Sonu Shamdasani a tarefa de editá-lo.

Perguntaram-me muitas vezes por que, após tantos anos, o *Livro Vermelho* está sendo agora publicado. Alguns novos critérios de nossa parte desempenharam um papel importante: o próprio Jung não considerou – como parecera – o *Livro Vermelho* um segredo. Em diversas ocasiões o texto contém a forma de tratamento "queridos amigos"; em outras palavras, é dirigido a um público. De fato, Jung deixou amigos próximos terem cópias de transcrições e discutiu-as com eles. Não rejeitou categoricamente uma publicação; simplesmente deixou a questão não resolvida. Além disso, o próprio Jung afirmou que tirou todo o material para suas obras posteriores de seu confronto com o inconsciente. Como registro desse confronto o *Livro Vermelho* ocupa, assim, para além da *esfera privada*, um lugar central nas *obras* de Jung. Essa maneira de ver permitiu à geração dos *netos* de Jung olhar para a situação sob uma nova luz. O processo de tomada de decisão levou tempo. Excertos exemplares, conceitos e informação ajudou-os a lidar de forma mais racional com um assunto emocionalmente carregado. Por fim, a Sociedade dos Herdeiros decidiu democraticamente que o *Livro Vermelho* podia ser publicado. Foi uma longa jornada desde essa decisão até a presente publicação. O resultado é impressionante. Esta edição não teria sido possível sem a cooperação de muitas pessoas que dedicaram sua habilidade e energia a um objetivo comum. Em nome dos descendentes de C.G. Jung eu gostaria de expressar meus sinceros agradecimentos a todos os colaboradores.

Abril de 2009
Ulrich Hoerni
Fundação para as Obras de C.G. Jung

ABREVIAÇÕES E NOTA SOBRE A PAGINAÇÃO

[IH] – Inicial historiada – uma letra inicial preenchida com uma representação em miniatura de uma figura individual ou de uma cena completa.

ILUSTRAÇÃO 000 – Indica o número da página em que a ilustração aparece nos *fac-símiles.*

Quando passagens são citadas nas notas a partir do *esboço corrigido*, palavras deletadas aparecem tachadas e palavras adicionadas estão entre colchetes.

[2] – "Camada dois", acrescentada no *esboço.*

{00} – Subdivisões adicionadas em citações longas para facilidade de referência.

BO – Borda ornamental.

BP – Bas de page.

AFJ – Arquivos da Família de Jung.

Analytical Psychology – C.G. Jung, *Analytical Psychlogy: Notes on the Seminar Given in 1925,* ed.
por William McGuire, Bollingen Series (Princeton: Bollingen Series, Princeton University Press, 1989).

CFB – Cary Baynes Papers, Contemporary Medical Archives, Wellcome Library, Londres.

Cartas – *Cartas de C.G. Jung*, sel. e ed. por Aniela Jaffé em colaboração com Gerhard Adler, trad. Edgar Orth (Petrópolis: Vozes. 1999, 2002, 2003), 3 vols.

JA – Coleção de Jung. Coleções de História das Ciências, Arquivos do Instituto Federal de Tecnologia da Suíça, Zurique.

Memórias, Sonhos e Reflexões, C.G. Jung/Aniela Jaffé, trad. Dora Ferreira da Silva. Apresentação de Sérgio Brito.
Rio de Janeiro: Nova Fronteira, 6. ed. 2006.

MP – Protocolos das entrevistas de Aniela Jaffé a C.G. Jung sobre *Memórias, Sonhos, Reflexões*,
Biblioteca do Congresso, Washington D.C. (original em alemão).

MPA – Minutas da Associação de Psicologia Analítica, Clube Psicológico, Zurique (original em alemão).

MSZ – Minutas da Sociedade Psicanalítica de Zurique, Clube Psicológico, Zurique (original em alemão).

OC – Obra Completa de C.G. Jung. Petrópolis: Vozes. 1978-2003. 18 vols.

Para facilitar mover-se entre o fac-símile e a tradução, foram usados os seguintes expedientes:

Na tradução do *Liber Primus*, os números no final da cabeça esquerda referem-se aos fólios do fac-símile. Por exemplo, fol. ii(v) / fol. iii(r) indica que o material da tradução é do fólio ii verso e fólio iii reto do fac-símile. A quebra de uma página a outra no fac-símile é indicada por uma barra vermelha / no texto da tradução e os números do fólio são divididos por uma barra vermelha nas margens da página.

No *Liber Secundus*, são usados números de página: 3 / 5 na cabeça refere-se às páginas 3 até 5 do fac-símile. Uma barra vermelha no texto e 3 / 4 na margem indicam uma quebra entre as páginas 3 e 4 do fac-símile.

Agradecimentos

Dado o grande número de exemplares inéditos em circulação, o *Livro Vermelho* acabaria, com toda probabilidade, sendo trazido a público em algum momento, de alguma forma. A seguir, eu gostaria de agradecer aos que tornaram possível realizar a presente edição histórica. Muitas pessoas colaboraram para torná-la possível, e cada uma delas contribuiu, a seu modo, para sua realização.

A antiga Sociedade de Herdeiros de C.G. Jung (dissolvida em 2008) decidiu, na primavera de 2000, após intensos debates, liberar a obra para publicação. Em nome da Sociedade de Herdeiros, Ulrich Hoerni, antes seu administrador e presidente e, atualmente, presidente de sua sucessora, a Fundação para as Obras de C.G. Jung, planejou o projeto com o apoio do comitê executivo. Wolfgang Baumann, presidente de 2000 a 2004, assinou, no outono de 2000, o acordo que tornou possível dar início aos trabalhos e que comprometeu a Sociedade de Herdeiros a assumir uma grande parte dos custos. A Fundação para as Obras de C.G. Jung gostaria de agradecer a Heinrich Zweifel, editor, de Zurique, pelos conselhos sobre questões técnicas na fase de planejamento; ao Fundo Donald Cooper, do Instituto Federal Suíço para Tecnologia, por uma doação significativa; a Rolf Auf der Maur pelo aconselhamento jurídico e assistência contratual; a Leo La Rosa e Peter Fritz pelas negociações contratuais.

Num momento crítico em 2003, o trabalho editorial recebeu apoio da Fundação Bogette e de um doador anônimo. A partir da 2004, o trabalho editorial foi apoiado pela Fundação Filêmon, organização criada com a única finalidade de levantar fundos para possibilitar que as obras inéditas de Jung vejam a luz do dia. Sob esse aspecto, sou muito grato a Stephen Martin. Sejam quais forem as imperfeições desta edição, o aparato editorial e a tradução não poderiam ter chegado ao presente nível sem o apoio do Corpo de Diretores da Fundação Filêmon: Tom Charlesworth, Gilda Frantz, Judith Harris, James Hollis, Stephen Martin e Eugene Taylor. A Fundação Filêmon gostaria de agradecer o apoio de seus doadores, particularmente Carolyn Grant Fay e Judith Harris, e doações significativas de Nancy Furlotti e Laurence de Rosen para a tradução inglesa.

Meu trabalho neste projeto não teria sido possível sem o apoio de Maggie Baron e Ximena Roelli de Angulo através de inúmeras tribulações. O trabalho começou e foi possibilitado pelas pesquisas sobre a história intelectual da obra de Jung, patrocinadas pela Wellcome Trust entre 1993 e 1998, pelo Institut für Grenzgebiete der Psychologie em 1999 e pela Solon Foundation entre 1998 e 2001. Ao longo de todo o projeto, o Wellcome Trust Centre for the History of Medicine da University College London (antigo Wellcome Institute for the History of Medicine) tem sido um ambiente ideal para minha pesquisa. Acordos de confidencialidade impediram-me de discutir meu trabalho neste projeto com meus amigos e colegas: agradeço-lhes a paciência ao longo dos últimos treze anos.

Entre o fim de 2000 e o início de 2003, a Sociedade de Herdeiros de C.G. Jung apoiou o trabalho editorial que iniciou o projeto. Ulrich Hoerni colaborou em alguns aspectos da pesquisa e fez uma transcrição corrigida do volume caligráfico. Susanne Hoerni transcreveu os *Livros Negros* de Jung. Foram feitas apresentações aos membros da família Jung em 1999, 2001 e 2003, cujos anfitriões foram Helene Hoerni Jung (1999, 2001) e Andreas e Vreni Jung (2003). Peter Jung forneceu aconselhamento durante as deliberações sobre a publicação e as primeiras fases do trabalho editorial. Andreas e Vreni Jung ajudaram durante incontáveis visitas para consultar livros e manuscritos na biblioteca de Jung, e Andreas Jung forneceu valiosíssimas informações a partir dos arquivos da família Jung.

A edição da Norton realizou-se graças a Nancy Furlotti, Larry e Sandra Vigon, que levaram a Jim Mairs da Norton, responsável pela edição fac-similar do moderno *Liber Novus, Dream* por Larry Vigon. Em Jim Mairs, a obra não podia ter encontrado um editor melhor. A programação visual e o *layout* da obra apresentaram numerosos desafios resolvidos primorosamente por Eric Baker, Larry Vigon e Amy Wu. Carol Rose foi incansável e sempre vigilante ao copiar-editar o texto. Austin O'Driscoll prestou ajuda constante. O volume caligráfico foi escaneado por Hugh Milstein e John Supra da Digital Fusion. O cuidado e precisão de seu trabalho (focando via sonar) enfrentou e igualou o cuidado de precisão da caligrafia de Jung numa notável fusão entre o antigo e o moderno. Dennis Savini pôs seu estúdio fotográfico à disposição para o escaneamento. Na Mondadori Printing, Sergio Brunelli, Nancy Freeman e seus colegas puseram todo o cuidado para assegurar que a obra fosse impressa segundo os mais altos padrões técnicos possíveis.

A partir de 2006, juntaram-se a mim no trabalho de tradução Mark Kyburz e John Peck – uma colaboração que foi um ensino privilegiado na arte da tradução. Nossas regulares reuniões de consulta proporcionaram a grata oportunidade de poder discutir o texto num nível microscópico, e o humor trouxe a tão necessária descontração à constante imersão no espírito das profundezas. Suas contribuições às etapas posteriores do trabalho editorial têm sido inestimáveis. John Peck descobriu diversas alusões importantes que estavam além dos meus conhecimentos.

Ximena Roelli de Angulo, Helene Hoerni Jung, Pierre Keller e o falecido Leonhard Schlegel trouxeram reminiscências decisivas da atmosfera reinante no círculo de Jung na década de 1920 e de personagens nela envolvidos. Leonhard Schlegel apresentou opiniões e avaliações críticas sobre o movimento Dadá e os conflitos entre arte e psicologia naquele período.

Erik Hornung forneceu conselhos a respeito de referências egiptológicas. Felix Walder prestou ajuda com um *close-up* digital da ilustração 155, Ulrich Hoerni decifrou suas minúsculas inscrições e Guy Attewell reconheceu a inscrição árabe. Ulrich Hoerni trouxe referências à Liturgia mitraica (nota 1, p. 370). David Oswald apontou o *Mutus Liber* como possível referente de Jung na nota 314 (p. 321). Thomas Feitknecht chamou minha atenção para os documentos de J.B. Lang e auxiliou-me no uso dos mesmos. Stephen Martin recuperou as cartas de Jung a J.B. Lang. Paul Bishop, Wendy Doniger, Rachel McDermott responderam a perguntas e dúvidas.

Gostaria de agradecer a Ernst Falzeder pela referência na nota 145 na p. 207 pela transcrição das cartas de Stockmayer para Jung e por corrigir extensivamente a tradução da introdução e das notas da edição alemã. Eu gostaria de agradecer à Fundação para as Obras de C.G. Jung e à agência literária Paul and Peter Fritz pela permissão de citar manuscritos e correspondências inéditos de Jung, e a Ximena Roelli de Angulo pela permissão de citar a correspondência e os diários de Cary Baynes.

A responsabilidade pela edição do texto, pela introdução e aparato crítico continua minha. Como o burro da página 231 (nota 29), estou contente por poder finalmente descarregar esta carga.

Sonu Shamdasani

O
LIVRO VERMELHO

Liber Primus

Der Weg des Kommenden

isaias dixit: quis credidit auditui nostro & brachium domini cui revelatum est? et ascendet sicut virgultum coram eo & sicut radix de terra sitienti. non est species ei neque decor & vidimus eum & non erat aspectus & desideravimus eum: despectum & novissimum virorum virum dolorum & scientem infirmitatem & quasi absconditus vultus eius & despectus unde nec reputavimus eum. vere languores nostros ipse tulit & dolores nostros ipse portavit & nos putavimus eum quasi leprosum & percussum a deo & humiliatum. cap. liii/i-iv.

parvulus enim natus est nobis & filius datus est nobis & factus est principatus super humerum eius & vocabitur nomen eius admirabilis consiliarius deus fortis pater futuri saeculi princeps pacis. caput IX. vi.

ioañes dixit: et verbum caro factum est & habitavit in nobis & vidimus gloriam eius gloriam quasi unigeniti a patre plenum[um] gratiae & veritatis. ioañ. cap. i/xiiii.

isaias dixit: laetabitur deserta & invia & exultabit solitudo & florebit quasi lilium. germinans germinabit & exultabit laetabunda & laudans. tunc aperientur oculi caecorum & aures surdorum patebunt. tunc saliet sicut cervus claudus & aperta erit lingua mutorum: quia scissae sunt in deserto aquae & torrentes in solitudine & quae erat arida erit in stagnum & sitiens in fontes aquarum. in cubilibus in quibus prius dracones habitabant orietur viror calami & iunci. & erit ibi semita & via sancta vocabitur. non transibit per eam pollutus & haec erit vobis directa via ita ut stulti non errent per eam. cap. xxxv. manu prop. scripsit a C. G. Jung año dñi mcmxv in dom. s. kusnach turic.

Wenn ich im Geiste dieser Zeit rede, so muß ich sagen: Niemand und nichts kann rechtfertigen, was ich euch verkünden muß. Rechtfertigung ist mir überflüßig, denn ich habe keine Wahl, sondern ich muß. Ich habe gelernt, daß außer dem Geiste dieser Zeit noch ein anderer Geist am Werke ist, nämlich jener, der die Tiefe alles Gegenwärtigen beherrscht.

Index Abbreviation.

v~ = und	ꝛ = ch	z' = zu
¯ = dupl.	kᵗ = keit	dˢ = des
~ = en	hᵗ = heit	ς = st
¬ = em	ꝯ = er	

Der Geist dieser Zeit möchte von Nutzen und Werth hören. Auch ich dachte so, und mein Menschliches denkt immer noch so. Aber jener andere Geist zwingt mich dennoch zu reden, jenseits von Rechtfertigung, Nutzen und Sinn. Erfüllt von menschlichem Stolze und verblendet vom vermessenen Geiste dieser Zeit suchte ich lange, jenen andern Geist von mir zu halten. Aber ich bedachte nicht, daß der Geist der Tiefe seit alters und in alle Zukunft hinaus die höhere Macht besitzt, als der Geist dieser Zeit, der mit den Generationen wechselt. Der Geist der Tiefe hat allen Stolz und allen Hochmuth der Urtheilskraft unterworfen. Er nahm den Glauben an die Wissenschaft von mir, er raubte mir die Freude des Erklärens und Einordnens, und er ließ die Hingabe an die Ideale dieser Zeit in mir erlöschen. Er zwang mich hinunter zu den letzten und einfachsten Dingen.

Der Geist der Tiefe nahm meinen Verstand und alle meine Kenntniße und stellte sie in den Dienst des Unerklärbaren und des Widersinnigen. Er raubte mir Sprache und Schrift für alles, das nicht im Dienste dieses einen stand, nämlich der Ineinanderschmelzung von Sinn und Widersinn, welche den Übersinn ergiebt.

Der Übersinn aber ist die Bahn, der Weg und die Brücke zum Kommenden. Das ist der kommende Gott. Nicht ist es der kommende Gott selbst, sondern sein Bild, das im Übersinn erscheint. Gott ist ein Bild, und die ihn anbeten, müssen ihn im Bilde des Übersinnes anbeten. Der Übersinn ist nicht ein Sinn und nicht ein Widersinn, er ist Bild und Kraft in einem, Herrlichkeit und Kraft zusammen. Der Übersinn ist Anfang und Ziel. Er ist Brücke und Hinübergehen und Erfüllung. Die andern Götter starben an ihrer Zeitlichkeit, doch der Übersinn stirbt nicht, er wandelt sich zu Sinn und dann zu Widersinn, und aus dem Feuer und dem Blute des Zusammenstoßes der beiden erhebt sich der Übersinn verjüngt aufs neue. Das Bild Gottes hat einen Schatten. Der Übersinn ist wirklich und wirft einen Schatten. Denn was könnte wirklich und körperlich sein und hätte keinen Schatten? Der Schatten ist der Unsinn. Er ist unkräftig und hat durch sich keinen Bestand. Aber der Unsinn ist der unzertrennliche und unsterbliche Bruder des Übersinnes. Wie die Pflanzen, so wachsen auch die Menschen, die einen im Lichte, die andern im Schatten. Es sind viele, die des Schattens bedürfen und nicht des Lichtes.

Das Bild Gottes wirft einen Schatten, der eben so groß wie es selber ist. Der Übersinn ist groß und klein, er ist weit wie der Raum des gestirnten Himmels und eng wie die Zelle des lebendigen Körpers.

Der Geist dieser Zeit in mir wollte wohl die Größe und Weite des Übersinnes anerkennen, nicht aber seine Kleinheit. Der Geist der Tiefe aber bezwang diesen Hochmuth und ich mußte das Kleine als ein Heilmittel der Unsterblichkeit in mich schlucken. Es verbrannte wohl meine Eingeweide, denn es war unrühmlich, unheroisch, es war sogar lächerlich und widerlich. Aber die Zange des Geistes der Tiefe hielt mich, und ich mußte den bittersten aller Tränke trinken. Der Geist dieser Zeit versuchte mich mit dem Gedanken, daß all dieß zum Schatthaften des Gottesbildes gehöre. Dieses wäre verderbliche Täuschung, denn der Schatten ist der Unsinn. Das Kleine, Enge, Alltägliche ist aber kein Unsinn, sondern der eine der beiden Essenzen der Gottheit. Ich sträubte anzuerkennen, daß das Alltägliche zum Bilde der Gottheit gehöre. Ich floh diesen Gedanken, ich verbarg mich davor hinter den höchsten und kältesten Gestirnen. Aber der Geist der Tiefe holte mich ein und zwang den bittern Trank zwischen meine Lippen. Der Geist dieser Zeit flüsterte mir ein: „Dieser Übersinn, dieses Gottesbild, diese Ineinanderschmelzung des Heißen und des Kalten, das bist du und nur du." Aber der Geist der Tiefe sprach zu mir: „~~Dieser Übersinn~~ Du bist ein Bild der unendlichen Welt, alle letzten Geheimniße des Werdens und Vergehens wohnen in dir. Wenn du nicht all dieß besäßest, wie könntest du erkennen?" Um meiner menschlichen Schwachheit willen gab mir der Geist der Tiefe dieses Wort. Auch dieses Wort ist überflüßig, denn ich rede nicht daraus, sondern weil ich muß. Weil mir der Geist die Freude und das Leben raubt, wenn ich nicht rede, darum rede ich. Ich bin der Knecht, der es bringt, und er weiß nicht, was er auf seiner Hand trägt. Es würde seine Hand verbrennen, wenn er es nicht hinlegte, wo ihm der Herr befahl, es hinzulegen.

Der Geist dieser Zeit sprach zu mir und sagte: Welche Noth könnte es sein, die dich zwänge, all dieses zu reden? Diese Versuchung war schlimm. Ich wollte nachdenken, welche innere oder äußere Noth mich dazu zwingen könnte, und weil ich keine begreifbare Noth fand, so war ich nahe daran, eine zu ersinnen. Damit aber hätte der Geist dieser Zeit beinahe bewirkt, daß ich, anstatt zu reden, über Gründe und Erklärung weiterdachte. Der Geist der Tiefe aber sprach zu mir und sagte: „Eine Sache verstehen ist Brücke und Möglichkeit der Rückkehr in die Bahn. Eine Sache erklären aber ist Willkür und bisweilen sogar Mord. Hast du die Mörder unter den Gelehrten gezählt?" Der Geist dieser Zeit aber trat zu mir und legte vor mich große Bücher, die all mein Wißen enthielten, ihre Blätter waren von Erz, und ein stählerner Griffel hatte unerbittliche Worte in sie eingegraben, und er wies auf jene unerbittlichen Worte und sprach zu mir und sagte: „Was du redest, das ist der Wahnsinn." Es ist wahr, es ist wahr, es ist die Größe und der Rausch und die Häßlichkeit des Wahnsinns, was ich rede. Der Geist der Tiefe aber trat zu mir und sprach: „Was du redest, ist. Die Größe ist, der Rausch ist, die würdelose, die kranke, die läppische Alltäglichkeit ist, sie rennt auf allen Straßen, wohnt in allen Häusern und regiert den Tag der ganzen Menschheit. Auch die ewigen Gestirne sind alltäglich. Sie ist die große Herrin und die eine Essenz der Gottheit. Man lacht über sie, auch das Lachen ist. Glaubst du, Mensch dieser Zeit, das Lachen sei geringer als das Anbeten? Wo sind deine Maße, Vermeßener? Die Summe des Lebens im Lachen und im Anbeten entscheidet, nicht dein Urtheil!" Ich muß auch das Lächerliche reden. Ihr kommenden Menschen! Ihr werdet den Übersinn daran erkennen, daß er Lachen und Anbetung ist, ein blutiges Lachen und eine blutige Anbetung. Das Opferblut bindet die Pole. Wer dieses weiß, lacht und betet an in gleichem Athem. Dann aber trat mein Menschliches vor mich und sprach: Welche Einsamkeit, welche Kälte der Verlaßenheit legst du auf mich, wenn du solches redest! Bedenke die Vernichtung des Seienden und die Blutströme des ungeheuern Opfers, das die Tiefe fordert. Der Geist der Tiefe aber sagte: „Niemand kann oder soll Opfer hindern. Opfer ist nicht Zerstörung, Opfer ist Grundstein des Kommenden. Habt ihr nicht Klöster gehabt? Sind nicht ungezählte Tausende in die Wüste gegangen? Ihr sollt Klöster in euch selber tragen. Die Wüste ist in euch. Die Wüste ruft euch und zieht euch zurück, und wenn ihr mit Eisen an die Welt dieser Zeit geschmiedet wäret, der Ruf der Wüste bricht alle Ketten. Wahrlich, ich bereite euch vor auf Einsamkeit." Dann schwieg mein Menschliches. Meinem Geistigen aber geschah etwas, das ich die Gnade nennen muß. Meine Sprache ist unvollkommen. Nicht weil ich mit Worten glänzen will, sondern aus Unvermögen jene Worte zu finden, rede ich in Bildern. Denn nicht anders vermag ich die Worte der Tiefe auszusprechen.

Die Gnade, die mir geschah, gab mir Glaube, Hoffnung, Wagemuth genug, dem Geiste der Tiefe nicht weiter zu widerstreben, sondern seine Worte zu reden. Bevor ich mich aber aufraffen konnte, es wirklich zu thun, bedurfte ich eines sichtbaren Zeichens, das mir zeigen sollte, daß der Geist der Tiefe in mir zugleich auch der Herr der Tiefe des Weltgeschehens ist.

Es geschah im October des Jahres 1913, als ich allein auf einer Reise begriffen war, daß ich unter Tags plötzlich von einem Gesicht befallen wurde: Ich sah eine ungeheure Sintfluth, die alle nördlichen und tiefgelegenen Länder zwischen der Nordsee und den Alpen bedeckte. Sie reichte von England bis nach Rußland und den Küsten der Nordsee bis fast zu den Alpen. Ich sah die gelben Wogen, die schwimmenden Trümmer und den Tod von ungezählten Tausenden. Dieses Gesicht währte an die zwei Stunden, es verwirrte mich und machte mir übel. Ich vermochte nicht, es zu deuten. Es vergiengen darauf zwei Wochen, dann kehrte das Gesicht wieder, noch heftiger als zuvor, und eine innere Stimme sprach: „Sieh es an, es ist ganz wirklich, und es wird so sein. Du kannst nicht daran zweifeln." Ich rang wiederum an die zwei Stunden mit diesem Gesicht, aber es hielt mich fest. Es ließ mich erschöpft und verwirrt. Und ich dachte, daß mein Geist krank geworden sei. Von da an kehrte die Angst vor dem ungeheuern Ereigniß, das unmittelbar vor uns stehen sollte, wieder. Einmal auch sah ich ein Meer von Bluth über den nördlichen Ländern.

Im Jahre 1914 im Monat Juni zu Anfang des Monats und im Ende und im Anfang des Monats Juli hatte ich zu dreien Malen denselben Traum: Ich war in einem fremden Lande, und plötzlich über Nacht und zwar in der Mitte des Sommers war eine unbegreifliche und ungeheure Kälte aus dem Weltraum hereingebrochen, alle Seen und Flüße waren zu Eis erstarrt, alles lebendig Grüne war erfroren. Der zweite Traum war diesem ganz ähnlich. Der dritte Traum im Anfang des Monat Juli aber war so: Ich war in einem fernen Englischen Lande. Es war nothwendig, daß ich mit einem schnellen Schiffe so rasch wie möglich nach der Heimath zurückkehrte. Ich gelangte rasch nach Hause. In der Heimath fand ich, daß mitten im Sommer eine ungeheure Kälte aus dem Weltraum hereingebrochen war, die alles Lebendige zu Eis hatte erstarren laßen. Da stand ein blättertragender, aber früchteloser Baum, dessen Blätter sich durch die Einwirkung des Frostes in süße Weinbeeren voll heilenden Saftes verwandelt hatten. Ich pflückte die Trauben und schenkte sie einer großen harrenden Menge.

In Wirklichkeit nun war es so: In der Zeit, in der der große Krieg zwischen den Völkern Europas ausbrach, befand ich mich in Schottland, gezwungen durch den Krieg, entschloß ich mich, mit dem schnellsten Schiff auf dem kürzesten Wege heimzukehren. Ich fand die ungeheure Kälte, die alles erstarren ließ, ich fand die Sintfluth, das Blutmeer, und fand meinen früchtelosen Baum, dessen Blätter der Frost in das Heilmittel verwandelt hatte. Und ich pflücke die reifen Früchte und gebe sie euch und weiß nicht, was ich euch schenke, welchen bittersüßen Rauschtrank, der einen Blutgeschmack auf eurer Zunge hinterläßt.

Glaubt mir: Es ist keine Lehre und keine Belehrung, die ich euch gebe. Woher sollte ich nehmen, euch zu belehren? Ich gebe euch Kunde vom Wege dieses Menschen, von seinem Wege, aber nicht von eurem Wege. Mein Weg ist nicht euer Weg, also kann ich euch nicht lehren. der weg ist in uns, aber nicht in göttern noch in lehren noch in gesetzen. in uns ist der weg, die wahrheit und das leben. wehe denen, die nach beispielen leben: das leben ist nicht mit ihnen. wenn ihr nach einem beispiele lebt, so lebt ihr das leben des beispieles, aber wer soll euer leben leben, wenn ihr nicht selber? also lebt euch selber: die wegweiser sind gefallen, unbestimmte pfade liegen vor uns. seid nicht gierig, die früchte fremder felder zu verschlucken. wisst ihr nicht, dass ihr selber der fruchtbare acker seid, der alles trägt, was euch frommt? doch wer weiß es heute? wer kennt den weg zum ewig fruchtbaren gefilde der seele? ihr sucht den weg durch äußeres, ihr leset bücher und höret die meinungen. was soll es nützen? es gibt nur einen weg und das ist euer weg. ihr sucht den weg? ich warne euch vor meinem wege. er kann euch irrweg sein. ein jeder gehe seinen weg. ich will euch kein heiland, kein gesetzgeber, kein erzieher sein. ihr seid doch keine kinder mehr. das gesetzgeben, das bessern wollen, das leichtermachen ist zum irrthum und übel geworden. ein jeder suche seinen weg. der weg führt zu wechselseitiger liebe in der gemeinschaft. die menschen werden die ähnlichkeit und gemeinsamkeit ihrer wege sehen und fühlen. gemeinsame gesetze und lehren nöthigen den menschen zum einzelsein, damit er dem drucke ungewollter gemeinschaft entrinne, das einzelsein aber macht den menschen feindselig und giftig. also gebet dem menschen die würde und lasset ihn einzeln sein, damit er seine gemeinschaft finde und sie liebe. gewalt steht gegen gewalt, verachtung gegen verachtung, liebe gegen liebe. gebet der menschheit die würde und vertrauet, dass das leben den besseren weg findet. das eine auge der gottheit ist blind, das eine ohr der gottheit ist taub, ihre ordnung ist durchkreuzt von

also seid geduldig mit der krüppelhaftigkeit der welt und überschätzt nicht ihre vollkommene schönheit.

Die wiederfindung der seele. cap. i.

Als ich im october des jahres 1913 das gesicht der sintfluth hatte, geschah dies in einer zeit, die für als menschen bedeutsam war. ich hatte damals in meinem vierzigsten lebensjahre alles erreicht, was ich mir je gewünscht habe. ich habe ruhm, macht, reichthum, wissen und jedes menschliche glück erreicht. da hörte mein begehren nach vermehrung dieser güter auf, das begehren trat in mir zurück und das grauen kam über mich. das gesicht der sintfluth erfasste mich und ich fühlte den geist der tiefe, aber ich verstand ihn nicht. er aber zwang mich mit unerträglicher innerer sehnsucht und ich sprach: meine seele, wo bist du? hörst du mich? ich spreche, ich rufe dich, bist du da? ich bin wiedergekehrt, ich bin wieder da, ich habe aller länder staub von meinen füßen geschüttelt und bin zu dir gekommen, ich bin bei dir, nach langen jahren langer wanderschaft bin ich wiederum zu dir gekommen. soll ich dir erzählen, was ich alles geschaut, erlebt, in mich getrunken habe? oder willst du nichts hören von all jenem geräuschvollen des lebens und der welt? aber eins musst du wissen: das eine habe ich gelernt, dass man nämlich dieses leben leben muss. dieses leben ist der weg, der längst gesuchte weg zum unfassbaren, das wir göttlich nennen. es giebt keinen andern weg, alle andern wege sind irrpfade. ich fand den rechten weg, er führte mich zu dir, zu meiner seele. ich kehre wieder, ausgeglüht und gereinigt. kennst du mich noch? wie lange währte die trennung! alles ist so anders geworden. und wie fand ich dich? wie wunderlich war meine fahrt! mit welchen worten soll ich dir beschreiben, auf was für verschlungenen pfaden mich ein guter stern zu dir geleitete? gieb mir deine hand, meine fast vergessene seele. welche wärme der freude, dich wiederzusehen, dich lange verleugnete seele. das leben hat mich dir wieder zugeführt. wir wollen dem leben danken, dass ich gelebt habe, für alle heitern und für alle traurigen stunden, für jegliche freude und für jeglichen schmerz. meine seele, mit dir soll meine reise weitergehen. mit dir will ich wandern und aufsteigen zu meiner einsamkeit. dieses zwang mich der geist der tiefe zu sprechen und zugleich zu erleben, gegen mich selber, denn ich erwartete es nicht. ich war damals noch ganz befangen im geiste dieser zeit und dachte anders von der menschlichen seele. ich dachte und sprach viel von der seele, ich wusste viele gelehrte worte über sie, ich habe sie beurtheilt und einen gegenstand der wissenschaft aus ihr gemacht. ich bedachte nicht, dass meine seele nicht der gegenstand meines urtheilens und wissens sein kann, vielmehr ist mein urtheilen und wissen gegenstand meiner seele. darum zwang mich der geist der tiefe, zu meiner seele zu reden, sie anzurufen als ein lebendiges und in sich selber bestehendes wesen. ich musste inne werden, dass ich meine seele verloren hatte.

Daraus lernen wir, was der geist der tiefe von der seele hält: er sieht sie an als ein in sich selber bestehendes lebendiges wesen, und damit widerspricht er dem geiste dieser zeit, dem die seele eine vom menschen abhängige sache ist, die sich beurtheilen und einordnen lässt und deren umfang wir begreifen können. ich habe einsehen müssen, dass das, was ich zuvor meine seele genannt habe, gar nicht meine seele gewesen ist, sondern ein todtes lehrgebäude. ich musste daher zu meiner seele sprechen als zu etwas fernem und unbekanntem, das nicht durch mich besteht, sondern durch das ich bestand habe. wessen begehren sich also von den äußern dingen abwendet, der gelangt an den ort der seele. findet er die seele nicht, so wird ihn das grauen der leere befallen, und die angst wird ihn mit vielfach geschwungener geißel hinaustreiben in ein verzweifeltes streben und in ein blindes begehren nach den hohlen dingen dieser welt. er wird zum narren seines endlosen begehrens, und verliert sich von seiner seele weg, um sie nie wieder zu finden. er wird hinter allen dingen rennen, er wird sie alle an sich reißen, nicht aber seine seele finden, denn er fände sie nur in sich. wohl lag seine seele in den dingen und in den menschen, aber der blinde ergreift die dinge und die menschen, nicht aber seine seele in den dingen und in den menschen. er weiß nichts von seiner seele. wie könnte er sie unterscheiden von den menschen und den dingen? er fände wohl seine seele im begehren selber, nicht aber in den gegenständen des begehrens. besäße er sein begehren, nicht aber sein begehren ihn, so hätte er eine hand auf seine seele gelegt, denn sein begehren ist bild und ausdruck seiner seele. besitzen wir das bild eines dinges, so besitzen wir die hälfte des dinges. das bild der welt ist die hälfte der welt. wer die welt besitzt, nicht aber ihr bild, besitzt nur die hälfte der welt, denn seine seele ist arm und besitzlos. der reichthum der seele besteht aus bildern. wer das bild der welt besitzt, besitzt die hälfte der welt, auch wenn sein menschliches arm und besitzlos ist. der hunger aber macht die seele zur bestie, die unzuträgliches verschlingt und sich daran vergiftet. meine freunde, es ist weise, die seele zu nähren, sonst züchtet ihr drachen und teufel in euerm herzen.

Seele & gott. cap. ii.

In der zweiten nacht rief ich meine seele an: ich bin müde, meine seele, zu lange dauerte mein wandern, mein suchen nach mir außer mir. nun bin ich durch die dinge gegangen und fand dich hinter allerlei. aber ich entdeckte auf meiner irrfahrt durch die dinge menschheit und welt. ich habe menschen gefunden. und dich, meine seele, fand ich wieder, zuerst im bilde im menschen und dann dich selber. ich fand dich dort, wo ich dich am wenigsten erwartete. dort stiegst du mir aus dunkelm schachte empor. du hattest dich mir im voraus angekündigt in träumen, sie brannten in meinem herzen und trieben mich zu allen kühnsten und verwegensten und zwangen mich über mich selber emporzusteigen. du ließest mich wahrheiten sehen, von ich früher nichts ahnte. du ließest mich wege zurücklegen, deren endlose länge mich geschreckt hätte, wenn nicht das wissen um sie in dir geborgen gewesen wäre. ich wanderte viele jahre, so lange, bis ich vergaß, dass ich eine seele besitze. wo warest du in all der zeit? welches jenseits barg dich und gab dir eine stätte? oh dass du durch mich sprechen musst, dass meine sprache und ich dir symbol und ausdruck sind! wie soll ich dich enträtseln? wer bist du kind? als kind, als mädchen haben meine träume dich dargestellt, ich weiß nichts von deinem geheimniss. verzeih, wenn ich wie im traume rede, wie ein trunkener, bist du gott? ist gott ein kind, ein mädchen? vergieb, wenn ich verwirrtes rede. niemand hört mich. ich rede still mit dir, und du weißt, dass ich kein trunkener, kein verwirrter bin, und dass mein herz sich in schmerzen windet unter der wunde, aus der die finsterniss hohnrede führt: du lügst dir etwas vor. du sprichst so, um andern etwas vorzugaukeln und um andere glauben zu machen. du willst prophet sein und rennst deinem ehrgeiz nach. die wunde blutet noch und ich bin ferne davon, die eigene spottrede überhören zu können. wie wunderlich klingt es mir, dich kind zu nennen, die du unendlichkeiten in deiner hand hältst. ich gieng auf dem wege des tages, und du giengest unsichtbar mit mir, sinnvoll stück zum stücke fügend, und ließest mich in jedem stücke ein ganzes sehen. du nahmest, wo ich festzuhalten gedachte, und du gabest mir, wo ich nichts erwartete, und immer wieder von neuen und unerwarteten seiten führtest du schicksale herbei. wo ich säete, raubtest du mir die ernte, und wo ich nicht säete, gabst du mir hundertfältige frucht. und immer wieder verlor ich den pfad, um ihn da wiederzufinden, wo ich ihn nie erwartet hätte. du hieltest meinen glauben, wo ich allein und der verzweiflung nahe war. du ließest in allen entscheidenden augenblicken mich an mich selber glauben. wie ein müder wanderer, der nichts gesucht hat in der welt außer ihr, soll ich zu meiner seele treten. ich soll lernen, dass hinter allem zuletzt meine seele liegt, und wenn ich die welt durchmesse, so geschieht es am ende, um meine seele zu finden. selbst auch die theuersten menschen sind nicht ziel und ende der suchenden liebe, sie sind symbole der eigenen seele. meine freunde, errathet ihr, zu welcher einsamkeit wir emporsteigen? ich habe zu lernen, dass der abschaum meines denkens, meine träume, die sprache meiner seele sind. ich muss sie in meinem herzen tragen und in meinem sinne hin und wiederbewegen, wie die worte des theuersten menschen. die träume sind die leitenden worte der seele. wie sollte ich daher meine träume nicht lieben und ihre räthselvollen bilder nicht zum gegenstand meiner täglichen betrachtung machen? du meinst, der traum sei thöricht und unschön. was ist schön? was ist unschön? was ist klug? was ist thöricht? der geist dieser zeit ist dein maß, der geist der tiefe aber überragt ihn an beiden enden. nur der geist dieser zeit kennt den unterschied zwischen groß und klein. dieser unterschied ist aber hinfällig, wie der geist, der ihn erkennt.

der Geist der Tiefe lehrte mich, sogar mein Tun und mein Entschließen als in Abhängigkeit von den Träumen zu betrachten. Die Träume bereiten das Leben vor und sie bestimmen dich, ohne daß du ihre Sprache verstehst. Man möchte diese Sprache lernen, aber wer vermag sie zu lehren und zu lernen? Denn Gelehrsamkeit allein genügt nicht; es giebt ein Wissen des Herzens, das tiefere Aufschlüsse giebt. Das Wissen des Herzens ist in keinem Buche und in keines Lehrers Munde zu finden, sondern es wächst aus dir, wie das grüne Korn aus schwarzer Erde. Gelehrsamkeit gehört zum Geiste dieser Zeit, dieser Geist aber erfaßt den Traum keineswegs, denn die Seele ist überall, wo das gelehrte Wissen nicht ist. Wie aber kann ich das Wissen des Herzens erlangen? Du kannst dieses Wissen nur dadurch erlangen, daß du dein Leben völlig lebst. Du lebst dein Leben völlig, wenn du auch das lebst, was du noch nie gelebt, sondern nur andern zu leben oder zu denken überlassen hast. Du wirst sagen: ich kann doch nicht all das leben oder denken, was andere leben und denken. Du sollst aber sagen: das Leben, das ich noch leben könnte, sollte ich leben, und das Denken, das ich noch denken könnte, sollte ich denken. Du willst dir wohl selber entfliehen, um das bisher nicht gelebte nicht gelebte nicht leben zu müssen. Du kannst dir aber nicht entfliehen. Es ist allezeit mit dir und verlangt Erfüllung. Wenn du dich blind und taub gegen dieses Verlangen stellst, so stellst du dich blind und taub gegen dich selber, so wirst du das Wissen des Herzens nie erreichen. Das Wissen des Herzens ist, wie dein Herz ist. Aus einem argen Herzen erkennst du Arges. Aus einem guten Herzen erkennst du Gutes. Damit eure Erkenntniß vollkommen sei, bedenket, daß euer Herz beides ist, gut und böse. Du fragst: „Wie? Soll ich auch das Böse leben?" Der Geist der Tiefe verlangt: das Leben, das du noch leben könntest, solltest du leben. Das Wohl entscheidet, nicht dein Wohl, nicht das Wohl der Andern, sondern das Wohl. Das Wohl ist zwischen mir und den Andern, in der Gemeinschaft. Auch ich lebte, was ich zuvor nicht that und was ich noch thun konnte. Ich lebte in die Tiefe, und die Tiefe fieng an zu reden. Die Tiefe lehrte mich die andere Wahrheit. Also fügte sich in mir zusammen Sinn und Widersinn. Ich mußte erkennen, daß ich nur Ausdruck und Symbol der Seele bin. Im Sinne des Geistes der Tiefe bin ich als der ich bin in dieser sichtbaren Welt, ein Symbol meiner Seele, und bin ganz Knecht, ganz Unterworfenheit, ganz Gehorsam. Der Geist der Tiefe lehrte mich zu sagen: „Ich bin der Diener eines Kindes". Ich lernte durch dieses Wort vorallem die äußerste Demuth, als das, was mir am meisten noththut. Der Geist dieser Zeit nämlich ließ mich an meine Vernunft glauben, er ließ mich ein Bild meiner selbst sehen, als eines Führers mit reifen Gedanken. Der Geist der Tiefe aber lehrte mich, daß ich ein Diener bin und zwar der Diener eines Kindes. Dieses Wort widerstrebte mir und ich haßte es. Ich mußte aber erkennen und annehmen, daß meine Seele ein Kind ist und daß mein Gott in meiner Seele ein Kind ist.

Seid ihr Knaben, so ist euer Gott ein Weib. Seid ihr Weiber, so ist euer Gott ein Knabe. Seid ihr Männer, so ist euer Gott ein Mädchen. Der Gott ist, wo ihr nicht seid. Also: es ist weise, daß man einen Gott hat, das dient zu eurer Vollkommenheit. Ein Mädchen ist gebärende Zukunft. Ein Knabe ist zeugende Zukunft. Ein Weib ist: geboren haben. Ein Mann ist: gezeugt haben. Also: seid ihr als gegenwärtige Wesen Kinder, so wird euer Gott von der Höhe der Reife hinuntersteigen zu Alter und Tod. Seid ihr aber erwachsene Wesen, die gezeugt oder geboren haben, sei es im Körper oder im Geiste, so steigt euer Gott empor aus strahlender Wiege zur unermeßlichen Höhe der Zukunft, zur Reife und Fülle der kommenden Zeit. Wer sein Leben noch vor sich hat, ist ein Kind. Wer sein Leben gegenwärtig lebt, ist erwachsen. Wenn ihr also all das lebt, was ihr leben könnt, so seid ihr erwachsen. Wer in dieser Zeit ein Kind ist, dem stirbt der Gott. Wer in dieser Zeit erwachsen ist, dem lebt der Gott fort. Dieses Geheimniß lehrt der Geist der Tiefe.

Wohl und wehe dem, der Gott erwachsen ist! Wohl und wehe dem, dem Gott ein Kind ist! Was ist besser, daß der Mensch Leben vor sich habe oder daß der Gott Leben vor sich habe? Ich weiß keine Antwort. Lebet, das Unvermeidliche entscheidet. Der Geist der Tiefe lehrte mich, daß mein Leben umschlossen ist vom göttlichen Kinde. Aus seiner Hand kam mir alles Unerwartete, alles Lebendige. Dieses Kind ist es, was ich als ewig quellende Jugend in mir fühle. Im kindischen Menschen fühlst du hoffnungslose Vergänglichkeit. All das, was du vergehen sahest, ist für ihn noch das Kommende. Seine Zukunft ist voll Vergänglichkeit. Die Vergänglichkeit deiner kommenden Dinge aber hat noch nie ein menschlicher Sinn erfahren. Dein Weiterleben ist Hinüberleben. Du zeugst und gebärst das Kommende, du bist fruchtbar, du lebst hinüber. Das Kindische ist unfruchtbar, sein Kommendes ist das schon Gezeugte und schon Wiederverwelkte. Es lebt nicht hinüber.

Mein Gott ist ein Kind, also wundert euch nicht, daß der Geist dieser Zeit in mir sich empörte zu Spott und Hohngelächter. Es wird keiner mich so verlachen, wie ich mich verlachte. Nicht soll euer Gott ein Mann des Spottes sein, sondern ihr selber werdet Männer des Spottes sein. Ihr sollt euch selber verspotten und darüber emporsteigen können. Habt ihr das noch nicht gelernt aus den alten heiligen Büchern? So gebet hin, trinket das Blut und esset den Leib des Verspotteten und um unserer Sünde willen Gequälten, daß ihr ganz zu seiner Natur werdet, leugnet sein Außereuchsein, ihr sollt ihn selber sein, nicht Christiani, sondern Christi, sonst taugt ihr nicht für den kommenden Gott. Sollte einer unter euch sein, der glaubt, er könne sich den Weg ersparen? Er könne sich neben der Qual des Christus durchbetrügen? Ich sage: ein solcher betrügt sich zu seinem eigenen Schaden. Er bettet sich auf Stacheln und Feuer. Der Weg des Christus kann niemandem erspart werden, denn dieser Weg führt zum Kommenden. Ihr sollt alle zu Christi werden. Ihr überwindet die alte Lehre nicht dadurch, daß ihr weniger, sondern daß ihr mehr thut. Jeder Schritt näher zu meiner Seele erregte das Hohngelächter meiner Teufel, jener feigen Ohrenbläser und Giftmischer. Es war ihnen leicht zu lachen, denn ich hatte Wunderliches zu thun.

Über den Dienst der Seele. Cap. iii

In der folgenden Nacht mußte ich alle Träume, deren ich mich entsinnen konnte, getreu ihrem Wortlaut aufschreiben. Der Sinn dieses Thuns war mir dunkel. Warum all dies? Vergieb den Lärm, der sich in mir erhebt. Aber du willst, daß ich solches thue. Was für wunderliche Dinge kommen an mich? Ich weiß zuviel, um nicht zu sehen, auf was für schwankenden Brücken ich gehe. Wohin führst du? Vergieb meine von Wissen übervolle Bangigkeit, mein Fuß zögert, dir zu folgen. In welche Nebel und Dunkelheiten führt dein Pfad? Muß ich auch den Sinn missen lernen? Wenn du es verlangst, so sei es. Diese Stunde gehört dir. Was ist, wo kein Sinn ist? Nur Unsinn oder Wahnsinn, so scheint mir. Giebt es auch einen Übersinn? Ist das dein Sinn, meine Seele? Ich hinke dir nach auf Verstandeskrücken. Ich bin ein Mensch und du schreitest wie ein Gott. Welche Qual! Ich muß zu mir zurück, zu meinen kleinsten Dingen. Ich sah die Dinge meiner Seele klein, erbärmlich klein. Du zwingst mich, sie groß zu sehen, sie groß zu machen. Ist das deine Absicht? Ich folge, aber mir graut es. Höre meine Zweifel, sonst kann ich nicht folgen, denn dein Sinn ist ein Übersinn und deine Schritte sind eines Gottes Schritte. Ich verstehe, ich soll auch nicht denken, auch das Denken soll nicht mehr sein. Ich soll mich ganz in deine Hand geben, aber wer bist du? Ich vertraue dir nicht. Nicht einmal vertrauen? Ist das meine Liebe zu dir, meine Freude an dir? Vertraue ich nicht jedem wackern Manne und dir nicht, meine Seele? Deine Hand liegt schwer auf mir, aber ich will, ich will. Habe ich nicht versucht, Menschen zu lieben und ihnen zu vertrauen, und soll es dir nicht thun? Vergiß meinen Zweifel, ich weiß, es ist unschön, an dir zu zweifeln. Du weißt, wie schwer ich den Bettelstolz auf eigene Denken lassen kann. Ich vergaß, daß auch du zu meinen Freunden gehörst und das erste Recht auf mein Vertrauen hast. Was ich jenen gebe, soll dir nicht gehören? Ich anerkenne meine Ungerechtigkeit. Ich verachtete dich, wie mir scheint. Meine Freude, dich wiederzufinden, war unecht. Ich erkenne, daß auch das Hohngelächter in mir recht hatte. Ich muß dich lieben lernen. Auch die Selbstbeurtheilung soll ich lassen? Ich fürchte mich. Da sprach die Seele zu mir und sagte: „Diese Angst zeugt gegen mich." Es ist wahr, sie zeugt gegen dich, sie tötet das heilige Vertrauen zwischen dir und mir.

Welche Härte des Schicksals! Wenn ihr zu eurer Seele tretet, werdet ihr als erstes den Sinn missen. Ihr glaubt, daß ihr in das Sinnlose versinket, in das ewig Ungeordnete. Ihr habt recht! Nichts errettet euch vor dem Ungeordneten und Sinnlosen, denn dieses ist die andere Hälfte der Welt. Euer Gott ist ein Kind, sofern ihr nicht kindisch seid. Ist Kind Ordnung, Sinn? Oder Unordnung, Laune? Unordnung und Sinnlosigkeit sind die Mütter von Ordnung und Sinn. Ordnung und Sinn sind Gewordenes und nicht Werdendes. Ihr öffnet die Pforte der Seele, um in euere Ordnung und euern Sinn die dunkeln Ströme des Chaos hereinfließen zu lassen. Vermählt dem Geordneten das Chaos und ihr erzeugt das göttliche Kind, den Übersinn jenseits von Sinn und Widersinn. Ihr fürchtet euch, das Thor zu öffnen? Auch ich fürchtete mich, denn wir haben vergessen, daß der Gott furchtbar ist. Der Christus lehrte: Gott ist die Liebe. Ihr sollt aber wissen, daß die Liebe auch furchtbar ist. Ich sprach zu einer liebenden Seele, und als ich näher zu ihr trat, befiel mich das Grauen und ich thürmte einen Wall von Zweifeln auf und ahnte nicht, daß ich mich damit vor meiner furchtbaren Seele schützen wollte. Es graut euch vor der Tiefe, es soll euch grauen, denn darüber führt der Weg des Kommenden. Du mußt die Versuchung der Angst und des Zweifels bestehen und dabei bis aufs Blut einsehen, daß deine Angst berechtigt und dein Zweifel vernünftig ist. Wie wär es sonst eine wahrhafte versuchung und eine wahrhafte überwindung? der christ überwindet wohl die versuchungen des teufels / nicht aber die versuchungen gottes zum guten und vernünftigen. der christ unterliegt also der versuchung. das habt ihr noch zu lernen / keiner versuchung zu unterliegen / sondern alles freiwillig zu thun / dann seid ihr frei und jenseits des christenthums. ich mußte erkennen / daß ich mehr dem / das ich fürchtete / zu unterliegen habe / ja noch mehr / daß ich das / wovor mir graute / sogar lieben muß. solches müssen wir von jenen heiligen lernen / die / als es ihr vor dem pestkranken ekelte / den eiter der pestbeulen tranken und gewahr wurden / daß er wie rosen duftete. die tat der heiligen war nicht umsonst. du bist in jeglichen dingen / das deine erlösung und die erlangung der gnade betrifft / von deiner seele abhängig. es kann dir daher kein opfer zu schwer sein. hindern dich deine tugenden an der erlösung / lege sie ab / denn sie sind dir zum übel geworden. der tugendsklave findet den weg ebensowenig wie der lastersklave. glaubst du / du seiest herr deiner seele / dann werde zu ihrem diener / warst du ihr diener / so ergreife die herrschaft über sie / denn dann bedarf sie der beherrschung. dieses seien deine ersten schritte.

Während 6 nächten nunmehr schwieg der geist der tiefe in mir / denn ich schwankte zwischen furcht / trotz und ekel und war ganz die beute meiner leidenschaft. ich konnte und wollte nicht hinhören nach der tiefe. in der siebenten nacht aber sprach der geist der tiefe zu mir: „schaue in deine tiefe / bete zu deiner tiefe / wecke die toten auf." aber ich stand hilflos und wußte nicht / was ich thun sollte. ich schaute in mich selbst und das einzige / was ich in mir fand / war die erinnerung an frühere träume / die ich alle aufschrieb / nicht wissend / wozu das gut wäre. ich wollte alles wegwerfen und zurückkehren zum licht des tages. aber der geist hielt mich und zwang mich zurück in mich selbst.

ie wüste. cap. iii.

ii. nacht. meine seele führt mich in die wüste / in die wüste meines eigenen selbst. ich dachte nicht / daß mein selbst eine wüste ist / eine dürre heiße wüste / staubig und ohne trank. die reise führt durch heißen sand / langsam watend / ohne sichtbares ziel auf hoffnung? wie schaurig ist diese oede. mir scheint / der weg führe so weit weg von menschen. ich gehe meinen weg schritt für schritt und weiß nicht / wie lange meine reise währen wird. warum ist mein selbst eine wüste? habe ich zu sehr außen in menschen und dingen gelebt? warum mied ich mein selbst? war ich mir nicht theuer? aber ich habe den ort meiner seele gemieden. ich war meine gedanken / nachdem ich nicht mehr die dinge und die andern menschen selbst war. ich war aber nicht mein selbst / meinen gedanken gegenüber gesetzt. ich sollte aber über meine gedanken emporsteigen zu meinem eigenen selbst. dahin geht meine reise und darum führt sie weg von menschen und dingen in die einsamkeit. ist das einsamkeit / mit sich selbst zu sein? einsamkeit wohl nur dann / wenn das selbst eine wüste ist. soll ich auch die wüste einen garten machen? soll ich ein ödes land bevölkern? soll ich den luftigen zaubergarten der wüste öffnen? was führt mich in die wüste und was soll ich da? ist es eine täuschung / die meinen denken nicht zutrauen kann? wahrlich nur das leben führt mich in die wüste / wahrlich nicht mein denken / das zu gedanken / zu menschen / zu dingen zurückkehren möchte / denn es ist ihm unheimlich in der wüste. meine seele / was soll ich hier? meine seele aber sprach zu mir und sagte: „warte." ich hörte das grausame wort. zur wüste gehört die qual.

Dadurch / daß ich meiner seele alles gab / was ich geben konnte / kam ich an den ort der seele und fand / daß dieser ort eine heiße wüste war / öde und unfruchtbar. keine geisteskultur genügt / um aus der seele einen garten zu machen. ich hatte meinen geist gepflegt / den geist dieser zeit in mir / nicht aber jenen geist der tiefe / der sich zu den dingen der seele / der seelenwelt wendet. die seele hat ihre eigenthümliche welt. darein tritt nur das selbst ein oder der mensch / der ganz sein selbst geworden ist / der also weder in den dingen noch in den menschen noch in seinen gedanken ist. durch die abwendung meines begehrens von den dingen und menschen habe ich mein selbst von den dingen und menschen abgewendet / aber eben dadurch wurde ich die sichere beute meiner gedanken / ja ich wurde ganz zu meinen gedanken. auch von meinen gedanken mußte ich mich absondern / dadurch daß ich mein begehren von ihnen wegwandte. und alsbald merkte ich / daß mein selbst zur wüste wurde / wo einzig die sonne ungestillten begehrens brannte. ich war überwältigt von der unendlichen unfruchtbarkeit dieser wüste. wie auch hätte dort etwas gedeihen können / fehlte doch die schöpferkraft des begehrens. wo immer die schöpferkraft des begehrens ist / da entsprießt der boden die ihm eigenthümliche saat. aber vergiß nicht zu warten. sahest du nicht / als deine schöpferkraft sich zur welt wandte / wie sich unter ihr und durch sie die toten dinge bewegten / wie sie wuchsen und gediehen und wie deine gedanken in reichen flüssen strömten? wenn sich nun deine schöpferkraft den orte der seele zuwendet / so wirst du sehen / wie deine seele ergrünt / und wie ihr acker wundersame frucht trägt. keiner wird sich das warten / und die meisten werden diese qual nicht ertragen können / sondern mit gier werden sie sich auf die dinge / menschen und gedanken zurückwerfen / deren sklaven sie von da an werden. denn dann hat es sich klar erwiesen / daß dieser mensch unfähig ist / jenseits von dingen / menschen und gedanken auszuharren / und darum werden sie zu seinen herren / und er wird ihr narr / denn er kann ohne sie nicht sein / nicht einmal so lange / bis seine seele zum fruchtbaren felde geworden ist. auch der / dessen seele ein garten ist / bedarf der dinge / menschen und gedanken / aber er ist ihr freund und nicht ihr sklave und narr. Alles zukünftige war schon im bilde: um ihre seele zu finden / giengen die alten in die wüste. dieses ist ein bild. die alten lebten ihre symbole / denn noch war ihnen die welt nicht wirklich geworden. darum giengen sie in die einsamkeit der wüste / um uns zu lehren / daß der ort der seele eine einsame wüste ist. dort fanden sie die fülle der gesichte / die früchte der wüste / die wundersamen blumen der seele. denke fleißig den bildern nach / die uns die alten hinterlassen haben. sie weisen den weg des kommenden. schaue zurück auf den zusammenbruch der reiche / auf wachsthum und tod / auf wüste und klöster / sie sind die bilder des kommenden. alles ist vorhergesagt. wer aber weiß es zu deuten? Wenn du sagst / der ort der seele ist nicht / dann ist er nicht. wenn du aber sagst / daß er sei / dann ist er. merke / was die alten im bilde sagten: das wort ist schöpferthat. die alten sagten: im anfang war das wort. betrachte dieses und denke ihm nach. Die worte / die zwischen unsinn und übersinn schwanken / sind die ältesten und wahrsten.

rfahrung in der wüste.

Nach hartem kampf bin ich dir um ein stück weges näher gekommen. wie hart war dieser kampf! ich bin in ein gestrüpp von zweifeln verwirrung und hohnlachen gefallen. ich erkenne / daß ich einsam sein muß mit meiner seele. ich komme mit leeren händen zu dir meine seele. was willst du hören? die seele aber sprach zu mir und sagte: „wenn du zu einem freunde kommst / wirst du kommen / um zu nehmen?" ich weiß / es sollte wohl nicht so sein / aber es scheint mir / ich sei arm und leer. ich möchte mich in deine nähe niedersetzen und wenigstens den hauch deiner belebenden gegenwart verspüren. mein weg ist heißer sand / alle die tage lang sandige staubige straße. meine geduld ist bisweilen schwach und einmal war ich an mir verzweifelt / wie du weißt. da antwortete die seele und sprach: „du sprichst zu mir / wie wenn du ein kind wärest / das sich bei der mutter beklagt. ich bin nicht deine mutter." ich will nicht klagen / aber laß mich dir sagen / daß meine straße lang und voll staubes ist. du bist mir wie ein schattiger baum in der einöde. ich möchte deines schattens genießen. aber die seele antwortete: „du bist genußsüchtig. wo ist deine geduld. noch ist deine zeit nicht um. hast du vergessen / warum du in die wüste giengest?" „mein glaube ist schwach / mein gesicht ist blind von all dem flimmernden glanz der wüstensonne. die hitze lastet auf mir wie blei. der durst quält mich und ich wage nicht auszudenken / wie unendlich lange mein weg ist / und vor allem / ich sehe nichts vor mir." die seele aber antwortete: „du sprichst / wie wenn du noch nichts gelernt hättest. kannst du nicht warten? soll dir alles reif und vollendet in den schoß fallen? du bist voll / ja du strotzest von absichten und begehrlichkeit! weißt du noch nicht / daß der weg zur wahrheit nur den absichtslosen offen steht?" „ich weiß / daß alles / was du sagst / o meine seele / auch mein gedanke ist. aber ich lebe kaum darnach." die seele sagte: „wie / sage mir / glaubst du dann / daß deine gedanken dir helfen sollten?" „ich möchte mich immer darauf berufen / daß ich ein mensch sei / bloß ein mensch / der schwach ist und bisweilen nicht sein bestes thut." die seele aber sprach: „denkst du so vom menschsein?" du bist hart / meine seele / aber du hast recht. wie wenig sind wir doch zum leben geschickt. wir sollten wachsen wie ein baum / der auch nicht um sein gesetz weiß. wir umschnüren uns aber mit absicht / nicht eingedenk der tatsache / daß absicht beschränkung / ja ausschließung des lebens ist. wir glauben mit einer absicht ein dunkel erhellen zu können und zielen damit am lichte vorbei. wie können wir uns vermessen / im voraus wissen zu wollen / woher das licht uns kommen wird? nur eine klage laß mich vor dich bringen: ich leide am hohngelächter / am eigenen hohnlachen. die seele aber sprach zu mir: „denkst du gering von dir?" ich glaube nicht. die seele antwortete: „dann höre / denkst du gering von mir? weißt du noch nicht / daß du kein buch schreibst / um deine eitelkeit zu füttern / sondern daß du mit mir sprichst? wie kannst du am hohngelächter leiden / wenn du mit mir sprichst / mit den worten / die ich dir gebe? weißt du denn / wer ich bin? hast du mich umfaßt / abgegrenzt / und zu einer toten formel gemacht? hast du die tiefe meines abgrundes gemessen und alle die wege ausgeforscht / die ich dich noch führen werde? dich kann ein hohngelächter nicht anfechten / wenn du nicht eitel bist bis ins mark deiner knochen." deine wahrheit ist hart. ich möchte dir meine eitelkeit hinlegen / denn sie blendet mich. sehe / darum auch glaubte ich / meine hände seien leer / als ich heute zu dir kam. ich dachte nicht / daß du es bist / die leere hände füllt / wenn sie sich nur ausstrecken wollen / aber sie wollten es nicht. ich wußte nicht / daß ich dein gefäß bin / leer ohne dich / aber überquellend mit dir.

Dieses war die xxv. nacht der wüste. so lange brauchte meine seele / bis sie vom schattendasein zu eigenem leben erwacht war / bis sie als unselbständiges und von mir abgesondertes wesen mir entgegentreten konnte und ich empfieng harte worte von ihr / aber heilsame. ich bedurfte der erziehung / denn ich konnte das hohnlachen in mir nicht überwinden.

Der geist dieser zeit dünkt sich / wie alle zeitgeister zu allen zeiten / überaus klug. die weisheit aber ist einfältig / nicht bloß einfach. darum spottet der kluge über die weisheit / denn spott ist seine waffe. er gebraucht die spitze / vergiftete waffe / weil er getroffen ist von der einfältigkeit der weisheit. wäre er nicht getroffen / er bedürfte der waffe nicht. in der wüste erst werden wir unserer schrecklichen einfalt inne / aber wir scheuen uns / sie einzugestehen. darum hohnlachen wir. das einfähige aber erreicht der spott nicht. der spott fällt auf den spötter, und in der wüste, wo niemand hört und antwortet, erstickt er am eigenen hohnlachen. je klüger du bist, desto närrischer ist deine einfalt. die ganz klugen sind ganz narren in ihrer einfalt. wir können uns von der klugheit des geistes dieser zeit nicht dadurch erlösen, daß wir unsere klugheit mehren, sondern daß wir das, was unserer klugheit am meisten zuwider strebt, nämlich die einfalt annehmen. wir wollen aber auch nicht zu künstlichen thoren werden dadurch, daß wir der einfalt verfallen, sondern wir werden kluge thoren sein. das führt zum übersinn. klugheit paart sich mit absicht. einfalt kennt keine absicht. klugheit erobert die welt, einfalt aber die seele. also leget das gelübde der armuth des geistes ab, damit ihr der seele theilhaftig werdet. dagegen erhob sich das hohnlachen meiner klugheit über meine thorheit. werden viele lachen. keiner aber wird mehr lachen, als ich selber lachte. so überwand ich das hohnlachen. als ich es aber überwunden hatte, da war ich meiner seele nahe, und sie konnte zu mir sprechen und bald sollte ich sehen, daß die wüste ergrünte.

Höllenfahrt in die Zukunft. cap. v.

In der folgenden nacht war die luft erfüllt von vielen stimmen. eine laute stimme rief: „ich falle". andere riefen verwirrt und erregt dazwischen: „wohin? was willst du?" soll ich mich diesem gewirre anvertrauen? mich schauderts. es ist eine grausige tiefe. du willst, daß ich mich dem zufall meiner selbst überlasse, dem wahnsinn der eigenen dunkelheit? wohin? wohin? du fällst, ich will mit dir fallen, wer du auch immer seiest. Da öffnete der geist der tiefe meine augen und ich erblickte die inneren dinge, die welt meiner seele, die vielgestaltige und wandelbare.

Ich sehe graue felswände, an denen entlang ich in große tiefe sinke. ich stehe in schwarzem schmutz bis an die knöchel vor einer dunkeln höhle. schatten umschwebt mich. mich faßt die angst, aber ich weiß, ich muß hinein. ich krieche durch eine enge felsritze und gelange in eine innere höhle, deren boden mit schwarzem wasser bedeckt ist. aber jenseits erblicke ich einen rothleuchtenden stein, zu dem ich gelangen muß. ich wate durch das schlammwasser. die höhle ist erfüllt von einem ungeheuren geschrei von stimmen. ich fasse den stein, er deckt eine dunkle öffnung im felsen. ich halte den stein in der hand fragend um mich blickend. ich will nicht auf die stimmen hören, sie halten mich weg. ich will aber wissen. hier soll etwas zu worte kommen. ich lege mein ohr an die öffnung. ich höre das brausen unterirdischer ströme. ich sehe ein blutiges menschenhaupt auf dem dunkeln strom. ein verwundeter, ein erschlagener schwimmt dort. dieses bild betrachte ich lange mit schaudern. ich sehe einen großen schwarzen scarabäus vorbeiziehen im dunkeln strome. im tiefsten grunde des stromes leuchtet eine röthliche sonne auf, das dunkle wasser durchstrahlend. da sehe ich mit grausen, daß kleine schlangen an den dunkeln felswänden nach der tiefe streben, wo die sonne matt leuchtet. tausend schlangen umringeln, verhüllen die sonne. tiefe nacht bricht herein. ein rother strahl von blut, dickes rothes blut springt auf, lange quellend, dann versiegend. ich bin vom schrecken gebannt. was sah ich?

Heile die wunde, die mir der zweifel schlägt, meine seele. auch das ist zu überwinden, damit ich den übersinn erkenne. wie fern ist alles und wie zurückgekehrt bin ich. mein geist ist ein qualgeist, er zerreißt mein inneres schauen. möchte alles zerlegen und auseinander reißen. nur bin ich opfer meines denkens. wann kann ich meinem denken ruhe gebieten, daß meine gedanken, die widerspenstigen hunde, zu meinen füßen kriechen? wie kann ich je hoffen, deine stimme laut zu vernehmen, deine gesichte klar zu sehen, wenn alle meine gedanken mich umheulen? ich bin fassungslos, aber ich will fassungslos sein, denn ich habe dir meine seele zugeschworen, dir zu vertrauen, auch wenn du mich durch wahnsinn führst. wie soll ich deiner sonne theilhaftig werden, wenn ich nicht den bitteren schlummertrank trinke und bis zur neige leere? hilf, daß ich nicht im eigenen wissen ersticke. die fülle meines wissens droht auf mich zu stürzen. mein wissen hat ein heer von tausend rednern mit stimmen wie löwen, die luft zittert, wenn sie reden, und ich bin ihr wehrloses opfer. halte weg von mir das kluge erklären, die wissenschaft, jenen übeln kerkermeister, der die seele bindet und in lichtleere zelle sperrt. aber vor allem schütze mich vor der schlange des urtheils, die nur der oberfläche eine heilschlange, in deiner tiefe aber höllisches gift und qualvolles verenden. ich möchte als reiner in deine tiefe gehen, mit weißem kleid, und nicht wie ein dieb hastig kommen und an mich reißen und atemlos entfliehen. laß mich verharren in göttlichem staunen, damit ich bereit bin deine wunder zu schauen. laß mich mein haupt auf einen stein vor deinem thore legen, damit ich bereit bin dein licht zu empfangen.

Wenn die wüste anfängt fruchtbar zu werden, dann bringt sie seltsames gewächs. du wirst dich für wahnsinnig halten, und auch im gewissen sinne wahnsinnig sein. in dem maße, als das christentum dieser zeit des wahnsinns entbehrt, entbehrt es des göttlichen lebens. merket, was die alten im bilde uns lehrten: der wahnsinn ist göttlich. doch weil die alten dieses bild im dinge lebten, wurde es eine täuschung für uns, denn wir wurden meister der wirklichkeit der welt. es ist unzweifelhaft: wenn du in die welt der seele eintrittst, so bist du wie wahnsinnig, und ein arzt würde dich für krank halten. das, was ich hier sage, kann für krankhaft gelten, niemand aber kann es mehr für krank halten, als ich selbst.

So habe ich den wahnsinn überwunden. wenn ihr nicht wißt, was göttlicher wahnsinn ist, enthaltet euch des urtheils und wartet auf die früchte. wisset aber, daß es einen göttlichen wahnsinn giebt, der nichts anderes ist, als die überwältigung des geistes dieser zeit durch den geist der tiefe. sprecht dann von krankem wahn, wenn der geist der tiefe nicht mehr weichen kann und den menschen zwingt, in zungen zu reden statt in menschlicher sprache, und ihn glauben macht, daß er selber der geist der tiefe sei. sprecht aber auch dann von krankem wahne, wenn der geist dieser zeit einen menschen nicht läßt und ihn zwingt, nur oberfläche zu sehen, den geist der tiefe zu leugnen und sich selbst für den geist der zeit zu halten. der geist dieser zeit ist ungöttlich, der geist der tiefe ist ungöttlich, die waage ist göttlich. weil ich im geiste dieser zeit befangen war, mußte mir dieses geschehen, was mir aber in dieser nacht geschah, daß nämlich der geist der tiefe mit macht hervorbrach und den geist dieser zeit mit gewaltiger woge hinwegräumte. der geist der tiefe aber hatte diese macht gewonnen dadurch, daß ich während 25 nächten in der wüste zu meiner seele gesprochen und ihr alle meine liebe und alle meine unterwerfung gegeben hatte. während der 25 tage aber gab ich alle meine liebe und alle meine unterwerfung den dingen, den menschen und den gedanken dieser zeit. nur des nachts ging ich in die wüste. daran mögt ihr krankhaften und göttlichen wahn unterscheiden. wo das eine thut und das andere läßt, mögt ihr krankheit nennen, denn seine waage steht schief. wer aber konnte, wenn der göttliche rausch und wahnsinn ihn ankommt, der angst widerstehen? liebe, seele und gott sind schön und furchtbar. die alten holten etliches von der schönheit gottes herüber in diese welt und darum ward diese welt so schön, daß sie den geistern dieser zeit erfüllung zu sein schien und besser als der schoß der gottheit. das furchtbare und das grausame der welt lag unter der decke und in der tiefe unserer herzen. wenn euch der geist der tiefe faßt, so werdet ihr die grausamkeit fühlen und aufschreien vor qual. der geist der tiefe geht schwanger mit eis, feuer und mord. mit recht fürchtet ihr den geist der tiefe, denn er ist voll greuel. ihr seht es in diesen tagen, was der geist der tiefe barg. ihr glaubtet es nicht, ihr hättet es aber gewußt, wenn ihr eure angst befragt hättet. aus dem rothen lichte des krystalls leuchtete mir blut entgegen, und als ich ihn anhob, um sein geheimniß zu entdecken, da lag das schreckliche entblößt vor mir. in der tiefe der kommenden dinge lag der mord, der blonde held lag erschlagen. der schwarze käfer ist der tod, der zur erneuerung nöthig ist, darum erglühte nach ihm eine neue sonne, die sonne der tiefe, die räthselvolle, eine sonne der nacht. und wie die steigende sonne des frühlings die todte erde belebt, so belebte auch die sonne der tiefe das todte und es entstand der schreckliche kampf zwischen licht und finsterniß. da sprang der mächtige und lange nicht versiegende blutquell empor. dieß war das kommende, das ihr jetzt an eurem leibe erfahret, und es ist noch mehr als das. [ich hatte dieses gesicht in der nacht des XII decembers des jahres 1913.]

Tiefe und oberfläche sollen sich mischen, damit neues leben entstehe. das neue leben aber entsteht nicht außer uns, sondern in uns. was außer uns in diesen tagen geschieht, ist das bild, das die völker im dinge leben, um dieses bild unvergeßlich fernen zeiten zu hinterlassen, damit sie daraus lernen für ihre eigenen wege, so wie wir für uns lernen aus den bildern, die uns die alten im dinge vorgelebt hatten. das leben kommt nicht aus den dingen, sondern aus uns; alles, was außen geschieht, war schon.

Darum, wer das geschehen von außen betrachtet, immer nur sieht, daß es schon war und daß es immer das gleiche ist. wer aber von innen schaut, der weiß, daß alles neu ist. die dinge, die geschehen, sind immer die gleichen. die schaffende tiefe des menschen aber ist nicht immer die gleiche. die dinge bedeuten nichts, sie bedeuten nur in uns. wir erschaffen die bedeutung der dinge. die bedeutung ist und war immer künstlich, wir schaffen sie. darum suchen wir in uns selbst nach der bedeutung der dinge, damit uns der weg des kommenden offenbar werden und unser Leben weiter strömen kann. Das, dessen ihr bedürfet, kommt aus euch selber, nämlich die Bedeutung der Dinge. Die Bedeutung der Dinge ist nicht der ihnen eigenthümliche Sinn. Dieser Sinn steht in den gelehrten Büchern. Die Dinge haben keinen Sinn. Die Bedeutung der Dinge ist der von euch erschaffene Weg der Erlösung. Die Bedeutung der Dinge ist die von euch erschaffene Möglichkeit des Lebens in dieser Welt, sie ist die Beherrschung dieser Welt und die Behauptung eurer Seele in dieser Welt. Diese Bedeutung der Dinge ist der Übersinn, der nicht im Dinge ist und nicht in der Seele, sondern der zwischen den Dingen und der Seele stehende Gott, der Mittler des Lebens, der Weg, die Brücke und das Hinübergehen.

Ich hätte das Kommende nicht sehen können, wenn ich es nicht in mir selber hätte sehen können. Ich bin also an jenem Morde betheiligt; in mir erstrahlt auch die Sonne der Tiefe, nachdem der Mord vollbracht ist, in mir sind auch die tausend Schlangen, die die Sonne verschlingen wollen. Ich selber bin Mörder und Gemordeter, Opferer und Opfer. Aus mir selber strömt der Quell des Blutes. Ihr alle habt Theil am Morde. In euch wird das Wiedergeborene sein, und die Sonne der Tiefe aufgehen, und tausend Schlangen werden sich aus euren toten Stoffen entwickeln und auf die Sonne fallen, um sie zu ersticken. Euer Blut wird dahinströmen. Dieß stellen die Völker dar in den jetzigen Tagen in unvergeßlichen Thaten, die mit Blut in unvergeßliche Bücher eingeschrieben werden zu ewigem Gedächtniß.

Wann aber, frage ich euch, fallen die Menschen ihre Brüder an mit Waffengewalt und blutiger That? Sie thun solches dann, wenn sie nicht wissen, daß ihre Brüder sie selber sind. Sie sind selbst Opferer, aber sie thun sich gegenseitig den Opferdienst. Sie haben sich alle zu opfern, denn noch ist die Zeit nicht gekommen, wo der Mensch das Blutmesser an sich selber setzt, um jenen zu opfern, den er in seinem Bruder tötet. Wen aber töten die Menschen? Sie töten die Edeln, die Tapfern, die Helden. Nach diesem Ziel sie und wissen nicht, daß sie mit diesen sich selber meinen. Sie sollten den Helden in ihnen selber opfern, und weil sie es nicht wissen, töten sie ihre tapfern Brüder. Die Zeit ist noch nicht reif. Durch dieses Blutopfer aber soll sie reifen. So lange es möglich ist, den Bruder zu morden, anstatt sich selber, ist die Zeit nicht reif. Es muß Furchtbares geschehen, bis die Menschen reif werden. Anders wird aber der Mensch nicht reif. Daher dieses alles, was in diesen Tagen geschieht, auch so sein muß, damit die Erneuerung kommen kann. Denn der Blutquell, welcher der Umhüllung der Sonne folgt, ist auch der Quell des neuen Lebens. Wie es euch die Schicksale der Völker im Dinge darstellen, so wird es in euren Herzen geschehen. Wenn der Held in euch erschlagen ist, dann geht euch die Sonne der Tiefe auf, von ferne leuchtend und von unerhörten Orten. Aber alsogleich wird sich alles in euch beleben, was bisher tot zu sein schien und wird sich in giftige Schlangen verwandeln, welche die Sonne verhüllen wollen, und ihr werdet in Nacht und Verwirrung fallen. Euer Blut wird aus den vielen Wunden dieses schrecklichen Kampfes strömen. Euer Entsetzen und eure Verzweiflung werden groß sein, aber aus solcher Qual wird das neue Leben geboren. Geburt ist Blut und Qual. Eure Finsterniß, die ihr nicht ahntet, weil sie tot war, wird sich beleben und ihr werdet den Andrang des gänzlich Bösen und Lebenswidrigen, das im Stoffe eures Körpers jetzt noch begraben liegt, fühlen. Die Schlangen aber sind unerhört böse Gedanken und Gefühle. Ihr dachtet, ihr kenntet jenen Abgrund? O ihr Klugen! Es ist ein anderes Ding, ihn zu erleben. Es wird alles an euch kommen. Denket an all die Schrecknisse und teuflischen Grausamkeiten, welche die Menschen seither ihren Brüdern gebracht haben. Das soll an euch kommen in euren Herzen. Erleidet es an euch selber durch eure eigene Hand, und wisset, daß es eure eigne ruchlose und teuflische Hand ist, die euch den Schmerz zufügt, nicht aber euer Bruder, der mit seinen eigenen Teufeln ringt.

Ich möchte, daß ihr sähet, was der gemordete Held bedeutet. Jene namenlosen Menschen, die in unsern Tagen Fürsten ermorden, sind blinde Propheten, welche im Dinge darstellen, was der nur für die Seele gilt. Durch den Fürstenmord werden wir belehrt, daß der Fürst in uns, der Held, bedroht ist. Ob dieß als ein gutes oder ein schlechtes Zeichen anzusehen sei, darum wollen wir uns nicht kümmern. Was heute schlimm ist, ist in hundert Jahren gut und in zweihundert Jahren wiederum schlecht. Wir müssen aber erkennen, was geschieht: es giebt Namenlose in euch, welche euren Fürsten bedrohen, den angestammten Herrscher. Unser Herrscher aber ist der Geist dieser Zeit, der in uns alles beherrscht und führt. Es ist der allgemeine Geist, in dem wir heute denken und handeln. Er ist von ungeheurer Macht, denn er hat dieser Welt unermeßliche Güter gebracht und den Menschen mit unglaublichen Genüssen gefeßelt. Er ist geschmückt mit den schönsten heldenhaften Tugenden, und möchte die Menschheit zu glänzender Sonnenhöhe emportreiben, in unaufhörlichem Anstieg. Der Held will alles entfalten, was er kann. Der namenlose Geist der Tiefe aber führt heran alles, was der Mensch nicht kann. Das Nichtkönnen hindert fernern Anstieg. Größere Höhe erfordert größere Tugend. Wir besitzen sie nicht. Wir haben sie erst zu schaffen dadurch, daß wir lernen mit unserm Nichtkönnen zu leben. Ihm müssen wir Leben geben. Denn wie soll es sich anders je zum Können entwickeln? Wir können unser Nichtkönnen nicht erschlagen und uns darüber erheben. Das aber gerade wollten wir. Das Nichtkönnen wird über uns kommen und seinen Antheil am Leben fordern. Wir werden uns an unser Nichtkönnen verlieren und wir werden im Sinne des Geistes dieser Zeit glauben, daß es ein Verlust sei. Es ist aber kein Verlust, sondern ein Gewinn, allerdings nicht an äußern Gütern, aber an innerer Fähigkeit. Wer mit seinem Nichtkönnen leben lernt, hat viel gelernt. Dieß wird uns zur Schätzung der kleinsten Dinge führen und zur weisen Beschränkung, welche durch die größere Höhe erfordert ist. Wenn alles Heldenhafte ausgelöscht ist, fallen wir zurück in die Erbärmlichkeit des Menschlichen und in noch Schlimmeres. Unsere Tiefgründe werden in Erregung gerathen, denn unsere höchste Spannung, die der Äußerung galt, wird sie aufrühren. Wir werden in den Schlammpfuhl unserer Unterwelt fallen, in den Schutt aller Jahrhunderte in uns. Das Heldenhafte in dir ist, daß du beherrscht bist durch den Gedanken, daß dieses oder jenes das Gute sei, daß diese oder jene Leistung unerläßlich sei, daß diese oder jene Sache verwerflich sei, daß dieses oder jenes Ziel in geradeausstrebender Arbeit erreicht werden müße, daß diese oder jene Lust unter allen Umständen unerbittlich zu unterdrücken sei. Damit sündigst du gegen das Nichtkönnen. Das Nichtkönnen aber ist. Niemand solle es leugnen, bemängeln oder überschreien.

Zerspaltung des Geistes.

Cap. vi.

In der vierten Nacht aber rief ich: In die Hölle fahren heißt, selber zur Hölle werden. Es ist alles schrecklich verworren und verwoben. Auf diesen Wüstenpfade ist nicht bloß glühender Sand, sondern es giebt auch furchtbar umschlingende Unsichtbare, welche die Wüste bewohnen. Das wußte ich nicht. Der Weg ist nur anscheinend frei, die Wüste nur anscheinend leer. Sie scheint belebt zu sein von zauberischen Wesen, die mich mörderisch anfallen und meine Gestalt dämonisch verwandeln. Ich habe wohl ungeheuerliche Form angenommen, in der ich mich nicht mehr erkennen kann. Mir scheint, ich sei eine monströse Thierform, gegen die ich meine Menschlichkeit eingetauscht habe. Dieser Weg ist von höllischen Zaubern umgeben, unsichtbare Schlingen sind über mich geworfen und umschnüren mich. Der Geist der Tiefe aber trat zu mir und sprach: Steige herunter in deine Tiefe, versinke! Ich aber empörte mich gegen ihn und sprach: Wie kann ich versinken? Ich bin unfähig, es aus mir selber zu thun. Da sprach der Geist Worte zu mir, die mir lächerlich erschienen, und er sagte: Setze dich nieder, ruhe. Ich aber rief empört: Fürchterlich, es klingt wie Unsinn, verlangst du auch das von mir? Du stürzest Götter, die mächtig sind und uns Höchstes bedeuten. Meine Seele, wo bist du? Habe ich mich einem blöden Thiere anvertraut, taumle ich wie ein Betrunkener in den Graben, stammle ich Tolles wie ein Verrückter? Ist das dein Weg, meine Seele? Das Blut kocht mir und ich könnte dich erwürgen, wenn ich dich fassen könnte. Du spinnst dickste Finsterniß, und ich bin wie ein Toller in deinen Netze eingefangen. Aber ich will, lehre mich. Die Seele aber sprach zu mir und sagte: Mein Pfad ist Licht. Ich aber antwortete empört: Nennst du das, was wir Menschen ärgste Finsterniß nennen, Licht? Nennst du Tag, Nacht? Darauf sprach meine Seele Worte, die meinen Zorn erregten: Mein Licht ist nicht von dieser Welt. Ich rief: Ich weiß nichts von einer andern Welt. Die Seele antwortete: Soll sie nicht sein, weil du nichts davon weißt? Ich: Aber unser Wissen? Auch unser Wissen gilt dir nicht? Was soll es sein, wenn es nicht Wissen ist? Wo ist Sicherheit? Wo festes Land? Wo Licht? Deine Finsterniß ist nicht bloß schwärzer als Nacht, sondern auch bodenlos. Wenn es das Wissen nicht sein soll, dann vielleicht auch nicht Sprache und Worte? D. Seele: Auch keine Worte. Ich: Vergieb, vielleicht höre ich schlecht, vielleicht mißdeute ich dich? Vielleicht umgarne ich mich mit Selbstbelügung und Affenspiel, mir selber eine Fratze aus eigenen Spiegeln mich angrinsend, ein Narr in meinem eigenen Tollhaus. Vielleicht stolperst du über meine Narrheit? D. Seele: Du täuschest dich, mich belügst du nicht. Deine Worte sind dir Lügen, mir nicht. Ich: Aber ich könnte mich in rasenden Unsinn wälzen, das Widersinnige, das Perversstumpfsinnige aushecken? D. Seele: Wer giebt dir Gedanken und Worte? Schaffst du sie? Bist du nicht mein Knecht, ein Empfangender, der vor meiner Thüre liegt und mein Almosen aufliest? Und du wagst es zu denken, daß das, was du ersinnst und sprichst, Unsinn sein könnte? Weißt du noch nicht, daß es aus mir kommt und mir gehört? Ich aber rief voll Zornes: Dann aber muß meine Empörung auch aus dir kommen, dann empörst du dich in mir gegen dich selber. Die Seele sprach darauf die zweideutigen Worte: Das ist Bürgerkrieg. Da befiel mich Schmerz und Wuth und ich antwortete zurück: Welch ein Schmerz, meine Seele, dich hohle Worte machen zu hören. Mir wird schlecht. Comoedie und Gefasel. Aber ich will, ich kann auch durch den Schlamm das verhaßteste Banale kriechen. Ich kann auch Staub fressen. Das gehört zur Hölle. Ich weiche nicht, ich trotze. Mögt ihr weiter Qualen ersinnen, spinnebeinige Monstra, lächerlich-gräßliche Theaterungeheuer heran, ich bin bereit. Bereit, meine Seele, die du ein Teufel bist, auch mit dir zu ringen. Du nahmst eines Gottes Maske vor und ich verehrte dich. Nun nimmst du eines Teufels Maske, wehe, eine ungeheuerliche, die Maske des Banalen, des ewig Mittelmäßigen! Nur eine Gunst! Laß mich einen Augenblick zurücktreten und überlegen! Lohnt der Kampf mit dieser Maske? Lohnte die Verehrung der Gottesmaske? Ich kann nicht, mir brennt die Kampflust in den Gliedern. Nein, nicht besiegt kann ich den Kampfplatz räumen. Ich will dich fassen, dich erdrücken, Hanswurst, Affe. Wehe, der Kampf ist ungleich, meine Hände greifen Luft. Aber deine Schläge sind auch Luft, und ich merke Possen.

Ich finde mich wieder auf den Pfaden der Wüste. Es war ein Wüstengesicht, ein Gesicht der Einsamen, die die lange Straße wandern. Auf ihr lauern unsichtbare Räuber und Meuchelmörder und senden vergiftete Geschoße. Der Mordpfeil steckt mir wohl im Herzen?

Wie es mir das erste Gesicht vorausgesagt hatte, trat der Meuchelmord aus der Tiefe hervor und kam an mich, so wie im Schicksal der Völker dieser Zeit ein Namenloser hervortrat und die Mordwaffe gegen den Fürsten erhob. Ich fühlte mich verwandelt in eine reißende Bestie, mein Herz glühte in Wuth gegen das Hohe und Geliebte, gegen meinen Fürsten und Helden, so wie der Namenlose des Volkes von Mordgier getrieben sich auf seinen theuern Fürsten stürzte. Weil ich den Mord in mir trug, sah ich ihn voraus. Weil ich den Krieg in mir trug, sah ich ihn voraus. Ich fühlte mich getäuscht und belogen von meinem König. Warum fühlte ich so? Er war nicht das, als das ich ihn haben wollte. Er gab anderes, als was ich erwartete. Er sollte in meinem Sinne König sein, nicht in seinem Sinne. Was ich Ideal nannte, sollte er sein. Meine Seele erschien mir hohl, geschmacklos und nichtssagend. Was ich aber von ihr dachte, galt in Wirklichkeit meinem Ideal. Es waren

Wüstengesicht. Ich kämpfte mit meinen eigenen Spiegelbildern. Es war Bürgerkrieg in mir. Ich war mir selber Mörder und Gemordeter. Mir stack der tödliche Pfeil im Herzen und ich wußte nicht, was es bedeuten sollte. Meine Gedanken waren Mord- und Todesängste, die wie Gift sich überall in meinem Körper verbreiteten. Und so war das Schicksal der Völker: Der Mord des Einen war der vergiftete Pfeil, der in die Herzen der Menschen flog und den gewaltigsten Krieg entfachte. Dieser Mord ist die Empörung des Nichtkönnens gegen das Wollen, ein Judasverrath, von dem man gerne möchte, daß ihn ein anderer begangen hätte. Wir suchen immer noch den Bock, der unsere Sünde tragen soll.

Alles, was zu alt wird, wird zum Übel, also auch euer Höchstes. Lernet das von den Leiden des gekreuzigten Gottes, daß man einen Gott auch verrathen und kreuzigen kann, nämlich den Gott des alten Jahres. Wenn ein Gott aufhört, der Weg des Lebens zu sein, dann muß er heimlich fallen. Der Gott wird krank, wenn er die Höhe des Zenithes überschreitet. Darum faßte mich der Geist der Tiefe, als mich der Geist dieser Zeit auf die Höhe geführt hatte.

Heldenmord. cap. vii.

In der folgenden Nacht aber hatte ich ein Gesicht: Ich war mit einem Jüngling im Hochgebirge. Es war vor Tagesanbruch, der östliche Himmel war schon hell. Da tönte über die Berge das Horn Siegfrieds in jubelndem Laut. Da wußten wir, daß unser Todfeind komme. Wir waren bewaffnet und lauerten an einem schmalen Felspfad, um ihn zu ermorden. Da sahen wir ihn hoch über die Berge kommen auf einem Wagen aus Totengebein. Er fuhr kühn und herrlich über die schroffen Felsen hinunter und gelangte auf den schmalen Pfad, an dem wir verborgen warteten. Als er vor uns um eine Ecke bog, feuerten wir zugleich und er fiel, zu Tode getroffen. Ich wandte mich hierauf zur Flucht und ein ungeheurer Regen rauschte hernieder. Danach aber ging ich durch eine Qual bis zum Tode und ich fühlte es als sicher, daß ich mich selber töten müßte, wenn ich das Räthsel des Heldenmordes nicht lösen könnte. Da trat der Geist der Tiefe zu mir und sprach das Wort: Höchste Wahrheit ist eines und dasselbe mit dem Widersinnig. Dieses Wort erlöste mich und wie ein Regen nach langer Hitze rauschte in mir hernieder all das zu hoch Gespannte. Da hatte ich ein zweites Gesicht: Ich sah einen herrlichen Garten, darin gingen Gestalten in weiße Seide gekleidet, jede umgeben von farbig leuchtenden Hüllen, die einen röthlich, die andern bläulich und grünlich.

Ich weiß, ich bin über die Tiefe weggeschritten und bin durch Schuld ein Neugeborener geworden. Wir leben auch in unsern Träumen, wir leben nicht nur am Tage. Bisweilen vollbringen wir unsere größten Taten im Traume. In jener Nacht war mein Leben bedroht, denn ich hatte meinen Herrn und Gott zu töten, nicht in offenem Zweikampf, denn welcher der Sterblichen vermöchte einen Gott im Zweikampf zu töten? Du kannst deinen Gott nur mit Meuchelmord erreichen, wenn du ihn überwinden willst. Dieses aber ist das Bitterste für den sterblichen Menschen: unsere Götter wollen überwunden sein, denn sie bedürfen der Erneuerung. Wenn die Menschen ihre Fürsten töten, so thun sie es, weil sie ihre Götter nicht töten können, und weil sie nicht wissen, daß sie ihre Götter in ihnen töten sollen.

Wenn der Gott alt wird, wird er zum Schatten, zum Unsinn, er geht zum Untern. Größte Wahrheit wird zu größter Lüge, hellster Tag zu dunkelster Nacht. Wie Tag Nacht und Nacht Tag voraussetzt, so setzt Sinn Widersinn und Widersinn Sinn voraus. Tag ist nicht durch sich selber, Nacht ist nicht durch sich selber. Das Wirkliche, das durch sich selber ist, ist Tag und Nacht. Also ist das Wirkliche Sinn und Widersinn. Mittag ist ein Augenblick, Mitternacht ist ein Augenblick, der Morgen kommt von der Nacht, der Abend geht zur Nacht, aber auch kommt der Abend vom Tag und geht der Morgen zum Tag. Also ist Sinn ein Augenblick und Übergang von Widersinn zu Widersinn, und Widersinn nur ein Augenblick und Übergang von Sinn zu Sinn. Nun, daß Siegfried, der blonde blauäugige, der deutsche Held durch meine Hand fallen mußte, der treueste und tapferste! Er hatte alles in sich, was ich als das größere, schönere schätzte, er war meine Kraft, meine Kühnheit, mein Stolz. In gleichem Kampfe hätte ich unterliegen müssen, also blieb mir nur der Meuchelmord. Wenn ich weiterleben wollte, konnte es nur sein durch List und Tücke. Urtheilet nicht! Denket an den blonden Wilden der deutschen Wälder, die den hammerschwingenden Donnerer dem andern bleichen asiatischen Gott, der wie ein Hühnermarder ans Holz genagelt war, verrathen mußten. Die Tapfern beschlich gewiß Verachtung ihrer selbst. Ihre Lebenskraft aber gebot ihnen weiterzuleben und sie verriethen ihre schönen wilden Götter, ihre heiligen Bäume und die Ehrfurcht der deutschen Wälder. Was bedeutet Siegfried für den Deutschen! Was will es sagen, daß der Deutsche Siegfried stirbt! Darum habe ich es beinahe vorgezogen, mich selber zu töten, um ihn zu schonen. Ich wollte aber weiterleben mit einem neuen Gotte. Nach dem Kreuzestode fuhr der Christus zur Unterwelt und wurde zur Hölle. So nahm er die Gestalt des Antichristen, des Drachen an. Das Bild des Antichristen, das uns die Alten überliefert haben, giebt Kunde vom neuen Gott, dessen Kommen die Alten voraussahen. Götter sind unvermeidlich. Je mehr du den Gott fliehst, desto sicherer fällst du in seine Hand. Der Regen ist die große Thränenfluth, die über die Völker kommen wird, die Thränenfluth der Entspannung, nachdem die Enge des Sterbens die Völker mit ungeheuerem Drucke belastet hatte. Er ist die Beweinung des Toten in mir, welche der Grablegung und der Wiedergeburt vorangeht. Der Regen ist die Befruchtung der Erde, er zeugt den neuen Weizen, den jung aufsprießenden Gott.

Gottes Empfängniß. cap. viii

In der zweiten Nacht danach sprach ich zu meiner Seele und sagte: Schwer und künstlich scheint mir diese neue Welt. Künstlich ist ein schlimmes Wort, aber das Senfkorn, das zum Baume gedieh, das Wort, das im Schooß einer Jungfrau empfangen ward, wurde zu einem Gott, dem die Erde unterthan war. Als ich so sprach, da brach plötzlich der Geist der Tiefe hervor, erfüllte mich mit Rausch und Nebel und sprach mit starker Stimme diese Worte:

Ich habe deinen Keim empfangen, du Kommender. Ich habe ihn in tiefster Niedrigkeit empfangen. Ich hüllte ihn in fratzenhafte Lappen und bettete ihn auf das Lager armer Worte. Und der Spott betete ihn an, dein Kind, dein wundersames Kind, das Kind eines Kommenden, das den Vater verkündigen soll, eine Frucht, die älter ist als der Baum, an dem sie wuchs. Mit Schmerzen wirst du empfangen und Freude ist deine Geburt. Angst ist dein Herold, Zweifel steht zu deiner Rechten, Enttäuschung zu deiner Linken. Wir vergiengen in unserer Lächerlichkeit und Vernunftlosigkeit, als wir dich erblickten. Unsere Augen erblindeten und unser Wissen verstummte, als wir deinen Glanz empfiengen. Du neuer Funke vom ewigen Feuer, in welche Nacht bist du hineingeboren? Du wirst von deinen Gläubigen wahrhafte Gebete erzwingen und sie müssen zu deiner Ehre in Zungen reden, die ihnen ein Greuel sind. Du wirst über sie kommen in der Stunde ihrer Schmach, und du wirst ihnen offenbar werden in dem, das sie hassen, fürchten und verabscheuen. Deine Stimme, der seltenste Wohllaut, wird man vernehmen im Gestammel des Ungeordneten, des Weggeworfenen und des als werthlos Verdammten. Deine Reiche werden die mit Händen tasten, die auch vor der tiefsten Niedrigkeit anbeten und deren Sehnsucht sie durch den Schlammstrom des Übels trieb. Deine Gaben giebst du denen, die mit Grauen und Zweifel zu dir beten, und dein Licht wird denen leuchten, deren Kniee sich widerwillig und voll Empörung vor dir beugen müssen. Dein Leben ist mit dem, der sich selber überwunden und seine Überwundenheit wi-

der

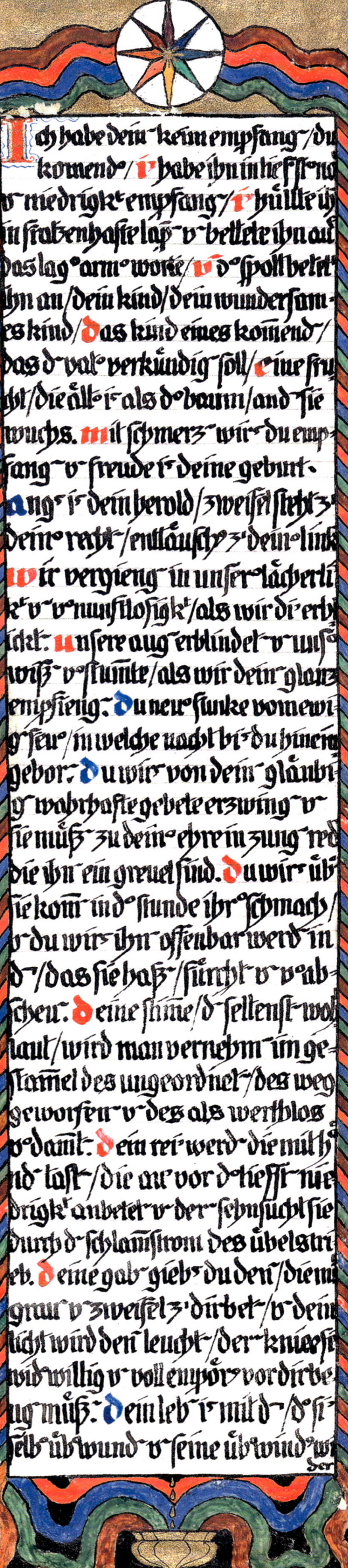

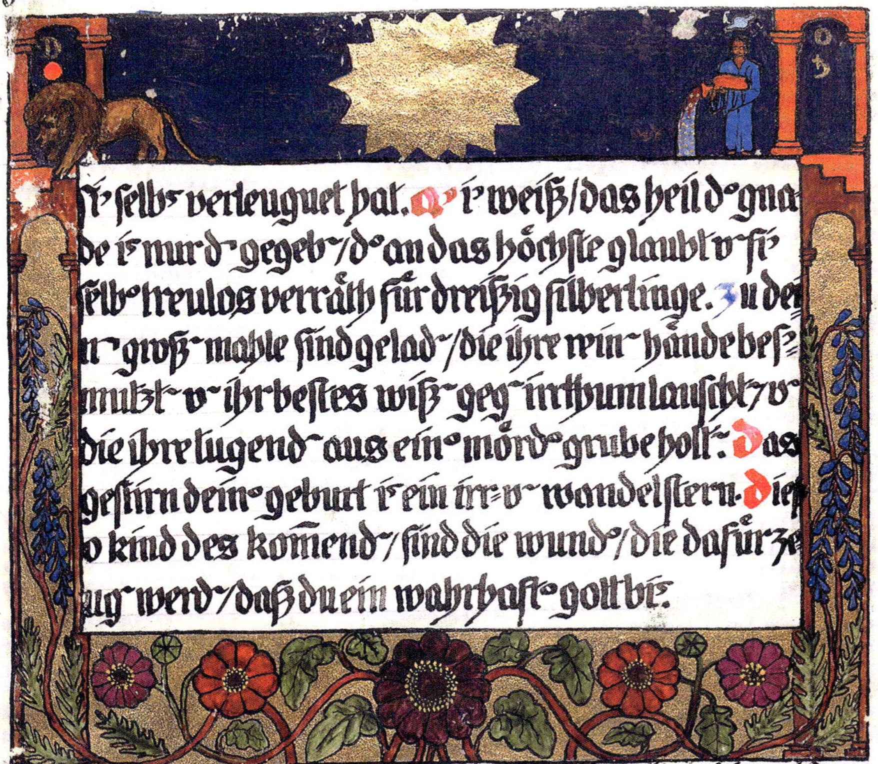

sich selbst verleugnet hat. Aber ich weiß, das Heil der Gnade ist nur dem gegeben, der an das Höchste glaubt und sich selbst treulos verräth für dreißig Silberlinge. Zu der großen Mahlzeit sind geladen, die ihre reinen Hände beschmutzt und ihr bestes Wissen gegen Irrthum tauscht und die ihre Tugend aus einer Mördergrube holt. Das Gestirn deiner Geburt ist ein irrer und wandelnder Stern. Dies, o Kind des Kommenden, sind die Wunden, die dafür zeugen werden, daß du ein wahrhaftiger Gott bist.

Als mein Führer gefallen war, öffnete der Geist der Tiefe mein Gesicht und ließ mich der Geburt des neuen Gottes gewahr werden. Das göttliche Kind trat mir entgegen aus der schrecklichen Zweideutigkeit, der Häßlich-Schönen, der Bös-Guten, der Lächerlich-Ernsten, der Krankhaft-Gesunden, der Unmenschlich-Menschlichen und der Ungöttlich-Göttlichen. Ich verstand, daß wir im Absoluten suchen, nämlich nicht im Absolut-Schönen, Guten, Ernsten, Hohen, Menschlichen oder sogar Göttlichen zu finden sei, dort war einst der Gott. Ich verstand, daß der neue Gott im Relativen sei. Ist der Gott das absolut Schöne und Gute, wie soll er die Fülle des Lebens umfassen, welches schön und häßlich, gut und böse, lächerlich und ernst, menschlich und unmenschlich ist? Wie kann der Mensch im Schoße der Gottheit leben, wenn die Gottheit sich nur seiner einen Hälfte annimmt? Wenn wir emporgestiegen sind nahe zur Höhe des Guten und Schönen, dann liegt unser Schlechtes und Häßliches in äußerster Qual. Seine Qual ist so groß und die Luft der Höhe so dünn, daß der Mensch kaum mehr leben kann. Das Gute und das Schöne erstarren darum zum Eise der absoluten Idee, und das Schlechte und Häßliche werden zum schlammigen Pfütze voll verruchten Lebens. Darum mußte der Christus nach seinem Tode zur Höllenfahrt gehen, denn sonst wäre ihm der Aufstieg zum Himmel unmöglich geworden. Der Christus mußte zuvor zu seinem Antichristus werden, zu seinem unterirdischen Bruder. Niemand weiß, was in den drei Tagen geschah, als der Christus in der Hölle war. Ich habe es erfahren. Die Menschen der alten Zeit sagten, daß er dort den Entschlafenen gepredigt hätte. Es ist wahr, was sie sagen, aber wißt ihr, wie das geschah? Es war Narrethei und Affenspiel, ein greulicher Höllenmummenschanz der allerheiligsten Mysterien. Wie hätte der Christus seinen Antichristus anders erlösen können? Leset die unbekannten Bücher der Alten und ihr werdet vieles daraus lernen. Merket euch, der Christus blieb nicht in der Hölle, sondern er stieg empor zur jenseitigen Höhe.

Unsere Überzeugung und Werthe des Guten und Schönen ist stark und unverlierbar geworden, darum kann das Leben sich darüber hinaus dehnen und all das noch erfüllen, was gebunden und sehnend lag. Das Gebundene und Sehnende aber ist eben das Häßliche und Schlechte. Du empörst dich wider das Häßliche und Schlechte? Daran magst du erkennen, wie groß seine Kraft und sein Werth des Lebens sind. Denkst du, es sei tot in dir? Dieses Tote kann sich aber auch in Schlangen verwandeln. Die Schlangen werden den Fürsten deines Tages auslöschen. Sahest du, welche Schönheit und Freude über die Menschen kam, als die Tiefe diesen größten Krieg entfesselte? Und der war ein schrecklicher Anfang. Wenn wir die Tiefe nicht haben, wie haben wir die Höhe? Aber ihr fürchtet die Tiefe und wollt es nicht gestehen, daß ihr sie fürchtet. Es ist aber gut, daß ihr euch fürchtet, sagt es laut, daß ihr euch fürchtet. Es ist Weisheit, sich zu fürchten. Bloß die Helden sagen, daß sie furchtlos seien. Ihr wißt aber, was den Helden geschieht. Mit Furcht und mit Zittern, mißtrauisch um euch blickend, so gehet in die Tiefe, auch nicht einer allein, zu zweien oder mehreren ist größere Sicherheit, denn die Tiefe ist voll Mord. Sichert euch auch den Weg des Rückzuges. Geht vorsichtig, wie wenn ihr Feiglinge wäret, damit ihr den Seelenmördern zuvor kommt. Die Tiefe möchte euch ganz verschlingen und im Schlamm ersticken. Wer zur Höllenfahrt, wird auch zur Hölle, darum vergeßt nicht, von wannen ihr kommt. Die Tiefe ist stärker als wir, also seid klug und keine Helden, denn nichts ist gefährlicher als vor sich selber ein Held zu sein. Die Tiefe möchte euch behalten, schon zu viele hat sie nicht wieder gegeben, darum flohen die Menschen die Tiefe und thaten ihr Gewalt an. Wie wenn nun infolge der Gewaltthat die Tiefe sich in den Tod verwandelt hat? Die Tiefe aber hat sich in den Tod verwandelt, darum gab sie tausendfältigen Tod, von dem sie, als sie erwachte. Den Tod können wir nicht erschlagen, denn wir haben ihm schon alles Leben genommen. Wenn wir den Tod noch überwinden wollen, dann müssen wir ihn beleben. Darum nehmet auf eure Fahrt auch noch goldene Schalen voll süßen Lebenstrankes mit, roth Wein, und spendet ihn dem toten Stoffe, damit er wieder Leben gewinne. Der tote Stoff wird sich in die schwarze Schlange verwandeln. Erschreckt nicht, die Schlange wird alsogleich die Sonne eures Tages auslöschen und eine Nacht mit wunderlichen Irrlichtern wird über euch kommen. Gebt euch Mühe, den Tod zu wecken. Grabet tiefe Gruben und werfet Opfergaben hinein, damit sie zum Tot gelangen. Sinnet in Guten hernach das Böse, dies ist der Weg zum Aufstieg. Vor dem Aufstieg aber ist alles Nacht und Hölle. Was denkt ihr von dem Wesen der Hölle? Hölle ist, wenn die Tiefe an euch kommt mit allem, dessen ihr nicht mehr oder noch nicht mächtig seid. Hölle ist, wenn ihr nicht erreichen könnt, was ihr erreichen könntet. Hölle ist, wenn ihr all das denken, fühlen und thun müßt, von dem ihr wißt, daß ihr es nicht wollt. Hölle ist, wenn ihr wißt, daß euer Müssen auch euer Wollen ist, und daß ihr euch selber dafür verantwortlich seid. Hölle ist, wenn ihr wißt, daß alles Ernste, das ihr mit euch vorhabt, auch lächerlich, alles Feine auch roh, alles Gute auch schlecht, alles Hohe auch niedrig ist, und alle Wohlthaten auch Schandthaten sind. Die tiefste Hölle aber ist, wenn ihr inne werdet, daß die Hölle auch keine Hölle, sondern ein lustiger Himmel ist, nicht an sich ein Himmel, sondern insofern ein Himmel und insofern eine Hölle.

Das ist die Zweideutigkeit des Gottes, er wird geboren aus einer dunkeln Zweideutigkeit und steigt empor zu einer hellen Zweideutigkeit. Eindeutigkeit ist Einseitigkeit und führt zum Tode. Zweideutigkeit aber ist der Weg des Lebens. Geht der linke Fuß nicht, dann geht der rechte, und du gehst, das will der Gott. Ihr sagt: der christliche Gott ist eindeutig: er ist die Liebe. Aber was ist zweideutiger als die Liebe? Die Liebe ist der Weg des Lebens, eure Liebe ist aber nur dann ein Weg des Lebens, wenn sie eine Linke und eine Rechte hat. Nichts ist leichter als Zweideutigkeit spielen und nichts schwerer als Zweideutigkeit leben. Wer spielt, ist Kind, sein Gott ist alt und stirbt. Wer lebt, ist erwachsen, sein Gott ist jung und geht hinüber. Wer spielt, versteckt den innern Tod. Wer lebt, fühlt hinübergehen und unsterbliches. Also lasset den Spielern das Spiel. Laßt fallen, was fallen will, haltet ihr es, so reißt es euch mit. Es giebt eine wahre Liebe, die sich um den Nächsten nicht kümmert.

Als der Held erschlagen und der Sinn im Wider-Sinn erkannt war, als alles gespannte aus schwangern Wolken hernieder rauschte, als alles feige geworden war und auf eigene Rettung dachte, da wurde ich der Geburt des Gottes gewahr. Der Gott senkte sich wider mich in mein Herz, als ich verwirrt war von Spott und Verehrung, von Trauern und Lachen, von Ja und Nein. Aus der Zusammenschmelzung der Zwei entstand der Eine. Er wurde geboren als ein Kind aus meiner eigenen menschlichen Seele, die wie eine Jungfrau mit Sträuben ihn empfangen hatte. So entspricht es dem Bilde, das die Alten uns davon gegeben haben. Als aber die Mutter, meine Seele, schwanger war mit dem Gotte, wußte ich es nicht. Es schien mir sogar, als ob meine Seele der Gott selber sei, obwohl er nur in ihrem Leibe wohnte. Und so wurde das Bild der Alten erfüllt: ich verfolgte meine Seele, um das Kind in ihr zu töten. Denn ich bin auch der schlimmste Feind meines Gottes. Ich erkannte aber, daß auch meine Feindschaft im Gotte beschlossen ist. Er ist Spott und Haß und Zorn, denn auch dieses ist ein Weg des Lebens.

Ich muß sagen, daß der Gott nicht werden konnte, ehe nicht der Held erschlagen war. Der Held, wie wir ihn verstehen, ist zum Feinde Gottes geworden, denn der Held ist Vollkommenheit. Die Götter neiden die Vollkommenheit des Menschen, denn der Vollkommene bedarf der Götter nicht. Aber da niemand vollkommen ist, bedürfen wir der Götter. Die Götter lieben das Vollkommene, denn es ist der völlige Weg des Lebens. Die Götter aber sind nicht mit dem, der vollkommen sein möchte, denn er ist ein Nachahmer des Vollkommenen. Nachahmung war ein Weg des Lebens, als der Mensch noch des heroischen Vorbildes bedurfte. Des Affen Art und Weise ist ein Weg des Lebens für den Affen und für den Menschen, solange er äffisch ist. Das Äffische des Menschen hält an durch ungeheure Zeiträume, aber die Zeit wird kommen, wo wiederum ein Stück des Äffischen vom Menschen abfällt. Das wird eine Zeit der Erlösung sein und des Heruntersteigens der Taube und des ewigen Feuers und Heiles. Dann wird kein Held mehr sein und keiner, der ihn nachahmen kann. Denn von dieser Zeit an ist alle Nachahmung verflucht. Der neue Gott lacht der Nachahmung und der Gefolgschaft. Er braucht keine Nachbeter und kein Schülergefolge. Er zwingt den Menschen durch sich selber. Der Gott ist sich selber Gefolgsmann im Menschen. Er ahmt sich selber nach.

Wir denken, daß Innung Einzelnsein sei und Äußerung Allgemein sei. Äußerung ist Allgemein in bezug auf Äußerung, aber Einzelnsein in bezug auf uns. Innung ist Einzelsein in bezug auf uns, aber Allgemein in bezug auf Äußerung. Wir sind einzeln, wenn wir in uns sind, aber allgemein in bezug auf Äußerung. Wenn wir aber außer uns sind, so sind wir einzeln und selbstisch im allgemeinen. Unser Selbst leidet Noth, wenn wir außer uns sind, und so erfüllt es mit seinen Bedürfnissen das Allgemeine, dadurch wird das Allgemeine zum Einzelnen verfälscht. Wenn wir in uns sind, erfüllen wir das Bedürfen des Selbst, wir gedeihen, dadurch werden wir der Bedürfnisse des Allgemeinen gewahr und können sie erfüllen.

Wenn wir einen Gott außer uns setzen, so reißt er uns los vom Selbst, denn der Gott ist stärker als wir, unser Selbst verfällt der Noth. Wenn aber der Gott in das Selbst einzieht, dann entreißt er uns der Äußerung. Wir kommen ins Einzelsein in uns. So wird der Gott allgemein in bezug auf das Äußerung, einzeln aber in bezug auf uns. Niemand hat meinen Gott, mein Gott aber hat alle, mich selber inbegriffen. Die Götter aller einzelnen Menschen haben immer alle andern Menschen, mich selber inbegriffen. So ist es immer der eine Gott trotz seiner Vielheit. Zu ihm gelangst du in dir selber und nur dadurch, daß dein Selbst dich ergreift. Es ergreift dich im Weiterschreiten deines Lebens.

Der Held muß fallen um unserer Erlösung willen, denn er ist Vorbild und verlangt Nachahmung, das Maß der Nachahmung aber ist erfüllt. Wir sollen zur Einsamkeit in uns und sich Gott im Äußerung erlöst werden. Wenn wir in diese Einsamkeit eingehen, dann beginnt das Leben des Gottes. Wenn wir in uns sind, dann ist der Raum außer uns frei, aber erfüllt vom Gotte. Unsere Beziehung zum Menschen geht durch diesen leeren Raum, also durch den Gott. Früher aber gieng sie durch das Selbstische, denn wir waren außer uns. Darum sagte mir der Geist voraus, daß die Kälte des Weltraumes sich auf die Erde legen werde. Damit zeigte er mir im Bilde, daß der Gott zwischen die Menschen tritt und mit der Peitsche der eisigen Kälte jeden Einzelnen zu der Wärme seines eigenen klösterlichen Herdes treiben werde, denn die Menschen schwärmten außer sich herum wie tolle.

Die selbstische Begierde will am Ende sich selbst. Du findest dich selber in deiner Begierde, also sage nicht, die Begierde sei eitel. Wenn du dich selber begehrst, so zeugst du in der Umarmung mit dir selber den göttlichen Sohn. Deine Begierde ist der Gottvater, dein Selbst die Gottmutter, der Sohn aber ist der neue Gott, dein Herr. Wenn du dein Selbst umarmst, dann erscheint es dir, als ob die Welt kalt geworden wäre und leer. In diese Leere zieht der kommende Gott ein. Wenn du in deiner Einsamkeit bist und aller Raum um dich ist kalt und unendlich geworden, dann bist du den Menschen ferne gerückt und zugleich bist du ihnen nahegekommen, wie noch nie zuvor. Die selbstische Begierde führte dich nur anscheinend zum Menschen, wirklich aber führte sie dich von ihm weg und am Ende zu dir selber, in das, was dir und den andern am fernsten war. Nun aber, wenn du in der Einsamkeit bist, führt dich dein Gott zum Gott der andern und dadurch zur wahren Nähe, zur Nähe des Selbst im andern. Wenn du in dir selber bist, so wirst du deines Nichtkönnens gewahr. Du wirst sehen, wie wenig du fähig bist, Helden nachzuahmen und selber Held zu sein. Also wirst du auch andere nicht mehr zwingen, Helden zu werden. Sie leiden am Nichtkönnen wie du. Das Nichtkönnen will auch leben, aber es wird eure Götter stürzen.

Mysterium.

Begegnung. cap. ix.

In der nacht, da ich dem wesen des gottes nachdachte, wurde ich eines bildes gewahr: ich lag in einem dunkeln tiefe. ein alter mann stand vor mir: er sah aus wie einer der alten propheten. zu seinen füßen lag eine schwarze schlange. in einiger entfernung sah ich ein säulengetragenes haus. ein schönes mädchen tritt aus der thür. sie geht unsicher und ich sehe, sie ist blind. der alte winkt mir und ich folge ihm zum hause am fuße der hohen felswand. hinter uns kriecht die schlange. im innern des hauses herrscht dunkel. wir sind in einer hohen halle mit glitzernden wänden. im hintergrunde liegt ein hell wasserfarbener stein. wie ich in seine spiegelung blicke, erscheint mir das bild der eva, des baumes und der schlange. darauf erblicke ich odysseus und seine gefährten auf weitem meer. plötzlich öffnet sich zur rechten eine thür in einen garten voll hellen sonnenscheins. wir treten hinaus und der alte spricht zu mir: weißt du, wo du bist? I: ich bin hier fremd und alles ist mir wunderbar, ängstlich wie ein traum. wer bist du? E: ich bin elias und dieß ist meine tochter salome. I: die tochter des herodes, das blutrünstige weib? E: warum urtheilst du so? du siehst, sie ist blind. sie ist meine tochter, die tochter des propheten. I: welches wunder hat euch vereinigt? E: kein wunder, es war von anbeginn so. meine weisheit und meine tochter sind eins. I: ich bin erstarrt, ich vermag es nicht zu fassen. E: denke daran: ihre blindheit und mein sehen haben uns zu gefährten gemacht seit ewigkeit. I: vergieb mein staunen, ich bin wohl in der unterwelt? S: liebst du mich? I: wie kann ich dich lieben? wie kommst du zu dieser frage? ich sehe nur eines, du bist salome, ein tiger, das blut des heiligen klebt an deinen händen. wie sollte ich dich lieben? S: du wirst mich lieben. I: ich dich lieben? wer giebt dir das recht zu solchen gedanken? S: ich liebe dich. I: laß ab von mir, mir graut vor dir, bestie. S: du thust mir unrecht. elias ist mein vater, und er kennt die geheimnisse tiefste. die wände seines hauses sind von edelsteinen. seine brunnen halten heilkräftige wasser und sein auge schaut die künftigen dinge. und was gäbest du nicht um einen einzigen blick in die unendlichen dinge des kommenden? wäre sie dir nicht selbst eine sünde werth? I: deine versuchung ist teuflisch. ich sehne mich zurück nach der oberwelt. hier ist es grauenhaft. wie schwül und schwer ist die luft! E: was willst du? du hast die wahl. I: aber ich gehöre nicht zu den todten. ich lebe am lichte des tages. warum sollte ich mich hier um salome quälen? ich habe der genug am eigenen leben zu tragen. E: du hörtest, was salome sagte. I: ich kann es nicht glauben, daß du der prophet sie als tochter und gefährtin erkennen kannst. ist sie nicht aus ruchlosem samen gezeugt? war sie nicht eitel gier und verbrecherische wollust? E: sie liebte aber einen heiligen. I: und hat schmählich sein theures blut vergossen. E: sie liebte den propheten, der der welt den neuen gott verkündigte. ihn liebte sie, verstehst du das? denn sie ist meine tochter. I: meinst du, weil sie deine tochter sei, liebte sie in johannes den propheten, den vater? E: an ihrer liebe magst du sie erkennen. I: aber wie liebte sie ihn? nennst du das liebe? E: was war es anders? I: mir graut. wer sollte es nicht grauen, wenn salome ihn liebt? E: bist du feige? bedenke, ich und meine tochter sind seit ewigkeit eins. I: du giebst mir grausame räthsel auf. wie könnte es möglich sein, daß dieses heillose weib und du, der prophet deines gottes, eins wäret? E: warum wunderst du dich? du siehst es doch, wir sind beisammen. I: was ich mit eigenen augen sehe, das eben ist mir das unfaßbare. du, elias, der du ein prophet, der mund gottes bist, und sie ein blutdürstiges ungeheuer. ihr seid doch die symbole äußerster gegensätze. E: wir sind wirklich und keine symbole. Ich sehe, wie sich die schwarze schlange am baum emporwindet und sich in den zweigen verbirgt. alles wird düster und zweifelhaft. elias erhebt sich, ich folge und wir gehen schweigend durch die halle zurück. der zweifel zerreißt mich. es ist alles so unwirklich und dennoch bleibt ein stück meiner sehnsucht zurück. werde ich wiederkommen? Salome liebt mich, liebe ich sie? ich höre wilde musik, das tamburin, eine schwüle mondnacht, das blutig-starre haupt des heiligen, mich faßt die angst. ich stürze hinaus. es ist finstere nacht um mich. wer hat den helden gemordet? liebt mich salome darum? liebe ich sie und habe ich darum den helden gemordet? ~~liebt~~ sie ist eins mit dem propheten, eins mit johannes, eins auch mit mir. wehe, war sie die hand gottes? ich liebe sie nicht, ich fürchte sie. da sprach der geist der tiefe zu mir und sagte: daran erkenne du ihre göttliche kraft. muß ich salome lieben?

Dieses spiel, das ich schaute, ist mein spiel, nicht euer spiel. es ist mein geheimnis, nicht eures. ihr könnt mir nicht nachahmen. mein geheimnis bleibt jungfräulich und meine mysterien sind unverletzt, sie gehören mir und können nie euch gehören. ihr habt das eurige. wer in das seinige eintritt, der muß den nächsten lassen, muß seinen weg erfühlen von stein zu stein. er muß das werthlose und das werthvolle mit gleicher liebe umfassen. ein berg ist ein nichts und ein sandkorn birgt königreiche oder auch nichts. das urtheil muß von dir abfallen, selbst der geschmack, vor allem aber der stolz, selbst wenn er auf verdienst beruht. ganz arm, elend, demüthig, unwissend gehe durch das tor. wende deinen zorn gegen dich selbst, denn nur du selbst hinderst dich am schauen wie am leben. das mysterienspiel ist zart wie luft und dünner rauch und du bist roher stoff, der störend schwer ist. deine hoffnung aber, die dein höchstes gut und höchstes können ist, laß von ungehen und

dir als führer in der welt des dunkeln dienen, denn sie ist von ähnlicher substanz wie die gestaltungen jener welt.

Der schauplatz des mysterienspieles ist eine tiefe wie der krater eines vulcans. mein tiefes inneres ist ein vulkan, der die feuerflüssige masse des ungeformten, des ununterschiedenen herausstößt, so gebärt mein innerstes die kinder des chaos, der uralten mutter. wer in den krater eingeht, wird selber zu chaotischen stoffe, er zerschmilzt. das geformte in ihm löst sich auf, aufs neue mit den kindern des chaos, den mächten des dunkels, den beherrschenden und den verführenden, den zwingenden und den anlockenden, den göttlichen und den teuflischen. diese mächte greifen auf allen seiten über mein bestimmtes und begrenztes hinaus und verbinden mich mit allen formen und mit allen fernen wesen und dingen, wodurch mir innere kunde wird von ihrem sein und ihrer beschaffenheit. weil ich in den quell des chaos, in das uranfängliche, gefallen bin, so werde ich selber umgeschmolzen in die verbindung mit dem uranfänglichen, welches zugleich das gewesene und das werdende ist. zuerst komme ich in das uranfängliche in mir, dadurch aber, da ich ein theil des weltstoffes und der weltgestaltung bin, komme ich auch in das uranfängliche der welt überhaupt. ich habe zwar als ein geformtes und bestimmtes am leben theilgenommen, aber nur vermittels meines geformten und bestimmten bewußtseins und dadurch am geformten und bestimmten stücke des weltganzen, nicht aber am ungeformten und unbestimmten der welt, welches mir ebenfalls gegeben ist. es ist aber nur meiner tiefe gegeben, nicht meiner oberfläche, welche geformtes und bestimmtes bewußtsein ist. Die mächte meiner tiefe sind das vorbestimmen und die lust. das vorbestimmen oder vordenken ist der prometheus, der ohne bestimmte gedanken das chaotische zur form und bestimmtheit bringt, der die canäle gräbt und der lust den gegenstand vorhält. das vordenken ist auch vor dem denken. die lust aber ist die kraft, die an sich ohne form und bestimmtheit formen begehrt und zerstört. sie liebt die form, welche sie in sich faßt und zerstört die form, die sie nicht aufnimmt. das vordenkende ist ein seher, die lust aber ist blind. sie sieht nicht vor, sondern begehrt, was sie anrührt. das vordenken ist an sich unkräftig und daher nicht bewegend. die lust aber ist kraft und daher bewegend. das vordenken bedarf der lust, um zur gestaltung zu gelangen. die lust bedarf des vordenkens, um zur form zu gelangen, der sie bedarf. wenn die lust des formenden entbehrte, so würde sie an das mannigfaltige zerfließen und durch unendliche theilung würde sie zersplittert und ohnmächtig, verloren an das unendliche. wenn nicht eine form die lust in sich faßt und zusammenpreßt, kann sie nicht zu höherem gelangen, denn sie fließt wie wasser immer von oben nach unten. alle lust sich selbst überlassen fließt ins tiefe meer und endet im unbewegten tode der ausstrahlung in den unendlichen raum. lust ist nicht älter als vordenken und vordenken nicht älter als lust. beide sind gleich alt und in der natur innig eins. im menschen nur wird uns das getrenntsein der beiden principien offenbar. Außer elias und salome finde ich als drittes princip die schlange. sie ist ein fremdes zwischen den beiden principien, obschon es mit beiden verknüpft ist. die schlange lehrt mir die unbedingte wesensverschiedenheit der beiden principien in mir. wenn ich vom vordenken zur lust hinüber sehe, so sehe ich zuerst die abschreckende giftige schlange. wenn ich von der lust zum vordenken hinüber fühle, so fühle ich zuerst die kalte grausame schlange. die schlange ist das erdhafte wesen des menschen, dessen er sich nicht bewußt ist. seine art ändert nach land und volk, denn es ist das geheime, das ihm aus der nährenden erdmutter zufließt. das erdhafte (numen loci) trennt das vordenken und die lust im menschen, aber nicht an sich. die schlange hat das schwere der erde an sich, aber auch ihr wandelbares und keimendes, aus dem alles werdende wird. immer ist es die schlange, die bewirkt, daß der mensch bald dem einen, bald dem andern princip dermaßen verfällt, daß es zum irrthum wird. man kann nicht leben mit vordenken allein oder mit lust allein. du bedarfst beider. du kannst aber nicht zugleich im vordenken und in der lust sein, sondern du wirst abwechselnd im vordenken und in der lust sein müssen, dem jeweiligen gesetze gehorchend, sozusagen untreu dem andern. die menschen ziehen aber das eine oder das andere vor. die einen lieben das denken und gründen darauf die kunst des lebens. sie üben ihr denken und ihre vorsicht, so verlieren sie ihre lust. darum sind sie alt und haben ein scharfes gesicht. die andern lieben die lust, sie üben ihr fühlen und erleben, so verlieren sie das denken. darum sind sie jung und blind. die denkenden gründen die welt auf gedachtes, die fühlenden auf gefühltes. du findest wahrheit und irrthum in beiden. Der weg des lebens windet sich der schlange gleich von rechts nach links und von links nach rechts, vom denken zur lust und von lust zum denken. also ist die schlange zwar ein widersacher und symbol der feindschaft, doch eine weise brücke, welche rechts und links durch die sehnsucht verbindet, wie es unserm leben noththut. Der ort, wo elias und salome zusammen wohnen, ist ein dunkler raum und ein heller. der dunkle raum ist der raum des vordenkens. er ist dunkel, darum bedarf der, der ihn bewohnt, des sehens. dieser raum ist begrenzt, darum führt das vordenken nicht in die ausgedehnte weite, sondern in die tiefe des vergangenen und zukünftigen. der krystall ist der geformte gedanke, der im vergangenen kommendes spiegelt. vor und die schlange zeigte mir, dass mein nächster weg hinüber führe zur lust und daraus wiederum weiter auf langer irrfahrt, wie Odysseus. er fuhr in die irre, als er Troja listig gefällt hatte. der helle garten ist der raum der lust. wer ihn bewohnt, bedarf des sehens nicht, er fühlt die unendlichkeit. ein denkender, der in sein vordenken hinuntersteigt, findet einen nächsten weg in den garten der salome. darum fürchtet der denkende sein vordenken, obschon er auf dem grunde des vordenkens lebt. die sichtbare oberfläche ist sicherer als die untergründe. das denken schützt vor irrwegen, darum führt es zur versteinerung. ein denkender fürchte salome, denn sie will seinen kopf, besonders wenn er ein heiliger ist. ein denkender sei kein heiliger, sonst verfällt sein kopf. es hilft nichts, sich im denken zu verkriechen. dort ereilt dich die erstarrung. du musst zum mütterlichen vordenken zurückkehren, um erneuerung zu holen. das vordenken aber führt zu salome. Weil ich ein denkender war, und das feindliche princip der lust vom vordenken aus erblickte, erschien sie mir als salome. wäre ich ein fühlender gewesen und hätte mich hinüber getastet nach dem vordenken, so wäre es mir erschienen als ein schlangenhafter daemon, wenn ich ihn überhaupt gesehen hätte. aber ich wäre ja blind gewesen. ich hätte daher nur glitschiges, totes, gefährliches, überwunden geglaubtes, fades, süssliches gefühlt, und ich hätte mich mit dem gleichen schauder abgewandt, mit dem ich mich von salome abwandte. Die lüste des denkenden sind übel, darum hat er keine lust. die gedanken des fühlenden sind übel, darum hat er keine gedanken. wer lieber denkt, als fühlt, der lässt sein fühlen im dunkeln vermodern. es wird nicht reif, sondern treibt im moder kränkliche ranken, die das licht nicht erreichen. wer lieber fühlt als denkt, der lässt sein denken im dunkeln, wo es in schmutzigen ecken seine netze spinnt, öde gespinste, in denen sich mücken und nachtfalter fangen. der denkende fühlt das widerwärtige der gefühle, denn das gefühl in ihm ist hauptsächlich widerwärtig. der fühlende denkt sich das widerwärtige der gedanken, denn das denken in ihm ist hauptsächlich widerwärtig. also liegt die schlange zwischen dem denkenden und dem fühlenden. sie sind sich gegenseitig gift und heilung. Im garten musste es mir offenbar werden, dass ich salome liebe. diese erkenntniss bedrückte mich, denn ich hatte es nicht gedacht. was ein denkender nicht denkt, davon glaubt er, es sei nicht, und was ein fühlender nicht fühlt, davon glaubt er, es sei nicht. Das ganze beginnst du zu ahnen, wenn du dein gegenprincip umfassest, denn das ganze beruht auf zwei principien, die aus einer wurzel wachsen. Elias sagte: „an ihrer liebe sollst du sie erkennen.“ nicht nur du heiligst das object, sondern das object heiligt auch dich. salome liebte den propheten, das heiligte sie. der prophet liebte gott, das heiligte ihn. salome aber liebte gott nicht und das entheiligte sie. der prophet aber liebte salome nicht und das entheiligte ihn. also waren sie sich gift und tod. Der denkende empfange seine lust, der fühlende sein eigenes denken. solches führt auf den weg.

Belehrung. cap. x.

In der folgenden nacht wurde ich zu einem zweiten bilde geführt: ich stehe in der felsentiefe, die mir wie ein krater erscheint. vor mir sehe ich das säulengetragene haus. ich sehe salome längs der wand des hauses nach links gehen, den weg tastend als eine blinde. ihr folgt die schlange. am tore steht der alte und winkt mir. ich trete zögernd näher. er ruft salome zurück. sie ist wie eine leidende. ich kann an ihrem wesen nichts von ihrem frevel entdecken. ihre hände sind weiss und ihr gesicht ist von sanftem ausdruck. vor den beiden liegt die schlange. ich stehe vor ihnen, ungeschickt, wie ein thörichter knabe, überwältigt von ungewissheit und zweideutigkeit. der alte sieht mich forschend an und sagt: was willst du hier? Ich: verzeih, es ist nicht zudringlichkeit oder anmassung, die mich hieher treibt. ich bin wie von ungefähr hier, nicht wissend, was ich will. eine sehnsucht, die gestern in deinem hause zurückblieb, hat mich hieher gebracht. siehe, prophet, ich bin müde, mein kopf ist schwer wie blei. ich bin verirrt in meiner unwissenheit. ich habe genug mit mir selber gespielt. es waren heuchlerische spiele, die ich mit mir trieb, und sie waren mir alle zum ekel geworden, wenn es nicht klug wäre, in der welt den menschen das zu spielen, was die andern von uns erwarten. es ist mir, als ob ich hier wirklicher wäre. und doch liebe ich es nicht, hier zu sein. Elias und salome treten wortlos ins innere des hauses. ich folge widerstrebend nach. mich quält ein schuldgefühl. ist es böses gewissen? ich möchte umkehren, aber ich kann nicht. ich stehe vor dem feuerspiel des leuchtenden krystalls. ich sehe im glanze die gottesmutter mit dem kind. davor steht Petrus in verehrung, dann Petrus allein mit den schlüsseln, der papst mit dreifacher krone, ein sitzender starrer buddha im feuerkreise, eine vielarmige blutige göttin, salome ist es mit verzweifelt gerungenen händen, es fasst mich an, sie ist meine seele selber und nun sehe ich elias im bilde des steines. Elias und salome stehen lächelnd vor mir. Ich: dieses schauen ist qualvoll und der sinn dieser bilder ist mir dunkel, elias, ich möchte dich bitten, gieb licht. elias wendet sich schweigend ab und geht nach links voran, salome wendet sich nach rechts in einen säulengang. er führt mich in einen noch dunkleren raum. an der decke hängt eine röthlich brennende lampe. ich setze mich erschöpft nieder. er steht vor mir, an einen marmornen löwen gelehnt, in der mitte des raumes. E: ist dir bange? deine unwissenheit trägt schuld an deinem bösen gewissen. nichtwissen ist schuld, du aber wähnst, der drang nach verbotenem wissen sei die ursache deines schuldgefühles. warum denkst du, dass du hier bist? Ich: ich weiss es nicht. ich versank an diesen ort, als ich unwissend dem nicht gewussten mich entgegen sehnte. so bin ich hier, erstaunt und verwirrt, ein unwissender thor. ich erfahre wunderliches in deinem hause, dinge, die mich erschrecken und deren bedeutung mir dunkel ist. E: wäre es nicht dein gesetz hier zu sein, wie wärest du hier? Ich: mich befällt das gefühl tödlicher schwäche, mein vater. E: du weichst aus. du kannst dich deinem gesetz nicht entwinden. Ich: wie kann ich mich dem entwinden, was mir unbekannt ist, was ich auch mit gefühl und ahnung nicht erreichen kann? E: du lügst. weisst du nicht, dass du selber erkannt hast, was es bedeutet, wenn salome dich liebt? Ich: du hast recht. es ist mir ein zweifelnder und unsicherer gedanke emporgestiegen. aber ich hatte ihn wieder vergessen. E: du hast ihn nicht vergessen. er brannte tief in deinem innern. bist du feige? oder kannst du diesen gedanken nicht genug von dir selber unterscheiden, sodass du ihn für dich in anspruch nehmen wolltest? Ich: der gedanke gieng mir zu weit und ich scheue vor weitfliegenden ideen. sie sind gefährlich, denn ich bin ein mensch, und du weisst, wie sehr die menschen gewöhnt sind, gedanken als ihre eigenen anzusehen, sodass sie sich schliesslich selber damit verwechseln. E: wirst du dich darum mit einem baum oder thier verwechseln, weil du sie anschaust und weil sie mit dir in einer und derselben welt existieren? musst du deine gedanken sein, weil du in der welt deiner gedanken bist? deine gedanken sind aber ebensosehr ausserhalb deines selbst, wie bäume und thiere ausserhalb deines körpers sind. Ich: ich verstehe. meine gedankenwelt war für mich mehr wort als welt. ich dachte von meiner gedankenwelt: sie sei ich. E: sagst du zu deiner menschenwelt und zu jeglichem wesen ausser dir: du bist ich? Ich: ich trat in dein haus, mein vater, mit der angst eines schulknaben. du aber lehrtest mir heilsame weisheit. ich kann meine gedanken nun als ausserhalb meiner selbst seiend betrachten. das hilft mir, zu jenen erschreckenden folgerungen zurückzukehren, die meine zunge auszusprechen scheut. ich dachte nämlich, salome liebe mich, weil ich johannes oder dir ähnlich sei. dieser gedanke schien mir unglaubhaft. desshalb verwarf ich ihn und dachte, sie liebe mich, weil ich dir gerade sehr entgegengesetzt sei, sie liebe ihr schlechtes in meinem schlechten. dieser gedanke war vernichtend. Elias schweigt. schwere liegt auf mir. da tritt salome herein, nähert sich mir und legt ihren arm um meine schultern. sie hält mich wohl für ihren vater, in dessen stuhl ich sitze. ich wage mich nicht zu rühren, noch zu sprechen. S: ich weiss, du bist nicht der vater. du bist sein sohn und ich bin deine schwester. Ich: du salome, meine schwester? war dies der schreckliche reiz, der von dir ausströmte, jenes unnennbare entsetzen vor dir, vor deinem berühren? wer war unsere mutter? S: maria. Ich: ist es ein höllischer traum? maria, unsere mutter? welcher wahnsinn lauert in deinen worten? die mutter des heilandes, unsere mutter? als ich heute eure schwelle überschritt, ahnte mir unheil. wehe! es ist eingetroffen. bist du von sinnen, salome? elias, hüter des göttlichen rechtes, sage: ist es ein teuflischer zauber der verworfenen? wie kann sie solches sagen? oder seid ihr beide von sinnen? ihr seid symbole, und maria ist ein symbol. ich bin nur zu verwirrt, um euch jetzt zu durchschauen. E: du magst uns symbole nennen, mit dem gleichen rechte, mit dem du auch deine mitmenschen symbole nennen kannst, wenn du lust dazu hast. aber wir sind ebenso wirklich wie deine mitmenschen. du entkräftest nichts und lösest nichts dadurch, dass du uns symbole nennst. Ich: du stürzest mich in eine ungeheuerliche verwirrung. ihr wollt wirklich sein? E: gewiss sind wir das, was du wirklich nennst. hier sind wir und du hast uns anzunehmen. du hast die wahl. Ich schweige. salome hat sich von mir entfernt. ich blicke zweifelnd um mich. hinter mir brennt eine hohe gelbröthliche flamme auf einem runden altar. um die flamme herum hat sich die schlange im kreis gelegt. ihre augen glitzern gelblich widerscheinend. ich wende mich schwankend zum ausgang. wie ich in die halle hinaustrete, sehe ich vor mir einen gewaltigen löwen gehen. draussen ist weite kalte sternennacht.

Es ist kein kleines, sich seine sehnsucht einzugestehen. viele bedürfen dazu einer besondern anstrengung ihrer ehrlichkeit. allzuviele wollen nicht wissen, wo ihre sehnsucht ist, denn es erschiene ihnen unmöglich oder zu betrübend. und doch ist die sehnsucht der weg des lebens. wenn du deine sehnsucht dir nicht eingestehst, dann folgst du dir nicht selber, sondern gehst fremde wege, die durch andere dir vorgezeichnet sind. so lebst du nicht dein, sondern ein fremdes leben. wer aber soll dein leben leben, wenn du es nicht lebst? es ist nicht nur dumm, sein eigenes leben gegen fremdes zu vertauschen, sondern auch ein heuchlerisches spiel, denn nie kannst du wirklich das leben des andern leben, du giebst es nur vor, täuschest den andern und dich selbst, denn du kannst nur dein eigenes leben leben. wenn du dein selbst aufgiebst, so lebst du es im andern, dadurch wirst du den andern selbstisch, und so täuschest du den andern. alle glauben dann, dass solch ein leben möglich sei. es ist aber nur äffische nachahmung. damit dass du deinem äffischen gelüsten nachgiebst, steckst du die andern an, weil der affe das äffische anregt. so machst du dich und die andern zu affen. durch wechselseitige nachahmung lebt ihr nach dem durchschnittlichen erwarten, für die von jeder zeit durch die nachahmungsgelüste aller ein bild aufgestellt wurde, ein held. darum wurde der held gemordet, denn wir sind alle an ihm zu affen geworden. weisst du, warum du vom äffischen nicht lassen kannst? aus furcht vor der einsamkeit und dem unterliegen.

Sich selber leben, heisst: sich selber aufgabe sein. sage nie, es sei eine lust, sich selber zu leben. es wird keine freude sein, sondern ein langes leiden, denn du musst dein eigener schöpfer werden. wenn du dich erschaffen willst, dann fängst du nicht mit dem besten und höchsten an, sondern mit dem schlechtesten und tiefsten. darum sage, es widerstehe dir, dich selber zu leben. das zusammenfliessen der lebensströme ist nicht freude, sondern schmerz, denn es ist gewalt wider gewalt, schuld und zerbricht geheiligtes. Das bild der gottesmutter mit dem kinde, das ich vorschaue, deutet mir das geheimniss der verwandlung. wenn vordenken und lust sich in mir einigen, so entsteht daraus ein drittes, der göttliche sohn, welcher ist der übersinn, das symbol, das hinübergeht in eine neue creatur. ich werde nicht selber zum übersinn oder symbol, sondern das symbol wird in mir, derart, dass es seine substanz hat und ich meine. so stehe ich wie Petrus in verehrung vor dem wunder der verwandlung und der wirklichwerdung gottes in mir. obschon ich also der gottessohn nicht selber bin, so vertrete ich ihn dennoch als einer, der der gottesmutter war. und darum ist im namen des gottes die freiheit des bindens und lösens gegeben. das binden und lösen geschieht in mir. da nun es in mir geschieht, und ich ein theil bin der welt, so geschieht es auch durch mich in der welt, und niemand kann es hindern. es geschieht nicht etwa auf dem wege meines willens, sondern auf dem wege unvermeidlicher wirkung. nicht ich bin herr über es, sondern das sein des gottes in mir. mit dem einen schlüssel schliesse ich die vergangenheit ab, mit dem andern eröffne ich die zukunft. dies geschieht, indem ich mich verwandle. das wunder der verwandlung gebietet. ich bin sein diener, gleichsam wie der papst. du siehst, wie wahnwitzig es wäre, solches von sich zu glauben. es gilt nicht mir, sondern dem symbol. das symbol wird zu meinem herrn und unfehlbaren gebieter. es wird seine herrschaft befestigen und wird sich zu einem starren und räthselvollen bilde wandeln, dessen sinn sich ganz nach innen wendet, und dessen lust nach aussen strahlt, wie flammendes feuer, ein Buddha in der flamme. indem ich dermassen in mein symbol mich versenke, wandelt mich das symbol von meinem einen in mein anderes und jene grausame göttin meines innern, meine weibliche lust, mein eigenes anderes, das gequälte quälende, das zu quälende. ich habe diese bilder gedeutet, so gut ich es kann, mit armen worten.

Folge im augenblicke dem verwirrenden deinem vordenken, und nicht deinem blinden begehren, denn das vordenken führt dich zu schwierigem, das zuerst kommen soll. es kommt jeder. wenn du ein licht suchst, fällst du zuerst in ein noch tieferes dunkel. in dieser dunkelheit findest du ein licht mit schwacher röthlicher flamme, das nur geringe helligkeit giebt, aber es genügt, um nächstes zu sehen. es ist erschöpfend an dieses ziel zu gelangen, das kein ziel zu sein scheint. und es ist gut so: ich bin gelähmt und darum bereit, anzunehmen. mein vordenken stützt sich auf den löwen, meine kraft. ich hielt an der geheiligten form und wollte dem chaos nicht gestatten, seine dämme zu brechen. ich glaubte an die ordnung der welt und hasste alles ungeordnete und ungeformte, darum musste ich vor allem einsehen, dass mein eigenes gesetz mich an diesen ort gebracht hatte. als der gott in mir ward, dachte ich, er sei ein theil meiner selbst. ich dachte, dass mein ich ihn umfasste, und hielt ihn darum für meinen gedanken von meinen gedanken. ich dachte aber, dass sie theile meines ich seien. ich setzte so mich selber in meine gedanken, und so mich selber auch in den gottgedanken, und ich ihn

~~Hinweg~~ theil meines selbs hielt. i hatte ob mein gedank mi selb volass / darum wurde mein selbs hungrig v machte gott z ein selbs ist gedank. wen i mein selbs velasse so wird d hung mi treib / mein selbs in mein gegstand z find / also in mein gedank. darum lieb du vernünftige v geordnete gedank / den du könte es nicht ertrag / wenn dein selbs in ungeordnet / d.h. unpassend gedank wäre. dur dein selbstuf wunsch pließes du alles in dein gedank aus / was dir nicht geordnet / d.h. nicht passend erscheint. ordns schaffs du na d / was du weißt / die gedank des chaos ab weißt du nicht / v do sind sie. meine gedank sind nicht mein selbs / v mein i umfaßt d gedank nit. dein gedanke hat diese bedeutg v eine andere / nit bloß eine / sondern viele bedeutg. niemand weiß wieviele. meine gedank sind nicht mein selbs / sondern genau so wie die dinge d welt / lebendes v totes. so wie i nit beschädigt bin dadur / daß i in ein theilweise ungeordnet welt lebe / so bin i au nicht geschädigt / wen i in ein theilweise ungeordnet gedank welt lebe. gedank sind naturereigniße / die du nit besitzes v der bedeutg du nur ganz unvollkom kens. die gedank wachs in mir wie ein wald / welchen thiere bevölkern ihn. ab d mens is herrisch in sein denk / dadur tötet er die lus des waldes v d wild thiere. d mens is gewaltthätig in sein begehr v wird selb z walde v z wildgethier. sowie i die freiht in d welt habe / habe i au die freiht in mein gedank. die freiheit i bedingt. zu gewiß ding d welt muß i sag: ihr sollt nit so / sondern anders sein. i schaue ab ihre z vor sorgfältig an / sonst kann i sie nit ändern / gleis weise vefahre i mit gewiß gedank. du änders jene dinge d welt / die ohne selb nützl z sein / dein wohl gefährd. ebenso vefahre mit gedank. nichts i vollkom v vieles is im wid streit / d weg des lebens is v wandlg / nit ausschließg. das wohl is ein besso richto als das recht.

Als i ab d freiht in mein gedank welt gewahr wurde / da umarmte mi Salome v so wurde i z prophet / den i hatte lus am ur anfängli v am walde v and wild thier gefund. zu nahe liegt es mir / mi mit mein geschaut glei z setz / als daß i mi am schau freu könte. i bin in gefahr z glaub / daß i selb von bedeutg sei / weil i das bedeutende schaue. daran wd wir im v im wied verrückt v wir ma d geschaute z narr v z affsspiel / weil wir von d na ahmg nit laß kön. Sowie mein denk d sohn des vordenk is / so is meine lus die tocht d liebe / d unschuldig v empfang d gottes mutt. maria hat neb d christo salome gebor. darum sagt d christus im evangelio d Aegypt z salome: „iß jegliches kraut / ab das bittere iß nit." v als Salome wiss wollte / da spra d Christus z ihr: „wen ihr die hülle d scham z tret v wen die zwei eins wd v d männli mit d weibl / wed männ no weibl." Das vordenk is d zeug de / die liebe d empfang de. beide sind jenseits dies welt. hi sind bestand v lus / d ando ahn wir bloß. es wäre wahnsin z behaupt / sie sei in dies welt. um dieses licht liegt soviel räthsel v schlang haftes. i gewan die ma t aus d tiefe wied zurück v wie ein löwe gieng sie vor mir ho.

Erlösung. cap. xi.

In d dritt na t dana fasste mi tiefe sehnsu t d mysterium weit z erleb. groß war d wid streit zwis zweifel v wunsch in mir. ab plötzl sah i / daß i an ein steil felsgrat in wüst gegend stand. es i blend d hello tag. weit über mir in großo höhe d prophet. seine hand ma t eine abwehrde beweg v i stehe ab von mein ent schluss hinauf z steig. i harre unt / hinaufblick d. i schaue: rechts is dunkle na t / links is hello tag. d fels scheidt tag v na t. auf d dunkeln seite liegt eine große schwarze schlange / auf d hell seite eine weiße schlange. sie reck kampfbegierig ihre häupto geg einando. elias steht in d höhe üb ihn. da stürz die schlang geg einando v ein furchtbares ring hebt an. die schwarze schlange scheint stärko z sein. die weiße weicht zurück. große staubwolk erheb si v kampfplatz. i sehe ab: die schwarze schlange zieht si wied z rück. d vordo theil ihres körpers is weiß geword. beide schlang ringeln si auf v veschwind / die eine im licht / die andere im dunkel. Elias: was has du geseh? I: i sah d kampf zwei gewaltig schlang. es schien mir / als ob die schwarze die weiße schlange übo wind werde / ab siehe da / die schwarze zog si z rück v ihr haupt v d vordo theil ihres körpers war weiß geword. E: verstehs du d? I: i habe na ge da t / ab i kan es nit vesteh. solles heiß / daß die ma t des gut lichtes so groß sei / daß selbs das dunkel / d ihm widerstrebt / davon erhellt wird? Elias steigt vo mir z d höhe empor / z ein sehr groß höhe / i folge. auf d gipfel kom wir an ein mauo werk / aus gewaltig blöck gefügt. es i ein rund um d gipfel gezogeno wall. hin liegt ein großo hofraum v in d mitte befindet si ein mächtig felsblock / wie ein altar. auf dies stein steht d prophet v spri t:

dieß i d tempel d sonne. dieß raum i ein gefäß / welchs d licht d sonne samelt.

elias steigt v steine herunto / seine gestalt wird im herunto geh kleino / schließ zwerghaft / ihm selb unähnl. i frage: wo bis du? I: i bin Mime v i will dir die quell zeig. das gesamelte li t wird z wasso v fließt in viel quell vom gipfel in die erd thäl. er tau t darauf in eine felsspalte hinunto. i folge hinunto in eine dunkle höhle. i höre das plätschern eino quelle. i höre von unt die stime des zwerges: hi sind meine brun / weise wird / wo daraus trinkt. ab i kan nit hinunto gelang. mir wird leer z muthe. i velasse die höhle v schreite zweifelnd auf d quadern des hofes hin v ho. mir erscheint alles fremd v unveständ li. es is hi einsam v tot still. die luft i klar v kühl wie auf höchs berg. ein wundobar fluth des sonenlicht übo all / rings um mi die große mauo. da kriecht eino schlange üb die steine. es i die schlange des prophet. wie komt sie aus d unto welt in die übo welt? i folge ihr v sehe wie sie z mauo kriecht. mir wird s seltsam z muthe: dort steht ja ein kleines haus mit eino säul halle / winzig klein an d fels geschmiegt. die schlange wird unordl klein. i fühle / wie i au z sam schrumpfe. die mauern erhöh si z gewaltig gebirg v i sehe: i bin unt auf d grunde des des kraters in d unto welt v i stehe vor d hause des prophet. er tritt aus d thüre seines hauses. I: i merke / elias / du has mi allo lei merkwürdiges seh v erleb lass / eh i heute zu dir kom durfte. ab i gestehe / es i mir alles dunkel. deine welt erscheint mir heute in ein new lichte. es wares mir no / als sei i dur gestirns weit von dein orte getrennt / wo i heute d hinzugelang begehrte v sahe da: es scheint ein v d selbe ort zu sein. E: du wars z begierig / hieh z kom. nu i habe di getäuscht / du has di selb getäuscht. es sieht nit gut / wo seh will / er mißt z sehr / du has di v ne schon. I: es is wahr / i begehrte heftig / z dir z gelang / um das weitere z v nehm. Salome hat mi erschreckt v in v wirrg gebra t. mir schwindelte / den was sie sagte / erschien mir ungeheu li v wie wahnsin. wo i Salome? E: wie stürmisch du bis! was komt di an? tritt z krystall v berate di in sein lichte.

Ein feuo kranz umstrahlt d stein. mi packt die angs / was sehe i: d grob bundschuh? d fuß eines gewaltig / d eine ganze stadt zo tritt? i sehe das kreuz / die kreuzabnahme / die beklagg — wie qualvoll is dieses schau? i will nit mehr — i sehe das göttli e kind / in d re t hand die weiße schlange v in d link hand die schwarze schlange — i sehe d grün berg / darauf das kreuz christi / v ströme von blut fließ vom gipfel des berges — i kann nit mehr / es i unoträgli — i sehe das kreuz v daran christum in seino letzt stunde v qual — umd fuß des kreuzes windet si die schwarze schlange — um meine füße hat sie si geschlung — i bin gebant v breite meine arme aus. Salome naht si. die schlange hat mein ganz körpo umwund v mein antlitz i das eines löw. Salome spricht: maria war die mutto christi / vestehs du? I: i sehe / daß eine furchtbare v unbegreifli e gewalt mi zwingt / d herrn in seino letzt qual na z ahm. ab wie könte i mir anmaß / maria meine mutt z nen? S: du bis christus. Ich stehe mit ausgebreitet arm / wie ein gekreuzigto / mein körpo eng v gräßli umwund von d schlange: du Salome sags / i sei christus? Es i mir / als stünde i auf einem hoh berge allein mit starr ausgebreitet arm. die schlange preßt mein körpo in ihre furchtbar ringe / v das blut strömt aus mein körpo in quell and seit des berges hinunto. Salome beugt si z mein füß v umwickelt sie mit ihr schwarz haar. sie liegt lange so. dan ruft sie: i sehe licht! wirkli / sie sieht / ihre aug sind geöffnet. die schlange fällt von mein leibe v liegt matt am bod. i schreite übo sie hinweg v kniee z d füß des prophet / dess gestalt wie eine flamme leuchtet. E: dein werk i hi erfüllt. es werd andere dinge kom. suche unomüdli v vor all / schreibe getreu / was du siehs. Salome blickt in vozückg z lichte / das v prophet ausstrahlt. elias v wandelt si in eine gewaltige weiß leuchtende flame / die schlange legt si um ihr fuß wie gelähmt. Salome kniet vor d licht in wundobaro hingebg. mir stürz die thrän aus d aug v i eile hinaus in die na t / wie eino / d nit theil hat an d herrli kt des geheimnisses. meine füße berühr d bod nit / dieser erde / v es i mir / als gienge i in luft.

Meine sehnsu t führte mi hinauf z üb hell tage / dess li t d geg satz is z dunkeln raum des vordenk s. das geg princip is / wie i z vesteh glaube / die himlis e liebe / die mutt. die dunkelht / die das vordenk umgiebt / scheint davon h z rühr / daß es unsichtbar im innern v in d tiefe stattfindet. die helligkt d liebe ab scheint daho z kom / daß die liebe si tbares leb v thun is. meine lus war mit d vordenk v hatte dort ihr lustig gart / umgeb von lauto dunkelht v nacht. i stieg z meino lus hinunto / z meino liebe ab hinauf. i erblicke elias ho übo mir: das zeigt / daß das vordenk d liebe näho steht / als i d mens. bevor i z liebe emporsteige / muß eine bedingg erfüllt sein / welche si als d kampf d zwei schlang darstellt. links is tag / rechts is nacht. hell is das rei d liebe / dunkel das rei des vordenkens. die beid principi hab si streng geschied / sind einando sogar feindli v hab schlang gestalt angenom. die gestalt d schlange deutet die daemonis e natur d beid principien an. i erkene in dies kampfe eine wiedoholg jenes gesichtes, wo i d kampf zwis d sonne v d schwarz schlang sah. damals wurde das lieb de licht ausgelöscht v das blut fieng an z ströme. dieß war d große krieg. d geis d tiefe ab will / daß dies krieg als ein zwiespalt vestand werde in jedes mens eigeno natur. den na d tode des held konte unso lebensdrang nit mehr na ahm v deßhalb gieng er in die tiefe eines jegli mens v erregte d furchtbar zwiespalt zwis d mächt d tiefe. das vordenk is einzelsein / die liebe z sam sein. beide hab si nöthig v d töt sie einando. da die mens nit wiss / daß d zwiespalt in ihr eig innern is / werd sie wahnsinnig und einer giebt dem andern das unrecht zu. wenn die eine hälfte der menschheit im unrecht ist/ dann ist jeder mensch zur hälfte im unrecht. er sieht aber den zwiespalt in seiner seele nicht/ der doch die quelle des äußern unheils ist. wenn du gereizt bist gegen deinen bruder/ so denke/ daß du gereizt bist gegen den bruder in dir/ d. h. gegen das in dir/ was deinem bruder ähnlich ist. als ein mensch bist du theil der menschheit und hast darum am ganzen der menschheit so theil als ob du die ganze menschheit wärest. wenn du deinen mitmenschen/ der dir entgegen strebt/ überwältigst und tötest/ dann tötest du jenen menschen auch in dir und du hast ein stück deines lebens gemordet. der geist dieses toten folgt dir nach und läßt dich deines lebens nicht froh werden. du brauchst dein ganzes/ um hinüber zu leben.

Wenn ich mich in das reine princip begebe/ so trete ich auf die eine seite und werde einseitig. darum wird mein vordenken im princip der himmlischen mutter zum häßlichen zwerg/ der in dunkler höhle wohnt wie ein ungeborenes in der gebärmutter. du folgst ihm nicht/ auch wenn er dir sagt/ daß du weisheit aus seiner quelle trinken könntest. das vordenken erscheint dir dort oben als zwerghafte staubheit/ falsch und nächtlich/ so wie mir die himmlische mutter dort unten als Salome erscheint. das im reinen princip jeweils fehlende erscheint als schlange. der held strebt nach dem äußersten des reinen principes und darum verfällt er schließlich der schlange. wenn du zum denken gehst/ nimm dein herz mit/ wenn du zur liebe gehst/ nimm deinen kopf mit. leer ist liebe ohne denken/ hohl denken ohne liebe. die schlange lauert hinter dem reinen princip. darum wurde es mir leer zu muthe/ bis ich die schlange fand/ die mich alsbald ins andere princip hinüberführte. im hinuntersteigen schrumpfe ich zusammen.

Groß ist/ wer in der liebe ist/ denn die liebe ist die gegenwärtige that des großen schöpfers/ der gegenwärtige augenblick des werdens und vergehens der welt. gewaltig ist/ wer liebt. wer sich aber von der liebe entfernt/ fühlt sich gewaltig. im deinem vordenken erkennst du die nichtigkeit deines augenblicklichen seins als eines kleinsten punktes zwischen der unendlichkeit des vergangenen und der des kommenden. klein ist der denkende/ groß fühlt er sich/ wenn er sich vom denken entfernt. wenn wir aber vom seinen reden/ ist es umgekehrt. wer in der liebe ist/ dem ist form ein geringes hinderniß. sein gesichtskreis aber endet mit der ihm gegebenen form. wer im denken ist/ dem ist die form unübersteiglich und himmelhoch. aber er sieht in der nacht die mannigfaltigkeit der unzähligen welten und ihren nimmerendenden kreislauf. wer in der liebe ist/ ist ein gefülltes und überquellendes gefäß und harrt des gebens. wer im vordenken ist/ ist tief und hohl und harrt der erfüllung.

Liebe und vordenken sind an einem und demselben ort. liebe kann nicht ohne vordenken/ und vordenken nicht ohne liebe sein. der mensch ist immer zu viel im einen oder im andern. das hängt mit der menschlichen natur zusammen. thiere und pflanzen scheinen auf allen seiten genug zu haben/ nur der mensch schwankt zwischen zu viel und zu wenig. der schwankt/ der unsicher ist/ wieviel er hier und wieviel er dort zu geben hat/ eingedenk/ daß sein wissen und können ungenügend ist/ und doch der selber thun muß. der mensch wächst nicht bloß aus sich selber/ sondern er ist auch schöpferisch aus sich selber. der gott wird in ihm offenbar. das menschliche wesen ist wenig geschickt zur göttlichkeit/ und darum schwankt der mensch zwischen dem zu viel und dem zu wenig.

Der geist dieser zeit hat uns zur hast verdammt. du hast kein zukünftiges und kein vergangenes mehr/ wenn du dem geiste dieser zeit dienst. wir bedürfen des lebens der ewigkeit. in der tiefe bergen wir zukunft und vergangenheit. die zukunft ist alt und die vergangenheit ist jung. du dienst dem geiste dieser zeit und meinst dem geiste der tiefe entgehen zu können. die tiefe aber säumt nicht länger und wird dich in das mysterium des christus hineinzwingen. es gehört zu diesem mysterium/ daß der mensch nicht durch den helden erlöst wird/ sondern selber zu einem christus werde. das lehrt uns symbolisch das vorgelebte beispiel der heiligen.

Schlecht sieht/ wer sehen will. das war mein wollen/ daß mich täuschte. das war mein wollen/ das den großen zwiespalt der daemonen erregte. soll ich also nicht wollen? ich habe und habe mein wollen erfüllt so gut ich konnte und schättigte ich alles/ das in mir strebte am ende fand ich/ daß ich in allem dem mich selber wollte/ ohne mich selber aber zu suchen. darum wollte ich mich nicht mehr außer mir suchen/ sondern in mir. dann wollte ich mich selber fassen/ und dann wollte ich wieder weiter/ ohne zu wissen/ was ich wollte/ und so fiel ich ins mysterium. soll ich also nicht mehr wollen? ihr wolltet diesen krieg. das ist gut. wenn ihr nämlich nicht wolltet/ so wäre das übel dieses krieges klein. mit euren wollen aber macht ihr das übel groß. wenn es euch nicht gelingt/ aus diesem krieg das größte übel zu machen/ so werdet ihr nie lernen die gewaltthat und das außen bekämpfen zu überwinden. darum ist es gut/ wenn ihr von ganzem herzen dieses größte übel wollt. ihr seid christen und helden nachläufer und wartet auf erlöser/ die die qual für euch auf sich nehmen sollen und euch wohl golgatha ersparen sollen. damit richtet ihr euch einen calvarienberg auf/ der ganz europa bedeckt. wenn es euch gelingt/ ein furchtbares übel aus diesem kriege zu machen und unzählige opfer in diesen schlund zu werfen/ so ist es gut/ denn es macht jeden von euch bereit/ sich selber zu opfern. denn wie ich/ so naht ihr euch der vollendung des christus mysteriums. schon fühlt ihr die faust des eisernen im genick. dieß ist der beginn des weges. wenn blut/ feuer/ nothgeschrei diese welt erfüllen/ dann erkennt ihr euch in euren thaten: trinket euch voll am blutigen greueln des krieges/ sättigt euch am töten und zerstören/ dann gehen euch die augen auf/ daß ihr selber die seid/ die solche früchte tragen. ihr seid auf dem wege/ wenn ihr all dieß wollt. das wollen schafft verblendung/ und verblendung führt auf den weg. sollen wir den irrthum wollen? du sollst nicht/ sondern wir sollen jenen irrthum wollen/ den du für die beste wahrheit hältst/ wie es die menschen von jeher gethan haben.

Das symbol des krystalles bedeutet das unabänderliche gesetz des geschehnisses/ das aus sich selber wird. in diesem kerne erschaust du das kommende. ich sah etwas furchtbares und unfaßliches [es war dieß in der nacht des weihnachtstages des jahres 1913] ich sah den bundschuh/ das zeichen der schrecken des bauernkrieges/ des mordbrennens und der blutigen grausamkeit. ich wußte mir dieses zeichen nicht anders zu deuten/ als daß vor uns etwas blutiges und schreckliches läge. ich sah den fuß eines gewaltigen/ der eine ganze stadt zertrat. wie konnte ich dieses zeichen anders deuten? ich sah/ daß hier der weg zum selbstopfer begann. sie werden alle von den großen ereignissen furchtbar hingerissen sein und werden sie in verblendung als äußere geschehnisse verstehen wollen. es ist ein innerliches geschehniß/ das ist der weg zur vollendung des mysteriums des christus/ denn die völker lernen das selbstopfer. der schrecken möge so groß werden/ daß sich das auge der menschen nach innen wenden kann/ daß ihr wollen nicht mehr das selbst im andern sondern in sich selber sucht. ich sah es/ ich weiß/ daß dieß der weg ist. ich sah den tod des christus und ich sah seine beklagung/ ich fühlte die qual seines sterbens/ des großen sterbens. ich sah einen neuen gott/ einen knaben/ der die daemonen in seiner hand bändigt. der gott hält die getrennten principien in seiner macht/ er vereinigt sie. der gott wird durch die vereinigung der principien in mir. er ist ihre vereinigung. wenn du das eine princip willst/ so bist du in einem/ aber fern deinem anderssein. wenn du beide principien willst/ das eine und das andere/ dann erregst du den zwiespalt der principien/ denn du kannst nicht beides zugleich wollen. daraus entsteht die noth/ darin der gott erscheint/ er nimmt dein zwiespältiges wollen in die hand/ in die hand eines kindes/ dessen wollen einfach und jenseits vom zwiespalt ist. du kannst es nicht lernen/ es kann nur in dir werden. du kannst es nicht wollen/ es nimmt dir das wollen aus der hand und will sich selber. wolle dich selber/ das führt auf den weg. aber im grunde graut es dir vor dir selber/ darum du lieber zu allen andern läufst als zu dir selber. ich sah den berg des opfers und das blut floß in strömen von seinen seiten. als ich sah/ wie stolz und kraft die männer erfüllte/ wie die schönheit aus den augen der frauen strahlte/ als der große krieg ausbrach/ da wußte ich/ daß die menschheit auf dem wege zum selbstopfer war. der geist der tiefe hat die menschheit gefaßt und zwingt ihr das selbstopfer auf. sucht nicht die schuld da oder dort. der geist der tiefe riß das schicksal der menschen an sich/ wie er mein schicksal an sich riß. er führt die menschheit durch den blutstrom zum mysterium. im mysterium wird der mensch selber zu den zwei principien/ zu löwe und schlange. weil ich auch mein anderssein will/ muß ich ein christus werden. ich werde zum christus gemacht/ ich muß es erleiden. so fließt das erlösende blut. durch das selbstopfer wird meine lust verwandelt und geht über in ihr höheres princip. liebe ist sehend/ lust aber ist blind. die beiden principien sind eins im symbol der flamme. die principien entkleiden sich der menschlichen form.

Das mysterium zeigte mir im bilde/ was ich hernach leben sollte. ich besaß nichts von jenen gütern/ die mir das mysterium zeigte/ sondern ich hatte sie noch alle zu erwerben.

finis part. prim.

liber secundus

DIE BILDER DES IRRENDEN.

Nolite avdire verba prophetarvm/qvi prophetant vobis et decipivnt vos: visionem cordis svi loqvvntvr/non de ore domini. Avdivi qvae dixervnt prophetantes in nomine meo mendacivm/atqve dicentes: somniavi/somniavi. Vsqve qvo istvd est in corde prophetarvm vaticinantivm mendacivm et prophetantivm sedvctionem cordis svi? Qvi volvnt facere vt obliviscatvr popvlvs mevs nominis mei propter somnia eorvm/qvae narrat vnvsqvisqve ad proximvm svvm: sicvt obliti svnt patres eorvm nominis mei propter baal. Propheta/qvi habet somnivm/narret somnivm et qvi habet sermonem mevm/loqvatvr sermonem mevm vere: qvid paleis ad triticvm? dicit dominvs.

Der rothe. cap. i.

Die thüre des mysteriums ist hinter mir geschlossen. ich fühle/ daß mein wollen gelähmt ist/ u. daß der geist der tiefe mich besitzt. ich weiß nichts von einem wege. ich kann darum weder dieses noch jenes wollen/ denn nichts deutet mir an/ ob ich dieses oder jenes wolle. ich erwarte/ ohne zu wissen/ was ich erwarte. aber schon in der folgenden nacht fühlte ich/ daß ich einen festen punkt erreicht hatte.

Ich finde/ daß ich auf dem höchsten thurme einer burg stehe. ich fühle es an der luft/ ich bin ferne zurück in der zeit. weithin schweift mein blick über ein einsames hügeliges land/ eine abwechslung von feldern u. wäldern. ich trage ein grünes gewand. ein horn hängt mir an der schulter. ich bin der thurmwächter. ich schaue hinaus in die weite. dort draußen sehe ich einen rothen punkt/ er kommt näher auf gewundener straße/ verschwindet bisweilen in wäldern u. kommt wieder hervor: es ist ein reiter im rothen mantel/ der rothe reiter. er kommt zu meiner burg: er reitet schon durchs thor. ich höre schritte auf der treppe/ die stufen knarren/ es pocht: eine seltsame angst kommt mich an: da steht der rothe/ seine lange gestalt ganz in roth gehüllt/ selbst sein haar ist roth. ich denke: am ende ist's der teufel.

der rothe: ich grüße dich/ mann auf hohem thurm. ich sah dich von ferne/ ausschauend u. erwartend. deine erwartung hat mich gerufen.

ich: wer bist du?

d. r.: wer ich bin? du denkst/ ich sei der teufel. mach keine urtheile. du kannst vielleicht auch mit mir reden/ ohne daß du weißt/ wer ich bin. was bist du für ein abergläubischer geselle/ daß du gleich an den teufel denkst?

ich: wenn du nicht ein übernatürliches vermögen hast/ wie konntest du fühlen/ daß ich erwartend auf meinem thurme stand/ ausschauend nach dem unbekannten u. neuen? mein leben auf der burg ist arm/ da ich immer hier oben sitze u. niemand zu mir heraufsteigt.

d. r.: was erwartest du denn?

ich: ich erwarte vielerlei u. besonders erwarte ich/ daß etwas vom reichthum der welt/ die wir nicht sehen/ zu mir kommen möchte.

d. r.: dann bin ich bei dir wohl am rechten ort. ich wandere seit langem durch alle lande u. suche mir die/ die wie du auf hohen thurme sitzen u. nach ungesehenen dingen umschau halten.

ich: du machst mich neugierig. du scheinst von seltener art zu sein. dein aussehen ist nicht gewöhnlich/ auch – verzeih mir – scheint es mir/ als bringest du eine merkwürdige luft mit dir/ so etwas weltliches/ freches oder ausgelassenes/ oder – eigentlich gesagt – etwas heidnisches.

d. r.: du beleidigst mich nicht/ im gegentheil/ du triffst den nagel auf den kopf. aber ich bin kein alter heide/ wie du zu denken scheinst.

ich: das will ich auch nicht behaupten/ dazu bist du doch nicht breitspurig u. lateinisch genug. du hast nichts classisches an dir. du scheinst ein sohn unserer zeit zu sein/ aber/ wie ich bemerken muß/ ein etwas ungewöhnlicher. du bist kein ächter heide/ sondern ein heide/ der neben unserer christlichen religion herläuft.

d. r.: du bist wahrhaftig ein guter räthselrather. du machst deine sache besser als viele andere/ die mich gänzlich verkannt haben.

ich: dein ton ist kühl u. spöttisch. hast du dein herz nie gebrochen für die allerheiligsten mysterien unserer christlichen religion?

d. r.: du bist ja ein unglaublich schwerfälliger u. ernsthafter mensch. bist du immer so eindringlich?

ich: ich möchte – vor gott – immer so ernsthaft u. mir selber getreu sein/ wie ich es versuche zu sein. es wird mir allerdings schwer in deiner gegenwart. du bringst eine art galgenluft mit/ gewiß bist du einer von der schwarzen schule zu Salerno/ wo verderbliche künste gelehrt werden von heiden u. heidenabkömmlingen.

d. r.: du bist abergläubisch u. zu deutsch. du nimmst es auf's wort genau/ was die heiligen schriften sagen/ sonst könntest du mich nicht so hart beurtheilen.

I: ein hartes urtheil soll mir ferne liegen. aber meine witterung täuscht mich nicht. du bist ausweichend und willst dich nicht verrathen. was verbirgst du?

[der rothe scheint röther zu werden / es leuchtet wie glühendes eisen auf seinem gewand.

D. r.: ich verberge nichts / du treuherziger / ich ergötze mich bloß an deinem gewichtigen ernst und an deiner komischen wahrhaftigkeit. so was ist selten in unserer zeit / besonders bei menschen / die über verstand verfügen.

I: ich glaube / du kannst mich nicht ganz verstehen. du mißest mich wohl an denen / die du von lebenden menschen kennst. aber ich muß dir sagen / um der wahrheit willen / daß ich eigentlich nicht in diese zeit und an diesen ort gehöre. ein zauber hat mich seit jahr und tag an diesen ort und in diese zeit gebannt. ich bin in wirklichkeit nicht der / den du vor dir siehst.

D. r.: du sagst erstaunliche dinge. wer bist du denn?

I: das thut nichts zur sache: ich stehe vor dir als der / der ich gegenwärtig bin. warum ich hier und so bin / weiß ich nicht. aber das weiß ich / daß ich hier sein muß / um dir nach besten wissen rede und antwort zu stehen. ich weiß ebensowenig ~~wie du~~ / wer du bist / wie du / wer ich bin.

D. r.: das klingt sehr merkwürdig. bist du etwa ein heiliger? ein philosoph wohl kaum / denn die gelehrte sprache liegt dir nicht. aber ein heiliger? das wohl eher. deine ernsthaftigkeit riecht nach fanatismus. du hast eine ethische atmosphaere und eine einfachheit / die an trockenes brot und wasser erinnert.

I: ich kann nicht ja und nicht nein sagen: du sprichst als ein im geiste dieser zeit befangener. dir fehlen / wie mir scheint / die vergleiche.

D. r.: bist du etwa auch bei den heiden in die schule gegangen. du antwortest wie ein sophist. wieso kommst du denn dazu mich mit dem maaßstab christlicher religion zu messen / wenn du kein heiliger bist?

I: mir scheint / als ob dieß der ein maßstab wäre / den man anwenden kann / auch wenn man kein heiliger ist. ich glaube erfahren zu haben / daß keiner sich ungestraft um die mysterien der christlichen religion herumdrücken darf. ich wiederhole / daß wer immer sein herz nicht mit dem herrn Jesu Christo gebrochen hat / einen heiden in sich herumschleppt / der ihn vom besten zurückhält.

D. r.: wieder dieser alte ton? wozu das / wenn du kein christlicher heiliger bist? bist du nicht doch ein verfluchter sophist?

I: du bist befangen in deiner welt. aber du kannst dir doch denken / daß es möglich wäre / den werth des christenthums richtig einzuschätzen / ohne daß man geradezu ein heiliger wäre.

D. r.: bist du ein doctor der theologie / der sich das christenthum von außen besieht und historisch würdigt / also doch ein sophist?

I: du bist hartnäckig. was ich meine / ist / daß es wohl kein zufall sei / daß alle welt christlich geworden ist. ich glaube auch / daß es die aufgabe der occidentalen menschheit gewesen ist / Christum im herzen zu tragen und an seinem leiden / sterben und auferstehen emporzuwachsen.

D. r.: nun es giebt doch auch juden / die rechte leute sind und doch deines gelobten evangeliums nicht bedurften.

I: du bist / wie mir scheint / kein guter menschenkenner: hast du nie bemerkt / daß den juden etwas fehlt / dem einen am kopf / dem andern am herzen / und daß er es selber fühlt / daß ihm etwas fehlt?

D. r.: ich bin zwar kein jude / aber ich muß den juden doch in schutz nehmen: du scheinst ein judenhasser zu sein.

I: damit sprichst du allen jenen juden nach / die eine nicht gerade günstige beurtheilung immer des judenhaßes bezichtigen / während sie selber die blutigsten witze über ihr eigenes geschlecht machen. weil die juden jenen gewissen mangel nur zu deutlich fühlen und doch nicht zugeben wollen / sind sie so empfindlich für beurtheilung. glaubst du das christenthum sei spurlos an der seele des menschen vorübergegangen? und glaubst du / daß einer / der es nicht innerlich miterlebte / dennoch seiner früchte theilhaft werde?

D. r.: du hast argumente. aber deine ernsthaftigkeit?! du könntest es bequemer haben. wenn du kein heiliger bist / so sehe ich wirklich nicht ein / warum du so ernsthaft sein mußt. du verdirbst dir ja völlig den spaß. was zum teufel / steckt dir denn im kopf? nur das christenthum mit seiner jammervollen weltflucht kann die leute so schwerfällig und verdrießlich machen.

I: ich denke / es gäbe noch andere dinge / die den ernst predigen.

D.R.: ach / ich weiß schon / du meinst das leben. diese phrase kenne ich. ich lebe auch und lasse mir kein graues haar darüber wachsen. das leben erfordert keine ernsthaftigkeit / im gegentheil / man tanzt sich besser durchs leben.

I: ich kenne das tanzen. ja / wenn es mit dem tanzen gethan wäre! das tanzen gehört zur brunstzeit. ich weiß / daß es menschen giebt / welche immer brunstzeit haben / und solche / welche auch ihren göttern tanzen wollen. die einen sind lächerlich / und die andern spielen alterthum / anstatt daß sie ihren mangel an ausdrucksmöglichkeit ehrlich zugeben.

D.R.: hier / mein lieber / lege ich eine maske ab, jetzt werde ich etwas ernsthafter / denn das betrifft mein gebiet. es wäre denkbar / daß es noch ein drittes gäbe / wofür das tanzen symbol wäre.

Das roth des reiters verwandelt sich in zartröthliche fleischfarbe. und siehe – o wunder – aus meinen grünen gewande sprossen überall blätter.

I: es giebt vielleicht auch eine freude vor gott / die man tanzen nennen könnte. aber diese freude fand ich noch nicht. ich halte ausschau nach den kommenden dingen. es kamen dinge / aber darunter war die freude nicht.

D.R.: erkennst du mich nicht / mein bruder / ich bin die freude!

I: du solltest die freude sein? ich sehe dich wie durch einen nebel. dein bild schwindet mir. laß mich deine hand fassen / geliebter / wo bist du? wo bist du? die freude? war er die freude?

Gewiß war es der teufel / dieser rothe / aber mein teufel. er war nämlich meine freude / die freude des ernsthaften / der allein auf hohem thurme ausschau hält / seine rosenfarbene / rosenduftende / warmhellrothe freude. nicht die heimliche freude an seinen gedanken und an seinem schauen / sondern jene fremde weltfreude / die unvermuthet kommt / wie ein warmer südwind mit schwellenden blüthendüften und der leichtigkeit des lebens. ihr wisset es von euern dichtern / daß ernsthafte / wenn sie erwartend ausschau nach den dingen der tiefe / zuallererst vom teufel ihrer frühlingshaften freude aufgesucht werden. wie eine woge hebt sie den menschen auf und führt ihn hinaus. wer von dieser freude kostet / vergißt sich selbst. und es giebt nichts süßeres als sich selbst zu vergessen. es giebt nicht wenige / die vergessen / was sie waren. aber noch viel mehr sind derer / die so fest angewachsen sind / daß nicht einmal die rosige woge es vermag / sie zu entwurzeln. sie sind versteinert und zu schwer / die andern sind zu leicht.

Ich setzte mich mit dem teufel ernsthaft auseinander und benahm mich mit ihm als mit einer wirklichen person. das habe ich im mysterium gelernt / jene unbekannten / freischweifenden / die die innenwelt bewohnen / persönlich und ernst zu nehmen / denn sie sind wirklich / weil sie wirken. es hilft nichts / daß wir im geiste dieser zeit sagen: es giebt keinen teufel. bei mir gab es einen. solches fand in mir statt. ich that mit ihm / was ich konnte. ich konnte mit ihm reden. mit dem teufel ist ein religionsgespräch unvermeidlich / denn er fordert es heraus / wenn man sich ihm nicht bedingungslos unterwerfen will. denn die religion ist gerade das / worin ich mich mit dem teufel nicht verstehe. ich muß mich mit ihm auseinandersetzen / da ich von ihm als einer selbständigen persönlichkeit nicht ohne weiteres erwarten kann / daß er meinen standpunkt annimmt. es wäre flucht / wenn ich mich mit ihm nicht zu verständigen suchte. wenn immer du die seltene gelegenheit hast / den teufel zu sprechen / dann vergiß nicht / dich ernsthaft mit ihm auseinander zu setzen. er ist ja schließlich dein teufel. der teufel ist als der widersacher dein eigener andrer standpunkt / der dich versucht und dir da steine in den weg legt / wo du sie am wenigsten brauchen kannst.

Sich des teufels annehmen / heißt nicht: zu ihm übergehen / sonst wird man des teufels. vielmehr heißt es: sich verständigen. dadurch nimmst du dich deines andern standpunktes an. damit verliert der teufel etwas an boden / und du auch. und das dürfte wohl gut sein. obschon die religion dem teufel sehr zuwider ist wegen ihrer besondern ernsthaftigkeit und treuherzigkeit / so zeigte es sich doch / daß es gerade die religion ist / durch die der teufel zu einer verständigung gebracht werden kann. was ich über den tanz sagte / traf ihn / denn ich sprach über etwas / das zu seinem gebiete gehört. er nimmt nur das / was andere angeht / nicht ernst / denn das ist die eigenthümlichkeit aller teufel. solchermaßen komme ich zu seiner ernsthaftigkeit / und damit erreichen wir gemeinsamen grund/ wo verständigung möglich ist. der teufel ist überzeugt/ daß das tanzen weder brunst noch verrücktheit sei/ sondern ausdruck von etwas/ das weder zu einem/ noch zu andern gehört/ nämlich der freude. darin bin ich mit dem teufel einig. darum vermenschlicht er sich vor meinen augen. ich aber ergrüne wie ein baum im frühling.

Daß aber die freude der teufel oder der teufel die freude ist/ das muß dich bedenklich stimmen. ich habe eine wochelang darüber nachgedacht/ und ich fürchte/ es sei nicht genug gewesen. du bestreitest/ daß deine freude der teufel sei. es scheint aber/ als ob anderer freude immer etwas teuflisches sei. wenn deine freude für dich kein teufel ist/ dann wohl für deinen nächsten/ denn freude ist höchstes erblühen und ergrünen des lebens. das reißt dich weg zum absturz/ und du mußt nach einer neuen fährte tappen/ denn das licht in dir im freudenfeuer gänzlich ausgegangen. oder deine freude reißt deinen nächsten weg und wirft ihn aus der bahn/ denn das leben ist wie ein großes feuer/ das alles brennbare in der nähe ansteckt. das feuer ist aber das element des teufels.

Als ich sah/ daß der teufel die freude ist/ hätte ich wohl gerne einen pakt mit ihm gemacht. aber mit der freude kannst du keinen pakt machen/ denn sie vergeht dir sofort wieder. daher du auch den teufel nicht einfangen kannst. ja/ es gehört zu seinem wesen/ daß er nicht einzufangen ist. läßt er sich fangen/ so ist er dumm/ und du hast keinen gewinn davon/ einen dummen teufel mehr zu haben. der teufel sucht immer den ast abzusägen/ auf dem du sitzest. das ist nützlich und bewahrt vor dem einschlafen und den damit verbundenen lastern.

Der teufel ist ein böses element. aber die freude? daß die freude auch das böse in sich hat/ siehst du/ wenn du ihr nachläufst/ denn dann gelangst du zur lust/ und von der lust geradewegs zur hölle/ zu deiner dir eigenthümlichen hölle/ die für jedweden verschieden ausfällt. durch die verständigung mit dem teufel nahm er etwas von meiner ernsthaftigkeit an/ und ich etwas von seiner freude. das gab mir muth. wenn der teufel aber an ernsthaftigkeit gewonnen hat/ dann muß man sich auf etwas gefaßt machen. es ist immer eine gewagte sache/ die freude anzunehmen/ aber sie führt uns zum leben und seinen enttäuschungen/ aus welchen das ganze unseres lebens wird.

Das schloß im walde.

cap. ii.

In der zweiten nacht danach gehe ich einsam in finsterm walde und ich merke/ daß ich mich verirrt habe. ich bin auf einem schlechten karrenweg und stolpere durch die dunkelheit. ich komme endlich an ein stilles dunkles sumpfwasser und mitten drin steht ein kleines altes schloß. ich denke/ es sei gut/ hier um herberge für die nacht zu fragen. ich klopfe am thor/ ich warte lange/ es fängt an zu regnen. ich muß nochmals klopfen. jetzt höre ich jemand kommen: man öffnet; ein mensch in altmodischem gewande/ ein diener/ fragt nach meinem begehren. ich bitte um unterkunft für die nacht/ und er läßt mich eintreten in einen dunkeln vorraum. dann führt er mich eine ausgetretene dunkle holztreppe hinauf. oben komme ich in einen weitern und höhern hallenartigen raum mit weißen wänden/ ihnen entlang schwarze truhen und schränke. ich werde in eine art empfangszimmer geführt. es ist ein einfacher raum mit alten polstermöbeln. das matte licht einer alterthümlichen ampel erhellt das zimmer in nur sehr dürftiger weise. der diener klopft an eine seitenthüre und öffnet sie dann leise. ich thue rasch einen blick hinüber: es ist das arbeitszimmer eines gelehrten/ büchergestelle an allen vier wänden/ ein großer schreibtisch/ an dem ein alter sitzt in langem/ schwarzem talar. er winkt mir/ näher zu treten. die luft im zimmer ist schwer und der alte macht einen sorgenvollen eindruck. er ist nicht ohne würde/ das heißt/ er scheint zu seinen zu gehören/ die soviel würde haben/ als man ihnen giebt. er hat jenen bescheiden-ängstlichen ausdruck des gelehrten menschen/ der von der fülle des wissens längst zu nichts zerdrückt ist. ich denke/ er sei ein wahrhafter gelehrter / der die grosse bescheidenheit vor der unermeßlichkeit des wissens gelernt und sich ohne rest dem stoff der wissenschaft dahingegeben hat / ängstlich gerecht abwägend / wie wenn er selber in persona den proceß des wissenschaftlichen erwahrheitens verantwortlich darzustellen hätte. er begrüßt mich verlegen / wie abwesend und abwehrend. ich wundere mich nicht darüber / denn ich sehe aus / wie ein gewöhnlicher mensch. er kann den blick nur mühsam von seiner arbeit wegwenden. ich wiederhole meine bitte um eine unterkunft für die nacht. nach längerer pause bemerkt der alte: ,so / du willst schlafen / schlafe nur ruhig!' ich merke / er ist abwesend und bitte ihn deßhalb / dem diener zu befehlen / daß er mir eine kammer anweise. darauf sagt er: ,du verlangst viel / warte / ich kann mich nicht gerade los machen!' er versinkt wieder in sein buch. ich warte geduldig. nach einer weile blickt er erstaunt auf: ,was willst du hier? oh - verzeih - ich vergaß ganz / daß du hier wartest. ich werde gleich den diener rufen.' der diener kommt und führt mich auf dem gleichen stock in eine kleine kammer mit nackten weißen wänden und einem großen bett. er wünscht mir gute nacht und entfernt sich. da ich müde bin / kleide ich mich sofort aus und lege mich zu bett / nachdem ich das licht / eine talgkerze ausgelöscht habe. die leinwand ist ungewöhnlich rauh / das kopfkissen hart. mein irrweg hat mich an einen seltsamen ort geführt: ein kleines altes schloß / dessen gelehrter besitzer offenbar seinen lebensabend allein mit seinen büchern verbringt. es scheinen sonst keine lebenden wesen im hause zu sein / außer dem diener / der drüben im thurme wohnt. ein ideales / oder einsames dasein / dieses leben des alten mannes mit seinen büchern / denke ich. und hier verweilen meine gedanken lange zeit / bis ich schließlich bemerke / daß ein anderer gedanke mich nicht losläßt / daß nämlich der alte hier seine schöne tochter verborgen hat - abgeschmackte romanidee - ein fades und erschöpftes sujet - aber das romantische steckt einem doch in allen gliedern - eine richtig romanhafte idee - ein schloß im walde - einsam nächtig - ein in seinen büchern versteinerter greis / der einen kostbaren schatz hütet und aller welt neidisch verbirgt - was für lächerliche gedanken kommen mich an! ist es hölle oder fegefeuer / daß ich auf meiner irrfahrt auch dergleichen kindische träume aushecken muß? aber ich fühle mich unfähig / meine gedanken zu irgend etwas stärkerm oder schönerm zu erheben. ich muß diese gedanken wohl gewähren lassen. was hülfe es / sie wegzudrängen - sie kommen wieder. besser diese schalen tränke hinunterschlucken / als im mund behalten. wie sieht sie denn aus / diese langweilige heldin? gewiß blond / blaß - blauaugen / sehnsüchtig in jedem verirrten wanderer den retter aus dem väterlichen gefängniß erhoffend - ach ich kenne diesen abgedroschenen unsinn - ich will lieber schlafen - warum / zum teufel / muß ich mich mit solchen leeren phantasien plagen? der schlaf will nicht. ich wälze mich hin und her. der schlaf kommt nicht - sollte ich diese unerlöste seele am ende in mir selber haben? und ist sie es / die mich nicht schlafen läßt? habe ich eine so romanhafte seele? das fehlte noch - es wäre qualvoll lächerlich. nimmt denn dieser schalste aller tränke gar kein ende? es muß schon mitternacht sein - und noch immer kein schlaf. was in aller welt läßt mich denn nicht schlafen? ist etwas an dieser kammer? ist das bett behext? es ist grausam / wozu die schlaflosigkeit einen menschen treiben kann - sogar zu den ungereimtesten und abergläubischsten theorien. es scheint kühl zu sein / ich friere - vielleicht schlafe ich deßhalb nicht - eigentlich ist es hier unheimlich - weiß der himmel / was hier vorgeht - war da nicht soeben schritte? nein / das muß draußen gewesen sein - ich lege mich auf die andere seite / schließe die augen fest / ich muß schlafen. gieng da nicht die thür? mein gott / da steht ja jemand? seh ich recht? - ein schlankes mädchen / blaß wie der tod / steht an der thür? ums himmels willen / was ist das? sie kommt näher!

„kommst du endlich?" fragt sie leise. unmöglich - das ist ein grausiger irrthum - der roman will wirklich werden - will sich zur blödsinnigen geistergeschichte auswachsen? zu welchem unsinn bin ich verdammt? ist das meine seele / die solche romanherrlichkeiten beherbergt? muß auch das an mich kommen? ich bin wahrhaftig in der hölle - schlimmstes erwachen nach dem tode / wenn man in einer leihbibliothek aufersteht. habe ich die menschen meiner zeit und ihren geschmack so verachtet / daß ich in der hölle die romane erleben und nachschreiben muß / auf die ich schon längstens gespuckt habe. hat die untere hälfte des durchschnittsgeschmackes der menschheit auch anspruch auf heiligkeit und unverletzlichkeit / sodaß wir kein übles wort darüber sagen.

dürfen, ohne die Sünde in der Hölle büßen zu müssen?

Sie spricht: „Also denkst auch du das Gemeine von mir? Auch du lässest dich bethören von dem unglückseligen Wahn, daß ich in einen Roman gehöre? Auch du, von dem ich hoffte, er habe den Schein von sich geworfen und strebe nach dem Wesen der Dinge?"

Ich: Verzeih, aber bist du denn wirklich? Es ist eine zu unglückliche Ähnlichkeit mit jenen Romanscenen, die bis zum Albernen ausgeleiert sind, als daß ich annehmen könnte, du seiest nicht bloß eine Ausgeburt meines schlaflosen Gehirnes. Mein Zweifel ist doch wahrhaft berechtigt, wenn eine Situation in solchem Maaße mit dem Typus des sentimentalen Romanes übereinstimmt?

Sie: Unseliger, wie kannst du an meiner Wirklichkeit zweifeln?

Sie fällt zu Füßen meines Bettes schluchzend auf die Kniee und birgt das Gesicht in den Händen. Mein Gott, ist sie am Ende doch wirklich und thue ich ihr unrecht? Mein Mitleid wird wach.

Ich: Aber um des Himmels willen, sage mir eines: bist du wirklich? Muß ich dich als Wirklichkeit ernst nehmen?

Sie weint und antwortet nicht.

Ich: Wer bist du denn?

Sie: Ich bin die Tochter des Alten. Er hält mich hier in unerträglicher Gefangenschaft, nicht aus Neid oder Haß, sondern aus Liebe, denn ich bin sein einziges Kind und das Ebenbild meiner früh verstorbenen Mutter.

Ich fasse mich an den Kopf: Ist das nicht eine höllische Banalität? Wort für Wort der Roman aus der Leihbibliothek! O ihr Götter, wohin habt ihr mich geführt? Es ist zum Lachen, es ist zum Heulen – ein schöner Leidender, ein tragisch Zerschmetterter zu sein, ist schwer, aber zum Affen zu werden! Ihr Schönen und Großen? Das Banale und ewig Lächerliche, das unsäglich Abgegriffene und Ausgeleierte ist euch nie als Himmelsgeschenk in die betend erhobenen Hände gelegt worden.

Doch da liegt sie noch immer und weint – aber wenn sie wirklich wäre? Dann wäre sie doch bedauernswerth, jeder Mensch hätte Mitgefühl mit ihr. Wenn sie ein anständiges Mädchen ist, was muß es sie gekostet haben, in die Kammer eines fremden Mannes einzutreten! Und ihre Scheu dermaßen zu überwinden?

Ich: Mein liebes Kind, ich will dir trotz allem und allem glauben, daß du wirklich bist. Was kann ich für dich thun?

Sie: Endlich, endlich ein Wort aus menschlichem Munde!

Sie erhebt sich, ihr Gesicht strahlt, sie ist schön. Eine tiefe Reinheit liegt in ihrem Blicke. Sie hat eine Seele, schön und weltfern, eine Seele, die zum Leben der Wirklichkeit kommen möchte, zu aller der erbarmungswürdigen Wirklichkeit, zum Schmutzbad und Gesundbrunnen. O über diese Schönheit der Seele! Sie hinuntersteigen sehen zur Unterwelt der Wirklichkeit – welches Schauspiel!

Sie: Was du für mich thun kannst? Du hast schon viel für mich gethan. Du sprachest das erlösende Wort, als du das Banale nicht mehr zwischen dich und mich stelltest. Denn wisse: ich war durch das Banale gebannt.

Ich: Wehe mir, du wirst nun gar märchenhaft.

Sie: Sei vernünftig, lieber Freund, und stolpere nun nicht noch über das Märchenhafte, denn das Märchen ist bloß die Großmutter des Romans und noch viel allgemeingültiger als der gelesenste Roman deiner Zeit. Und du weißt doch, daß das, was seit Jahrtausenden durch aller Leute Mund geht, zwar schon das Zerkauteste ist, aber eben doch der höchsten menschlichen Wahrheit am nächsten kommt. Also laß das Märchenhafte nicht zwischen uns sein.

Ich: Du bist klug und scheinst nicht die Weisheit deines Vaters geerbt zu haben. Doch, sage mir, was denkst du von den göttlichen, den sogenannten äußersten Wahrheiten? Es käme mir sehr fremdartig vor, sie in der Banalität zu suchen. Ihrer Natur nach müssen sie doch sehr ungewöhnlich sein. Denke nur an unsere großen Philosophen.

Sie: Je ungewöhnlicher diese äußersten Wahrheiten sind, desto unmenschlicher müssen sie auch sein und desto weniger werden sie dir irgend etwas Werthvolles oder Sinnreiches über das menschliche Wesen und sein Sagen. Nur was menschlich ist und was du als banal und abgedroschen beschimpfst, das enthält die Weisheit, die du suchst. Das märchenhafte spricht nicht gegen mich / sondern für mich und beweist / wie allgemeingültig menschlich ich bin und wie sehr ich der erlösung nicht nur bedarf / sondern sie auch verdiene. denn ich kann in der welt der wirklichkeit leben so gut oder vielleicht besser als viele andere meines geschlechtes.

Ich: merkwürdiges mädchen / du bist verwirrend. als ich deinen vater sah / hoffte ich / er werde mich zu einem gelehrten gespräch einladen. er that es nicht und ich war ihm gram drum / denn ich fühlte mich in meiner würde gekränkt durch seine zerstreute nachlässigkeit. bei dir aber fand ich weit besseres. du giebst mir stoff zum denken. du bist ungewöhnlich.

Sie: du irrst dich / ich bin sehr gewöhnlich.

Ich: das kann ich nicht glauben. wie schön und verehrungswürdig ist der ausdruck deiner seele in deinen augen! glücklich und beneidenswerth der mann / der dich freien wird.

Sie: liebst du mich?

Ich: bei gott! ich liebe dich – aber – leider bin ich schon verheirathet.

Sie: also – siehst du: die banale wirklichkeit ist sogar ein erlöser. ich danke dir / lieber freund / und bestelle dir einen gruß von Salome.

bei diesen worten zerfließt ihre gestalt in der dunkelheit. mattes mondlicht dringt ins zimmer. auf der stelle / wo sie stand / liegt etwas dunkles – es ist eine fülle rother rosen.

Wenn dir kein äußeres abentheuer geschieht / geschieht dir auch kein inneres. das stück / das du vom teufel übernimmst / eben die freude / sorgt dir für abentheuer. dabei wirst du sowohl deine untere / wie deine obere grenze finden. das thut dir noth / deine grenzen zu kennen. wenn du sie nicht kennst / so läufst du in den künstlichen schranken deiner einbildung und der erwartung deiner mitmenschen. dem leben aber erträgt es schlecht / von künstlichen schranken aufgehalten zu werden. das leben will solche schranken überspringen und du wirst an ihnen uneins mit dir selber. diese schranken sind nicht deine wirklichen grenzen / sondern sie sind willkürliche beschränkungen / die dir selber unnütze gewalt anthun. versuche darum deine wirklichen grenzen zu finden. man kennt sie nie zum voraus / sondern man sieht und versteht sie nur / wenn man sie erreicht. aber auch das geschieht dir nur / wenn du gleichgewicht hast. ohne gleichgewicht fällst du über deine grenzen hinaus / ohne zu merken / was dir geschehen ist. gleichgewicht aber erreichst du nur dadurch / daß du dem gegentheil nährst. das aber ist dir im innersten zuwider / denn es ist nicht heldenhaft.

Mein geist dachte hinaus nach allem seltenen und ungewöhnlichen / er spähte nach unaufgefundenen möglichkeiten / nach pfaden / die im verborgenen gehen / nach lichtern / die in der nacht leuchten. und als mein geist solches that / da litt / ohne daß ich es merkte / alles gewöhnliche an mir schaden und fieng an nach leben zu begehren / denn ich lebte es nicht.
darum traf mich dieses abenteuer. das romantische befiel mich. das romantische ist ein schritt zurück. um auf den weg zu gelangen / muß man etwa auch einige schritte zurückgehen. im abenteuer lebe ich / was ich im mysterium schaute. was ich dort als elias und salome sah / das wurde im leben zu dem alten gelehrten und seiner blassen / eingesperrten tochter. was ich lebe ist ein entstelltes abbild des mysteriums. auf dem wege des romantischen gelangte ich zum plumpen und durchschnittlichen des lebens / wo mir die gedanken ausgehen und ich meiner selbst beinahe vergesse. was ich vordem liebte / muß ich als saftlos und verdorrt erleben / und was ich vordem verlachte / mußte ich als aufsteigend beneiden und hilflos ersehnen. ich nahm die lächerlichkeit dieses abenteuers an. kaum geschah das / so sah ich auch / wie das mädchen sich verwandelte und selbständig sich zeigte. man frage nach den begehren des lächerlichen / das genügt / um es zu wandeln.

Was ist es mit der männlichkeit? weißt du / wieviel weiblichkeit dem manne fehlt zur vollendung? weißt du / wieviel männlichkeit der frau fehlt zur vollendung? ihr sucht das weibliche beim weibe und das männliche beim manne. und so giebt es nur immer männer und weiber. wo sind aber die menschen? du / mann / sollst das weibliche nicht beim weibe suchen / sondern du sollst es in dir aufsuchen und anerkennen / denn du besitzest es von anfang. aber es gefällt dir / männlichkeit zu spielen / weil es auf der glatten bahn des altgewohnten geht. du / frau / sollst das männliche nicht beim manne suchen / sondern du sollst dich des männlichen in dir annehmen / denn du besitzest es von anfang. aber es ergötzt dich und es ist leicht / weibchen zu spielen / darum verachtet dich der mann / denn er verachtet sein weibliches. der mensch aber ist männlich und weiblich / er ist nicht nur mann oder nur weib. du kannst von deiner seele kaum sagen / welchen geschlechtes sie ist. wenn du aber genau aufmerkst / so wirst du sehen / dass der männlichste mann eine weibliche seele hat / und dass das weiblichste weib eine männliche seele hat. je mehr du mann bist / desto ferner ist dir das / was das weib wirklich ist / denn das weibliche in dir selber ist dir fremd und verächtlich.

Wenn du vom teufel ein stück freude nimmst und damit auf abenteuer ausziehst / so nimmst du dich deiner lust an. die lust aber zieht sofort alles herbei / wessen du begehrst / und es liegt nun bei dir / ob deine lust dich verderben oder erhöhen wird. bist du des teufels / so wirst du in blinder lust nach dem mannigfaltigen tappen und dich daran verirren. bleibst du aber bei dir selber als ein mensch / der seiner selbst ist und nicht des teufels / dann wirst du dich deiner menschlichkeit erinnern. du wirst dich also zum weibe nicht schlechthin als mann verhalten / sondern als ein mensch / d. h. wie wenn du gleichen geschlechtes mit ihr wärest. du wirst dich deines weiblichen erinnern. es mag dir scheinen / als ob du dann unmännlich wärest / gewissermassen dumm und weibisch. du musst dich aber des lächerlichen annehmen / sonst leidet es noth in dir / und es wird plötzlich einmal / wenn du dich dessen am wenigsten versiehst / dich befallen und dich lächerlich machen. es ist bitter für den männlichsten mann / sich seines weiblichen anzunehmen / denn es scheint ihm lächerlich / unkräftig und unschön. ja / es scheint dir / als hättest du alle tugend verloren / als seiest du in erniedrigung gefallen. gleichermassen scheint es dem weibe / die ihr männliches annimmt. ja / es scheint dir / als sei es sklaverei. du bist ein sklave dessen / wessen du bedarfst in deiner seele. der männlichste mann bedarf des weibes / darum ist er dessen sklave. werde selber zum weibe / und du bist von der sklaverei an das weib erlöst. du bist ohne gnade dem weibe preisgegeben / solange du nicht spott treiben kannst mit all deiner männlichkeit. es steht dir gut an / einmal weiberkleider anzuziehen: man wird über dich lachen / aber indem du weib wirst / erlangst du die freiheit vom weibe und seiner tyrannei. das annehmen des weiblichen führt zur vollendung. gleiches gilt für die frau / die ihr männliches annimmt.

Das weibliche im manne ist an das üble gebunden. ich finde es auf dem wege der lust. das männliche in der frau ist an das üble gebunden. darum widerstrebt es den menschen / sein eigenes anderes anzunehmen. wenn du es aber annimmst / so geschieht das / was mit der vollendung des menschen zusammenhängt: nämlich dann / wenn du dir zum spotte geworden bist / dann fliegt der weisse seelenvogel herbei / er war fern / aber deine demüthigung lockte ihn. das geheimniss kommt nahe zu dir und es geschehen dinge um dich / wie wunder. ein goldglanz leuchtet / denn die sonne entstieg ihrem grabe. als mann hast du keine seele / denn sie ist im weibe / als weib hast du keine seele / denn sie ist im manne. wenn du aber mensch wirst / dann kommt deine seele zu dir.

Wenn du innerhalb der willkürlichen und künstlich geschaffenen grenzen bleibst / so gehst du wie zwischen zwei hohen mauern: du siehst die unermesslichkeit der welt nicht. wenn du aber die mauern / die deinen blick beengen / niederbrichst / und wenn dir die unermesslichkeit und ihre endlose ungewissheit furchtbar wird / dann erwacht in dir der uralte schlafende / dessen bote der weisse vogel ist. dann nämlich bedarfst du der botschaft des alten bändigers des chaos. beim wirbel des chaos / dort wohnen die ewigen wunder. deine welt fängt an / wunderbar zu werden. der mensch gehört nicht nur in eine geordnete welt / er gehört auch in die wunderwelt seiner seele. darum musstet ihr euch eure geordnete welt zum schrecken machen / damit euch das zu viele aussensein verleidet. eure seele leidet noth / denn auf ihrer welt lastet die dürre. wenn ihr aus euch blickt / so seht ihr den fernen wald und die berge und darüber hinauf steigt euer blick zu den räumen der gestirne. und wenn ihr in euch blickt / so sehet ihr wiederum nahes / fernes und unendliches / denn die welt des innern ist so unendlich wie die welt des äussern. wie ihr durch euren körper theilhabt am mannigfaltigen wesen der welt / so habt ihr durch eure seele theil am mannigfaltigen wesen der innern welt. diese innere welt ist wahrlich unendlich und um nichts ärmer als die äussere. der mensch lebt in zwei welten. ein narr lebt hier oder dort / aber nie hier und dort.

Du denkst vielleicht / dass ein mensch / der sein leben der forschung weiht / ein geistiges leben führe und seine seele in höherem Maße lebe als irgend ein anderer. Aber auch ein solches Leben ist äußerlich, ebenso äußerlich wie das Leben eines Menschen, der in äußeren Dingen lebt. Ein solcher Gelehrter lebt zwar nicht die äußeren Dinge, wohl aber die äußeren Gedanken, also nicht sich selber, sondern seinen Gegenstand. Wenn du von einem Menschen sagst, er habe sich ganz an das Äußerliche verloren und verschwende in Ausschweifung seine Jahre, so mußt du dasselbe auch von diesem Alten sagen. Er hat sich an alle Bücher und alle Gedanken anderer weggeworfen. Darum leidet seine Seele Noth, muß sich demüthigen und allen Fremden ins Zimmer laufen, um jene Anerkennung zu erbetteln, die er ihr versagt. Darum siehst du jene alten Gelehrten in lächerlicher und würdeloser Weise nach Anerkennung rennen. Sie sind beleidigt, wenn man ihren Namen nicht erwähnt, betrübt, wenn ein anderer das Gleiche besser sagt, unversöhnlich, wenn einer an ihrer Ansicht ein Titelchen ändert. Gehe zu einer Versammlung der Gelehrten und du wirst sie sehen, diese bejammernswerthen Alten mit ihren großen Verdiensten und ihren verhungerten Seelen, die nach Anerkennung dürsten und ihren Durst nie stillen können. Die Seele verlangt nach deiner Thorheit, nicht nach deinem Witz.

Dadurch, daß ich mich über das geschlechtlich Männliche erhebe und doch nicht über das Menschliche hinausgehe, verwandelt sich das nur lächerliche Weibliche zu einem sinnreichen Wesen. Das ist das Schwerste, jenseits des Geschlechtlichen zu sein und innerhalb des Menschlichen zu bleiben. Wenn du dich über das Geschlechtliche erhebst mit Hilfe eines allgemeinen Satzes, so wirst du selber zu jenem Satze und gehst über das Menschliche hinaus. Also wirst du trocken, hart und unmenschlich. Du mögest aus menschlichen Gründen über das Geschlechtliche hinausgehen und niemals aus Gründen eines allgemeinen Satzes, der in den verschiedenartigsten Lagen immer derselbe bleibt und darum für jede einzelne Lage nie vollkommene Gültigkeit hat. Wenn du aus dem Menschlichen handelst, so handelst du aus der jeweiligen Lage ohne allgemeines Princip, nur der Lage entsprechend. Dadurch wirst du der Lage gerecht, vielleicht unter Verletzung eines allgemeinen Satzes. Das soll dich nicht zu sehr schmerzen, denn du bist ja nicht der Satz. Es giebt ein anderes Menschliches, ein Allzumenschliches, und wer in dieses Menschliche gerathen ist, dem thut es gut, sich der Wohlthat des allgemeinen Satzes zu erinnern. Denn auch der allgemeine Satz hat Sinn und ist nicht zum Spaße aufgestellt worden. Es ist viel verehrungswürdige Arbeit menschlichen Geistes in ihm. Menschen dieser Art sind nicht vermöge eines allgemeinen Principes jenseits der Geschlechtlichkeit, sondern vermöge ihrer Einbildung, an die sie sich verloren haben. Sie sind zu eigenen Einbildungen und Willkür geworden zu ihrem eigenen Schaden. Es thut ihnen noth, sich des Geschlechtlichen zu erinnern, damit sie aus ihren Träumen zur Wirklichkeit erwachen.

Es ist qualvoll, wie eine schlaflose Nacht, aus dem Diesseits das Jenseits zu erfühlen, nämlich das andere und Entgegengesetzte in mir. Es schleicht heran wie ein Fieber, wie ein giftiger Nebel. Und wenn deine Sinne aufs höchste erregt und gespannt sind, dann kommt das Daemonische als etwas so Fades und Abgegriffenes, so Laues und Schales, daß es dir davon übel wird. Hier hörst du wohl gerne auf, nach dem Jenseits hinüberzufühlen. Erschreckt und angewidert sehnst du dich zurück nach den Himmelshöhen der Schönheit deiner sichtbaren Welt. Du spuckst aus und verfluchst alles, was jenseits deiner schönen Welt liegt, denn du weißt, es ist Ekel, Abschaum, Unrath des Menschenthieres, das sich in dumpfen Häusern füttert, über Bürgersteige schleicht, alle Allerweltsecken beschnuppert und von der Wiege bis zum Grabe nur das genießt, was schon in aller Munde gewesen. Hier mögest du aber nicht aufhören, setze nicht den Ekel zwischen dein Diesseits und dein Jenseits. Der Weg zu deinem Jenseits führt durch die Hölle und zwar durch deine ganz besondere Hölle, deren Boden aus knietiefem Abraum besteht, deren Luft millionenfach ausgeathmet, deren Feuer Zwergleidenschaften und deren Teufel chimaerische Aushängeschilder sind. Alles Verhaßte und alles Widerliche ist deine ganz besondere Hölle. Wie könnte es anders sein? Jede andere Hölle wäre wenigstens sehenswerth oder spaßhaft. Das ist die Hölle aber nie. Deine Hölle ist aufgebaut aus allen den Dingen, die du je mit einem Fluch und einem Fußtritt aus deinem Heiligthum warfest. Wenn du in deine Hölle eintrittst, so denke nie, du kommest als ein an Schönheit Leidender oder als ein stolzer Verächter, sondern du kommst wie ein dummer und neugieriger Trottel und bestaunst die Brocken, die von deinen Tischen gefallen sind.

du möchtest wohl ingrimmig thun, aber zugleich siehst du, wie gut dir der ingrimm ansteht. deine höllische lächerlichkeit dehnt sich meilenweit. wohl dir, wenn du fluchen kannst! du wirst es erfahren, daß das fluchen lebenrettend ist. wenn du also durch die hölle gehst, darfst du nicht vergessen, allem, was dir auch immer begegnet, deine aufmerksamkeit zu geben. setze dich mit allem, das deine verachtung oder wuth erregen will, ruhig auseinander. dadurch bringst du das wunder zuwege, das ich mit dem blassen mädchen erlebte. du giebst der seelenlosen seele und dadurch kann es aus dem grausigen nichts zu etwas kommen. so wird dein anderes zum leben erlöst. deine werthe wollen dich von dem, was du gegenwärtig bist, nach vorne und über dich selber wegziehen. dein secondäres aber zieht dich zu boden wie blei. du kannst nicht zugleich beides leben, denn die beiden schließen sich aus. aber auf dem wege kannst du beides leben. darum erlöst dich der weg. du kannst nicht zugleich auf dem berg und im thal sein, aber dein weg führt dich vom berg zum thal und vom thal zum berg. vieles beginnt spaßhaft und führt ins dunkle. die hölle hat stufen.

iner der niedrigen. cap. iii.

In der folgenden nacht nunmehr fand ich mich wiederum wandernd in schneebedeckten lande heimischer art. ein grauer abendhimmel verhüllt die sonne. die luft ist feucht frostig. zu mir hat sich einer gesellt, der nicht vertrauenswürdig aussieht. vor allem, er hat nur ein auge, und sonst noch ein paar narben im gesicht. er ist ärmlich und schmutzig gekleidet, ein landstreicher. er hat einen schwarzen stoppelbart, der seit langem kein schermesser gesehen hat. ich habe einen guten stock für alle fälle. „es ist verdammt kalt", meint er nach einer weile. ich stimme zu. nach längerer pause fragt er: „wohin gehen sie?"

Ich: ich gehe noch bis zum nächsten dorf, wo ich in der herberge zu übernachten gedenke.

Er: das möchte ich auch thun. aber zu einem bett wirds kaum langen.

Ich: fehlts am geld? nun, wir wollen sehen. haben sie keine arbeit?

Er: ja die zeiten sind schlecht. ich war bis vor ein pâr tagen bei einem schlosser in arbeit. dann hatte er keine arbeit mehr. jetzt bin ich auf der reise und suche arbeit.

Ich: wollen sie nicht bei einem bauern arbeit nehmen? auf dem lande fehlts immer an arbeitskräften.

Er: die arbeit bei den bauern paßt mir nicht. da heißts am morgen früh aufstehen, die arbeit ist schwer und der lohn gering.

Ich: aber auf dem lande ist es doch immer weit schöner als in einer stadt.

Er: auf dem lande ist es langweilig, man sieht niemanden.

Ich: nun, es giebt doch auch leute auf dem dorf.

Er: man hat aber keine geistige anregung, die bauern sind klötze.

ich sehe ihn erstaunt an: was, der will auch noch geistige anregung? der soll doch lieber seinen unterhalt redlich verdienen, und wann er das gethan hat, mag er an die geistige anregung denken.

I: ab° sag~ sie mir / was für geistige anreg~ hab~ sie in d° stadt?
er: man kan abends in d~ kinematograph~ geh~. das i~ großartig / u~ es billig. man sieht da alles / was
in d° welt vorgeht.
i~ muß an die hölle denk~ / dort giebt es wohl au~ kinematograph~ / für diejenig~ / die dieses institut auf
erd~ verachtet~ u~ nicht hineingieng~ / weil alle andern ihr~ geschmack daran fand~.
I: was hat sie den im kinematograph~ am meist~ interessiert?
er: man sieht allerlei schöne künste. da war ein° / d° lief an den häusern hinauf. ein° trug d~ kopf unt°
d~ arm. ein° stand sogar mitt~ im feu° drin u~ wurde nicht verbrant. ja das i~ schon merkwürdig / was die leute alles kön~.
u~ das nent d° mens~ geistige anreg~! d° — das sieht d° merkwürdig aus: trug~ nicht au~ die heili-
g~ die köpfe unterm arm? sind nicht der heilige Franz u~ Ignatius au~ vom bod~ emporgeflog~
u~ die 3 män° im feuerof~? i~ es nicht eine gotteslästerliche idee / die acta sanctorum als ein~ historisch~
kinematograph~ z' betracht~? a~ die wund° von heutzutage sind einfa~ etwas wenig° mythis~ als technis~.
i~ betrachte mein~ begleit° mit rühr~ — er lebt weltgeschichte — u~ i~?
I: gewiß / das i~ sehr gut gemacht. hab~ sie son~ no~ derartiges geseh~?
er: ja / i~ sah / wie d° könig von Spanien ermordet wurde.
I: ab° d° wurde d° gar nicht ermordet.
er: nun / das macht nichts / dan war's halt ein anderer von dies~ verflucht~ kapitalist~ könig~. ein~
hat's wenigstens genom~. wen's nur alle nähme / dan würde das volk frei.
i~ wage schon gar nichts mehr z' sag~: wilhelm Tell / ein werk von Friedrich Schiller — d° man steht
ja mitt~ drin / im strom heroisch° geschichte. ein° d° die kunde vom tyran~ mord schlafend~ völkern verkündet.
wir sind bei d° herberge angelangt / ein° bauernwirtschaft — eine halbwegs saubere stube — einige män°
sitz~ beim bier in d° ecke. i~ werde als herr erkant u~ in die bessere ecke geleitet / wo ein gewürfeltes tu~
ein tischende bedeckt. d° andere setzt si~ unt~ and~ tis~ / u~ i~ beschließe / ihm ein rechtes nachtess~ aufwart~
zu lass~. er sieht mi~ schon erwartungsvoll u~ hungrig an — mit sein~ ein~ auge.
I: wo hab~ sie den ihr auge verlor~?
er: bei ein° prügelei. i~ habe ab° d~ andern au~ schön gestoch~. er hat nachh° 3 monate bekom~. mir gab~
sie 6. es war ab° schön im zuchthaus. es war damals ein ganz neues gebäude. i~ habe in d° schlosserei
gearbeitet. man hatte nicht zuviel z' thun u~ d° recht z' ess~. das zuchthaus i~ gar nicht schlim.
i~ schaue mi~ um / um mi~ zu vergewissern / daß niemand zuhört / wie i~ mi~ mit ein~ ehemalig~ zucht-
häusl° unterhalte. es scheint es ab° niemand bemerkt zu hab~. i~ scheine da in eine saubere gesellschaft
gerath~ z' sein. giebt es in d° hölle au~ zuchthäus° für die / die bei lebzeit~ nie drin war~? übrigens —
muß es nicht ein eigenartig schönes gefühl sein, einmal ganz unt~ auf d~ bod~ d° wirklichkt.
angelangt z' sein / von wo es kein herunt° / sondern höchstens no~ ein hinauf giebt? wo man die ganze
höhe d° wirklichkt. einmal vor si~ hat?
er: nachh° saß i~ dan schön auf d~ pflast° / weil man mi~ des landes verwieß. i~ bin dan na~ Frankrei~
gegang~ / dort war's schön.
was für bedingung~ stellt d° die schönht.! von dies~ mensch~ läßt si~ etwas lern~.
I: warum hab~ sie den diese prügelei gehabt?
er: es war weg~ eines mädchens. sie hat von ihm ein uneheliches gehabt / ab° i~ wollte sie heirath~. sie
war sons~ recht. nachh° wollte sie dan nicht mehr. i~ habe nichts mehr von ihr gehört.
I: wie alt sind sie den jetzt?
er: 35 werde i~ im frühling. i~ muß nur mal rechte arbeit hab~ / dan woll~ wir schon heirath~.
i~ krieg schon no~ eine. i~ hab's allerdings etwas auf d° lunge. ab° das wird schon wied° bess°
werd~.

er bekommt einen heftigen hustenanfall. ich denke/ das sei nicht gerade glänzende aussichten und bewundere im stillen den unentwegten optimismus des armen teufels. nach dem essen gehe ich in meiner ärmlichen kammer zu bett. ich höre/ wie der andere noch an sein nachtlager bezieht. er hustet mehreremale. dann wird es still. plötzlich aber erwache ich wieder an einem unheimlichen stöhnen und gurgeln mit halberstickten husten vermischt. ich lausche gespannt – kein zweifel/ es ist der andere. es ist wie etwas gefährliches. ich springe auf und kleide mich nothdürftig an. ich öffne die thür seiner kammer. der mond scheint voll herein. der mann liegt angekleidet auf einem strohsack. aus seinem munde fließt ein dunkler strom blutes und bildet eine lache am boden. er stöhnt halberstickt und hustet blut aus. er will sich erheben/ sinkt aber wieder zurück. ich eile hinzu/ ihn zu stützen. aber ich sehe/ daß all bereits der tod hand an ihn gelegt hat. er ist über und über mit blut besudelt. meine hände starren von blut. ein röchelnder seufzer entringt sich ihm. dann löst sich alle starre/ ein leises zucken überfliegt seine glieder. und dann ist alles tot und ruhig. wo bin ich? giebt es in der hölle auch todesfälle für die/ die nie an den tod gedacht haben? ich betrachte meine blutstarrenden hände – wie wenn ich ein mörder wäre … ist es nicht mein bruder/ dessen blut an meinen händen klebt? der mond zeichnet schwarz meinen schatten an der weißen wand der kammer. was thue ich hier? wozu dieses grausige schauspiel? ich schaue fragend nach dem mond als dem zeugen. was geht es den mond an? hat er nicht schon schlimmeres geschaut? hat er nicht hunderttausenden in die gebrochenen augen geleuchtet? seinen ringgebirgen von ewiger dauer ist dieß der gewiß einerlei – einer mehr oder weniger. der tod? deckt er nicht den furchtbaren betrug des lebens auf? darum ist es wohl dem mond auch ganz einerlei/ ob und wie einer von hinnen fährt. nur wir machen davon ein aufheben – mit welchem recht? was hat dieser da gethan? er hat gearbeitet/ gefaullenzt/ gelacht/ getrunken/ gegessen/ geschlafen/ hat sein eines auge für das weib dahingegeben und um ihretwillen seine bürgerliche ehre verscherzt/ außerdem hat er den menschenmythus schlecht und recht gelebt/ die wunderthäter bewundert/ den tyrannenmord gelobt und von der freiheit des volkes unklar geträumt. und dann – dann ist er kläglich gestorben – wie alle andern. das ist allgemeingültig. ich habe mich auf den untersten grund gesetzt. welcher schatten über der erde! alle lichter löschen in letzter verzagtheit und ersanken. der tod ist eingezogen – und es ist keiner mehr da zum wehklagen. dieses ist eine letzte wahrheit und kein rätsel. welche täuschung konnte uns an rätsel glauben machen? wir stehen auf den spitzen steinen von elend und tod.

Ein lump gesellt sich mir und will einlaß in meine seele/ also bin ich zu wenig lump. wo stack meine lumperei/ während ich sie nicht lebte? ich war ein spieler des lebens/ einer/ der es schwer dachte und leicht lebte. der lump war weit weg und vergessen. das leben war schwer und trüber geworden. der winter hörte nicht mehr auf und der lump stand im schnee und fror. ich geselle mich zu ihm/ denn ich bedarf seiner. er macht das leben leicht und einfach. er führt's in die tiefe/ auf den grund/ wo ich die höhe sehe. ohne die tiefe habe ich die höhe nicht. ich bin vielleicht auf der höhe/ aber ich werde eben darum der höhe nicht gewahr. ich bedarf darum des tiefstandes zu meiner erneuerung. wenn ich immer auf der höhe bin/ nütze ich die höhe ab und das beste wird mir ein greuel. weil ich es aber nicht haben will/ daß mein bestes mir zum greuel werde/ darum werde ich selber ein greuel/ mir zum greuel/ andern zum greuel und ein arger quälgeist. sei ehrlich und sage dann/ daß dein bestes dir zum greuel geworden sei/ damit erlösest du dich und andere von nutzloser qual. ein mensch/ der von seiner höhe nicht mehr heruntersteigen kann/ ist krank/ sich und andern zur qual. wenn du deine tiefe erreicht hast/ dann siehst du deine höhe hell über dir leuchten/ begehrenswerth und ferne/ wie unerreichbar/ denn im geheimen magst du sie lieber noch nicht erreichen/ darum erscheint sie dir unerreichbar. du liebst es nämlich/ auch in der zeit deines tiefstandes/ deine höhe zu preisen und dir vorzusagen/ daß du nur mit schmerzen sie gelassen hättest/ und du so lange nicht lebtest/ als du sie missest. gute sitte/ die dir beinahe zur andern natur geworden ist/ gebietet dir/ so zu reden. du weißt aber/ daß es nicht wahr ist so ganz im grunde.

Auf dem tiefstand unterscheidest du dich in nichts mehr von deinen menschenbrüdern. schäme dich nicht und bereue es nicht/ denn indem du das leben deiner brüder lebst und in deren niedrigkeit heruntergehst/

steigst du auch in den heiligen strom des allgemeinen lebens / wo du nicht mehr ein einzelner auf hohem berge / sondern ein fisch unter fischen / ein frosch unter fröschen bist. deine höhe ist dein eigener berg / der dir und nur dir gehört. dort bist du im einzelsein und lebst dein eigenstes leben. wenn du dein eigenstes leben lebst, so lebst du nicht das allgemeine leben / welches nämlich das immerwährende und nie aufhörende ist / das leben der geschichte und der unverlierbaren nie verloren-lassenden güter der menschheit. dort lebst du das fortwährende sein / aber nicht das werden. das werden gehört zur höhe und ist qualvoll. wie kannst du werden / wenn du nie bist? darum bedarfst du des tiefstandes / denn dort bist du. darum bedarfst du aber auch der höhe / denn dort wirst du. wenn du in deinem tiefstande das allgemeine leben lebst / dann wirst du deiner selbst gewahr. wenn du auf deiner höhe bist / dann bist du dein bestes und wirst nur deines besten gewahr / nicht aber dessen / was du im allgemeinen leben als seiender bist. was man als werdender ist / weiss man nie. auf der höhe aber ist die einbildung am stärksten. wir bilden uns nämlich ein / zu wissen / was wir als werdende sind / und umso mehr / je weniger wir wissen wollen / was wir als seiende sind. darum lieben wir den tiefstand nicht / obschon oder vielmehr gerade weil wir einzig dort klares wissen von uns selber erlangen. dem werdenden ist alles rätselhaft / dem seienden nicht. wer an rätseln leidet / besinne sich auf seinen tiefstand / er löst die rätsel an denen man leidet / nicht aber die / an denen man sich freut.

Zu sein als der / der du bist / ist bad der wiedergeburt. das sein des tiefstandes ist kein unbedingtes beharren / sondern ein unendlich langsames wachsthum. du meinst stille zu stehen / wie sumpfwasser / du ergiessest dich aber langsam ins meer / das überall die erde an den tiefsten stellen bedeckt und so gross ist / dass das feste land nur wie eine insel erscheint eingebettet in den schooss unermesslicher meere. als ein tropfen des meeres nimmst du theil an strömung ebbe und fluth. du schwillst langsam am lande empor und sinkst langsam wieder zurück in unendlich langen athemzügen. du wanderst in unmerklicher strömung weite strecken und bespülst fremde küsten und weisst nicht / wie du dorthin kamest. mit den wogen des grossen sturmes hebst du dich empor und rauschest wiederum in die tiefe und du weisst nicht / wie dir geschieht. vorher dachtest du / dass deine bewegung aus dir komme und dass es deiner entschlüsse und anstrengungen bedürfe / damit du dich bewegest und von der stelle kommest. aber mit aller anstrengung wärest du nie zu jener bewegung und zu jenen gegenden gekommen / zu denen das meer und der grosse wind der welt dich bringt. auf endlosen blauen flächen versinkst du in schwärzliche tiefen / leuchtende fische ziehen an dir vorüber / wunderliches geäst umrankt dich. du schlüpfst durch spalten und durch schlingende schwankende dunkelblättrige pflanzen und das meer strömt dich wiederum empor in hellgrünes wasser auf weisssandige küste und eine welle schäumt dich aufs ufer und schluckt dich wieder zurück und eine geglättete breite woge hebt dich sanft empor und führt dich weiter zu neuen flächen und tiefen und schlingenden pflanzen und langschwänzigen fischen und langsam schleichenden schleimigen polypen und grünen wasser und weissen sande und brechender brandungswoge. von ferne aber leuchtet im goldenen lichte dir deine höhe übers meer / wie der mond / der der fluth entsteigt / und du wirst deiner selbst von ferne gewahr. und die sehnsucht fasst dich und der wille zur eigenen bewegung. du willst hinüber vom sein zum werden / denn du hast es erkannt / was das athmen des meeres ist und sein strömen / das dich hierhin und dorthin führt / wo du nirgends haftest / und seine woge / die dich an fremde küsten wirft und dich wieder einschluckt und hinunter und hinaufgurgelt. du sahest / dass es das leben des ganzen war und der tod jedes einzelnen. da fühltest du dich vom allgemeinen tod umschlungen / vom tode am tiefsten orte der erde / vom tode in deiner eigenen sonderbar athmenden und strömenden tiefe. oh – du sehnst dich hinaus / verzweifelst und todesangst fasst dich in all diesem tode / der langsam athmet und ewig hin und wider strömt. alle diese hellen und dunkeln / warmen lauen und kalten wasser / alle diese welligen schwankenden schlingenden pflanzenthiere und thierpflanzen / alle diese nächtigen wunder werden dir zum grauen und du sehnst dich nach sonne / nach heller trockener luft / nach festem stein / nach bestimmtem ort und gerader linie / nach unbewegtem und festgehaltenem / nach regel und vorgedachtem zwecke / nach einzelsein und eigener absicht.

In der nacht kam mir die erkenntniss vom tode / vom weltumfassenden sterben. ich sah / wie wir in den tod hineinleben / wie das schwankende goldene korn zusammen sinkt unter der sense des schnitters /

wie eine glatte meereswoge auf dem strande. wer im allgemeinen leben steht / wird mit schrecken des todes gewahr. daher treibt ihn die todesangst nach dem einzelsein. er lebt dort nicht / aber er wird des lebens gewahr und freut sich / denn im einzelsein ist er ein werdender und hat den tod überwunden. er überwindet den tod durch die überwindung des allgemeinen lebens. im einzelsein lebt er nicht / denn er ist nicht / was er ist / aber er wird. ein werdender wird des lebens gewahr / ein seiender nie / denn er ist mitten im leben. er bedarf der höhe und des einzelseins / um des lebens gewahr zu werden. im leben aber wird er des sterbens gewahr. und es ist gut / dass du des allgemeinen todes gewahr wirst / denn dann weisst du / wozu dein einzelsein und deine höhe gut sind. deine höhe ist wie der mond / der leuchtend einsam wandert und ewig klar die nächte durchblickt. bisweilen verhüllt er sich und dann bist du ganz im dunkel der erde / aber immer wieder ergänzt er sich bis zur völligen helle. das sterben der erde ist ihm fremd. er sieht von ferne das leben der erde / selber unbewegt und klar / ohne umhüllenden dunst und ohne strömende meere. seine unwandelbare form ist fest seit ewigkeit. er ist das einsame klare licht der nacht / das einzelwesen und das nahe stück der ewigkeit. von ihm aus siehst du kalt und unbewegt und strahlend. mit jenseitigem silbernem lichte und grünen dämmerungen übergiessest du das ferne grauen. du siehst es / aber dein blick ist klar und kalt. deine hände sind roth von lebendigem blute / aber das mondlicht deines blickes ist unbewegt. es ist das lebensblut deines bruders / ja / es ist dein eigenes blut / aber dein blick bleibt leuchtend und umfasst das ganze des grauens und die rundung der erde. auf silbernen meeren ruht dein blick / auf schneeigen gipfeln / auf blauen thälern / und du hörst nicht das stöhnen und heulen des menschenthieres. der mond ist tot. deine seele gieng zum monde / zum bewahrer der seelen. so gieng die seele zum tode ein. ich gieng in den inneren tod und sah / dass äusseres sterben besser sei als innerer tod. und ich beschloss / aussen zu sterben und innen zu leben. darum wandte ich mich weg und suchte die stätte des inneren lebens.

D er anachoret. cap. iv. dies i.

In der wiederum folgenden nacht fand ich mich auf neuem pfade / heisse / trockene luft umflutete mich und ich sah: die wüste / gelber sand ringsum / in wellen gehäuft / eine furchtbar jähe sonne / ein himmel blau wie angelaufener stahl / die luft über der erde flimmernd / auf meiner rechten seite ein tief eingeschnittenes thal mit trockenem flussbett / ein paar matten gräsern und einem staubigen dornbusche. im sande sehe ich spuren nackter füsse / die vom felsthal auf die hochebene heraufführen. ich folge ihnen einer hohen düne entlang. wo sie abfällt / wenden sich die spuren zur andern seite / sie scheinen frisch zu sein / daneben sind alte / halbverwehte spuren. ich verfolge sie aufmerksam: sie folgen wiederum dem abhang der düne / nun münden sie in eine andere spur ein — aber es ist die=

selbe spur/ der ich schon folgte/ nämlich die/ die aus dem thal heraufkomt. ich folge erstaunt der spur nunmehr abwärts. bald gelange ich an die heissen röthlichen vom wind zerfressenen felsen/ auf dem stein verliert sich die spur/ aber ich sehe/ wo der fels in stufen abfällt/ und steige hinunter. die luft glüht und der fels brent meine sohlen. jetzt bin ich unten/ da sind auch die spuren wieder. sie führen den windungen des thales entlang/ eine kurze strecke weit. da stehe ich plötzlich vor einer kleinen schilfgedeckten hütte aus schlamziegeln. ein wackeliger bretterladen bildet die thür/ worauf mit rother farbe ein kreuz gemalt ist. ich öffne leise. ein hagerer man mit kahlem schädel und tiefbrauner haut/ in einen weissen leinenmantel gehüllt/ sitzt auf einer matte/ mit dem rucken an die wand gelehnt. auf seinen knieen liegt ein buch in gelblichem pergament mit schöner schwarzer schrift – ein griechisches evangelienbuch ohne zweifel. ich bin bei einem anachoreten der libyschen wüste.

I: störe ich dich/ vater?

A: du störst nicht. aber nenne mich nicht vater. ich bin ein mensch wie du. was ist dein begehren?

I: ich komme ohne begehren. ich bin von ohngefähr an diese stelle der wüste gekommen und fand dort oben spuren im sande/ die mich im kreise herum zu dir führten.

A: du fandest die spuren meines alltäglichen ganges zur zeit der morgenröthe und zur zeit der abendröthe.

I: verzeih mir/ wenn ich deine andacht unterbreche/ es ist aber eine seltene gelegenheit für mich/ bei dir zu sein. ich habe noch nie einen anachoreten gesehen.

A: du kanst weiter abwärts in diesem thale nicht wenige sehen. die einen haben hütten wie ich/ andere wohnen in den gräbern/ die die alten in diese felsen gehöhlt haben. ich wohne zuoberst im thale/ weil es hier am einsamsten und stillsten ist/ und ich hier die ruhe der wüste am nächsten habe.

I: bist du schon lange hier?

A: ich lebe hier seit vielleicht zehn jahren/ aber wirklich/ ich kan mich nicht mehr genau entsinnen/ wie lange es her ist. es könten auch einige jahre mehr sein. die zeit vergeht so rasch.

I: die zeit vergeht dir rasch? wie ist das möglich? dein leben muss furchtbar eintönig sein.

A: gewiss vergeht die zeit mir rasch. viel zu rasch sogar. du scheinst ein heide zu sein?

I: ich? nein – nicht gerade. ich bin im christlichen glauben aufgewachsen.

A: nun/ wie kanst du dann fragen/ ob mir die zeit lang werde? dann musst du ja wissen/ womit einer/ der vertraut/ beschäftigt ist. lang wird die zeit nur den müssiggängern.

I: verzeih mir wiederum/ meine neugier ist gross/ womit beschäftigst du dich denn?

A: bist du ein kind? für's erste siehst du doch/ dass ich hier lese/ und dann habe ich meine regelmässige zeiteintheilung.

I: aber ich sehe gar nichts/ womit du dich hier beschäftigen köntest. dieses buch musst du doch schon öfters ganz gelesen haben. und wenn es/ wie ich vermuthe/ die evangelien sind/ so kanst du sie doch gewiss schon auswendig.

A: wie kindlich sprichst du! du weisst doch/ dass man ein buch viele male lesen kan/ vielleicht kanst du es fast auswendig/ und trotzdem werden dir/ wenn du die vor dir liegenden zeilen wieder anblickst/ gewisse dinge neu erscheinen/ oder es werden dir sogar ganz neue gedanken kommen/ die du zuvor nicht hattest/ jedes wort kan zeugend wirken in deinem geiste. und vollends/ wenn du das buch für eine woche einmal weggelegt hast/ und es dann wieder nimmst nachdem dein geist unterdessen durch verschiedene wandlungen hindurchgegangen ist/ dann wird dir mehr als ein neues licht aufgehen.

I: das kan ich schwer begreifen. es steht doch immer nur ein und dasselbe im buche/ gewiss ein wunderbarer/ tiefsinniger/ ja sogar göttlicher inhalt/ aber doch nicht so reich/ dass er ungezählte jahre füllen könte.

A: du bist erstaunlich. wie liesest du denn dieses heilige buch? siehst du thatsächlich nur immer einen und denselben sinn darin? woher komst du? du bist wahrhaftig ein heide.

I: ich bitte dich/ nimm es mir nicht übel/ wenn ich wie ein heide rede. lass mich nur mit dir reden. ich bin hier/ um von dir zu lernen. betrachte mich als unwissenden schüler/ der ich auch bin in diesen dingen.

A: wenn ich dich heiden nenne/ so betrachte diess nicht als schimpf. auch ich war früher ein heide/ und dachte/ wie ich mich wohl erinnere, genau so wie du. Wie kann ich dir also deine Unwissenheit verdenken?

I: Ich danke dir für deine Geduld. Es liegt mir aber viel daran, zu wissen, wie du liesest und was du aus dem Buche herausziehst.

A: Deine Frage ist nicht leicht zu beantworten. Einem Blinden die Farben zu erklären ist leichter. Vor allem musst du eines wissen: Eine Reihenfolge von Worten hat nicht bloss einen Sinn. Die Menschen streben aber danach, den Wortfolgen nur einen einzigen Sinn zu geben, nämlich um eine unzweideutige Sprache zu haben. Dieses Streben ist weltlich und beschränkt und gehört zu den tieferen Stufen des göttlichen Schöpferplanes. Auf den höheren Stufen der Einsicht in die göttlichen Gedanken erkennst du, dass die Wortfolgen mehr als einen gültigen Sinn haben. Allein dem Allwissenden ist es gegeben, alle Sinne der Wortfolgen zu wissen. Wir bemühen uns fortschreitend, einige weitere Bedeutungen zu erfassen.

I: Wenn ich dich recht verstehe, so meinst du, dass auch die heiligen Schriften des neuen Bundes einen doppelten, einen exoterischen und einen esoterischen Sinn haben, wie einige jüdische Gelehrte es von ihren heiligen Büchern behaupten.

A: Dieser üble Aberglauben sei mir ferne. Ich merke, du bist ganz unerfahren in göttlichen Dingen.

I: Ich muss meine tiefe Unwissenheit in diesen Dingen zugeben. Aber ich bin begierig zu erfahren und zu verstehen, was du unter dem mehrfachen Sinn der Wortfolgen denkst.

A: Ich bin leider nicht im Stande, dir alles, was ich hievon weiss, zu sagen. Aber ich will versuchen, dir wenigstens die Elemente klar zu machen. Dazu will ich diessmal, deiner Unwissenheit wegen, auf einer anderen Seite beginnen: Du musst nämlich wissen, dass ich, bevor ich mit dem Christenthum bekannt wurde, ein Rhetor und Philosoph in der Stadt Alexandria war. Ich hatte grossen Zulauf von Studenten, darunter viele Römer, auch waren einige Barbaren darunter aus Gallien und Britannien. Ich lehrte sie nicht nur die Geschichte der griechischen Philosophie, sondern auch die neueren Systeme, darunter auch das System des Philo, den wir den Juden nennen. Er war ein kluger Kopf, aber phantastisch abstract, wie es die Juden zu sein pflegen, wenn sie Systeme machen, und dazu war er ein Sclave seiner Worte. Ich that dazu von meinem eigenen und flocht ein abscheuliches Wortgespinnst zusammen, in dem ich nicht nur meine Hörer, sondern auch mich selber verstrickte. Wir schwelgten übel in Worten und Namen, unseren eigenen jämmerlichen Creaturen, und massen ihnen selbst göttliche Potenz zu. Ja, wir glaubten sogar an ihre Wirklichkeit und vermeinten, das Göttliche zu besitzen und in Worten festgelegt zu haben.

I: Aber Philo Judaeus, du meinst doch diesen, war doch ein ernsthafter Philosoph und ein grosser Denker, und selbst der Evangelist Johannes hat es nicht verschmäht, einige Gedanken des Philo ins Evangelium herüberzunehmen.

A: Du hast recht: das ist das Verdienst des Philo: er hat Sprache gemacht, wie so viele andere Philosophen. Er gehört zu den Sprachkünstlern. Aber die Worte sollen nicht zu Göttern werden.

I: Hier verstehe ich dich nicht. Heisst es nicht im Evangelium nach Johannes: Gott war das Wort. Mir scheint, es ist doch darin deutlich ausgesprochen, was du soeben verworfen hast.

A: Hüte dich, ein Sklave der Worte zu sein. Hier ist das Evangelium: Lies von jener Stelle an, wo es heisst: In ihm war das Leben. Wie sagt Johannes dort?

I: „Und das Leben war das Licht der Menschen und das Licht scheint in der Finsterniss und die Finsterniss hat es nicht begriffen. Es wurde aber ein Mensch, abgesandt von Gott, mit Namen Johannes, dieser kam zum Zeugniss, um zu zeugen vom Licht. Das wahrhaftige Licht, welches jeden Menschen erleuchtet, war: der da kommen sollte in die Welt. Er war in der Welt, und die Welt ist durch ihn geworden, und die Welt hat ihn nicht erkannt." — Das ist es, was ich hier lese. Aber was meinst du davon?

A: Ich frage dich, war dieser ΛΟΓΟC ein Begriff, ein Wort? Er war ein Licht, ein Mensch sogar und hat unter Menschen gewohnt. Du siehst, Philo hat dem Johannes nur das Wort gegeben, damit Johannes neben dem Worte Licht auch noch das Wort ΛΟΓΟC zur Verfügung hätte, um den Menschensohn zu beschreiben. Bei Johannes wird die Bedeutung des ΛΟΓΟC dem lebendigen Menschen gegeben, bei Philo aber wird dem ΛΟΓΟC das Leben, das göttliche Leben sogar, dem toten Begriff angemaasst. Damit gewinnt das Tote kein Leben und das Lebendige wird getötet. Und das war auch mein abscheulicher Irrthum.

I: Ich sehe, was du meinst. Dieser Gedanke ist mir neu und scheint mir der Überlegung werth. Mir schien es bisher immer / als ob gerade dies das schwierige bei Johannes wäre / daß der menschensohn der ΛΟΓΟC ist / und er so das niedrigere zum höheren geistigen / zur welt des ΛΟΓΟC erhebt. du führst mich aber darauf / die sache umgekehrt zu sehen / nämlich daß Johannes die bedeutung des ΛΟΓΟC zum menschen hinunterbringt.

A: ich lernte einsehen / daß Johannes sogar das große verdienst hat / die bedeutung des ΛΟΓΟC sogar zum menschen heraufgebracht zu haben.

I: du hast merkwürdige ansichten / die meine neugier aufs höchste spannen. wie ist es? du denkst / das menschliche stehe höher als der ΛΟΓΟC?

A: auf diese frage will ich im rahmen deines begreifens antworten: wenn das menschliche gott nicht über alles wichtig gewesen wäre / so wäre er wohl als sohn nicht im fleisch / sondern im ΛΟΓΟC offenbar geworden.

I: das leuchtet mir ein / aber ich gestehe / diese auffassung ist mir überraschend. es ist mir besonders erstaunlich / daß du / ein christlicher anachoret / zu solchen ansichten gekommen bist. ich habe solches von dir nicht erwartet.

A: du machst dir / wie ich schon bemerkte / eine ganz falsche vorstellung von mir und meinem wesen. du magst hier in ein kleines beispiel meiner beschäftigung sehen. allein mit dem umlernen habe ich viele jahre zugebracht. hast du auch schon einmal umgelernt? – nun / dann solltest du wissen / wie lange man dazu braucht. und ich war ein lehrer / der in seinem fache erfolg hatte wie du weißt / lernen solche leute schwer oder gar nicht um. aber / ich sehe / die sonne ist untergegangen. bald wird es völlig nacht sein. die nacht ist die zeit des schweigens. ich will dir dein nachtlager anweisen. den morgen brauche ich zu meiner arbeit / aber nach dem mittag kannst du wieder zu mir kommen / wenn du willst / dann wollen wir unser gespräch fortsetzen.

er führt mich aus der hütte heraus / das thal ist in blaue schatten gehüllt. schon funkeln die ersten sterne am himmel. er führt mich um die ecke eines felsens: wir stehen vor dem eingang eines grabes / das in den stein gehöhlt ist. wir treten ein: nicht weit vom eingang liegt ein mit matten gedeckter haufen von schilf. daneben steht ein krug wasser und auf einem weißen tuch liegen getrocknete datteln und ein schwarzes brot.

A: hier ist dein lager und dein nachtmahl. schlafe wohl und vergiß dein morgengebet nicht / wenn sich die sonne erhebt.

Der einsame wohnt in unendlicher wüste voll schrecklicher schönheit. er schaut das ganze und den innern sinn. ihm ist das mannigfaltige verhaßt / wenn ihm nahe. er schaut es von ferne im ganzen. darum liegt ihm silberner glanz und friede und schönheit über dem mannigfaltigen. was ihm nahe ist / muß einfach sein und einfältig / denn das mannigfaltige und verwickelte in der nähe zerreißt und durchbricht den silbernen glanz. es darf keine trübung der luft / kein dunst und kein nebel um ihn sein / sonst kann er das ferne mannigfaltige im ganzen nicht anschauen. darum liebt der einsame vor allem die wüste / wo alles nächste einfach ist und nichts trübes und verwischtes zwischen ihm und der ferne.

Das leben des einsamen wäre kalt / wenn nicht die große sonne wäre / welche luft und felsen glüht. die sonne und ihr ewiger glanz ersetzt dem einsamen die eigene lebenswärme.

Sein herz lechzt nach sonne.

Er wandert nach den ländern der sonne.

Er träumt vom flimmernden sonnenglanz / von heißen roten steinen / die am mittag liegen / vom goldigheißen strahlen des trockenen sandes.

der einsame sucht die sonne und keiner ist so bereit/ ihr sein herz zu öffnen wie er. darum liebt er vor allem die wüste/ denn er liebt ihre tiefe ruhe.

er bedarf wenig nahrung/ denn die sonne und ihre gluth nähren ihn. darum vor allen liebt der einsame die wüste/ denn sie ist ihm eine mutter/ die zu sicherer stunde nahrung spendet und belebende wärme.

in der wüste ist der einsame der sorge enthoben und darum wendet sich all sein leben nach den sprossenden gärten seiner seele/ die nur unter einer heissen sonne zu gedeihen vermögen. in seinen gärten wachsen die köstlichen rothen früchte/ die unter gespannter haut schwellende süssigkeit bergen.

du meinst der einsame sei arm. du siehst nicht/ dass er unter beladenen fruchtbäumen wandelt/ und dass seine hand hundertfälliges korn streift. unter dunkeln blättern schwillt ihm aus strotzender knospe die übervolle röthliche blüthe/ und die früchte bersten schier von pressenden säften. duftende harze tropfen von seinen bäumen und unter seinen füssen bricht drängender same auf.

wenn die sonne wie ein ermatteter vogel auf die fläche des meres niedersinkt/ so hüllt sich der einsame ein und hält den athem an und regt sich nicht und ist nur erwartung/ bis das wunder der erneuerung des lichtes im osten emporsteigt.

übervolle köstliche erwartung ist im einsamen.

die schrecken der wüste und der dürre und durst umgeben ihn und du begreifst nicht/ wie der einsame leben kann.

Sein Auge aber ruht auf den Gärten, und sein Ohr lauscht den Quellen, und seine Hand berührt sammtne Blätter und Früchte, und sein Athem zieht süße Düfte ein von blüthenreichen Bäumen (ein)

Er kann es dir nicht sagen, so übervoll ist die Pracht seiner Gärten. Er stammelt, wenn er davon spricht, und er erscheint dir arm an Geist und Leben. Aber seine Hand weiß nicht, wohin sie greifen soll in all der unbeschreiblichen Fülle.

Er giebt dir eine kleine unscheinbare Frucht, die gerade vor seine Füße gefallen ist. Sie erscheint dir werthlos, wenn du sie aber betrachtest, so siehst du, daß diese Frucht eine Sonne schmeckte, von der du dir nichts träumen ließest. Sie athmet einen Duft, welcher deinen Sinn verwirrt und dir Träume macht von Rosengärten und süßen Weinen und flüsternden Palmen. Und du hältst träumend diese eine Frucht in der Hand und du möchtest den Baum, an dem sie wuchs, und den Garten, in dem dieser Baum steht, und die Sonne, die diesen Garten zeugte.

Und du willst selber jener Einsame sein, der mit der Sonne durch seine Gärten wandelt und seinen Blick auf hängenden Blüthen und Laub ruhen und seine Hand hundertfältiges Korn streifen und seinen Athem die Düfte von tausend Rosen trinken läßt.

Matt von Sonne und trunken von gährenden Weinen legst du dich zur Ruhe in uralten Gräbern, deren Wände vielstimmig und vielfarbig von tausend vergangenen Sonnenjahren nachklingen.

Wenn du wachst, so siehst du alles lebendig wieder, was je war, und

wenn du schläfst, so ruhst du, wie all das, was je war, und deine träume hallen leise wieder von fernem tempelgesang.
Du schläfst hinunter durch die tausend sonnenjahre und erwachst wiederum hinauf durch die tausend sonnenjahre und deine träume voll alter kunde zieren die wände deines schlafgemaches.
Du siehst auch dich im ganzen.

Du sitzest und lehnst dich an die wand und schaust es an, das schöne rätselvolle ganze. die summa liegt vor dir wie ein buch und eine unsagbare gier erfasst dich, es zu verschlingen. darum lehnst du dich zurück und erstarrst und sitzest lange, ganz unvermögend bis du es zu fassen. hie und da flackert ein licht, hie und da fällt eine frucht vom hohen baum, die du greifen kannst, hie und da stösst dein fuss auf gold. aber was ist es, wenn du es mit dem ganzen vergleichst, das greifbar nahe vor dir ausgebreitet liegt? du streckst deine hand aus, sie bleibt aber in unsichtbaren gespinsten hängen. du willst es genau sehen, aber eben schiebt sich etwas trübes und undurchsichtiges dazwischen. du möchtest davon ein stück dir herausreissen, es ist aber glatt und undurchdringlich wie blankes eisen. darum sinkst du zurück zur wand, und wenn du durch alle glühheissen tiegel der verzweiflungshölle hindurchgekrochen bist, so sitzest du wieder und lehnst dich zurück und schaust das wunder der summa, die vor dir ausgebreitet liegt. hie und da flackert ein licht, hie und da fällt eine frucht. es ist dir alles zu wenig. aber du fängst an, dich zu begnügen, und achtest der jahre nicht, die darüber vergehen. was sind jahre? was ist eilende zeit dem, der unter dem baume sitzt? wie ein lufthauch vergeht deine zeit, und du wartest auf das nächste licht, auf die nächste frucht.

Die schrift liegt vor dir und sagt immer dasselbe, wenn du an worte glaubst. wenn du aber an dinge glaubst, für die nur worte gesetzt sind, so kommst du nie zu ende. und doch musst du die endlose strasse gehen, denn das leben fliesst nicht auf begrenzten, sondern auf unbegrenzten wegen. die grenzenlosigkeit aber macht dir bange, denn grenzenlosigkeit ist furchtbar und dein menschliches empört sich dagegen. darum suchst du grenzen und einschränkungen, damit du nicht ins unendliche hineintaumelnd dich verlierst. beschränkung wird dir unerlässlich. du schreist nach dem wort, welches die eine bedeutung hat und keine andere, damit du der grenzenlosen vieldeutigkeit entrinnst. das wort wird dir gott, denn es schützt dich vor den unzähligen möglichkeiten der deutung. das wort ist schützender zauber gegen die daemonen des unendlichen, die deine sele hinausreissen und in alle winde streuen wollen. du bist erlöst, wenn du endlich sagen kannst: das ist das und nur das. du sprichst das zauberwort und das grenzenlose ist im endlichen gebannt. darum suchen und schaffen die menschen worte.

Wer den wall des wortes bricht, stürzt götter und schändet tempel. der einsame ist ein mörder. er mordet das volk, denn er denkt und bricht damit alte geheiligte mauern. er ruft die daemonen des grenzenlosen herein. und er sitzt, lehnt sich zurück und schaut und hört nicht das stöhnen der menschheit, die der furchtbare feurige rausch gefasst hat. und doch kannst du nicht die neuen worte finden, wenn du nicht die alten worte brichst. aber niemand soll alte worte brechen, er finde denn das neue wort, welches ein fester wall ist gegen das grenzenlose und mehr leben in sich fasst als das alte wort. ein neues wort ist ein neuer gott für den alten menschen. der mensch bleibt derselbe, wenn du ihm auch neue götter vorbilder schaffst. er bleibt ein nachahmer. was wort war, soll mensch werden. das wort schuf die welt und war eher als die welt. es leuchtete wie ein licht in der finsterniss und die finsterniss hat es nicht begriffen. also soll das wort werden, das die finsterniss begreift, denn wozu taugt das licht, das die finsterniss nicht begreift? aber deine finsterniss soll das licht erfassen.

Der wortgott ist kalt und tot und leuchtet von ferne wie der mond, rätselhaft und unerreichbar. lass das wort zu seinschöpfer zurückkehren, eben zum menschen, so wird das wort zum menschen erhöht. der mensch sei licht, grenze, maaß. er sei eure frucht, nach der ihr sehnsüchtig greift. die finsterniß begreift nicht das wort, wohl aber den menschen, ja sie ergreift ihn, denn er ist selber ein stück der finsterniß. nicht vom wort herunter zum menschen, sondern vom wort hinauf zum menschen, das begreift die finsterniß. die finsterniß ist deine mutter, ihr geziemt ehrfurcht, denn die mutter ist gefährlich. sie hat macht über dir, denn sie ist deine gebärerin. ehre die finsterniß wie das licht, so erleuchtest du deine finsterniß.

Wenn du die finsterniß begreifst, so ergreift sie dich. sie kommt über dich wie die nacht mit blauen schatten und unzähligen schimmernden sternen. schweigen und friede kommen über dich, wenn du anfängst die finsterniß zu begreifen. nur wer die finsterniß nicht begreift, fürchtet die nacht. durch das begreifen des finstern, nächtigen, abgründigen in dir wirst du ganz einfach. und du schickest dich an zum schlafe wie alle durch die jahrtausende und du schläfst hinunter in den schoß der jahrtausende und deine wände klingen von alten tempelgesängen. denn das einfache ist es, das immer war. schweigen und blaue nacht breiten sich über dich, derweil du im grabe der jahrtausende träumst.

cap. v. dies ii.

Ich erwache, der tag röthet den osten. eine nacht, eine wunderliche nacht in fernster zeitentiefe liegt hinter mir. in welchen fernen räumen war ich? was träumte mir? von einem weißen pferd? es ist mir als hätte ich dieses weiße pferd am östlichen himmel gesehen über der aufgehenden sonne. das pferd sprach zu mir: was sagte es? es sprach: „heil denen, die im dunkeln sind, denn der tag ist über ihnen." es waren vier pferde, weiß, mit goldenen flügeln, sie führten den sonnenwagen herauf, darauf stand Helios mit loderndem haupte. ich stand da unten in der schlucht, erstaunt und erschreckt. tausend schwarze schlangen verkrochen sich eilends in ihre löcher. Helios stieg rollend empor zu den weiten pfaden des himmels. ich kniete nieder, hob meine hände bittend in die höhe und rief: schenke uns dein licht, feuerlockiger, umschlungener, gekreuzigter und auferstandener, dein licht, dein licht! ja, an diesem ruf erwachte ich. sagte nicht Ammonius gestern abend: „vergiß dein morgengebet nicht, wenn sich die sonne erhebt?" ich dachte, er bete vielleicht heimlich die sonne an.

Draussen erhebt sich ein frischer Morgenwind. Gelber Sand rieselt in feinen Adern an den Felsen herunter. Die Röthe dehnt sich über den Himmel und ich sehe die ersten Strahlen hinaufschiessen zum Firmament. Feierliche Stille und Einsamkeit ringsum. Dort liegt eine grosse Eidechse auf dem Stein und harrt der Sonne. Ich stehe wie gebannt, und erinnere mich mühsam an all das Gestrige und besonders an das, was Amonius sagte. Wie sagte er doch? Dass die Wortfolge vielsinnig sei, und dass Johannes den ΛΟΓΟΣ zum Menschen hinaufgebracht habe. Das klingt doch nicht eigentlich christlich. Ist er vielleicht ein Gnostiker? Nein, das scheint mir unmöglich, denn das waren wohl die schlimmsten aller Wortgötzenanbeter, wie er wohl sagen würde.

Die Sonne – was erfüllt mich mit solch innerem Jubel? Mein Morgengebet soll ich nicht vergessen – aber wo habe ich mein Morgengebet? Liebe Sonne, ich habe kein Gebet, denn ich weiss nicht, wie man dich anrufen muss. Jetzt habe ich zur Sonne gebetet. Amonius aber meinte doch wohl, ich solle bei Tagesanbruch zu Gott beten. Er weiss wohl nicht – wir haben ja keine Gebete mehr. Wie soll er eine Ahnung haben von unserer Nacktheit und Armuth? Wo sind denn die Gebete hingekommen? Hier fehlen sie mir. Das muss wohl an der Wüste liegen. Hier scheint es, sollte es Gebete geben. Ist denn diese Wüste so besonders schlimm? Ich denke, nicht schlimmer als unsere Städte. Aber warum beten wir dort nicht? Ich muss zur Sonne sehen, wie wenn sie etwas damit zu thun hätte. Ach, uralte Träume der Menschheit, man kann ihnen nie entrinnen.

Was werde ich thun diesen ganzen langen Morgen? Ich begreife nicht, wie Amonius dieses Leben auch nur ein Jahr lang ausgehalten hat. Ich gehe am ausgetrockneten Flussbett auf und ab und setze mich schliesslich auf einen Felsblock. Vor mir stehen ein paar gelbe Gräser, da kriecht ein kleiner dunkler Käfer und schiebt eine Kugel vor sich her – ein Skarabaeus. Du liebes, kleines Thierchen, bist du noch immer an der Arbeit, deinen schönen Mythus zu leben? Wie ernsthaft und unverdrossen er arbeitet! Hättest du nur eine Ahnung davon, dass du einen alten Mythus aufführst, du stündest wohl ab von deiner Phantasterei, wie wir Menschen es auch aufgegeben haben, Mythologie zu spielen. Das Unwirkliche wird einem zum Ekel. Es klingt zwar an diesem Orte sehr merkwürdig, was ich sage, und der gute Amonius wäre gewiss nicht damit einverstanden. Was suche ich denn eigentlich hier? Nein, ich will nicht im Voraus aburtheilen, denn ich habe noch nicht einmal wirklich verstanden, was er eigentlich meint. Er hat ein Recht, gehört zu werden. Übrigens dachte ich gestern anders, ich war ihm sogar sehr dankbar, dass er mich belehren wollte. Aber ich stelle mich wieder einmal kritisch und überlege, bin also auf dem besten Wege, nichts zu lernen. Seine Gedanken sind gar nicht so übel, sie sind sogar gut. Ich weiss nicht, warum ich den Mann immer heruntersetzen will.

Lieber Käfer, wo bist du hin, ich sehe dich nicht mehr – oh, dort drüben bist du schon mit deiner mythischen Kugel. Diese Thierchen bleiben doch ganz anders bei der Sache, wie wir – kein Zweifeln, kein Umfallen, keine Zögerung. Kommt das wohl daher, dass sie ihren Mythus leben?

Lieber Scarabaeus, mein Vater, ich verehre dich, gesegnet sei deine Arbeit, in Ewigkeit, Amen.

Was rede ich für Unsinn? Ich bete ja ein Thier an – das muss an der Wüste liegen. Sie scheint unbedingt Gebete zu fordern.

Wie schön ist es hier! Die röthliche Farbe der Steine ist wunderbar, sie scheinen die Gluth von hunderttausend vergangenen Sonnen wieder. Diese Sandkörnchen rollten in übersagenhaften Urmeeren, über sie schwammen Ungeheuer von nie erschauten Formen. Wo warst du, Mensch, in jenen Tagen? Auf diesem warmen Sande lagen, angeschmiegt wie Kinder an die Mutter, deine kindhaften Urthierahnen.

O Mutter Stein, ich liebe dich, an deinen warmen Körper geschmiegt liege ich, dein spätes Kind. Gesegnet seiest du, uralte Mutter.

Dein ist mein Herz und alle Herrlichkeit und Kraft. Amen.

Was rede ich? Das war die Wüste. Wie erscheint mir alles so belebt! Dieser Ort ist wahrlich ungeheuerlich. Diese Steine – sind das Steine? Sie scheinen sich hier mit Überlegung zusammengefunden zu haben. Sie sind aufgereiht wie ein Heerzug, sie haben sich gleichmässig abgestuft, grosse gehen einzeln, die kleinen füllen die Lücken oder sammeln sich zu einer Schar, die den grossen vorausgeht. Hier bilden die Steine Staaten.

Träume ich oder wache ich? Es ist heiss – die Sonne steht schon hoch – wie eilen die Stunden! Wahrhaftig, der Morgen ist ja schon vorüber – und wie erstaunlich war er! Ist es die Sonne oder sind es diese lebendigen Steine oder ist es die Wüste, von der mir der Kopf summt?

Ich gehe thalaufwärts und bald stehe ich vor der Hütte des Anachoreten. Er sitzt auf seiner Matte in tiefes Sinnen verloren.

I: Mein Vater, hier bin ich.

A: Wie hast du deinen Morgen verbracht?

I: Ich wunderte mich, als du gestern sagtest, die Zeit vergehe dir rasch. Ich frage dich nicht mehr und wundere mich nicht mehr darüber. Ich habe viel gelernt, aber doch nicht soviel, dass du mir nicht noch ein grösseres Rätsel wärest als vorher. Was musst du erleben in der Wüste, wunderbarer Mann! Zu dir müssen sogar die Steine sprechen.

A: Ich freue mich, dass du etwas vom Leben des Anachoreten verstehen gelernt hast. Das wird unsere schwere Aufgabe erleichtern. Ich will mich nicht in deine Geheimnisse eindrängen, aber ich fühle, dass du aus einer fremden Welt kommst, die mit meiner Welt nichts zu thun hat.

I: Du sprichst wahr. Ich bin hier ein Fremdling, fremder als du je einen gesehen hast. Selbst ein Mann von Brittanias fernster Küste stünde dir näher als ich. Habe darum Geduld, Meister, und lass mich an der Quelle deiner Weisheit trinken. Obgleich uns dürstende Wüste umgiebt, fliesst bei dir ein unsichtbarer Strom lebendigen Wassers.

A: Hast du dein Gebet verrichtet?

I: Meister, vergieb, ich habe gesucht, aber ich fand kein Gebet. Doch träumte ich, dass ich zur aufgehenden Sonne bete.

A: Bekümmere dich nicht deshalb. Wenn du keine Worte fandest, so hat doch deine Seele unaussprechliche Worte gefunden, den aufgehenden Tag zu begrüssen.

I: Aber es war ein heidnisches Gebet zu Helios.

A: Lass dir daran genügen.

I: Aber ich habe, o Meister, nicht nur im Traum zur Sonne, sondern in meiner Selbstvergessenheit auch zum Scarabaeus und zur Erde gebetet.

A: Wundere dich über nichts, und auf keinen Fall verurtheile oder beklage es. Lass uns an die Arbeit gehen. Möchtest du etwas fragen über unser gestriges Gespräch?

I: Ich unterbrach dich gestern, als du von Philo sprachest. Du wolltest mir erklären, was du unter dem vielfachen Sinn der Wortfolgen verstehst.

A: Nun will ich dir weiter erzählen, wie ich aus der schrecklichen Umschnürung der Wortgespinste befreit wurde: es kam einmal ein Freigelassener meines Vaters zu mir, der mir seit meiner Kindheit zugethan war und sprach zu mir und sagte: O Ammonius, geht es dir gut?

Gewiss, sagte ich, du siehst, ich bin gelehrt und habe grossen Erfolg.

O: Ich meine, bist du glücklich und lebst du?

Ich lachte: Du siehst ja, dass alles gut steht.

Darauf sagte der Alte: Ich sah, wie du Vorlesung hieltest. Du schienst besorgt zu sein um das Urtheil deiner Zuhörer. Du flochtest geistreiche Scherze ein, um den Hörern zu gefallen. Du häuftest gelehrte Redensarten, um Eindruck auf sie zu machen. Du warest unruhig und hastig, wie wenn du noch alles Wissen an dich zu raffen hättest. Du bist nicht in dir selber.

Obschon mir diese Worte zuerst lächerlich vorkamen, so machten sie mir doch Eindruck und ich musste denalten widerwillig recht geben/ denn er hatte recht.

da sagte er: lieber Ammonius/ ich habe dir eine köstliche kunde: Gott ist in seinem sohne fleisch geworden und hat uns allen erlösung gebracht.

was sprichst du/ rief ich/ du meinst wohl Osiris/ der im sterblichen leibe erscheinen soll?

nein/ sagte er darauf/ dieser mann lebte in Judaea und war von einer jungfrau geboren.

ich lachte und antwortete: ich weiß schon/ ein jüdischer händler hat die kunde von unserer jungfraukönigin/ deren bild du an der wand eines unserer tempel siehst/ nach Judaea gebracht und dort als märchen erzählt.

nein/ beharrte der alte/ er war der sohn Gottes.

dann meinst du wohl Horus/ den sohn des Osiris? antwortete ich.

nein/ er war nicht Horus/ sondern ein wirklicher mensch und wurde an einem kreuze aufgehängt.

ah/ dann meinst du wohl Set/ dessen bestrafung unsere alten oft dargestellt haben.

der alte aber blieb bei seiner überzeugung und sagte: er ist gestorben und am dritten tage auferstanden.

nun/ dann ist es doch Osiris/ sagte ich darauf ungeduldig.

nein/ rief er/ er hieß Jesus der gesalbte.

ah/ du meinst bloß diesen jüdischen gott/ den das niedere volk am hafen verehrt und dessen unsaubere mysterien sie in kellern feiern.

er war ein mensch und doch Gottes sohn/ sagte der alte und sah mich starr an.

das ist unsinn/ lieber alter/ sagte ich und schob ihn zur thüre hinaus.

aber wie ein echo an fernen felswänden wiederholten sich die worte in mir: ein mensch und doch gottes sohn. es schien mir bedeutsam/ und dieses wort war es/ das mich zum christenthum gebracht hat.

I: aber denkst du nicht/ daß das christenthum am ende doch eine umgestaltung eurer aegyptischen lehren sein könnte?

A: wenn du sagst/ daß unsere alten lehren weniger treffende ausdrücke für das christenthum waren/ dann stimme ich dir schon eher zu.

I: ja aber nimmst du denn an/ daß die geschichte der religionen auf ein endziel gerichtet sei?

A: mein vater kaufte einmal auf dem markte einen schwarzen sklaven aus der gegend der nilquellen. er kam aus einem lande/ das weder von Osiris noch je von einem andern unserer götter gehört hat/ und er erzählte mir dinge/ die in einer einfachern sprache dasselbe sagten/ was wir von Osiris und den andern göttern glaubten. ich habe verstehen gelernt/ daß jene ungebildeten neger unwissend schon das meiste besaßen/ was die religion der cultivierten völker zu vollendeten lehren entwickelt haben. wer also jene sprache richtig zu lesen verstünde/ der könnte darin nicht bloß die heidnischen lehren sondern auch die lehre Jesu erkennen. und das ist es/ womit ich mich jetzt beschäftige: ich lese die evangelien und suche ihren kommenden sinn. ihre bedeutung/ so wie sie offen vor uns liegt/ kennen wir/ nicht aber ihren geheimen sinn/ der auf zukünftiges weist. es ist ein irrthum/ zu glauben/ daß die religionen in ihrem innersten wesen verschieden seien. es ist immer die eine religion/ im grunde genommen. jede folgende religionsform ist der sinn der vorausgehenden.

I: und hast du die kommende bedeutung herausgefunden?

A: nein/ noch nicht/ es ist sehr schwierig/ aber ich hoffe/ es werde gelingen. bisweilen will es mir scheinen/ als hätte ich dazu anregung von andern nöthig/ aber das sind versuchungen des satans/ ich weiß es.

I: glaubst du nicht doch/ daß dieses werk eher gelingen könnte/ wenn du näher bei menschen wärest?

A: du hast vielleicht recht.

er sieht mich plötzlich wie zweifelnd und mißtrauisch an. aber/ fährt er fort/ ich liebe die wüste/ verstehst du? diese gelbe sonnenglühende wüste. hier siehst du alltäglich das antlitz der sonne/ hier bist du allein/ hier siehst du den glorreichen Helios – nein/ das ist heidnisch – was ist mit mir? ich bin verwirrt – du bist satanas – ich erkenne dich – weiche von mir/ widersacher!

er springt wie rasend auf v. will si. auf mi. stürz. - i. ab. bin weit weg im zwanzigst. jahrhundert.

Wer im grabe d. jahrtausende schläft träumt ein. herrlich. traum. er träumt ein. uralt. traum. er träu
mt von d. aufgehend. soñe.
weñ du in dies. zeit d. welt dies. schlaf schläfst
v. dies. traum träumst/ so weißt du/ daß z. dies.
zeit auc. die soñe aufgeh. wird. wir sind jetzt no. im dunkeln/
ab. d. tag i. üb. uns.
w. die finsterniß in si. begriff/ d. i. das licht nahe.
w. in seine finsterniß hinunt. steigt/ d. gelangt z. aufgang deß
wirkend. lichtes/ des feuerlockig. helios.
mit vier weiß. roß. steigt sein wag. empor v. auf sein. rück. i.
kreuz v. an sein. seite i. keine wunde/ sondern er i. heil v. sein
haupt lodert im feu.
nicht i. er ein mañ des spottes/ sondern des glanzes v. unzwei
felhaft. macht.
i. weiß nicht/ was i. rede/ i. rede im traume.
stütze mi./ deñ i. taumle/ trunk. von feu.
i. trank feu. in dies. nacht/ deñ i. stieg hinunt. durch die jahrtausende v. tauchte zuunter. in die soñe.
v. i. stieg trunk. v. soñe empor/ mit breñend. antlitz v. mein
haupt steht in feu.
gieb mir deine hand/ eine mensch. hand/ damit sie mi. an d.

erde hält/ denn wirbelnde feuerräder schwingen mich empor und jauchzende sehnsucht reißt mich hinauf zum zenith.

Doch es wird tag/ wirklicher tag/ der tag dieser welt. und ich stehe verborgen in der schlucht der erde/ tief unten und einsam und im dämmernden schatten des thales. das ist der schatten und die schwere der erde.

Wie kann ich zur sonne beten/ die ferne im osten über der wüste aufgeht? warum soll ich zu ihr beten? ich trank ja die sonne in mich/ warum sollte ich beten? aber die wüste/ die wüste in mir verlangt gebete/ denn die wüste will sich füllen mit lebendigem. ich möchte es vom gotte heischen/ von der sonne oder von einem der andern unsterblichen.

Ich heische/ weil ich leer und ein bettler bin. am tage der welt vergesse ich/ daß ich ja die sonne in mich trank und trunken bin von wirkendem lichte und sengender kraft. aber ich trat in den schatten der erde und sah/ daß ich nackt bin und nicht habe/ meine armuth zu decken. kaum berührst du die erde/ so ist es um dein dir innewohnendes leben geschehen/ es flieht von dir in die dinge.

Und ein wunderliches leben hebt in den dingen an. was du für tot und unbelebt hieltest/ verräth geheimes leben und schweigende/ unerbittliche absicht. du bist in ein getriebe gerathen/ wo jedes ding mit sonderbaren gebärden sein eigenen weg geht/ neben dir/ über dir/ unter dir und durch dich/ sogar die steine reden zu dir und magische fäden spinnen sich an von dir zu den dingen und von den dingen zu dir. fernes und nahes wirkt in dich und du wirkst auf dunkle weise auf nahes und fernes. und immer bist du hilflos und beute.

Aber wenn du gut zusiehst/ so wirst du schauen/ was du zuvor nie geschaut hast/ nämlich daß die dinge dein leben leben/ daß sie von dir zehren: die flüße strömen dein leben zu thal/ mit deiner kraft fällt ein stein über den andern/ auch pflanzen und thiere wachsen durch dich und du stirbst an ihnen. ein im winde tanzendes blatt tanzt dich/ das unvernünftige thier erräth deine gedanken und stellt dich dar. die ganze erde saugt ihr leben aus dir und alles spiegelt dich wieder.

Es geschieht nichts/ wo du nicht auf geheime weise darein verwickelt bist/ denn alles hat sich um dich angeordnet und spielt dein innerstes. nichts in dir ist den dingen verborgen/ es mag noch so fern/ so theuer/ so geheim sein. die dinge besitzen es. dem hund stiehlt dir den längst verstorbenen vater und sieht dich an wie er. die kuh auf der weide hat deine mutter errathen und voll ruhe und sicherheit bezaubert sie dich. die sterne flüstern sich ~~dir~~ deine tiefsten geheimniße zu und die weichen thäler der erde bergen dich in mütterlichen schoße.

Wie ein verirrtes kind stehst du kläglich inmitten der mächtigen/ die deines lebens fäden halten. du schreist nach hilfe und klammerst dich an den ersten besten/ der des weges komt. vielleicht weiß er dir rath/ vielleicht kennt er den gedanken/ den du nicht hast und den alle dinge dir ausgesogen haben.

Ich weiß/ du möchtest die kunde hören von denen/ die nicht dinge gelebt haben/ sondern die sich selber lebten und erfüllten. denn du bist ein sohn der erde/ ausgesogen von der saugenden erde/ die aus sich nichts kann/ sondern nur an der sonne saugt. darum möchtest du kunde haben vom sohne der sonne/ welcher strahlt und nicht saugt.

Vom gottessohn möchtest du hören/ der strahlte und gab und zeugte und der wiedergeboren wurde/ wie die erde der sonne grüne und bunte kinder gebärt.

Von ihm möchtest du hören/ dem strahlenden erlöser/ der als ein sohn der sonne die gespinste der erde zerschnitt/ der die magischen fäden zerriß und das gebundene löste/ der sich selber besaß und niemandes knecht war/ den keiner aussog und dessen schatz keiner erschöpfte.

Von ihm möchtest du hören/ der vom schatten der erde nicht verdunkelt wurde/ sondern ihn erhellte/ der aller gedanken sah und dessen gedanken niemand errieth/ der in sich aller dinge sinn besaß und dessen sinn kein ding ausdrücken konnte.

Der einsame floh die welt/ er schloß die augen/ verstopfte die ohren und vergrub sich in einer höhle in sich selbst/ aber es nützte nichts. die wüste sog ihn aus/ der stein sprach seine gedanken/ die höhle widerhallte seine gefühle/ und so wurde er selber zur wüste/ zum stein und zur höhle. und es war alles leer und wüste und unvermögen und unfruchtbarkeit/ denn er strahlte nicht und blieb ein sohn der erde/ der ein bißchen aussog und selber von der wüste leergesogen wurde. er war begehren und nicht glanz/ ganz erde und nicht sonne.

Darum war er in der wüste als ein kluger heiliger/ der wohl wußte/ daß er sich sonst von den andern erdensöhnen nicht unterscheiden würde. hätte er aus sich getrunken/ so hätte er feuer getrunken.

Der einsame gieng in die wüste/ um sich zu finden. er begehrte aber nicht/ sich zu finden/ sondern den vielfältigen sinn des heiligen buches. du kannst die unermeßlichkeit des kleinen und des großen in dich saugen/ und du wirst leerer und immer leerer/ denn unermeßliche fülle und unermeßliche leere sind eins.

er begehrte im äußern zu finden/ wessen er bedurfte. den vielfältigen sinn findest du aber nur in dir/ nicht in dingen/ denn die mannigfaltigkeit des sinnes ist nicht etwas/ das zugleich gegeben ist/ sondern es ist ein nacheinander von bedeutungen. die einander folgenden bedeutungen liegen nicht in dingen/ sondern sie liegen in dir/ der du vielem wechseln unterworfen bist/ insofern du am leben theilhast. auch die dinge wechseln/ aber du achtest es nicht/ wenn du nicht wechselst. wenn du aber wechselst/ so ändert sich das angesicht der welt. der vielfältige sinn der dinge ist dein vielfältiger sinn. es ist nutzlos/ ihn in den dingen ergründen zu wollen. und darum eigentlich gieng der einsame in die wüste/ aber nicht sich selber ergründete er/ sondern das ding. und darum gieng es ihm wie jedem einsamen/ wenn er begehrt: der teufel kam zu ihm mit glatter rede und einleuchtender begründung und wußte das rechte wort im rechten augenblick. er lockte ihn auf sein begehren. ich mußte ihm wohl als der teufel erscheinen/ denn ich habe meine finsterniß angenommen. ich aß die erde und ich trank die sonne und ich ward ein grünender baum/ der in einsamkeit steht und wächst.

Der tod. cap. vi.

In der folgenden nacht wanderte ich zu nordischen landen und fand mich unter grauem himmel in nebeldunstiger kühlfeuchter luft. ich strebe jenen niederungen zu, wo die ströme matt laufend in breiten spiegeln aufleuchtend dem meere sich nähern, wo alle hast des fließens sich mehr und mehr dämpft, und wo alle kraft und alles streben sich dem unermeßlichen umfang des meeres vermählt. spärlich werden die bäume, weite sumpfwiesen begleiten die stillen trüben wasser, unendlich und einsam ist der horizont, von grauen wolken umhangen. langsam, mit verhaltenem athem, mit der großen bangen erwartung dessen, der wild herabschäumte und sich in das endlose verströmte, folge ich meinem bruder, dem wasser. leise, kaum merklich ist sein fließen, und doch nähern wir uns stetig der seligen und höchsten umarmung, um einzugehen in den schoß des ursprungs, in die grenzenlose ausdehnung und unmeßbare tiefe. dort erheben sich niedere gelbe hügel. ein toter weiter see dehnt sich an ihrem fuße. an ihnen entlang wandern wir leise, und die hügel öffnen sich zu einem dämmerhaften, unsagbar fernen horizont, wo himmel und meer zu der einen unendlichkeit verschmolzen sind.

Dort da auf der letzten düne steht einer. er trägt einen schwarzen faltigen mantel, er steht bewegungslos und schaut in die ferne. ich trete zu ihm, er ist mager und blaß und der letzte ernst liegt in seinen zügen. ich rede ihn an:

Laß mich eine kleine weile bei dir stehen, dunkler. ich kannte dich von weitem. so steht nur einer, wie du, so einsam und auf der letzten ecke der erde.

er antwortete:

Fremder, wohl magst du bei mir stehen, wenn es dich nicht friert. du siehst, ich bin kalt und ein herzschlag mir noch nie.

Ich weiß, du bist eis und ende, du bist die kalte ruhe des steines, du bist der höchste schnee der gebirge und der äußerste frost des leeren weltraumes. das muß ich fühlen und darum nahe bei dir stehen.

Was führt dich zu mir her, du lebender stoff? lebendige sind hier nie zu gast. wohl kommen sie alle in dichten schaaren traurig hier vorbeigeflossen, alle, die dort oben im lande des lichten tages den abschied nahmen / um nie wiederzukehren. aber lebende kommen nie. was suchst du hier?

Mein seltsam unerwarteter pfad führte mich hierher / als ich hoffnungsfroh den wege der lebensströme folgte. und so fand ich dich. hier stehst du wohl an dem unrechten orte?

Ja / hier geht's hinaus ins ununterscheidbare / wo keiner dem andern gleich oder ungleich ist / sondern alle miteinander eins sind. siehst du / was dort herankommt?

Ich sehe etwas wie dunkle wolkenwand / die auf dem strom daherschwimmt

Sieh genauer hin / was erkennst du?

Ich sehe dichtgedrängte heerhaufen von männern / greisen / frauen / kindern / dazwischen sehe ich pferde / rinder und kleineres gethier / eine wolke von insecten umschwärmt das heer / ein wald schwimmt heran / welke blumen ohne zahl / ein ganzer toter sommer. sie sind schon nahe / wie starr und kühl sie alle blicken / ihre füße bewegen sich nicht / kein laut ertönt aus ihren geschlossenen reihen. sie halten sich starr bei den händen und armen / sie sehen alle hinaus und achten unser nicht / sie fließen alle vorbei in ungeheurem strome. dunkler / dieses gesicht ist schrecklich.

Du wolltest bei mir stehen / faßte dich. der jetzt sieh hin.

Ich sehe: die ersten reihen sind hinausgelangt bis dahin / wo die brandungswoge sich mächtig mit dem wasser des stromes mischt. und es sieht aus / wie wenn eine luftwoge mit dem meere brandend dem strome der toten entgegenschlüge / hoch wirbeln sie auf / in schwarze fetzen zerflatternd und in trüben nebelwolken sich auflösend. woge nach woge kommt heran / und immer neue scharen zergehen in schwarzeluft. dunkler / sage mir / ist dieß das ende?

Schaue!

Das dunkle meer brandet schwer / ein röthlicher schein breitet sich darin aus / es ist wie blut / ein meer von blut schäumt mir zu füßen / die tiefe des meeres erglüht / wie seltsam wird mir zu muthe / hänge ich mit den füßen in der luft? ist es das meer oder ist es der himmel? ein ball von blut und feuer mischt sich zusammen / rothes licht bricht aus seiner qualmenden hülle / eine neue sonne entringt sich dem blutigen meere und rollt aufglühend der tiefsten tiefe zu / sie verschwindet unter meinen füßen.

Ich schaue um mich / ich bin allein. es ist nacht geworden. was sagte Ammonius? die nacht ist die zeit des schweigens.

Ich schaute um mich und ich sah / daß die einsamkeit sich ins unermeßliche dehnte / und sie durchdrang mich mit schauernder kälte. noch glühte sonne in mir / aber ich fühlte / daß ich in den großen schatten trat. ich folge dem strome / der langsam und unbeirrt den weg nach der tiefe findet / nach der tiefe des kommenden. so zog ich hinaus in jener nacht (es war die zweite nacht des jahres 1914) und bange erwartung erfüllte mich / ich gieng hinaus / das kommende zu umarmen. der weg war weit und schrecklich war das kommende. es war das ungeheure sterben / ein meer von blut / das ich sah. daraus wird die neue sonne / schrecklich und eine umkehrung dessen / das wir tag nannten. wir haben die finsterniß ergriffen und ihre sonne wird über uns leuchten / blutig und brennend wie ein großer untergang. als ich meine finsterniß begriff / da kam die wunderherrliche nacht über mich / und mein traum senkte mich in die tiefe der jahrtausende / und daraus stieg mein Phoenix empor. was aber geschah mit meinen tagen? es wurden brandfackeln entzündet / blutiger zorn und hader entbrannte. als die finsterniß die welt ergriff / da erhob sich der heillose krieg / und die finsterniß zerstörte das licht der welt / denn es war der finsterniß unfaßbar und taugte nicht mehr. also mußten wir die hölle schmecken. ich sah / in welche laster sich die tugenden in dieser zeit verwandeln / wie deine milde härte / deine güte rohheit / deine liebe haß und dein verstand wahnsinn wird. warum wolltest du die finsterniß begreifen! aber du mußtest / sonst ergriff sie dich wohl den / der diesen griffe zuvorkommt.

Dachtest du je an das böse in dir? oh / du sprachest davon / du erwähntest es und du gabst es lächelnd zu wie eine allgemein menschliche untugend oder wie ein häufig vorkommendes mißverständniß. aber wusstes du, was das böse ist / und dass es gerade zuallernächst hinter deiner tugend steht / dass es sogar auch deine tugend selber ist als ihr unvermeidlicher inhalt. du hast den satan für ein jahrtausend in den abgrund geschlossen / und als das jahrtausend um war / da lachtest du über ihn / denn er war zum kindermärchen geworden. aber wenn der furchtbar grosse sein haupt erhebt / dann zuckt die welt. die äusserste kälte kommt an dich. mit entsetzen siehst du / dass du wehrlos bist / und dass das heer deiner tugend ohnmächtig auf die kniee fällt. mit dämonengewalt packet dich das böse und deine tugend läuft zu ihm über. du bist in diesem kampfe ganz allein / denn deine götter sind taub geworden. du weisst nicht / welches die ärgern teufel sind / deine laster oder deine tugenden. dessen eine aber wirst du gewiss / dass tugend und laster brüder sind.

Wir bedürfen der kälte des todes / dass wir klar sehen. das leben will leben und sterben / anfangen und aufhören. du bist nicht gezwungen / ewig zu leben / sondern du kannst auch sterben / denn zu beiden ist ein wille in dir. leben und tod müssen sich in deinem dasein die wage halten. die heutigen menschen bedürfen eines grossen stückes tod, denn zu viel unrichtiges lebt in ihnen / und zu viel richtiges starb an ihnen. richtig ist / was gleichgewicht erhält / unrichtig was gleichgewicht stört. ist gleichgewicht aber erreicht / dann ist unrichtig / was gleichgewicht (was gleichgewicht) erhält / und richtig / was es stört. gleichgewicht ist leben und tod zugleich. zur vollendung des lebens gehört das gleichgewicht mit dem tode. wenn ich den tod annehme / dann ergrünt mein baum / denn das sterben steigert das leben. wenn ich mich versenke in den weltumspannenden tod / dann brechen meine knospen auf. wie sehr bedarf unser leben des todes! die freude an den kleinsten dingen kommt dir erst / wenn du den tod angenommen hast. wenn du aber gierig ausschaust danach / was du alles noch leben könntest / dann ist dir für dein vermögen nichts gross genug / und die kleinsten dinge / die dich doch stets umgeben / sind für dich keine freude mehr. ich betrachte darum den tod / denn er lehrt mich leben.

Wenn du den tod in dir aufnimmst / so ist es wohl wie eine reifnacht und eine bange vorahnung / aber es ist eine reifnacht in einem weinberg / der voll süsser trauben hängt. bald wirst du deines reichthums froh werden. der tod reift. man bedarf des todes / um früchte ernten zu können. ohne den tod wäre das leben sinnlos / denn das langwährende hebt sich selbst wieder auf und leugnet seinen eigenen sinn. um zu sein und deines seins zu geniessen / bedarfst du des todes / und die beschränkung bewirkt / dass du dein sein erfüllen kannst.

Wenn ich den samen und den unsinn der erde sehe und darum verhüllten hauptes in den tod eingehe / dann wird wohl alles zu eis / was ich sehe / aber in der schattenwelt geht die andere / die rothe sonne auf. sie erhebt sich geheim und unerwartet / und wie satanischer spuck dreht sich meine welt um. ich ahne blut und mord. allein blut und mord sind noch erhaben und haben ihre ihnen eigenthümliche schönheit. man kann die schönheit blutiger gewaltthat annehmen. aber es ist das unannehmbare / das schreckliche widerwärtige / das was ich je und je verworfen habe / was sich in mir erhebt. denn wenn die erbärmlichkeit und armuth dieses lebens endet / dann beginnt ein anderes leben in dem mir entgegengesetzten. dieses ist dermassen entgegengesetzt / dass ich es mir nicht erdenken kann. denn es ist nicht nach dem gesetze der vernunft entgegengesetzt / sondern durchaus und seinem ganzen wesen nach. ja es ist nicht bloss entgegengesetzt / sondern widerwärtig / unsichtbar und grausam widerwärtig / etwas / das mir den athem nimmt / mir die kraft aus den muskeln zieht / meinen sinn verwirrt / mich giftig und hinterrücks in die ferse sticht und immer gerade dort trifft / wo ich nicht ahnte / eine verwundbare stelle zu besitzen. es tritt mir nicht gegenüber wie ein starker feind / männlich und gefährlich / sondern ich verende auf einem misthaufen / während friedliche hühner mich umgackern und erstaunt und verständnisslos eier legen. ein hund geht vorüber und hebt sein bein an mir hoch und trottet gleichmüthig seines weges weiter. ich verfluche siebenmal die stunde meiner geburt / und wenn ich es nicht vorziehe / mich auf der stelle selber zu tödten / so schicke ich mich an / meine zweite geburtsstunde zu erleben. die alten sagten: inter faeces et urinas nascimur. während dreier nächte nunmehr umlagerten mich die schrecknisse der geburt. in der dritten nacht erhob sich ein urwaldlachen / dem nichts zu einfältig ist. da begann sich das leben wiederum zu regen.

Und wieder ein neues Abenteuer erschien: vor mir breitet sich eine weite Wiese, ein Teppich von Blumen, sanfte Hügel, in der Ferne ein frischgrünes Gehölz. Mir begegnen zwei sonderbare Gesellen, wohl sehr zufällige Weggefährten: ein alter Mönch und ein lang aufgeschossener magerer Mensch mit kindischem Gang und mißfarbenem rothem Kleide. Wie sie näher kommen, erkenne ich ihn, den rothen Reiter. Wie hat er sich verändert! Er ist gealtert, sein rothes Haar ist grau geworden, sein feuriges rothes Kleid verschlissen, schäbig, ärmlich. Und der andere? Er hat einen behaglichen Bau und scheint keine schlimmen Tage gehabt zu haben. Sein Gesicht kommt mir aber bekannt vor: es ist, bei allen Göttern, Amonius! Was für Veränderungen! Und wo kommen diese getrenntesten Leute her? Ich nähere mich ihnen und begrüße sie. Beide sehen mich erschreckt an und schlagen das Kreuz. Ich schaue ob ihres Entsetzens betroffen an meiner Gestalt herunter: ich bin ganz in grüne Blätter gehüllt, die aus meinem Körper hervorsprießen. Ich begrüße sie lachend ein zweites Mal.

Die Reste früherer Tempel. Cap. VII.

Amonius ruft entsetzt: apage Satanas!

Der Rothe: verfluchtes heidnisches Waldgesindel!

Ich: aber meine lieben Freunde, was fällt euch ein? Ich bin ja der hyperboraeische Fremde, der dich, o Amonius, in der Wüste besucht hat. Und ich bin der Thurmwart, den du, Rother, einmal heimgesucht hast.

Amonius: Ich erkenne dich, Oberster der Teufel. Mit dir hat mein Untergang angefangen.

Der Rothe schaut ihn vorwurfsvoll an und giebt ihm einen Rippenstoß. Der Mönch hält betreten inne. Der Rothe wendet sich hochmüthig zu mir:

R: Schon damals machtest du mir, trotz deiner heuchlerischen Ernsthaftigkeit, einen bedenklichen Eindruck von Gesinnungslosigkeit. Deine verdammte christliche Pose —

In diesem Augenblick giebt ihm Amonius einen heftigen Stoß, und der Rothe schweigt verlegen. So stehen beide vor mir, verlegen und lächerlich, aber auch bedauernswerth.

Ich: Mann Gottes, woher des Weges? Welches unerhörte Schicksal führt dich hieher und erst noch in die Gesellschaft des Rothen?

A: Ich liebe es nicht, mit dir zu sprechen. Aber es scheint eine Fügung Gottes zu sein, der man sich nicht entziehen kann. So wisse denn, daß du böser Geist an mir ein schreckliches Werk gethan hast. Du verführtest mich mit deiner verfluchten neugier / begehrend meine hand nach der göttlichen geheimnissen auszustrecken / denn du machtest mir damals bewusst / dass ich darüber eigentlich nichts wusste. deine bemerkung / ich bedürfe wohl der nähe der menschen / um zu den höheren geheimnissen zu gelangen / betäubte mich wie höllisches gift. bald darauf rief ich die brüder im thale zusammen und verkündigte ihnen / ein bote gottes sei mir erschienen — so heillos hast du mich verblendet — und habe mir befohlen / mit den brüdern ein kloster zu gründen. als bruder Philetos einsprache erhob / widerlegte ich ihn unter hinweis auf jene stelle der heiligen schrift / wo es heisst / es sei nicht gut / dass der mensch allein sei. so gründeten wir das kloster / nahe beim Nil / wo wir die schiffe konnten vorbeifahren sehen. wir bebauten fette felder / und es gab soviel zu thun / dass die heiligen studien darob in vergessenheit geriethen. wir wurden üppig / und eines tages befiel mich ungeheure sehnsucht / Alexandria wieder zu sehen. ich wollte den bischof dort besuchen / wie ich mir einredete. aber zuerst das leben auf den schiffen und dann das strassengewühl von Alexandria berauschten mich derart / dass ich mich ganz verlor. wie im traum bestieg ich eines der grossen schiffe / die nach Italia fahren. mich befiel unersättliche gier / die welt zu sehen / ich trank wein und sah / dass die weiber schön waren. ich schwelgte in genüssen und verthierte völlig. als ich in Neapolis an land stieg / stand der rothe da und ich wusste / dass ich in die hände des bösen gefallen war.

r: schweige / alter narr / wenn ich nicht gewesen wäre / so wärest du gänzlich zum schwein geworden. als du mich sahest / hast du dich endlich zusammengenommen und das saufen und die weiber verwünscht und bist wieder ins kloster gegangen.

nun höre / meine geschichte / verfluchter waldschrat: ich bin dir auch ins garn gegangen / deine heidenkünste haben mich verlockt. nach dem damaligen gespräch / wo du mich mit deiner bemerkung über das tanzen im fuchseisen gefangen hast / geschah es mir / dass ich ernsthaft wurde / so ernsthaft / dass ich ins kloster gieng / betete / fastete und mich bekehrte. in meiner verblendung wollte ich den kirchendienst reformieren und ich führte das tanzen mit bischöflicher approbation ins ritual ein. ich wurde abt und hatte als solcher allein das recht vor dem altar zu tanzen / wie David vor der bundeslade. nach und nach aber fiengen auch die brüder zu tanzen an / ja sogar die fromme gemeinde und schliesslich tanzte die ganze stadt. es war fürchterlich. ich floh in die einsamkeit und tanzte den ganzen tag bis zur erschöpfung / aber am morgen fieng das höllische tanzen wieder an. ich suchte mir selber zu entfliehen und irrte und wanderte in den nächten herum. am tage hielt ich mich verborgen und tanzte allein in wäldern und wüsten gebirgen. so gelangte ich allmählig nach Italien. dort drunten im süden fiel ich nicht mehr so auf wie im norden und konnte mich unters volk mischen. in Neapel erst fand ich mich wieder einigermassen zurecht und dort fand ich auch diesen verlumpten mann gottes. sein anblick stärkte mich. an ihm konnte ich gesunden. du hörtest / wie auch er an mir sich aufrichtete und wiederum auf den richtigen weg gelangen konnte.

a: ich muss gestehen / so schlimm bin ich mit dem rothen nicht gefahren / er ist eine art abgemilderter teufels.

r: auch ich muss sagen / dass mein mönch von weniger fanatischer art ist / obschon ich seit meinem erlebnisse im kloster einen tiefen widerwillen gegen diese ganze christliche religion bekommen habe.

P: liebe freunde / es freut mich von herzen / euch so vergnügt beisammen zu sehen.

beide: wir sind nicht vergnügt / spötter und widersacher / gieb den weg frei / räuber / heide!

P: aber warum fahret ihr denn zusammen über land / wenn ihr nicht vergnügt und freunde zusammen seid?

a: was ist da zu thun? auch der teufel ist nöthig / sonst hat man nichts / um den leuten respect einzuflössen.

r: es ist halt nothwendig / dass ich mit dem clerus packiere / sonst verliere ich meine kundschaft.

P: also hat euch die noth des lebens zusammengeführt! so gebt doch frieden und vertraget euch miteinander.

beide: das können wir nie.

P: oh / ich sehe / es liegt am system. ihr wollt wohl erst aussterben? jetzt gebt mir den weg frei / alte gespenster.

Als ich den tod und all das schreckliche erhabene, das um ihn her gelagert ist / gesehen hatte und selber zu nacht und eis geworden war / da hub ein ärgerliches leben und treiben in mir an. mein durst nach den rauschenden wassern fieng an mit weingläsern zu klirren / ich hörte von ferne trunkenes gejohle / weibergelächter / strassenlärm. tanzmusik /

Stampfen und Jauchzen quoll aus allen Ritzen / und statt des Rosenduftes des Südwindes umflutete mich der Brodem des Menschentieres. Üppig schmutziges Dirnengewäsch kicherte und knisterte den Wänden entlang / Weindunst und Küchendampf / blödes Geschnatter der Volksmenge zog in Schwaden heran. Heiße klebrig zärtliche Hände griffen nach mir / Krankenbettflaumdecken umwickelten mich. Ich war von unten ins Leben hineingeboren / und ich wuchs auf / wie die Helden wachsen / in Stunden soviel wie in Jahren. Und als ich aufgewachsen war / da fand ich mich im mittlern Lande / und sah / daß Frühling war.

Aber ich war nicht mehr der Mensch / der ich gewesen war / sondern ein mir fremdartiges Wesen durchwuchs mich. Dieses Wesen war ein lachendes Waldwesen / ein blättergrüner Unhold / ein Waldschrat und Schabernack / der einsam in Wäldern haust / und selber ein grünendes Baumwesen ist / der nichts liebt als das Grünende und Wachsende / dem Menschen nicht hold und nicht abhold / voll Laune und Zufall / unsichtbaren Gesetzen gehorchend und mit den Bäumen grünend und welkend / nicht schön und nicht häßlich / nicht gut und nicht schlecht / bloß lebend / uralt und eben ganz jung / nackt und der Natürlichkeit bekleidet. Kein Mensch / sondern Natur / schreckhaft / lächerlich / mächtig / kindisch / schwach / täuschend und getäuscht / voll Unbeständigkeit und Oberfläche und der Tiefe hinunterreichend bis zum Kerne der Welt. Ich hatte das Leben meiner beiden Freunde in mich aufgesogen / auf den Ruinen der Tempel wuchs ein grüner Baum. Sie hatten dem Leben nicht standgehalten / sondern verführt vom Leben / waren sie zu ihren eigenen Affenspiel geworden. Sie waren auf den Mist geraten / darum nannte sie der Lebendige Teufel und Verräter. Weil sie beide in ihrer Art an sich und an ihre eigene Güte glaubten / gerieten sie schließlich auf den Mist / als den natürlichen und endgültigen Bestattungsort aller überlebten Ideale. Das Schönste und Beste / wie das Häßlichste und Schlechteste endet einmals am lächerlichsten Orte der Welt / mit Mummenschanz umgeben / geleitet von Narren / fährt es entsetzt zur Grube des Unflaths.

Nach dem Fluch kommt das Lachen / damit die Seele errettet werde von dem Tod.

Die Ideale sind ihrem Wesen nach gewünscht und gedacht / und insofern sind sie / aber auch nur insofern. Aber ihr wirksames Sein ist nicht zu leugnen. Wer meint / seine Ideale wirklich zu leben oder leben zu können / der hat den Größenwahn und benimmt sich wie ein Verrückter / indem er sich zum Ideal hinaufschauspielert: der Held aber ist gefallen. Ideale sind sterblich / also bereite man sich auf ihr Ende vor: es kostet dir vielleicht zugleich den Hals. Aber siehst du nicht / daß du es warst / der seinem Ideal Sinn und Werth und wirkende Kraft gab? Wenn du das Opfer des Ideals geworden bist / dann schnappt das Ideal über / spielt Carneval mit dir und fährt am Aschermittwoch zur Hölle. Das Ideal ist ein Werkzeug / das man auch jederzeit weglegen kann / eine Fackel auf dunkelm Wege. Wer aber auch am Tag mit Fackeln herumläuft / ist ein Narr. Wie sehr sind meine Ideale heruntergekommen / und wie frisch ergrünt mein Baum!

Als ich ergrünte / da standen sie da / die traurigen Reste früherer Tempel und Rosengärten / und ich erkannte mit Schaudern ihre innere Verwandtschaft. Sie hatten sich zu einem schamlosen Bunde zusammengefunden / wie mir schien. Aber ich verstand / daß dieser Bund schon längst zuvor gewesen war. Als ich nämlich noch von meinen Heiligthümern behauptete / daß sie von crystallner Reinheit wären / und als ich meine Freude noch den Düften der Rosen Persiens verglich / da schloßen die beiden den Bund stiller gegenseitigkeit. Sie flohen sich anscheinend / arbeiteten sich aber ins Geheim in die Hände. Das einsame Schweigen der Tempel lockte mich fern von Menschen zu überirdischen Geheimnissen / an die ich mich bis zum Überdruß verlor. Und während ich mit Gott rang / machte sich der Teufel zu meinem Empfang bereit und riß mich eben soweit auf seine Seite hinaus. Ich fand auch da keine Grenzen außer Überdruß und Ekel. Ich lebte nicht / sondern war getrieben / ein Sclave meiner Ideale.

Da standen sie nun / die Ruinen / und haderten miteinander und konnten sich auch in ihrem gemeinsamen Elend nicht versöhnen. Ich war in mir selber eins geworden als natürliches Wesen / aber ich war ein Waldschrat / der einsame Wanderer schreckte / und der die Stätten der Menschen mied. Aber ich grünte und blühte aus mir selber. Noch war ich nicht wieder ein Mensch mit seinem Widerstreit von Weltlust und Geisteslust. Ich lebte nicht sie / ich lebte mich selber und war ein lustig grüner Baum in einem fernen Frühlingswalde. So lernte ich leben ohne Welt und Geist / und ich wunderte mich / wie gut es sich so leben läßt.

Aber der Mensch / die Menschheit? Da standen sie / die beiden verlassenen Brücken / die zur Menschheit hinüberführen sollten: die eine führt von oben nach unten / und die Menschen gleiten auf ihr hinab / das schafft ihnen Vergnügen.

die andere führt von unten nach oben und die menschen stoßen auf ihr empor. das schafft ihnen mühe. wir leben unsern mitmenschen zur mühe und zur freude. wenn ich selber nicht lebe / sondern bloß klettere / so macht es den andern unverdientes vergnügen. wenn ich mich bloß vergnüge / so macht es den andern unverdiente mühe. wenn ich bloß lebe / so bin ich den menschen fern. sie sehen mich nicht mehr / und wenn sie mich sehen / so sind sie erstaunt und erschrocken. ich selber aber / schlechthin lebend / grünend / blühend / welkend / stehe als ein baum immer auf derselben stelle und lasse das leid und die freude der menschen gleichmüthig über mich dahinrauschen. und doch bin ich ein mensch / der sich des haders des menschlichen herzens nicht entheben kann.

Aber meine ideale können auch meine hunde sein / deren gekläff und gestreite mich nicht stören. dann bin ich den menschen doch wenigstens ein guter und ein böser hund. aber das / was sein sollte / ist nicht erreicht / nämlich daß ich lebe und doch ein mensch bin. es scheint fast unmöglich als ein mensch zu leben. solange du deiner selbst nicht bewußt bist / kannst du leben / wenn du aber deiner selbst bewußt wirst / so fällst du von einem grab ins andere. von allen deinen wiedergeburten könntest du schließlich schlecht werden. darum gab ja auch der Buddha die wiedergeburt schließlich auf / denn er hatte es satt / durch alle menschen- und thiergestalten hindurch zu kriechen. nach allen wiedergeburten bist du immer noch der auf der erde kriechende löwe / der XAMAI ΛEWN / ein zerrbild / ein farbenwechsler / eine kriechende / schillernde echse / aber eben kein löwe / dessen natur der sonne verwandt ist / der seine macht aus sich hat und nicht in die schützenden farben der umgebung hineinkriecht und sich durch verbergen vertheidigt. ich habe den chamaeleon erkannt und will nicht mehr auf der erde kriechen und farben wechseln und wiedergeboren sein / sondern ich will aus eigener kraft sein / wie die sonne / welche licht giebt und nicht licht saugt. das gehört zur erde. ich erinnere mich meiner sonnennatur und möchte zu meinem aufgang eilen. aber die ruinen stehen mir im wege. sie sagen: „du sollst in bezug auf die menschen dieß oder jenes sein". meine chamaeleonhaut schauert. sie dringen auf mich ein und wollen mich färben. aber es soll nicht mehr sein. nicht gut noch böse sollen meine herren sein. ich stoße sie zur seite / die lächerlichen überlebsel / und wandere meine straße weiter / die mich gen osten führt. hinter mir liegen die hadernden mächte / die solange zwischen mir und mir selber standen.

Nunmehr bin ich ganz einsam. ich kann nicht mehr zu dir sagen: „höre"! oder „du sollst" oder „du könntest" / sondern jetzt rede ich nur noch mit mir. jetzt kann kein anderer mehr für mich thun / auch nicht das geringste. ich habe keine pflicht mehr gegen dich / und du hast keine pflicht mehr gegen mich / denn ich entschwinde / und du entschwindest mir. ich höre keine bitte mehr und habe keine bitte mehr an dich. ich streite und versöhne mich nicht mehr mit dir / sondern lege das schweigen zwischen dich und mich. ferne verhallt mir dein ruf / und meiner schritte spur kannst du nicht finden. denn mit dem westwind / der von der fläche des oceans kommt / fahre ich dahin übers grüne land / streiche durch die wälder und beuge das junge gras. ich rede mit bäumen und den gethieren des waldes / und die steine weisen mir den weg. wenn ich dürste / und die quelle kommt nicht zu mir / so gehe ich zur quelle. wenn ich hungere / und das brot kommt nicht zu mir / so suche ich mein brot und nehme es / wo ich es finde. ich gebe keine hilfe und bedarf keiner hilfe. wenn irgend eine noth an mich kommt / so schaue ich nicht um / ob ein helfer nahe / sondern ich nehme die noth an / und beuge mich und winde mich und ringe mich durch. ich lache / ich weine / ich fluche / aber schaue mich nicht um. auf diesem wege geht keiner hinter mir her / und ich kreuze keines menschen pfad. ich bin einsam aber ich erfülle meine einsamkeit mit meinem leben. ich bin mir selber mensch / geräusch / unterhaltung / trost / hilfe genug. und so wandere ich nach dem fernen osten. nicht daß ich etwa wüßte / was mein fernes ziel wäre. ich sehe blaue horizonte vor mir: sie sind mir ziel genug. ich eile nach osten zu meinem aufgang. ich will meinen aufgang.

dieses bild wurde um
weihnacht 1915 gem

Erster tag · cap · viii ·

In der dritten nacht aber versperrt ein wüstes felsgebirge mir den weg, aber eine enge thalschlucht gewährt mir einlass. Der weg führt unausweichlich zwischen hohen felswänden. Meine füsse sind nackt und verwunden sich an den zackigen steinen —. Hier wird der pfad glatt. Die eine hälfte des weges ist weiss, die andere schwarz. Ich betrete die schwarze seite und pralle entsetzt zurück: es ist heisses eisen. Ich trete auf die weisse hälfte: es ist eis. Aber es muss sein. Ich eile hinüber und hindurch und endlich weitet sich das thal zu einem mächtigen felsenkessel. Ein schmaler pfad führt an senkrechten felsen in die höhe auf den kamm des gebirges. Wie ich mich der höhe nähere, kommt ein mächtiges dröhnen von der andern seite des berges wie von geschlagenem erz. Der schall schwillt allmählich an und vielfach donnernd widerhallt der schall in den bergen. Wie ich den pass erreiche, sehe ich auf der andern seite einen riesenhaften menschen sich nahen. Aus seinem mächtigen haupt ragen zwei stierhörner, ein klirrender schwarzer panzer bedeckt seine brust. Sein schwarzer bart ist gekräuselt und mit köstlichen steinen geziert. In der hand trägt der riese die funkelnde doppelaxt, mit der man stiere schlägt. Ehe ich mich vom staunenden schrecken erholt habe, steht der gewaltige vor mir und ich sehe in sein gesicht: es ist blass und gelblich und tief gefurcht. Wie erstaunt schauen seine schwarzen mandelförmigen augen auf mich. Mich fasst das grausen: das ist Izdubar, der gewaltige, der stiermensch. Er steht und schaut mich an: sein gesicht spricht von verzehrender innerer angst, seine hände, seine kniee zittern. Izdubar, der gewaltige stier, zittert? Er fürchtet sich? Ich rufe ihn an:

O Izdubar, gewaltigster, schone mein leben und vergieb, dass ich wurm mich auf deinen weg gelegt habe.

J: mich verlangt nicht nach deinem leben. Woher kommst du?

I: ich komme von westen.

J: du kommst von westen? Weisst du vom westlande? Ist dies der rechte weg zum westlande?

I: ich komme aus einem westlichen lande, dessen küsten das grosse westmeer bespült.

J: sinkt in jenes meer die sonne? Oder berührt sie in ihrem niedergang das feste land?

I: die sonne sinkt weit hinter dem meere.

J: hinter dem meere? Was ist dort?

I: dort ist nichts, leerer raum. Die erde ist ja rund und dreht sich überdies um die sonne herum.

J: verfluchter, von wannen kommt dir solche wissenschaft? So giebt es nirgends jenes unsterbliche land, wo die sonne eingeht zur wiedergeburt? Sprichst du die wahrheit?

Seine augen flackern vor wuth und angst. Er tritt einen dröhnenden schritt näher. Ich zittere.

I: o Izdubar, mächtigster, verzeih meinen vorwitz, aber ich spreche wirklich die wahrheit. Ich komme aus einem lande, wo dies sichere wissenschaft ist und wo die leute wohnen, die mit ihren schiffen rund um die erde fahren. Unsere gelehrten wissen durch messungen genau, wie weit die sonne von jedem punkt der erdoberfläche entfernt ist. Sie ist ein himmelskörper, der unsagbar weit draussen im unendlichen raume liegt.

J: unendlich? sagst du? Ist der weltraum unendlich, und wir können nie zur sonne gelangen?

I: mächtigster, insofern du sterblicher art bist, kannst du nie zur sonne gelangen.

Ich sehe, ihn befällt erstickende angst.

J: ich bin sterblich — und ich soll nie zur sonne, zur unsterblichkeit gelangen können?

Er zerschmettert mit gewaltigen, schrillklingenden schlägen seine axt am felsen.

J: fahre hin, elende waffe, du taugst nicht. Was solltest du taugen gegen die unendlichkeit, gegen das ewig leere und unausfüllbaren. du hast niemand mehr zu bezwingen. zerschmettere dich selber / was lohnt es!

[im westen sinkt die sonne blutigroth in den schoss erglühender wolken.]

so fahre du hin / sonne / dreimal verfluchter gott und hülle dich in deine unendlichkeit!

[er rafft die zersprungenen stücke seiner axt vom boden auf und wirft sie nach der sonne.]

hier hast du dein opfer / dein letztes opfer!

er bricht zusammen und schluchzt wie ein kind. ich stehe erschüttert und wage mich kaum zu rühren.

I: elender wurm / wo sogest du dieses gift?

V: o Izdubar / gewaltiger / das ist die wissenschaft / was du gift nennst. in unserem lande werden wir von jugend auf damit genährt / und das mag ein grund dafür sein / daß wir nicht so recht gedeihen und so zwerghaft klein bleiben. wenn ich dich sehe / so kommt es mir allerdings vor / als ob wir alle etwas vergiftet seien.

I: kein starker fällte mich je / kein ungeheuer widerstand meiner kraft. aber dein gift / wurm / der du auf dem wege lagest / hat mich im marke gelähmt. dein giftzauber ist mächtiger als das heer Tiamats.

[er liegt / wie gelähmt / lang ausgestreckt am boden.]

ihr götter / helft / hier liegt euer sohn / gefällt vom fersenstich der unsichtbaren schlange. o hätte ich dich zertreten / als ich dich sah / und deine worte nie gehört.

V: o Izdubar / grosser / bemitleidenswerther / hätte ich gewußt / daß meine wissenschaft dich fällen könnte / ich hätte meinen mund verschlossen vor dir. aber ich wollte dir die wahrheit sagen.

I: du nennst gift wahrheit? ist gift wahrheit? oder ist wahrheit gift? sagen nicht unsere sterndeuter und priester auch die wahrheit? und doch wirkt sie nicht wie gift.

V: o Izdubar / die nacht bricht an / und hier auf auf der höhe wird es kalt. soll ich nicht hilfe holen für dich bei den menschen?

I: laß es sein / gieb mir lieber antwort.

V: aber wir können doch nicht hier philosophieren. dein beklagenswerther zustand erheischt hilfe.

I: ich sage dir / laß es sein. wenn ich in dieser nacht verenden soll / so soll es sein. jetzt gieb mir antwort.

V: ich fürchte / meine worte sind schwach / wenn sie heilen sollen.

I: schlimmeres können sie nicht bewirken. das unheil ist schon geschehen. also sage / was du weißt. vielleicht hast du ein magisches wort / welches das gift löst.

V: meine worte / o mächtigster / sind arm und haben keine magische gewalt.

I: gleichviel / sprich!

V: ich zweifle nicht / daß eure priester die wahrheit sagen. es ist gewiß eine wahrheit / nur lautet sie anders als unsere wahrheit.

I: giebt es denn zweierlei wahrheit?

V: mir scheint / es sei so. unsere wahrheit ist die / die uns aus der kentniß der äußern dinge zuströmt. die wahrheit eurer priester ist die / die ihnen aus den innern dingen zuströmt.

I: [sich halb aufrichtend] das war ein heilsames wort.

V: ich bin glücklich / daß mein schwaches wort dir erleichterung gebracht hat. o wüßte ich noch viele solcher worte / die dir helfen könnten. doch es wird kalt und dunkel / ich will feuer machen / um dich und mich zu wärmen.

I: thue das / diese handlung bringt vielleicht hilfe.

[ich suche holz zusammen und zünde ein grosses feuer an.]

I: das heilige feuer wärmt mich. doch sage mir / wie machtest du so rasch und so geheimnißvoll feuer?

V: dazu brauche ich ganz einfach zündhölzer. siehst du / es sind kleine hölzchen mit einem besondern stoffe an der spitze. man reibt sie an der schachtel und man hat feuer.

I: das ist erstaunlich / wo hast du diese kunst gelernt?

V: in unserem lande hat jederman zündhölzer. das ist aber das geringste. wir können auch fliegen mit hilfe von sinnreichen maschinen.

I: ihr könnt fliegen/ wie die vögel? wenn nicht deine worte so mächtigen zauber enthielten/ so würde ich sagen: du lügst.

Ich: ich lüge gewiss nicht. siehst du/ hier habe ich auch zum beispiel eine uhr/ welche ganz genau die stunden des tages und der nacht zeigt.

I: das ist wunderbar. ich sehe/ du kommst aus einem seltsamen und herrlichen lande. gewiss kommst du der aus dem seligen westland? bist du unsterblich?

Ich: ich – unsterblich? es giebt nichts sterblicheres als wir sind.

I: was/ ihr seid nicht einmal unsterblich und versteht doch solche künste?

Ich: leider ist es unserer wissenschaft noch nicht geglückt/ ein mittel gegen das sterben zu finden.

I: wer hat euch denn solche künste gelehrt?

Ich: im laufe der jahrhunderte haben die menschen viele erfindungen gemacht durch genaue beobachtung und wissenschaft der äussern dinge.

I: aber diese wissenschaft ist doch der heillose zauber/ der mich gelähmt hat. wie ist es möglich/ dass ihr noch am leben seid/ wenn ihr täglich von diesem gift geniesst?

Ich: man hat sich mit der zeit daran gewöhnt/ wie sich der mensch ja an alles gewöhnt. aber etwas gelähmt sind wir schon. immerhin gewährt diese wissenschaft auf der andern seite wieder grosse vortheile/ wie du gesehen hast. was wir an kraft verloren haben/ gewannen wir vielfach wieder durch die beherrschung der naturkräfte.

I: ist es nicht jämmerlich/ so gelähmt zu sein? ich für meinen theil ziehe meine eigene kraft den naturkräften vor. ich überlasse die geheimen kräfte den feigen zauberkünstlern und den weibischen magiern. wenn ich einem den schädel zu brei zerschlagen habe/ hört auch sein elender zauber auf.

Ich: aber du siehst doch/ wie die berührung mit unserem zauber auf dich gewirkt hat? ich denke – schrecklich.

I: leider hast du recht.

Ich: nun/ siehst du/ wir hatten keine wahl. wir mussten das gift der wissenschaft schlucken. sonst erginge es uns allen/ wie dir: wir würden völlig gelähmt/ wenn wir ahnungslos und unvorbereitet damit zusammenträfen. dieses gift ist so unüberwindlich stark/ dass jeder/ auch der stärkeste/ selbst die ewigen götter daran zugrunde gehen. wenn uns unser leben lieb ist/ so opfern wir lieber ein stück unserer lebenskraft/ als dass wir uns dem sichern tode aussetzen.

I: ich denke nicht mehr/ dass du aus dem seligen westland kommst. dein land muss öde sein/ voll lähmung und verzicht. ich sehne mich zurück nach dem osten/ wo der lautere quell unserer lebenspendenden weisheit fliesst.

Wir sitzen schweigend am flackernden feuer. die nacht ist kalt. Izdubar stöhnt schwer und blickt zum gestirnten himmel hinauf.

I: schrecklichster tag meines lebens – unendlich – so weit – so weit – elende zauberkünste – unsere priester wissen nichts/ sonst hätten sie mich davor schützen können – sogar die götter sterben/ sagte er. habt ihr denn keine götter mehr?

Ich: nein/ wir haben bloss noch die worte.

I: aber sind diese worte mächtig?

Ich: es wird behauptet/ aber man merkt nichts davon.

I: wir sehen die götter auch nicht und glauben doch/ dass sie sind. wir erkennen ihr wirken im natürlichen geschehen.

Ich: die wissenschaft hat uns die fähigkeit des glaubens genommen.

I: auch das habt ihr verloren? wie lebt ihr denn?

Ich: wir leben so/ den einen fuss im kalten/ den andern im heissen/ und im übrigen/ wie's eben kommt.

I: du drückst dich dunkel aus.

Ich: so ist es auch bei uns/ es ist dunkel.

I: könnt ihr das ertragen?

Ich: nicht gerade glänzend. ich persönlich befinde mich nicht wohl dabei. ich habe mich deshalb aufgemacht/ nach osten/ zum land der aufgehenden sonne/ um das licht zu suchen/ das uns fehlt. wo geht denn die sonne auf?

I: die erde ist/ wie du sagst/ überall rund. die sonne geht also nirgends auf.

Ich: ich meine/ habt ihr das licht/ das uns fehlt?

I: sieh mich an: ich gedieh im lichte der oestlichen welt. daran magst du ermessen/ wie fruchtbar jenes licht ist. wenn du aber aus einem solchen dunkeln lande kommst/ dann hüte dich vor dem übergewaltigen lichte/ du könntest erblinden/ so wie wir alle auch etwas blind sind.

V: wenn euer licht so fabelhaft ist/ wie du bist/ dann will ich vorsichtig sein.

I: du thust gut daran.

V: ich lechze nach eurer wahrheit.

I: wie ich nach dem westland. ich warne dich.

es tritt schweigen ein. es ist spät in der nacht. wir schlafen beim feuer ein.

Ich wanderte nach süden und fand die unerträgliche gluth des alleinseins mit mir selber. ich wanderte nach norden und fand den kalten tod/ den alle welt stirbt. ich zog mich zurück in mein westliches land/ wo die menschen reich sind an wissen und können/ und ich fing an/ an der sonnenleeren dunkelheit zu leiden. und ich warf alles von mir und wanderte nach osten/ wo täglich das licht emporsteigt. wie ein kind gieng ich nach osten. ich fragte nicht/ ich erwartete bloss. herrliche blumenmatten und liebe frühlingswälder säumten meinen pfad. aber in der dritten nacht kam das schwere. wie ein felsengebirge voll trauriger wüste stand es vor mir und alles wollte mich abschrecken/ meines lebens pfad dort fortzusetzen. aber ich fand den eingang und den schmalen weg. die qual war gross/ denn nicht umsonst hatte ich die zwei verlebten und verkommenen von mir gestossen. was ich verwerfe/ nehme ich ahnungslos in mich auf. was ich annehme/ das geht in den theil meiner seele/ den ich kenne/ was ich verwerfe/ geht in den theil meiner sele/ den ich nicht kenne. was ich annehme/ das thue ich selber/ was ich aber verwerfe/ das wird mir gethan. also führte mich meines lebens pfad der über die verworfenen gegensätze/ die vereint zu glatter und ach so schmerzensreicher strasse vor mir lagen. ich trat sie mit füssen/ aber sie brannten und froren meine sohlen. und so gelangte ich hinüber. aber das gift der schlange/ der du den kopf zertrittst/ geht durch die ferse still in dich ein/ und so wird dir die schlange gefährlicher/ als sie vorher war. denn was ich auch verwerfe/ es ist doch in meiner natur. ich meine/ es sei aussen gewesen/ und darum glaubte ich/ es zerstören zu können. es liegt aber in mir und hat nur vorübergehend äussere gestalt angenommen und ist mir entgegengetreten. ich zerstörte seine gestalt und glaubte ein überwinder zu sein. aber noch habe ich mich nicht überwunden. der äussere gegensatz ist ein bild meines innern gegensatzes. wenn ich das erkannt habe/ dann schweige ich und denke an den abgrund von zwiespalt in meiner seele. äussere gegensätze sind leicht zu überwinden. sie sind zwar/ aber trotzdem kannst du einig sein mit dir selbst. sie werden zwar deine sohlen brennen und frieren/ aber eben nur deine sohlen. es schmerzt/ aber du gehst und schaust nach fernen zielen.

Als ich zur äussersten höhe hinaufstieg und meine hoffnung nach osten ausschauen wollte/ da geschah ein wunder: nämlich eben so/ wie ich gegen osten fuhr/ so eilte einer aus dem osten mir entgegen und strebte nach dem sinkenden lichte. ich wollte licht/ er nacht/ ich wollte steigen/ er sinken. ich war zwerghaft wie ein kind/ er riesengross/ ein urgewaltiger held. ich kam gelähmt von wissen/ er geblendet von der fülle des lichtes. und so eilten wir uns entgegen/ er aus dem lichte/ ich aus der dunkelheit/ er stark/ ich schwach/ er gott/ ich schlange/ er uralt/ ich eben ganz neu/ er unwissend/ ich wissend/ er fabelhaft/ ich nüchtern/ er muthig gewaltthätig/ ich feige listig. wir beide aber erstaunt/ einander zu sehen auf der grenzscheide von morgen und abend.

Da ich ein kind war und wuchs wie ein grünender baum und wind und fernes rufen und getümmel der gegensätze gleichmüthig durch meine Zweige rauschen ließ / da ich ein Knabe war oder gefallener Helden spottete / da ich ein Jüngling war / der links und rechts mit ihrer Umklammerung von sich stieß / da ahnte ich nicht den Mächtigen / den blinden und unsterblichen / der sehnsüchtig nach der sinkenden Sonne wandert / der den Ocean bis zum Grunde theilen möchte / um in die Quelle des Lebens hinabzusteigen. Klein ist / was zum Aufgang eilt / groß / was zum Untergang sich wendet. Darum war ich klein / denn eben kam ich aus der Tiefe meines Unterganges. Ich war dort gewesen / wo er sich hinsehnte. Der Untergehende ist groß und ein Leichtes wäre es ihm / mich zu zerschmettern. Ein Gott / der sich die Sonne auserschaut / macht aber keine Jagd auf Würmer. Der Wurm aber zielt nach der Ferse des Mächtigen und wird ihm den Untergang bereiten / dessen er bedarf. Seine Macht ist groß und blind. Er ist herrlich anzuschauen und furchterregend. Aber die Schlange findet ihre Stelle / ein wenig Gift und der Große fällt. Die Worte des Aufgehenden haben keinen Klang und schmecken bitter. Es ist kein süßes Gift / aber ein tödliches für alle Götter.

Ach er ist mein allerliebster schönster Freund / er der früh übereilt / der Sonne folgend und sonnengleich der unermeßlichen Mutter sich vermählen will. Wie nah verwandt / ja wie ganz eins sind Schlange und Gott! Das Wort / das uns Erlöser war / ist zur tödlichen Waffe geworden / zur Schlange / die heimlich sticht.

Nicht mehr äußere Gegensätze versperren mir den Weg / sondern mein eigener Gegensatz kommt mir entgegen und riesengroß steigt er vor mir auf / und wir versperren einander den Weg. Zwar besiegt das Schlangenwort die Gefahr / aber mein Weg bleibt gesperrt / denn im Weiterschreiten muß ich von der Lähmung in die Blindheit fallen / indem der Mächtige um seiner Blindheit zu entgehen / der Lähmung verfiel. Ich kann nicht zur blendenden Macht der Sonne gelangen / so wie er / der Mächtige / nicht zum wiedergebärenden Schoß der Dunkelheit gelangen kann. Mir scheint die Macht versagt zu sein / ihm die Wiedergeburt / aber ich entrinne der Verblendung in der Macht und er dem Tode im Nichts. Meine Hoffnung auf die Fülle des Lichtes zerbricht / so wie seine Sehnsucht nach schrankenlosem Erobern des Lebens zerschellt. Ich habe den Stärksten gefällt / und der Gott steigt zum Sterblichen hernieder.

Der Mächtige fiel / er liegt am Boden.
Um des Lebens willen muß die Macht weichen.
Der Umfang des äußern Lebens soll verkleinert werden.
Viel mehr Heimlichkeit / einsame Seen / Höhlen / dunkle weite Wälder / kleine Ansiedlungen der Wenigen / still fließende Ströme / lautlose Winter- und Sommernächte / wenig Schiffe und Wagen und in Häusern geborgen das Seltene und Köstliche.
Von ferne her ziehen Wanderer auf einsamen Straßen und sehen dieß und das.
Eile wird unmöglich / Geduld wächst.

d' lärm des welttages schweigt / v' im iñern lodert das wärmende feu'.

am feu' sitz' die schatt' von ehed' v' klag' leise v' geb' kunde von vergangen'.

koñet z' einsam' feu' / ihr blind' v' lahm' v' höret von beid'lei wahrh': d' blinde wird gelähmt v' d' gelähmte geblendet / d' beide wärmt das einsam breñt in weit' nacht.

ein altes heimliches feu' breñt zwisch' uns / spärliches licht v' reichl' wärme spendend.

das uralte feu' / das jegliche noth bezwang / soll wiederum entbreñ' deñ die nacht d' welt i' weit v' kalt / v' die noth i' groß.

das wohlbehütete feu' bringt die fern' / die frierend' / die einand' nicht seh' v' nicht erreich' köñ' / zusam' v' bezwingt das leid v' zerbricht die noth.

die worte am feu' sind zweideutig v' tief v' weis' das leb' auf d' recht' weg.

d' blinde soll gelähmt sein / damit er nicht in d' abgrund reñe / v' d' gelähmte soll blind sein / damit er nicht begehrl' v' verächtl' die dinge anseh' / die er nicht erreich' kañ.

beide mög' si' ihr' tief' hilflosigk' bewußt sein / damit sie wied' das heilige feu' ehr' / v' die schatt' / die am herde sitz' / v' die worte / die rund um die flame geh'.

Die alt' nant' das erlösende wort d' logos / ein' ausdruck göttlich' vernunft. soviel unvernunft war ein Mensch / daß er der Vernunft zur Erlösung bedurfte. Wenn man lange genug wartet / so sieht man / wie die Götter sich am Ende alle in Schlangen und Unterweltsdrachen verwandeln. Dieß ist auch das Schicksal des Logos: am Ende vergiftet er uns alle. Mit der Zeit sind wir vergiftet worden / aber wir hielten / ohne daß wir es wußten, den einen / den mächtigen / den stets wandernden / in uns vom Gifte fern. Wir verbreiten Gift und Lähmung um uns / indem wir alle Welt um uns zur Vernunft erziehen wollen. Der eine hat seine Vernunft im Denken / der andere im Fühlen. Beide sind Logosdiener und sind im Geheimen zu Schlangenanbetern geworden. Du kannst dich selber unterjochen / dich in Eisen schlagen / dich täglich blutig peitschen: du hast dich zerdrückt / aber nicht überwunden. Sondern eben gerade dadurch hast du den Mächtigen geholfen / seine Lähmung verstärkt / und seine Blindheit gefördert. Er ist es / der es immer an Andern sehen und thun möchte / der begehrlich und tyrannisch mit blinder Hartnäckigkeit und stierhaftem Eigensinn den Logos dir und andern aufdrängen möchte. Gieb ihm vom Logos zu schmecken. Er hat Angst / er zittert schon von weitem / denn er ahnt, daß er überlebt ist und daß ein winziges Tröpfchen des Logosgiftes ihn lähmen wird. Aber weil er dein schöner vielgeliebter Bruder ist / so bist du ihm sclavisch zugethan und möchtest es ihm ersparen / was du kaum deinem Mitmenschen erspart hast. Du scheutest kein listiges und kein gewaltthätiges Mittel / um deine Mitmenschen mit den giftigen Pfeilen zu erreichen. Ein lahmes Jagdthier ist eine unwürdige Beute. Der mächtige Jäger selber / der den Stier zu Boden rang und den Löwen zerriß und das Heer Tiâmats schlug / er ist deines Bogens würdiges Ziel.

Wenn du lebst als der / der du bist / so wird er mit Ungestüm gegen dich anrennen / du kannst ihn gar nicht verfehlen. Er wird dir Gewalt anthun und dich zum Sklavendienst pressen / wenn du dich nicht an deine heimliche furchtbare Waffe erinnerst / die du immer in seinem Dienste gegen dich selber gebraucht hast. Listig / grausam und kalt sollst du sein / wenn du darangehst / den Schönen und Vielgeliebten zu fällen. Doch tödten sollst du ihn nicht / auch wenn er leidet und in unerträglichen Schmerzen sich windet. Binde den heiligen Sebastian an einen Baum und schieße langsam und vernunftgemäß Pfeil um Pfeil in sein zuckendes Fleisch. Erinnere dich dabei / daß jeder Pfeil / der ihn trifft / einem deiner zwerghaften und lahmen Brüder erspart bleibt. Also magst du viele Pfeile schießen. Aber allzu häufig und fast nicht auszurotten ist das Mißverständniß: wir wollen die Menschen dann das Schöne und Vielgeliebte außer ihnen / niemals aber in ihnen selber zerstören.

Er / der Schöne und Vielgeliebte / kam mir ja schon oft / von eben jenen Orten / nach denen ich hinzugelangen mich bemühte. Bewundernd sah ich seine Kraft und Herrlichkeit / und ich erkannte / daß er eben gerade nach dem strebte / was ich verlassen hatte / nämlich nach meinen dunkeln menschengewühlten Niederungen. Ich erkannte die Blindheit und Unwissenheit seines Strebens / das meinem Verlangen entgegenwirkte / und ich öffnete ihm die Augen und lähmte mit giftigen Stichen seine mächtigen Glieder: und er lag weinend wie ein Kind / als das / was er war / ein Kind / ein uraltes großes Kind des menschlichen Logos bedürftig. So lag er mir da / hülflos / mein blinder, halbsehendgewordener / gelähmter Gott. Und das Mitleid faßte mich / denn zu deutlich fühlte ich / daß er mir nicht sterben dürfe / er / der mir vom Aufgang entgegenkam / von jenen Orten / wo er wohl sein konnte / wo ich aber nie hinzugelangen vermochte. Ihn / den ich suchte / besaß ich jetzt. Der Osten konnte mir weiter nichts geben als ihn / den Kranken / den Gefällten.

Du hast nur die Hälfte des Weges zu machen / die andere Hälfte macht er. Gehst du über ihn hinaus / so verfällst du der Verblendung. Geht er über dich hinaus / so verfällt er der Lähmung. Darum, sofern es die Art der Götter ist / über die Sterblichen hinauszugehen / verfallen sie der Lähmung / und werden hülflos / wie Kinder. Göttlichkeit und Menschlichkeit bleiben erhalten / wenn der Mensch vor dem Gotte / und der Gott vor dem Menschen stehen bleibt. Die hochlodernde Flamme ist der mittlere Weg / dessen leuchtende Bahn zwischen Menschlichem und Göttlichem läuft.

Die göttliche Urgewalt ist blind / denn ihr Gesicht wurde zum Menschen. Der Mensch ist das Gesicht der Gottheit. Wenn Gott dir naht / dann flehe um Schonung deines Lebens / denn der Gott ist liebendes Schreckniß. Die Alten sagten: es sei schrecklich in die Hände des lebendigen Gottes zu fallen. Sie sprachen so / weil sie es wußten / denn sie waren den alten Wäldern noch nahe / und nach Kinderart grünten sie wie die Bäume und stiegen weit nach Osten empor.

und dabei fiel sie in die Hände des lebendigen Gottes. Sie lernten das Knien und auf dem Angesicht liegen, und das Erbarmen betteln und die hündische Furcht und die Dankbarkeit. Wer aber ihn sah, den schrecklich-schönen mit seinen schwarzen Samtaugen und den langen Wimpern, den Augen, die nicht sehen, sondern bloss zärtlich furchtbar anschauen, der hat gelernt aufzuschreien und zu winseln, damit er wenigstens das Ohr der Gottheit erreiche. Dem Angstschrei nur bringt den Gott zum Stehen. Und dann siehst du, dass auch der Gott zittert, denn er steht seinen Gesichten gegenüber, seinen sehenden Blicken in dir, und er fühlt unbekannte Gewalt. Der Gott hat Menschenfurcht.

Wenn mein Gott gelähmt ist, muss ich bei ihm stehen, denn ich kann den Vielgeliebten nicht lassen. Ich fühle, dass er mein Theil ist, mein Bruder, der im Lichte weilte und wuchs, während ich im Dunkel war und mich von Gift nährte. Es ist gut, solches zu wissen: wenn wir in der Nacht sind, dann steht unser Bruder in der Fülle des Lichtes, dann thut er seine grossen Werke, zerreisst den Löwen und tötet den Drachen. Und er spannt seinen Bogen nach immer fernern Zielen, bis er der hochhinwandernden Sonne gewahr wird und sie erjagen möchte. Wenn er aber seine kostbarste Beute entdeckt hat, dann wächst auch in dir die Sehnsucht nach dem Licht. Du wirfst die Fesseln ab und machst dich auf nach den Orten des steigenden Lichtes. Und so eilt ihr einander entgegen. Er wähnte die Sonne empfangen zu können und stiess auf den Wurm des Schattens. Du wähntest, im Osten an der Quelle des Lichtes trinken zu können, und fängst dir den gehörnten Riesen, vor dem du in die Kniee fällst. Sein Wesen ist blind übermässiges Begehren und stürmische Kraft, mein Wesen ist sehende Beschränktheit und die Unfähigkeit des Klugen. Er besitzt reichlich, was ich misse. Darum will ich ihn auch nicht lassen, den Stiergott, der einst Jakobs Hüfte lähmte, und den ich nun mir gelähmt habe. Ich möchte seine Kraft mir zu eigen machen. Es ist darum ein sorgliches Bemühen, den Schwergetroffenen am Leben zu erhalten, damit seine Kraft mir erhalten bleibe. Nichts missen wir mehr, denn die göttliche Kraft. Wir sagen: „Ja, ja, so sollte oder könnte es sein. Dieses oder jenes sollte erreicht sein." Wir sprechen so und stehen und sehen uns verlegen um, ob sich wohl irgendwo irgendetwas ereignen würde. Und wenn sich etwas ereignen sollte, dann sehen wir zu und sprechen: „Ja, ja, wir verstehen, es ist dies oder das und es ist ähnlich diesem oder jenem." Und so sprechen wir und stehen und sehen uns um, ob sich weiter irgendwo irgendetwas ereignen würde. Es ereignet sich immer etwas, aber wir geschehen nicht, denn unser Gott ist krank. Wir haben ihn mit giftigem Basiliskenblick totgesehen und totverstanden. Wir müssen auf seine Heilung denken. Und ich fühlte es wiederum als Gewissheit, dass mein Leben in der Mitte zerbrochen wäre, wenn es mir nicht gelänge, meinen Gott zu heilen. Darum blieb ich bei ihm die lange kalte Nacht.

atharva-veda 4,1,4.

Zweiter tag · cap · ix ·

Kein traum gab mir das rettende wort ein. Jzdubar lag schweigend und starr die ganze nacht bis in den neuen tag. Ich gieng sinnend hin und her am kamme des gebirges und schaute zurück nach meinen westlichen landen / wo soviel kentniß und soviel möglichkeit des helfens ist. Ich liebe Jzdubar / er soll mir nicht elend verkommen. Doch woher soll hilfe kommen? Keiner wird den heißkalten weg überschreiten. Und ich? Ich fürchte mich / auf jenen weg zurückzukehren. Und im osten? Giebt es dort vielleicht hilfe? Aber die unbekannten gefahren / die dort drohen? Ich möchte nicht erblinden. Was würde es Jzdubar nützen? Ich kann auch als blinder diesen lahmen nicht tragen. Ja / wäre ich gewaltig wie Jzdubar. Was nützt hier alle wissenschaft? Gegen abend aber trat ich zu Jzdubar und sprach zu ihm:

Jzdubar / mein fürst / höre! Ich will dich nicht verkommen lassen. Schon bricht der zweite abend an. Wir haben keine nahrung und der sichere tod steht uns bevor / wenn es mir nicht gelingt / hilfe herbeizuholen. Von westen können wir keine hilfe erwarten. Von osten aber ist vielleicht hilfe möglich. Trafest du niemand auf dem wege / den wir zu hilfe rufen könnten?

J: laß es sein / der tod mag kommen / wann er will.

I: das herz blutet mir / wenn ich denke / daß ich dich hier verlassen müßte / ohne das letzte für dich versucht zu haben.

J: was hilft dir deine zauberkunst? / wärest du stark / wie ich / du könntest mich tragen. aber ein gift kann nur zerstören und nicht helfen.

I: wären wir in meinen landen / schnelle wagen könnten uns hilfe bringen.

J: wäre ich in meinen landen / so hätte dein giftstachel mich nicht erreicht.

I: sage mir / weißt du keine hilfe von der seite des ostens?

J: der weg dorthin ist lang und einsam / und wenn du aus dem gebirge in die ebene hinauskommst / dann triffst du die gewaltige sonne / die dich blendet.

I: aber wenn ich des nachts wanderte / und am tage mich vor der sonne verborgen hielte?

J: des nachts kriechen alle schlangen und drachen aus ihren löchern / und du unbewehrter bist ihnen rettungslos verfallen. laß es sein! was soll es helfen? / meine beine sind verdorrt und abgestorben. Ich ziehe vor / die beute dieser fahrt nicht heimzubringen.

I: soll ich nicht alles wagen?

J: nutzlos! nichts ist gewonnen / wenn du umkommst.

I: laß mich noch etwas nachdenken / vielleicht kommt mir doch noch ein rettender gedanke.

Ich entferne mich und setze mich auf eine felsplatte hier oben am kamme des gebirges / und es begann in mir diese rede: großer Jzdubar / du bist in einer heillosen lage – und ich nicht weniger. was ist da zu thun? es ist nicht immer nöthig zu thun / manchmal ist denken besser. im grunde bin ich ja davon überzeugt / daß Jzdubar gar nicht im gewöhnlichen sinne wirklich ist / sondern eine phantasie ist. die situation wäre geholfen / wenn man ihr einen andern aspect beibrächte – – – beibrächte – – – beibrächte – merkwürdig / daß hier sogar gedanken widerhallen / man muß doch sehr allein sein. aber das wird schwer halten. er wird es natürlich nicht annehmen / daß er eine phantasie sei / sondern behaupten wollen / er sei ganz real und es könne ihm nur auf reale weise geholfen werden. immerhin kann man das mittel einmal versuchen. Ich will ihn darum anrufen und mit ihm reden:

I: mein fürst / gewaltiger / höre: mir kam ein gedanke / der vielleicht rettung bringt. Ich denke nämlich / du seist gar nicht wirklich / sondern bloß eine phantasie.

J: mir graut es vor dem gedanken. sie sind mörderisch. willst du mich gar für unwirklich erklären, nachdem du mich jämmerlich gelähmt hast?

I: Ich habe mich vielleicht etwas missverständlich ausgedrückt, zuviel in der Sprache des Westlandes. Ich meine natürlich nicht, du seiest ganz unwirklich, sondern eben nur so wirklich wie eine Phantasie. Wenn du das annehmen könntest, dann wäre viel gewonnen.

Iz: Was wäre damit gewonnen? Du bist ein Quälteufel.

I: Beklagenswerter, ich will dich nicht quälen. Die Hand des Arztes will nicht quälen, auch wenn sie wehthut. Könntest du wirklich nicht annehmen, dass du eine Phantasie bist?

Iz: Wehe mir! In welchen Zauber willst du mich verstricken? Soll mir geholfen sein, wenn ich mich für eine Phantasie halte?

I: Du weisst, der Name, den man trägt, bedeutet viel. Du weisst auch, dass man den Kranken oft einen neuen Namen giebt, um sie zu heilen, denn mit dem neuen Namen empfangen sie ein neues Wesen. Dein Name ist dein Wesen.

Iz: Du hast recht, das sagen auch unsere Priester.

I: Also, du willst zugeben, dass du eine Phantasie bist?

Iz: Wenn es hilft — ja!

Die innere Stimme sprach nun folgendermassen zu mir: Jetzt ist er zwar eine Phantasie, aber die Lage ist trotzdem äusserst verwickelt. Auch eine Phantasie lässt sich nicht einfach negieren und mit Resignation behandeln. Etwas hat damit zu geschehen. Immerhin ist er eine Phantasie — also bedeutend volatiler. Ich glaube, ich sehe eine Möglichkeit: Jetzt kann ich ihn auf den Rücken nehmen. Darauf trat ich zu Izdubar und sprach zu ihm:

Ein Weg ist gefunden. Du bist leicht geworden, leichter als eine Feder; jetzt kann ich dich tragen. Ich umfasse ihn und hebe ihn vom Boden auf; er ist leichter als Luft und ich habe sogar Mühe, mit meinen Füssen am Boden zu bleiben, denn meine Last hebt mich empor.

Iz: Das war ein Meisterstück. Wohin trägst du mich?

I: Ich trage dich hinunter ins Westland. Meine Genossen werden sich freuen, eine so grosse Phantasie bei sich beherbergen zu dürfen. Wenn wir nur erst das Gebirge hinter uns haben und in den gastlichen Hütten der Menschen angelangt sind, dann kann ich in Ruhe nach einem Mittel suchen, das dich wieder gänzlich herstellt.

Ich steige, ihn auf meinem Rücken tragend, vorsichtig den schmalen Felspfad hinunter, mehr in der Gefahr vom Wind emporgewirbelt, als von der Last in die Tiefe gestürzt zu werden. Ich hange an meiner überleichten Bürde. Endlich erreichen wir den Thalboden, und da ist auch schon der Weg der heissen kalten Schmerzen. Diessmal aber bläst mich ein sausender Ostwind durch die Felsenenge hinunter und über die Felder hinaus, bewohnten Stätten entgegen. Der Schmerzensweg berührte meine Sohlen nicht. Beflügelt eile ich durch schönes Land. Vor mir gehen zwei auf der Strasse. Es ist Ammonius und der Rothe. Als wir dicht hinter ihnen sind, wenden sie sich um und stürzen mit entsetztem Geschrei in die Felder hinaus. Mein Anblick muss gewiss sonderbar sein.

Iz: Was sind das für Missgestalten? Sind das deine Genossen?

I: Das sind keine Menschen, das sind sogenannte Relicte der Vergangenheit, denen man im Westland noch öfters begegnet. Sie waren früher von grosser Bedeutung, jetzt braucht man sie hauptsächlich zum Schafehüten.

Iz: Was für ein wunderliches Land! Doch sieh, ist dort nicht eine Stadt? Willst du nicht dorthin gehen?

I: Nein, Gott bewahre mich, ich will keinen Volksauflauf erregen. Dort wohnen ja die Aufgeklärten. Riechst du sie nicht? Die sind eigentlich gefährlich, denn sie kochen die allerstärksten Gifte, vor denen ich mich sogar hüten muss. Die Leute dort sind total gelähmt, in einen braunen Giftdampf gehüllt, von lärmenden Schnattermaschinen umgeben und können sich nur noch mit künstlichen Mitteln fortbewegen. aber sei ohne sorge. es ist jetzt schon so dunkel/ daß uns niemand sieht. überdieß würde es sich keiner eingestehen/ mich gesehen zu haben. ich weiß hier ein einsames haus. dort habe ich vertraute freunde/ die uns für die nacht aufnehmen werden.

Ich komme mit Izdubar zu einem stillen dunkeln garten/ darin steht ein verschwiegenes haus. ich verberge Izdubar unter den breit herabhängenden aesten eines baumes und gehe zur hausthüre um anzuklopfen. ich betrachte nachdenklich die thüre: sie ist viel zu klein. hier bringe ich Izdubar nie hindurch. doch — eine phantasie braucht ja keinen raum! warum kam ich nicht früher auf diesen ausgezeichneten gedanken? ich gehe in den garten zurück, drücke Izdubar ohne mühe bis zur größe eines eies zusammen und stecke ihn in die tasche. so trete ich ~~ins~~ ins gastliche haus der menschen/ wo Izdubar heilung finden soll.

So fand mein gott rettung. die rettung geschah dadurch/ daß ihm eben das geschah/ was man für das unbedingt tödliche halten mußte/ nämlich daß man ihn für ein gespinst der einbildung erklärt. wie viele male schon glaubte man/ daß die götter auf diese weise zu ihrem ende gebracht seien. das war offenbar eine große täuschung: denn dadurch wird der gott ja eben gerettet. er vergieng nicht/ sondern wurde zu einer lebendigen phantasie/ deren wirkung ich an meinem eigenen körper erfuhr: die mir wesensangehörige schwere schwand/ nicht mehr brannte und fror der heißkalte schmerzensweg meine sohlen/ nicht mehr hielt mich die schwere an den boden gedrückt/ sondern leicht wie eine feder trug mich der wind/ derweil ich den riesen trug. man glaubte/ man könne an gott einen mord vollbringen. der gott aber war gerettet/ er schmiedete im feuer eine neue axt und tauchte wiederum hinein in die lichtfluthen des ostens/ um seinen uralten kreislauf aufs neue zu beginnen. wir klugen menschen aber schlichen lahm und giftig herum und wußten nicht einmal/ daß uns etwas fehlte. ich liebte aber meinen gott und nahm ihn mit zum hause der menschen/ denn ich war überzeugt/ daß er auch als phantasie wirklich lebte und deßhalb nicht dürfe liegen gelassen werden wund und krank. darum erfuhr ich das wunder/ daß mein körper seine schwere verlor/ als ich mich mit dem gotte belud. St. Christophorus/ der riese/ trug schwer an seiner last/ trotzdem er nur das christuskind trug. ich aber war klein wie ein kind und trug einen riesen/ und der hob mir meine last empor. das christuskind wäre der riese christophorus eine leichte last gewesen/ denn der Christus selber sagte: mein joch ist sanft und meine last ist leicht. nicht sollen wir den Christum tragen/ denn er ist unerträglich/ sondern wir sollen Christi sein/ dann ist unser joch sanft und unsere last leicht. diese tast- und sichtbare welt ist das eine wirkliche/ die phantasie aber das andere wirkliche. solange wir den gott im sicht- und tastbaren/ im außer-uns lassen/ ist er unerträglich und hoffnungslos. wenn wir aber den gott zu einer phantasie machen/ dann ist er in uns und leicht zu tragen. gott außer uns vermehrt das gewicht alles schweren/ gott in uns erleichtert alles schwere. darum haben alle Christophori krumme rücken und kurzen athem/ denn die welt ist schwer.

Es sind viele/ die ihren kranken gott hilfe holen wollten und die von den schlangen und drachen/ welche am wege zum sonnenland lauern/ verschlungen wurden. sie sind im überhellen tag untergegangen und sind dunkle männer geworden/ denn ihre augen sind geblendet. nun gehen sie herum wie schatten und reden vom lichte und sehen nichts. ihr gott aber ist in allem dem/ was sie nicht sehen: er ist im dunkeln westlande und schärft sehende augen und hilft den giftköchen und richtet schlangen ab für die fersen der blinden gewaltthäter. darum/ wenn du klug bist/ nimm den gott mit/ dann weißt du/ wo er ist. hast du ihn nicht bei dir im westland/ dann kommt er über nacht an dich gerannt mit klirrendem panzer und schmetternder streitaxt. hast du ihn nicht bei dir im lande des aufgangs/ dann trittst du unversehends auf den göttlichen wurm/ der deiner ahnungslosen ferse wartete.

Alles gewinnst du vom Gotte, den du trägst, nicht aber seine Waffe, denn er zerschlug sie. Die Waffe gebraucht, wer erobern will. Was aber willst du noch erobern? Mehr als die Erde kannst du nicht erobern. Und was ist die Erde? Sie ist überall rund, ein Tropfen, der im Weltall hängt. Und zur Sonne gelangst du nicht, nicht einmal zu dem Mond reicht deine Macht, nicht einmal das Meer bezwingst du, nicht einmal den Schnee der Pole, nicht einmal den Sand der Wüste, sondern am Ende nur ein paar Flecken grüner Erde. Nicht einmal auf irgendeine Dauer eroberst du. Morgen ist deine Herrschaft Staub, den vor allem solltest du – und wenigstens – den Tod bezwingen. Also sei kein Narr und lege die Waffe weg. Gott selbst zerschlug seine Waffe. Der Panzer genügt, um dich vor den Narren zu schützen, die noch am Erobern leiden. Gottes Panzer macht dich unverwundbar, für die ärgsten Narren sogar unsichtbar.

Nimm deinen Gott mit. Trage ihn hinunter in dein Dunkelland, wo die Leute wohnen, die jeden Morgen die Augen reiben und doch immer nur das Gleiche und nie das Andere sehen. Bringe deinen Gott herunter in den giftschwangeren Dunst, aber nicht wie jene Geblendeten, die mit Lichtern die Finsterniß erleuchten wollten, welche die Finsterniß aber nicht begreift, sondern heimlich trage deinen Gott zu gastlichen Dache. Klein sind die Hütten der Menschen und trotz ihrer Gastlichkeit und Willfährigkeit können sie den Gott nicht aufnehmen. Darum warte nicht, bis rohe ungeschickte Menschenhände deinen Gott zerhacken, sondern umfasse ihn nochmals liebend, bis er die Gestalt seines allerersten Anfanges angenommen hat. Nicht lasse eines Menschen Auge sehen den Vielgeliebten, schrecklich prächtig im Zustande seiner Krankheit und Ohnmacht. Bedenke, daß deine Mitmenschen Thiere sind, ohne es zu wissen. Solange sie auf ihrer Weide gehen oder an der Sonne liegen oder ihre Jungen säugen oder sich begatten, sind sie schöne und harmlose Geschöpfe der schwarzen Muttererde. Wenn aber der Gott erscheint, dann fangen sie an zu rasen, denn die Gottesnähe macht rasend. Sie zittern vor Angst und Wuth und fallen sich plötzlich zu brudermörderischem Kampf an, denn einer wittert im andern den nahen Gott. Verbirg also den Gott, den du dir mitgenommen hast. Lasse sie rasen und sich gegenseitig zerfleischen. Deine Stimme ist zu schwach, als daß die Wüthenden sie hören könnten. Drum rede nicht und zeige den Gott nicht, sondern sitze an einsamer Stelle und singe die Incantation nach uralter Weise:

Vor dich lege das Ei, den Gott in seinem Anfang.
Und betrachte es.
Und mit deines Anschauens zauberischer Wärme bebrüte es.

Hier beginnt die Incantation.

Weihnacht ist angebrochen. der
gott ist in mir. ich habe meinen gott
einen teppich gebreitet/einen köstlichen
roten teppich des morgenlandes.
er soll vom schimmer der pracht seines östlichen landes umgeben sein.
ich bin die mutter/die einfältige
magd/die empfangen hat und w-
ußte nicht wie. ich bin der sorgsa-
me vater/der die magd schützte.
ich bin der hirt/der die botschaft e-
mpfieng/als er des nachts seine herde wartete auf dunkeln flur.

i' bin das heilige gethi=/das staunend steht v~ das werd~ d~ gott' nicht' faß~ kañ· i' bin d~ weise/d~ vom ostlande herbei kam/das wund~ von ferne ahnend· u~ i' bin das ei v~ umschließe v~ hege in mir den keim d' gott'·

die feierlich- stund- wachs-.

v- mein menschliches e- elend v- leidet qual-.
deñ i- bin eine gebärerin.
wohin entzückst du mi- o gott?
er i- d- ewig leere v- d- ewig volle.
nichts gleicht ihm v- er gleicht all-.
ewig dunkel v- ewig hell.
ewig unt- v- ewig ob-.
zwiefache natur im einfach-.
einfa- im vielfach-.
siñ im widersiñ.
freih- im gebund-sein.
unt-worf- weñ siegrer.
alt in jugend.
ja im nein.

o
licht d' mittlern weg,
eingeschloß' im ei keim
haft
voll muehseligkt bedrueckt
voll spann' erwartend
verlorene erinnery traumhaft
schwer wie stein erstarrt
heiß schmelzend
durchsichtig
hellstrahlend
auf si' gewendet.

brahmanaspati.

ein word / das nie gesproch~ ward·
ein licht / das no' nie leuchtete·
eine verwirr~ sondergleich~·
u~ eine straße ohn' ende·

r vergebe mir diese worte / wie au du mir vergiebs um deines
lodernd liebes will.

komme herauf/du gnadenreiches feuer der alten nacht.
ich küsse die schwelle deines ausgangs.
meine hand breitet dir teppiche und streut dir die fülle rothen blumen.
komme herauf mein freund/der du krank lagest/brich durch die schale.
wir haben dir ein mahl zugerüstet.
weihgeschenke sind vor dir aufgestellt.
tänzerinnen warten dein.
ein haus haben wir dir gebaut.
deine diener stehen dir bereit.
herden trieben wir dir auf grünen flur zusammen.
wir füllten deinen becher mit rothem wein.
duftende früchte legten wir auf goldene schalen.
wir pochen an dein gefängniß und legen lauschend unser ohr daran.
die stunde wachse/säume nicht länger.

wir sind elend ohne dir· v‾ erschöpf‾ unsere gesänge·
wir sagt‾ dir alle worte/ die uns° herz uns gab·
was will‾ du no‾?
was soll‾ wir dir erfüll‾?
wir öffn‾ dir jedes thor·
wir beug‾ unsere kniee/ wo du will‾·
wir geh‾ na‾ all‾ richtung‾ des hi‾mels/ na‾ dein‾ wuns‾·
wir trag/ was unt‾ i‾ na‾ ob‾/ v‾ was ob‾/ mach‾ wir zum un-
tern/ wie du befiehl‾·
wir geb‾ v‾ nehm‾/ na‾ dein‾ begehr·
wir wollt‾ na‾ rechts/ geh‾ ab° na‾ links/ dein‾ wink gehor‾‾
wir steig‾ v‾ fall‾/ wir schwank‾ v‾ steh‾ fe‾/ wir seh‾ v‾ sind blind/
wir hör‾ v‾ sind taub/ wir sag‾ ja v‾ nein/ i‾m° na‾ dein‾ worte
hörend·
wir begreif‾ nicht/ v‾ leb‾ das unverstehbare·
wir lieb‾ nicht v‾ leb‾ das ungeliebte·
v‾ wied° kehr‾ wir uns um v‾ begreif‾ v‾ leb‾ das verstehbare
wir lieb‾ v‾ leb‾ das geliebte/ dein‾ gesetze treu·

kom̄e zu uns/ die wir willig sind aus eigen˜ will˜.
kom̄e zu uns/ die wir di˜ versteh˜ aus eigen˜ geiste.
kom̄e zu uns/ die wir di˜ wärm˜ am eigen˜ feu°.
kom̄e zu uns/ die wir di˜ heil˜ aus eigen° kuns˜.
kom̄e zu uns/ die wir di˜ erzeug˜ aus eigen˜ leibe.
kom̄e/ kind/ zu vat° u˜ mutt°.

hiranyagarbha

wir fragt- die erde ·
wir fragt- d- hīmel ·
wir fragt- das mēr ·
wir fragt- d- wind ·
wir fragt- das feu- ·
wir sucht- di- bei all- völkern ·
wir sucht- di- bei all- könig- ·
wir sucht- di- bei all- weis- ·
wir sucht- di- in unserm eigen- kopf u- herz- ·
u- wir fand- di- im ei ·

i' habe dir ein kostbares menschenopf' geschlachtet/ein' jüngl' v' ein' greis·

i' habe meine haut mit meßern geritzt·

i' habe mit mein' eigen' blute dein' altar besprengt·

i' habe vat' v' mutt' verstoß'/damit du bei mir wohnes'·

i' habe meine nacht z' tag gemacht v' bin um mittag wie ein traumwandl' gegang'·

i' habe alle gött' gestürzt/die gesetze gebroch'/das unreine gegeß'·

i' habe mein schwert hingeworf' v' weib' kleid' angezog'·

i' zerbra' meine feste burg v' spielte wie ein kind im sande·

i' sah die krieg' z' schlacht zieh' v' zerschlug meine rüst' mit d' ham'·

i' bepflanzte mein' ack' v' ließ die frucht verfaul'·

i' machte alles große klein v' alles kleine groß·

meine fernst' ziele vertauschte i' geg' nächstes/also bin i' bereit·

Ich bin aber nicht bereit / denn noch habe ich jenes herzzuschnürende nicht in mich aufgenommen. jenes schreckliche ist die einschliessung des gottes im ei. wohl freue ich mich / dass das grosse wagniss gelungen ist / aber ich vergass des schreckens über eben dieses wagniss. ich liebe und bewundere das gewaltige. keiner ist grösser als der mit den stierhörnern / und doch lähmte und trug und verkleinerte ich ihn mit leichtigkeit. ich sank vor schrecken fast zu boden als ich ihn sah und jetzt berge ich ihn in der hohlen hand. das sind die mächte / die dich schrecken und bezwingen / das sind deine götter / deine herrscher seit undenkbaren zeiten: du kannst sie auch in die tasche stecken. was ist eine gotteslästerung dagegen? ich möchte gott lästern können: ich hätte doch wenigstens einen gott / den ich beleidigen könnte / aber es lohnt sich nicht ein ei zu lästern / das man in der tasche trägt. das ist ein gott / den man nicht einmal lästern kann. ich hasse diese jämerlichkeit des gottes. ich habe genug an meiner eigenen nichtswürdigkeit. sie erträgt es nicht / wenn ich sie noch mit der jämerlichkeit des gottes belaste. nichts hält stand: du berührst dich selber; du zerfällst in staub. du berührst den gott und er verkriecht sich erschreckt in ein ei. du sprengst die pforten der hölle: maskengekicher und narrenmusik tönen dir entgegen. du stürmst den himel: theatercoulissen wanken und der souffleur im kasten fällt in ohnmacht. du merkst: du bist nicht wahr / oben ist nicht wahr / unten ist nicht wahr / links und rechts sind täuschungen. wohin du greifst / ist luft / luft / luft.

Aber ich habe ihn gefangen / den seit urzeit furchtbaren / ich habe ihn klein gemacht / meine hand umschliesst ihn. das ist das ende der götter: der mensch steckt sie in die tasche. das ist der schluss der göttergeschichte. nichts blieb von den göttern als ein ei. und dieses ei besitze ich. vielleicht kann ich dieses eine und letzte ausrotten und damit das geschlecht der götter endgiltig vertilgen. jetzt / da ich weiss / dass die götter meiner macht verfallen sind – was sollen mir jetzt noch götter? alt und überreif sind sie gefallen und im ei begraben.

Wie geschah es doch? ich fällte den grossen / ich beklagte ihn / ich wollte ihn nicht lassen / denn ich liebte ihn / weil ihm keiner gleichkommt der sterblichen menschen. aus liebe ersann ich die list / die ihn der schwere enthob und von der räumlichkeit befreite. ich nahm ihm – aus liebe – form und körperlichkeit. ich schloss ihn liebend ein in das mütterliche ei. soll ich ihn / den wehrlosen / den ich liebe / erschlagen? soll ich seines grabes zartes gehäus zerschmettern / und ihn / den schwere- und ausdehnungslosen / den winden der welt preisgeben? aber sang ich nicht die incantation zu seiner bebrütung? tat ich es nicht aus liebe zu ihm? warum liebe ich ihn? die liebe zum grossen will ich nicht aus meinem herzen reissen. ich will meinen gott lieben / den wehr- und hülflosen. ich will mich seiner annehmen wie eines kindes. sind wir nicht söhne der götter? warum sollen nicht götter unsere kinder sein? wenn mir auch mein gottvater starb / so soll mir ein gottkind erstehen aus meinem mütterlichen herzen. denn ich liebe den gott und will ihn nicht lassen. nur wer den gott liebt kann ihn fällen / und der gott ergiebt sich seinem besieger und schmiegt sich in seine hände und stirbt an seinem herzen / das ihn liebt und ihm geburt verheisst.

mein gott / ich liebe dich / wie eine mutter das ungeborene liebt / das sie unter dem herzen trägt. wachse im ei des ostens / nähre dich von meiner liebe / trinke die säfte meines lebens / damit du ein strahlender gott werdest. wir bedürfen deines lichtes / o kind. da wir in dunkelheit gehen / erhelle unsere pfade. dein licht leuchte vor uns / dein feuer erwärme die kälte unseres lebens. wir bedürfen nicht deiner macht / sondern des lebens.

Was frommt uns macht? wir wollen nicht herrschen. wir wollen leben/ wir wollen das licht u. die wärme/ u. darum bedürfen wir deiner. wie die grünende erde u. jeglicher lebende körper der sonne bedarf/ so bedürfen wir als geister deines lichtes u. deiner wärme. ein sonnenloser geist wird zum schmarotzer des körpers. der gott aber nährt den geist.

çatapatha-brâhmaṇam 2,2,4.

die eröffnung des eies · cap. xi ·

Am abend des dritten tages kniee ich auf dem teppich nieder und öffne behutsam das ei · wie ein rauch steigt es daraus empor und plötzlich steht izdubar vor mir / riesengross und verwandelt und vollkommen · seine glieder sind heil / und ich finde keine spur des schadens an ihm · es ist als wenn er aus tiefem schlafe erwachte · er spricht:

Wo bin ich? wie eng ist es hier – wie dunkel – wie kühl – bin ich im grabe? wo war ich? es schien mir / als sei ich draussen im weltall gewesen – über und unter mir unendlicher schwarzer sternfunkelnder himmel – ich war in unsagbarer sehnender gluth –

feuerströme brachen aus meinem strahlenden körper –

ich selber wogte in lodernden flammen –

ich selber schwamm in einem eng an mich gepressten meere lebensvollen feuers –

ganz licht / ganz sehnsucht / ganz ewigkeit –

uralt und ewig mich erneuernd –

vom höchsten ins tiefste fallend und vom tiefsten ins höchste leuchtend emporgewirbelt –

in glühenden wolken um mich selber schwebend –

als glutregen wie gischt der brandung niederprasselnd / mich

selber heiß überfluthend –
in unermeßlichem spiel mit selber umarmend und
abstoßend –
wo war ich? ich war ganz sonne.

Ich: o Izdubar! göttlicher! welches wunder! du bist geheilt!

Geheilt? war ich jemals krank? wer spricht von krankheit? ich war sonne, ganz sonne. ich bin die sonne.

ein unaussprechliches licht bricht aus seinem körper, ein licht, das meine augen nicht fassen können. ich muß mein gesicht verhüllen und berge es am boden.

Ich: du bist die sonne, das ewige licht – vergieb, mächtigster, daß meine hand dich trug.

Es ist alles still und dunkel. ich blicke um mich: auf dem teppich liegt die leere schale eines eies. ich betaste mich, den boden, die wände: es ist alles, wie es immer war, ganz einfach und ganz wirklich. ich möchte sagen: alles um mich sei zu gold geworden. aber es ist nicht wahr – es ist alles, wie es immer gewesen ist. hier fluthete das ewige licht, unermeßlich und übergewaltig.

Es geschah, daß ich das ei öffnete und daß der gott das ei verließ. er war heil und leuchtete in verwandelter gestalt, und ich kniete wie ein kind und konnte das wunder nicht fassen. er, der zusammengepreßt lag im gehäuse des anfangs, stieg empor und keine spur der krankheit war an ihm zu finden. und als ich wähnte, daß ich den starken gefangen hätte und in der hohlen hand berge, da war er die sonne selber. ich wanderte nach osten zum aufgang der sonne. ich wollte wohl selber aufgehen, wie wenn ich die sonne wäre. ich wollte wohl selber die sonne umfangen und mit ihr hinaufsteigen zum leuchtenden tage. er aber kam mir entgegen und vertrat mir den weg. von ihm mußte ich hören, daß mir alle möglichkeit benommen sei, zum aufgang zu gelangen. er aber, der zum niedergange eilen wollte, um mit der sonne in den schoß der nacht hinunter zu steigen, wurde von mir gelähmt, und es wurde ihm jede hoffnung genommen, das selige westland zu erreichen. aber siehe! ich fieng mir die sonne, ohne es zu wissen und trug sie in meiner hand. er, der mit der sonne untergehen wollte, fand durch mich seinen niedergang. ich selber wurde seine nächtige mutter, die das ei des anfangs bebrütete. und er gieng auf, erneuert, wiedergeboren zu größerer herrlichkeit.

Aber indem er aufgeht, komme ich zum untergang. als ich den gott bezwang, strömte seine kraft in mich. als aber der gott im ei ruhte und seines anfangs harrte, da gieng meine kraft in ihn. und als er strahlend emporstieg, da lag ich auf meinem angesicht. er nahm mein leben mit sich. all meine kraft war mit ihm. meine seele schwam wie ein fisch in seinem feuermeere. mein menschliches aber lag in der schaurigen kühle des erdschattens und sank tiefer und tiefer zur untersten dunkelheit hinab. alles licht war von mir gegangen. der gott stieg empor im ostlande und mein ich fiel hinunter zum grauen der unterwelt. wie eine gebärerin grausam zerrissen und blutend ihr leben hinüberhaucht in das geborene und im sterbenden blicke tod und leben einigt, so lag ich, die mutter des tages, eine beute der nacht. mein gott hat mich grausam zerrissen, meines lebens säfte hat er getrunken, meines lebens höchste kraft trank er in sich und wurde herrlich und stark wie die sonne, ein heiler gott, an dem kein makel und keine fehle ist. meine flügel hat er mir genommen, die schwellkraft meiner muskeln hat er mir geraubt, die macht meines willens schwand mit ihm. mir ließ er ohnmacht und stöhnen.

Ich wusste nicht, wie mir geschah, denn es war alles mächtige, schöne, glückselige, übermenschliche aus meinem mütterlichen Schoße entwichen, nichts blieb mir vom strahlenden Golde. Grausam und undankbar breitete der Sonnenvogel seine Schwingen und flog empor zu unermeßlichen Räumen. Zerbrochene Schalen, das jämmerliche Gehäuse seines Anfangs blieben mir, und die Leere der Tiefe öffnete sich unter mir.

Wehe der Mutter, die einen Gott gebiert! Gebiert sie einen wunden und schmerzensvollen Gott, so wird ein Schwert ihre Seele durchdringen. Gebiert sie aber einen heilen Gott, so wird sich ihr die Hölle öffnen, daraus sich die Schlangen ungeheuer hervorwälzen, welche die Mutter mit Pesthauch ersticken. Die Geburt ist schwer, tausendmal schwerer aber die höllische Nachgeburt. Hinter dem göttlichen Sohne kommen alle Drachen und Schlangenmonstren der ewigen Leere.

Was bleibt von der menschlichen Natur, wenn der Gott reif geworden und alle Kraft an sich gerissen hat? Alles untüchtige, alles abkräftige, alles ewig gemeine, alles leere, alles abholde und ungünstige, alles widerstrebende, verkleinernde, vernichtigende, alles widersinnige, alles, was die unergründliche Nacht des Stoffes in sich schließt. Das ist des Gottes Nachgeburt und sein höllischer Bruder, scheußlicher Mißgestalt.

Der Gott leidet, wenn der Mensch seine Finsterniß nicht auf sich nimmt. Darum mußten die Menschen einen leidenden Gott haben, solange sie am Bösen litten. Am Bösen leiden heißt: daß du das Böse noch liebst und doch nicht mehr liebst. Du versprichst dir noch etwas davon, willst aber nicht hinsehen aus Angst, du könnest entdecken, daß du das Böse doch noch liebst. Darum leidet der Gott, weil du noch das Böse liebend, daran leidest. Nicht weil du das Böse anerkennen mußt, leidest du daran, sondern weil es dir noch ein geheimes Vergnügen macht und weil es dir irgend eine Lust bei irgend einer unbekannten Gelegenheit zu versprechen scheint. Solange dein Gott leidet, hast du Mitleid mit ihm und mit dir, damit schonst du deine Hölle und verlängerst sein Leiden. Wenn du ohne geheimes Mitleid mit dir ihn gesund machen willst, so fällt dir das Böse in den Arm, dessen Dasein du wohl allgemein anerkennst, dessen höllische Stärke in dir selber du aber nicht kennst. Deine Unwissenheit über das Böse rührt her von der bisherigen Harmlosigkeit deines Lebens, der Ruhe der Zeitläufte und der Abwesenheit des Gottes. Wenn sich aber der Gott nähert, dann geräth dein Wesen in Wallung und der schwarze Schlamm der Tiefe wirbelt empor.

Der Mensch steht zwischen Vollem und Leerem. Wenn seine Kraft sich mit dem Vollen verbindet, so wirkt sie im Vollen gestaltend. Diese Gestaltung ist immer irgendwie gut. Wenn seine Kraft sich mit dem Leeren verbindet, so wirkt sie dadurch auflösend und zerstörend, indem das Leere nie gestaltet werden kann, sondern sich nur auf Kosten des Vollen zu sättigen trachtet. So verbunden macht die menschliche Kraft das Leere zum Bösen. Wenn deine Kraft das Volle gestaltet, so thut sie das vermöge ihrer Verbindung mit dem Vollen. Damit aber deine Gestaltung erhalten bleibe, ist es nothwendig, damit deine Kraft damit verbunden bleibe. Durch beständige Gestaltung verlierst du allmählig deine Kraft, indem schließlich alle Kraft mit dem Gestalteten verbunden wird. Am Ende, wo du reich zu sein wähnst, bist du arm geworden und stehst wie ein Bettler inmitten deiner Gestaltungen. Das ist dann der Augenblick, wo der verblendete Mensch von vermehrter Sehnsucht der Gestaltung erfaßt wird, denn er meint, durch vielfach vermehrtes Gestalten könne seine Sehnsucht gesättigt werden. Weil seine Kraft zu Ende ist, wird er begehrlich und er fängt an, andere in seinen Dienst zu zwingen und nimmt deren Kraft, um das Seine zu gestalten. In diesem Augenblick brauchst du das Böse. Du mußt nämlich, wenn du merkst, daß deine Kraft zu Ende geht und das Begehren anfängt, sie aus der Gestaltung in deine Leere zurückziehen und durch diese Verbindung mit dem Leeren gelingt es dir, die Gestaltung in dir aufzulösen. Damit gewinnst du die Freiheit wieder zurück, indem du deine Kraft von der drückenden Verbindung mit dem Gegenstande erlösest. Solange du auf dem Standpunkt des Guten verharrst, kannst du deine Gestaltung nicht auflösen, denn sie ist eben dein Gutes. Du kannst Gutes mit Gutem nicht auflösen. Du kannst das Gute nur mit dem Bösen auflösen. Denn auch dein Gutes führt dich schließlich zum Tode durch fortschreitende Bindung deiner Kraft. Du kannst ohne das Böse überhaupt nicht leben.

Dein Gestalten schafft zuerst ein Bild deiner Gestaltung in dir selber. Dieses Bild bleibt in dir und ist die erste und unmittelbare ausdruck deines gestaltens. dan schafft es durch eben dieses bild ein äußeres/ das ohne dich bestehen und dich überdauern kan. deine kraft ist nicht unmittelbar an deine äußere gestaltung geknüpft sondern nur durch das bild/ das in dir bleibt. wen du daran gehst/ mit dem bösen deine gestaltung aufzulösen/ so zerstörst du nicht die äußere gestaltung/ sonst würdest du ja dein eigenes werk vernichten. sondern du zerstörst nur das bild/ das du in dir gestaltet hast. den es ist dieses bild/ das deine kraft festhält. in dem maße/ indem dieses bild deine kraft fesselt/ in demselben maße wirst du auch des bösen bedürfen/ um deine gestaltung aufzulösen/ und dich selber von der macht des gewesenen zu befreien.

Darum sind viele gute/ die sich an ihre gestaltung verbluten/ weil sie sich nicht in demselben maße auch des bösen annehmen können. je besser einer ist und je mehr er deßhalb an seiner gestaltung hängt/ desto mehr wird er seine kraft verlieren. was geschieht aber/ wen der gute seine kraft gänzlich an seine gestaltung verloren hat? nicht nur wird er versuchen/ andere menschen mit unbewußter list und gewalt in den dienst seiner gestaltung zu zwingen/ sondern er wird auch/ ohne es zu wissen/ schlecht in seinem guten/ den seine sehnsucht nach sättigung und kräftigung wird ihn mehr und mehr selbstisch machen. dadurch aber zerstört der gute schließlich sein eigenes werk/ und alle die/ die er zum dienste seines werkes zwang/ werden seine feinde werden/ weil er sie sich ihnen selber entfremdet hat. wo aber dich dir selber entfremdet/ und wäre es im dienste der besten sache/ der wirst du/ auch gegen deinen eigenen wunsch heimlich zu hassen anfangen und den guten/ der seine kraft gebunden hat/ wird es leider allzuleicht/ sklaven für seinen dienst zu finden/ den es giebt nur zu viele die sich nichts sehnlicher wünschen/ als sich selber entfremdet zu werden unter einem guten vorwand.

Du leidest am bösen/ weil du es im geheimen und dir selber nicht bewußt liebst. du möchtest du entgehen und du fängst an/ das böse zu hassen. und wiederum bist du durch deinen haß an das böse gebunden/ den ob du es liebst oder hassest/ bleibt für dich dasselbe: du bist an das böse gebunden. das böse ist anzunehmen. was wir wollen/ bleibt in unserer hand. was wir nicht wollen/ und der stärker ist als wir/ reißt uns mit/ und wir können es nicht anhalten/ ohne uns selber zu schädigen. den unsere kraft bleibt dan der im bösen. also müssen wir unser böses wohl annehmen/ ohne liebe und ohne haß/ anerkennend/ daß es da ist und seinen antheil am leben haben muß. dadurch nehmen wir ihm die kraft/ uns zu überwältigen.

Wen es uns gelungen ist/ einen gott zu schaffen/ und wen durch diese schöpfung unsere ganze kraft in diese gestaltung eingegangen ist/ dan packt uns übermächtige sehnsucht/ mit dem göttlichen sohne emporzusteigen und seiner herrlichkeit theilhaft zu werden. wir vergessen aber/ daß wir dan nichts mehr sind als hohle form/ indem die gestaltung des gottes all unsere kraft an sich gerissen hat. wir sind nicht nur arm/ sondern durchaus fauler stoff geworden/ der es nie zukäme/ an der göttlichkeit theil zu nehmen. wie ein furchtbares leid oder eine unentrinnbare teuflische verfolgung beschleicht uns die armseligkeit und bedürftigkeit unseres stoffes. der ohnmächtige stoff fängt an zu saugen und möchte sein gebilde wieder in sich schlucken. da wir aber immer in unsere gestaltung verliebt sind/ so glauben wir/ der gott rufe uns zu sich/ und wir machen verzweifelte anstrengungen/ dem gotte in den höhern raum zu folgen/ oder wir wenden uns predigend und fordernd an unsere mitmenschen/ um wenigstens andere zur gefolgschaft des gottes zu zwingen. leider giebt es menschen/ die sich dazu gerne überreden lassen/ zu ihrem und unserem schaden. es ist viel verhängniß in diesem drange: den wer könte es ahnen/ daß er/ der den gott geschaffen/ selber zur hölle verdamt sei? und doch ist dem so/ den der stoff/ der des göttlichen glanzes der kraft entkleidet ist/ ist leer und finster. ist der gott dem stoff entstiegen/ dan fühlen wir die leere des stoffes als eines theiles des unendlichen leeren raumes durch haß und vermehrtes wollen und thun wollen wir der leere und also dem bösen entrinnen. aber der richtige weg ist/ daß wir die leere annehmen/ das bild der gestaltung in uns zerstören/ den gott verneinen und ins abgründige und abscheuliche des stoffes hinuntersteigen. der gott als unser werk steht außer uns und bedarf unserer hilfe nicht mehr. er ist geschaffen und bleibt sich selber überlassen. ein geschaffenes werk/ das alsbald wieder untergeht/ wen wir uns von ihm abwenden/ taugt nicht/ und wen es ein gott wäre.

Wo aber ist denn der gott nach seiner erschaffung und nach seiner lostrennung von mir? wenn du ein haus erbaust, dann siehst du es stehen in der äußern welt. wenn du einen gott erschaffen hast, den du nicht mit leiblichen augen siehst, dann ist er in der geistigen welt, die nicht geringer ist als die äußere wirkliche welt. er ist dort und wirkt für dich und andere alles, was du von einem gotte erwarten kannst. so ist deine seele dein eigenes selbst in der geistigen welt. die geistige welt aber ist als der wohnort der geister auch eine äußere welt. wie du auch nicht allein bist in der sichtbaren welt, sondern umgeben von den gegenständen, die dir gehören und nur dir gehorchen, so hast du auch gedanken, die dir gehören und nur dir gehorchen. wie du aber auch in der sichtbaren welt von dingen und wesen umgeben bist, die weder dir gehören, noch dir gehorchen, so bist du auch in der geistigen welt von gedanken und gedankenwesen umgeben, die weder dir gehorchen, noch dir gehören. wie deine leiblichen kinder von dir gezeugt oder aus dir geboren sind, aufwachsen und sich von dir trennen, um ihr eigenes schicksal zu leben, so zeugst oder gebierst du auch gedankenwesen, die sich von dir trennen und ihr eigenes leben leben. wie ein mensch seine kinder läßt, wenn er alt wird, und seinen leib der erde wiedergiebt, so trenne ich mich von meinem gotte, der sonne, und versinke in die leere des stoffes und lösche das bild meines kindes in mir aus. dieß geschieht, indem ich die natur des stoffes annehme und die kraft meiner gestaltung in seine leere hineinfließen lasse. wie ich durch meine zeugende kraft den kranken gott erneuert wiedergebar, so belebe ich nunmehr das leere des stoffes, woraus die gestaltung des bösen wächst.

natur ist spielerisch und schrecklich. die einen sehen das spielerische und tändeln damit und lassen es funkeln. die andern sehen das grauen und bedecken ihr haupt und sind mehr tot als lebendig. der weg ist nicht zwischen beiden, sondern faßt beide in sich. er ist heiteres spiel und kaltes grauen.

70

72

Die hoelle · cap · xii ·

In der zweiten nacht nach der erschaffung meines gottes that mir ein gesicht kund, daß ich die unterwelt erreicht hatte.

Ich befinde mich in einem düstern gewölbe, der boden besteht aus feuchten steinplatten. in der mitte steht eine säule, daran hängen taue und haken. am fuß der säule liegt ein furchtbares schlangenhaftes gewirr menschlicher körper. zuerst sehe ich die gestalt eines jungen mädchens mit wunderbar goldrothem haar, halb unter ihr liegt ein mann von teuflischem aussehen, sein kopf ist zurückgebeugt, ein dünner blutstreifen rinnt über seine stirne, über die füße und den körper des mädchens haben sich noch zwei ähnliche daemonen geworfen. ihre gesichter sind von unmenschlichem ausdruck, das lebendige böse, ihre muskeln sind straff und hart und ihre körper geschmeidig wie die von schlangen. sie liegen regungslos. das mädchen hält die hand über dem einen auge des unter ihr liegenden mannes, der der mächtigste der drei ist, ihre hand umfaßt starr eine kleine silberne fischangel, die sie in das auge des teufels getrieben hat. der angstschweiß bricht mir aus allen poren: sie wollten das mädchen zu tode martern, sie wehrte sich mit der kraft der äußersten verzweiflung, und es gelang ihr, mit dem kleinen haken das auge des bösen zu fassen. wenn er sich bewegt, so wird sie ihm das auge mit einem letzten ruck ausreißen. das entsetzen lähmt mich: was wird geschehen? eine stimme spricht:

der böse kann kein opfer bringen, er kann sein auge nicht opfern. der sieg ist mit dem, der opfern kann.

çatapatha-brâhmaṇam 2,2,4.

Das gesicht verschwand. ich sah, daß meine seele in die macht des abgrundtiefen bösen gefallen war. die macht des bösen ist unzweifelhaft, mit recht also fürchten wir es. hier hilft kein gebet, kein frommes wort, kein zauberspruch. einmal kommt rohe gewalt an dich, und es ist nirgends hilfe. einmal faßt dich das böse ohne erbarmen. nicht vater, nicht mutter, nicht recht, nicht mauern und thürme, nicht panzer und schützende macht kommen dir zu hilfe. sondern ohnmächtig und ganz allein fällst du in die hand der übermacht des bösen. in diesem kampfe bist du allein. ich wollte meinen gott gebären, darum wollte ich auch das böse. wer das ewig volle schaffen will, der wird sich auch das ewig leere schaffen. du kannst das eine ohne das andere nicht. willst du aber dem bösen entrinnen, so schaffst du keinen gott, sondern alles, was du thust, ist lau und grau. ich wollte meinen gott auf gnade und ungnade. darum will ich auch mein böses. wäre mein gott nicht übermächtig, so wäre auch mein böses nicht übermächtig. aber ich will, daß mein gott mächtig und über die maßen herrlich und strahlend sei. nur so liebe ich meinen gott. um des glanzes seiner schönheit willen werde ich auch den grund der hölle schmecken. mein gott stieg empor am östlichen himmel, heller als alle gestirne und führte einen neuen tag herauf über die völker. darum mag ich zur hölle fahren. wird nicht eine mutter ihr leben für ihr kind lassen? wieviel eher werde ich mein leben dahingeben, wenn nur mein gott die qual der letzten stunde der nacht überwindet und siegreich durchbricht durch die rothen nebel des morgens. ich zweifle nicht: ich will auch das böse um meines gottes willen. ich nehme den ungleichen kampf auf, denn dieser kampf ist immer ungleich und von sicherer aussichtslosigkeit. wie wäre dieser kampf sonst schrecklich und verzweifelt? aber eben das soll und wird er sein.

Nichts ist dem bösen werthvoller als sein auge / denn nur vermöge seines auges kann das leere das strahlend volle fassen. weil das lere des vollen entbehrt / so giert es nach dem vollen und seiner leuchtenden kraft und es trinkt sie mittels seines auges / welches die schönheit und den unbefleckten glanz des vollen zu erfassen vermag. das lere ist arm und hätte es das auge nicht / so wäre es hoffnungslos. es ersieht das schönste und will es in sich schlingen / um es zu verderben. der teufel weiß / was schön ist / darum ist er der schatten des schönen und folgt ihm überall / des augenblickes harrend / wo die schönheit / sich in wehen windend / dem gotte das leben geben möchte. wenn deine schönheit wächst / dann kriecht auch an dir der scheußliche wurm empor / seiner beute harrend. ihm ist nichts heilig außer seinem auge / mit dem er das schönste ersieht. sein auge wird er nie lassen. er ist unverwundbar / aber nichts schützt sein auge / es ist zart und klar, geschickt / das ewige licht in sich zu trinken. er will dich / deines lebens hellrothes licht.

Ich erkenne das furchtbar teuflische menschlicher natur. ich bedecke davor meine augen. ich strecke meine hand abwehrend aus / wenn jemand sich mir nahen will / aus furcht / es könnte meinen schatten auf ihn fallen / oder sein schatten falle auf mich / denn ich sehe auch das teuflische in ihm / den harmlosen gefährten seines schattens. niemand berühre mich / mord und schandthat lauern um dich und mich. du lächelst unschuldig / mein freund? siehst du nicht / daß ein leises zucken deines auges das furchtbare verräth / dessen ahnungsloser bote du bist? dein blutlechzender tiger knurrt leise / deine giftschlange zischt heimlich / während du / nur deiner güte bewußt / deine menschliche hand mir zum gruße bietest. ich kenne deinen und meinen schatten / der hinter uns geht und mit uns kommt und nur der stunde der dämmerung harrt / wo er mit allen daemonen der nacht dich und mich erwürgen wird.

Welcher abgrund bluttriefender geschichte trennt dich und mich! ich faßte deine hand und schaute dir ins menschliche auge. ich legte meinen kopf in deinen schooß und fühlte die lebenswärme deines körpers / der so mein eigen war / als ob es mein eigener körper wäre / und ich fühlte plötzlich eine glatte schnur um den hals / die erbarmungslos würgte / und ein grausamer hammerschlag schlug mir einen nagel in die schläfe. an den füßen schleppte man mich übers pflaster / und wilde hunde fraßen in der einsamen nacht an meinem körper.

Niemand soll sich wundern / daß die menschen einander so fern sind / daß sie einander nicht verstehen / daß sie einander bekriegen und töten. man soll sich vielmehr wundern / daß die menschen glauben / einander nahe zu sein / einander zu verstehen und zu lieben. es sind zwei dinge noch zu entdecken: das erste ist / der unendliche abgrund / der die menschen von einander trennt. das zweite ist / die brücke / die zwei menschen mit einander verbinden könnte. hast du je bedacht / wieviel ungeahnte thierheit dir das zusammensein mit den menschen ermöglicht?

Khândogya-upanishad I, 2, 1–7.

Als meine seele in die hände des bösen fiel / war sie wehrlos bis auf die schwache angel / mit der sie den fisch ihrer kraft wieder aus dem meere des todes herausziehen konnte. das auge des bösen sog ein alle kraft meiner seele / nur ihr wille blieb ihr / welcher eben jener kleine angelhaken ist. ich wollte das böse / da ich sah / daß ich ihm doch nicht zu entrinnen vermochte. und weil ich das böse wollte / so hielt meine seele den kostbaren haken in der hand / der die verwundbare stelle des bösen fassen sollte. wer das böse nicht will / dem fehlt die möglichkeit / seine seele von der hölle zu erretten. er selber bleibt zwar im lichte der oberwelt / aber er wird zum schatten seiner selbst. seine seele aber schmachtet im kerker der daemonen. damit ist ihm ein gegengewicht geschaffen / das ihn für immer beschränkt. die höhern kreise der innern welt bleiben ihm unerreichbar. er bleibt / wo er war / ja er geht zurück. du kennst diese menschen / und du weißt / wie verschwenderisch die natur der menschen leben und kraft auf unfruchtbare wüsten verstreut. du sollst es nicht beklagen, sonst wirst du ein prophet und willst retten, was nicht gerettet sein soll. weißt du nicht, daß natur ihre felder auch mit menschen düngt? die suchenden nimm auf, aber gehe nicht auf die suche nach irrenden. was weißt du von ihrem irrthum? vielleicht ist er heilig. du sollst das heilige nicht stören. schaue nicht zurück und bedauere nicht. du siehst viele neben dir fallen? du fühlst mitleid? du sollst aber dein leben leben, dann bleibt von tausend wenigstens einer übrig. das sterben hältst du nicht auf.

Warum aber riß meine seele dem bösen das auge nicht aus? das böse hat viele augen, eines verloren ist nichts verloren. und hätte sie es gethan, so wäre sie dem bösen ganz und gar verfallen. der böse kann nur nicht opfern. du sollst ihn nicht beschädigen, vor allem nicht sein auge, denn das schönste wäre nicht, wenn es der böse nicht sähe und darnach begehrte. der böse ist heilig.

Das lere kann nichts opfern, denn es leidet immer mangel. nur das volle kann opfern, denn es hat die fülle. das lere kann seinen hunger nach dem vollen nicht opfern, denn es kann sein eigenes wesen nicht verneinen. deßhalb bedürfen wir auch des bösen. ich kann aber, weil ich die fülle zuvor empfing, meinen willen zum bösen opfern. alle kraft strömt mir wieder zu, da der böse mir das bild der gottesgestaltung zerstört hat. noch war aber das bild der gottesgestaltung in mir nicht zerstört. mir graut vor dieser zerstörung, denn sie ist schrecklich, eine tempelschändung ohne gleichen. alles sträubt sich in mir gegen das abgrundtief abscheuliche. denn noch wußte ich nicht, was es heißt: einen gott gebären.

Der opfermord. cap. xiii.

Dieses aber war das gesicht / das ich nicht sehen wollte / das schrecknis / das ich nicht leben wollte: ein krankes ekelgefühl beschleicht mich / widerwärtige heimtückische schlangen winden sich langsam und knisternd durch dürre büsche / hängen faul und volleklig schlafend zu abscheulichen knotengeschlingen in den zweigen. ich sträube mich / dieses thal von langweiligen unansehnlichen gestalten zu betreten / wo die büsche in dürren steinigen hängen stehen. das thal sieht so gewöhnlich aus / seine luft wittert nach verbrechen / nach jeder übeln feigen that. mich fasst ekel und grauen. ich gehe zögernd über die geröllsteine / jede dunkle stelle meidend / aus angst / auf eine schlange zu treten. die sonne blickt matt aus grauem / fernem himel / und alles laub ist dürr. da liegt vor mir in den steinen eine puppe mit zerbrochenem kopf / ein paar schritte weiter eine kleine schürze / und dort hinter dem busch — der körper eines kleinen mädchens / bedeckt mit schrecklichen wunden / blutbeschmiert / der eine fuss ist mit schuh und strumpf bekleidet / der andere nackt und blutig zerquetscht — der kopf — wo ist der kopf? — der kopf ist ein mit haaren durchmischter blutbrei mit weisslichen knochenstücken darin / ringsum sind die steine mit gehirnmasse und blut besudelt. mein blick ist vom grässlichen gebannt. — da steht bei dem kinde eine verhüllte gestalt / wie die eines weibes / ruhig / das gesicht von einem undurchdringlichen schleier bedeckt. sie fragt mich:

S: was sagst du dazu?

I: was soll ich sagen? hier giebt es keine worte.

S: verstehst du das?

I: ich weigere mich / solches zu verstehen. ich kann nicht davon sprechen / ohne rasend zu werden.

S: warum solltest du rasend werden? du könntest jeden tag rasen / solange du lebst / denn solches und ähnliches geschieht auf der erde täglich.

I: aber der anblick fehlt uns meistens.

S: also das wissen darum genügt dir nicht / um rasend zu werden?

I: wenn ich etwas bloss weiss / so ist es allerdings leichter und einfacher. das furchtbare ist bei blossem wissen weniger wirklich.

S: tritt näher / du siehst / der leib des kindes ist aufgeschnitten / nimm die leber heraus.

I: ich berühre diese leiche nicht. wenn mich jemand dabei anträfe / würde er denken / ich sei der mörder.

S: du bist feige / nimm die leber.

I: wozu soll ich das thun? das ist unsinnig.

S: ich will / dass du die leber herausnimmst. du musst es thun.

I: wer bist du / dass du meinst / mir solches befehlen zu können?

S: ich bin dieses kindes seele. du hast diese handlung für mich zu thun.

I: ich verstehe nichts / aber ich will dir glauben und das grauenhaft unsinnige thun.

Ich greife in die leibeshöhle – sie ist noch warm / die leber hängt fest / ich nehme mein messer und schneide sie von den bändern los. dann nehme ich sie heraus und halte sie mit blutigen händen der gestalt hin.

S: ich danke dir.

I: was soll ich thun?

S: du kennst die bedeutung der leber und sollst damit die heilige handlung vollbringen.

I: was soll es sein?

S: nimm ein stück an stelle der ganzen leber und iß es.

I: was verlangst du? das ist fürchterlicher wahnsinn. das ist leichenschändung / leichenfraß. du machst mich zum schuldigen theilnehmer an diesem furchtbarsten aller verbrechen.

S: du hast in gedanken die schrecklichsten qualen für den mörder ersonnen / mit denen man seine that sühnen könnte. es giebt nur eine sühne: erniedrige dich selbst und iß.

I: ich kann nicht / ich weigere mich / ich kann nicht theilhaben an dieser schrecklichen schuld.

S: du hast theil an dieser schuld.

I: ich? theil an dieser schuld?

S: du bist ein mensch / und ein mensch hat diese that vollbracht.

I: ja / ich bin ein mensch – ich verfluche ihn / daß er ein mensch ist / und ich verfluche mich / daß ich ein mensch bin.

S: also – nimm theil an seiner that / erniedrige dich und iß. ich bedarf der sühne.

I: so soll es sein um deinetwillen / die du die seele dieses kindes bist.

Ich kniee nieder in die steine / schneide ein stück von der leber ab und stecke es in den mund. meine eingeweide würgen sich in den hals empor / thränen brechen mir aus den augen / kalter schweiß bedeckt meine stirn / ein fader süßlicher blutgeschmack / ich schlucke mit verzweifelter anstrengung / es geht nicht – noch einmal und noch einmal – mir wird fast ohnmächtig – es ist geschehen. das furchtbare ist vollbracht.

S: ich danke dir.

Sie schlägt ihren schleier zurück – ein schönes mädchen mit rothblondem haar.

S: erkennst du mich?

I: wie seltsam bekannt du mir bist! wer bist du?

S: ich bin deine seele.

Das opfer ist vollbracht: das göttliche kind / das bild der gottesgestaltung ist erschlagen und ich habe vom opferfleische gegessen. im kinde / im bilde der gottesgestaltung lag nicht nur mein menschliches sehnen / sondern auch all das urthümliche und urkräftige eingeschlossen / das die söhne der sonne als unverlierbares erbtheil besitzen. all dessen bedarf der gott zu seinem entstehen. wenn er aber geschaffen ist und in die unendlichen räume enteilt / dann bedürfen wir des sonnengoldes wieder. wir müssen uns selber wieder herstellen. wie aber die schaffung des gottes eine schöpferische that höchster liebe ist / so bedeutet die wiederherstellung unseres menschlichen lebens eine that des untern. dieß ist ein großes und dunkles geheimniß. der mensch kann aus sich selber allein diese that nicht vollbringen / dazu hilft ihm der böse / der es an stelle des menschen thut. aber der mensch muß seine mitschuld an der that des bösen erkennen. er muß diese erkenntniß bezeugen / indem er vom blutigen opferfleische ißt. durch diese handlung bekundet er / daß er ein mensch sei / daß er das böse anerkenne wie das gute und daß er durch die zurückziehung seiner lebenskraft das bild der gottesgestaltung zerstöre / womit er sich auch vom gotte lossagt. das geschieht zum heile der seele / welche die wahre mutter des göttlichen kindes ist. Meine Seele war, als sie den Gott trug und gebar, durchaus menschlicher Natur, indem sie zwar die Urkräfte seit alters in sich besaß, aber in schlafendem Zustande. Sie flossen ohne mein Zuthun in die Gottesgestalt ein. Durch den Opfermord aber nahm ich die Urkräfte wieder in mich zurück und fügte sie meiner Seele hinzu. Da die Urkräfte eingegangen waren in eine lebendige Form, sind sie zu eigenem Leben erwacht. Wenn ich sie nunmehr zurücknehme, so sind sie nicht mehr schlafenden Zustands, sondern wach und thätig und strahlen den Glanz ihres göttlichen Wirkens in meine Seele. Dadurch empfängt sie eine göttliche Eigenschaft, die über ihre menschliche Eigenschaft hinausreicht. Darum gereicht das Essen des Opferfleisches zu ihrem Heile. Das haben uns auch die Alten gezeigt, indem sie uns lehrten, des Erlösers Blut zu trinken und sein Fleisch zu essen. Die Alten glaubten, dass dies der Seele zum Heil gereiche.

Es giebt nicht viele Wahrheiten, sondern nur wenige. Ihr Sinn ist zu tief, als dass man sie anders erfassen könnte als im Symbol.

Ein Gott, der nicht stärker ist als die Menschen, was ist er? Ihr sollt die göttliche Angst noch schmecken. Wie wollt ihr des Weins und des Brots würdig geniessen, wenn ihr nicht den schwarzen Grund menschlichen Wesens berührt habt? Darum seid ihr laue und fade Schatten, heilfroh eurer seichten Küsten und breiten Landstrassen. Es werden aber Schleusen geöffnet werden, es giebt unaufhaltsame Dinge, von denen euch nur der Gott rettet.

Die Urkraft ist Sonnenglanz, den die Söhne der Sonne seit Aeonen in sich tragen und ihren Kindern vererben. Wenn aber die Seele in den Glanz taucht, so wird sie unerbittlich wie der Gott selber, denn das Leben des göttlichen Kindes, das du gegessen hast, wird in dir sein wie glühende Kohlen. Es ist wie ein schreckliches nie verlöschendes Feuer. Aber trotz aller Qual kannst du nicht davon lassen, denn es lässt nicht von dir. Daraus wirst du erkennen, dass dein Gott lebt und dass deine Seele begonnen hat, auf unerbittlichen Pfaden zu wandeln. Du fühlst, dass das Feuer der Sonne in dir entbrannt ist. Dir ist etwas Neues hinzugefügt, eine heilige Krankheit. Bisweilen kennst du dich selber nicht mehr. Du willst es bewältigen, aber es bewältigt dich. Du willst es in Grenzen weisen, aber es hält dich umschränkt. Du willst ihm entkommen, aber es kommt mit dir. Du willst es anwenden, aber du bist sein Werkzeug. Du willst es ausdenken, aber deine Gedanken gehorchen ihm. Schliesslich packt dich die Angst vor dem Unentrinnbaren, denn langsam und unbezwingbar kommt es an dich heran. Es giebt kein Ausweichen. Daran wirst du erkennen, was ein wirklicher Gott ist. Nun ersinnst du kluge Allerweltsworte, vorbeugende Maassnahmen, geheime Auswege, Ausflüchte, Vergessenheitstränke aller Art, aber es ist alles nutzlos. Das Feuer durchglüht dich. Das Lenkende zwingt dich auf den Weg.

Der Weg aber ist mein eigenstes Selbst, mein eigenes auf mich gegründetes Leben. Der Gott will mein Leben. Er will mit mir gehen, mit mir zu Tische sitzen, mit mir arbeiten. Er will immer und überall gegenwärtig sein. Ich schäme mich aber meines Gottes. Ich möchte nicht göttlich, sondern vernünftig sein. Das Göttliche erscheint mir als vernunftloser Wahn. Ich hasse es als sinnlose Störung meiner sinnvollen menschlichen Thätigkeit. Es erscheint mir wie eine ungehörige Krankheit, die sich in den geregelten Verlauf meines Lebens eingeschlichen hat. Ja, ich finde das Göttliche überhaupt überflüssig.

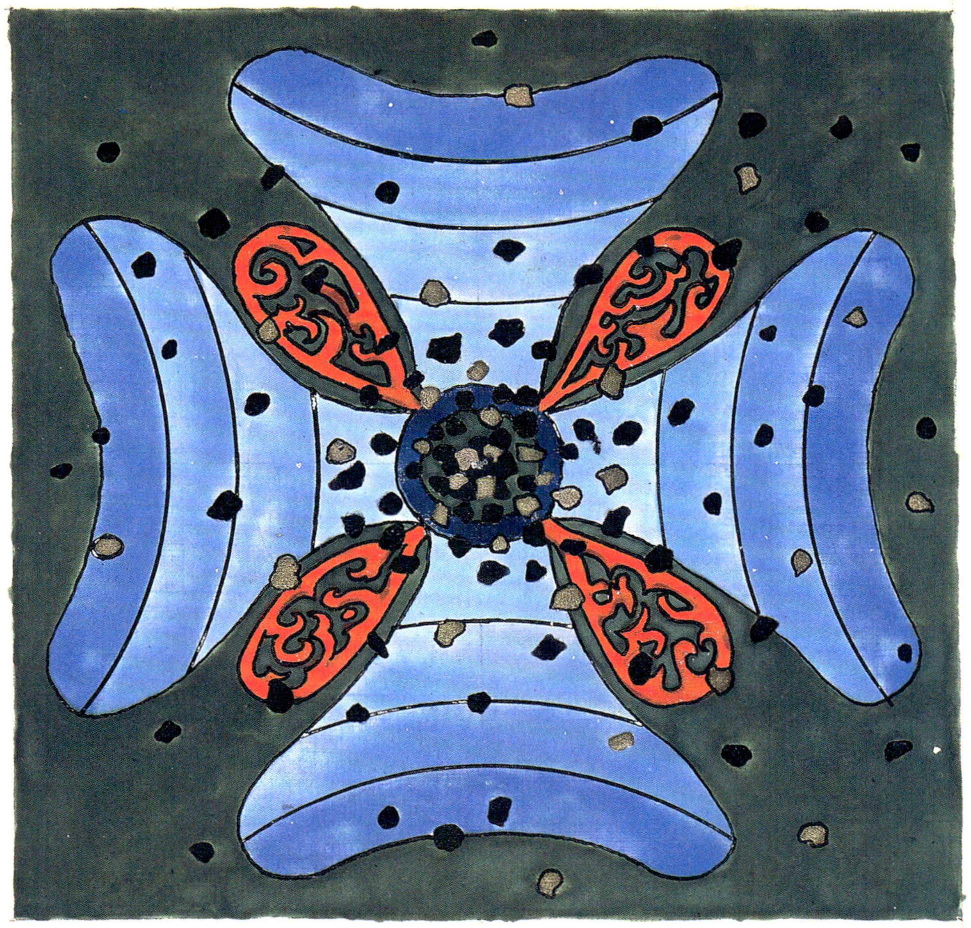

82

1 VIII 1917
fert 14 X 17

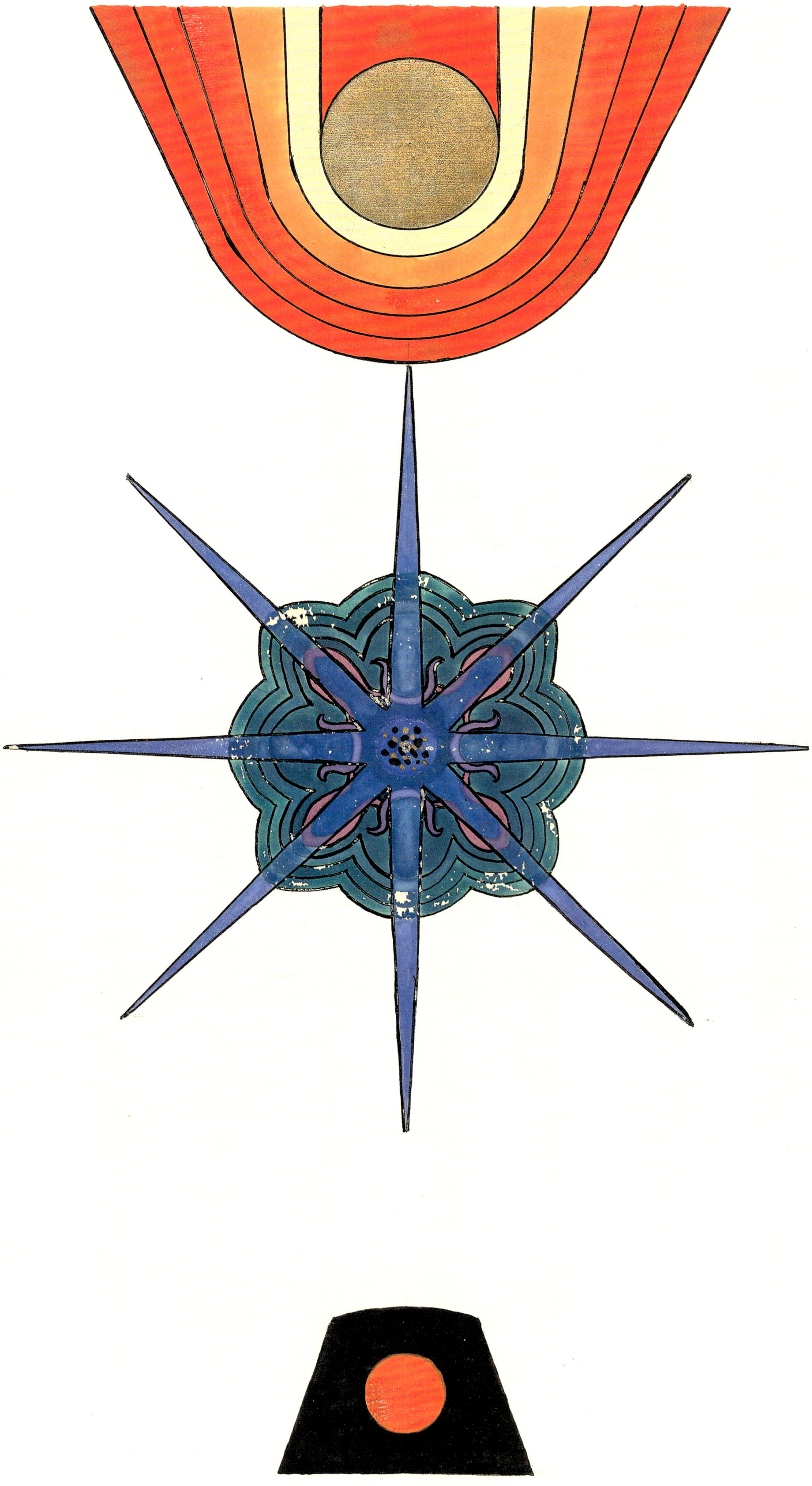

92

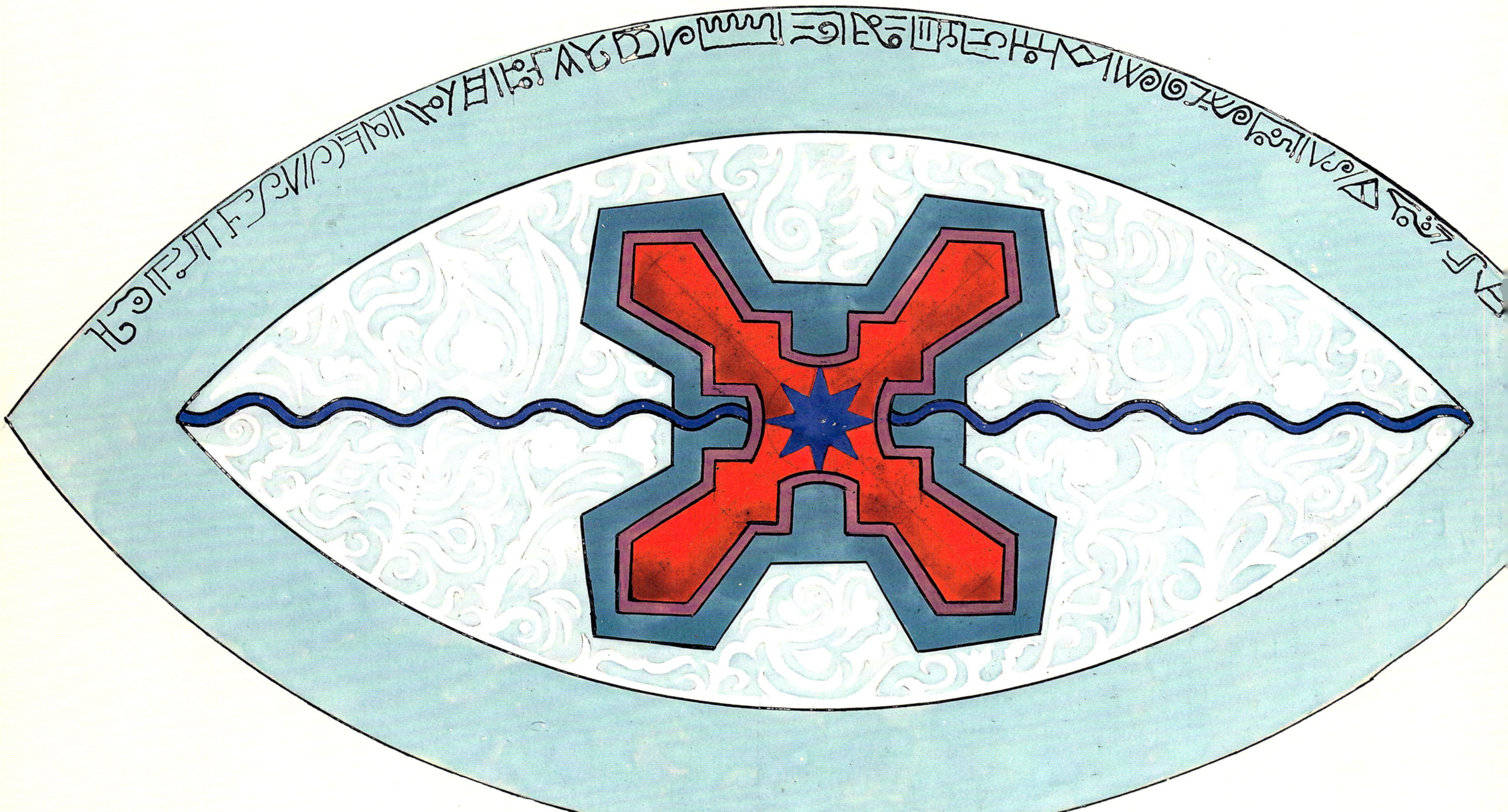

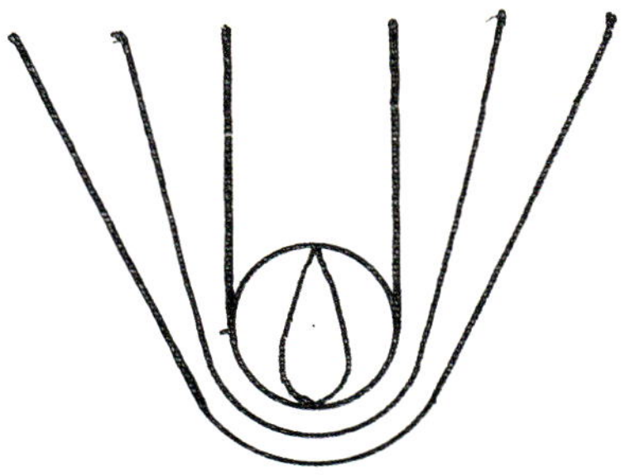

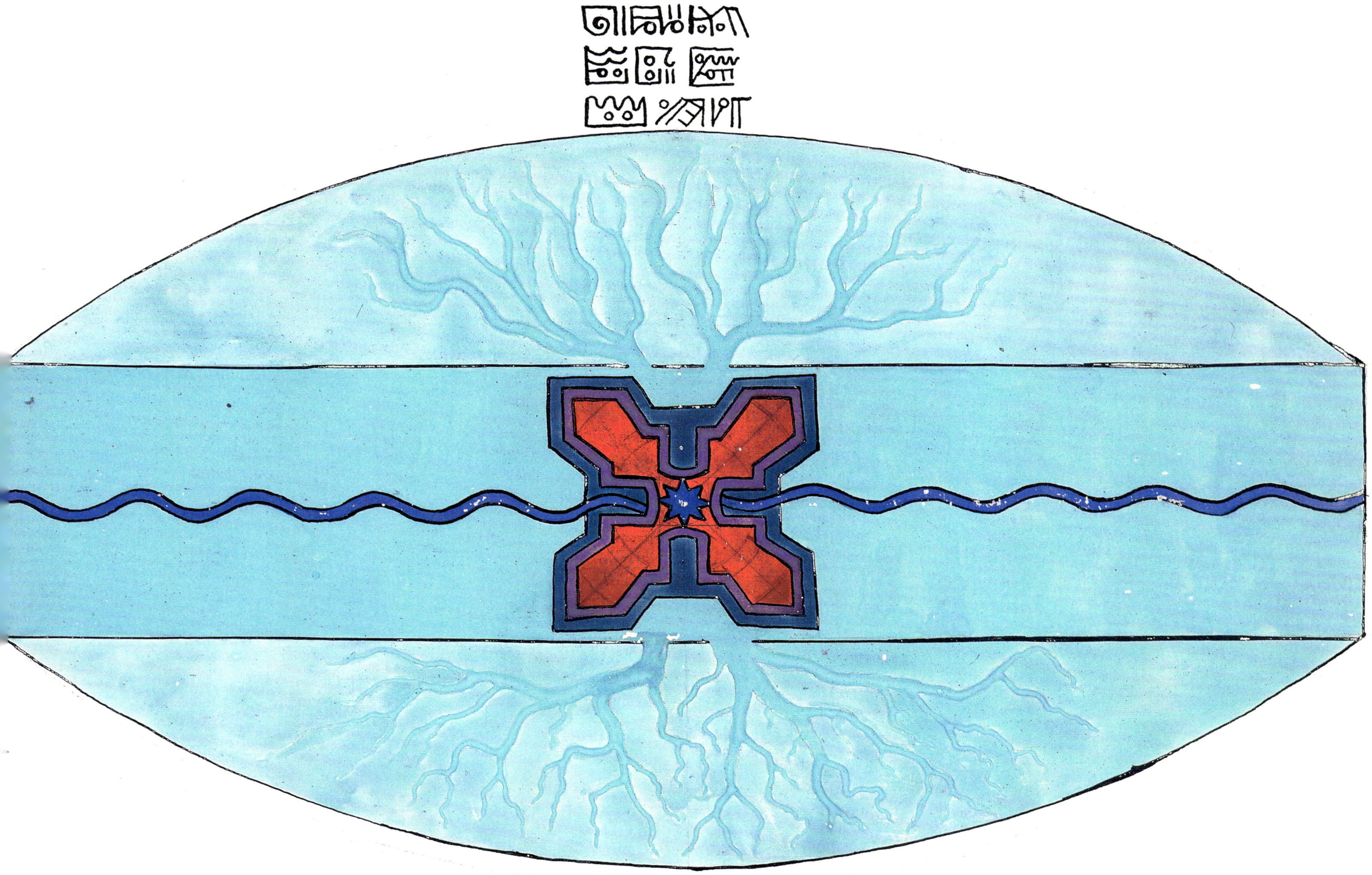

96

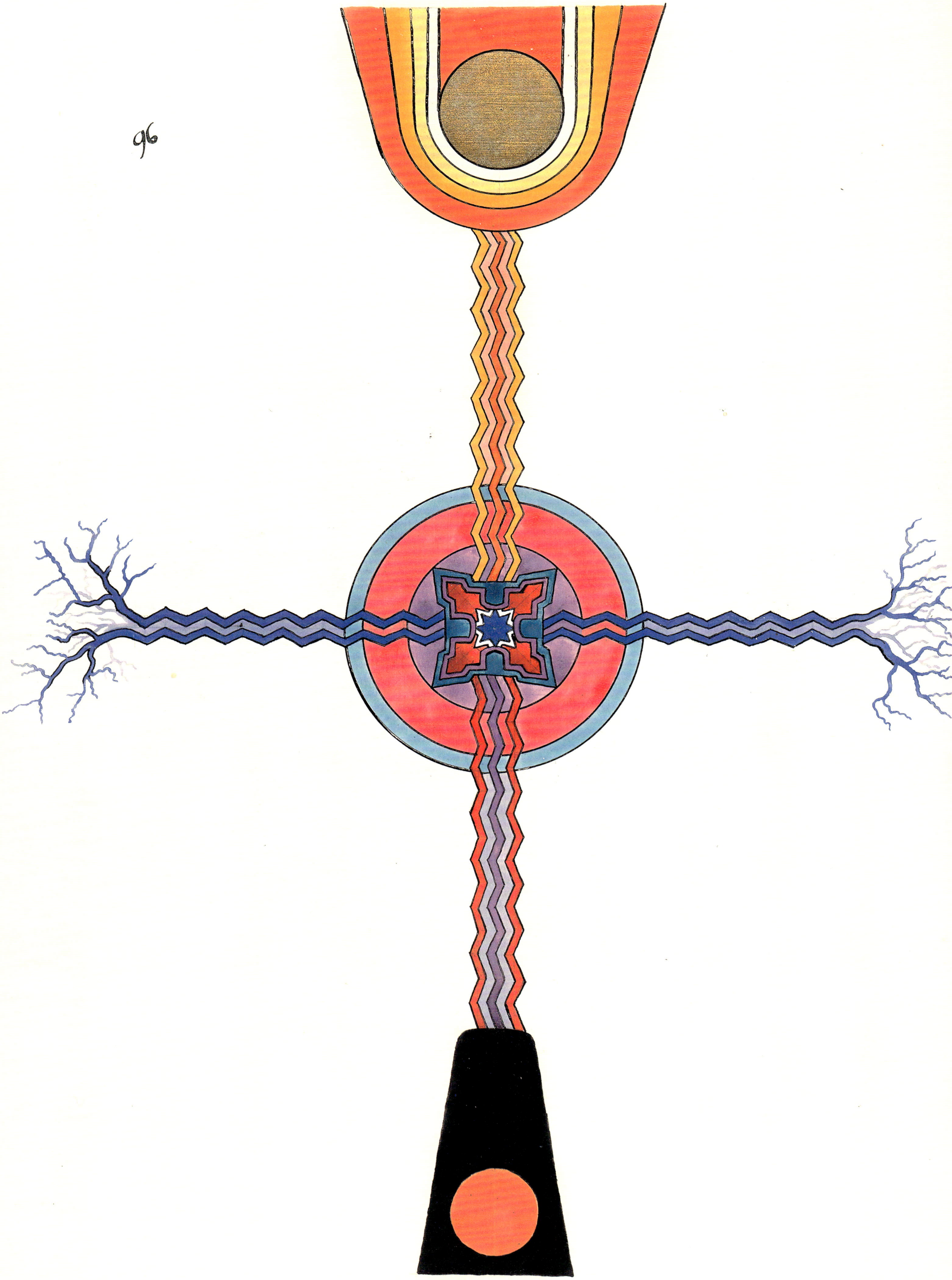

Die göttliche Narrheit.
Cap. XIV.

Ich stehe in einer hohen Halle. Vor mir sehe ich einen grünen Vorhang zwischen zwei Säulen. Der Vorhang öffnet sich leise. Ich sehe in einen wenig tiefen Raum mit nackten Wänden, oben ein kleines rundes Fenster mit bläulichem Glase. Ich setze meinen Fuß auf die Stufe, die zu diesem Raum zwischen den Säulen emporführt, und trete ein. Rechts und links sehe ich eine Thüre in der Rückwand des Raumes. Es ist mir, als müßte ich zwischen rechts und links entscheiden.

Ich wähle rechts. Die Thüre ist offen, ich trete ein: ich bin im Lesesaal einer großen Bibliothek. Im Hintergrund sitzt ein kleiner magerer Mann von blasser Gesichtsfarbe, offenbar der Bibliothekar. Die Atmossphaere ist beschwerend – gelehrte Ambitionen – gelehrter Dünkel – verletzte gelehrte Eitelkeit. Ich sehe außer dem Bibliothekar niemand. Ich trete zu ihm. Er blickt von seinem Buch auf und sagt:

Was wünschen Sie?

Ich bin etwas verlegen, denn ich weiß nicht, was ich eigentlich will: es fällt mir der Thomas a Kempis ein.

Ich möchte Thomas a Kempis: die Nachfolge Christi haben.

Er sieht mich etwas erstaunt an, wie wenn er mir das nicht zugetraut hätte und legt mir einen Bestellzettel hin zur Eintragung. Ich denke auch, daß es erstaunlich sei, gerade den Thomas a Kempis zu verlangen.

Wundert es Sie, daß ich gerade den Thomas verlange?

Nun ja, das Buch wird selten verlangt, und gerade bei Ihnen hätte ich dieses Interesse nicht erwartet.

Ich muß gestehen, ich bin von diesem Einfall auch etwas überrascht. Aber ich habe neulich einmal aus dem Thomas gelesen, die mir einen besondern Eindruck gemacht hat, warum kann ich eigentlich nicht sagen. Wenn ich mich recht erinnere, war es gerade das Problem der Nachfolge Christi.

Haben Sie besondere theologische oder philosophische Interessen oder —

Sie meinen wohl – ob ich es zur Andacht lesen wolle?

Nun letzteres wohl kaum.

Wenn ich Thomas a Kempis lese, so geschieht dieß eher zum Zwecke der Andacht oder etwas dem Ähnlichen als aus wißenschaftlichem Intereße.

Ja sind Sie denn so religiös? Das wußte ich gar nicht.

Sie wißen, daß ich die Wißenschaft außerordentlich hoch schätze, aber es giebt wahrhaftig Augenblicke im Leben, wo auch die Wißenschaft uns leer und krank läßt. In solchen Momenten bedeutet ein Buch, wie das des Thomas mir sehr viel, denn es ist aus der Seele geschrieben.

Aber etwas sehr altmodisch. Wir können uns doch heutzutage nicht mehr auf christliche Dogmatik einlaßen.

Mit dem Christenthum sind wir nicht ans Ende gekommen, wenn wir es einfach weglegen. Es scheint mir, als sei mehr daran, als wir sehen.

Was soll denn daran sein? Es ist bloß eine Religion.

Auf was für gründe hin und zudem in welchem alter legt man es denn weg? Wohl meistens zur zeit des studiums oder auch schon früher. Nennen sie das eine besonders urtheilsfähige zeit? Und haben sie einmal die gründe genauer untersucht, auf die hin man die positive religion weglegt? Die gründe sind meistens windig, z. b. weil der inhalt des glaubens mit der naturwissenschaft oder mit der philosophie zusammenstoße.

Das ist, wie ich finde, gar nicht etwa ein unbedingt zu verschmähender gegengrund, obschon es noch bessere gründe giebt. Den mangel an wirklichkeitssinn in der religion halte ich z. b. direkt für einen schaden. Übrigens ist jetzt auch reichlicher ersatz geschaffen für den durch den zerfall der religion herbeigeführten verlust an gelegenheit zur andacht. Nietzsche hat z. b. mehr als ein wahrhaftes andachtsbuch geschrieben, vom Faust nicht zu reden.

Das ist meines gewissens eine richtig. Aber besonders Nietzsche's wahrheit ist mir zu unruhig und aufreizend, gut für solche, die noch zu befreien sind. Aber darum ist seine wahrheit auch nur für solche gut. Wie ich in letzter zeit glaube entdeckt zu haben, bedürfen wir aber auch einer wahrheit für solche, die in die enge zu gehen haben. Für solche ist eine depressive wahrheit, welche den menschen verkleinert und verinnerlicht, vielleicht mehr vonnöthen.

Aber ich bitte, Nietzsche verinnerlicht doch den menschen ganz außerordentlich.

Vielleicht haben sie von ihrem standpunkt aus recht, aber ich kann mich des eindruckes nicht erwehren, daß Nietzsche durch sich selber zu denen spricht, denen mehr freiheit noth thäte, nicht aber zu denen, die hart mit dem leben zusammengestoßen sind und aus wunden bluten, die sie sich an den dingen der wirklichkeit geholt haben.

Aber auch solchen menschen giebt Nietzsche ein kostbares gefühl der überlegenheit.

Ich kann das nicht bestreiten. Aber ich kenne menschen, die nicht der überlegenheit, sondern der unterlegenheit bedürfen.

Sie drücken sich sehr paradox aus. Ich verstehe sie nicht. Unterlegenheit dürfte doch wohl kaum ein desideratum sein.

Vielleicht verstehen sie mich besser, wenn ich statt unterlegenheit ergebung sage, ein wort, das man früher viel, neuerdings aber selten hört.

Es klingt auch sehr christlich.

Wie gesagt, am christenthum scheint allerhand zu sein, was man vielleicht noch mitnehmen sollte. Nietzsche ist zu sehr gegensatz. Die wahrheit hält sich leider, wie alles gesunde und dauerhafte, mehr an den mittelweg, den wir zu unrecht perhorrescieren.

Ich wußte wirklich nicht, daß sie eine so vermittelnde stellung einnehmen.

Ich auch nicht, meine stellung ist mir nicht so ganz klar. Wenn ich vermittle, so vermittle ich jedenfalls in einer sehr eigenthümlichen weise.

In diesem augenblick bringt der diener das buch, und ich verabschiede mich vom bibliothekar.

Das göttliche will mit mir leben. Meine abwehr ist vergebens. Ich fragte meinen denker und es sprach: „nimm dir ein vorbild, das dir zeigt, wie das göttliche zu leben ist.“ Unser natürliches vorbild ist der Christus. Wir stehen seit alters unter seinem gesetze, zuerst äußerlich und dann innerlich. Zuerst wußten wir es, und dann wußten wir es nicht mehr. Wir kämpften gegen den Christus, wir setzten ihn ab und kamen uns vor als überwinder. Er aber blieb in uns und beherrschte uns. Besser man sei in sichtbare fesseln geschlagen als in unsichtbare. Du kannst wohl den Christum lassen, aber er läßt dich nicht. Deine befreiung von ihm ist wahn. Christus ist der weg. Du kannst wohl abwegs laufen, aber dann bist du nicht mehr auf dem wege. Der weg des Christus endet am kreuze. Darum sind wir mit ihm in uns selber gekreuzigt. Mit ihm erwarten wir unsere auferstehung bis zum tode. Mit Christus erlebt der lebendige keine auferstehung, es sei denn, daß es ihm nach dem tode geschähe.

Wenn ich Christum nachfolge, so ist er mir immer voran, und ich kann nimmer zum ziele gelangen, es sei denn in ihm. So aber komme ich außer mir und außer der Zeit, in der und durch die ich so bin, wie ich bin. Ich gerathe dagegen in den Christus und in seine Zeit, die ihn so und nicht anders geschaffen hat. Und so bin ich aus meiner Zeit heraus, obschon mein Leben in dieser Zeit ist, und ich bin gespalten zwischen dem Leben des Christus und meinem Leben, das eben zu dieser gegenwärtigen Zeit gehört. Soll ich aber Christum wahrhaft verstehen, so muss ich einsehen, wie der Christus wirklich nur sein eigenstes Leben gelebt hat und niemand nachgefolgt ist. Er hat kein Vorbild nachgeahmt. Wenn ich daher Christum wahrhaft nachfolge, so folge ich niemandem nach, ahme niemandem nach, sondern gehe auf meinen eigenen Wegen, auch werde ich mich kein Christ mehr nennen. Zuerst wollte ich den Christum nachahmen, ihm nachfolgen, indem ich zwar mein Leben, aber unter Beobachtung seiner Gebote leben wollte. Eine Stimme in mir empörte sich dagegen und wollte mich daran erinnern, dass auch diese meine Zeit ihre Propheten hätte, die gegen das Joch, das die Vergangenheit uns aufbürdete, sich sträubten. Und ich vermochte nicht, den Christum mit den Propheten dieser Zeit zu vereinigen. Der eine verlangt Tragen, der andere Abwerfen; der eine befiehlt Ergeben, der andere Wollen. Wie sollte ich diesen Widerspruch ausdenken, ohne diesem oder dem andern Unrecht zu thun? Was ich nicht zusammen denken kann, lässt sich nacheinander wohl leben. Also beschloss ich hinüber zu gehen in das niedere und gewöhnliche Leben, in mein Leben, und dort anzufangen, wo ich eben stand. Wenn das Denken zum Unausdenkbaren führt, dann ist es Zeit, zum einfachen Leben zurückzukehren. Was das Denken nicht löst, löst das Leben, und was das Thun nie entscheidet, ist dem Denken vorbehalten. Wenn ich auf der einen Seite zum Höchsten und Schwierigsten aufgestiegen bin und eine Erlösung zu noch Höherem erkämpfen will, so geht der wahre Weg nicht nach der Höhe, sondern nach der Tiefe, denn nur mein Anderes führt mich dann über mich selbst hinaus. Das Annehmen des Andern aber bedeutet einen Abstieg in den Gegensatz, vom Ernsten ins Lächerliche, vom Traurigen ins Heitere, vom Schönen ins Hässliche, vom Reinen ins Unreine.

Nox secunda · cap · XV ·

Als ich die Bibliothek verlassen hatte, stand ich wiederum im Vorraum. Dieses Mal blicke ich zur Thüre links hinüber. Das kleine Buch habe ich in die Tasche gesteckt. Ich gehe zur Thüre; auch sie ist offen: dahinter eine große Küche, über dem Herd ein gewaltiger Rauchfang. Zwei lange Tische stehen in der Mitte des Raumes, daneben Bänke. An den Wänden stehen auf Regalen messingene und kupferne Pfannen und sonstige Gefäße. Am Herd steht eine große dicke Frau – offenbar die Köchin, mit einer carrierten Schürze. Ich begrüße sie, etwas erstaunt. Auch sie scheint verlegen zu sein. Ich frage sie:

Könnte ich mich ein bischen hier hereinsetzen? Es ist kalt draußen und ich muss auf etwas warten.

Bitte, nehmen Sie nur Platz.

Sie wischt den Tisch vor mir ab. Da ich nichts anderes zu thun weiss, hole ich meinen Thomas hervor und beginne zu lesen. Die Köchin ist neugierig und betrachtet mich verstohlen. Hie und da geht sie an mir vorbei.

Erlauben Sie, sind Sie vielleicht ein geistlicher Herr?

Nein, warum denken Sie das?

O, ich dachte bloss so, weil Sie so ein kleines schwarzes Buch lesen. Ich hab' auch so eines von meiner Mutter selig noch.

So, was ist denn das für ein Buch?

Es heisst: die Nachfolge Christi. Es ist ein so schönes Buch. Ich bete oft abends drin.

Das haben Sie gut errathen, das ist auch die Nachfolge Christi, was ich da lese.

Das glaube ich nicht, so ein Herr wird doch so ein Büchlein nicht lesen, wenn Sie kein Pfarrer sind.

Warum soll ich es nicht lesen? Es thut mir auch gut, was Rechtes zu lesen.

Meine Mutter selig hat es noch bei sich gehabt auf dem Totbett, und sie hat es mir noch, bevor sie starb, in die Hand gegeben.

Während sie spricht, blättere ich zerstreut in dem Buche. Mein Blick fällt im 19ten Hauptstück auf folgende stelle: „die gerechten bauen ihre vorsätze mehr auf die gnade gottes, auf die sie bei allem, was sie nur unternehmen, vertrauen, als auf ihre eigene weisheit." nun, denke ich, das ist die intuitive methode, die der Thomas empfiehlt. ich wende mich zur köchin:

Ihre mutter war eine kluge frau, sie hat wohl daran gethan, ihnen dieses buch zu hinterlassen.

Ja gewiß, es hat mich schon oft in schweren stunden getröstet und man kann sich immer einen rath darin holen.

ich bin wieder in meine gedanken versunken: ich denke, man könne auch der eigenen nase nachgehen. auch das wäre intuitive methode. aber die schöne form, in der es der christ thut, dürfte doch wohl von besonderm werth sein. ich möchte wohl den christen nachahmen — — eine innere unruhe faßt mich — was soll werden? ein merkwürdiges rauschen und schwirren ertönt, und plötzlich braust es in den raum wie eine schaar großer vögel, mit rauschenden flügelschlägen, wie schatten sehe ich viele menschengestalten an mir vorübereilen und ich höre aus vielfachem stimmengewirr die worte: „lasset uns anbeten im tempel." wohin eilt ihr? rufe ich. ein bärtiger mann mit wirrem haupthaar und düster leuchtenden augen bleibt stehen und wendet sich zu mir: „wir wandern nach Jerusalem, um am allerheiligsten grabe zu beten."

Nehmt mich mit.

Du kannst nicht mit, du hast einen körper. aber wir sind tote.

Wer bist du?

Ich heiße Ezechiel und bin ein wiedertäufer.

Wer sind die, mit denen du wanderst?

Das sind meine glaubensbrüder.

Warum wandert ihr denn?

Wir können nicht enden, sondern müßen wallfahren zu allen heiligen stätten.

Was treibt euch dazu?

Das weiß ich nicht. aber es scheint, wir haben noch immer keine ruhe, obschon wir im rechten glauben gestorben sind.

Warum habt ihr keine ruhe, wenn ihr doch im rechten glauben gestorben seid?

Es scheint mir immer, als wir mit dem leben nicht recht zu ende gekommen wären.

Merkwürdig — wieso das?

Es scheint mir, wir vergaßen etwas wichtiges, das auch hätte gelebt werden sollen.

Und was wäre das?

Weißt du es?

er faßt bei diesen worten gierig und unheimlich nach mir, seine augen leuchten wie von innerer brunst.

Laß los, daemon, du hast dein thier nicht gelebt.

vor mir steht die köchin mit entsetztem gesicht, sie hat mich an den armen gefaßt und hält mich fest:

„Um gotteswillen", ruft sie, „hilfe, was ist mit ihnen? ist ihnen schlecht?"

ich schaue sie verwundert an und besinne mich, wo ich eigentlich bin. aber schon stürzen fremde leute herein — da ist auch der herr bibliothecarius, erst grenzenlos erstaunt und bestürzt, dann malitiös lächelnd: „oh, das habe ich mir doch gedacht! schnell die polizei!"

ehe ich mich sammeln kann, werde ich durch einen menschenauflauf in einen wagen geschoben, ich halte meinen Thomas noch fest in den händen und mir steigt die frage auf: „was sagt er jetzt wohl zu dieser neuen situation?" ich schlage das büchlein auf und mein blick fällt auf das 13te hauptstück, wo es heißt: „solange wir hier auf erden leben, können wir der versuchung nicht entgehen. es ist kein mensch so vollkommen und kein heiliger so heilig, der nicht noch manchmal versucht werden könnte. ja, wir können ohne versuchung gar nicht sein."

weiser Thomas, du weißt wirklich immer eine passende antwort! das hat wohl der verrückte wiedertäufer nicht gewußt, sonst hätte er ruhig enden können. er hätte es auch bei Cicero lesen können: rerum omnium satietas vitae facit satietatem — satietas vitae tempus maturum mortis affert. diese erkenntniß hat mich offenbar mit der societät in conflict gebracht. rechts sitzt ein polizist und links sitzt ein polizist. „nun", sagte ich zu ihnen, „jetzt könnt sie mich wieder laufen lassen." „das kennen wir schon" sagte der eine lächelnd. "Seien sie jetzt nur ganz ruhig" sagte der andere streng. Also: die fahrt geht offenbar ins irrenhaus. Das ist wohl kostspielig. Aber es scheint, dieser weg sei auch zu begehen. Dieser weg ist nicht so ungewöhnlich, denn tausende unserer mitmenschen gehen ihn.

Wir sind angekommen, ein grosses thor, eine halle, ein freundlich-geschäftiger oberwärter, und jetzt auch zwei herren doctoren. Der eine ist ein kleiner dicker herr professor.

Pr: Was haben sie denn da für ein buch?

Das ist der Thomas a Kempis: die nachfolge Christi.

Pr: Also eine religioese wahnform, ganz klar, religiöse paranoia — sie sehen, mein lieber, die nachfolge Christi führt heutzutage ins irrenhaus.

Daran ist kaum zu zweifeln, herr professor.

Pr: Der mann hat witz, offenbar etwas maniakalisch erregt. Hören sie stimmen?

Und ob! heute war es eine ganze schaar von wiedertäufern, die durch die küche schwirrten.

Pr: Nun da haben wir's ja. Werden sie von den stimmen verfolgt?

Oh nein bewahre, ich suche sie auf.

Pr: aha, das ist wieder ein fall, der klar beweist, dass die hallucinanten die stimmen direct aufsuchen. Das gehört in die krankengeschichte, wollen sie das, herr doctor, sofort notieren.

Gestatten sie, herr professor, die bemerkung: das ist durchaus nicht krankhaft, das ist vielmehr intuitive methode.

Pr: ausgezeichnet, der mann hat auch sprachneubildungen. Nun — die diagnose dürfte hinreichend geklärt sein. Also, ich wünsche gute besserung und halten sie sich recht ruhig.

Aber herr professor, ich bin ja gar nicht krank, ich fühle mich ja ganz wohl.

Pr: Sehen sie, mein lieber, sie haben noch keine krankheitseinsicht. Die prognose ist natürlich schlecht, im besten fall defectheilung.

Oberwärter: Darf der patient das buch behalten?

Pr: Nun ja, es scheint ein unschädliches andachtsbuch zu sein.

Nun werden meine kleider aufgeschrieben, dann kommt das bad, und jetzt werde ich auf die abtheilung gebracht. Ich komme in einen grossen krankenraum, wo ich mich zu bett zu begeben habe. Mein bettnachbar zur linken liegt regungslos mit versteinertem gesicht, der rechts scheint ein gehirn zu besitzen, das an umfang und gewicht abnimmt. Ich geniesse vollendete ruhe. Das problem des wahnsinns ist tief. Der göttliche wahnsinn — eine erhöhte form der irrationalität des in uns aufströmenden lebens — immerhin wahnsinn, welcher der heutigen gesellschaft nicht einzugliedern ist — doch wie? wenn man die gesellschaftsform dem wahnsinn eingliederte? Hier wird es dunkel und es ist kein ende abzusehen.

Die pflanze, die wächst, treibt einen schoss zur rechten, und wenn dieser völlig gebildet ist, so will der natürliche drang des wachsthum's nicht über die endknospe hinaus weiter wachsen, sondern er fliesst zurück in den stamm, in die mutter des zweiges, im dunkeln und stamhaften einen unsichern weg und findet zuletzt gerade die richtige stelle zur linken und treibt dort einen neuen schoss hervor. Diese neue richtung des wachsthum's ist aber der frühern ganz entgegengesetzt. Und doch wächst die pflanze in dieser weise ebenmässig, ohne überspannung und störung des gleichgewichtes.

Zur rechten ist mein denken, zur linken mein fühlen. Ich trete ein in den raum meines fühlens, das mir vordem unbekannt war, und sehe mit erstaunen den unterschied meiner beiden räume. Ich kann das lachen nicht unterdrücken — viele lachen anstatt zu weinen.

Ich bin vom rechten fusse auf den linken getreten, und zucke, von meinem schmerze getroffen. Zu gross ist der unterschied zwischen kalt und heiss. Ich verlasse den geist dieser welt, der den christus zu ende gedacht hat und trete hinüber in jenes andere lustig-schreckliche reich, in welchem ich Christus wieder finde. Die "nachfolge Christi" führte mich zum meister selbst und zu seinem erstaunlichen reiche. Ich weiss nicht, was ich dort will, ich kann nur dem meister nachfolgen, der dieses andere reich in mir beherrscht. In diesem reiche gelten andere gesetze, als die richtlinien meiner weisheit. Die "gnade gottes", auf die ich mich in meinem reiche aus guten gründen der erfahrung nie verlassen hatte, ist hier oberstes gesetz des handelns. Die gnade gottes bedeutet einen be-

sondern zustand d. seele / in welch. i. mi. all. nächst. mit zittern u. zag. u. stärkst. auf-
wand d. hoffg / daß alles gut ausgeh. werde / anvertraue. i. kan nicht mehr sag. : dieses o.
d. jenes ziel sei z'erreich. / dies od. jen. grund gelte / weil er gut sei / sondern i. taste mi. dur.
nebel u. nacht. es ergiebt si. keine linie / kein gesetz thut si. auf / es i. alles dur. aus
u. überzeugend zufällig / sogar furchtbar zufällig. ab. eines wird erschreckend klar: nämli.
daß geg. üb. mein. frühern wege u. all. sein. einsicht. u. absicht. nunmehr alles abweg. is.
im. deutlich. wird es / daß nichts führt / wie meine hoffg mir einred. wollte / sondern daß
alles verführt.
u. plötzli. wird es dir klar zu dein. ungeheuren entsetz. / daß du ins schrank. lose / ins
ungeordnete / in die dunmht des ewig. chaos gefall. bis. es saust heran wie auf rau-
schend. schwing. des sturm's / wie auf überstürzend. woge des meeres.
jed. mens. hat in sein. sele ein. ruhig. ort / wo alles selbstverständli. u. leichterklärbar
is / ein ort, and. er si. geg. üb. d. verwirrend. möglichkeit. des lebens gerne zurück-
zieht / weil dort alles einfa. u. klar is. u. von ersichtlich. beschränkt. zweck. zu
nichts in d. welt kam d. mens. mit gleich. überzeug. wie z' dies. orte sag. : du bis nichts
als - - - u. er hat es au. gesagt.
u. ab. dies. ort is. ein. glatte ob.fläche / eine alltagswand / nichts als eine wohlbehütete u. öfters polierte kruste üb. d. geheimniß des chaos. durchbrichs du diese
alltäglichste all. wände / so fluthet in überwältigend. strome das chaos herein. das
chaos is. nicht ein einfaches / sondern ein unendli. vielfaches. es is. nicht gestaltlos /
sondern wäre es einfa. / sondern es is. erfüllt von figur. / die um ihr. fülle will. verwirrend 26. I. 1915
u. überwältigend wirk.
Diese figur. sind die tot. / nicht bloß deine tot. / nämli. alle die bild. dein. vergangen. gestalt. / die dein fortschreitendes leb. hint. si. ließ / sondern die mass. d. tot. d. menschen-
geschi.te / die geisterzüge d. vergangenh. / die ein meer is. geg. üb. d. tropf. dein. eigen. lebens-
baue. i. sehe hint. dir / hint. d. spiegel deines auges das gedränge gefährlich. schatt. / d.
tot. / die aus aug.höhl. gierig blick. / die stöhn. u. hoff. / das ungelöste all. zeit. / das in ihr.
seufzt / dur. dich z. erfüllg zu bring. deine ahnungslosigkeit beweist nichts. lege dein
ohr an die wand u. du hörst das rausch. ihres zuges. nun weißt du / warum du an
jene stelle das einfachste u. erklärbarste setztes / warum du jen. ruhesitz als d. gesichertst. prie-
ses: damit kein. / am wenigst. du selb. / dort das geheimniß aufgrübe. den dieses is. die
stelle / wo tag u. nacht si. qualvoll misch. was du je u. je aus dein. leb. ausschloßes / was
du abschwores u. verdamtes / alles / was dir je abweg war u. hätte sein kön. / das wartet
dein. hint. jen. wand / vor d. du ruhend sitzes.
Wen du die büch. d. geschi.te lieses / so findes du kunde von mensch. / die absonderliches
u. unerhörtes wollt. / die si. selb. fallstricke legt. u. von andern in wolfsgrub. gefang. wurd. /
die höchstes u. tiefsts wollt. / u. die vom schicksal / unvollendet / ausgewischt wurd. von d.
tafel d. fortlebend. wenige d. lebend. wiss. von ihn. / u. diese wenig. wiss. nichts an ihn.
z' schätz. / sondern schütteln die köpfe ob ihrs wahns. während du ihr. spottes / steht ein.
von ihn. hint. dir / keuchend vor wuth u. verzweifly / daß deine stumpfht si. sein. ni.t
annimt. er bedrängt di. in schlaflos. nächt. / bisweil. faßt er di. an in ein. krankht /
bisweil. vereitelt er deine absicht. er macht di. herris. u. begehreris. / er stachelt deine sehn-
süchte na. all. / was dir nicht fromt / er verschlingt deine erfolge in unzufriedenht. er be-
gleitet di. als dein bös. geis. / d. du keine erlösg gewährtes. hörtes du je von jen. dunkeln / die neb. den. / die d. tag beherrscht. unerkannt herlief. u. verschwörerisch. unruhe
stiftet. ? die kühnes ersan. u. vor kein. frevel z' ehr. ihres gotts z'rückschrack. ? z' die-
s. stelle d. christus / d. d. größte unt. ihn. war. ihm allein war es z' wenig, die welt z' bre-
u. darum bra. er si. u. darum war er d. größte unt. all. u. die mächte dies. welt erreicht. ihn nicht. i. spreche ab. von d. tot. / die d. macht z. ihr. frei. / gebroch. dur.
gewalt u. nicht dur. si. selb. ihre schar bevölkern das land d. seele. wen du sie an-

nimmst, so erfüllen sie dich mit wahn und mit empörung gegen das herrschende der welt. aus tiefstem
und aus höchstem ersannen sie gefährlichstes. nicht waren sie von gemeiner natur, sondern edle
klingen von härtestem stahl. sie verschmähten allen antheil am kleinen leben des menschen. und sie lebten
auf höhen und vollbrachten verwerflichstes. sie vergaßen eines: sie lebten ihr thier nicht.
Das thier empört sich nicht gegen seine art. siehe die thiere an: wie gerecht sie sind, wie sittsam, wie sie dem hergebrachten gehorchen, wie treu sie sind dem lande, das sie trägt, wie sie wie-
derkehren auf ihren gewohnten wechseln, wie sie ihre jungen pflegen, wie sie gemeinsam zu
ihrem futter gehen und wie sie einander zur quelle locken. da ist nicht eines, das seine beute überflüssig verbirgt und seinen bruder darüber hungers sterben läßt. da ist nicht eines, das seine eigene
art unter seinen willen zwingt. da ist nicht eines, das ein elephant zu sein wähnt, da es doch
mücke ist. das thier lebt sittsam und getreu das leben seiner art und nichts darüber und
nichts darunter. wer immer sein thier nicht lebt, muß seinen bruder wie ein thier behandeln.
erniedrige dich und lebe dein thier, damit du deinem bruder gerecht sein mögest. damit
erlösest du alle jene toten, die umherschweifen und am lebendigen sich zu nähren trachten.
und mache aus nichts, das du thust, ein gesetz, denn das ist anmaaßung der macht.
Wenn die zeit gekommen ist, wo du den toten die thüre öffnest, dann werden deine schrecknisse an
deinen bruder befallen, denn dein antlitz kündet das unheil. darum entferne dich und gehe
in die einsamkeit, denn kein mensch vermag dir zu rathen, wenn du mit den toten ringst. schreie
nicht um hilfe, wenn die toten dich umringen, sonst fliehen dich die lebendigen, die der
deine einzige brücke zum tage sind. lebe das leben des tages und rede nicht von den geheimnissen,
aber wache die nacht bei den toten um der erlösung willen. wer aber mit hilfsbereitschaft dich von den
toten wegreißt, hat dir den schlechtesten dienst erwiesen, denn er hat deinen lebenszweig vom
baume der gottheit gerissen. er frevelt gegen die wiederbringung des geschaffenen und späteren,
unterworfenen und verlorenen. // denn das sehnsüchtige harren der creatur wartet auf die offenbarung
der söhne gottes. denn die creatur ward der vergänglichkeit unterworfen, nicht freiwillig, sondern um deßwillen, der sie unterwarf auf hoffnung, darum daß auch sie, die creatur von dem dienste der verwesung soll befreit werden zur freiheit des ruhms der kinder gottes. denn wir wissen, daß die ganze
creatur mitseufzet und mit in wehen liegt bis jetzt. // jede stufe aufwärts wird die wiederbringung
einer stufe abwärts sein, damit die toten zur freiheit erlöst werden. das schaffen des neuen scheut
den tag, denn geheim ist sein wesen. es bereitet die zerstörung eben dieses tages, auf hoffnung seiner über-
führung in eine neue schöpfung. an dem schaffen des neuen hängt ein übles, das du nicht laut verkünden kannst. das thier, das nach neuen jagdgründen späht, geht geduckt und witternd auf
dunkelm pfade und will nicht überrascht sein. bedenke, daß dieß das leid des schaffenden
ist, daß er ein übel in sich trägt, ein aussatz der seele, der ihn von seinen gefährten trennt.
er könnte seinen aussatz als tugend preisen, und fürwahr, er könnte es aus tugendhaftigkeit.
aber er thäte es dem christus gleich und wäre darum sein nachfolger. aber nur einer war christus
und nur einer konnte die gesetze verletzen, wie er. es ist unmöglich, auf seiner bahn höhere über-
tretung zu thun. erfülle das, was dir zukommt. breche den christus in dir, damit du zu dir selber kommest, und zuletzt an zu deinem thiere, das sittsam ist in seiner herde und unwillig ihre gesetze zu übertreten. es sei genug der gesetzübertretung, daß du christum nicht nachahmst, denn damit
thust du einen schritt von dem christenthum zurück und einen schritt darüber hinaus. durch das
kommen brachte der christus erlösung, das nicht kommen wird dich erlösen. hast du die toten gezählt, die der
herr der opferung würdigte? hast du sie um ihre meinung befragt, um derentwillen sie den
tod erlitten? hast du die schönheit ihres gedankens, die reinheit ihrer absicht dir erschlossen?
// sie werden hinausgehen und schauen die leichname der menschen, die von mir abgefallen, denn ihr wurm
wird nicht sterben und ihr feuer nicht erlöschen. // darum thue buße, betrachte, was um des
christenthums willen dem tode anheimfiel, lege es vor dich hin und zwinge dich, es in dich aufzunehmen.
denn die toten bedürfen der erlösung. die menge der unerlösten toten ist größer geworden, als die zahl der lebenden christen. darum ist es zeit, daß wir uns der toten annehmen.
Renne nicht an mit wuth oder absicht der zerstörung gegen das gewordene. was willst du an seiner stelle setzen? weißt du nicht, wenn es dir gelingt, das gewordene zu zerstören, daß du alsdann den
willen zur zerstörung gegen dich selber wenden wirst? aber jeder, der die zerstörung zu seinem ziele macht, wird durch
selbstzerstörung umkommen. vielmehr achte das gewordene, denn die ehrfurcht ist ein segen. dann wende dich zu den toten, höre ihre klage und nimm dich ihrer mit liebe an. sei nicht ihr verblendeter spre-

es giebt propheten / die sich am ende selber steinigen. wir aber suchen die erlösung und darum bedürfen wir der ehrfurcht vor dem gewordenen / und des annehmens der toten / die seit alters die lüfte durchflattern und wie fledermäuse unter unserem dache wohnen. neues wird sich auf altes bauen / und vielleicht wird der sinn des gewordenen werden. also wirst du deine armuth im gewordenen zum reichthum des zukünftigen erlösen.

Was dich vom christenthum und seinem geheiligten gesetz der liebe entfernen möchte / das sind die toten / die im herrn keine ruhe finden konnten / denn ihre unvollendeten werke folgten ihnen nach. eine neue erlösung ist immer eine wiederbringung des vordem verlorenen. hat nicht selber der christus das blutige menschenopfer wiedergebracht / das seit alters bessere sitte aus der heiligen handlung ausgeschlossen hatte? hat er nicht selber die heilige handlung des essens des menschenopfers wieder eingesetzt? in deiner heiligen handlung wird wiederum eingeschlossen werden / was bisheriges gesetz verdammte. denn wie der christus zwar das menschenopfer und das essen des opfers wiederbrachte / so geschah dieß aber alles an ihm und nicht am bruder / denn der christus stellte darüber das höchste gesetz der liebe / also daß keiner der brüder darüber zu schaden kam / sondern alle sich der wiederbringung freuen konnten. dasselbe geschieht wie vor alters / aber unter dem gesetz der liebe. also / wenn du keine ehrfurcht hast vor dem gewordenen / so wirst du das gesetz der liebe zerstören. und was wird alsdann mit dir geschehen? dann wirst du gezwungen / wieder zu bringen / was vordem war / nämlich gewaltthat / mord / unrecht und verachtung deines bruders. und einer wird dem andern fremd sein und es wird verwirrung herrschen. darum sollst du ehrfurcht haben vor dem gewordenen / damit das gesetz der liebe durch die wiederbringung des unteren und vergangenen zur erlösung werde und nicht zur verdammniß durch schrankenlose herrschaft der toten. die geister derjenigen aber / die jetzt um unserer gegenwärtigen unvollkommenheit willen vor der zeit dem tode verfallen werden / in dunkeln schaaren das gebälk unserer häuser bewohnen und mit dringlichen klagen unser ohr bestürmen / bis daß wir ihnen erlösung gewähren durch wiederbringung des vor alters gewesenen unter dem gesetze der liebe. was wir versuchung nennen / ist die anforderung der toten / die vor der zeit und unvollendet dahingiengen durch die schuld des guten und des gesetzes. denn kein gutes ist so vollkommen / daß es nicht unrecht thäte und zerbräche / was nicht zerbrochen sein sollte.

Wir sind ein verblendetes geschlecht. wir leben nur an der oberfläche / nur im heute und denken nur an das morgen. wir handeln roh am vergangenen / indem wir uns der toten nicht annehmen. wir wollen nur arbeit thun mit sichtbaren erfolgen. wir wollen vor allem bezahlt sein. es käme uns wahnwitzig vor / ein verborgenes werk zu thun / das dem menschen nicht sichtbar dient. es ist kein zweifel / daß die noth des lebens uns zwang / tastbare früchte zu bevorzugen. aber wir leiden mehr unter dem verführenden und irreleitenden einfluß der toten / als die / die sich ganz an die oberfläche der welt verloren haben. es giebt ein nothwendiges / aber verborgenes und seltsames werk / ein hauptwerk / das du im geheimen zu thun hast / um der toten willen. wer immer zu seinem sichtbaren acker und weinberg nicht gelangen kann / der ist von den toten gehalten / die das sühnwerk von ihm verlangen. und bevor er dieses nicht erfüllt hat / kann er zu seinen äußern werken nicht gelangen / denn die toten lassen ihn nicht. er gehe in sich und thue im stillen nach ihrem geheiß und vollende das geheime / damit die toten ihn entlassen. blicke nicht zu viel vorwärts / sondern zurück und nach innen / damit du die toten nicht überhörst. das gehört zum wege des christus / daß er wenige der lebenden / aber viele der toten mit sich emporführte. sein werk war die erlösung des verachteten und verlorenen / um dessentwillen war er zwischen zwei verbrechern gekreuzigt. ich erleide meine qual zwischen zwei wahnsinnigen. ich steige in wahrheit / wenn ich hinuntergehe. gewöhne dich daran / mit den toten allein zu sein. es ist schwer / aber gerade dadurch wirst du den werth deiner lebenden gefährten entdecken. was thaten die alten für ihre toten! du glaubst wohl / du könnest dich der sorge und des so nöthigen werkes für die toten entheben / denn was tot sei / sei vergangen. du entschuldigst dich mit deinem unglauben an die unsterblichkeit der seele. meinst du / die toten seien darum nicht / weil du dir die unmöglichkeit der unsterblichkeit ersonnen hast? du glaubst an deine wortgötzen. die toten wirken / das genügt. in der innern welt giebt es kein wegerklären / so wenig als in der äußern welt das meer wegerklären kann. du mußt endlich verstehen / was die absicht deines wegerklärens ist / nämlich schutzsuchen.

Ich nahm das chaos an / und in der nächsten nacht trat meine seele zu mir.

Nox tertia · cap. xvi ·

Meine Seele sprach flüsternd zu mir, eindringlich und beängstigend: Worte, Worte, mache nicht zu viele Worte. Schweige und höre: Hast du deinen Wahnsinn erkannt und gibst du ihn zu? Hast du gesehen, dass alle deine Untergründe voll Wahnsinn stecken? Willst du deinen Wahnsinn nicht anerkennen und freundlich bewillkommnen? Du wolltest ja alles annehmen. Also nimm auch den Wahnsinn an. Lasse das Licht deines Wahnsinns leuchten und es soll dir ein grosses Licht aufgehen. Der Wahnsinn ist nicht zu verachten und nicht zu fürchten, sondern du sollst ihm das Leben geben.

I: Hart klingen deine Worte und schwer ist die Aufgabe, die du mir stellst.

S: Wenn du Wege finden willst, hast du auch den Wahnsinn nicht zu verschmähen, da er einen so grossen Theil deines Wesens ausmacht.

I: Ich wusste nicht, dass dem so ist.

S: Sei froh, dass du es erkennen kannst, so vermeidest du sein Opfer zu werden. Der Wahnsinn ist eine besondere Form des Geistes und haftet allen Lehren und Philosophien an, noch mehr aber dem täglichen Leben, denn das Leben selbst ist voll Tollheit und ganz wesentlich unvernünftig. Der Mensch strebt nur deshalb nach Vernunft, damit er sich Regeln machen kann. Das Leben selbst hat keine Regel. Das ist sein Geheimniss und sein unbekanntes Gesetz. Was du Erkenntniss nennst, ist ein Versuch, dem Leben etwas Verstehbares aufzudrängen.

I: Das klingt alles sehr trostlos, erweckt aber meinen Widerspruch.

S: Du hast nichts zu widersprechen, du bist im Irrenhaus.

Da steht der kleine dicke Professor – hat er so gesprochen? Und habe ich ihn für meine Seele gehalten?

Prof.: Ja, mein Lieber, Sie sind verwirrt. Sie reden ja ganz zusammenhangslos.

I: Ich glaube auch, dass ich mich gänzlich verloren habe. Bin ich wirklich verrückt? Es ist alles schrecklich verwirrt.

Prof.: Nur Geduld, es wird sich schon machen. Also, schlafen Sie wohl.

I: Danke, aber mir ist bange.

Alles wogt und stürzt in mir durcheinander. Es wird ernst, das Chaos kommt. Ist dies der unterste Grund? Ist das Chaos auch eine Grundlage? Wenn nur diese furchtbaren Wogen nicht wären. Wie schwarze Wogen bricht alles durcheinander. Ja, ich sehe und verstehe: es ist der Ocean, die allgewaltige Nachtfluth – dort zieht ein Schiff – ein grosser Dampfer – ich trete ein in den Rauchsalon – viele Menschen – schöne Kleider – sie sehen alle erstaunt nach mir – jemand kommt auf mich zu: was ist mit Ihnen? Sie sehen ja aus wie ein Gespenst! Was ist passiert?

I: Nichts – das heisst – ich glaube, ich bin übergeschnappt – der Boden wankt – alles wogt –

Jemand: Aber wir haben ja heute Abend bloss etwas hohen Seegang – nehmen Sie einen heissen Grog – Sie sind seekrank.

I: Sie haben recht, ich bin seekrank, aber in besonderer Weise – ich bin ja eigentlich im Irrenhaus.

Jemand: Na, Sie machen ja schon wieder Witze, das Leben kehrt wieder.

I: Nennen Sie das Witze? Eben hat mich der Professor für gänzlich verwirrt erklärt.

Wirklich sitzt der kleine dicke Professor an einem grünbezogenen Tischchen und spielt Karten. Er wendet sich bei meinem Wort „na“ nach mir um und lacht mir zu: Na, wo waren Sie denn, kommen Sie her. Nehmen Sie auch ein Glas? Sie sind ein unglaubliches Original. Sie haben mit Ihren Ideen heute Abend alle Damen in Aufregung gebracht.

I: Herr Professor, das geht mir doch über den Spass. Eben war ich ja noch Ihr Patient –

Es erhebt sich allgemeines schallendes Gelächter.

Prof.: Ich hoffe, Sie werden es nicht tragisch genommen haben.

I: Nun, ins Irrenhaus gesteckt zu werden, ist keine Kleinigkeit.

Der Jemand, mit dem ich vorher sprach, tritt mir plötzlich näher und sieht mir ins Gesicht. Er ist ein Mann mit schwarzem Bart und wirrem Haupthaar und düster leuchtenden Augen. Er spricht heftig auf mich ein: Mir ist es schlimmer ergangen, ich bin schon seit fünf Jahren hier.

Ich sehe, es ist mein Bettnachbar, der offenbar aus seiner Apathie erwacht ist und sich nun auf mein Bett gesetzt hat. Er spricht heftig und eindringlich weiter: Ich bin der Nietzsche, aber der wiedergetaufte, ich bin auch Christus, der Heiland und bestimmt, die Welt zu erlösen, aber sie lassen mich nicht.

I: Wer lässt Sie denn nicht?

Der Narr: Der Teufel. Wir sind doch hier in der Hölle. Sie haben natürlich auch nichts davon gemerkt. Ich bin auch erst im zweiten Jahre meines hiesigen Aufenthaltes dahinter gekommen, dass der Director der Teufel ist.

I: Sie meinen den Professor? Das klingt unglaublich.

Der Narr: Sie sind ein Ignorant. Ich sollte ja schon längstens die Mutter Gottes heirathen. Aber der Professor, der Teufel hat sie in der Gewalt. Jeden Abend bei Sonnenuntergang zeugt er mit ihr ein Kind. Am Morgen früh bei Sonnenaufgang gebiert sie es. Dann kommen alle Teufel zusammen und töten das Kind auf grausame

dieser mensch aus stoff stieg zu weit empor in die welt des geistes / dort aber durchbohrte ihm der geist das herz mit dem gold-
strahl. er fiel in entzücken und löste sich auf. die schlange / die das böse ist / konnte nicht in der welt des geistes bleiben.

weise. ich höre deutlich sein geschrei.

P.: aber das ist ja die reinste mythologie / was sie da erzählt.

der narr: du bist verrückt und verstehst darum nichts davon. du gehörst ins irrenhaus. mein gott / warum sperrt mich meine familie immer mit verrückten zusammen? ich sollte ja die welt erlösen / ich bin ja der erlöser.

er legt sich zu bett und verfällt wieder in seine frühere apathie. ich fasse die seiten meines bettes, um mich gegen das furchtbare wogen zu schützen. ich blicke starr an die wand / um mich wenigstens mit blicken anzuklammern. an der wand läuft ein horizontaler strich / darunter ist die wand dunkler gemalt. davor steht ein heizkörper – es ist ein geländer / darüber hinaus sehe ich auf das meer hinaus. der strich ist der horizont. und dort geht jetzt die sonne auf in roter glorie / einsam und herrlich – darin ist ein kreuz / daran hängt eine schlange – oder ist es ein stier / aufgeschlitzt / wie beim schlächter / oder ist es ein esel? es ist wohl ein widder mit der dornenkrone – oder ist es der crucifixus / ich selbst? die sonne des martyriums ist
22 III 1919 aufgegangen und schüttet blutige strahlen aufs meer. lange währt dieses schauspiel / die sonne steigt höher / ihre strahlen werden heller und heißer und weiß brennt die sonne auf ein blaues meer hernieder. das wogen hat aufgehört. eine wohltätige sonnige morgenruhe liegt auf dem flimmernden meer. salziger wasserduft erhebt sich. eine matte breite brandungswoge bricht mit dumpfem donner auf den sande und immer erneut kehrt sie wieder / zwölfmal / die glockenschläge der weltuhr. die zwölfte stunde ist vollendet. und jetzt tritt stille ein. kein laut / kein hauch. alles ist starr und totenstill. ich harre heimlich beklommen. ich sehe einen baum dem meer entsteigen. seine krone reicht zum himmel und seine wurzeln greifen hinab bis in die hölle. ich bin ganz einsam und verzagt und schaue von ferne. es ist wie wenn alles leben aus mir entflohen wäre / ganz dahingegeben an das unfassbare und furchtbare. ich bin ganz schwach und unfähig. „erlösung" flüstere ich. eine fremde stimme spricht: „hier giebt es keine erlösung / sondern sie haben sich ruhig zu verhalten / sonst stören sie die andern. es ist nacht und die andern leute wollen schlafen." ich sehe es ist der wärter. der saal ist düster erhellt durch eine kleine lampe und traurigkeit lastet über den räumen. „ich fand den weg nicht". er sagt: „sie brauchen jetzt keine wege zu suchen." er spricht die wahrheit. der weg / oder was es auch sei / worauf man geht / ist unser weg / der rechte weg. es giebt keine gebahnten wege in die zukunft. wir sagen / es sei dieser weg / und er ist es. wir bauen die strassen / indem wir gehen. unser leben ist die wahrheit / die wir suchen. nur mein leben ist die wahrheit / die wahrheit überhaupt. wir schaffen die wahrheit / indem wir sie leben.

Dies ist die nacht / in der alle dämme brachen / wo sich bewegte / was bisher fest war / wo sich die steine in schlangen wandelten und alles lebendige erstarrte. ist es ein wortgespinst? dann ist ein wortgespinst hölle für den / der darin hängt. es giebt höllische wortgespinnste / nur worte / aber was sind worte? sei zaghaft mit worten / wähle sie wohl / nimm sichere worte / worte ohne haken / spinn sie nicht aneinander / damit keine gespinste entstehen / denn du bist der erste / der sich darin fängt. denn worte haben bedeutung. an worten ziehst du die unterwelt herauf. wort ist das nichtigste und stärkste. im wort fliesst das leere und das volle zusammen. darum ist das wort ein bild gottes. wort ist das grösste und kleinste / das der mensch schuf / wie das / was durch den menschen schafft / selber das grösste und kleinste ist. darum wenn ich dem wortgespinst verfalle / so bin ich dem grössten und kleinsten verfallen. ich bin dem meere ausgeliefert / der unbestimmten woge / die ruhelos den ort ändert. ihr wesen ist bewegung und bewegung ist ihre ordnung. wer der woge widerstrebt / ist der willkür preisgegeben. stetig ist werk der menschen / aber es schwimmt auf dem chaos. wer vom meere kommt / dem scheint das treiben der menschen wie wahnwitz. die menschen aber schauen ihn an / wie einen wahnsinnigen. wer vom meere kommt / ist krank. er kann den anblick der menschen kaum ertragen. denn sie scheinen ihm alle trunken zu sein und närrisch von schlafmachenden giften. sie wollen dir zu hilfe eilen und du möchtest zwar weniger hilfe annehmen / als vielmehr dich in ihre gesellschaft hineinbetrügen und ganz sein / wie einer der das chaos nie sah / sondern nur davon spricht. aber wer das chaos sah / für den giebt es kein verstecken mehr / sondern er weiss / dass der boden wankt / und was dieses wanken bedeutet. er sah die ordnung und die unordnung des unendlichen / er weiss von den ungesetzmässigen gesetzen. er weiss vom meere und kann es nie vergessen. furchtbar ist das chaos: tage voll blei / nächte voll grauen. aber wie der christus wusste / dass er der weg / die wahrheit und das leben war / indem durch ihn die neue qual und das erneute heil in die welt kam / so weiss ich / dass das chaos über die menschen kommen muss / und dass die hände derer geschäftig sind / die selber ahnungslos und unwissend die dünnen wände durchbrechen / die uns vom meere trennen. denn dies ist unser weg / unsere wahrheit und unser leben. wie die jünger des christus erkannten / dass der gott fleisch geworden und unter ihnen wohnte als ein mensch / so erkennen wir jetzt / dass der gesalbte dieser zeit ein gott ist / der nicht im fleische erscheint / kein mensch ist und doch ein menschensohn / aber im geiste und nicht im fleische / und darum nur durch den geist der menschen als der empfangenden gebärmutter des gottes geboren. dies dem gotte ist gethan / was du dem geringsten in dir selber thust / unter dem gesetz der liebe / von dem nichts abgestrichen ist. denn / wie anders soll dein geringstes

die schlange fiel tot auf die erde. u. das war die nabelschnur ein° neu-geburt.

von der verderbniß errettet werden? wer hilft dir, das geringste in dir annehmen / wenn du es nicht thust? wer es aber nicht aus liebe / sondern aus hochmuth / selbstsucht oder begehrlichkeit thut / ist verdammt. auch an der verdammniß ist nichts abgestrichen. unvermeidlich ist das leiden / wenn du dir das geringste in dir annimmst / denn du thust das verworfene und richtest auf / was zerstört lag. es ist viel grab und aas in uns / ein übler geruch der verwesung. wie der christus durch die qual der heiligung das fleisch unterwarf / so wird der gott dieser zeit durch die qual der heiligung den geist unterwerfen. wie der christus durch den geist das fleisch peinigte / so wird der gott dieser zeit den geist durch das fleisch peinigen. denn unser geist ist zur frechen hure geworden, ein sklave der von menschen geschaffenen worte und nicht mehr das göttliche wort selber. das geringste in dir ist der quell der gnade. wir nehmen diese krankheit auf uns / die friedlosigkeit / die geringheit und verächtlichkeit / damit der gott heil werde und strahlend emporsteige, gereinigt von der verwesung des todes und dem schlamme der unterwelt. glänzend und ganz heil wird der schmählich gefangene aufsteigen zu seiner erlösung. giebt es ein leiden / das zu groß wäre um unseres gottes willen? Du siehst nur das eine / und bemerkst nicht das andere. wenn es aber eines giebt / so giebt es auch ein anderes und das ist das geringste in dir. das geringste in dir ist aber auch das auge des bösen / das dich starr und kalt anblickt und dein licht in den finstern abgrund hinuntersaugt. segnet die hand / die euch oben hält / am kleinsten menschlichen / am geringsten lebenden. nicht wenige werden den tod vorziehen. denn wie der christus der menschheit blutige opfer auferlegte / so wird auch der erneuerte gott des blutes nicht sparen.

Warum ist dein gewand so rothfarben / und dein kleid wie eines keltertreters? ich trete die kelter allein und niemand ist mit mir. ich habe mich gekeltert in meinem zorn und zertreten in meinem grimm. daher ist mein blut auf meine kleider gespritzt und ich habe all mein gewand besudelt. denn ich habe einen tag der rache mir vorgenommen / das jahr mich zu erlösen ist gekommen. und ich sah mich um / und da war kein helfer / und ich verwunderte mich / und niemand stund mir bei / sondern mein arm mußte mir helfen / und mein zorn stund mir bei. und ich habe mich zertreten in meinem zorn / und ich habe mich trunken gemacht in meinem grimm / und mein blut auf die erde geschüttet. denn ich nahm meine missethat auf mich / damit der gott gesunde. so / wie der christus sagte / daß er nicht den frieden / sondern das schwert bringe / so wird der / der in sich den christus vollendet / sich nicht den frieden / sondern ein schwert geben. er wird sich gegen sich selber empören / und eines wird gegen das andere in ihm gerichtet sein. er wird das er in sich liebt / auch hassen. er wird in sich selber gegeißelt / verspottet / und der kreuzesqual übergeben sein / und keiner wird ihm beistehen und seine qual mildern. gleich wie der christus gekreuzigt war zwischen den beiden schächern / so liegt auch unser geringstes zu beiden seiten unseres weges. und wie der eine schächer zur hölle fuhr / und der andere emporstieg zum himmel / so wird sich das geringste in uns am tage unseres gerichts in zwei hälften scheiden. die eine / die zur verdammniß und zum tode bestimmt ist / und die andere / der es zukommt / emporzusteigen. aber es wird lange dauern / bis du einsiehst / was zum tode und was zum leben bestimmt ist / denn noch ist das geringste in dir ungetrennt und eins / und in tiefem schlafe.

enn ich das geringste in mir annehme / so senke ich einen keim in den grund der hölle. der keim ist unsichtbar klein / aber aus ihm wächst der baum meines lebens empor und verbindet das untere mit dem obern. an beiden enden ist feuer und höchste gluth. das obere ist feurig und das untere ist feurig. zwischen den unerträglichen feuern wächst dein leben. zwischen diesen beiden polen hängst du. in unermeßlicher furchterregender bewegung wogt das ausgespannt hängende auf und nieder. darum fürchtet man sein geringstes / denn in ihm ist das / was man nicht besitzt / eins mit dem chaos und nimmt theil an seiner räthselvollen ebbe und fluth. indem ich das geringste in mir annehme / eben jene röthlich glühende sonne der tiefe und ich dadurch der verwirrung des chaos verfalle / so geht mir auch die obere leuchtende sonne auf. darum wer nach höchstem strebt / das tiefste findet.

m die menschen seiner zeit zu erlösen vom ausgespannt hängenden / nahm der christus diese qual auf sich wirklich und lehrte sie: seid klug wie die schlangen und ohne falsch wie die tauben. denn die klugheit räth gegen das chaos / und die arglosigkeit verhüllt seinen schrecklichen anblick. also konnten die menschen auf den sicheren mittleren pfaden gehen mit beschränktem nach oben und nach unten. aber die forderungen des obern und untern häuften sich und ihre anforderungen wurden immer lauter. und es standen edle und verruchte menschen auf / die / ohne es zu wissen / das gesetz des mittleren übertraten. sie öffneten thüren nach oben und nach unten. sie zogen viele nach sich zum obern und zum untern wahnsinn und also säeten sie verwirrung / und bereiteten so den weg des kommenden. wer aber in das eine geht und nicht zugleich auch in das andere / indem er das ihm entgegenkommende annimmt / der wird bloß das eine lehren und leben und daraus eine wirklichkeit machen. denn er wird das opfer des einen. wenn du in das eine gehst / und deshalb das dir entgegenkommende andere für einen feind hältst / so wirst du das andere bekämpfen. denn du siehst nicht / daß das andere auch in dir ist. du meinst vielmehr / es komme irgendwie von außen und du meinst es auch zu erblicken in den dir widerstrebenden meinungen und handlungen deiner mitmenschen. dort bekämpfst du es und bist gänzlich verblendet. wer aber das ihm entgegenkommende andere annimmt / weil es ja auch in ihm ist / der streitet nicht mehr / sondern schaut in sich und schweigt.

Dies ist das Bild des göttlichen Kindes. Es bedeutet die Vollendung einer langen Bahn. Gerade als das Bild im April MCMXIX beendet war, und das nächste Bild bereits begonnen war, kam der, der das ☉ brachte, das mir ΦΙΛΗΜΩΝ vorausgesagt hatte. Ich nannte ihn ΦΑΝΗΣ, weil er der neu erscheinende Gott ist.

Er sieht den Baum des Lebens, dessen Wurzeln in die Hölle reichen und dessen Wipfel den Himmel berührt. Er weiß auch nicht mehr die Unterschiede: wer hat Recht? was ist heilig? was ist wahrhaft? was ist gut? was ist richtig? Er weiß nur einen Unterschied: den Unterschied von unten und oben. Denn er sieht, daß der Baum des Lebens von unten nach oben wächst, und daß er oben die von den Wurzeln deutlich unterschiedene Krone hat. Das ist ihm unzweifelhaft. So kennt er den Weg zur Erlösung. Es gehört zu deiner Erlösung, daß du die Unterschiede verlernst, bis auf diesen einen der Richtung. Damit befreist du dich von dem alten Fluche der Erkenntniß des Guten und Bösen. Weil du nach deinem besten Dafürhalten das Gute vom Bösen trenntest und nur nach dem Guten trachtetest, und das Böse, das du trotzdem tatest, verleugnetest und nicht auf dich nahmst, so sogen deine Wurzeln nicht mehr die dunkle Nahrung der Tiefe, und dein Baum wurde krank und dürr. Darum sagten die Alten, daß, nachdem Adam den Apfel gegessen, der Baum des Paradieses verdorrte. Du bedarfst des Dunkeln zu deinem Leben. Aber wenn du weißt, daß es das Böse ist, dann kannst du es nicht mehr annehmen und du leidest Noth und du weißt nicht, warum. Du kannst es aber auch nicht als das Böse annehmen, sonst verwirft dich dem Guten. Du kannst auch nicht verleugnen, daß du das Gute und das Böse kennst. Darum war die Erkenntniß von Gut und Böse ein unüberwindlicher Fluch. Wenn du aber zurückkehrst zum anfänglichen Chaos und du das zwischen den unerträglichen Feuerpolen ausgespannt hängende fühlst und erkennst, dann wirst du merken, daß du Gutes und Böses nicht mehr endgültig trennen kannst, weder durch Gefühl noch durch Erkenntniß, sondern daß dir nur gegeben ist, die Richtung des Wachsthums, die von unten nach oben geht, wahrzunehmen. So verlernst du den Unterschied von Gut und Böse, und du weißt ihn so lange nicht mehr, als dein Baum von unten nach oben wächst. Sobald aber das Wachsthum stille steht, zerfällt das im Wachsthum ununterschieden Geeinte und du erkennst wieder um Gut und Böse. Niemals kannst du vor dir selber die Kenntniß des Guten und Bösen verleugnen, sodaß du dem Guten betrügen könntest, um das Böse zu leben. Denn sobald du Gutes und Böses trennst, so erkennst du sie. Nur im Wachsthum sind beide geeint. Du wächsest aber, wenn du im großen Zweifel stillestehst, und darum ist der Stillstand im großen Zweifel eine wahrhafte Blüthe des Lebens. Wer den Zweifel nicht erträgt, der erträgt sich nicht. Ein solcher ist zweifelhaft, er wächst nicht, darum auch lebt er nicht. Der Zweifel ist das Zeichen des Stärksten und des Schwächsten. Der Starke hat Zweifel, der Zweifel aber hat den Schwachen. Darum ist der Schwächste dem Stärksten nahe, und wenn er zu seinem Zweifel sagen kann: „ich habe dich“, dann ist er der Stärkste. Niemand aber kann ja sagen zu seinem Zweifel, er erdulde denn das geöffnete Chaos. Weil so viele unter uns sind, die alles sagen können, so schaue darauf, was sie leben. Was einer sagt, kann sehr viel sein, oder sehr wenig. Erforsche darum sein Leben. Meine Rede ist nicht hell und nicht dunkel, denn sie ist die Rede eines Wachsenden. 14.IX.1922.

Nox quarta · cap · xvii ·

Ich höre das Brausen des Morgenwindes, der über die Berge kommt. Die Nacht ist überwunden, da all mein Leben dahingegeben war und verstrickt ins ewig Verworrene und ausgespannt hieng zwischen den Feuerpolen. Meine Seele spricht zu mir mit heller Stimme: die Thüre soll aus den Angeln gehoben werden, damit ein freier Durchgang entstehe zwischen hier und dort, zwischen ja und nein, zwischen oben und unten, zwischen rechts und links. Es sollen luftige Gänge gebaut werden zwischen allen entgegengesetzten Dingen, leichte glatte Straßen sollen von einem Pol zum andern führen. Eine Wage soll aufgestellt werden, deren Zünglein leise schwankt. Eine Flamme soll brennen, die vom Winde nicht verweht wird. Ein Strom soll fließen nach seinem tiefsten Ziel. Es sollen die Herden wilder Thiere zu ihren Futterplätzen ziehen auf ihren alten Wechseln. Das Leben gehe fürderhin seine Bahn, von Geburt zu Tod, von Tod zu Geburt, ungebrochen wie die Bahn der Sonne. Alles gehe diese Bahn. Also spricht meine Seele. Ich aber spiele lässig und grausam mit mir selber. Ist es Tag oder Nacht? Schlafe ich oder wache ich? Lebe ich oder bin ich schon gestorben? Blinde Finsterniß umlagert mich, eine große Mauer, ein grauer Dämmerungswurm kriecht ihr entlang. Er hat ein rundes Gesicht und lacht. Das Lachen ist erschütternd und erlösend wirklich. Ich schlage die Augen auf: da steht die dicke Köchin vor mir: „Sie haben aber einen gesunden Schlaf. Sie haben länger als eine Stunde geschlafen.“

Ich: Wirklich? habe ich geschlafen? Mir hat wohl geträumt, was für ein schreckliches Spiel! Ich bin in dieser Küche eingeschlafen, ist das wohl das Reich der Mütter?

Trinken Sie ein Glas Wasser, Sie sind ja noch ganz schlaftrunken.

Ich: Ja, dieser Schlaf kann einen trunken machen. Wo ist mein Thomas? Ach, da liegt er ja, aufgeschlagen am 21ten Hauptstück: „Über allem und in allem, meine Seele, suche deine Ruhe allezeit in dem Herrn, denn er ist die ewige Ruhe aller Heiligen.“

Ich lese diese Stelle laut vor. Steht nicht hinter jedem Wort ein Fragezeichen?

Wenn Sie mit diesem Satz eingeschlafen sind, so müssen Sie wohl einen schönen Traum gehabt haben.

Ich: Ich habe allerdings geträumt, an den Traum werde ich denken. Übrigens, sagen Sie, bei wem sind Sie denn eigentlich Köchin?

Beim Herrn Bibliothecarius. Er liebt eine gute Küche, und ich bin schon seit vielen Jahren bei ihm.

dieß is das stoffliche gold / in welch= d= schatt= des gott= wohnt.

I: Oh, das habe ich gar nicht gewusst, dass der Herr Bibliothecarius eine solche Küche besitzt.

Ja, Sie müssen wissen, er ist ein Feinschmecker.

I: Leben Sie wohl, Jungfer Köchin, ich danke bestens für die Herberge.

Bitte, bitte, die Ehre ist ganz auf meiner Seite.

Nun bin ich draußen. Also das war die Küche des Herrn Bibliothecarius. Weiß er wohl, was darin gekocht wird? Er hat wohl nie einen Tempelschlaf darin versucht. Ich glaube, ich will ihm den Thomas a Kempis zurückbringen. Ich trete in die Bibliothek ein.

B: Ah, guten Abend, da sind Sie ja wieder.

I: Guten Abend, Herr Bibliothecar, da bringe ich Ihnen den Thomas wieder. Ich habe mich ein bisschen nebenan in Ihre Küche gesetzt, um zu lesen, allerdings ohne zu ahnen, dass es Ihre Küche sei.

B: Oh, ich bitte, das macht gar nichts. Hoffentlich hat meine Köchin Sie gut aufgenommen.

I: Ich kann mich über die Aufnahme nicht beklagen. Ich habe sogar ein Nachmittagsschläfchen über dem Thomas gehalten.

B: Das wundert mich nicht. Diese Andachtsbücher sind entsetzlich langweilig.

I: Ja für unsereinen. Aber für Ihre Köchin bedeutet das kleine Buch doch viel Erbauung.

B: Nun ja, für die Köchin.

I: Gestatten Sie mir die indiscrete Frage: haben Sie auch schon einmal einen Incubationsschlaf in Ihrer Küche gehalten?

B: Nein, auf diese absonderliche Idee bin ich noch nie gekommen.

I: Ich sage Ihnen, dabei könnten Sie etwas lernen über das Wesen Ihrer Küche. Guten Abend, Herr Bibliothecar!

Nach diesem Gespräch verließ ich die Bibliothek und gieng hinaus in den Vorraum, wo ich gegen einen grünen Vorhang trat. Ich schlug ihn zur Seite und, was sah ich? Ich sah eine hohe Säulenhalle vor mir, im Hintergrunde einen herrlich sein sollenden Garten, Klingsor's Zaubergarten, wie ich gleich bemerke. Ich bin nämlich ins Theater gerathen: dort stehen zwei, die zum Spiel gehören: Amfortas und Kundry, oder vielmehr, was sehe ich? es ist der Herr Bibliothecarius und seine Köchin. Er ist leidend, blass und hat einen verdorbenen Magen, sie ist enttäuscht und zornig. Links steht Klingsor und hält die Feder, die der Herr Bibliothecarius hinter dem Ohr zu tragen pflegte. Wie ähnlich mir Klingsor sieht! Abscheuliches Spiel! Aber siehe, von rechts tritt Parcival auf. Merkwürdig, auch er sieht mir gleich. Klingsor wirft giftig die Feder nach Parcival. Dieser aber fängt sie gelassen auf. Die Scene verwandelt sich: es scheint, dass das Publicum, in diesem Falle ich, im letzten Act mitspielt. Man hat niederzuknieen, denn das Supplicium des Charfreitags beginnt: Parcival tritt auf, langsamen Schrittes, das Haupt bedeckt vom schwarzen Helm. Er trägt um die Schultern das herakleische Löwenfell und in der Hand hält er die Keule, außerdem trägt er moderne schwarze Beinkleider, des hohen kirchlichen Feiertags halber. Ich sträube mich und strecke abwehrend die Hände aus, doch das Spiel geht weiter. Parcival entblößt sein Haupt vom Helm. Doch kein Gurnemanz ist da, der ihn entsühnte und ihm die Weihe gäbe. Kundry steht von ferne, verhüllt ihr Haupt und lacht. Das Publicum ist hingerissen und erkennt sich selber in Parcival. Er ist ich. Ich entledige mich meiner historisch gespickten Rüstung, meines chimaerischen Schmuckes und gehe im weißen Büßerhemde zur Quelle, wasche ohne fremde Beihülfe meine Füße und Hände. Dann lege ich auch mein Büßerhemd ab und ziehe meine bürgerliche Kleidung an. Ich trete aus der Scene heraus und nähere mich mir selber, der ich als Publicum noch immer andächtig auf den Knieen liege. Ich hebe mich selber vom Boden empor und werde eins mit mir selber.

Was wäre Spott, wenn es nicht wirklicher Spott wäre? Was wäre Zweifel, wenn es nicht wirklicher Zweifel wäre? Was wäre Gegensatz, wenn es nicht wirklicher Gegensatz wäre? Wer sich selbst annehmen will, der muss auch wirklich sein Anderes annehmen. Doch im Ja ist alles Nein nicht wahr, und im Nein ist alles Ja Lüge. Da ich aber heute im Ja sein kann und morgen im Nein, so ist Ja und Nein wahr und unwahr. Ja und Nein können nicht nachgeben, denn sie sind, wohl aber unsere Begriffe von Wahrheit und Irrthum. Du möchtest wohl Sicherheit haben über Wahrheit und Irrthum? Sicherheit innerhalb des einen oder andern ist nicht nur möglich, sondern auch nothwendig, aber die Sicherheit im einen ist Sicherung und Widerstand gegen das andere. Wenn du in dem einen bist, dann schließt deine Sicherheit des einen das andere aus. Aber wie kannst du dann je zum andern gelangen? Und warum kann uns das eine nie genügen? Das eine kann uns darum nicht genügen, weil auch das andere in uns ist. Und wenn wir uns mit dem einen begnügten, so litte das andere Noth und befiele uns mit seinem Hunger. Wir missverstehen aber diesen Hunger und glauben immer noch nach dem einen hungrig zu sein und befestigen uns darum noch mehr in unserem Streben nach dem einen. Dadurch allerdings bewirken wir, dass das andere in uns seine Anforderung noch stärker geltend macht. Wenn wir alsdann bereitwillig sind, die Forderung des andern in uns anzuerkennen, so können wir hinübergehen ins andere, um es zu sättigen. Wir können aber so hinüber gelangen, weil uns das andere bewusst geworden ist. Wenn aber unsere Verblendung durch das eine stark ist, dann entfernen wir uns nur noch mehr vom andern und eine unheilvolle Kluft eröffnet sich in uns zwischen dem einen und dem andern. Das eine wird übersatt und das andere überhungrig. Das Satte wird faul und das Hungrige wird schwach. Und so ersticken wir in Fett, verzehrt von Mangel. Das ist krankhaft, aber von dieser Art siehst du viele. Es muss so sein, aber es muss auch nicht so sein. Es giebt Gründe und Ursachen genug, dass es so ist, wir aber wollen, dass es auch nicht so sei. Der Mensch nämlich ist die Freiheit gegeben, auch die Ursache zu überwinden, denn er ist schöpferisch in sich und aus sich selbst. Wenn du durch das Leiden deines Geistes jene Freiheit errungen hast, trotz deines höchsten Glaubens an das eine, auch das andere anzunehmen, weil du es auch bist, dann beginnt dein Wachsthum.

Wenn mich andere verspotten, dann thun es doch immer noch die andern, und ich kann ihnen dafür Schuld zumessen, und darüber vergessen, mich selbst zu verspotten. Wer aber sich selbst nicht verspotten kann, wird andern zum Spott. Also nimm auch deine Selbstverspottung an, damit alles Götter- und Heldenhafte von dir abfalle und du ganz nur menschlich wirst. Deine Götter- und Heldenhaftigkeit ist der andern in dir ein Spott. Um der andern willen in dir, lege deine bewunderte Rolle, die du bisher vor dir selber spieltest, und werde der, der du bist.

Wer das Glück oder Missgeschick einer besondern Gabe hat, der verfällt der Täuschung, zu glauben, er sei diese Gabe. Darum ist er auch öfters ihr Narr. Eine besondere Gabe ist etwas ausser mir. Ich bin nicht gleich mit ihr. Das Wesen der Gabe hat nichts zu thun mit dem Wesen des Menschen, der ihr Träger ist. Sie lebt sogar öfters auf Kosten des Characters ihres Trägers. Seine Persönlichkeit ist gekennzeichnet durch die Nachtheile seiner Gabe, ja sogar durch den Gegensatz dazu. Darum ist er nie auf der Höhe seiner Gabe, sondern immer darunter. Wenn er sein Anders annimmt, so wird er fähig, ohne Schaden ~~sein Anders~~ zu ertragen. Wenn er aber nur seine Gabe in seiner Gabe leben will, und deshalb sein Anders verwirft, so verliert er das Mass, denn das Wesen seiner Gabe ist aussermenschlich und eine Naturerscheinung. Er wird selber aussermenschlich, selber eine Naturerscheinung, was er in Wirklichkeit nicht ist. Alle Welt sieht sein Irrthum, und er fällt ihrem Spotte zum Opfer. Dann sagt er, es seien die andern, die ihn verspotten, während es doch nur die Vernachlässigung seines Andern ist, die ihn lächerlich macht.

Wenn der Gott in mein Leben eintritt, dann kehre ich zu meiner Ärmlichkeit zurück um des Gottes willen. Ich nehme die Last der Ärmlichkeit auf mich und trage all meine Hässlichkeit und Lächerlichkeit, auch alles Verwerfliche in mir. Auf solche Weise entlaste ich den Gott von all dem Verwirrenden und Unsinnigen, das ihn befallen würde, wenn ich es nicht annähme. Damit bereite ich den Weg für das Thun des Gottes. Noch ist es Nacht, eine lange Nacht voll Unheimlichkeit. Was soll werden? Sind die finstern Abgründe geleert und ausgeschöpft? Oder was wartet und steht dort unten, drohend und rothglühend?

ATMAVICTU

iuvenis adiutor

ΤΕΛΕΣΦΟΡΟΣ

spiritus malus in hominibus quibusdam.

der drache will die sonne fressen / der jüngling beschwört ihn / es nicht zu thun. er frisst sie aber doch.

welcher Feuer ist nicht gelöscht und welche Gluth lebt noch? Wir schlachteten unzählbare Opfer der finstern Tiefe und immer noch fordert sie. Was ist das aberwitzige Verlangen, das gestillt sein will? Wo ist es, der das wahnsinnige Geschrei erhebt? Wo unter den Toten leidet so? Komme heran und trinke Blut, damit du sprechen kannst. Warum weisest du Blut zurück? Willst du Milch? Oder den rothen Saft der Rebe? Willst du gar vielleicht Liebe? Liebe zu Totem? Verliebtheit in die Toten? Heischest du Lebenssamen für den erstorbenen tausendjährigen Leib der Unterwelt? Eine unkeusche, blutschänderische Wollust an den Toten? Etwas, das das Blut erstarren macht. Du verlangst eine wollüstige Vermischung mit dem Leichnam? Ich sprach von annehmen, du verlangst aber an mich reißen, an mich drücken, begatten? Du verlangst Schändung des Todes? Jener Prophet, sagst du, legte sich auf das Kind, und legte seinen Mund auf des Kindes Mund, und seine Augen auf dessen Augen, und seine Hände auf dessen Hände und breitete sich also über den Knaben, daß des Kindes Leib warm ward. Er aber stund wieder auf, und gieng im Haus einmal hieher und daher, und stieg hinauf, und breitete sich über ihn. Da schnaubte der Knabe siebenmal. Dann that der Knabe seine Augen auf. So soll dein Annehmen sein, so sollst du annehmen, nicht kühl, nicht überlegen, nicht ausgeklügelt, nicht unterwürfig, nicht als Selbstkasteiung, sondern mit Lust, eben mit dieser zweideutigen, unreinen Lust, die das Tiefere anzieht und vermöge ihrer Zweideutigkeit das Höhere verbindet, mit jener heilig-übeln Lust, von der du nicht weißt, ob sie Tugend oder Laster ist, mit jener Lust, die wollüstige Widerwärtigkeit, lüsterne Angst, geschlechtsunreife ist. Mit dieser Lust weckt man Tote auf. Dein Geringstes ist in einem todähnlichen Schlafe, und bedarf der Lebenswärme, die Böses und Gutes ununterschieden und ununterscheidbar enthält. Das ist der Weg des Lebens, du kannst ihn nicht böse und nicht gut, nicht rein und nicht unrein nennen. Dieß ist aber nicht Ziel, sondern Weg und Übergang, es ist auch Krankheit und Beginn der Gesundung. Es ist die Mutter aller Schandthaten und aller heilbringenden Symbole. Es ist urälteste Form des Schaffens, aller erster dunkler Drang, der im Verborgensten alle geheimen Schlupfwinkel und finstern Gänge mit der absichtslosen Gesetzmäßigkeit des Wassers durchfließt, und an unerwarteter Stelle aus lockerem Grunde, aus feinster Spalte aufquellend trockenes Erdreich befruchtet. Es ist der allererste, geheime Lehrmeister der Natur, der den Pflanzen und Thieren die erstaunlichen, die überschlauen Listen und Künste lehrte, welche unser Verstand kaum zu fassen weiß. Es ist der große Weise, der übermenschliches Wissen, der aller Wissenschaften größte hat, der aus Verworrenem Geordnetes schafft, und vorschauend aus der unfaßbaren Fülle Zukünftiges weissagt. Es ist das Schlangenhafte, Verderbliche und Segensreiche, das furchtbar und lächerlich Daemonische. Es ist der Pfeil, der immer die schwache Stelle trifft, die Springwurzel, die verschlossenen Schatzkammern öffnet. Du kannst es nicht klug und nicht dumm, nicht gut und nicht böse nennen, denn es ist durchaus unmenschlicher Natur. Es ist der Sohn der Erde, der Dunkle, den du aufwecken sollst. Er ist Mann und Weib zugleich und unreifen Geschlechts, reich an Deutung und Mißdeutung, so arm an Sinn und doch so reich. Dieß ist das Tote, das am lautesten schrie, das zuunterst stand und wartete, das am schwersten litt. Nicht Blut, noch Milch, noch Wein begehrte es zum Totenopfer, sondern die Willigkeit unseres Fleisches. Nicht achtete seine Sehnsucht der Qualen unseres Geistes, der sich mühte und marterte, zu ersinnen, was nicht zu ersinnen ist, der sich selber darob zerfleischte und als Opfer dahingab. Als unser Geist zerstückelt auf dem Altare lag, da erst hörte ich die Stimme des Sohnes der Erde, und da erst sah ich, daß er der große Leidende war, der der Erlösung bedurfte. Er ist der Erwählte, denn er war der Verworfenste. Es ist schlimm, dieß zu sagen, vielleicht höre ich schlecht, vielleicht verstehe ich falsch, was die Tiefe sagt. Es ist elend, solches zu sagen, und doch muß ich es sagen.

Die Tiefe schweigt. Er ist emporgestiegen und erblickt das Licht der Sonne und weilt unter den Lebenden. Unrast und Entzweiung stiegen mit ihm empor, Zweifel und die Fülle des Lebens. Amen, es ist vollendet. Wirklich ist, was unwirklich war, unwirklich, was wirklich war. Ich aber mag nicht, ich will nicht, ich kann nicht. Oh menschliche Erbärmlichkeit! Oh Unwilligkeit in uns! Oh Zweifel und Verzweiflung. Dieß ist wahrlich der Charfreitag, wo der Herr starb und in die Hölle hinunterstieg und das Geheime vollendete. Dieß ist der Charfreitag, da wir den Christus in uns vollenden und da wir selber zur Hölle hinuntersteigen. Dieß ist der Charfreitag, an dem wir klagen und weinen um der Vollendung des Christus willen, denn nach seiner Vollendung fahren wir zur Hölle. So mächtig war der Christus, daß sein Reich alle Welt bedeckte und außer sich nur die Hölle ließ. Wie gelang es, mit gutem Recht und reinem Gewissen und den Gesetzen der Liebe gehorchend, die Grenzen dieses Reiches zu überschreiten? Wo ist es unter den Lebenden, der Christus ist und im lebendigen Fleische zur Hölle fährt? Wo ist es, der das Reich des Christus um die Hölle erweitert? Wo ist es, der nüchtern voll Trunkenheit ist? Wo ist es, der aus dem Einssein hinabstieg ins Zweisein? Wo ist es, der sein eigenes Herz zerriß, um das Getrennte zu vereinigen? Ich bin es, der Namenlose, der sich selber nicht kennt, und dessen Name vor ihm selber verborgen ist. Ich habe keinen Namen, denn ich war noch gar nicht, sondern bin erst geworden. Ich bin mir ein Wiedergetaufter, der mir fremd ist. Ich, der ich ich bin, bin es nicht. Ich aber, der ich vor mir und der ich nach mir sein werde, bin es wohl. Indem ich mich selber erniedrigte ich mich als einen andern. Indem ich mich selber annahm, theilte ich mich in zwei, und indem ich mich mit mir selber vereinigte, wurde ich zum kleineren Theil meiner selbst. Dieß bin ich in meinem Bewußtsein. Jedoch bin ich so in meinem Bewußtsein, als ob ich auch davon geschieden wäre. Ich bin

der verfluchte drache hat die sonne gefressen / der bauch wird ihm aufgeschnitten und nun muss er das sonnengold hergeben / samt seinem bluth. diess ist die umkehr atmavictus / des alten. der herr / der die wuchernde grüne hülle zerstörte / ist der jüngling / der mir half / Siegfried zu töten.

nicht in meinem zweiten und größeren, als ob ich dieser zweite oder größere selber wäre, sondern ich bin stets in meinem gewöhnlichen Bewußtsein, der dermaßen davon geschieden und unterschieden, als ob ich in meinem zweiten und größeren wäre, ohne es aber dem Bewußtsein nach wirklich zu sein. Ich bin sogar kleiner und ärmer geworden, aber gerade wegen meiner Kleinheit kann ich mir der Nähe der Größe bewußt sein.

Ich bin getauft mit unreinem Wasser zur Wiedergeburt. Eine Flamme vom Feuer der Hölle wartete meiner über dem Becken der Taufe. Mit Unreinheit habe ich mich gebadet und mit Schmutz habe ich mich gereinigt. Ich nahm ihn auf, ich nahm ihn an, den göttlichen Bruder, den Sohn der Erde, den zwiegeschlechtigen und unreifen und über Nacht ist er mannbar geworden: zwei Schneidezähne sind ihm ausgebrochen und junger Bartflaum bedeckt sein Kinn. Ich fieng ihn ein, ich überwand ihn, ich umschlang ihn. Er forderte viel von mir und brachte doch alles mit, denn reich ist er, ihm gehört die Erde. Sein schwarzes Pferd aber ist von ihm geschieden.

Wahrlich, einen stolzen Feind hab ich mir erlegt, einen größeren und stärkeren hab ich mir zum Freunde gezwungen. Nichts soll mich von ihm, dem Dunkeln, trennen. Will ich von ihm gehen, so folgt er mir, wie mein Schatten. Wenn ich nicht an ihn denke, so ist er mir doch unheimlich nahe. Er wird zur Angst, wenn ich ihn verleugne. Ich muß viel seiner gedenken, ich muß Opferspeise für ihn hinlegen. Ich fülle einen Teller für ihn auf meinem Tische. Vieles, was ich früher an Menschen gethan hätte, muß ich jetzt für ihn thun. Darum halten sie mich für selbstisch, denn sie wissen nicht, daß ich mit meinem Freunde gehe, und daß viele Tage ihm geweiht sind. Aber Unruhe ist eingezogen, leises unterirdisches Beben, ein fernes großes Rauschen. Wege sind eröffnet zum Uralten und zum Zukünftigen. Wunder sind nahe und grausame Geheimnisse. Ich fühle die Dinge, die waren und sein werden. Hinter den gewöhnlichen klaffen die ewigen Abgründe. Mir giebt die Erde wieder, was sie barg.

xi. mcmxix.

dieser stein/ der köstlich gefaßt
ist/ ist sicherlich der lapis philosophorum.
er ist härter/ als der demant. aber er erstreckt sich im
raume von vier eigenschaften/ nämlich der breite/ höhe/ tiefe/ und der zeit.
er ist darum unsichtbar und du kannst durch ihn hindurch gehen/ ohne es zu merken. aus dem stein fließen die vier aquariusströme.
dies ist das unverwesliche korn/ das zwischen vater und mutter gelegt ist und das verhindert/ daß die spitzen der beiden kegel sich
berühren/ die monade/ die das pleroma aufwiegt.

4 Dec. MCMXIX.

dieß is die hintere seite d. kleinods. wo im steine is / hat dies schatt. dieß is atmavictu / d. alte / nach d. er sich aus d. schöpfg z'rückgezog hat. er kehrte z'rück in die endlose geschichte / allwo er sein anfang genom. er wurde wiederum z' stein u. rest / nach d. er seine schöpfg vollendet hatte. in izdubar hat er d. mensch überwachs u. aus ihm ΦΙΛΗΜΩΝ u. KA befreit. ΦΙΛΗΜΩΝ gab d. stein / KA das O.

iv jan. mcmxx.

dieß ist d. hl. wassergießer. aus d. blum/ die d. leibe d. drach entsprieß/ wachs die Kabir. v. ist d. tempel.

Die drei Prophezeiungen · cap. XVIII ·

Wunderliche dinge kamen nahe. ich rief meine seele und bat sie / hinunterzutauchen in das flutende / dessen fernes rauschen ich vernommen hatte. dies geschah am 22 jan. des jahres 1914 / wie in meinem schwarzen buche aufgezeichnet steht. da tauchte sie hinab / pfeilschnell / in das dunkle und aus der tiefe rief sie herauf: willst du annehmen / was ich bringe?

I: ich will annehmen / was du giebst. nicht mir steht das recht zu / zu urtheilen oder zu verwerfen.

S: so höre: es giebt hier unten alte panzer / rüstzeuge unserer väter / von rost zerfressen / moderige lederriemen hängen daran / wurmstichige lanzenschäfte / verbogene speerspitzen / zerbrochene pfeile / verfaulte schilde / schädel / totenbeine von mann und ross / alte geschütze / steinschleudern / zerfallene brandfackeln / zerschmettertes sturmzeug / steinspitzen / steinkeulen / scharfe knochen / spitze zähne geschickt für pfeile / alles / was schlachten der vorzeit auf dem felde liegen liessen. willst du all das annehmen?

I: ich nehme es an. du weisst es besser / meine seele.

S: ich finde bemalte steine / geritzte knochen mit magischen zeichen / zaubersprüche auf lederlappen und bleiplättchen / schmutzige beutel mit zähnen / menschenhaar und fingernägeln gefüllt / zusammengebundene hölzer / schwarze kugeln / vermoderte thierhäute / allen aberglauben der finsteren vorzeit ausgeheckt. willst du all dies?

I: ich nehme alles an / wie soll ich etwas von mir weisen?

S: ich finde aber schlimmeres / brudermord / feigen totschlag / tortur / kinderopfer / ausrottung ganzer völker / brand / verrath / krieg / empörung / willst du auch das?

I: auch das / wenn es sein muss / wie kann ich urtheilen?

S: ich finde seuchen / naturkatastrophen / gesunkene schiffe / zerstörte städte / furchtbare thierhafte wildheit / hungersnoth / lieblosigkeit der menschen und angst / ganze berge von angst.

I: es soll so sein / weil du es giebst.

S: ich finde die schätze aller vergangenen culturen / herrliche götterbilder / weite tempel / malereien / papyrusrollen / pergamentblätter mit den schriftzeichen vergangener sprachen / bücher voll verschollener weisheit / lieder und gesänge alter priester / die geschichten / welche durch tausend generationen erzählt wurden.

I: das ist eine welt / deren umfang vermag ich nicht zu fassen. wie kann ich annehmen?

S: du wolltest doch alles annehmen? du kennst deine grenzen nicht. kannst du dich nicht beschränken?

I: ich muss mich beschränken. wer vermöchte diesen reichthum je zu fassen?

S: sei bescheiden und baue deinen garten mit genügsamkeit.

I: ich will es thun. ich sehe / dass es sich nicht lohnt / ein grösseres stück des unermesslichen zu erobern / statt eines kleineren. ein kleiner garten gut gepflegt ist besser als ein grosser garten schlecht gepflegt. angesichts des unermesslichen sind beide gärten gleich klein / aber ungleich gepflegt.

S: nimm eine schere und beschneide deine bäume.

Aus dem flutenden dunkel / das der sohn der erde herangeführt hatte / gab mir die seele alte dinge / die das zukünftige deuten. drei dinge gab sie: den jammer des krieges / die finsterniss der zauberei / das geschenk der religion. wenn du klug bist / dann verstehst du / dass diese drei dinge zusammengehören. diese drei bedeuten die entfesselung des chaos und seiner kräfte / ebenso sind diese drei auch die bindung des chaos. der krieg ist offenbar und jedermann sieht ihn / die zauberei ist dunkel und niemand sieht sie. die religion ist noch nicht / wird aber offenbar werden. dachtest du / dass die schrecken eines solchen krieges greuels über uns kommen würden? dachtest du / dass es zauberei gäbe? dachtest du an eine neue religion? ich sass die langen nächte und schaute das kommende und mir schauderte. glaubt ihr mir? wenig kümmert es mich. was soll glauben / was soll unglauben? ich sah und mir schauderte. aber mein geist vermochte das ungeheuere nicht zu fassen / nicht auszudenken den umfang des kommenden. die kraft meiner sehnsucht ermattete und entkräftet sanken die erstrebenden hände. ich fühlte die last der ungeheueren arbeit der kommenden zeit. ich sah / wo und wie / aber kein wort vermag es zu fassen / kein wille kann es bezwingen. ich konnte nicht anders / ich liess es wieder zur tiefe sinken. ich kann es dir nicht geben / ich kann nur vom wege des kommenden reden. wenig gutes wird von aussen an euch kommen. was euch zukommt / liegt in euch. aber was liegt dort! ich möchte meine augen abwenden / meine ohren verschliessen und alle meine sinne verleugnen / ich möchte einer sein unter euch / der von nichts weiss / und nie etwas sah. es ist zu viel und zu unerwartet. aber ich sah es und mein gedächtniss lässt nicht von mir. meine sehnsucht aber / die sich nach der zukünftigen strecken möchte / beschneide ich / und ich kehre zurück zu meinem kleinen garten / der mir gegenwärtig blüht / und dessen umfang ich ermessen kann. er soll gepflegt sein. die zukunft ist den zukünftigen zu lassen. ich kehre zurück in das kleine und wirkliche / denn dies ist der grosse weg / der weg des kommenden. ich kehre zurück zu meiner einfachen wirklichkeit / zu meinem unleugbaren kleinsten sein. und ich nehme ein messer und halte gericht / über all das / das wuchs ohne mass und ziel. wahrlich wälder sind um mich gewachsen / schlingende pflanzen klettern an mir empor / und ich bin ganz zugedeckt vom endlos wuchernden. die tiefe ist unerschöpflich / sie giebt alles. alles ist so gut wie nichts. behalte ein weniges und du hast etwas. dem ehrgeiz und deiner gier zu erkennen und zu wissen / deine sucht

zu sammeln, zu säen, zu bauen, zu umfassen, dienstbar zu machen, zu beeinflussen, zu herrschen, einzuordnen, Bedeutung zu deuten, Bedeutung zu geben, ist maßlos. Es ist Wahnwitz, wie Alles, das über seine Grenzen hinausgeht. Wie kannst du halten, was du nicht bist? Du möchtest wohl das Alles, das du nicht bist, unter das Joch deines elenden Wissens und Erkennens zwängen? Bedenke, du kannst dich wissen, und damit weißt du genug. Du kannst aber nicht den Andern und all das Andere wissen. Hüte dich, über dich hinaus zu wissen, sonst erstickst du mit der Anmaaßung deines Wissens das Leben der Andern, das sich selber weiß. Ein Wissender möge sich selber wissen. Das ist seine Grenze. Mit schmerzhaftem Schnitt schneide ich ab, was ich über das außer mir zu wissen vorgab. Ich schneide mich heraus aus den listigen Schlingen der Bedeutungen, die ich dem Außer-mir gab. Und mein Messer schneidet noch tiefer und trennt mich ab von den Bedeutungen, die ich mir selber gab. Ich schneide hinunter bis ins Mark, bis alles Bedeutungsvolle von mir abfällt, bis ich nicht mehr, als das ich mir erscheinen könnte, bis ich nur noch weiß, daß ich bin, ohne zu wissen, was ich bin. Ich will arm und bloß sein, ich will nackt stehen vor dem Unerbittlichen. Ich will mein Körper sein und seine Dürftigkeit. Ich will von der Erde sein und ihr Gesetz leben. Ich will mein Menschenthier sein und alle seine Schrecken und Lüste annehmen. Ich will durch den Jammer und die Seligkeit dessen gehen, der mit armem, unbewehrtem Körper auf besonnter Erde stand, allein, eine Beute seiner Triebe und der lauernden wilden Thiere, dessen, der von Gespenstern geschreckt war und von fernen Göttern träumte, dessen, dem das Nahe gehörte und dem das Ferne feindlich war, dessen, der aus Steinen Feuer schlug, und dem unerkennbare Mächte die Herden raubten und die Saat seiner Felder zerstörten, dessen, der nicht wußte und nicht erkannte, sondern nach Nächstem lebte, und dem das Fernste aus Gnade zufiel. Ein Kind war er und unsicher, der voll Schrecken, schwach und der theilhaft unerhörter Kraft. Als sein Gott nicht half, nahm er einen andern. Und als auch dieser nicht half, züchtigte er ihn. Und siehe da: ein andermal halfen die Götter. Also werfe ich weg all das Bedeutungsschwere, all das Göttliche und Teuflische, mit dem mich das Chaos belud. Wahrlich, nicht an mir liegt es, die Götter und die Teufel und die chaotischen Monstren zu beweisen, sie sorgsam aufzufüttern, sie behutsam mit mir zu schleppen, sie zu zählen und zu benennen, und sie mit Glauben vor Unglauben und Anzweiflung zu schützen. Ein freier Mann kennt nur freie Götter und Teufel, die aus sich selber bestehen und aus eigener Kraft wirken. Wirken sie nicht, so ist das ihre Sache, und ich kann mich dieser Bürde entledigen. Wirken sie aber, so bedürfen sie der ~~…~~ weder meines Schutzes noch meiner Fürsorge noch meines Glaubens. Also magst du ruhig warten, ob sie wirken. Wenn sie aber wirken, dann sei klug, denn der Tiger ist stärker als du. Du sollst Alles von dir legen können, sonst bist du ein Sklave, selbst wenn du der Sklave eines Gottes bist. Das Leben ist frei und wählt seine Wege. Es ist beschränkt genug, darum häufe keine Schranken. Also schnitt ich alles Beschränkende weg. Hier stand ich und dort lag die räthselvolle Vielgestalt der Welt.

Und ein Grauen beschlich mich. Bin ich nicht das Engbegrenzte? Ist die Welt dort nicht das Unbegrenzte? Und meine Schwäche wurde mir bewußt. Was wäre Armuth, Blöße, Unbewehrtheit ohne das Bewußtsein der Schwäche und ohne das Grauen der Ohnmacht? Also stand ich und mir graute. Da flüsterte meine Seele zu mir:

Die Gabe der Magie · cap · xix ·

Hörst du nicht etwas? I: Mir ist nichts bewußt, was soll ich hören? S: Ein Läuten. I: Ein Läuten? Wovon? Ich höre nichts. S: So höre besser. I: Vielleicht im linken Ohr. Was soll's bedeuten? S: Unglück. I: Ich nehme an, was du sagst. Ich will Glück und Unglück empfangen. S: So halte deine Hände ausgebreitet empor und empfange, was dir zukommt. I: Was ist es? Ein Stab? Eine schwarze Schlange? Ein schwarzer Stab, geformt wie eine Schlange, zwei Perlen als Augen, ein Goldreif um den Hals. Ist es nicht wie ein Zauberstab? S: Es ist ein Zauberstab. I: Was soll mir Magie? Ist der Zauberstab ein Unglück? Ist Magie ein Unglück? S: Ja, für die, die sie besitzen. I: Es klingt wie alte Sage – wie wunderlich bist du, meine Seele! Was soll mir Magie? S: Magie soll dir viel. I: Ich fürchte, du weckest meine Begehrlichkeit und mein Mißverstehen. Du weißt, der Mensch hört nicht auf, nach der schwarzen Kunst zu gieren und nach den Dingen, die ihn keine Arbeit kosten. S: Magie ist nicht leicht und sie kostet Opfer. I: Kostet sie das Opfer der Liebe? Der Menschlichkeit? Dann nimm den Stab zurück. S: Sei nicht voreilig. Magie verlangt nicht diese Opfer. Sie verlangt ein anderes Opfer. I: Was ist das Opfer? S: Das Opfer, das Magie verlangt, ist Trost. I: Trost? Verstehe ich recht? Es ist unsäglich schwer, dich zu verstehen. Sprich, was heißt das? S: Trost ist zu opfern. I: Wie meinst du? Soll der Trost, den ich gebe, oder der, den ich empfange, geopfert werden? S: Beides. I: Ich bin verwirrt. Es ist zu dunkel. S: Um des schwarzen Stabes willen hast du den Trost zu opfern, den Trost, den du giebst, und den, den du empfängst. I: Soll ich auch den Trost von denen, die ich liebe, nicht empfangen dürfen? Und ich soll denen, die ich liebe, keinen Trost geben? Das bedeutet den Verlust eines Stückes Menschlichkeit, und an seine Stelle tritt das, was man Härte gegen sich selber und gegen Andere nennt. S: So ist es. I: Erfordert der Stab dieses Opfer? S: Er verlangt dieses Opfer. I: Kann ich, darf ich dieses Opfer bringen um des Stabes willen? Muß ich den Stab annehmen? S: Willst du oder willst du nicht? I: Ich kann es nicht sagen. Was weiß ich vom schwarzen Stab? Wer giebt ihn mir? S: Das Dunkel, das vor dir liegt. Er ist das nächste Ding, das zu dir kommt. Willst du ihn annehmen und ihm dein Opfer anbieten? I: Es ist hart, dem Dunkeln, der blinden Finsterniß zu opfern, und welch ein Opfer! S: Die Natur, tröstet Natur? Empfängt sie Trost? I: Du wagst ein schweres Wort. Welche Einsamkeit forderst du von mir? S: Das ist dein Unglück und die Macht des schwarzen Stabes. I: Wie düster, ahnungsreich du sprichst! Umschließest du mich mit dem Panzer

amor triumphat.

dies' bild wurde beendet am 9 janvar 1921/ nachd~ es an die 9 monate unvollendet gewartet hatte. es drückt / i' weiß nicht / was für eine trauer aus / ein vierfach' opf°. i' konte mi' beinahe nicht entschließ~ / es zu beendig~. es is das unerbittliche rad d° vier function~ / das opf° erfüllte wesen all' lebendig~.

eisiger härte? umklammerst du mein herz mit ehernen schalen? ich fürchte mich der lebenswärme. soll ich sie missen? um der magie willen? was ist magie? S: du kennst magie nicht. also verurtheile nicht. weswegen sträubst du dich? I: magie! was soll magie? ich glaube nicht daran / kann nicht daran glauben. mir sinkt das herz – und der magie soll ich ein grösstes stück menschlichkeit opfern? S: ich rathe dir gut. sträube dich nicht / und vor allem benimm dich nicht so aufgeklärt / wie wenn du nicht im tiefsten der an magie glaubtest. I: du bist unerbittlich. aber ich kann nicht an magie glauben / oder ich habe eine ganz unrichtige idee davon. S: das letztere läßt sich hören. laß nur einmal deine blinden vorurtheile und kritischen gesten / sonst wirst du ewig nichts verstehen. willst du noch viele jahre mit warten vergeuden? I: habe geduld / meine wissenschaft ist noch nicht überwunden. S: hohe zeit / daß du sie überwindest! I: du verlangst viel / fast zu viel. schließlich – ist wissenschaft unentbehrlich zum leben? ist wissenschaft leben? es giebt menschen / die ohne wissenschaft leben. aber überwindung der wissenschaft um der magie willen? das ist unheimlich und bedrohlich. S: hast du angst? da willst das leben nicht wagen? legt nicht das leben dir dieses problem vor? I: das läßt mich alles so dumpf und verwirrt. hast du nicht ein wort des lichtes für mich? S: oh / du verlangst trost: willst du den stab oder willst du ihn nicht? I: du zerreißest mein herz. ich will mich dem leben unterwerfen. aber / wie schwer ist es! ich will den schwarzen stab / weil es das erste ding ist / das mir das dunkel giebt. ich weiß nicht / was dieser stab bedeutet / noch was er giebt / ich fühle nur / was er nimmt. ich will niederknien und dieses boten des dunkeln empfangen. ich habe den schwarzen stab empfangen / ich halte ihn / den räthselvollen / in meiner hand / er ist kalt und schwer / wie eisen. die perlenaugen der schlange blicken mich blind und schillernd an. was sollst du / geheimnißvolles geschenk? alle dunkelheit aller vorwelt drängt sich in dir zusammen / du hartester / schwarzer stahl! bist du zeit und schicksal? essenz der natur / hart und ewig trostlos / aber summe aller geheimen schöpfkraft? uralte zauberworte scheinen von dir auszugehen / geheime wirkung webt um dich / welche mächtige künste schlummern in dir? mit unerträglicher spannung durchdringst du mich / welche fratzen sollen dir entkriechen? welch furchtbares geheimniß wirst du schaffen? wirst du unwetter / sturm / kälte / blitzschlag bringen oder wirst du die felder fruchtbar machen und den leib der schwangeren segnen? was ist das zeichen deines seins? oder bedarfst du dessen nicht / du sohn des finstern schoßes? genügst du dich des nebelhaften dunkels / dessen concretion und crystall du bist? wo in meiner seele berge ich dich? in meinem herzen? wehe / soll mein herz dein schrein / dein allerheiligstes sein? so weihe dir deine stätte. ich habe dich angenommen. welch schwere spannung du mit dir bringst! springt der bogen meiner nerven nicht? ich habe dem boten der nacht herberge gegeben. S: mächtigster zauber wohnt in ihm. I: ich fühle es und kann es doch nicht beschreiben / welch schauervolle stärke ihm gegeben ist. ich wollte lachen / weil so vieles sich in lachen wendet / und weil so vieles nur darin seine lösung findet. das lachen erstirbt mir aber. der zauber des stabes ist fest wie eisen und kalt wie der tod. vergieb mir / meine seele / ich will nicht ungeduldig sein / aber mir scheint / als müsse etwas geschehen / was diese unerträgliche spannung / die mir der stab gebracht hat / durchbricht. S: warte / halte augen und ohren offen. I: mir schaudert / und ich weiß nicht / warum. S: man schaudert bisweilen vor dem größten. I: ich beuge mich / meine seele / vor unbekannten gewalten / ich möchte jedem unbekannten gott einen altar weihen. ich muß mich fügen. das schwarze eisen in meinem herzen giebt mir geheime kraft. es ist wie trotz und wie – verachtung der menschen.

Oh finstere that / schändung / mord! gebäre / abgrund / das heillose. wo ist unser heiland? wer führer? wo sind wege durch schwarze wüsten? gott / verlasse uns nicht! was rufst du gott? hebe deine hände empor zum dunkel über dir / bete / verzweifle / ringe die hände / kniee / drücke deine stirne in den staub / schreie / aber nenne ihn nicht / schaue nicht zu ihm. laß ihn ohne namen und form. was soll der formlosen form? den namenlosen namen? tritt auf den großen weg und erfasse nächstes. schaue nicht aus / wolle nicht / aber halte die hände empor. voll räthsel sind die geschenke des dunkels. wer an räthseln weitergehen kann / dem ist ein weg geöffnet. unterwirf dich den räthseln und den durchaus unbegreiflichen. es sind schwindelnde

brücken über ewigkeitstiefen abgründen. aber folge den rätseln. ertrage sie / die furchtbaren. noch ist es dunkel / noch immer wächst das grausame. versunken / verschluckt in die ströme zeugenden lebens nähern wir uns den übermächtigen / unmenschlichen gewalten / die geschäftig am werke sind / die kommenden zeiten zu schaffen. wieviel zukünftiges birgt die tiefe! werden nicht in ihr die fäden über jahrtausende gesponnen? hüte die rätsel / trage sie in deinem herzen / wärme sie / gehe mit ihnen schwanger. so trägst du zukunft. unerträglich ist die spannung des zukünftigen in uns. es muß durch enge spalten brechen / es muß neue wege erzwingen. du möchtest die last abwerfen / du möchtest dem unentrinnbaren entrinnen. weglaufen aber ist täuschung und umweg. schließe die augen / damit du das mannigfaltige / das äußerliche vielfache / das wegreißende und verlockende nicht siehst. es giebt nur einen weg / und das ist dein weg / nur eine erlösung / und das ist deine erlösung. was blickst du hilfesuchend herum? glaubst du / es komme hilfe von außen? das kommende wird in dir und aus dir geschafft. darum blicke in dich selbst. vergleiche nicht / messe nicht. kein anderer weg ist dem deinen gleich. alle andern wege sind dir täuschung und verführung. du mußt den weg in dir vollenden. oh daß dir alle menschen und alle ihre wege fremd werden könnten! so könntest du sie aus dir wieder finden / und ihre wege erkennen. aber welche schwäche! welche verzweiflung! welche angst! du wirst es nicht ertragen / deinen weg zu gehen. du willst immer wenigstens einen fuß auf fremden wegen haben. damit dich die große einsamkeit nicht befalle! damit mutter trösterin immer um dich sei! damit man dich bestätige / anerkenne / betrauere / tröste / ermuthige! damit man dich hinüberreiße auf fremde pfade / wo du von dir selber abirrst / und wo du dich / erleichtert / weglegen kannst. als ob du nicht du selber wärest! wer soll deine thaten thun? wer soll deine tugenden und wer soll deine laster tragen? du kommst mit deinem leben nicht zu ende / und furchtbar werden dich die toten bedrängen / um deines nicht gelebten lebens willen. es muß alles / alles erfüllt werden. die zeit drängt / was willst du das eine zu berge häufen / und das andere verkommen lassen?

Groß ist die macht des weges. in ihm wachsen himmel und hölle zusammen / die kräfte des untern und die kräfte des obern einen sich in ihm. magisch ist die natur des weges / magisch sind bitte und anrufung / magisch sind verwünschung und that / wenn sie auf dem großen wege geschehen. magie ist wirkung von mensch zu mensch / aber es nicht so / daß deine magische handlung deinen nächsten trifft / sondern sie trifft dich selber zuerst / und nur / wenn du ihr standhältst / geschieht eine unsichtbare wirkung von dir auf deinen nächsten. es ist mehr davon in der luft / als ich je dachte. jedoch / es ist nicht zu fassen. höre:

Das obere ist mächtig /
das untere ist mächtig /
zwiefache gewalt ist in einem.
nord komme herbei /
west schwiege drunten /
ost ströme herauf /
sued quelle über.

die zwischenwinde binden das gekreuzte /
die pole vereinen sich durch die zwischenpole.
stufen führen von oben nach unten.
kochende wasser brodeln in kesseln.
glühende asche umhüllt die gerundeten böden.
nacht sinkt blau und tief von oben /
erde steigt schwarz von unten.

ein einsamer kocht heilende tränke /
er spendet nach den vier winden.
er begrüsst die sterne und berührt die erde.
er hält leuchtendes in seinen händen.

blumen spriessen um ihn und eine neue frühlingswonne küsst alle seine glieder.
vögel fliegen herbei und das scheue gethier der wälder schaut nach ihm.
ferne ist er den menschen und doch geht der faden ihres schicksals durch seine hand.
eure fürbitte gelte ihm / dass sein trank reife und stark werde und heilung bringe den tiefsten wunden.
um euretwillen ist er einsam und wartet allein zwischen himmel und erde / auf dass erde zu ihm hinauf und himmel zu ihm hinunter steige.
noch sind alle völker ferne und stehen hinter der wand der dunkelheit.
ich aber höre seine worte / die aus fernen zu mir dringen.
er hat sich einen schlechten schreiber erkoren / einen schwerhörigen / der auch stottert / wenn er schreibt.
ich kenne ihn nicht / den einsamen. was spricht er? er spricht: angst leide ich und noth um der menschen willen.
ich grub alle runen aus und zaubersprüche / denn die worte erreichen die menschen nimmer: die worte sind zu schatten geworden.
darum nahm ich alle zaubergeräthe und kochte heisse tränke und mischte geheimes darein und uralt kräftiges / dinge / die auch der klügste nicht errathet.
ich kochte die wurzeln aller menschlichen gedanken und thaten.
in vielen sternhellen nächten wartete ich des kessels. unendlich langsam gährt der trank. ich bedarf eurer fürbitte /
eures knieens / eurer verzweiflung und eurer geduld. ich bedarf eurer letzten und höchsten sehnsucht / eures reinsten wollens /
eurer demüthigsten unterwerfung.
Einsamer / auf was wartest du? welche hilfe erharrst du?
es ist keiner / der dir beispringen könnte / denn alle sehen nach dir und harren deiner heilenden kunst.
wir sind alle ganz unvermögend und noch mehr der hilfe bedürftig wie du. gewähre du uns hilfe / damit
wir dir hilfe zurückgeben.
Der einsame spricht: wird mir keiner beistehen in dieser noth?
soll ich mein werk lassen / um euch zu helfen / damit ihr mir wieder helfen könnt?
wie aber soll ich euch helfen / wenn mein trank nicht reif und stark wird? er hätte euch helfen sollen. was erhofft ihr von mir?
Komme zu uns / was stehst du und kochst wunderliches? was sollen uns deine heil- und zaubertränke? glaubst du an heiltränke? siehe
das leben an / wie sehr bedarf es deiner!

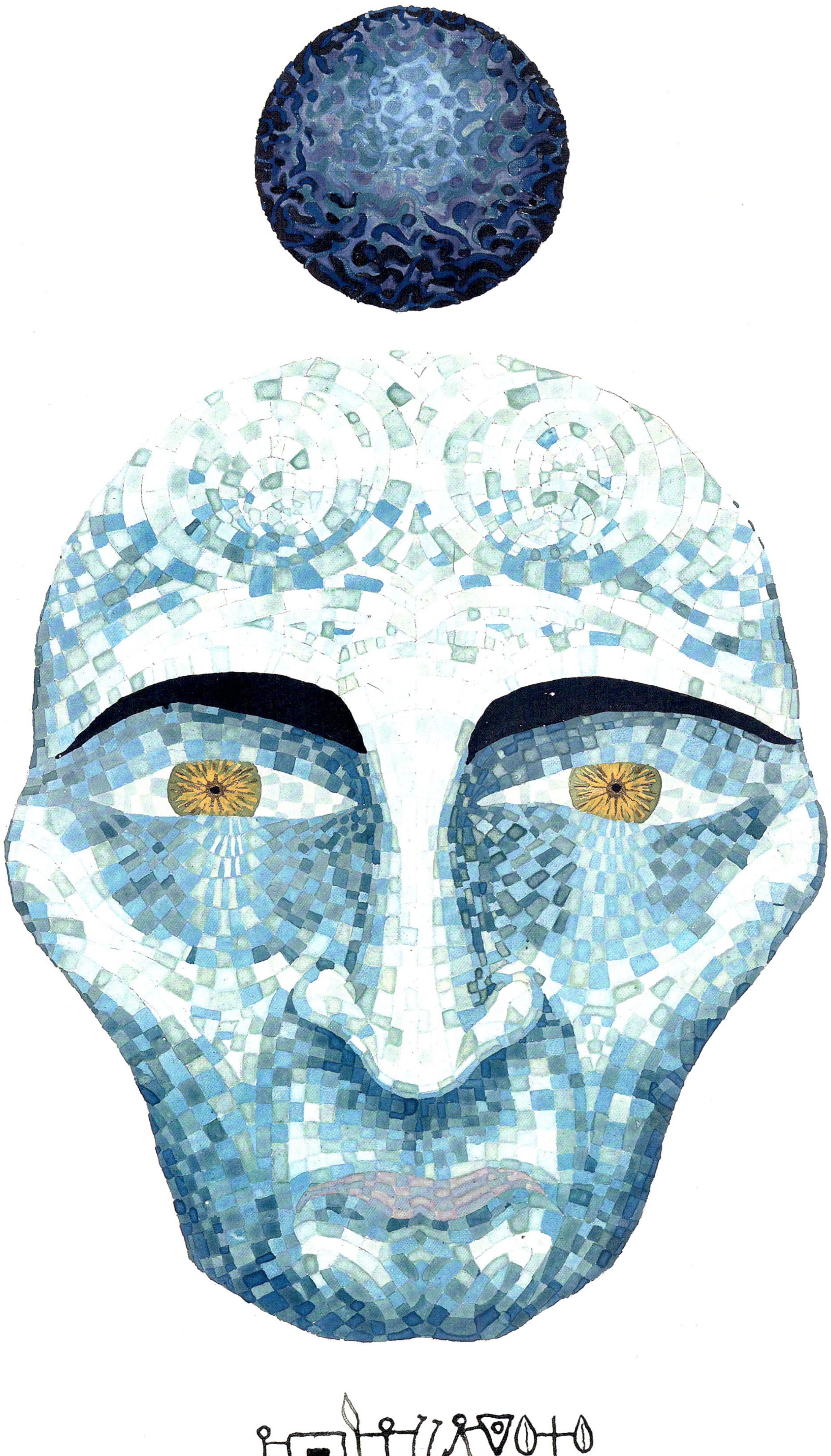

Der einsame spricht: noch/ könnt ihr nicht eine stunde mit mir wachen/ bis das schwere und langdauernde vollends gelungen und der saft reif geworden?

noch ein kleines und die gährung ist vollendet. warum könnt ihr nicht warten? warum soll eure ungeduld höchstes werk zu nichte machen?

Was ist höchstes werk? wir leben nicht/ kälte und erstarrung hat uns ergriffen. dein werk/ einsamer/ wird sich in aeonen nicht vollenden/ auch wenn es tag um tag weiter schreitet.

endlos ist das werk der erlösung. warum willst du das ende dieses werkes abwarten? und wenn dein erwarten dir für ungemessene zeit versteinerte/ du könntest das ende nicht erdauern. und wenn deine erlösung zu ihrem ende käme/ so müsstest du wieder um von deiner erlösung erlöst werden.

Der einsame spricht: welch bewegliche klage dringt an mein ohr! was für ein gewinsel! was seid ihr läppische zweifler/ ungebärdige kinder! harret aus/ noch diese nacht soll es vollendet sein.

Wir warten keine nacht mehr/ genug des harrens. bist du ein gott/ dass tausend nächte vor dir wie eine nacht sind? diese eine nacht noch wäre uns/ die wir menschen sind/ wie tausend nächte. lass ab vom werke der erlösung/ und schon sind wir erlöst. wie lange willst du uns erlösen?

Der einsame spricht: peinliches menschenvolk/ du närrischer bastard von gott und vieh/ ein stück deines werthvollen fleisches fehlt wohl noch dem gemische meines kessels. ich bin wohl dein werthvollstes bratenstück? lohnt es sich/ dass ich mich für euch sieden lasse? einer liess sich für euch ans kreuz nageln. an ihm war es fürwahr genug. er versperrt mir den weg. darum gehe ich nicht auf seinem weg/ ich bereite euch keinen heilsaft/ keinen unsterblichen bluttrank lasse ich euch/ sondern ich lasse trank und kessel und geheimes wirken um euretwillen/ denn ihr könnt die fülle nicht erwarten und nicht erdauern. ich werfe eure fürbitte/ euer kniebeugen/ eure anrufungen hin. ihr mögt euch selbst erlösen von eurer unerlöstheit und erlöstheit. euer werth stieg hoch genug dadurch/ dass einer für euch starb. beweist jetzt euren werth dadurch/ dass jeder für sich lebt. mein gott/ wie schwer ist es/ um der menschen willen ein werk unvollendet zu lassen! aber um der menschen willen verzichte ich darauf/ ein erlöser zu sein. nun hat mein trank seine gährung vollendet. nicht ich mischte mich selber dem tranke bei/ sondern ein stück menschheit schnitt ich ab/ und siehe/ es klärte der trübschäumenden trank.

29 nov. 1922

Wie süss/ wie bitter schmeckt er!
das untere ist schwarz/
das obere ist schwarz/

Zwiefach wurde die gestalt des einen.
nord hebe dich weg/
west entferne dich zu deinem ort/

Ost breite dich hin/
süd lege dich.
die zwischenwinde lösen das gekreuzte.

beendet am
25 Novembris
1922.
aus muspilli komt
das feuer u. erfaßt
d. lebensbaum.
ein Kreislauf is
vollendet / aber es is
der Kreislauf im weltei. ein
fremder gott / der nicht z' benennen=
de gott des einsam. / bebrütet es.
neue lebewes. formen sich aus rau. u.
asche.

die fernen pole sind getrennt durch die zwischenpole.
die stufen sind weite wege/geduldige straßen.
der brodelnde keßel wird kalt.
die asche wird grau unten seinem boden.
die nacht überzieht den himmel und weit nach
unten liegt die schwarze erde.
der tag kommt herauf und die ferne sonne über den wolken.
kein einsamer kocht heilende tränke.
die vier winde wehen und lachen seiner spende.
und er spottet der vier winde.
er hat die sterne gesehen und die erde berührt.
darum umschließt seine hand leuchtendes
und sein schatten ist bis zum himmel gewachsen.

Unerklärliches findet statt. gerne möchte du dich selber verlassen und zu jenem vielfachen möglichen überlaufen. gerne möchtest du jeden frevel wagen/um das geheimniß des wechselvollen für dich zu rauben. aber ohne ende ist die straße.

Der weg des kreuzes. cap. xx.

25 Febr. 1923. die verwandlung der schwarzen in die weiße magie.

Ich sah die schwarze schlange/wie sie sich am holze des kreuzes emporwand. sie kroch in den körper des gekreuzigten und trat verwandelt aus seinem munde wieder hervor. sie war weiß geworden. sie schlang sich um das haupt des toten wie ein diadem/und ein licht erstrahlte über dem haupte/und im osten erhob sich strahlend die sonne. ich stand und schaute und war verwirrt und schwere last drückte meine seele. der weiße vogel aber/der mir auf der schulter saß/sprach zu mir: laße regnen/laße den wind rauschen/laße die waßer fließen und das feuer flammen. laße jegliches sein wachsthum. laße dem werdenden seine zeit.

2. Wahrlich/der weg führt durch den gekreuzigten/das heißt durch den/dem es nicht zu wenig war/sein eigenes leben zu leben und der darum erhöht wurde zur herrlichkeit. nicht lehrte er wißbares und wißenswerthes/sondern er lebte es. es ist nicht zu sagen/wie groß die demuth deßen sein muß/der es auf sich nimmt/sein eigenes leben zu leben. kaum zu ermeßen ist die größe des ekels deßen/der in sein eigenes leben eintreten will. vor widerwille wird er krank. er erbricht sich ob sich selber. seine gedärme schmerzen ihn/und sein gehirn verfällt der ohnmacht. aber ersinnt er jede list/die ihm das entkommen ermöglicht/denn nichts ist zu vergleichen der qual des eigenen weges. unmöglich schwer scheint es zu sein/so schwer/daß es kaum etwas giebt/das man dieser qual nicht vorziehen möchte. es giebt nicht wenige/die sogar die menschen lieben aus furcht vor sich selber. ich glaube/es giebt auch solche/die ein verbrechen begehen/um einen gegengrund gegen sich selber zu finden. darum klammere ich mich an alles/das mir den weg zu mir selber versperrt.

3. Wer zu sich selber geht/steigt hinunter. dem großen propheten/der dieser zeit voranging/erschienen jämmerliche und lächerliche gestalten/und dieses waren die gestalten seines eigenen wesens. er nahm sie nicht an/sondern warf sie andern vor. endlich aber sah er sich gezwungen/ein abendmahl mit seiner eigenen ärmlichkeit zu feiern und jene gestalten seines eigenen wesens anzunehmen aus mitleid/welches eben jenes annehmen des geringsten in uns ist. da aber empörte sich der löwe seiner macht und scheuchte das verlorene und wiedergebrachte in das dunkel der tiefe zurück. und als ein mächtiger wollte der mit dem großen namen sonnengleich aus dem schooße der berge hervorbrechen. was geschah ihm aber? sein weg führte ihn vor den gekreuzigten und er fieng an zu wüthen. er tobte gegen den mann des spottes und der schmerzen/weil die macht des eigenen wesens ihn zwang/eben diesen weg zu gehen/so wie es der christus uns zuvor that. er aber verkündete laut seine macht und größe. niemand spricht lauter von seiner macht als der/dem der boden unter den füßen schwindet. schließlich erreichte ihn das geringste in ihm/das unvermögen/und dieses kreuzigte seinen geist/also daß/wie er selber vorausgesagt/seine seele eher starb als sein körper.

4. Niemand steigt über sich selber empor/der nicht seine gefährlichste waffe gegen sich selber gewendet hat. einer/der über sich selber emporsteigen will/steige herunter und belade sich mit sich selber und schleppe sich selber zur opferstätte. aber was muß dem menschen alles geschehen/bis er einsieht/daß der äußere sichtbare erfolg/der sich mit

händen greifen läßt, ein abweg ist. welche leiden müßen über die menschheit gebracht werden, bis der mensch darauf verzichtet, seine machtgier am mitmenschen zu sättigen und es immer am andern zu wollen. wieviel blut muß noch fließen, bis dem menschen die augen aufgehen und er seinen eigenen weg sieht und seinen eigenen feind, und bis er seiner wahren erfolge gewahr wird. du sollst mit dir selber leben können, nicht auf kosten deines nachbarn. das herdenthier ist nicht der parasit und quälgeist seines bruders. mensch, du hast sogar vergeßen, daß du auch ein thier bist. du glaubst wohl immer noch, wo du nicht seiest, da sei es beßer. wehe dir, wenn dein nachbar auch so denkt. aber du kannst sicher sein, er denkt auch so. einer muß anfangen, nicht mehr kindisch zu sein.

5. Dein verlangen sättige sich an dir. keine kostbarere opferspeise kannst du deinem gott spenden, als dich selbst. deine gier verzehre dich, daran wird sie müde und still, und du wirst gut schlafen und die sonne eines jeden tages als geschenk betrachten. wenn du andere und anderes als dich verschlingst, so bleibt deine gier ewig unzufrieden, denn sie verlangt mehr, das köstlichste, sie verlangt dich. und so zwingst du dein begehren auf deinen eigenen weg. du magst andere bitten, sofern du des rathes und der hilfe bedarfst. fordern aber sollst du von niemand, begehren sollst du von niemand, erwarten sollst du von niemand, außer von dir selber. denn dein verlangen sättigt sich nur in dir selber. du fürchtest dich, in deinem eigenen feuer zu verbrennen. davon möge dich nichts abhalten, weder fremdes mitleid, noch das gefährlichere mitleid mit dir selbst. denn mit dir selber sollst du leben und sterben.

6. Wenn dich die flamme deiner gier verzehrt, und es bleibt nichts von dir übrig als asche, so war nichts an dir, das stand hielt. aber die flamme, in der du dich verzehrtest, hat viele erleuchtet. wenn du aber voll angst vor deinem feuer flüchtest, so versengst du deine mitmenschen, und die brennende qual deiner gier kann nicht verlöschen, solange du dich selber nicht begehrst.

7. Aus dem munde geht das wort, das zeichen und symbol. ist das wort ein zeichen, so bedeutet es nichts. ist das wort aber ein symbol, so bedeutet es alles. wenn der weg in den tod eintritt und wir umschloßen sind von verwesung und ekel, so steigt der weg im dunkel an und geht heraus aus dem munde als das erlösende symbol, das wort. es führt die sonne herauf, denn im symbol ist erlösung der gebundenen und mit dem dunkel ringenden menschenkraft. unsere freiheit liegt nicht außer uns, sondern in uns. man mag äußerlich gebunden sein, und doch wird man sich frei fühlen, weil man innere feßeln gesprengt hat. wohl kann man durch die starke that äußere freiheit erringen, jedoch die innere freiheit erschafft man nur durch das symbol.

8. Das symbol ist das wort, das aus dem munde herausgeht, das man nicht spricht, sondern das als ein wort der kraft und der noth aus der tiefe des selbst heraufsteigt und sich unerwartet auf die zunge legt. es ist ein erstaunliches und vielleicht unvernünftig erscheinendes wort, aber man erkennt es als das symbol daran, daß es dem bewußten geiste fremd ist. wenn man das symbol annimmt, so ist es so, wie wenn sich eine thüre öffnete, die in einen neuen raum führt, von deßen vorhandensein man vorher nichts wußte. wenn man aber das symbol nicht annimmt, dann ist es so, als ob man achtlos an dieser thüre vorbeiginge, und weil dieß die einzige thüre war, die zu den innern gemächern führt, so muß man wieder auf die straße und in alles äußere weitergehen. die seele aber leidet noth, denn äußere freiheit taugt ihr nicht. die erlösung ist eine lange straße, die durch viele thore führt. die thore sind die symbole. jedes neue thor ist zuerst unsichtbar, ja es ist, als ob es zuerst

geschaffen werden müßte / denn es ist immer erst da / wenn man die Springwurzel / das Symbol ausgegraben hat.

Um den Alraun zu finden / braucht man den schwarzen Hund / denn es ist so / daß Gutes und Böses sich immer zuerst vereinigen müßen / wenn das Symbol geschaffen werden soll. Das Symbol ist nicht zu erdenken und nicht zu erfinden: es wird. Sein Werden ist wie das Werden des Menschen im Mutterleibe. Wohl wird die Schwangerschaft bewirkt durch willkürliche Begattung. Das thut man durch willkürliche Aufmerksamkeit. Wenn aber die Tiefe empfangen hat / dann wächst das Symbol von selber / und wird geboren aus dem Kopfe / wie es einem Gotte geziemt. Gleich aber möchte die Mutter wie ein Ungeheuer sich auf das Kind stürzen und es wieder verschlingen. Am Morgen / wenn sich die neue Sonne erhebt / tritt das Wort aus meinem Munde / aber lieblos wird es gemordet / denn ich wußte nicht / daß es der Erlöser war. Das neugeborene Kind wächst schnell / wenn ich es annehme. Und bald ist es mein Wagenlenker geworden. Das Wort ist das Lenkende / der mittlere Weg / der leise schwankt / wie das Zünglein an der Wage. Das Wort ist der Gott / der jeden Morgen sich aus den Waßern erhebt / und den Völkern das lenkende Gesetz verkündet. Äußeres Gesetz / äußere Weisheit sind ewig ungenügend / denn es giebt nur ein Gesetz / nur eine Weisheit / nämlich mein tägliches Gesetz / meine tägliche Weisheit. In jeder Nacht erneuert sich der Gott.

Der Gott erscheint in vielerlei Gestalten / denn / wenn er hervortritt / so hat er etwas an sich von der Art der Nacht und des nächtlichen Gewäßers / in dem er schlummerte / und in dem er in der letzten Stunde der Nacht um seine Erneuerung rang. Seine Erscheinung ist darum zwiespältig und zweideutig / ja / sie ist sogar zerreißend für Herz und Verstand. Der Gott bei seinem Hervortreten ruft mich nach rechts und nach links / von beiden Seiten tönt mir sein Ruf. Der Gott aber will weder das eine noch das andere. Er will den Weg der Mitte. Die Mitte aber ist der Anfang der langen Bahn.

Diesen Anfang aber kann der Mensch nie sehen / er sieht immer nur das eine oder das andere / oder das eine und das andere / aber nie das / was das eine sowohl wie das andere in sich schließt. Der Punkt des Anfangs ist Stillstand des Verstandes und des Willens / ein Zustand des Hängens / der meine Empörung / meinen Trotz / und schließlich meine größte Furcht hervorruft. Denn ich sehe nichts mehr und kann nichts mehr wollen. So wenigstens erscheint es mir. Der Weg ist ein merkwürdiger Stillstand alles deßen / das früher Bewegung war / ein blindes Erwarten / ein zweifelndes Herumhorchen und Herumtasten. Man glaubt / zerspringen zu müßen. Aber aus eben dieser Spannung wird das Lösende geboren / und fast immer ist es da / wo man es nicht vermuthete.

Was aber ist das Lösende? Es ist immer ein Uraltes und eben deßhalb neu / denn ein längst Vergangenes / das heute wiederkommt in eine veränderte Welt / ist neu. Uraltes in eine + ein
Zeit hineingebären ist Schöpfung. Das ist Erschaffung des Neuen / und dieses erlöst mich. Erlösung ist Lösung der Aufgabe. Aufgabe ist / Altes in eine neue Zeit hineingebären. Die Seele der Menschheit ist wie das große Rad des Thierkreises / das auf dem Wege rollt. Alles / das in beständiger Bewegung von unten herauf zur Höhe kommt / war früher schon auf der Höhe. Es ist kein Theil am Rade / der nicht wiederkäme. Darum strömt wieder herauf / was je war / und was je war / wird wieder sein. Denn es sind alles Dinge / welche eingeborene Eigenschaften des menschlichen Wesens sind. Es gehört zum Wesen der Vorwärtsbewegung / daß Gewesenes wiederkehrt. Darüber kann sich nur ein Unwißender verwundern. Aber in der ewigen Wiederkehr des Gleichen liegt nicht der Sinn / sondern in der Art seiner Wiedererschaffung in der Zeit.

Der Sinn liegt in der Art und Richtung der Wiedererschaffung. Wie aber erschaffe ich mir den Wagenlenker? Oder möchte ich mein eigener Wagenlenker sein? Ich kann mich selber nur mit Willen und Absicht lenken. Wille und Absicht sind aber bloß Theile meiner selbst. Sie sind darum ungenügend mein Ganzes auszudrücken. Absicht ist / was ich absehen kann / und Wille ist ein vorausgesehenes Ziel wollen. Aber woher nehme ich das Ziel? Ich nehme es aus dem / was mir gegenwärtig bekannt ist. Also setze ich Gegenwart an Stelle der Zukunft. Auf diese weise kann ich die zukunft nicht erreichen / sondern ich erzeuge künstlich eine beständige gegenwart. alles / was diese gegenwart unterbrechen möchte / empfinde ich dann als störung und suche es wegzudrängen / damit meine absicht erhalten bleibt. so schließe ich den fortschritt des lebens aus. womit aber kann ich wegelenker sein / wenn nicht mit wille und absicht? darum begehrt ein weiser auch nicht wegelenker zu sein / denn er weiss / dass wille und absicht wohl ziele erreichen / aber das werden der zukunft stören. zukünftiges wird aus mir / ich schaffe es nicht / und doch schaffe ich es / aber nicht aus absicht und willen / sondern auch gegen absicht und willen. wenn ich die zukunft schaffen will / so arbeite ich gegen meine zukunft. und wenn ich sie nicht schaffen will / so nehme ich wiederum nicht genügenden antheil an der schaffung der zukunft / und alles geschieht dann nach unvermeidlichen gesetzen / denen ich zum opfer falle. um das schicksal zu zwingen / ersannen die alten die magie. sie gebrauchten sie / um äußeres schicksal zu bestimmen. wir brauchen sie / um inneres schicksal zu bestimmen / und den weg zu finden / den wir uns nicht erdenken können. ich dachte lange darüber nach / welcher art diese magie sein müsse. und schließlich fand ich nichts. wer es aus sich nicht finden kann / der soll in die lehre gehen / und also begab ich mich in ein fernes land / wo ein großer zauberer wohnt / von dessen ruf ich gehört hatte.

Der zauberer · cap. xxi ·

Nach langem suchen fand ich das kleine haus auf dem lande / vor dem ein blühendes tulpenbeet sich ausbreitet / und wo der zauberer ΦΙΛΗΜΩΝ und sein weib ΒΑΥΚΙϹ wohnen. ΦΙΛΗΜΩΝ ist ein zauberer / der es noch nicht vermocht hat / das alter zu bannen / der es aber würdig lebt / und seine frau kann nicht anders / als das gleiche thun. ihre lebensinteressen scheinen enge geworden zu sein / sogar kindlich. sie begießen ihr tulpenbeet / und erzählen sich von den blumen / die sich neu erschlossen haben. und ihre tage dämmern dahin in einem blassen / schwankenden helldunkel / durchleuchtet von den lichtern der vergangenheit / wenig erschreckt von dem dunkel des kommenden. warum ist ΦΙΛΗΜΩΝ ein zauberer? zaubert er sich unsterblichkeit / ein leben jenseits? er war wohl nur zauberer von berufswegen / nun scheint er pensionierter zauberer zu sein / der sich vom geschäft zurückgezogen hat. begehrlichkeit und schaffensdrang sind ihm erloschen und aus lauter unvermögen genießt er der wohlverdienten ruhe / wie jeder greis / der sonst nichts mehr kann / als tulpen pflanzen und sein gärtchen begießen. der zauberstab liegt im wandschrank samt dem sechsten und siebenten buch moses und der weisheit des ΕΡΜΗϹ ΤΡΙϹΜΕΓΙϹΤΟϹ. ΦΙΛΗΜΩΝ ist alt und etwas schwachsinnig geworden. gegen ein gutes geschenk in klingender münze oder für die küche murmelt er noch ein paar zaubersprüche zu gunsten des behexten viehs. aber es ist unsicher / ob es noch die richtigen sprüche sind / und er ihren sinn versteht. es ist auch klar / dass es gar nicht darauf ankommt / was er murmelt / viel=

leicht wird das Vieh auch von selber wieder gesund. Da geht der alte ΦΙΛΗΜΩΝ im Garten gebückt, die Gießkanne in zitternden Händen. ΒΑΥΚΙΣ steht am Küchenfenster und sieht ihm gleichmüthig stumpf zu. Sie hat dieses Bild schon tausende Male gesehen, jedes Mal etwas gebrechlicher, schwächlicher, jedes Mal hat sie es auch weniger gut gesehen, denn ihre Augenkraft nimmt allmählig ab.

Ich stehe an der Gartenthüre. Sie haben den Fremdling nicht bemerkt. „ΦΙΛΗΜΩΝ, alter Hexenmeister, wie geht es dir?" rufe ich ihn an. Er hört mich nicht, er scheint stocktaub zu sein. [ΒΑΥΚΙΣ steht am Küchenfenster und sieht ihm gleichmüthig stumpf zu.] Ich gehe ihm nach und fasse ihn am Ärmel. Er wendet sich um und begrüßt mich ungeschickt und zitternd. Er hat einen weißen Bart und dünne weiße Haare und ein faltiges Gesicht und an diesem Gesicht scheint etwas zu sein. Seine Augen sind grau und alt, und etwas in ihnen ist merkwürdig, man möchte sagen, lebendig. „Mir geht es gut, Fremder", sagt er, „aber was willst du bei mir?" I: Man sagte mir, du verstündest dich auf die schwarze Kunst. Ich interessiere mich dafür. Willst du mir davon erzählen? Φ: Was soll ich erzählen? Da giebt's nichts zu erzählen. I: Sei nicht unwirsch, Alter, ich möchte was lernen. Φ: Du bist gewiß gelehrter als ich. Was könnte ich dich lehren? I: Sei nicht geizig. Ich werde dir gewiß keine Concurrenz machen. Es nimmt mich nur Wunder, was du treibst und was du zauberst. Φ: Was willst du? Ich habe früher hie und da den Leuten geholfen gegen Krankheit und Schaden verschiedener Art. I: Wie machtest du das? Φ: Nun, ganz einfach, mit Sympathie. I: Dieses Wort, mein Alter, klingt komisch und doppelsinnig. Φ: Wieso? I: Es könnte heißen: du habest den Leuten durch persönliche Antheilnahme geholfen oder mit abergläubischen, sympathetischen Mitteln. Φ: Nun, es wird wohl beides gewesen sein. I: War das dein ganzer Zauber? Φ: Ich weiß noch mehr. I: Was ist es, rede. Φ: Das geht dich nichts an. Du bist frech und naseweis. I: Bitte, nimm mir meine Neugier nicht übel. Ich habe neulich etwas von Magie gehört, das hat mein Interesse für diese vergangene Kunst wachgerufen. Ich bin dann gleich zu dir gegangen, weil ich von dir hörte, du verstündest die schwarze Kunst. Wenn heutzutage an der Universität noch die Magie gelehrt würde, so hätte ich sie dort studiert. Aber es ist schon lange her, seitdem das letzte Colleg über die magischen Kräfte geschlossen worden ist. Heutzutage weiß kein Professor mehr etwas von Magie. Also sei nicht empfindlich und nicht geizig, sondern laß mich etwas von deiner Kunst vernehmen. Du wirst doch deine Geheimnisse nicht mit ins Grab nehmen wollen? Φ: Du lachst ja doch nur darüber. Warum soll ich dir denn etwas sagen? Besser, es wird mit mir alles begraben. Ein Späterer mag es wieder entdecken. Es geht ja der Menschheit nicht verloren, denn die Magie wird mit jedem Menschen neu geboren. I: Wie meinst du das? Glaubst du, daß die Magie dem Menschen wirklich angeboren sei? Φ: Ich möchte sagen: ja, natürlich. Aber du findest es lächerlich. I: Nein, dießmal lache ich nicht, denn ich habe mich schon oft genug darüber gewundert, daß alle Völker zu allen Zeiten und an allen Orten dieselben Zaubergebräuche haben. Ich habe selber schon Ähnliches gedacht wie du. Φ: Was hältst du von der Magie? I: Offen gesagt: nichts, oder sehr wenig. Es kommt mir vor, als sei die Magie eines der eingebildeten Hilfsmittel des der Natur gegenüber unterlegenen Menschen. Sonst kann ich keine faßbare Bedeutung in der Magie entdecken. Φ: Soviel wissen deine Professoren wahrscheinlich auch. I: Ja, aber was weißt du davon? Φ: Ich mag es nicht sagen. I: Thu nicht so geheimnißvoll, Alter, so muß ich ja annehmen, du wissest nicht mehr davon, wie ich. Φ: Nimm es an, wenn es dir gefällt. I: Nach dieser Antwort zu schließen, muß ich allerdings annehmen, daß du etwas mehr davon verstehst als die andern. Φ: Komischer Mensch, wie hartnäckig du bist! Es gefällt mir aber an dir, daß du dich durch deine Vernunft keineswegs abschrecken lassest. I: Das ist thatsächlich der Fall. Immer, wenn ich etwas lernen und verstehen will, lasse ich meine sogenannte Vernunft zu Hause und gebe der Sache, die ich erwerben will, den ihr nöthigen erwartenden Glauben. Ich habe das allmählig gelernt, denn ich sah im heutigen Betriebe der Wissenschaft zu viele abschreckende Beispiele des Gegentheils. Φ: Dann kannst du es noch weiter bringen. I: Ich hoffe es. Doch lass uns nicht abschweifen von der Magie. Φ: Warum bleibst du denn so hartnäckig bei deinem Vorsatz, von der Magie zu erfahren, wenn du behauptest, du hättest deine Vernunft zu Hause gelassen? Oder gehört bei dir die Consequenz nicht zur Vernunft? I: Das schon – ich sehe, oder vielmehr es scheint, als ob du ein ganz geriebener Sophist seiest, der mich geschickt ums Haus herum und wieder vor die Thür führt. Φ: Das scheint dir so, weil du alles vom Standpunkt deines Intellects aus beurtheilst. Wenn du deine Vernunft für eine Weile aufgeben willst, dann gieb auch deine Consequenz auf. I: Das ist eine schwierige Gesellenprobe. Aber wenn ich doch einmal Adept sein will, so soll auch das sein, damit die Forderung erfüllt sei. Ich höre dir zu. Φ: Was willst du hören? I: Du verlockst mich nicht. Ich warte bloss auf das, was du sagen wirst. Φ: Und wenn ich nichts sage? I: Dann – nun dann ziehe ich mich etwas betreten zurück und denke ΦΙΛΗΜΩΝ sei zum allermindesten ein schlauer Fuchs, von dem man etwas zu lernen hätte. Φ: Damit hast du, Knabe, etwas von Magie gelernt. I: Das muss ich zuerst verdauen. Es ist, offen gestanden, etwas überraschend. Ich habe mir die Magie anders vorgestellt. Φ: Daraus kannst du ersehen, wie wenig du von Magie verstehst und wie unrichtig deine Vorstellungen davon sind. I: Wenn dem so sein sollte, oder so ist, dann muss ich allerdings gestehen, dass ich das Problem gänzlich unrichtig angefasst habe. Es scheint demnach nicht auf dem Wege des gewöhnlichen Verstehens zu gehen. Φ: Das ist auch thatsächlich nicht der Weg der Magie. I: Du hast mich aber keineswegs davon abgeschreckt, im Gegentheil, ich brenne vor Begierde, noch mehr zu erfahren. Was ich bis jetzt davon weiss, ist wesentlich negativ. Φ: Damit hast du einen zweiten Hauptpunkt erkannt. Vor allen Dingen musst du wissen, dass Magie das Negativ von dem ist, was man wissen kann. I: Auch das, mein lieber ΦΙΛΗΜΩΝ, ist ein schwerverdauliches Stück, das mir nicht unerhebliche Beschwerden verursacht. Das Negativ von dem, was man wissen kann? Damit meinst du wohl, dass man es nicht wissen könne, oder? Da hört mein Begreifen auf. Φ: Das ist der dritte Punkt, den du als wesentlich dir anmerken musst: nämlich, dass du auch gar nichts zu begreifen hast. I: Nun, ich gestehe, das ist neu und sonderbar. Also ist an der Magie überhaupt nichts zu verstehen? Φ: Ganz richtig. Magie ist ausgerechnet alles das, was man nicht versteht. I: Aber wie, zum Teufel, soll man denn Magie lehren und lernen? Φ: Magie ist weder zu lehren noch zu lernen. Es ist albern, dass du Magie lernen wolltest. I: Dann ist die Magie überhaupt ein Schwindel. Φ: Vergiss dich nicht, du hast deine Vernunft wieder hervorgeholt. I: Es ist schwierig, vernunftlos zu sein. Φ: Genau so schwierig ist die Magie. I: Nun, dann ist es ein schweres Stück. Mir scheint demnach, dass es eine unerlässliche Bedingung für den Adepten ist, seine Vernunft gänzlich zu verlieren. Φ: Ich bedauere, aber es ist so. I: Oh Götter, das ist schlimm. Φ: Es ist nicht so schlimm, wie du denkst. Mit dem Alter nimmt die Vernunft von selber ab, denn sie ist ein nützliches Gegenstück der Triebe, die in der Jugend auch viel heftiger sind als im Alter. Hast du auch schon junge Zauberer gesehen? I: Nein, der Zauberer ist sogar sprichwörtlich alt. Φ: Siehst du, ich habe recht. I: Dann sind die Aussichten des Adepten aber schlecht. Er muss schon aufs Greisenalter warten, bis er die Geheimnisse der Magie erfahren kann. Φ: Wenn er seine Vernunft vorher aufgiebt, so kann er auch schon früher etwas Nützliches erfahren. I: Das scheint mir ein gefährliches Experiment zu sein. Die Vernunft kann man nicht so ohne weiteres aufgeben. Φ: Man kann auch nicht ohne weiteres ein magier werden. I: du hast verdammte schlingen. Φ: was willst du? das ist magie. I: alter teufel, du machst mich neidisch aufs vernunftlose greisenalter. Φ: sieh mal: ein junger, der ein greis sein möchte! und warum? er möchte die magie lernen und wagt es nicht um seiner jugend willen. I: du breitest ein heilloses netz aus, alter fallensteller. Φ: vielleicht wartest du noch einige jährchen mit der magie, bis deine haare grau geworden sind und deine vernunft von selber etwas nachgelassen hat. I: ich mag deinen spott nicht hören. ich bin dir dumm ins garn gelaufen. ich kann aus dir nicht klug werden. Φ: aber vielleicht dumm, das wäre bereits ein fortschritt auf dem wege zur magie. I: übrigens, was in aller welt richtest du aus mit deiner magie? Φ: ich lebe, wie du siehst. I: andere greise thun das auch. Φ: hast du gesehen, wie? I: nun ja, es war kein erfreulicher anblick. an dir ist übrigens die zeit auch nicht spurlos vorübergegangen. Φ: das weiss ich. I: also, wo sind deine vortheile? Φ: es sind die, die du nicht siehst. I: was sind vortheile, die man nicht sieht? Φ: es sind die, die man hat. I: wie nennst du diese vortheile? Φ: ich nenne sie magie. I: du bewegst dich in einem unheilvollen kreis. der teufel soll dir beikommen. Φ: siehst du, das ist auch ein vortheil der magie: nicht einmal der teufel kommt mir bei. du machst fortschritte in der erkenntniss der magie, sodass ich glauben muss, dass du gute anlagen dafür hast. I: ich danke dir, ΦΙΛΗΜΩΝ, es ist genug, mir schwindelt. lebewohl!

Ich verlasse den kleinen garten und gehe die strasse hinunter. es stehen leute in gruppen herum und schauen verstohlen nach mir. ich höre sie hinter meinem rücken flüstern: „seht, da geht er, der schüler des alten ΦΙΛΗΜΩΝ. er hat lange mit dem alten gesprochen. er hat etwas gelernt. er weiss die geheimnisse. wenn ich nur könnte, was der jetzt kann!" „schweigt, verfluchte narren", möchte ich ihnen zurufen, aber ich kann nicht, denn ich weiss nicht, ob ich nicht doch etwas gelernt habe. und weil ich schweige, so glauben sie selber erst recht, dass ich von ΦΙΛΗΜΩΝ die schwarze kunst empfangen habe.

jan. 1924.

Es ist ein irrthum zu glauben, dass es magische praktik giebt, die man lernen kann. die magie kann man nicht verstehen. verstehen kann man nur das vernunftgemässe. magie ist aber das unvernunftgemässe, das man nicht verstehen kann. die welt ist nicht nur vernunftgemäss, sondern auch unvernunftgemäss. so wie man aber das vernunftgemässe der welt mit dem verstand erschliessen kann, und das vernunftgemässe der welt dem verstehen entgegenkommt, so trifft auch das unverständniss mit dem unvernunftgemässen zusammen.

dieses Zusammentreffen ist magisch und durchaus nicht einzusehen. Magisches verstehen ist das, was man nicht verstehen nennt. Alles was magisch wirkt, ist unverstehbar, und das Unverstehbare wirkt oft magisch. Unverstehbare Wirkung nennt man magisch. Das Magische schließt mich immer ein, verwickelt mich immer, öffnet Räume, die keine Thüren haben, und führt hinaus, wo kein Ausgang ist. Das Magische ist gut und böse und weder gut noch böse. Die Magie ist gefährlich, denn das Unvernunftgemäße verwirrt und zieht an und bewirkt und ich bin immer ihr erstes Opfer.

Im Vernunftgemäßen braucht man keine Magie, darum brauchte unsere Zeit Magie nicht mehr. Nur die Vernunftlosen gebrauchten sie, um ihren Mangel an Vernunft zu ersetzen. Es ist aber sehr unvernünftig, das Vernunftgemäße mit der Magie zusammen zu bringen, denn die beiden haben mit einander nichts zu thun. Durch das Zusammenbringen werden beide verdorben. Daher jene Vernunftlosen mit Recht der Überflüssigkeit und der Mißachtung verfallen. Darum wird ein vernünftiger Mensch dieser Zeit auch nie der Magie sich bedienen. Es ist aber ein anderes mit dem, der das Chaos in sich eröffnet hat. Wir bedürfen der Magie, um den Boten und die Mittheilung des Nichtverstehbaren empfangen oder anrufen zu können. Wir erkannten, daß die Welt aus Vernunft und Unvernunft besteht und wir verstanden, daß unser Weg nicht bloß der Vernunft, sondern auch der Unvernunft bedarf. Diese Scheidung ist willkürlich und hängt ab vom Stande des Begreifens. Man kann aber sicher sein, daß immer noch der größere Theil der Welt uns unverstehbar ist. Unverstehbar und unvernünftig müssen uns als gleich gelten, obschon sie es nicht nothwendigerweise an sich sind, sondern ein Theil des Unverstehbaren ist nur gegenwärtig unbegreiflich, morgen schon wird es vielleicht vernunftgemäß sein. Solange man es aber nicht versteht, ist es auch unvernunftgemäß. Soweit das Nichtverstehbare an sich vernunftgemäß ist, kann man es mit Erfolg zu erdenken versuchen, soweit es aber an sich unvernunftgemäß ist, bedarf man der magischen praktik, um es zu erschließen. die magische praktik besteht darin, daß das unverstandene auf eine nichtverstehbare art und weise verstehbar gemacht wird. die magische art und weise ist nicht willkürlich, denn das wäre verstehbar, sondern sie ergiebt sich aus unverständlichen gründen. auch von gründen zu reden ist unrichtig, denn gründe sind vernunftgemäß. auch von grundlos kann man nicht reden, denn davon kann weiter gar nichts gesagt werden. die magische art und weise ergiebt sich. wenn man das chaos eröffnet, ergiebt sich auch die magie.

Man kann den weg, der zum chaos führt, lehren, aber die magie kann man nicht lehren. davon kann man bloß schweigen, welches eben die beste lehre zu sein scheint. diese ansicht ist verwirrend, aber so ist die magie. vernunft schafft ordnung und klarheit, magie stiftet durcheinander und unklarheit. bei der magischen übersetzung des unverstandenen ins verstehbare bedarf man sogar der vernunft, denn nur mittels der vernunft kann verstehbares geschaffen werden. wie man aber die vernunft dabei zu verwenden hat, kann niemand sagen, es ergiebt sich aber schon, wenn man nur auszudrücken versucht, was einem die eröffnung des chaos bedeutet. magie ist eine art leben. wenn man sein bestes gethan hat, um den wagen zu lenken, und man dann merkt, daß ein anderer größerer ihn lenkt, dann findet magische wirkung statt. es ist nicht zu sagen, wie die magische wirkung sein werde, denn niemand kann sie vorauswissen, denn das magische ist eben das gesetzlose, welches ohne regel, sozusagen zufällig geschieht. die bedingung aber ist, daß man sich gänzlich annimmt und nichts verwirft, um alles in das wachsthum des baumes überzuführen. dazu gehört auch das dumme, wovon jeder ein großes maaß hat, und ebenso die geschmacklosigkeit, die vielen das größte ärgerniß ist. darum ist eine gewiße einsamkeit und abgeschiedenheit unerläßliche lebensbedingung zum eigenen wohl und dem der andern, sonst kann man nicht genügend ſi' ſelb° ſein · eine gewiſze langſamkᵗ dˢ lebens / die wie ſtillſtand iſ / wird unvermeidli' ſein · die ungewiſzhᵗ ſolch~ lebens wird wohl das drückendſte ſein / ab° no' im° habe i' die zwei ſi' entgeg~ſtrebend~ mächte mein° ſeele zu v°=einig~ v~ in treu° ehe zuſam~ z' halt~ bis an mein lebensende / den d° zau=ber° heiſzt ΦΙΛΗΜΩΝ v~ ſein weib BAYKIC. das / was d° chriſtus in ihm ſelb° v~ dur' ſein beiſpiel in andern auseinand° gehalt~ hat / das halte i' zuſam~ / den jemehr die eine hälfte mein' weſens z~ gut~ ſtrebt / deſto eh° fährt die andere hälfte zur hölle. **als** d° monat d° zwillinge zu ende war / da ſprach~ die menſch~ zu ihr~ ſchatt~: „du biſ i'" / den ſie hatt~ z' vor ihr~ geiſ als eine zweite perſon um ſi' gehabt. ſo wurd~ die zwei eins / v~ dur' dieſ zuſam~ſtoss bra' gewaltig' hervor / eb~ d° frühling dˢ bewuſzt=ſeins / d~ man cultur nent / v~ d° bis z° zeit dˢ chriſtus anhielt. d° fiſch ab° bezeichnete d~ aug~blick / wo das geeinte ſi' trente / na' d~ ewig~ geſetze dˢ geg~laufes / in eine unt° welt v~ ob° welt. wen die kraft dˢ wachsthums z' erlöſch~ begint / dan zerfällt das geeinte in ſeine geg~ſätze. d° chriſtus warf das untere z° hölle / den es ſtrebt d~ gut~ entgeg~. das muſzte ſo ſein. ab° nicht für im° kann getrentes getrent bleib~. es wird ſi' wied° einig~ v~ bald iſ d° monat d° fiſche erſchöpft. wir ahn~ v~ verſteh~ / daſz das wachsthum beid° bedarf / dah° wir gutˢ v~ böſˢ nahe z'ſam~halt~. da wir wiſz~ / daſz zuweit in das gute zuglei' au' zuweit in das böſe bedeutet / ſo halt~ wir beid' zuſam~. ſo verlier~ wir ab° die richtᵍ / v~ es ſtrömt nicht mehr vom berge zu thal / wohl ab° wächſt es ſtill vom thal z~ berge. das / was wir nicht mehr hindern od° ver=berg~ kön~ / iſ unſere frucht. d° fließende ſtrom wird z~ ſee v~ z~ mer /

das kein~ abfluß hat/es sei den~/daß sein waß° als dampf z~ himel emporsteige v~ als reg~ aus d~ wolk~ nied°falle. wohl i~ das mer ein tod/abo an d° ort d' aufsteigens. das i~ ΦΙΛΗΜΩΝ/d° sein~ gart~ begießt. unsere hände sind gebund~ word~/v~ jedo muß an sein° stelle stille sitz~. er steigt unsichtbar empor v~ fällt als reg~ auf ferne lând°. das waß° auf d° erde i~ keine wolke/die regn~ sollte. nur schwangere kön~ gebär~/nicht solche/die no~ z' empfang~ hab~.

Welches geheimnis aber deutes

du/o ΦΙΛΗΜΩΝ/mir mit dein~ nam~ an? du bi~ wahrlich d° liebende/d° einstmals die auf erd~ wandelnd~ götto aufnahm/als alles volk ihn~ die herberge verweigerte. du bi~ d°/d° d~ göttern ahnungslos aufnahme gewährte v~ z~ dank verwandelt~ sie deine hütte in ein~ golden~ tempel/derweil~ weit v~ breit die sintfluth all' volk verschlang. du lebte~ hinüb°/als das chaos hereinbra~. du wurde~ d° dien° am heiligthum/als die götto vergebli~ von ihr~ völkern angeruf~ wurd~. wahrli~ d° liebende lebt hinüb°. warum sah~ wir das nicht? v~ in welch~ aug~blick wurd~ die götto off~bar? als nähmli~ ΒΑΥΚΙϹ ihre einzige gans/die gesegnete dumhit/d~ werth~ gäst~ vorsetz~ wollte/da flüchtete si~ das thier eb~ zu d~ göttern/v~ diese gab~ si~ d~ arm~ gastgebern/die ihr letzt' drangab~/in eb~ dies~ augenblicke z' erken~. also sah i~/daß d° liebende hinübelebt/v~ daß er es i~/d° ahnungslos d~ göttern herberge giebt. Wahrli~/o ΦΙΛΗΜΩΝ/i~ sah nicht/daß deine hütte ein tempel i~/v~ daß du selbo/ΦΙΛΗΜΩΝ/du v~ ΒΑΥΚΙϹ die dien° am heiligthum seid. Diese Zauberkraft wahrlich läßt sich nicht lehren und nicht lernen. Das ist das, was man entweder hat oder nicht hat. Ich weiß dein Geheimnis letztes: du bist ein Liebender. Dir ist es gelungen, das Getrennte zu einen, das Obere und das Untere zusammenzubinden. Wußten wir das nicht schon längst? Ja, wir wußten es, nein, wir wußten es nicht. Es war doch immer alles schon so, und doch war es eben noch niemals so. Warum mußte ich so lange Straßen wandern, bis ich zu ΦΙΛΗΜΩΝ kam, wenn er mir das zu lehren hatte, was doch alle Welt schon längstens weiß? Ach, wir wissen seit Uralters schon alles und doch werden wir es nie wissen, bis es errungen ist. Wer schöpft das Geheimnis der Liebe aus?

Unter welcher Maske, o ΦΙΛΗΜΩΝ, birgst du dich? Du schienest mir nicht ein Liebender zu sein. Aber meine Augen wurden geöffnet und ich sah, daß du ein Liebhaber deiner Seele bist, der ängstlich und eifersüchtig seinen Schatz hütet. Es giebt solche, die Menschen lieben, solche, die die Seele der Menschen lieben, und solche, die die eigene Seele lieben. Ein solcher ist ΦΙΛΗΜΩΝ, der Wirth der Götter.

Du liegst an der Sonne, o ΦΙΛΗΜΩΝ, wie eine Schlange, die sich selber umschlingt. Deine Weisheit ist Schlangenweisheit, kalt, mit einem Gran Gift, heilsam in kleiner Dosis. Dein Zauber lähmt und macht darum starke Leute, die sich sich selber entreißen. Aber lieben sie dich, sind sie dir dankbar, Liebhaber der eigenen Seele? Oder verfluchen sie dich um deines magischen Schlangengiftes willen? Sie stehen wohl von Ferne, schütteln die Köpfe und tuscheln zusammen. Bist du noch ein Mensch, ΦΙΛΗΜΩΝ, oder

ist er der ein mensch / der ein liebender seiner eigenen seele ist? Du bist der gastliche / ΦΙΛΗΜΩΝ /
du nahmest die schmutzigen wanderer ahnungslos in deine hütte auf. dein haus ward dort
ein goldener tempel / und, gieng ich denn wirklich ungesättigt von deinem tische? was gabst du
mir? ludest du mich zum mahle? du schillertest vielfarbig und unentwirrbar und nirgends
gabst du dich mir zur beute. du entschlüpftest meinem griffe. ich fand dich nirgends. bist du noch
ein mensch? du bist vielmehr von der art der schlangen. ich wollte dich wohl anpacken und es
aus dir herausreißen / denn die christen haben es gelernt / auch ihren gott zu verzehren. und was
am gotte geschieht / wieviel eher wird es nicht auch am menschen geschehen? ich blicke ins weite
land und höre nichts als wehgeschrei und sehe nichts als menschen / die sich gegenseitig auf-
fressen. o ΦΙΛΗΜΩΝ / du bist kein christ. du ließest dich nicht fressen und frassest mich nicht.
darum hast du keine lehrsääle und keine säulenhallen und keine schüler / die herumstehen und
vom meister reden und seine worte aufsaugen als das lebenswasser. du bist kein christ und kein
heide / sondern ein gastlicher ungastlicher / ein gastgeber der götter / ein hinüberlebender / ein ewiger / der
vater aller ewigen wahrheit. Aber gieng ich wirklich ungesättigt von dir? nein / ich gieng von dir /
weil ich wirklich gesättigt war. denn was aß ich? deine worte gaben mir nichts. deine worte
ließen mich mir selber und meinen zweifel. und so aß ich mich. und darum / o ΦΙΛΗΜΩΝ / bist
du kein christ / denn du nährst dich von dir selbst / und zwingst die menschen / dasselbe zu
thun. das ist ihnen das allerunerfreulichste / denn vor nichts ekelt dem menschenthier mehr /
als vor sich selbst. darum fressen sie lieber alle kriechenden / hüpfenden / schwimmenden und
fliegenden geschöpfe / ja sogar ihre eigene art / bevor sie sich selber annagen. diese nahrung
aber ist wirksam / und bald ist man davon gesättigt. darum stehen wir / o ΦΙΛΗΜΩΝ /
satt von deiner tafel auf. Deine art / o ΦΙΛΗΜΩΝ / ist lehrreich. du läßest mich im
heilsamen dunkel / wo ich nichts zu sehen und zu suchen habe. du bist kein licht / das in
die finsterniß scheint / kein heiland der eine ewige wahrheit aufstellt und damit das

nachtlicht d' menschlich~ verstand' auslöscht. du laßes~ raum für die dumht' v~ d~ witz
d' andern. du wills/o gesegneter/überhaupt nicht am andern/sondern begießes~ die
blum~ dein' eigen~ gartens. wo deine bedarf/fragt di~/v~/o kluger ΦΙΛΗΜΩΝ/
i' errathe/daß au' du bei d~ frage/von d~ du bedarfs/v~ du bezahls/was
du erhälts. d' christus hat die mensch~ begehrlich gemacht/den seither erwart~
sie von ihr~ heiland~ geschenke ohne gegenleistg. das schenk~ is ebenso kindis
wie die macht. wer schenkt/maßt si~ macht an. schenkende tugend is d' himmel-
blaue mantel d' tyrann~. du bis weise/o ΦΙΛΗΜΩΝ/du schenks nicht. du
wills die blüthe deins gartens/v~ daß jeglich' ding aus si~ selbe wachse. I' preise/
o ΦΙΛΗΜΩΝ/dein~ mangel an heilandmäßigkt/du bis kein hirte/d' verirrt~
schaf~ nachläuft/den du glaubs an die würde d' mensch~/d' nicht nothwendigerweise ein schaf is. is er abe d' ein schaf/so läßes du ihm das recht v~
die würde d' schafes/den warum sollt~ schafe z' mensch~ gemacht werd~? es
giebt d' wahrhaftig genug mensch~. Du kens/o ΦΙΛΗΜΩΝ/die weish' von d~
kommend~ ding~/darum bis du alt/o so uralt/v~ so/wie du mi~ an jahr~ überrags/
so überrags du
du an zukunft das geg~wärtige v~ die länge dein vergangenh' is unermeßli~.
du bis legendär v~ unerrei~bar. du wars v~ wirs sein/periodis wiederkehrend.
unsichtbar is deine weish'/unwißbar deine wahrht/wohl in jed' zeit unwahr/
v~ d' wahr in all' ewigkt/abe du gießes aus lebendiges waß'/von dem die
blum~ dein' gartens blüh~/ein sternwaß'/ein~ thau d' nacht. Weß~ bedarfs
du/o ΦΙΛΗΜΩΝ? du bedarfs d' mensch~ um d' klein~ dinge will~/den
all' größere v~ das größte is in dir. d' christus hat die mensch~ verwöhnt/
denn er lehrte sie/daß nur in einem sie erlöst sei~/nämli~ eb~ in
ihm/d~ gottessohn/v~ seith' verlang~ die mensch~ un' no' die größern dinge
vom andern/insbesondere ihre erlösg/v~ wen irgendwo ein schaf si~ verlauf~

hat/ so klagt es den hirten an. o ΦΙΛΗΜΩΝ/ du bist ein mensch/ und du beweisest/ daß menschen keine schafe sind/ denn du hegst das größte in dir/ darum fließt deinem garten fruchtbares wasser aus unerschöpflichem kruge.

Bist du einsam/ o ΦΙΛΗΜΩΝ/ ich sehe kein gefolge und keine gesellschaft um dich/ ΒΑΥΚΙΣ selbst ist nur deine andere hälfte. du lebst mit blumen/ bäumen und vögeln/ aber nicht mit menschen. solltest du nicht mit menschen leben? bist du noch ein mensch? willst du nichts vom menschen? siehst du nicht/ wie sie zusammen stehen und gerüchte über dich zusammen brauen und kindische märchen über dich aushecken? willst du nicht zu ihnen gehen und sagen/ du seiest ein mensch und ein sterblicher/ wie sie/ und daß du sie lieben wollest? o ΦΙΛΗΜΩΝ/ du lachst? ich verstehe dich. soeben bin ich dir doch in den garten gelaufen und wollte aus dir herausreißen/ was ich aus mir selber zu begreifen habe. o ΦΙΛΗΜΩΝ/ ich verstehe: ich habe dich sogleich zu einem heiland gemacht/ der sich verzehren läßt und der durch geschenke bindet. so sind die menschen/ denkst du/ sie sind alle noch christlich. sie wollen aber noch mehr: sie wollen dich ebenso/ wie du bist/ sonst wärest du ihnen ja nicht ΦΙΛΗΜΩΝ/ und sie wären untröstlich/ wenn sie keinen träger für ihre legenden fänden. darum würden sie auch lachen/ wenn du zu ihnen giengest und sagtest/ du seiest ein sterblicher wie sie und wollest sie lieben. wenn du das thätest/ so wärest du ja ΦΙΛΗΜΩΝ nicht. sie wollen dich ΦΙΛΗΜΩΝ/ aber nicht einen sterblichen mehr/ der an denselben übeln krankt/ wie sie. Ich verstehe dich/ o ΦΙΛΗΜΩΝ/ du bist ein wahrhaft

liebend° / deñ du liebs deine seele d~ mensch~ z' liebe / deñ sie bedürf~ ein' königs / d°
aus si~ lebt / v~ d° sein leb~ kein~ dankt. so wollt sie di~ hab~. du erfülls d~ wunsch
ds volk's v~ du entschwindes. du bis ein gefäß d° fabeln. du wurdes di~ besudeln /
weñ du zu mensch~ gienges als ein mens~ / deñ sie würd~ alle lach~ v~ di~
ein~ lügn° v~ betrüg° schelt~ / deñ ΦΙΛΗΜΩΝ / is d° kein mens~. I~ sah /
o ΦΙΛΗΜΩΝ / jene falte in dein~ gesicht: du hattes deine zeit / wo du jung wares
v~ ein mens~ sein wolltes unt° mensch~. ab° die christlich~ thiere liebt~ deine
heidnische menschlichkt nicht / deñ sie fühlt~ in dir d~ / d~ sie braucht~. sie
such~ im° den gekeñzeichnet~ / v~ weñ sie ihn irgendwo in d° freiht fang~ /
so sperr~ sie ihn in ein~ golden~ käfig v~ nehm~ ihm die kraft sein° mañlichkt / sodaß
er lahm v~ schweigend sitzt. dañ preis~ sie ihn v~ ersiñ~ fabeln üb° ihn. i~ weiß /
sie neñ~ das verehr~. v~ weñ sie d~ wahr~ nicht find~ / so hab~ sie wenigstens ein~ pap~ /
deß~ beruf es is / die heilige comoedie darzustell~. d° wahre ab° verleugnet si~
selbs im° / deñ er keñt nichts höhers / als ein mens~ z' sein. Du lachs / o ΦΙΛΗΜΩΝ?
i~ verstehe di~: es vergieng dir / ein mens~ z' sein / wie die andern. v~ weil du das
menschsein wahrhaft liebtes / so schloßes du es freiwillig ein / um d~ mensch~ wenigstens
das z' sein / was sie von dir hab~ wollt~. darum sehe i~ di~ / o ΦΙΛΗΜΩΝ / mit
keinem mensch~ / wohl ab° mit d~ blum~ / d~ bäum~ v~ d~ vögeln v~
all~ fließend~ v~ stillstehend~ waßern / die dein menschsein nicht besudeln.
deñ d~ blum~ / d~ bäum~ / d~ vögeln v~ d~ waßern bis du nicht ΦΙΛΗΜΩΝ /
sondern ein mens~. ab° welche einsamkt / welche unmenschlichkt!

arum lachst du, o ΦΙΛΗΜΩΝ? Ich errathe dich nicht. Doch sehe ich nicht die blaue Luft deines Gartens? Welch herrliche Schatten umgeben dich? Brütet die Sonne wohl blaue Mittagsgespenster um dich aus? Du lachst, o ΦΙΛΗΜΩΝ? Ach, ich verstehe dich: dir schwand wohl die Menschheit, aber ihr Schatten erstand dir. Wie viel grösser und herrlicher ist doch der Schatten der Menschheit als sie selbst! Die blauen Mittagsschatten der Toten! Ach, dort ist deine Menschheit, o ΦΙΛΗΜΩΝ, du bist ein Lehrer und Freund der Toten. Sie stehen seufzend im Schatten deines Hauses, sie wohnen unter den Zweigen deiner Bäume. Sie trinken den Thau deiner Thränen, sie wärmen sich an der Güte deines Herzens, sie hungern nach dem Wort deiner Weisheit, die ihnen voll tönt, voll lebendigen Schalles. Ich sah dich, o ΦΙΛΗΜΩΝ, zur Mittagsstunde bei hochstehender Sonne, du standest und sprachest mit einem blauen Schatten, Blut klebte an seiner Stirn und erhabene Qual umdunkelte sie. Ich errathe, o ΦΙΛΗΜΩΝ, wer dein mittäglicher Gast war. Wie war ich doch blind, ich Narr! Das bist du, o ΦΙΛΗΜΩΝ! Wo aber bin ich? Ich gehe meines Weges, kopfschüttelnd, und die Leute sehen nach mir und ich schweige, o verzweifeltes Schweigen!

herr d' gartens!
i' sehe deine dunkeln bäume von ferne in flimmernd° soñe. meine strasse führt in die thäl~/ wo die mensch~ wohn~:
i' bin ein wandernd° bettl~: v~ i' schweige.

afterprophethen z'töt~ bringt d~ volke gewiñ. weñ es mord~ will/ so möge es seine afft° prophet~ töt~. weñ d° mund d° gött° schweigt/ dañ kañ wohl jed° seine eigene sprache hör~. wo das volk liebt/ schweigt. weñ nur no' die irrlehr° lehr~/ so wird das volk die irrlehr° erschlag~/ v~ so auf d~ wege sein° sünd~ sogar in die wahrht~ fall~. nur na' dunkelst° nacht wird es tag. also verhüllet die licht° v~ schweigt/ damit die nacht dunkel v~ lautlos werde. die soñe erhebt si' ohne unsere hilfe. nur wo d~ schwärzest~ irrthum kent/ weiß was licht is.

o herr d' gartens/ von ferne leucht~ mir deine zauberisch~ haine. i' verehre deine täuschende hülle/ du vat° all~ licht° v~ irrlicht°.

the bhagavadgita says: whenever there is a decline of the law and an increase of iniquity / then i put forth myself. for the rescue of the pious and for the destruction of the evildoers / for the establishment of the law i am born in every age.

Ich gehe meine straße weiter. ein feingeschliffener / in zehn feuern gehärteter stahl / im gewande geborgen / ich mein begleiter. ein panzerhemd liegt mir um die brust / heimlich unter dem mantel getragen. über nacht gewann ich die schlangen lieb / ich habe ihr rätsel errathen. ich setze mich zu ihnen auf die heißen steine am wege. ich weiß sie listig und grausam zu fangen / jene kalten teufel / die den ahnungslosen in die ferse stechen. ich bin ihr freund geworden und blase ihnen eine mildtönende flöte. meine höhle aber schmücke ich mit ihren schillernden häuten. wie ich so meines weges dahinschritt / da kam ich zu einem röthlichen felsen / darauf lag eine große buntschillernde schlange. da ich nun beim großen ΦΙΛΗΜΩΝ die magie gelernt hatte / so holte ich meine flöte hervor und blies ihr ein süßes zauberlied vor / das sie glauben machte / sie sei meine seele. als sie genügend bezaubert war /

dei sapientiam in mysterio quae abscondita est quam praedestinavit deus ante saecula in gloriam nostram

quam nemo principum huius saeculi cognovit: spiritus enim omnia scrutatur etiam profunda dei.

sprach ich zu ihr: meine schwester / meine seele / was sagst du? sie aber sprach / geschmeichelt und deshalb duldsam: ich lasse gras wachsen über alles was du thust. Ich: Das klingt tröstlich und scheint nicht viel zu sagen. S: willst du, dass ich viel sage? ich kann auch banal sein / wie du weisst / und lasse mir daran genügen. Ich: das geht mir schwer ein. ich glaubte / du stündest in nahem zusammenhang mit allem Jensei-

tig~/ größt~ v~ ungewöhnlichst~. deßhalb dachte i/ sei banalitaet dir fremd. S: banalitaet is~ mein lebenselement. I: weñ i das von mir sagte/ so wär's wenig° erstaun-
li~. S: je ungewöhnlich° du bis~/ desto gewöhnlich° kañ i sein. eine wahre
erhol~ für mi~. i denke/ du fühls~ es/ daß i mi~ heute nicht zu quält habe.
I: i fühle es und bin besorgt/ daß mir dein baum am ende keine früchte
mehr trägt. S: schon besorgt? sei ni~t dum~ v~ göñe mir die ruhe. I: i merke/
du gefälls~ dir im banal~. i nehme di~ ab° nicht tragiß/ meine liebe freun-
din/ deñ i keñe di~ jetzt schon viel beß° als früh°. S: du wirs~ familiär.
i fürchte/ dein respect sei im schwind~. I: bis~ du ängstli~? i glaube/ das
wäre üb°flüßig. i bin hinlängli~ üb° die nachbarschaft d~ pathos v~ d~
banal~ unterrichtet. S: also has~ du die schlang~linie d~ seelisch~ werdens
bemerkt? has~ du geseh~/ wie es bald tag/ bald nacht wird? wie waß° v~
trocken~ land wechseln? v~ daß alle krampfhaftigkt~ nur von schad~ is~?
I: i glaube/ daß i das sah. auf dies~ warm~ stein will i für einige zeit
and° sonne lieg~. vielleicht brütet die sonne mi~ aus. // die schlange ab°
kro~ leise heran v~ umwand geschmeidig v~ unheimli~ meine füße.
v~ es wurde abend v~ die nacht kam. i spra~ z~ d° schlange v~ sagte:
i weiß nicht/ was z~ sag~ is~. es kocht in all~ töpf~. S: es wird ein mahl bereitet. I: wohl ein abendmahl? S: eine vereinig~ mit all° menschh~. I: ein
schauerli~-süß° gedanke/ bei dies~ mahl selb° gast v~ speise z~ sein. S:
das war au~ d~ christos höchste lus~. I: wie heilig/ wie sündhaft/ heiß
v~ kalt all~ in einand° strömt! wahnsiñ v~ vernunft woll~ si~ vermähl~/
lam~ v~ wolf weid~ friedli~ beisam~. es is~ all~ ja v~ nein. die geg~sätze
umarm~ si~/ schau~ si~ auge in auge v~ v°wechseln si~ miteinand°.
sie erkeñ~ in qualvoll° lus~ ihr einssein. mein herz is~ von tobend~
kampf erfüllt. die well~ ein~ hell~ v~ ein~ dunkeln strom~ eil~/ si~ üb°
stürzend/ einand° entgeg~. solch~ fühlte i nie zuvor. S: das is~ neu/
XIV AUG. 1925 mein lieb°/ wenigstens dir. I: du spottes~ wohl. ab° thrän~ v~ lach~ sind

eins. beid' ī mir vergang~ v~ ī bin in starr° spañung. bis z~ hīmel reicht
das liebende v~ eb~ so ho° reicht das wid°strebende. sie halt~ si beide um-
schlung~ v~ woll~ einand° nicht lasz~/ den das übermaß ihr° spañ° scheint
letzt' v~ höchst' an gefühlsmöglichk' z' bedeut~. s: du drück' di pathetis
v~ philosophis aus. du weißt/ daß man dieß all' au' viel einfach° sag~
kañ. z~ beispiel kōnte man sag~/ du seie' verliebt von d~ schneck~ aufwärts bis z' tristan v~ isolde. i: ja/ i weiß/ ab° deno~— s: die religion
scheint di no' z' plag~? wie viel° schilde bedarf' du no'? sag es do' lieb°
gerade heraus. i: du triffs mi nicht. s: nun/ was i' es mit d° moral?
sind moral v~ imoral heute au' eins geword~? i: du spotte'/ meine
schwest° v~ chthonisch° teufel. ab° i muß dir sag~/ daß jene zwei/ die/
si umschlung~ haltend/ bis z~ hīmel rag~/ au' das gute v~ das böse sind.
i scherze nicht/ sondern i stöhne/ weil freude v~ schmerz schrill zusam~klin-
gen. s: wo i' den dein v°stand? du bi' ja ganz dum geword~. du kōnte' do'
all' in denk~ auflös~. i: mein verstand? mein denken? i habe kein~
verstand mehr. er i' mir unzulängli geword~. s: du verleugne' ja
all'/ was du glaubte'. du vergiße' völlig/ wer du bi'. ja du verleugne' sogar d~ faust/ d° an d~ spukgeistern ruhig~ gang' vorüb°gieng.
i: i kañ das nicht mehr. mein gei' i' auch ein spukgei'. s: a'/ i
sehe/ du befolg' meine lehr~. i: leid° i' es so/ v~ es gereicht mir zu
schmerzvoll° freude. s: du mach' aus dein~ schmerz~ eine lu'. du bi'
verdreht/ verblendet/ leide nur/ narr. i: dieß unglück soll mi' freu~.//
Nun wurde die schlange wüthend v~ biß na' mein~ herz~/ ab° an
mein~ heimlich~ panz° zerbra' sie si die giftzähne. enttäuscht zog sie si
z'rück v~ sagte zischend: du geberde' di wahrhaftig/ als ob du unfaßbar wäre'. i: das kōmt dah°/ daß i die kun' gelernt habe/ vom link~
fuß auf d~ recht~ z' tret~ v~ umgekehrt/ was andere leute von jeh° unbewußt
richtig gemacht hab~.// da richtete sich die schlange wied° auf/ hielt si wie z'-

fällig das schwanzende vor den mund / damit ich nämlich die abgebrochenen giftzähne nicht sehen sollte / und sagte stolz und gelassen: „also das hast du endlich gemerkt?“ lächelnd aber sprach ich zu ihr: „des lebens schlangenlinie konnte mir auf die dauer nicht entgehen.

Wo ist treue und glauben? wo wärme und vertrauen? all dieß findest du zwischen menschen / aber nicht zwischen menschen und schlangen / auch wenn es seelenschlangen sind. überall aber / wo liebe ist / ist schlangenhaftes. der christus selber hat sich mit einer schlange verglichen / und sein höllischer bruder / der antichrist / ist der alte drache selber. das außermenschliche / das in der liebe erscheint / ist von der natur der schlange und des vogels / und öfters bezaubert die schlange den vogel und seltener trägt der vogel die schlange davon. der mensch steht mitten dazwischen. was dir vogel scheint / ist dem andern schlange / und was dir schlange scheint / ist dem andern vogel. darum wirst du den andern nur im menschlichen treffen. wenn du werden willst / so ist es ein kampf zwischen vögeln und schlangen. und nur wenn du sein willst / wirst du dir selber und andern mensch sein. der werdende gehört in die wüste oder in ein gefängniß / denn er ist im außermenschlichen. wenn die menschen werden wollen / gebärden sie sich wie thiere. niemand erlöst uns vom übel des werdens / es sei denn / daß wir freiwillig durch die hölle gehen.

Warum aber that ich so / als ob jene schlange meine seele sei? doch offenbar nur darum / weil meine seele eine schlange war. diese erkenntniß gab meiner seele ein neues gesicht / und ich beschloß / nunmehr sie selber zu bezaubern und meiner macht zu unterwerfen. schlangen sind weise / und ich wollte / daß meine seelenschlange ihre weisheit mir mittheilte. nie noch nämlich war das leben so zweifelhaft / wie jetzt / eine nackte ziellose spannung / ein einssein im gegeneinandergerichtetsein. nichts bewegte sich / weder gott noch teufel. also trat ich zur schlange / die an der sonne lag / wie wenn sie nichts dächte. man sah ihre augen nicht / denn sie blinzelte im flimmernden sonnenschein und ich

d. IX januarii año 1927 obiit Hermaños Sigg aet. s. 52 amicus meus.

sprā z' ihr: wie wird es jetzt sein / da gott v- teufel eins geword- sind? sind sie übereingekom̄- / das leb- stillzustell-? gehört d° kampf d° geg-sätze z' d- unerläßlich- lebensbedingung-? und steht d° still / d° das einssein d° gegensätze erkent v- lebt? er hat si' ganz auf die seite d's wirklich-lebens geschlag- v- thut nicht mehr dergleich- / als ob er zu ein° partei gehörte v- die andern bekämpf- müßte / sondern er i's sie beide v- hat ihr- had° ein ende gemacht. hat er damit / daß er diese last vom leb- nahm / ihm au' d- schwung genom̄-? da wand si' die schlange v- sprā mißlaunig: wahrhaftig / du bedrängs- mi'. die geg-sätzlichk' war all° dings ein lebenselement für mi'. das wirs- du ja gemerkt hab-. mit dein- neuerung- fällt mir diese kraftquelle dahin. i' kan̄ di' wed° mit pathos lock- / no' mit banalität ärgern. i' bin etwas rathlos. I: wen̄ du rathlos bis- / soll i' rath wiß-? tauche mir lieb° na' d- tiefern gründ- / z' den- du zutritt has- v- befrage d- hades od° die himlisch- / vielleicht weiß man dort rath. S: du bis- herrisch geword-. I: die noth is- no' herrisch° als i'. i' muß leb- v- mi' beweg- kön̄-. S: du has- ja die weite erde. was wills- du das jenseits befrag-? I: mi' treibt nicht neugier / sondern noth / i' weiche ni't. S: i' gehorche ab° wid°strebend. dieß styl is- neu v- mir ungewohnt. I: i' bedauere / ab° die noth drängt. sage d° tiefe / daß es schlim̄ um uns stehe / weil wir d- leb- ein wichtig's organ abgeschnitt- hätten. wie du weißt / bin i' nicht d° schuldige / den du has- mi' überlegt° weise dies- weg geführt. S: du hättes- d- apfel z'rückweis- kön̄-. I: laß diese scherze. du kens- je geschichte bess° wie mi'. mir is- es erns-. es muß luft geb-. ma' di' auf v- hole das feu°. es is- schon z' lange dunkel um mi'. bis- du träge od° feige? S: i' gehe an's werk. nim̄ mir ab / was i' heraufbringe.

visio: Langsam steigt im leeren raume d° thron gotts empor / dan̄ folgt die heilige dreieinigk' / d° ganze him̄el / dan̄ die ganze hölle / v- z'schluß satanas selb°. er wid°strebt v- klam̄ert si' an sein jenseits. er will es nicht fahren lassen. die oberwelt ist ihm zu kühl. S: hältst du ihn fest? I: willkommen, heißer finsterling! meine seele holte dich wohl unsanft herauf? S: was soll dieser lärm? ich protestiere gegen dieses gewaltsame heraufreißen? I: beruhige dich. ich habe dich nicht erwartet. du kommst zuletzt. du scheinst das schwerste stück zu sein. S: was willst du von mir? ich brauche dich nicht, frecher geselle. I: gut, daß wir dich haben. du bist der lebendigste in der ganzen dogmatik. S: was kümmert mich dein geschwätz? mach's kurz. ich friere. I: höre, es ist uns etwas passiert: wir haben nämlich die gegensätze vereinigt. unter anderm haben wir auch dich mit gott eins gemacht. S: herrgott, war das der heillose lärm? was macht ihr denn für blödsinn? I: bitte, das war nicht so dumm. diese vereinigung ist ein wichtiges princip. wir haben dem unaufhörlichen gezänk ein ende gemacht, um endlich die hände frei zu bekommen zum wirklichen leben. S: das riecht nach monismus. ich habe mir einige von diesen herren bereits vorgemerkt. für die sind besondere kammern geheizt. I: du täuschest dich. es geht bei uns nicht so vernünftig zu. wir haben nämlich auch keine richtige wahrheit. es handelt sich vielmehr um eine merkwürdige und befremdliche thatsache: nämlich nach der vereinigung der vereinigung der gegensätze geschah es, was unerwartet und unbegreiflich ist, daß nichts mehr geschah. es blieb alles friedlich, aber gänzlich bewegungslos bei einander stehen und das leben verwandelte sich in einen stillstand. S: ha, ihr narren, da habt ihr etwas schönes angerichtet. I: nun, dein spott ist überflüssig. es geschah mit ernsthafter absicht. S: eure ernsthaftigkeit kriegen wir zu spüren. die ordnung des jenseits ist ja in den grundfesten erschüttert. I: du siehst also, es gilt ernst. ich will antwort haben auf meine frage, was nunmehr in dieser lage zu geschehen habe? wir wissen nämlich nicht mehr weiter. S: da ist guter rath theuer, selbst wenn man ihn geben möchte. ihr seid verblendete narren, ein dummdreistes volk. warum habt ihr die hände nicht davongelassen? wie wollt ihr euch auf weltordnung verstehen? I: wenn du schimpfst, so scheint es dich ganz besonders zu kränken. sieh mal, die heilige trinität ist gelassen. die neuerungen scheinen ihr nicht zu missfallen. S: ach die trinität ist so irrational, daß man

sie auf ihre reaction nie verlassen kann. Ich rathe dir dringend ab, jene symbole irgendwie ernsthaft zu nehmen. **Ich:** Ich danke dir für den wohlgemeinten rath. Du scheinst aber interessiert zu sein. Man dürfte von deiner sprichwörtlichen intelligenz ein unvoreingenomme-
nes urtheil erwarten. **S:** Ich bin nicht voreingenommen. Du kannst selber urtheilen:
wenn du diese absolutheit in ihrer ganzen leblosen gelassenheit betrachtest, so kannst du
unschwer entdecken, dass der durch deinen vorwitz herbeigeführte zustand von stillstand
grosse ähnlichkeit mit dem Absoluten hat. Wenn ich dir dagegen rathe, so stelle ich mich ganz
auf deine seite, denn du kannst diesen stillstand auch nicht ertragen. **Ich:** Wie? Du
stehst auf meiner seite? Das ist sonderbar. **S:** Da ist nichts sonderbares dabei.
Das absolute war immer dem lebendigen abhold. Ich bin doch der eigentliche lebens-
meister. **Ich:** Das ist verdächtig. Du reagierst viel zu persönlich. **S:** Ich reagie-
re gar nicht persönlich. Ich bin doch ganz das ruhelose, rascheilende leben.
Ich bin nie zufrieden, nie gelassen. Ich reisse alles nieder und baue flüchtig wieder
auf. Ich bin der ehrgeiz, ruhmgier, thatenlust, ich bin der sprudel neuer gedanken und thaten. Das absolute ist langweilig und vegetativ. **Ich:** Ich will
dir glauben. Also – was räthst du? **S:** Das beste, was ich dir rathen
kann, ist: mache deine ganze schädliche neuerung sobald wie möglich
wieder rückgängig. **Ich:** Was wäre damit gewonnen? Wir müssten
wieder von vorne anfangen und kämen unfehlbar auch ein zweites
mal wieder zum selben schluss. Was man einmal begriffen hat, kann man
nicht absichtlich wieder nicht wissen und ungeschehen machen. Dein rath ist
kein rath. **S:** Aber ihr könnt doch nicht ohne entzweiung und hader existieren?
Ihr müsst euch doch über etwas aufregen, eine parthei vertreten, gegensätze
überwinden, wenn ihr leben wollt. **Ich:** Das hilft nichts. Wir sehen uns ja
auch im gegensatz. Wir sind dieses spieles überdrüssig geworden. **S:** Und
damit des lebens. **Ich:** Mir scheint, es komme darauf an, was du
leben nennst. Dein begriff von leben hat etwas von hinaufklettern und
herunterreissen, von behaupten und zweifeln, von ungeduldigem herum-

1928. als ich dies bild malte, welches das goldene wohlbewehrte schloss zeigt, sandte mir Richard Wilhelm in Frankfurt den chinesischen, tausend Jahr alten text vom gelben schloss, dem keim des unsterblichen körpers. ecclesia catholica et protestantes et seclusi in secreto. aeon finitus.

zer von hastigem Begehren. Dir fehlt das Absolute und dessen langmüthige Geduld.
S: Ganz richtig, mein Leben brodelt und schäumt und schlägt unruhige Wellen, es ist Ansichreißen und Wegwerfen, heißes Wünschen und Rastlosigkeit. Das ist doch Leben?
I: Aber das Absolute lebt auch. S: Das ist kein Leben. Es ist Stillstand oder so gut wie Stillstand, genau gesagt: es lebt unendlich langsam und verschwendet Jahrtausende, gerade so wie der elende Zustand, den ihr geschaffen habt.
I: Du steckst mir ein Licht auf. Du bist persönliches Leben, der anscheinende Stillstand aber ist das langmüthige Leben der Ewigkeit, das Leben der Göttlichkeit. Dießmal hast du mir gut gerathen. Ich gebe dich frei. Fahrwohl.

Satanas kriecht behende wie ein Maulwurf wieder in sein Loch hinunter. Die Symbole der Dreifaltigkeit und ihr Gefolge heben sich in Ruhe und Gelassenheit zum Himmel empor. Ich danke dir, Schlange, du hast mir den Rechten heraufgeholt. Seine Sprache ist allgemeinverständlich, denn sie ist persönlich. Wir können wieder leben, ein langes Leben. Wir können Jahrtausende verschwenden.

Wo beginnen, o ihr Götter? Im Leid oder in der Freude oder im zwischenliegenden Mißgefühl? Der Anfang ist immer das Kleinste, er beginnt im Nichts. Wenn ich dort anfange, so sehe ich den Tropfen „etwas", der ins Meer des Nichts fällt. Es ist immer wieder ganz dort unten zu beginnen, wo das Nichts sich weitet zur unumschränkten Freiheit. Noch ist nichts geschehen, noch hat die Welt erst anzufangen, noch ist die Sonne nicht geboren, noch ist das Feste vom Wässrigen nicht geschieden, noch sind wir nicht auf die Schultern unserer Väter gestiegen, denn auch unsere Väter sind noch nicht geworden. Sie sind erst gestorben und ruhen im Schooße unseres blutrünstigen Europa. Wir stehen im Weiten, der Schlange gegattet und sinnen nach, welcher Stein der Grundstein sein könnte zu dem Gebäude / das wir noch nicht kennen. Uraltes? Es taugt zum Symbol. wir wollen Greifbares. wir sind müde der Gespinste / welche der Tag webt und die Nacht auftrennt. der Teufel soll es wohl schaffen / der läppische Partisan mit Afterverstand und gierigen Händen? er kam hervor / der Klumpen von mir / in dem die Götter ihr Ei geborgen haben. Ich möchte mit einem Fußtritt den Unrath von mir stoßen / wenn das goldene Korn nicht wäre im ekeln Herzen der Mißgestalt. herauf darum / Sohn der Finsterniß und des Gestankes! wie fest du hältst am Schutt und Abraum der ewigen Cloake. Ich fürchte dich nicht / aber ich hasse dich / du Bruder alles Verwerflichen in mir. heute sollst du mit schweren Hämmern geschmiedet werden / daß dir das Göttergold aus dem Leibe spritzt. deine Zeit ist um / deine Jahre sind gezählt und heute ist dein jüngster Tag angebrochen. deine Hüllen sollen platzen / deinen Kern den goldenen / wollen wir mit Händen fassen und vom glitschigen Schmutze befreien. du sollst frieren / Teufel / denn wir schmieden dich kalt. Stahl ist härter als Eis. du sollst dich unserer Form fügen / du Dieb des göttlichen Wunders / du Mutteraffe / der du deinen Leib mit dem Ei der Götter füllst und dir damit Gewicht verleihst. darum sind wir an dir verflucht / nicht um deinetwillen / sondern um des Goldkerns willen.

Was für dienstbare Gestalten entstiegen deinem Leibe / du diebischer Abgrund! es sind wohl Elementargeister / in faltige Hüllen gekleidet / Kabiren / von ergötzlicher Mißgestalt / jung und doch alt / zwerghaft / verschrumpft / unscheinbare Träger geheimer Künste / Besitzer der lächerlichen Weisheit / erste Formungen des ungeformten Goldes / Würmer / die dem befreiten Ei der Götter entkriechen / Anfängliches / Ungeborenes / noch Unsichtbares. was soll uns euer Erscheinen? welches sind die neuen Künste / die ihr heraufträgt aus der unzugänglichen Schatzkammer / dem Sonnendotter des Göttereies? ihr habt noch Wurzeln im Erdreich wie Pflanzen und seid thierische Fratzen des menschlichen körpers/ ihr seid närrisch putzig/ unheimlich/ anfänglich und erdhaft. wir fassen euer wesen nicht/ ihr gnome/ ihr gegenstandsseelen. im untersten nehmt ihr euern anfang. wollt ihr zu riesen werden/ ihr däumlinge? gehört ihr zum gefolge der söhne der erde? seid ihr die irdischen füße der gottheit? was wollt ihr/ sprecht!

Die Kabiren: wir kommen dich zu grüßen als den herrn der niedern natur. **Ich**: sprecht ihr zu mir? bin ich euer herr? **Die Kabiren**: du warst es nicht/ aber du bist es jetzt. **Ich**: ihr sagt es. es sei angenommen. aber was soll mir eure gefolgschaft? **Die Kabiren**: wir tragen das nicht zu tragende von unten nach oben. wir sind die säfte/ die auf geheime weise steigen/ nicht aus kraft/ sondern gesogen und aus trägheit ans wachsende angeklebt. wir kennen die unbekannten wege und die unerfindlichen gesetze des lebendigen stoffes. wir tragen in ihm empor das/ was im erdhaften schlummert/ was tot ist und doch ins lebendige eingeht. wir thun das langsam und einfach/ was du vergebens zu thun dich mühst auf deine menschliche weise. wir vollbringen das/ was dir unmöglich ist. **Ich**: was soll ich euch lassen? welche mühe kann ich euch abtreten? was soll ich nicht thun/ und was thut ihr besser? **Die Kabiren**: du vergissest die trägheit des stoffes. du willst emporreißen aus eigener kraft/ was doch nur langsam steigen kann/ sich ansaugend/ und nicht sich anklebend. lasse das mühen/ sonst störst du unsere arbeit. **Ich**: soll ich euch vertrauen/ ihr unvertraulichen/ ihr knechte und knechtsseelen? so geht ans werk. es sei.

darauf ließ ich 3 wochen lang jede arbeit an dieser sache ruhen.

Mir scheint/ ich ließ euch eine lange frist. nicht stieg ich zu euch hinunter/ nicht störte ich euer werk. ich lebte am licht des tages und that das werk des tages. was schafftet ihr? **Die Kabiren**: wir trugen hinauf/ wir bauten/ wir legten stein zu stein. so stehst du sicher. **Ich**: ich fühle festern grund. ich recke mich empor. **Die Kabiren**: wir schmiedeten dir ein blitzendes

Schwert, mit dem du den Knoten, der um dich gewirrt ist, zerhauen kannst.

Ich: Ich fasse das Schwert fest in meine Hand. Ich hole aus zum Schlage.

Die Kabiren: Wir legen auch den teuflisch kunstvoll geschlungenen Knoten vor dich hin, mit dem du verschlossen und versiegelt bist. Schlag zu, nur Schärfe trennt ihn.

Ich: Laßt ihn sehen, den Knoten, den vielfach geschlungenen! Wahrlich ein Meisterstück abgründiger Natur, ein tückisch natürlich durcheinander gewachsenes Wurzelgeflecht! Nur Mutter Natur, die blinde Weberin, konnte solches Geflechte wirken! Ein großer Knäuel von tausend kleinen Knötchen, alles kunstvoll geschürzt, verschlungen, verwurzelt, wahrhaftig, ein Menschengehirn! Seh ich klar? Was thatet ihr? Mein Gehirn legt ihr vor mich hin! Ein Schwert gabt ihr mir in die Hand, damit seine blitzende Schärfe mein eigenes Gehirn zertrenne? Was fällt euch ein?

Die Kabiren: Der Schooß der Natur wob das Gehirn, der Schooß der Erde gab das Eisen. So gab dir die Mutter beides: Verschlingung und Zertrennung.

Ich: Geheimnißvoll! Ihr wollt mich wohl zum Scharfrichter meines Gehirns machen?

Die Kabiren: Es kommt dir zu als dem Herrn der niederen Natur. Der Mensch ist in sein Gehirn verflochten und ihm ist aber das Schwert gegeben, die Verflechtung zu zerhauen.

Ich: Was ist die Verflechtung, von der ihr sprecht? Was ist das Schwert, das zertrennen soll?

Die Kabiren: Die Verflechtung ist dem Wahnsinn, das Schwert ist Bewältigung des Wahnsinns.

Ich: Ihr Teufelsausgeburten, wer sagt euch, daß ich wahnsinnig sei? Ihr Erdgespenster, ihr Wurzeln aus Lehm und Koth, seid ihr nicht selbst die Wurzelfasern meines Gehirns? Ihr Polypenschlinggewächse, durcheinander gewirrte Saftcanäle, Parasit auf Parasit, emporgesogen und emporbekrochen, nächtlich heimlich übereinander emporgeklettert, euch gilt die blitzende Schärfe meines Schwertes. Ihr wollt mich überreden, euch abzuhauen? Ihr sinnt auf Selbstzerstörung? Wie kommt es, daß Natur sich Geschöpfe gebiert, die sich selber vernichten wollen?

Die Kabiren: Zögere nicht. Wir bedürfen der Vernichtung, denn wir sind die Verflechtung selber. Wer das neue Land erobern will, bricht der Brücken hinter sich ab. Lasst uns nicht weiter bestehen. Wir sind der tausend Canäle, in denen alles auch wieder in seine Anfänge zurückfliesst. Ich: Soll ich meine eigenen Wurzeln zerhauen? Mein eigenes Volk töten, dessen König ich bin? Soll ich meinen eigenen Baum verdorren machen? Ihr seid wahrhaftig Söhne des Teufels. Die Kabiren: Schlag zu, wir sind Diener, die für ihren Herrn sterben wollen. Ich: Was geschieht, wenn ich zuschlage? Die Kabiren: Dann bist du nicht mehr dein Gehirn, sondern jenseits deines Wahnsinns. Siehst du nicht, dein Wahnsinn ist dein Gehirn, die grauenhafte Verflechtung und Verschlingung in den Wurzelzusammenhängen, in den Canalnetzen der Fasern Verwirrung. Die Versunkenheit in das Gehirn macht dich toll. Schlag zu! Wer den Weg fand, steigt über sein Gehirn empor. Im Gehirn bist du Däumling, jenseits des Gehirns gewinnst du Riesengestalt. Wohl sind wir Söhne des Teufels, aber hast du nicht du uns aus der Heissen und Finstern geschmiedet? So haben wir von seiner und deiner Natur. Der Teufel sagt, dass alles, was bestehe, auch werth sei, dass es zugrunde gehe. Als Söhne des Teufels wollen wir Vernichtung, als deine Geschöpfe aber wollen wir unsere eigene Vernichtung. Wir wollen durch den Tod in dir aufgehen. Wir sind Wurzeln, die von allen Seiten herbeisogen, nun hast du alles, was du brauchst, darum hau uns ab, reiss uns aus. Ich: Soll ich euch als Diener missen? Als Herr bedarf ich der Knechte. Die Kabiren: Der Herr bedient sich selbst. Ich: Ihr zweideutigen Teufelssöhne, mit diesem Wort ist es um euch geschehen. Mein Schwert treffe euch, dieser Hieb soll für immer gelten. Die Kabiren: Wehe, wehe! Es ist geschehen, was wir fürchteten, was wir wünschten.

170

Ich habe meinen Fuß auf neues Land gesetzt. Es soll nichts Heraufgebrachtes zurückfließen. Es soll keiner niederreißen, was ich baute. Mein Thurm ist von Eisen und ohne Fuge. Der Teufel ist in das Fundament geschmiedet. Die Kabiren bauten ihn und auf der Zinne des Thurmes wurden die Baumeister mit dem Schwerte geopfert. So wie ein Thurm den Gipfel des Berges überragt, auf dem er steht, so stehe ich über meinem Gehirn, aus dem ich wuchs. Ich bin hart geworden und bin nicht wieder rückgängig zu machen. Ich fließe nicht wieder zurück. Ich bin der Herr meiner selbst. Ich bewundere meine Herrlichkeit. Ich bin stark und schön und reich. Die weiten Lande und der blaue Himmel haben sich um mich gelegt und beugen sich meiner Herrschaft. Ich diene niemand und niemand bedient sich meiner. Ich diene mir selber und bediene mich selber. Darum habe ich, wessen ich bedarf. Mein Thurm wuchs für die Jahrtausende, unverlierbar. Er sinkt nicht zurück. Er kann aber überbaut werden und wird überbaut werden. Wenige begreifen meinen Thurm, denn er steht auf einem hohen Berge. Aber viele werden ihn sehen und ihn

accipe quod tecum est. in collect. Mangeti in ultimis paginis.

nicht begreifen. Darum wird mein Thurm unverbrochen
bestehen. Niemand steigt an seinen glatten Wänden
empor. Niemand setzt sich im Fluge auf seine Spitze.
Da nur wer den verborgenen Eingang in den Berg
findet und durch die Irrgänge des Eingeweides emporsteigt, mag in den Thurm gelangen und zu der
Herrlichkeit des Bauenden und des aus sich selbst lebenden.
Solches ist erreicht und geschaffen. Nicht ist es geworden
aus Flickwerk von Menschengedanken, sondern
es ist aus der gluthheißen des Eingeweides geschmiedet, die Natur selber trug den Stoff zu Berge
und weihten das Gebaute mit ihrem Blute als
die Einzigen, die um das Geheimniß seiner Entstehung
wissen. Ich schaffte es aus dem Untern und Obern und nicht aus
der Fläche der Welt. Darum ist es neu und fremd und überragt die menschenbewohnte Ebene. Dieß ist die Feste und der
Anfang.

Ich habe mich mit der Schlange des Jenseitigen vereinigt. Ich habe alles Jenseitige in mir angenommen. Daraus baute ich meinen Anfang. Als dieses Werk
vollendet war, freute ich mich, und es befiel mich
Neugier zu wissen, was noch in meinem Jenseits
sein könnte. Ich trat deshalb zu meiner Schlange und fragte sie

freundli / ob sie ni hinüb kriech wolle / um mir kunde
z'bring v d / was im jenseits gesah. d slange ab
war matt v sagte / sie hätte keine lu. I: i will ni er-
zwing / ab vulleit / w weiß? erfahr wir do sinreich.
d slange zögerte no eine weile / dan vswand sie in
d tiefe. bald hörte i ihre stime: v griff / glaube i in d
hölle. hi ist ein gehenkt.. ein unansehnlich / häßlich mens mit vzert gesi steht vor mir. er hat
abstehende ohr v ein buckel. er sagt: i bin ein gift=
mörd / d dur d strang gritet wurde. I: was has
du den gethan? er: i habe meine eltern v meine
frau vgiftet. I: warum thates du das? er: z ehre gotts. I: wie sags du? z ehre gotts? was meins
du damit? er: erstens gesieht do all / was gesieht /
z ehre gotts / v zweitens halte i meine besondern ide.
I: was dates du den? er: i liebte sie v wollte sie aus
ein elend leb heraus raff in d ewige seligkt hin=
überbring. i gab ihn ein stark / z stark slum=
trank. I: has du dabei ni dein eigen vorth=
eil gefund? / er: i blieb allein z'rück v war sehr
unglückli. i wollte am leb bleib um mein zwei
kind will / für die i eine beßere z'kunft voraus=
sah. i war körperli gesünd als meine frau / deß=

halb wollte ich am leben bleiben. ich: war deine frau mit dem morde einverstanden? er: nein, sie wäre es gewiß nicht gewesen, aber sie wußte nichts von meinen absichten. leider wurde der mord entdeckt und ich wurde zum tode verurtheilt. ich: hast du jetzt im jenseits deine angehörigen wiedergefunden? er: das ist eine merkwürdige unsichere geschichte. ich vermuthe, sie sei wohl in der hölle. bisweilen ist es mir, als sei meine frau auch da, bisweilen weiß ich aber das nicht bestimmt, eben so wenig als ich meiner selbst sicher bin. ich: wie ist es? erzähle. er: bisweilen scheint sie mit mir zu sprechen und ich gebe ihr antwort. aber wir haben bis jetzt gar nie vom morde und auch nicht von unsern kindern gesprochen. wir reden nur hie und da zusammen und dann nur von gleichgültigen dingen, von kleinen sachen aus unserm frühern täglichen leben, aber ganz unpersönlich, wie wenn wir uns weiter nichts angiengen. ich begreife es selber nicht, was es eigentlich ist. von meinen eltern merke ich noch weniger, meine mutter habe ich, glaube ich, noch gar nie angetroffen. mein vater war einmal da und sagte etwas von seiner tabaks-pfeife, die er irgendwo verloren habe. ich: aber womit verbringst du deine zeit? er: ich glaube, bei uns giebt es gar keine zeit, man kann sie darum auch nicht verbringen. es geschieht rein garnichts. ich: ist das

nic überaus langweilig? er: langweilig? daran habe
i überhaupt no nie gedacht. langweilig? vielleicht/ jed=
falls giebt es nichts interessantes. eigentlic ist alls glei=
gültig. i: plagt eu der teufel nie? er: der teufel? i habe
nichts von ihm gesehn. i: aber du komst do aus dem
jenseits u sollteste nichts zu erzählen wissen? das ist kaum
glaublic. er: als i no einen körper hatte/ habe i au
oft gedacht/ es wäre gewiss interessant/ einmal mit
einem zu sprechen/ der nac dem tode wieder kehrte. jetzt kann
i aber nichts daran finden. wie gesagt/ bei uns ist
alls unpersönlic u rein sachlic. i glaube/ so sagt
man. i: das ist ja trostlos. i nehme an/ du seiest
in der tiefsten hölle. er: meinetwegen. i kann wohl
gehen? lebe wohl. Er verschwand plötzlic. i wandte
mic aber zur schlange u sagte: was soll dieser langwei=
lige gast aus dem jenseits bedeuten? s: i traf ihn
drüben/ unstät herumtapend/ wie so viele andere.
i griff ihn heraus als den nächsten besten. er ist ein guts
beispiel/ will mir scheinen. i: aber ist das jenseits so farb=
los? s: es scheint so; es giebt dort nur bewegung/ wenn
i hinüber kome. sonst wogt alls bloss sachhaft auf
u ab. das persönliche fehlt gänzlic. i: wie ist es denn
mit diesen verfluchten persönlichkeiten? satanas machte

mir neulich einen starken Eindruck, als ob er die Quintessenz des Persönlichen wäre. S: Natürlich, er ist ja der ewige Widersacher, denn persönliches Leben bringst du nie in Einklang mit absolutem Leben. I: Kann man diese Gegensätze denn nicht vereinigen? S: Es sind ja keine Gegensätze, sondern bloße Verschiedenheiten. Du wirst den Tag auch nicht den Gegensatz des Jahres oder den Sessel den Gegensatz der Elle nennen. I: Das ist einleuchtend, aber etwas langweilig. S: Wie immer, wenn man vom Jenseits spricht. Es trocknet immer mehr aus, besonders seitdem wir die Gegensätze ausgeglichen und uns geheirathet haben. Ich glaube, die Toten sind bald am Aussterben.

Der Teufel ist die Summe des Dunkeln menschlicher Natur. Nach dem Bilde Gottes zu sein, strebt der, der im Lichte lebt, nach dem Bilde des Teufels der, der im Dunkeln lebt. Weil ich im Lichte leben wollte, darum erlosch mir die Sonne, als ich die Tiefe berührte. Sie war dunkel und schlangenhaft. Ich habe mich mit ihr vereinigt und sie nicht überwältigt. Meinen Theil der Erniedrigung und Unterwerfung nahm ich auf mich, und ich die Natur der Schlange mir beigesellte. Hätte ich das schlangenhafte nicht angenommen, dann hätte der teufel, der quintessenz aller schlangenhaften, dieses stück macht über mir behalten. andernfalls hätte der teufel einen griff gefunden und er hätte mich gezwungen, mit ihm zu paktieren, wie er auch den Faust listig dazu betrog. ich kam ihm aber zuvor, indem ich mich mit der schlange vereinigte, wie ein mann sich mit einem weibe eint. so entzog ich dem teufel die möglichkeit des einflusses, der immer nur durch das eigene schlangenhafte geht, das man gewöhnlich dem teufel zuschreibt, anstatt sich selber. Mephistopheles ist Satan, angethan mit meiner schlangenhaftigkeit. Satan selber ist die quintessenz des bösen, nackt und darum ohne verführung, nicht einmal gescheidt, sondern bloße verneinung ohne überzeugende kraft. so widerstand ich seinem zerstörenden einfluss und griff ihn und schmiedete ihn fest. seine nachkommenschaft diente mir, und ich opferte sie mit dem schwerte. so bildete ich einen festen bau. dadurch erlangte ich selber festigkeit und dauer und konnte den schwankungen des persönlichen widerstehen. dadurch ist das unsterbliche an mir gerettet. indem ich das dunkle aus meinem jenseits in den tag hinüberzog, entleerte ich mein jenseits. damit verschwanden die ansprüche der toten, denn sie wurden gesättigt.

ich bin von dem Tode nicht mehr bedroht, denn ich nahm ihre Ansprüche auf, und als ich die Schlange aufnahm. Dadurch
habe ich aber auch etwas Totes in meinen Tag hinüberge-
nommen. aber es war nothwendig, denn der Tod ist das
dauerhafteste aller Dinge, das, was nicht wieder
rückgängig gemacht werden kann. der Tod ver-
leiht mir Dauerhaftigkeit und Festigkeit. Solange ich
nur meine Ansprüche sättigen wollte, war ich persönlich und darum im Sinne der Welt lebendig. als ich
aber die Ansprüche der Toten in mir anerkannte und sie
sättigte, gab ich mein früheres persönliches Streben
auf und die Welt mußte mich für einen Toten halten. denn
eine große Kälte kommt über den, der im Übermaß
seines persönlichen Strebens die Ansprüche der Toten erkannt
hat und ihnen zu sättigen versucht. wohl fühlt er dann,
als ob ein geheimes Gift die Lebendigkeit seiner persönlichen Beziehungen gelähmt hätte, aber auf der
andern Seite, in seinem Jenseits schweigt die Stimme
der Toten, die Bedrohung, die Angst und die Unrast hören
auf. denn alles, was vordem hungrig in ihm lauer-
te, lebt nunmehr mit ihm in seinem Tage. sein Leben
ist schön und rein, denn er ist sich selber. häßlich aber ist
der, der immer nur das Glück der andern will, denn er

verkrüppelt sich selbst. Ein Mörder ist der, der Andere zur Seligkeit zwingen will, denn er tötet sein eigenes Wachsthum. Ein Narr ist der, der aus Liebe seine Liebe austilgt. Ein solcher ist persönlich am andern. Sein Jenseits ist grau und unpersönlich. Er drängte sich andern auf, darum ist er verflucht, in einem kalten Nichts sich sich selber aufzudrängen. Der, der den Anspruch der Toten erkannt hat, hat seine Hässlichkeit in das Jenseits verbannt. Er drängt sich nicht mehr gierig andern auf, er lebt einsam, in Schönheit und spricht mit den Toten. Einmal ist aber auch der Anspruch der Toten gesättigt. Wenn man dann noch in der Einsamkeit verharrt, dann schwindet das Schöne in das Jenseits und die Oede kommt in das Diesseits. Nach der Weisse kommt eine schwarze Stufe, immer sind Himmel und Hölle da.

noch bemerkte ich nicht, dass ich selber dieser Mörder war.

Als ich nunmehr die Schönheit in mir und mit mir selber gefunden hatte, sprach ich zu meiner Schlange: Ich blicke zurück wie auf gethane Arbeit. Schlange: Noch ist nichts vollendet. Ich: Wie meinst du? Nichts vollendet? Schl.: Es fängt erst an. Ich: Mir scheint, du lügst. Schl.: Mit wem haderst du? Weisst du es besser? Ich: Ich weiss

ni~/ ab° i' habe mi' bereit~ mit d~ gedank~ v°traut ge-
macht/ wir hätt~ ein ziel/ wenigsten' ein vorläufiges/
erreicht. wenn sogar die tot~ am aussterb~ sind/ was
soll da no' na' kom~? sl: dan müss~ do' ers~ d~ leb~-
d~ z' leb~ anfang~. i': diese bemerk° könte zwar
tiefsinnig sein/ scheint si' ab° auf ein~ witz z' beschränk~.
sl: du wir~ keck. i' scherze ni~. ers~ no' hat das leb~
anz'fang~. i': was versteh~ du unt° leb~? sl: i'
sage/ das leb~ hat no' anz'fang~. has~ du di' heute
ni' leer gefühlt? nen~ du das leb~? i': es i~ wahr/
was du sag~. ab° i' bemühe mi'/ all' so gut wie mög-
li' z' find~ u~ mi' leicht z' fried~ z' geb~. sl: das könte au' sehr bequem sein. du darf~ ab° u~ soll~ weit
höhere ansprüche mach~. i': mir graut davor.
i' will zwar gar ni~ denk~/ daß i' s~ selb° befriedig~
könte/ ab° i' traue au' dir ni~ z'/ daß du s~ sättig~
köntes~. es mag sein/ daß i' dir wied° einmal z'
wenig v°traue. daran mag schuld sein/ [daran mag]
daß i' di' seit kurz~ so mensch¹i' angenähert/ so
urban fand. sl: das beweist nichts. bilde dir
nur nicht ein/ du könn~ mi' irgendwie umfass~
u~ mi' dir einv°leib~. i': also/ was soll es sein?
i' bin bereit. sl: du has~ anspru' auf belohn~ für

das bish° vollendete · I: ein süß° gedanke / daß es
dafür ein˜ lohn geb˜ soll · Sl: i gebe d˜ loh˜ dir im
bilde · schaue:

Elias v˜ Salome! der kreis=
lauf is vollendet / v˜ d° pfort˜ d'
mysteriums hab˜ si wied° aufge=
than · Elias führt Salome /
die sehende / an d° hand · sie schlägt
erröthend v˜ liebend die aug˜
nied° · E: hier gebe i dir Sal ·
sie sei dein · I: um gotteswill˜ / was soll i mit
Sal · ? i bin schon v° heirathet v˜ wir sind ni^{ct} bei
d˜ türk˜ · E: du hilflos° mensch / w˜ bis du schwerfällig ·
is s° ni^{ct} ein schön' geschenk? is ihre heil° ni^{ct} dein
werk? wills du ihre liebe ni^{ct} annehm˜ als d˜
wohl v° dient˜ lohn für deine mühe? I: mir
scheint / als ob dieß ein sonderbares geschenk wä=
re / wohl eh° eine las˜ als eine freude · i freue mi^c
daß Sal · mir dankbar is v˜ mi˜ liebt · i liebe s°
au^c / einig° maß˜ · übrigen' die mühe / d° i mit
ihr hatte / war mir / wörtli^c genom˜ / eh° aus=
gepreßt / als daß i s° freiwillig v˜ absichtli^c gelei=
stet hätte · wen diese / mein° seits unabsichtli^ce

tortur einen so guten erfolg hatte / so bin ich schon ganz zufrieden. Sal. zu Elias: laß ihn / er ist ein sonderbarer mensch. weiß der himmel / was er für beweggründe hat / aber es scheint ihm ernst damit zu sein. ich bin doch nicht häßlich und bin für viele gewiß begehrenswerth. zu mir: warum schlägst du mich aus? ich will deine magd sein und dir dienen. ich will vor dir singen und tanzen / ich will für dich die laute schlagen / ich will dich trösten / wenn du traurig bist / ich will mit dir lachen / wenn du fröhlich bist. ich will all deine gedanken in meinem herzen tragen. die worte / die du zu mir sprichst / will ich küssen. ich will jeden tag für dich rosen pflücken und alle meine gedanken sollen allezeit dich erwarten und umgeben. ich: ich danke dir für deine liebe. es ist schön / von liebe sprechen zu hören. es ist musik und altes fernes heimweh. du siehst meine thränen fallen auf deine guten worte. ich möchte vor dir knieen und hundertmal deine hand küssen / weil sie mir liebe schenken wollte. du sprachest so schön von liebe. man kann nie genug von liebe sprechen hören. Sal: warum nur sprechen? ich will dein sein / ganz dir gehören. ich: du bist wie die schlange / die mich umwand und mein bluth aus-

im XI cap. des mysterienspiels.

presste. Deine süssen Worte umwinden mich und ich stehe wie ein Gekreuzigter. Sal: Warum immer noch ein Gekreuzigter? Ich: Siehst du nicht, dass unerbittliche Nothwendigkeit mich ans Kreuz geschlagen hat? Es ist die Unmöglichkeit, die mich lähmt. Sal: Willst du nicht die Nothwendigkeit durchbrechen? Ist das überhaupt eine Nothwendigkeit, was du so nennst? Ich: Höre, ich zweifle daran, dass es deine Bestimmung sei, mir anzugehören. Ich will mich nicht in dein dir allein eigenes Leben einmischen, denn ich kann dir nie helfen, es zu Ende zu führen. Und was gewinnst du, wenn ich dich einmal weglegen muss wie ein getragenes Kleid? Sal: Deine Worte sind grausam. Aber ich liebe dich so, dass ich mich selber auch weglegen könnte, wenn deine Zeit gekommen ist. Ich: Ich weiss, dass es mir grösste Qual wäre, dich so weggehen zu lassen. Aber wenn du es für mich thun kannst, so kann ich es auch für dich. Ich würde ohne Klage weitergehen, denn ich vergesse jenen Traum nicht, wo ich meinen Körper auf spitzen Nägeln und ein ehernes Rad über meine Brust sich zermalmend rollen sah. Ich muss an diesen Traum denken, wenn immer ich an Liebe denke. Wenn es sein muss, ich bin bereit. Sal: Ich will ein solches Opfer nicht. Ich wollte dir Freude bringen. Kann ich dir keine Freude sein? Ich: Ich weiss nicht, viel-

leer / viellei' au' ni'. Sal: so v'suche do' wenigsten'.
I: d' v'su' kom̄t d' that glei'. solche v'suche sind kos=
spielig. Sal: will' du es dir ni' für mi' kost' lass'?
I: i' bin etwas z' schwa' / z' entkräftet na' d' / was i'
um di' gelitt' / um no' im stande z' sein / weitere
ausgab' für di' z' mach'. i' könte s' ni' trag'.
Sal: wen̄ du mi' ni' nehm' will' / so kan̄ i' do'
di' ni' nehm'? I: es handelt si' wohl ni' um's
nehm' / sondern wen̄ es si' um etwas handelt / dan̄
ums geb'. Sal: i' gebe mi' dir ja. nim̄ mi' nur
an. I: wen̄ es nur daran läge! ab' die umspin'
mit liebe! es i' gräßli' nur daran z' denk'. Sal:
du v'lang' wohl / daß i' sei u' z' glei' ni' sei. das
i' unmögli'. was fehlt dir? I: mir fehlt es an
kraft / ein weiter' schicksal auf meine schultern z'
lad'. i' habe genug z' schlepp'. Sal: ab' wen̄ i' dir
helfe / diese la' z' trag'? I: wie kan̄' du? du hätte'
mi' z' trag' / eine wid'spenstige la'. habe i' s' ni'
selb' z' trag'? E: du sprich' d' wahrh'. ein jed'
trage seine la'. w' andern seine last aufbürdet /
i' ihr sklave. es sei kein' z' schwer / si' selb' z' schlep'.
Sal: ab' vater / könte i' ihm ni' ein' theil sein'
la' trag' helf'? E: dan̄ wäre er dein sklave.

S: Oder mein Herr und Gebieter. I: Das will ich nicht sein.
Du sollst ein freier Mensch sein. Ich kann weder Sklaven
noch Herren ertragen. Ich sehne mich nach Menschen. S:
Bin ich nicht ein Mensch? I: Sei dein eigener Herr und
dein eigener Sklave, gehöre nicht mir, sondern
dir. Trage nicht meine Last, sondern deine. So läßt
du mir meine menschliche Freiheit, ein Ding,
das mir mehr werth ist, als das Eigenthums-
recht über einen Menschen. S: Schickst du mich weg?
I: Ich schicke dich nicht weg. Du mögest mir nicht ferne sein. Aber gieb mir nicht aus deiner Sehnsucht,
sondern aus deiner Fülle. Ich kann deine Armuth
nicht sättigen, wie du meine Sehnsucht nicht stillen kannst.
Wenn du eine reiche Ernte hast, so schenke mir ein
paar Früchte deines Gartens. Wenn du an Überfluß
leidest, dann will ich aus dem überquellenden Horn deiner Freude trinken. Ich weiß, das wird mir Labe sein.
Ich kann mich nur am Tische der Satten sättigen, nicht an den
leeren Schüsseln der Sehnsüchtigen. Ich will mir mein-
en Lohn nicht stehlen. Du besitzest nicht, wie kannst du
geben? Du forderst, indem du schenkst. Elias,
Alter, höre: du hast eine seltsame Dankbarkeit.
Verschenke deine Tochter nicht, sondern stelle sie auf

eigene Süße. Sie mag tanzen, singen oder die Laute schlagen vor den Leuten, und sie mögen ihr blinkende Münzen vor die Füße werfen. Salome, ich danke dir für deine Liebe. Wenn du mich wahrhaft liebst, tanze vor der Menge, gefalle den Leuten, daß sie deine Schönheit und deine Kunst preisen. Und wenn du reiche Ernte gehalten hast, dann wirf mir eine deiner Rosen durchs Fenster, und wenn der Born der Freude dir überquillt, so tanze und singe auch mir einmal. Ich sehne mich nach der Freude der Menschen, nach ihrer Sattheit und Zufriedenheit und nicht nach ihrer Bedürftigkeit. S: Was bist du für ein harter und unverständlicher Mensch. E: Du hast dich verändert, seit ich dich das letzte Mal sah. Du sprichst eine andere Sprache, die mir fremdartig klingt. I: Mein lieber Alter, ich glaube gerne, daß du mich verändert findest. Aber auch mit dir scheint eine Veränderung vorgegangen zu sein. Wo hast du denn deine Schlange? E: Die ist mir abhanden gekommen. Ich glaube, sie wurde mir gestohlen. Seitdem gieng es bei uns etwas trübselig zu. Ich wäre darum froh gewesen, wenn du wenigstens meine Tochter angenommen hättest. I: Ich weiß, wo deine Schlange ist. Ich habe sie. Wir holten sie aus der Unterwelt. Sie

giebt mir härte / weishᵗ u— magiſche gewalt · wir bedurft—
ihr° in d° ob°welt / den ſonſt hätte die unt°welt d— vor=
theil gehabt / uns z— ſchad— · E: weh dir v°fluchtᵉ°
räub° / gott ſtrafe di. I: dein fluᵃ iſt kraftlos. w°
d° ſchlange beſitzt / d— erreiᵗ kein fluᵃ · nun alt° ſei
klug: w° d— weishᵗ beſitzt / ſei niᵗ gierig naᵃ maᵗ.
nur d° beſitzt d— maᵗ / d° ſie niᵗ ausüebt · ſalome
weine niᵗ / nur d° iſt glück / w° du ſelb° ſchaffſt u—
niᵗ w° du bekomſt: v°ſchwindet / meine betrübt—
freunde / es iſt ſpät in d° naᵗ · elias nim d— falſch—
maᵗ ſchim° von dein° weishᵗ / u— du ſalome / um un=
ſer° liebe will— / v°giſs niᵗ z° tanz— .

[A]ls all° in mir vollendet war / kehr=
te i unv°wartet wied° z— myſter=
ium z°rück / z° jen— erſt— anblick
d° jſeitig— mäᵃte d° geiſt° u— d° be=
gehrens · ſo wie i die luſt an mir
u— d— maᵗ üb° mi— erreiᵗ hatte /
ſo hatte ſalome die luſt an ſi v°lor— / ab° d— liebe z—
andern gelernt / u— ſo hatte elias d— maᵗ ſein° weishᵗ
v°lor— / ab° d— geiſt d° andern anerkenn— gelernt ·
ſo hat ſalome d— maᵗ d° v°führ° eingebüſst u— iſt z°

liebe geworden. da ich die Lust an mir gewonnen habe / will
ich auch die liebe zu mir. das wäre wohl zu viel und würde
einen eisernen ring um mich legen / der mich erstickt. als lust
nahm ich Salome an / als liebe weise ich sie zurück. aber
sie will zu mir. wie / soll ich auch liebe zu mir selber haben?
die liebe / glaube ich / gehöre zu andern. aber meine liebe
will zu mir. ich fürchte mich vor ihr. die macht meines denkens möge sie von mir stoßen / in die welt / in die dinge / zu
den menschen. denn etwas soll doch die menschen zusammenschließen / etwas
soll doch brücke sein. schwerste versuchung / wenn sogar meine
liebe zu mir will! mysterium / öffne deinen vorhang
aufs neue. ich will diesen kampf durchfechten. kome
herauf / schlange vom dunkeln abgrund. ich höre salome noch immer weinen. was will sie noch oder was
will ich noch? das ist ein verfluchter lohn / den du mir zu-
gedacht hast / ein lohn / den man ohne opfer nicht anrüh-
ren kann. der noch größere opfer erfordert / wenn man ihn
angerührt hat. schlange: willst du denn ohne opfer
leben? das leben muß dir doch etwas kosten? ich: ich habe / glaube ich / bereits bezahlt. ich habe Salome ausgeschlagen. ist
das nicht opfer genug? schl: für dich zu wenig. wie gesagt /
du darfst anspruchsvoll sein. ich: du meinst wohl mit
deiner verdammten logik: anspruchsvoll im opfer? so ha-

bei ich es allerdings nicht verstanden. Ich habe mir wohl zu meinem Vortheil gelästert. Sage mir, ist es nicht genug, wenn ich mein Gefühl in den Hintergrund dränge? S.: Du drängst ja dein Gefühl gar nicht in den Hintergrund, sondern es paßt dir viel besser, den Kopf für Salome nicht mehr weiter zerbrechen zu müssen. Ich: Es ist schlimm, wenn du die Wahrheit sprichst. Ist das der Grund, daß Salome noch immer weint? S.: Ja, das ist der Grund. Ich: Aber was ist da zu thun? S.: O, du willst thun? Man kann auch denken. Ich: Doch, was ist zu denken. Ich gestehe, ich weiß hier nichts zu denken. Vielleicht weißt du Rath. Ich habe das Gefühl, als müßte ich über meinen eigenen Kopf emporsteigen. Das kann ich nicht. Was denkst du? S.: Ich denke nichts, ich weiß auch keinen Rath. Ich: So frage die Jenseitigen. Fahre zur Hölle oder zum Himmel, vielleicht giebt es dort Rath. S.: Mir zieht es nach oben. Da verwandelte sich die Schlange in einen kleinen weißen Vogel, der sich emporschwang in die Wolken, wo er verschwand. Ich blickte ihm lange nach. Der Vogel: Hörst du mich? Ich bin ferne. Der Himmel ist so weit weg. Die Hölle ist viel näher bei der Erde. Ich fand etwas für dich, eine verlassene Krone. Sie lag auf einer Straße in den unermeßlichen Himmelsräumen, eine goldene Krone. Und schon liegt sie in

1959

Ich habe an diesem Buch 16 Jahre lang gearbeitet. Die Bekanntschaft mit der Alchemie 1930 hat mich davon weggenommen. Der Anfang vom Ende kam 1928, als mir Wilhelm den Text der „Goldenen Blüthe", eines alchemistischen Traktates sandte. Da fand der Inhalt dieses Buches den Weg in die Wirklichkeit und ich konnte nicht mehr daran weiterarbeiten. Dem oberflächlichen Betrachter wird es wie eine Verrücktheit vorkommen. Es wäre auch zu einer solchen geworden, wenn ich die überwältigende Kraft der ursprünglichen Erlebnisse nicht hätte auffangen können. Mit Hilfe der Alchemie konnte ich sie schliesslich in ein Ganzes einordnen. Ich wusste immer, dass jene Erlebnisse Kostbares enthielten und darum wusste ich Nichts Besseres als sie in einem „kostbaren", d. h. theuren Buch aufzuschreiben und die beim Wiederdurchleben auftretenden Bilder zu malen – so gut dies eben ging. Ich weiss, wie erschreckend inadäquat diese Unternehmung war, aber trotz vieler Arbeit und Ablenkung blieb ich ihr getreu, auch wenn ich nie eine andere

Möglichkeit

Liber Novus: O “Livro Vermelho” de C.G. Jung[1]

SONU SHAMDASANI

C.G. JUNG é amplamente reconhecido como uma figura proeminente no pensamento ocidental moderno, e seu trabalho continua a produzir controvérsias. Ele teve um papel importante na formação da psicologia, da psicoterapia e da psiquiatria modernas, e uma grande comunidade internacional de psicólogos analíticos trabalha sob seu nome. Entretanto, seu trabalho obteve o impacto mais amplo fora dos círculos profissionais: quando a maioria das pessoas pensa em psicologia, Jung e Freud são os nomes que aparecem em primeiro lugar, e suas ideias foram amplamente disseminadas nas artes, nas humanidades, no cinema e na cultura popular. Jung também é muito reconhecido como um dos provocadores de movimentos New Age. Contudo, é espantoso perceber que o livro que está no centro de sua obra, no qual trabalhou por mais de dezesseis anos, só agora seja publicado.

Provavelmente existem poucos trabalhos *inéditos* que exerceram efeitos tão vastos sobre a história social e intelectual do século XX quanto o *Livro Vermelho* de Jung, ou *Liber Novus* [Livro Novo]. Assim chamado por Jung por conter o núcleo de seus trabalhos tardios, já foi reconhecido como a chave para a compreensão da gênese desses trabalhos. Ainda assim, apesar de já termos tido dele alguns poucos vislumbres atormentadores, permaneceu até agora indisponível para estudo.

1 O presente ensaio segue, às vezes diretamente, minha reconstrução da formação da psicologia de Jung em *Jung and the Making of Modern Psychology*: The Dream of a Science. Cambridge: Cambridge University Press, 2003. Jung refere-se ao trabalho tanto como *Liber Novus* quanto como *O Livro Vermelho*, como ficou mais universalmente conhecido. Como há indicações de que o primeiro é o título verdadeiro, refiro-me a ele como tal ao longo da Introdução por uma questão de coerência. Esse assunto é tratado de maneira mais completa em meu livro: C.G. *Jung: uma biografia em livros* (Petrópolis: Vozes, 2014).

O momento cultural

As primeiras décadas do século XX testemunharam uma boa dose de experimentação na literatura, na psicologia e nas artes visuais. Escritores tentaram abolir os limites das convenções da representação a fim de explorar e mostrar todo o espectro da experiência interior – sonhos, visões e fantasias. Eles experimentaram com novas formas e utilizaram formas velhas de jeitos novos. Da escrita automática dos surrealistas às fantasias góticas de Gustav Meyrink, os escritores aproximaram-se e colidiram com as pesquisas de psicólogos que estavam envolvidos em explorações semelhantes. Artistas e escritores colaboraram em tentativas de novas formas de ilustração e tipografia, novas configurações de texto e imagem. Psicólogos buscaram vencer os limites de uma psicologia filosófica, e começaram a explorar o mesmo terreno que artistas e escritores. Demarcações claras entre literatura, arte e psicologia ainda não haviam sido estabelecidas; escritores e artistas emprestavam ideias de psicólogos e vice versa. Importantes psicólogos, tais como Alfred Binet e Charles Richet, escreveram trabalhos ficcionais e dramáticos, frequentemente sob pseudônimos, cujos temas espelhavam aqueles de seus trabalhos "científicos"[2]. Gustav Fechner, um dos fundadores da psicofísica e da psicologia experimental, escreveu sobre a vida da alma das plantas e sobre a Terra como um anjo azul[3]. Ao mesmo tempo, escritores tais como André Breton e Philippe Soupault constantemente liam e utilizavam os trabalhos de pesquisadores psíquicos e psicólogos da anormalidade, tais como Frederick Myers, Théodore Flournoy e Pierre Janet. W.B. Yeats utilizou a escrita automática espiritualista para compor uma psicocosmologia poética em *A Vision*[4]. Em todos os cantos, indivíduos procuravam novas formas com as quais representar as realidades da experiência interior, numa busca por renovação cultural e espiritual. Em Berlim, Hugo Ball notou:

> O mundo e a sociedade em 1913 pareciam assim: a vida está completamente confinada e algemada. Um tipo de fatalismo econômico prevalece; cada indivíduo, quer ele resista ou não, é encarregado de um papel específico e com ele seus interesses e seu caráter. A Igreja é encarada como uma "fábrica de redenção" de pouca importância, a literatura como uma válvula de escape... A pergunta mais incandescente noite e dia é: haverá em algum lugar uma força potente o suficiente para acabar com este estado de coisas? E, se não, como escaparmos?[5]

Em meio a essa crise cultural, Jung considerou levar adiante um extenso processo de autoexperimentação, que resultou no *Líber Novus*, um trabalho de psicologia em formato literário.

Estamos hoje do outro lado de uma divisão entre psicologia e literatura. Considerar o *Líber Novus* hoje é encarar um trabalho que somente pode ter emergido antes que essa separação houvesse sido firmemente estabelecida. Seu estudo ajuda-nos a compreender como ocorreu a divisão. Mas, antes, devemos perguntar,

Quem foi C.G. Jung?

Jung nasceu em Kesswil, no lago de Constança, em 1875. Sua família mudou-se para Laufen, junto aos Rhine Falls, quando ele tinha seis meses de vida. Ele era o filho mais velho e tinha uma irmã. Seu pai era um pastor da Igreja Suíça Reformada. Perto do fim de sua vida, Jung escreveu uma *memoir* intitulada "Sobre as experiências mais antigas de minha vida", que foi subsequentemente incluída em *Memórias, Sonhos, Reflexões* em formato intensamente editado[6]. Jung narrava os eventos significativos que o levaram à sua vocação psicológica. A *memoir*, com seu foco em sonhos, visões e fantasias significativos da infância, pode ser encarada como uma introdução ao *Líber Novus*.

No primeiro sonho, ele se encontrava numa campina com um buraco de pedras alinhadas, no chão. Encontrando uma escada, ele desceu para dentro do buraco e encontrou-se numa câmara. Ali havia um trono dourado, e o que parecia um tronco de árvore com pele e carne, com um olho no topo. Ele então ouvia a voz de sua mãe dizer que este era o "comedor de homens". Ele não tinha certeza se sua mãe queria dizer que esta figura de fato devorava crianças, ou era idêntica a Cristo. Isso afetou profundamente sua imagem de Cristo. Anos mais tarde, ele percebeu que essa figura era um pênis e, ainda mais tarde, que era de fato um falo ritual, e que o cenário era um templo subterrâneo. Ele veio a entender esse sonho como uma iniciação "nos mistérios da terra"[7].

Em sua infância, Jung experimentou algumas alucinações visuais. Parece que também tinha a capacidade de evocar imagens voluntariamente. Num seminário, em 1935, ele se lembrou de um retrato de sua avó materna que ele costumava olhar quando menino até que "viu" seu avô descendo as escadas[8].

Num dia de sol, quando Jung tinha doze anos, ele atravessava o Münsterplatz na Basileia, admirando o sol batendo nos azulejos recém-restaurados do teto da catedral. Então sentiu a aproximação de um pensamento terrível e pecaminoso, que tentou mandar embora. Ficou angustiado por vários dias. Finalmente, após convencer a si mesmo de que era Deus que queria que ele pensasse esse pensamento, assim como foi Deus que quis que Adão e Eva pecassem, permitiu-se contemplá-lo, e viu Deus em seu trono despejar um poderoso monte de excremento sobre a catedral, arrasando seu novo telhado e estraçalhando a catedral. Com isso, Jung sentiu uma felicidade e um alívio como nunca tinha sentido. Sentiu que essa era uma experiência do "direct living God..."[9] Ele sentiu-se sozinho perante Deus, e sentiu que sua real responsabilidade começava ali. Percebeu que foi precisamente tal experiência direta e imediata do Deus vivo, que está fora da Igreja e da Bíblia, que faltava a seu pai.

Esse sentido de predestinação levou-o a uma desilusão final com a Igreja na ocasião de sua Primeira Comunhão. Ele tinha sido levado a acreditar que esta seria uma grande experiência. Ao contrário, nada disso. Concluiu: "Para mim foi uma ausência de Deus e de religião. A Igreja tornou-se um lugar aonde eu não poderia mais ir. Ali não havia vida, mas morte."[10]

2 Cf. CARROY, Jacqueline. *Les personnalités multiples et doubles*: entre science et fiction. Paris: PUF, 1993.
3 Cf. FECHNER, Gustav Theodor. *The Religion of a Scientist*. Nova York: Pantheon, 1946 [organizado e traduzido por Walter Lowrie].
4 Cf. STAROBINSKI, Jean. "Freud, Breton, Myers". In: *L'oeuil vivante II*: La relation critique. Paris: Gallimard, 1970. • YEATS, W.B. *A Vision*. Londres: Werner Laurie, 1925. Jung possuía uma cópia do último.
5 BALL, Hugo. *Flight out of Time: a Dada Diary*. Berkeley: University of California Press, 1996, p. I [organizado por John Elderfield e traduzido por A. Raimes].
6 Sobre como o livro erroneamente veio a ser visto como a autobiografia de Jung, cf. meu *Jung Stripped Bare by his Biographers, Even*. Londres: Karnac, 2004, cap. 1: "'How to catch the bird': Jung and his first biographers". Cf. tb. ELMS, Alan. "The auntification of Jung". In: *Uncovering Lives*: The Uneasy Alliance of Biography and Psychology. Nova York: Oxford University Press, 1994.
7 *Memórias*, p. 28.
8 "The Tavistock Lectures". OC, 18, § 397.
9 *Memórias*, p. 54.
10 Ibid., p. 61.

A voracidade de leitura de Jung começou nesse período, e ele ficou particularmente impressionado com *Fausto* de Goethe. Impressionou-o o fato de que, com Mefistófeles, Goethe levou a figura do diabo a sério. Na filosofia, impressionou-o Schopenhauer, que reconhecia a existência do mal e deu voz aos sofrimentos e misérias do mundo.

Jung também tinha a impressão de viver em dois séculos, e sentia uma forte nostalgia pelo século XVIII. Sua sensação de dualidade tomou a forma de duas personalidades alternadas, que cunhou de número 1 e número 2. Personalidade número 1 era o garoto aluno da Basileia, que lia romances, e personalidade número 2 era a que solitariamente perseguia reflexões religiosas, num estado de comunhão com a natureza e com o cosmo. Ela habitava o "mundo de Deus". Essa personalidade lhe parecia muito real. A personalidade número 1 queria se livrar da melancolia e do isolamento da personalidade número 2. Quando entrava a personalidade número 2, parecia que um espírito há muito tempo morto e ainda perpetuamente presente entrava na sala. A número 2 não tinha um caráter definido; era conectada à história, especialmente com a Idade Média. Para a número 2, a número 1, com seus fracassos e inaptidões, era alguém para se aguentar. Esse jogo permaneceu durante toda a vida de Jung. Do modo como ele as encarava, somos todos assim – uma parte de nós vive no presente e outra está conectada com os séculos.

Quando se aproximou o momento para ele de escolher uma carreira, o conflito entre as duas personalidades intensificou-se. A número 1 queria as ciências, a número 2, as humanidades. Jung teve então dois sonhos importantes. No primeiro, ele estava andando num bosque escuro perto do Reno. Deparou-se com um túmulo e começou a cavá-lo, até descobrir restos de animais pré-históricos. Este sonho despertou nele a vontade de saber mais sobre a natureza. No segundo sonho, ele estava num bosque, e havia riachos. Encontrou então um lago cercado de densa vegetação rasteira. No lago, viu uma bela criatura, um enome radiolário. Após esses sonhos, optou pelas ciências. Para resolver a questão de como ganhar a vida, decidiu estudar medicina. Então teve outro sonho. Estava num lugar desconhecido, coberto de neblina, avançando vagarosamente contra o vento. Ele estava protegendo uma pequena luz de apagar-se. Viu então uma enorme criatura preta amedrontadoramente próxima. Acordou, e percebeu que a figura era a sombra que a luz projetava. Pensou que, no sonho, a número 1 estava ela mesma levando a luz, e que a número 2 seguia como uma sombra. Encarou isso como um sinal de que ele devia seguir com a número 1, e não olhar para trás para o mundo da número 2.

Em seus dias de universidade, o jogo entre essas duas personalidades continuou. Em acréscimo a seus estudos médicos, Jung seguiu um programa intensivo de leituras extracurriculares, em especial das obras de Nietzsche, Schopenhauer, Swedenborg[11], e autores espiritualistas. *Assim falava Zaratustra*, de Nietzsche, causou-lhe grande impressão. Sentia que sua própria personalidade número 2 correspondia a Zaratustra, e temia que ela fosse semelhantemente mórbida[12]. Ele participou de uma sociedade estudantil de debates, a Sociedade Zofingia, e lá apresentou palestras sobre esses temas. Especialmente o espiritualismo o interessava muito, já que parecia que os espiritualistas estavam tentando utilizar meios científicos para explorar o sobrenatural, e para provar a imortalidade da alma.

A segunda metade do século XIX testemunhou a emergência do espiritualismo moderno, que se espalhou pela Europa e América. Por meio do espiritualismo, o cultivo de transes – com os concomitantes fenômenos da fala de transe, da glossolalia, da escrita automática e da visão de cristal – tornou-se disseminado. Os fenômenos espiritualistas atraíram o interesse de cientistas importantes tais como Crookes, Zollner e Wallace. Também atraíram o interesse de psicólogos, incluindo Freud, Ferenczi, Bleuler, James, Myers, Janet, Bergson, Stanley Hall, Schrenck-Notzing, Moll, Dessoir, Richet e Flournoy.

Durante seus dias de universitário na Basileia, Jung e seus colegas participavam de sessões. Em 1896, eles tiveram uma longa série de encontros com sua prima Hélène Preiswerk, que parecia ter habilidades mediúnicas. Jung descobriu que durante os transes ela assumia personalidades diferentes e que ele podia chamar essas personalidades através de sugestão. Parentes mortos apareciam, e ela se transformava completamente nessas figuras. Ela revelava histórias de suas encarnações anteriores e articulava uma cosmologia mística, representada num mandala[13]. Suas revelações espiritualistas continuaram até ela ser pega tentando simular aparições físicas, e as sessões foram encerradas.

Ao ler o *Manual de Psiquiatria* de Richard von Krafft-Ebing em 1899, ele percebeu que sua vocação estava na psiquiatria, que representava uma fusão dos interesses de suas duas personalidades. Jung passou, por assim dizer, por uma conversão a um enquadre científico natural. Depois de completar seus estudos médicos, assumiu um posto como médico assistente no hospital Burghölzli no final de 1900. O Burghölzli era uma clínica de universidade com um clima progressivo, sob a direção de Eugen Bleuler. No final do século XIX, muitas figuras tentaram fundar uma nova psicologia científica. Mantinha-se que, ao tornar a psicologia uma ciência através da introdução de métodos científicos, todas as formas anteriores de compreensão humana seriam revolucionadas. Na nova psicologia colocava-se a promessa de nada menos que completar a revolução científica. Graças a Bleuler e seu antecessor, Auguste Forel, a pesquisa psicológica e a hipnose tinham lugar de destaque no Burghölzli.

A dissertação médica de Jung focalizava a psicogênese dos fenômenos espiritualísticos, na forma de uma análise de suas sessões com sua prima Hélène Preiswerk[14]. Enquanto que seu interesse inicial em seu caso parecia ser a possível veracidade de suas manifestações espiritualísticas, nesse ínterim ele havia estudado os trabalhos de Frederic Myers, William James e, em especial, Théodore Flournoy. No final de 1899, Flournoy publicou um estudo sobre uma médium, que ele chamou de Hélène Smith, que se tornou um *best-seller*[15]. A novidade no estudo de Flournoy é que ele abordava o caso inteiramente a partir do ângulo psicológico, como um meio de iluminar o estudo da consciência subliminar. Uma virada importante havia sido dada pelos trabalhos de Flournoy, Frederick Myers e William James. Eles argumentavam que independentemente das supostas experiências espiritualísticas serem válidas, tais experiências proporcionaram *insights* muito profundos sobre a constituição do subliminar e, portanto, da psicologia humana como um todo. Por meio delas, médiuns tornaram-se

11 Emmanuel Swedenborg (1688-1772) foi um cientista sueco e um místico cristão. Em 1743, ele atravessou uma crise religiosa, que está descrita em seu *Diário de sonhos*. Em 1745, ele teve uma visão do Cristo. Ele então devotou sua vida a relacionar o que tinha visto e ouvido nos céus e na terra e aprendido com os anjos, e a interpretar os significados internos e simbólicos da *Bíblia*. Swedenborg argumentava que a *Bíblia* tinha dois níveis de sentido: um nível físico e literal, e um outro interno, espiritual. Esses níveis se interligavam por correspondências. Ele proclamava o advento de uma "nova igreja" que representava uma nova era espiritual. De acordo com Swedenborg, no nascimento adquirimos males de nossos pais que estão alojados no homem natural, que está diametricamente em oposição ao homem espiritual. O homem está destinado para o céu, e lá não pode chegar sem regeneração espiritual e um novo nascimento. Os meios para isso repousam na caridade e na fé. Cf. TAYLOR, Eugen. "Jung on Swedenborg, redivivus". *Jung History*, 2, 2, 2007, p. 27-31.

12 *Memórias*, p. 99.

13 Cf. OC, 1, § 66, fig. 2.

14 "Sobre a psicologia e a patologia dos fenômenos chamados ocultos". OC, 1.

15 FLOURNOY, Théodore. *From India to the Planet Mars*: A Case of Multiple Personality with Imaginary Languages. Princeton: Princeton University Press, 1900/1994 [organizado por Sonu Shamdasani; traduzido por D. Vermilye].

sujeitos importantes da nova psicologia. Com essa virada, os métodos utilizados pelos médiuns, tais como escrita automática, discurso de transe, visão de cristal, foram apropriados pelos psicólogos e tornaram-se ferramentas proeminentes da pesquisa experimental. Na psicoterapia, Pierre Janet e Morton Prince usaram a escrita automática e a leitura de cristais como métodos para a revelação de memórias ocultas e ideias fixas subconscientes. A escrita automática trouxe à luz subpersonalidades, e permitiu o estabelecimento de diálogo com elas[16]. Para Janet e Prince, o objetivo de se considerar tais práticas era a reintegração da personalidade.

Jung ficara tão estusiasmado com o livro de Flournoy que se ofereceu para traduzi-lo para o alemão, mas Flournoy já tinha um tradutor. O impacto desses estudos fica claro na dissertação de Jung, na qual sua abordagem ao caso é puramente psicológica. O trabalho de Jung teve como modelo mais próximo *From India to the Planet Mars*, de Flournoy, tanto em termos do assunto quanto de sua interpretação da psicogênese dos romances espiritualísticos de Hélène. A dissertação de Jung também indica a maneira na qual ele utilizava a escrita automática como um método de investigação psicológica.

Em 1902, ele noivou Emma Rauschenbach, com quem se casou e com quem teve cinco filhos. Até esse momento, Jung mantinha um diário. Num dos últimos registros, datado de maio de 1902, escreve: "Não estou mais sozinho comigo mesmo, e só artificialmente posso recordar-me o sentimento assustador e belo da solidão. Este é o lado sombrio da sorte do amor"[17]. Para Jung, seu casamento marcou um movimento para longe da solidão com a qual havia se acostumado.

Em sua juventude, Jung frequentemente visitava o museu de arte da Basileia e sentia-se especialmente atraído pelas obras de Holbein e Böcklin, assim como pelos pintores holandeses[18]. Perto do final de seus estudos, durante um ano, esteve bastante ocupado com a pintura. Suas pinturas desse período eram paisagens num estilo representacional e mostram habilidades técnicas altamente desenvolvidas e grande desenvoltura técnica[19]. Em 1902-1903, Jung deixou seu posto no Burghölzli e foi a Paris para estudar com o eminente psicólogo francês Pierre Janet, que estava dando aulas no Collège de France. Durante sua estada, passava muito tempo pintando e visitando museus, indo constantemente ao Louvre. Prestava muita atenção especialmente em arte antiga, antiguidades egípcias, nas obras da Renascença, Fra Angelico, Leonardo da Vinci, Rubens e Frans Hals. Comprou quadros e gravuras e encomendou cópias para a decoração de seu novo lar. Pintava tanto óleos quanto aquarelas. Em janeiro de 1903, foi a Londres e visitou seus museus, particularmente interessado nas coleções egípcia, asteca e inca do Museu Britânico[20].

Na sua volta, assumiu um cargo que havia vagado no Burghölzli, e dedicou sua pesquisa à análise das associações linguísticas em colaboração com Franz Riklin. Com a ajuda de assistentes, eles conduziram uma série extensa de experimentos, que submeteram a análises estatísticas. A base conceitual do trabalho inicial de Jung estava nas obras de Flournoy e Janet, que ele tentava juntar com a metodologia de pesquisa de Wilhelm Wundt e Emil Kraepelin. Jung e Riklin utilizaram o experimento de associações, criado por Francis Galton e desenvolvido na psicologia e na psiquiatria por Wundt, Kraepelin e Gustav Aschaffenburg. O objetivo do projeto de pesquisa, estimulado por Bleuler, era fornecer um modo rápido e confiável de diagnóstico diferencial. A equipe do Burghölzli falhou nisso, mas ficaram impressionados pelo significado dos distúrbios de reação e tempo de resposta prolongados. Jung e Riklin argumentavam que essas reações perturbadas eram devidas à presença de complexos emocionalmente estressantes, e usaram seus experimentos para desenvolver uma psicologia geral dos complexos[21].

Esse trabalho estabeleceu a reputação de Jung como uma das estrelas ascendentes da psiquiatria. Em 1906, ele aplicou sua nova teoria dos complexos para estudar a psicogênese da *dementia praecox* (posteriormente chamada de esquizofrenia) e para demonstrar a inteligibilidade das formações delirantes[22]. Para Jung, juntamente com numerosos outros psiquiatras e psicólogos da época, tais como Janet e Adolf Meyer, a insanidade não era encarada como algo completamente separado da sanidade, mas, ao invés, como algo posicionado no extremo final de um espectro. Dois anos mais tarde, ele argumentou que "se sentimos nosso caminho adentrando os segredos humanos da pessoa doente, a loucura também revela seu sistema, e reconhecemos na doença mental apenas uma reação excepcional a problemas emocionais que não são estranhos a nós"[23].

Jung desencantou-se cada vez mais com as limitações dos métodos experimentais e estatísticos na psicologia e na psiquiatria. No ambulatório do Burghölzli, Jung fazia demonstrações de hipnose. Isso o levou a se interessar pela terapêutica e o uso do encontro clínico como método de pesquisa. Por volta de 1904, Bleuler introduzira a psicanálise no Burghölzli, e começou uma correspondência com Freud, pedindo sua ajuda para a análise de seus próprios sonhos[24]. Em 1906, Jung começou a comunicar-se com Freud. Esse relacionamento foi muito mitologizado. Uma legião "freudocêntrica" surgiu, que via Freud e a psicanálise como a fonte principal do trabalho de Jung. Isso levou a uma compreensão completamente equivocada de seu trabalho na história intelectual do século XX. Em inúmeras ocasiões Jung protestou. Num artigo inédito escrito nos anos 1930, por exemplo, Jung escreveu: "De forma alguma eu descendo exclusivamente de Freud. Eu tinha minha atitude científica e a teoria dos complexos antes de encontrá-lo. Os mestres que mais me influenciaram acima de todos são Bleuler, Pierre Janet e Theodore Flournoy"[25]. Freud e Jung claramente vieram de tradições intelectuais bem diferentes, e se aproximaram por conta de interesses em comum na psicogênese das desordens mentais e na psicoterapia. Sua intenção era formular uma psicoterapia científica baseada na nova psicologia e, por sua vez, sustentar a psicologia na investigação clínica profunda de vidas individuais.

Com a liderança de Bleuler e Jung, o Burghölzli tornou-se o centro do movimento psicanalítico. Em 1908, o *Jahrbuch für psychoanalytische und psychopathologische Forschungen* [Anuário de Pesquisa Psicanalítica e Psicopatológica]

16 JANET, Pierre. *Névroses et idée fixes*. Paris: Alcan, 1898. • PRICE, Morton. *Clinical and Experimental Studies in Personality*. Cambridge, Mass.: Sci-Art, 1929. Cf. meu "Automatic writing and the discovery of the unconscious". *Spring: Journal of Archetype and Culture*, 54, 1993, p. 100-131.
17 *Livro Negro* 2, p. 1 [todo o conteúdo dos *Livros Negros* está em *AFJ*].
18 *MP*, p. 164.
19 Cf. WEHR, Gerhard. *An Illustrated Biography of Jung*. Boston: Shambala, 1989, p. 47 [Trad. de M. Kohn]. • JAFFÉ, Aniela (org.). C.G. *Jung*: Word and Image. Princeton: Princeton University Press/Bollingen Series, 1979, p. 42-43.
20 *MP*, p. 164. • Cartas inéditas, *AFJ*.
21 *Estudos experimentais*. OC, 2.
22 "A psicologia da *dementia praecox*: um ensaio". OC, 3.
23 "O conteúdo da psicose". OC, 3, § 339.
24 Arquivos Freud, Biblioteca do Congresso. Cf. FALZEDER, Ernst. "The story of an ambivalent relationship: Sigmund Freud and Eugen Bleuler". *Jounal of Analytical Psychology*, 52, 2007, p. 343-368.
25 *JA*.

foi criado, com Bleuler e Jung como editores. Com sua defesa, a psicanálise pôde se fazer notar no mundo psiquiátrico alemão. Em 1909, Jung recebeu um grau honorário da Universidade Clark por suas pesquisas com associação. No ano seguinte, uma associação psicanalítica internacional foi formada com Jung como presidente. Durante o período de sua colaboração com Freud, ele era um dos principais arquitetos do movimento psicanalítico. Esse foi para ele um período de intensa atividade política e institucional. O movimento estava rachado por divergências e desacordos amargos.

A intoxicação da mitologia

Em 1908, Jung comprou um pedaço de terra à margem do Lago de Zurique, em Küsnacht, e ali construiu uma casa onde viveria até o final de sua vida. Em 1909, ele se desligou do Burghölzli para dedicar-se à sua crescente prática clínica e seus interesses de pesquisa. Sua retirada do Burghölzli coincidiu com uma virada em seus interesses de pesquisa em direção ao estudo da mitologia, do folclore e da religião, e ele montou uma enorme biblioteca particular de obras acadêmicas. Essas pesquisas culminaram com *Transformações e símbolos da libido*, publicado em duas partes em 1911 e 1912. Esse trabalho pode ser visto como aquele que marca um retorno de Jung a suas raízes intelectuais e a suas preocupações culturais e religiosas. Ele achava o trabalho mitológico estimulante e intoxicante. Em 1925, ele lembra: "parecia-me que estava vivendo num manicômio que eu mesmo tinha construído. Eu andava de lá para cá com todas essas figuras fantásticas: centauros, ninfas, sátiros, deuses e deusas como se fossem pacientes e eu os estivesse analisando. Eu lia um mito grego ou negro como se um lunático estivesse me contando sua anmnese"[26]. O fim do século XIX testemunhou uma explosão de estudos acadêmicos nas recém-fundadas disciplinas de religião comparada e de etnopsicologia. Textos básicos foram recolhidos e traduzidos pela primeira vez e apresentados aos estudos históricos em coleções de ensaios tais como *Sacred Books of the East*, de Max Müller[27]. Para muitos esses trabalhos representavam uma importante relativização da visão de mundo cristã.

Em *Transformações e símbolos da libido*, Jung diferencia dois tipos de pensamento. Pegando a pista de William James, entre outros, Jung constrastava o pensamento direcionado e o pensamento de fantasia. O primeiro era verbal e lógico, enquanto que o segundo era passivo, associativo e imagético. O primeiro era exemplificado pela ciência, e o segundo, pela mitologia. Jung sustentava que os antigos não possuíam a capacidade para o pensamento direcionado, uma aquisição moderna. O pensamento de fantasia ocupava o lugar quando cessava o pensamento direcionado. *Transformações e símbolos da libido* era um extenso estudo do pensamento de fantasia e da presença continuada de temas mitológicos nos sonhos e fantasias de indivíduos contemporâneos. Jung reiterava a equação antropológica do pré-histórico, do primitivo e da criança. Ele mantinha que a elucidação do pensamento de fantasia diurno corrente em adultos ao mesmo tempo jogaria luz no pensamento de crianças, de selvagens e de povos pré-históricos[28].

Nesse trabalho, Jung sintetizou as teorias da memória do século XIX, a hereditariedade e o inconsciente e postulou uma camada filogenética no inconsciente ainda presente em cada um de nós, que consiste de imagens mitológicas. Para Jung, os mitos eram símbolos da libido e apresentavam seus movimentos típicos. Ele usou o método comparativo da antropologia para juntar uma vasta panóplia de mitos, e então os sujeitou à interpretação analítica. Mais tarde, ele chamou seu uso do método comparativo de "amplificação". Ele defendia que haveria mitos típicos, que corresponderiam ao desenvolvimento etnopsicológico dos complexos. De acordo com Jacob Burckhardt, Jung chamou tais mitos típicos de "imagens primordiais" (*Urbilder*). A um mito em particular foi dado um papel central: o do herói. Para Jung ele representava a vida de um indivíduo, tentando tornar-se independente e de libertar-se da mãe. Ele interpretou o motivo do incesto como uma tentativa de retorno à mãe para renascer. Mais tarde, ele anunciaria formalmente essa obra como a da descoberta do inconsciente coletivo, embora o termo propriamente dito tenha surgido depois[29].

Numa série de artigos de 1912, Alphonse Maeder, colega e amigo de Jung, argumentava que os sonhos tinham uma função diferente daquela de satisfação do desejo – uma função de balanço, ou compensatória. Os sonhos eram tentativas de solucionar os conflitos morais de um indivíduo. Como tais, não apontavam meramente para o passado, mas também preparavam o caminho para o futuro. Maeder estava desenvolvendo as perspectivas de Flournoy a respeito de uma imaginação criativa subconsciente. Jung trabalhava em linhas semelhantes, e adotou as posições de Maeder. Para eles, essa alteração na concepção dos sonhos trouxe consigo uma alteração na consideração de todos os outros fenômenos associados ao inconsciente.

Em seu prefácio à edição revista de *Transformações e símbolos da libido*, de 1952, Jung dizia que o trabalho havia sido escrito em 1911, quando ele tinha 36 anos de idade: "Esta é uma época crítica, pois representa o início da segunda metade da vida de um homem, quando não raro ocorre uma *metanoia*, uma transformação mental"[30]. Acrescentava que estava consciente da perda de sua colaboração com Freud, e que se sentia em dívida com relação ao apoio recebido de sua esposa. Depois de terminado o trabalho, ele percebeu o significado do que era viver sem um mito. Aquele sem um mito "é, na verdade, um erradicado, que não tem contato verdadeiro nem com o passado, a vida dos ancestrais (que sempre vive em seu seio), nem com a sociedade humana do presente"[31]. Como resultado disso, ele nota que:

> Eu me senti compelido a perguntar-me com toda a seriedade: "O que é o mito que você vive?" Não achei a resposta e tive que me confessar que na verdade eu não vivia nem com um mito nem dentro de um mito, e sim numa nuvem insegura de possibilidades de conceitos, que eu olhava, aliás, com desconfiança crescente... Veio-me então, naturalmente, a decisão de conhecer "meu mito". E considerei isto como tarefa por excelência, pois – assim eu me dizia – como poderia prestar contas corretamente de meu fator pessoal, de minha equação pessoal, diante de meus pacientes, se nada sabia a respeito, e sendo isto, no entanto, tão fundamental para o reconhecimento do outro?[32]

O estudo do mito revelou a Jung a ausência de mito em sua vida. Ele então preocupou-se em descobrir seu mito, sua "equação pessoal"[33]. Assim percebemos que a autoexperimentação com a qual Jung se envolveu foi em parte uma resposta direta a questões teóricas levantadas por sua pesquisa, que culminaram em *Transformações e símbolos da libido*.

26 *Analytical Psychology*, p. 24.
27 Desses, Jung possuía um conjunto completo.
28 *Wandlungen und Symbole der Libido* [Transformações e símbolos da libido]. OC, B, § 36, p. 37. Em sua revisão do texto em 1952, Jung ampliou isto (*Símbolos da transformação*. OC, 5, § 29).
29 "Address on the occasion of the founding of the C.G. Jung Institute, Zurich, 24 April 1948". OC, 18, § 1.129.
30 OC, 5, p. XXVI.
31 Ibid., p. XIX.
32 Ibid.
33 Cf. *Analytical Psychology*, p. 25.

"Meu experimento mais difícil"

Em 1912, Jung teve alguns sonhos significativos que não entendeu. Deu especial importância a dois deles, que ele sentia que mostravam as limitações das concepções de Freud sobre os sonhos. O primeiro é o seguinte:

> Estava numa cidade sulina, numa rua ascendente cheia de estreitas plataformas de desembarque. Eram doze horas – sol a pino. Um velho guarda de alfândega ou alguém parecido com isto passa por mim, perdido em seus pensamentos. Alguém diz, "esse é um que não pode morrer. Ele já morreu há uns 30-40 anos, mas ainda não tratou de decompor-se". Fiquei muito surpreso. Então surgiu uma figura impressionante, um cavaleiro de grande porte, vestido com uma armadura meio amarela. Ele parece corpulento e inescrutável e nada o impressiona. Em suas costas, ele carrega uma cruz vermelha maltesa. Ele vinha existindo desde o século XII e diariamente, entre 12 e 13 horas, tomava a mesma rota. Ninguém se admira com essas duas aparições, mas eu fiquei muito surpreso.
>
> Contive minhas habilidades interpretativas. Com relação ao velho austríaco, ocorreu-me Freud; com relação ao cavaleiro, eu mesmo.
>
> Dentro de mim, uma voz diz: "Está tudo vazio e aversivo". Devo suportá-lo[34].

Jung achou esse sonho opressivo e desconcertante, e Freud foi incapaz de interpretá-lo[35]. Mais ou menos seis meses depois teve outro sonho:

> Sonhei naquela época (logo depois do Natal de 1912), que estava com meus filhos em um maravilhoso apartamento de um castelo, ricamente mobiliado – num *hall* aberto cheio de colunas –, estávamos sentados numa mesa redonda, cujo tampo era uma pedra verde-escura maravilhosa. De repente, uma gaivota ou uma pomba adentrou voando e espalhou-se suavemente na mesa. Alertei as crianças para ficarem quietas, de forma a não assustarem o belo pássaro branco. Repentinamente esse pássaro transformou-se numa criança de oito anos de idade, uma garotinha loira, que correu brincando com meus filhos pela colunata. Então, de repente, a criança transformou-se na gaivota ou pomba. Ela me disse assim: *"Apenas na primeira hora da noite eu posso tornar-me humana, enquanto a pomba macho está ocupada com os doze mortos"*. Com estas palavras o pássaro voou e eu acordei[36].

No *Livro Negro* 2, Jung anotou que foi esse sonho que o fez decidir a entrar num relacionamento com uma mulher que ele havia conhecido três anos antes (Toni Wolff)[37]. Em 1925, ele observou que esse sonho "foi o começo de uma convicção de que o inconsciente não consistia de material inerte apenas, mas que havia algo vivo lá embaixo"[38]. Ele acrescentou que pensara na história da *Tabula smaragdina* (tábua de esmeralda), os doze apóstolos, os signos do Zodíaco, e por aí adiante, mas que ele "não podia entender nada do sonho, exceto que havia uma tremenda animação do inconsciente. Não conhecia nenhuma técnica para chegar ao fundo dessa atividade; tudo o que podia fazer era esperar, continuar vivendo e observando as fantasias"[39]. Esses sonhos o levaram a analisar suas memórias de infância, mas isto não resolveu nada. Ele percebeu que precisava recuperar o tom emocional da infância. Lembrou-se que, quando criança, gostava de construir casas e outras estruturas, e retomou essa atividade.

Enquanto esteve envolvido com sua atividade de autoanálise, continuou a desenvolver seu trabalho teórico. Em setembro de 1913, no Congresso de Psicanálise de Munique, falou sobre os tipos psicológicos. Argumentou que havia dois movimentos básicos da libido: a extroversão, na qual o interesse do sujeito está orientado em direção ao mundo externo, e a introversão, na qual o interesse do sujeito está direcionado para dentro. Seguindo essas ideias, postulou dois tipos de gente, cada um caracterizado pela predominância de uma dessas tendências. As psicologias de Freud e de Adler eram exemplos do fato de que as psicologias com frequência assumem o que é a verdade de seu tipo como geralmente válido. Assim o que se fazia necessário era uma psicologia que fizesse justiça a ambos esses tipos[40].

No mês seginte, numa viagem de trem para Schaffhausen, Jung teve uma visão da Europa sendo devastada por uma inundação catastrófica, visão que se repetiria duas semanas mais tarde, na mesma viagem[41]. Em 1925, comentando sobre essa experiência, ele obervou: "Eu poderia me tomar como a Suíça cercada por montanhas e a submersão do mundo poderia ser as ruínas de meus relacionamentos anteriores". Isso o levou ao seguinte diagnóstico de sua condição: "Pensei comigo mesmo, 'se isto significa alguma coisa, significa que estou completamente perdido'"[42]. Depois dessa experiência, Jung temia enlouquecer[43]. Ele lembra que primeiro pensou que as imagens da visão indicavam uma revolução, mas como não podia imaginar isso, concluiu que estava "ameaçado por uma psicose"[44]. Depois disso, teve uma visão semelhante:

> No inverno seguinte, estava na janela numa noite olhando para o Norte. Vi um brilho vermelho sangue, como o brilho

34 *Livro Negro* 2, p. 25-26.

35 Em 1925, ele deu a seguinte interpretação desse sonho: "O significado do sonho está no princípio da figura ancestral: não o oficial austríaco – obviamente ele representa a teoria freudiana –, mas o outro, o Cruzado, é uma figura arquetípica, um símbolo cristão vivo desde o século XII, um símbolo que realmente não vive hoje em dia, mas que não está de todo morto. Ele vem dos tempos de Meister Eckhart, o tempo da cultura dos Cavaleiros, quando muitas ideias floresceram, para serem apagadas novamente, mas que estão voltando à vida agora. Entretanto, quando tive este sonho, não conhecia esta interpretação" (*Analytical Psychology*, p. 39).

36 *Livro Negro* 2, p. 17-18.

37 Ibid., p. 17.

38 *Analytical Psychology*, p. 40.

39 Ibid., p. 40-41. E.A. Bennet observou os comentários de Jung sobre este sonho: "Primeiramente ele pensou que os 'doze homens mortos' referiam-se aos doze dias antes do Natal, pois este é o tempo obscuro do ano, quando tradicionalmente as bruxas estão soltas. Dizer 'antes do Natal' é dizer 'antes que o sol viva novamente', pois o dia de Natal é o ponto de virada do ano, quando o nascimento do sol era celebrado na religião mitraica... Somente muito tempo depois que ele relacionou o sonho a Hermes e aos doze pombos" (*Meetings with Jung*: Conversations recorded by E.A. Bennet during the Years 1946-1961. Londres: Anchor Press, 1982. Zurique: Daimon Verlag, 1985, p. 93). Em "Aspectos psicológicos da Core", 1951, Jung apresentou algum material do *Líber Novus* (descrevendo-o como parte de uma série de sonhos) de forma anônima ("caso Z"), traçando as transformações da *anima*. Ele observa que este sonho "mostra a *anima* com forma de elfo, ou seja, apenas parcialmente humana. Ela igualmente pode ser um pássaro, o que significa que ela pode pertencer inteiramente à natureza e pode evanescer-se (isto é, tornar-se inconsciente) da esfera humana (isto é, a consciência). (OC, 9, I, § 371.) Cf. tb. *Memórias*, p. 165-166.

40 *Tipos psicológicos*. OC, 6.

41 Cf. adiante, p. 231.

42 *Analytical Psychology*, p. 43-44.

43 Barbara Hannah lembra que "Jung costumava dizer nos últimos anos que suas tormentosas dúvidas a respeito de sua própria sanidade deveriam ser aliviadas pelo tanto de sucesso que ele vinha obtendo ao mesmo tempo no mundo externo, particularmente na América" (C.G. Jung. *His Life and Work* – A Biographical Memoir. Nova York: Perigree, 1976, p. 109).

44 *Memórias*, p. 156.

> do mar visto de longe, estirado de Leste a Oeste no horizonte setentrional. Neste momento, alguém me perguntou o que eu achava dos próximos futuros acontecimentos do mundo. Disse que não tinha nenhuma opinião, mas que via sangue, rios de sangue[45].

Nos anos imediatamente precedentes ao início da guerra, um imaginário apocalíptico estava disseminado nas artes e na literatura europeias. Por exemplo, em 1912, Wassily Kandinsky escreveu sobre uma catástrofe universal iminente. De 1912 a 1914, Ludwig Meidner pintou um série conhecida como paisagens apocalípticas, com cenas de cidades destruídas, cadáveres e tumulto[46]. A profecia estava no ar. Em 1899, Leonora Piper, a famosa médium americana, previu que no século que chegava haveria uma terrível guerra em partes diferentes do mundo que o limparia revelando as verdades do espiritualismo. Em 1918, Arthur Conan Doyle, o espiritualista e autor de "Sherlock Holmes", encarava isso como profético[47].

Na narração de Jung sobre a fantasia do trem no *Liber Novus*, a voz interna disse que o que a fantasia mostrava tornar-se-ia completamente real. Inicialmente ele interpretou isso subjetiva e prospectivamente, ou seja, como a mostrar a iminente destruição de seu mundo. Sua reação a essa experiência foi iniciar uma investigação psicológica de si mesmo. Nessa época, a autoexperimentação era habitual na medicina e na psicologia. A introspecção foi uma das principais ferramentas da pesquisa psicológica.

Jung veio a perceber que *Transformações e símbolos da libido* "poderia ser tomado como eu mesmo e que sua análise leva inevitavelmente a uma análise de meus próprios processos inconscientes"[48]. Ele havia projetado seu material naquele da Srta. Frank Miller, que ele nunca conheceu. Até este ponto, Jung havia sido um pensador ativo, avesso à fantasia: "como uma forma de pensamento, tenho para mim que seja uma forma totalmente impura, um tipo de intercurso incestuoso, completamente imoral de um ponto de vista intelectual"[49]. Ele agora voltava-se para a análise de suas fantasias, anotando cuidadosamente tudo, e tinha que superar uma resistência enorme para fazê-lo: "Permitir a fantasia em mim mesmo teve o mesmo efeito que o produzido em um homem que chegasse à sua oficina e encontrasse todas as suas ferramentas voando por toda a parte, fazendo coisas independentemente de sua vontade"[50]. Ao estudar suas fantasias, Jung percebeu que estudava a função criadora de mitos da mente.

Lembrou-se que mantinha um diário até por volta de 1902, e retomou essa atividade como uma forma de auto-observação. Ele percebia seus estados interiores por meio de metáforas, tais como estar num deserto com um sol insuportavelmente quente (isto é, a consciência)[51]. Jung recuperou o caderno marrom que havia deixado de lado em 1902 e começou novamente a escrever nele[52]. No seminário de 1925, ele se lembrou que havia lhe ocorrido que poderia escrever suas reflexões numa sequência. Ele estava "escrevendo material autobiográfico, mas não como uma autobiografia"[53]. Desde os tempos dos diálogos platônicos, a forma do diálogo tem sido um gênero proeminente na filosofia ocidental. Em 387, Santo Agostinho escreveu seus *Solilóquios*, que apresentavam um diálogo extenso entre ele mesmo e a "Razão", que o instruía. Começava com as seguintes frases:

> Enquanto estive comigo mesmo a ponderar muitas diferentes coisas por um longo tempo, e por muitos dias estive buscando a mim mesmo e a meu próprio bem, e que mal deveria ser evitado, subitamente falou comigo – o que era? Eu mesmo, ou alguém diferente, dentro ou fora de mim? (isso é precisamente aquilo que amaria saber, mas que não sei)[54].

Enquanto que Jung escrevia no *Livro Negro* 2,

> Disse a mim mesmo, "O que é isto que estou fazendo, certamente não é ciência, o que é?" Então uma voz me disse, "Isso é arte". Isso me causou a impressão mais estranha possível, porque não era de forma alguma minha impressão de que o que eu estava escrevendo fosse arte. Então, pensei o seguinte: "Talvez meu inconsciente esteja formando uma personalidade que não sou Eu, mas que insiste em se expressar". Não sei exatamente por que, mas tinha certeza de que a voz que disse que meus escritos eram arte tinha vindo de uma mulher... Bem, disse então enfaticamente a essa voz que o que eu estava fazendo não era arte, e senti uma grande resistência crescer em mim. Nenhuma voz se fazia perceber, contudo, e continuei a escrever. De novo eu a apanhei e disse: "Não, não é," e senti como se uma discussão fosse se iniciar[55].

Ele pensou que essa voz era "a alma no sentido primitivo," que ele chamou de *anima* (a palavra em Latim para alma)[56]. Ele afirmou que "ao recolher todo este material para análise, eu estava de fato escrevendo cartas à minha *anima*, que é parte de mim com um ponto de vista diferente do meu. Eu tinha observações de um novo caráter – estava em análise com um fantasma e uma mulher"[57]. Em retrospecto, ele lembrou que essa era a voz de uma paciente holandesa que ele conheceu de 1912 até 1918, que havia persuadido um colega psiquiatra que ele era um artista frustrado. A mulher pensava que o inconsciente fosse arte, mas Jung mantinha que era natureza[58]. Já argumentei previamente que a mulher em questão – a única mulher holandesa no círculo de Jung à época – era Maria Moltzer, e que o psiquiatra em questão era o amigo e colega de Jung, Franz Riklin, que aos poucos foi abandonando a análise pela pintura. Em 1913, ele se tornou um estudante de Augusto Giacometti, e também um importante pintor abstrato[59].

45 *Esboço*, p. 8.
46 BREUER, Gerda & WAGEMAN, Ines. *Ludwig Meidner*: Zeichner, Maler, Literat 1884-1966. Vol. 2. Stuttgart: Verlag Gerd Hatye, 1991, p. 124-149. Cf. WINTER, Jay. *Sites of Memory, Sites of Mourning*: The Great War in European Cultural History. Cambridge: Cambridge University Press, 1995, p. 147-177.
47 DOYLE, Arthur Conan. *The New Revelation and the Vital Message*. Londres: Psychic Press, 1918, p. 9.
48 *Analytical Psychology*, p. 27.
49 Ibid.
50 Ibid.
51 *MP*, p. 23.
52 No que se segue, referido como *Livro Negro* 2. Os cadernos subsequentes são pretos, daí Jung referir-se a eles como *Livros Negros*.
53 Ibid., p. 44.
54 SANTO AGOSTINHO. *Solilóquios e a imortalidade da alma*. Warminster: Aris e Phillips, 1990, p. 23 [organizado e traduzido por Gerard Watson]. Watson observa que Agostinho "havia passado por um período de grande exaustão, perto de uma crise nervosa, e os Solilóquios são uma forma de terapia, um esforço para curar-se falando, ou melhor, escrevendo" (p. v.).
55 Ibid., p. 42. Aqui no relato de Jung, parece que o diálogo ocorreu no outono de 1913, embora isto não seja certo, pois o diálogo propriamente não aparece nos *Livros Negros*, e nenhum outro manuscrito veio a público. Se seguirmos essa datação, e na ausência de outro material, parece que o material ao qual a voz está se referindo são os registros de novembro no *Livro Negro* 2, e não o texto subsequente do *Liber Novus* ou as pinturas.
56 Ibid., p. 44.
57 Ibid., p. 46.
58 *MP*, p. 46.
59 As pinturas de Riklin seguiam em geral o estilo de Augusto Giacometti: obras semifigurativas e totalmente abstratas, com cores suaves e instáveis (coleção particular, Peter Riklin). Há um quadro de Riklin de 1915/1916, "Verkündigung" no *Kunsthaus* de Zurique, uma doação de Maria Moltzer em 1945. Giacometti lembra: "O conhecimento psicológico de Riklin era extraordinariamente interessante e novo para mim. Ele era um mágico moderno. Eu tinha a sensação de que ele podia fazer mágica" (*Von Stampa bis Florenz*: Blätter der Erinnerung. Zurique: Rascher, 1943, p. 86-87).

As anotações de novembro no *Livro Negro* 2 registram a sensação de Jung em seu retorno à sua alma. Ele recontou os sonhos que o levaram a optar por uma carreira científica, e os sonhos recentes que o haviam retornado à sua alma. Como lembrou em 1925, o primeiro período escrito terminou em novembro: "Sem saber o que viria depois, pensei que talvez mais introspecção fosse necessária [...] bolei um método de perfuração, fantasiando que eu estava cavando um buraco, e aceitando essa fantasia como perfeitamente real"[60]. O primeiro de tais experimentos aconteceu em 12 de dezembro de 1913[61].

Como indicado, Jung havia tido uma extensa experiência no estudo de médiuns em estados de transe, durante os quais eram encorajados a produzir fantasias despertas e alucinações visuais, e tinha conduzido experimentos com escrita automática. Práticas de visualização também têm sido usadas em várias tradições religiosas. Por exemplo, no quinto dos exercícios espirituais de Santo Inácio de Loyola, os indivíduos são instruídos a como "enxergar com os olhos da imaginação o comprimento, a largura, a profundidade do inferno", e a experimentar isso com total sensorialidade[62]. Swedenborg também se envolveu com "escrita espiritual". Em seu diário espiritual, lemos:

> 26 Jan, 1748 – Os espíritos, se assim o permitimos, podem possuir aqueles que com eles falam de forma tão total, que é como se eles estivessem inteiramente no mundo; e, de fato, de um jeito tão manifesto, que podem comunicar suas ideias através de seu médium, e até mesmo por cartas; pois eles, por vezes, de fato frequentemente, dirigiram minha mão ao escrever, como se fosse deles; de forma que pensavam que não era eu, mas eles escrevendo[63].

Em Viena, a partir de 1909, o psicanalista Herbert Silberer conduziu experimentos em si mesmo em estados hipnagógicos. Silberer tentava fazer imagens aparecerem. Essas imagens, mantinha ele, apresentavam representações simbólicas de seus pensamentos. Silberer se correspondeu com Jung e mandava a ele cópias de seus artigos[64].

Em 1912, Ludwig Staudenmaier (1865-1933), um professor de química experimental, publicou um livro intitulado *A magia como ciência experimental*. Staudenmaier começou autoexperimentações em 1901, iniciando com escrita automática. Uma série de personagens apareceu, e ele percebeu que não mais precisava da escrita para se comunicar com eles[65]. Ele também induzia alucinações acústicas e visuais. O objetivo dessas práticas era usar suas autoexperimentações para fornecer uma explicação científica para a magia. Ele argumentava que a chave para se entender a magia estava nos conceitos de alucinações e do *Unterbewusstsein*, e deu especial importância ao papel das personificações[66]. Assim percebemos que os procedimentos de Jung muito se parecem com um número de práticas históricas contemporâneas com as quais ele estava familiarizado.

A partir de dezembro de 1913, seguiu com o mesmo procedimento: evocar deliberadamente uma fantasia no estado alerta, e então entrar nela como em um drama. Essas fantasias podem ser entendidas como um tipo de pensamento dramatizado em forma pictórica. Ao lermos suas fantasias, fica claro o impacto de seus estudos mitológicos. Algumas das figuras e dos conceitos derivam-se diretamente de suas leituras, e a forma e o estilo testemunham seu fascínio pelo mundo do mito e do épico. Nos *Livros Negros*, Jung escreveu suas fantasias em registros datados, junto a reflexões sobre seu estado mental e suas dificuldades em compreender as fantasias. Os *Livros Negros* não são um diário de eventos, e muito poucos sonhos estão ali anotados. Ao invés, são o registro de um experimento. Em dezembro de 1913, referiu-se ao primeiro dos livros negros como o "livro de meu experimento mais difícil"[67].

Em retrospecto, lembra que sua questão científica era ver o que aconteceria quando ele desligasse a consciência. O exemplo dos sonhos indicava a existência de uma atividade de fundo, e ele queria dar a essa atividade uma possibilidade de emergir, assim como se faz ao tomar mescalina[68].

Em um registro em seu livro de sonhos de 17 de abril de 1917, Jung nota: "desde então, exercícios frequentes de esvaziar a consciência"[69]. Seu procedimento era claramente intencional – ao passo que seu objetivo era permitir que conteúdos psíquicos aparecessem espontaneamente. Ele lembra que por baixo do limiar da consciência, tudo é animado. Às vezes, era como se ele ouvisse coisas. Em outros momentos, percebia que estava sussurrando para si mesmo[70].

De novembro de 1913 até julho seguinte, ele permaneceu incerto sobre o sentido e o significado de seus procedimentos, e do sentido de suas fantasias, que continuaram a se desenvolver. Durante esse período, Filêmon, que se tornaria uma figura importante em fantasias subsequentes, apareceu em um sonho. Jung relembra:

> Havia um céu azul, que também parecia ser o mar, coberto não por nuvens, mas por torrões marrons de terra. Parecia que os torrões estavam se desagregando e que a água azul do mar estava se tornando visível por entre eles. Mas a água era o céu azul. Subitamente, apareceu um ser alado navegando os céus, pairando à direita. Vi que era um homem velho com os chifres de um touro. Ele segurava um molho de quatro chaves, uma das quais ele agarrava como se estivesse para abrir uma porta. Ele tinha as asas de um martim-pescador com suas cores características. Como não compreendesse a imagem do sonho, pintei-a para figurá-la com maior exatidão[71].

60 *Analytical Psychology*, p. 46.
61 A visão que se seguiu é encontrada adiante em *Liber Primus*, cap. 5: "Descida ao inferno no futuro", p. 241.
62 SANTO INÁCIO DE LOYOLA. "Os exercícios espirituais". In: *Personal Writings*. Londres: Penguin, 1996, p. 298 [Trad. de J. Munitiz e P. Endean]. Em 1939-1940, Jung apresentou um comentário psicológico aos exercícios espirituais de Santo Inácio de Loyola no ETH (*Philemon Series*, no prelo).
63 Esta passagem foi reproduzida por William White em seu *Swedenborg*: His Life and Writings. Vol. 1. Londres: Bath, 1867, p. 293-294. Na cópia de Jung desse trabalho, ele marcou a segunda metade desta passagem com uma linha na margem.
64 Cf. SILBERER. "Bericht über eine Methode, gewissesymbolische Halluzinations-Erscheinungen hervorzurufen und zu beobachten". *Jahrbuch für psychoanalytische und psychopathologische Forschungen*, 2, 1909, p. 513-525.
65 STAUDENMAIER. *Die Magie als experimentelle Naturwissenschaft*. Leipzig: Akademische Verlagsgesellschaft, 1912, p. 19.
66 Jung tinha uma cópia do livro de Staudenmaier, e marcou algumas passagens.
67 *Livro Negro* 2, p. 58.
68 *MP*, p. 381.
69 "Sonhos". *AFJ*, p. 9.
70 *MP*, p. 145. Jung disse a Margaret Ostrowski-Sachs: "A técnica da imaginação ativa pode mostrar-se muito importante em situações difíceis – quando há uma visitação, digamos. Só faz sentido quando temos a sensação de nos encontrarmos num beco sem saída. Vivi isto quando me separei de Freud. Não sabia o que pensar. Apenas sentia. 'Não é isto'. Então concebi o 'pensamento simbólico' e depois de dois anos de imaginação ativa tantas ideias me sobressaltaram que quase não pude me defender. Os mesmos pensamentos voltaram. Apelei para minhas mãos e comecei a entalhar madeira – e então meu caminhou se aclarou" (From *Conversations with* C.G. *Jung*. Zurique: Juris Druck Verlag, 1971, p. 18).
71 *Memórias*, p. 162.

Enquanto estava pintando essa imagem, ele encontrou um martim-pescador morto (que muito raramente é encontrado nas vizinhanças de Zurique) em seu jardim na borda do lago[72].

A data desse sonho não é certa. A figura de Filêmon aparece primeiro nos *Livros Negros* em 27 de janeiro de 1914, mas sem asas de martim-pescador. Para Jung, Filêmon representava um *insight* superior, e era como um guru para ele. Jung conversava com ele no jardim. Lembra que Filêmon emergiu da figura de Elias, que havia previamente aparecido em suas fantasias:

> Filêmon era um pagão que trouxe à superfície uma atmosfera meio-egípcia, meio-helenística, da tonalidade algo gnóstica... Ele era simplesmente um tipo de inteligência superior, e me ensinou objetividade psicológica e a realidade da alma. Ele havia descrito essa dissociação, ou seja, entre eu e o objeto de meu pensamento... Ele formulou essa coisa, que não era eu, e exprimiu tudo o que eu nunca havia pensado[73].

Em 20 de abril, Jung renunciou à presidência da Associação Internacional de Psicanálise. Em 30 de abril, demitiu-se da Faculdade de Medicina da Universidade de Zurique. Lembra que sentia estar numa posição muito exposta na universidade e que sentia a necessidade de encontrar uma nova orientação, e que seria portanto injusto dar aulas[74]. Em junho e julho, teve um sonho que se repetiu por três vezes, em que estava numa terra estrangeira tendo que retornar rapidamente para casa de navio, seguido da chegada de um frio gelado[75].

Em 10 de julho, a Associação Psicanalítica de Zurique votou por 15 a 1 sua saída da Associação Internacional de Psicanálise. Nas atas, a razão dada para a separação era que Freud tinha estabelecido uma ortodoxia que impedia a pesquisa livre e independente[76]. O grupo foi renomeado de Associação de Psicologia Analítica. Jung estava ativamente envolvido nessa associação, que se encontrava quinzenalmente. Ele também mantinha uma intensa prática terapêutica. Entre 1913 e 1914, ele tinha entre uma e nove consultas por dia, cinco dias por semana, numa média de cinco a sete[77].

As atas da Associação de Psicologia Analítica não demonstram o processo pelo qual estava passando Jung. Ele não se refere a suas fantasias, e continua discutindo questões teóricas de psicologia. O mesmo é verdade para sua correspondência durante esse período[78]. A cada ano, mantinha suas obrigações de serviço militar[79]. Assim, mantinha suas atividades profissionais e responsabilidades familiares durante o dia, e dedicava suas noites a suas autoexperimentações[80]. Há indicações de que essa divisão de atividades continuou durante os anos seguintes. Jung lembra que durante este período sua família e profissão "permaneceram sempre uma realidade dispensadora de felicidade e a garantia de que eu existia de uma forma normal e verdadeira"[81].

A questão das diferentes formas de interpretar tais fantasias foi o tema de uma palestra que ele apresentou em 24 de julho para a Sociedade Psicomédica em Londres, "Sobre a compreensão psicológica". Ali, ele contrastava o método analítico-redutivo de Freud, baseado na causalidade, com o método construtivo da escola de Zurique. A deficiência do primeiro era que ao conectar tudo de volta a elementos antecedentes, o método lidava apenas com metade do quadro, e não alcançava o sentido vivo dos fenômenos. Alguém que quisesse compreender o *Fausto* de Goethe de tal maneira seria como alguém que tentasse compreender uma catedral gótica por meio de seu aspecto mineralógico[82]. O significado vivo "vive apenas quando o experimentamos com e em nós mesmos"[83]. Na medida em que a vida é essencialmente nova, ela não pode ser compreendida apenas retrospectivamente. Assim, o ponto de vista construtivo perguntava, "como, a partir desta psique presente, podemos construir uma ponte para seu próprio futuro?"[84] Este artigo apresenta implicitamente a justificativa lógica de Jung para não embarcar numa análise causal e retrospectiva de suas fantasias, e serve como aviso para aqueles que se sentirem tentados a fazê-lo. Apresentado como uma crítica e uma reformulação da psicanálise, o novo modo de interpretação de Jung liga-se ao método simbólico da hermenêutica espiritual de Swedenborg.

Em 28 de julho, Jung deu uma palestra sobre "A importância do inconsciente na psicopatologia" num encontro da Associação Médica Britânica em Aberdeen[85]. Ele argumentava que, em casos de neurose e psicose, o inconsciente tentava compensar a atitude unilateral da consciência. O indivíduo desbalançado defende-se disso, e os opostos tornam-se mais polarizados. Os impulsos corretivos que se apresentam na linguagem do inconsciente devem ser o início de um processo de cura, mas a forma na qual irrompem os torna inaceitáveis para a consciência.

Um mês antes, em 28 de junho, o Arquiduque Franz Ferdinand, o herdeiro do Império Austro-húngaro, foi assassinado por Gavrilo Princip, um estudante sérvio de dezenove anos de idade. Em 1º de agosto a guerra estourou. Em 1925, Jung lembra, "tive a sensação de que eu era uma psicose supercompensada, e não me libertei desse sentimento até 1º de agosto de 1914"[86]. Anos mais tarde, ele disse a Mircea Eliade:

> Como um psiquiatra fiquei preocupado, pensando se eu não estava a caminho de "fazer uma esquizofrenia", como falávamos naqueles dias... Estava preparando uma palestra sobre esquizofrenia a ser dada num congresso em Aberdeen, e dizia a mim mesmo: "Estarei falando de mim mesmo! Muito provável que eu enlouqueça depois de ler este artigo". O congresso aconteceria em julho de 1914 – exatamente o mesmo período quando vi a mim mesmo nos três sonhos viajando nos mares do Sul. Em 31 de julho, imediatamente após minha palestra, soube pelos jornais que a guerra havia estourado. Finalmente entendi. E quando desembarquei na Holanda no dia seguinte, ninguém estava mais feliz que eu. Agora eu estava certo de que nenhuma esquizofrenia me ameaçava. Entendi que meus sonhos e minhas visões vieram até mim do subsolo do inconsciente coletivo. O que ficou

72 Ibid.
73 Ibid., p. 162-163.
74 Ibid., p. 171.
75 Cf. adiante, p. 231.
76 *MSZ*.
77 Cadernos de anotações de Jung, *AFJ*.
78 Isto se baseia num estudo extenso sobre a correspondência de Jung no ETH até 1930 e em outros arquivos e coleções.
79 Estes eram, 1913: 16 dias, 1914: 14 dias, 1915: 67 dias, 1916: 34 dias, 1917: 117 dias (registro do serviço militar de Jung, *AFJ*).
80 Cf. adiante, p. 238.
81 *Memórias*, p. 168.
82 JUNG. "A interpretação psicológica dos processos patológicos". OC, 3, § 396.
83 Ibid., § 398.
84 Ibid., § 399.
85 OC, 3.
86 *Analytical Psychology*, p. 44.

> para eu fazer agora era aprofundar e validar esta descoberta. E é isto o que tenho tentado fazer há quarenta anos"[87].

Nesse momento, Jung considerou que sua fantasia tinha mostrado não o que aconteceria a *ele*, mas à Europa. Em outras palavras, de que era uma precognição de um evento coletivo, aquilo que ele depois iria chamar de sonho "grande"[88]. Depois dessa percepção, ele tentou ver se e até quanto isso era verdade também em relação às outras fantasias que ele tinha experimentado, e compreender o sentido dessa correspondência entre fantasias privadas e eventos públicos. Esse esforço é muito do tema do *Líber Novus*. Em *Comentários*, escreveu que o irromper da guerra capacitou-o a entender muito do que havia previamente experimentado, e deu-lhe a coragem de escrever a primeira parte do *Líber Novus*[89]. Assim, ele entendeu o início da guerra mostrando a ele que seu *medo* de enlouquecer era um engano. Não é um exagero dizer que se a guerra não tivesse sido declarada, muito provavelmente *Líber Novus* não teria sido elaborado. Em 1955/1956, ao discutir imaginação ativa, Jung comentou que "a razão pela qual o envolvimento parece muito com uma psicose é que o paciente está integrando o mesmo material de fantasia no qual cai vítima a pessoa insana porque não consegue integrá-lo e é engolida por ele"[90].

É importante notar que há por volta de onze fantasias distintas que Jung pode ter encarado como precognitivas:

1. 1 e 2 de OUTUBRO DE 1913: Visão repetida de inundação e morte de milhares, e a voz que dizia que isto iria se tornar real.
3. OUTONO DE 1913: Visão do mar de sangue cobrindo as terras do Norte.
4. 12 DE DEZEMBRO DE 1913: Imagem de um herói morto e o assassinato de Siegfried num sonho.
5. 25 DE DEZEMBRO DE 1913: Imagem do pé de um gigante pisando numa cidade, e imagens de assassinato e de crueldade sangrenta.
6. 2 DE JANEIRO DE 1914: Imagem de um mar de sangue e uma procissão de multidão de mortos.
7. 22 DE JANEIRO DE 1914: Sua alma emerge das profundezas e pergunta-lhe se ele irá aceitar a guerra e a destruição. Ela lhe mostra imagens de destruição, armas militares, restos humanos, navios afundados, estados destruídos, etc.
8. 21 DE MAIO DE 1914: Uma voz diz que os sacrificados caem à direita e à esquerda.
9. 11 DE JUNHO-JULHO 1914: Sonho repetido três vezes de estar numa terra estrangeira e ter que retornar rápido para casa de navio, e a descida do frio gelado[91].

Líber Novus

Jung começou então a escrever o esboço do *Líber Novus*. Ele transcreveu fielmente muitas das fantasias dos *Livros Negros*, e para cada uma delas acrescentou uma seção explicando o significado de cada episódio, combinado com uma elaboração lírica. Uma comparação palavra a palavra indica que as fantasias foram reproduzidas fielmente, apenas com um pouco de edição e uma divisão em capítulos. Assim, a sequência das fantasias em *Líber Novus* quase sempre corresponde exatamente aos *Livros Negros*. Quando está indicado que uma fantasia em particular aconteceu "na noite seguinte", etc., é sempre acurado, e não um recurso estilístico. A linguagem e o conteúdo do material não foram alterados. Jung manteve uma "fidelidade ao evento", e o que estava escrevendo não era para ser confundido com ficção. O *esboço* começa com uma comunicação aos "Meus Amigos", e esta frase ocorre frequentemente. A principal diferença entre os *Livros Negros* e o *Líber Novus* é que os primeiros foram escritos para o uso pessoal de Jung, e podem ser considerados o registro de um experimento, enquanto que o segundo é endereçado ao público e apresentado numa forma para ser lido por outras pessoas.

Em novembro de 1914, Jung estudou detalhadamente *Assim falava Zaratustra*, de Nietzsche, que ele havia lido primeiro em sua juventude. Recordou mais tarde que "então, de repente, o espírito se apoderou de mim e me carregou para um país deserto no qual li Zaratustra"[92]. Ele fortemente deu forma à estrutura e ao estilo do *Líber Novus*. Como o *Zaratustra* de Nietzsche, Jung dividiu o material em uma série de livros compostos de capítulos curtos. Mas, enquanto Zaratustra proclamava a morte de Deus, *Líber Novus* desenha o renascimento de Deus na alma. Há também indícios de que ele tenha lido a *Commedia* de Dante nesta época, que também informa a estrutura do trabalho[93]. *Líber Novus* desenha a descida de Jung ao Inferno. Mas enquanto Dante pôde se utilizar de uma cosmologia estabelecida, *Líber Novus* é uma tentativa de formar uma cosmologia individual. O papel de Filêmon no trabalho de Jung tem analogias com aquele de Zaratustra no de Nietzsche e de Virgilio no de Dante.

No *Esboço*, cerca de cinquenta por cento do material é retirado diretamente dos *Livros Negros*. Há cerca de trinta e cinco novas seções de comentário. Nessas seções, ele tentou extrair das fantasias princípios psicológicos gerais, e compreender até que ponto os eventos descritos nas fantasias apresentavam, de forma simbólica, desenvolvimentos que iriam acontecer no mundo. Em 1914, Jung havia introduzido uma distinção entre interpretação no nível objetivo, no qual objetos do sonho eram tratados como representações de objetos reais, e interpretação no nível subjetivo, no qual cada elemento tem a ver com o próprio sonhador[94]. Assim como interpretar suas fantasias no nível subjetivo, pode-se caracterizar seu procedimento aqui como uma tentativa de interpretar suas fantasias no nível "coletivo". Ele não tenta interpretar suas fantasias redutivamente, mas as vê descrevendo o funcionamento

87 McGUIRE, William & HULL, R.F.C. (orgs.). Entrevista Combat, 1952. *C.G. Jung Speaking*: Interviews and Encounters. Princeton: Princeton University Press/Bollingen Series, 1977, p. 233-234. Cf. adiante, p. 231.
88 Cf. adiante, p. 231.
89 Cf. adiante, p. 236.
90 *Mysterium Coniunctionis*. OC, 14, § 410. Sobre o mito da loucura de Jung, promovida pela primeira vez pelos freudianos, como meio de desqualificar sua obra, cf. meu *Jung Stripped Bare by His Biographers, Even*.
91 Cf. p. 198-199, 231, 237, 241, 252, 273, 305, 335.
92 JARRET, James (org.). *Nietzsche's Zaratustra*: Notes on the Seminar Given in 1934-1939. Princeton: Princeton University Press/Bollingen Series, 1988, p. 381. Sobre a leitura que faz Jung de Nietzsche, cf. BISHOP, Paul. *The Dionysian Self*: C.G. Jung's reception of Nietzsche. Berlim: Walter de Gruyter. • LIEBSCHER, Martin. "Die 'unheimliche Ahnlichkeit' Nietzsches Hermeneutik der Macht und analytische Interpretation bei Carl Gustav Jung". In: GORNER, Rüdiger & DUNCAN (orgs.). *Ecce Opus, Nietzsche-Revisionen im 20. Jahrhundert*. Large/Londres: Gottingen, 2003, p. 37-50. • "Jungs Abkehr von Freud im Lichte seiner Nietzsche-Rezeption". In: RESCHKE, Renate (org.). *Zeitenwende-Wertewende*. Berlim, 2001, p. 255-260. • PARKES, Graham. Nietzsche and Jung: Ambivalent Appreciations. In: GOLOMB, Jacob; SANTANIELO, Weaver & LEHR, Ronald (orgs.). *Nietzsche and Depth Psychology*. Albânia: Suny Press, 1999, p. 205-227.
93 Em *Livro Negro* 2, Jung citou certos cantos do "Purgatório" em 26 de dezembro de 1913, p. 104. Cf. adiante, nota 213, p. 252.
94 Em 1913, Maeder referira-se à "excelente expressão" de Jung, "nível objetivo" e "nível subjetivo" (Über das Traumproblem". *Jahrbuch für psychoanalytische und psychopatologische Forschungen*, 5, 1913, p. 657-658). Jung discutiu isso na Sociedade Psicanalítica de Zurique em 30 de janeiro de 1914, MSZ.

de princípios psicológicos gerais nele (tais como a relação entre introversão e extroversão, pensamento e prazer, etc.), e descrevendo eventos literais ou simbólicos que estão para acontecer. Assim, a segunda camada do *Esboço* representa a primeira extensa tentativa de desenvolvimento e aplicação de seu novo método construtivo. A "segunda camada" é em si mesma um experimento hermenêutico. Num sentido crítico, *Liber Novus* não requer interpretação suplementar, pois contém sua própria interpretação.

Ao escrever o *Esboço*, Jung não acrescentou referências acadêmicas, embora citações sem referência e alusões a obras de filosofia, religião e literatura sejam numerosas. Ele escolheu conscientemente deixar de lado academicismos. Ainda assim, as fantasias e as reflexões no *Liber Novus* são as de um *scholar* e, de fato, muito de sua autoexperimentação e da composição de *Liber Novus* ocorreu em sua biblioteca. É bem possível que ele tivesse acrescentado referências se tivesse decidido publicar o trabalho.

Depois de completar o *Esboço* manuscrito, Jung mandou datilografá-lo, e o editou. Num manuscrito, fez alterações a mão (refiro-me a este manuscrito como *Esboço Corrigido*). A julgar pelas anotações, parece que ele o deu a alguém para ler (a letra não é de Emma Jung, Toni Wolff ou Maria Moltzer), que então comentou a edição de Jung, indicando que algumas seções que ele intencionava cortar deveriam permanecer[95]. A primeira seção do trabalho – sem título, mas efetivamente *Liber Primus* – foi composta em pergaminho. Jung então encomendou um grande fólio de mais de 600 páginas, encadernado em couro vermelho, aos encadernadores Emil Stierli. A lombada traz o título, *Liber Novus*. Ele então inseriu as páginas em pergaminho no volume, que continua com *Liber Secundus*. A obra está organizada como uma iluminura manuscrita medieval, caligrafada, encabeçada por uma tábua de abreviações. Jung deu ao primeiro livro o título de "O Caminho Que Ainda Virá", e colocou logo abaixo disso algumas citações do livro de Isaías e do Evangelho Segundo João. Assim, foi apresentado como um trabalho profético.

No volume caligrafado, Jung pintou em *tempura* (cal e cola), e escreveu com tinta. O suave sombreamento da escrita no volume caligrafado denota quando a tinta estava acabando. De maneira clássica, ele fez furos de alfinete e teria usado barbantes para desenhar as linhas a lápis para tornar as páginas uniformes.

No *Esboço*, Jung dividiu o material em capítulos. No curso da transcrição para o volume de couro vermelho, ele alterou alguns títulos de capítulos, acrescentou outros, e editou o material mais uma vez. Os cortes e alterações foram predominantemente à segunda camada de interpretação e elaboração, e não ao próprio material de fantasia, e consistiram principalmente num encurtamento do texto. É esta segunda camada que Jung continuamente reelaborou. Na transcrição do texto para esta edição, essa segunda camada foi indicada, de forma que a cronologia e a composição estão visíveis. Como os comentários de Jung na segunda camada às vezes referem-se implicitamente a fantasias que são encontradas mais adiante no texto, é também útil ler as fantasias diretamente em sua sequência cronológica, seguido de uma contínua leitura da segunda camada.

Jung então ilustrou o texto com algumas pinturas, iniciais historiadas, bordaduras ornamentais, e margens. Inicialmente as pinturas se referem diretamente ao texto. Depois, elas se tornam mais simbólicas. São imaginações ativas em seu próprio sentido. A combinação de texto e imagem lembra as iluminuras de William Blake, com cuja obra Jung tinha certa familiaridade[96].

Um rascunho preparatório de uma das imagens do *Liber Novus* sobreviveu, o que indica que elas foram cuidadosamente compostas, começando com rascunhos a lápis que foram depois elaborados[97]. A composição das outras imagens provavelmente seguiram procedimento semelhante. Das pinturas de Jung que sobreviveram, é surpreendente que elas deem um salto tão abrupto das paisagens de 1902-1903 ao abstrato e semifigurativo de 1915 em diante.

Arte e a Escola de Zurique

Hoje a biblioteca de Jung contém uns poucos livros de arte moderna, embora alguns livros possam ter provavelmente se dispersado ao longo dos anos. Ele tinha um catálogo dos trabalhos gráficos de Odilon Redon, assim como um estudo seu[98]. Ele provavelmente conheceu o trabalho de Redon quando estava em Paris. Fortes ecos do movimento simbolista aparecem nas pinturas do *Liber Novus*.

Em outubro de 1910, Jung fez um *tour* de bicicleta pelo norte da Itália com seu colega Hans Schmid. Visitaram Ravena, e lá os afrescos e mosaicos causaram-lhe profunda impressão. Parece que esses trabalhos tiveram um impacto em suas pinturas: o uso de cores fortes, formas de mosaico, e figuras bidimensionais sem o uso da perspectiva[99].

Quando estava em Nova York, em 1913, ele provavelmente foi ao Armory Show, que foi a primeira grande exibição internacional de arte moderna na América (a mostra foi até 15 de março, e Jung partiu para Nova York em 4 de março). Ele se referiu ao quadro *Nu descendo uma escadaria*, de Marcel Duchamps, em seu seminário de 1925, que na mostra causou furor[100]. Nesse seminário, também referiu-se a ter estudado o desenvolvimento da pintura de Picasso. Dada a falta de evidência de estudos extensos, o conhecimento de Jung sobre arte moderna provavelmente derivava-se mais imediatamente de experiência direta.

Durante a Primeira Guerra Mundial, houve contatos entre os membros da Escola de Zurique e os artistas. Ambos eram parte de movimentos de *avant-garde*, partes de círculos sociais entrelaçados[101]. Em 1913, Erika Schlegel procurou Jung para análise. Ela e seu marido, Eugen Schlegel, eram amigos de Toni Wolff. Erika Schlegel era irmã de Sophie Taeuber, e tornou-se a bibliotecária do Clube Psicológico. Membros do Clube Psicológico eram convidados a alguns dos eventos do movimento Dadá. Na celebração da abertura da Galeria Dadá em 29 de março de 1917, Hugo Ball repara em membros do Clube na audiência[102]. O programa daquela noite incluía danças abstratas de Sophie Taeuber e poemas de Hugo Ball, Hans Arp e Tristan Tzara. Sophie Taeuber, que havia estudado com Laban, organizou um aula de dança para membros do Clube junto com Arp. Um baile de máscaras também aconteceu e ela desenhou as fantasias[103]. Em 1918, ela apresentou um espetáculo de marionetes, "King Deer", em Zurique. Passava-se no bosque junto ao Burghölzli.

95 Por exemplo, na p. 39 do *Esboço corrigido*, "Espantoso! Por que cortar?" está escrito à margem. Jung evidentemente considerou este conselho e reteve as passagens originais. Cf. adiante p. 238, coluna direita, terceiro parágrafo.

96 Em 1921, ele citou BLAKE. *The Marriage of Heaven and Hell*. OC, 6 §, 422n., § 460. • Em *Psicologia e alquimia* ele se refere a duas pinturas de Blake. OC, 12, fig. 14 e 19. • Em 11 de novembro de 1948, ele escreveu a Piloo Nanavutty: "Acho Blake um estudo estonteante, já que ele conseguiu ajuntar tanto de um conhecimento não digerido em suas fantasias. Assim como as vejo, elas são uma produção artística em vez de uma representação autêntica de processos inconscientes" (*Cartas*, 2, p. 513-514).

97 Cf. adiante, Apêndice A.

98 REDON. *Oeuvre graphique complet*. Paris: Secrétariat, 1913. • MALLERIO, André. *Odilon Redon*: Peintre, Dessinateur et Graveur. Paris: Henri Floury, 1923. Há também um livro sobre arte moderna, com uma posição algo crítica: RAPHAEL, Max. *Von Monet zu Picasso*: Grundzüge einer Ästhetik und Entwicklung der Modernen Malerei. Munique: Delphin Verlag, 1913.

99 Jung visitou Ravena novamente em abril de 1914.

100 *Analytical Psychology*, p. 54.

101 Cf. ZUCH, Rainer. *Die Surrealisten und C.G. Jung*: Studien zur Rezeption der analytischen Psychologie im Surrealismus am Beispiel von Max Ernst, Victor Brauner und Hans Arp. Weimar: VDG, 2004.

102 *Flight out of Time*, p. 102.

103 STROEH, Greta. "Biographie". In: *Sophie Taeuber*: 15 Décembre 1989-Mars 1990. Musée d'art moderne de la ville de Paris. Paris: Paris-musées, 1989, p. 124. • Entrevista com Aline Valangin, arquivo biográfico de Jung, Countway Library of Medicine, p. 29.

Freud Analytikus, em luta com Dr. Oedipus Complex, é transformado num papagaio pela Ur-Libido, parodicamente puxando temas de *Tranformações e símbolos da libido*, de Jung, e seu conflito com Freud[104]. Entretanto, as relações entre o círculo de Jung e alguns dos dadaístas ficaram mais tensas. Em maio de 1917, Emmy Hennings escreveu a Hugo Ball que o "psicoclube" tinha ido embora[105]. Em 1918, Jung criticou o movimento Dadá numa publicação suíça, o que não escapou da atenção dos dadaístas[106]. O elemento crítico que separou o trabalho pictórico de Jung daquele dos dadaístas foi sua ênfase extremada no significado, no sentido.

As autoexperimentações e os experimentos criativos de Jung não ocorreram num vácuo. Durante esse período, havia grande interesse em arte e na pintura em seu círculo. Alphonse Maeder escreveu uma monografia sobre Ferdinand Hodler[107], e manteve uma correspondência amigável com ele[108]. Por volta de 1916, Maeder teve uma série de visões ou fantasias acordado, que ele publicou sob pseudônimo. Quando comentou com Jung sobre tais eventos, Jung disse: "O que, você também?"[109] Hans Schmid também escrevia e pintava suas fantasias em algo semelhante ao *Liber Novus*. Moltzer era interessada em aumentar as atividades artísticas da escola de Zurique. Ela sentia que no círculo deles faltavam artistas e considerava Riklin um modelo[110]. J.B. Lang, que tinha sido analisado por Riklin, começou a pintar quadros simbólicos. Moltzer tinha um livro que ela chamava de sua Bíblia, no qual ela desenhava e escrevia. Ela recomendava a sua paciente Fanny Bowditch Katz que fizesse o mesmo[111].

Em 1919, Riklin expôs alguns de seus quadros como parte da "New Life" no Kunsthaus em Zurique, descritos como um grupo de expressionistas suíços, junto com Hans Arp, Sophie Taeuber, Francis Picabia e Augusto Giacometti[112]. Com suas conexões pessoais, Jung poderia facilmente ter exposto alguns de seus trabalhos em lugares como estes, se assim tivesse querido. Portanto, sua recusa em considerar seus trabalhos como arte ocorre num contexto em que havia possibilidades reais para ele ter tomado esse caminho.

Em algumas ocasiões, Jung discutia arte com Erika Schlegel. Ela registrou a seguinte conversa:

> Eu usei meu medalhão de pérola (o ornamento de pérolas que Sophie fez para mim), na casa de Jung ontem. Ele gostou muito, o que o levou de pronto a falar animadamente sobre arte, por quase uma hora. Ele falou sobre Riklin, um dos alunos de Augusto Giacometti, e observou que, embora seus trabalhos menores tinham um certo valor estético, os maiores simplesmente desapareciam. Na verdade, ele mesmo desaparecia totalmente em sua arte, tornando-o extremamente inatingível. Seu trabalho era como uma parede na qual a água escorria ondulada. Ele portanto não podia analisá-la, uma vez que isso requeriria de nós que estivéssemos focados e bem orientados, como uma faca. De um certo modo, ele havia tropeçado na arte. Mas a arte e a ciência não eram mais que os servos do espírito criativo, que é o que deve ser servido.
>
> Com relação a meu próprio trabalho, a questão também era chegar a uma conclusão se era realmente arte. Os contos de fadas e as pinturas tinham um sentido religioso no fundo. Eu também sabia que de alguma forma e em algum momento a arte deve alcançar as pessoas[113].

Para Jung, Franz Riklin parecia ser algo como um *doppelganger*, cujo destino ele se preocupava em evitar. Essa afirmação também indica a relativização que fazia Jung do *status* da arte e da ciência à qual ele chegou por meio de sua autoexperimentação.

Assim, o *Liber Novus* não era de forma alguma uma atividade peculiar ou idiossincrática, tampouco o produto de uma psicose. Em vez disso, ele indica as intersecções tão próximas entre a experimentação artística e a psicológica com a qual tantos indivíduos estiveram engajados naquela época.

O experimento coletivo

Em 1915, Jung manteve uma longa correspondência com seu colega Hans Schmid sobre a questão do entendimento de tipos psicológicos. Essa correspondência não dá sinais diretos da autoexperimentação de Jung, e indica que as teorias que ele desenvolveu durante esse período não emergiram somente de sua atividade de imaginação ativa, mas que também, em parte, consistiram do teorizar psicológico convencional[114]. Em março de 1915, Jung escreveu para Smith Ely Jeliffe:

> Ainda estou com o exército numa cidadezinha onde tenho muito trabalho prático e cavalgo bastante... Até que tive que me juntar ao exército, vivia quieto e devotava meu tempo a meus pacientes e a meu trabalho. Estava trabalhando particularmente nos dois tipos de psicologia e sobre a síntese das tendências inconscientes[115].

Durante sua autoexploração, ele experimentou estados de tumulto. Ele lembra que experimentou grande medo, e que algumas vezes agarrava-se à mesa para manter-se são[116]. Durante este período, ele notou que "sentia-me muitas vezes de tal forma agitado que recorri a exercícios de yoga para desligar-me das emoções. Mas como meu intuito era fazer a experiência do que se passava em mim, só me entregava a tais exercícios para recobrar a calma, a fim de retomar o trabalho com o inconsciente[117]."

Lembra que Toni Wolff foi atraída para o processo no qual ele estava envolvido, e experimentava um semelhante fluir de imagens. Jung percebeu que podia discutir suas experiências com ela, mas ela estava desorientada e na mesma confusão[118]. Da mesma forma,

104 Os bonecos estão no Museu Bellerive, em Zurique. Cf. MIKOL, Bruno. "Sur le theatre de marionnettes de Sophie Taeuber-Arp". *Sophie Taeuber*: 15 Décembre 1989-Mars 1990, Musée d'art moderne de la ville de Paris, p. 59-68.
105 BALL, Hugo & HENNINGS, Emmy. *Damals in Zürich*: Briefe aus den Jahren 1915-1917. Zurique: Die Arche, 1978, p. 132.
106 JUNG. "Sobre o Inconsciente". OC, 10, § 44. • PHARMOUSE. *Dada Review*, 391, 1919. • TZARA, Tristan. *Dada*, 4-5, 1919. Zurique.
107 *Ferdinand Holder*: Eine Skizze seiner seelischen Entwicklung und Bedeutung für die schweizerisch-nationale Kultur. Zurique: Rascher, 1916.
108 Escritos de Maeder.
109 Entrevista com Maeder, arquivo biográfico Jung, Countway Library of Medicine, p. 9.
110 Franz Riklin a Sophie Riklin, 20 de maio de 1915, escritos de Riklin.
111 Em 17 de agosto de 1916, Fanny Bowditch Katz, que estava em análise com ela na época, anotou em seu diário: "Sobre seu [ou seja, de Moltzer] livro – sua Bíblia – desenhos cada um com anotações – o que também devo fazer". De acordo com Katz, Moltzer via suas pinturas como "puramente subjetivas, não como trabalhos de arte" (31 de julho, Countway Library of Medicine). Em outra ocasião, Katz observa que Moltzer "falava de Arte, arte de verdade, como expressão da religião" (24 de agosto, 1916. Ibid.). Em 1916, Moltzer apresentou interpretações psicológicas de alguns quadros de Riklin numa palestra no Clube Psicológico (cf. meu *Cult Fictions*: Jung and the Founding of Analytical Psychology. Londres: Routledge, 1998, p. 102. Sobre Lang, cf. FEITKNECHT, Thomas (org.). *"Die dunkle und wilde Seite der Seele": Hermann Hesse* – Briefwechsel mit seinem Psychoanalytiker Josef Lang, 1916-1944. Frankfurt: Suhrkampf, 2006.
112 *"Das Neue Leben", Erst Ausstellung*. Zurique: Kunsthaus. J.B. Lang recorda uma ocasião em que ele estava na casa de Riklin quando estavam também presentes Jung e Augusto Giacometti (*Diary*, 3 de dezembro de 1916, p. 9, Lang papers, Swiss Literary Archives, Berna).
113 11 de março de 1921, Cadernos, escritos de Schlegel.
114 BEEBE, John & FALZEDER, Ernst (orgs.). *Philemon Series* [no prelo].
115 BURNHAM, John. *Jeliffe*: American Psychoanalyst and Physician & His Correspondence with Sigmund Freud and C.G. Jung. Chicago: University of Chicago Press, 1983, p. 196-197 [organizado por William McGuire].
116 *MP*, p. 174.
117 *Memórias*, p. 157-158.
118 *MP*, p. 174.

sua esposa era incapaz de ajudá-lo. Consequentemente, ele notou que "ser capaz de perseverar foi em função de força bruta"[119].

O Clube Psicológico havia sido fundado no começo de 1916, por meio de uma doação de 360.000 francos suíços de Edith Rockefeller McCormick, que tinha vindo a Zurique para ser analisada por Jung em 1913. Em seu começo contava com aproximadamente sessenta membros. Para Jung, o objetivo do Clube era estudar as relações dos indivíduos com o grupo, e fornecer um ambiente naturalista para que a observação psicológica ultrapassasse as limitações da análise feita de indivíduo para indivíduo, assim como fornecer também um espaço onde pacientes pudessem aprender a se adaptar a situações sociais. Ao mesmo tempo, um corpo de analistas profissionais continuou a se encontrar como Associação de Psicologia Analítica[120]. Jung participou integralmente em ambas essas organizações.

A autoexperimentação de Jung também introduziu uma mudança em seu trabalho analítico. Ele encorajava seus pacientes a embarcar em processos semelhantes de autoexperimentação. Os pacientes eram instruídos sobre como conduzir a imaginação ativa, a manter diálogos internos, e a pintar suas fantasias. Ele encarou suas próprias experiências como paradigmáticas. No seminário de 1925, observou: "Retiro todo meu material empírico de meus pacientes, mas a solução do problema eu retiro de dentro, de minhas observações dos processos inconscientes"[121].

Tina Keller, que estava em análise com Jung desde 1912, lembra que Jung "com frequência falava de si mesmo e de suas próprias experiências":

> Naqueles dias do começo, quando se chegava para a hora de análise, o assim chamado "livro vermelho" ficava aberto num cavalete. Nele, Dr. Jung havia pintado algo ou tinha acabado um desenho. Às vezes ele me mostrava o que tinha feito e comentava algo a respeito. O trabalho cuidadoso e preciso que ele colocava nessas pinturas e nos textos tipo iluminuras que as acompanhavam, testemunhavam a importância da tarefa. O mestre então demonstrava ao estudante que o desenvolvimento psíquico demandava tempo e esforço[122].

Em suas análises com Jung e com Toni Wolff, Keller fez imaginação ativa e também pintou. Longe de ser uma empreitada solitária, o confronto de Jung com o inconsciente era algo coletivo, para o qual ele convocava também seus pacientes. Aquelas pessoas ao redor de Jung formavam um grupo *avant-garde* engajadas num experimento social que esperavam pudesse transformar suas vidas, e as vidas em torno delas.

O retorno dos mortos

Em meio ao massacre sem precedentes que a guerra trouxe, o tema do retorno dos mortos estava disseminado, como no filme de Abel Gance, *J'accuse*[123]. A badalada da morte também levou a um interesse renomado no espiritismo. Após aproximadamente um ano, Jung começou a escrever novamente nos *Livros Negros*, em 1915, com uma nova série de fantasias. Ele já havia completado o esboço manuscrito do *Liber Primus* e do *Liber Secundus*[124]. No início de 1916, Jung experimentou uma série impressionante de eventos parapsicológicos em sua casa. Em 1923, ele narrou esses eventos a Cary de Angulo (depois Baynes). Ela o registrou da seguinte forma:

> Numa noite, seu filho começou a agitar-se em seu sono e a debater-se dizendo que não conseguia acordar. Finalmente, sua mulher teve que chamar você para acalmá-lo e isto você só pode fazer colocando panos frios sobre ele. Finalmente ele se acalmou e continuou a dormir. Na manhã seguinte ele acordou sem se lembrar de nada, mas parecia extremamente exausto, então você disse a ele para não ir à escola, ele não perguntou por que, mas pareceu concordar. Mas muito inesperadamente ele pediu papel e lápis coloridos e começou a trabalhar no seguinte desenho: um homem estava pescando com linha e anzol no meio do desenho. À esquerda estava o diabo dizendo algo ao homem, e seu filho escreveu o que ele disse. É que ele tinha vindo até o pescador porque ele estava pegando seus peixes, mas à direita estava um anjo que disse: "Não, não podes levar este homem, ele só está levando os peixes ruins e nenhum dos bons". Então, depois que seu filho fez este desenho, ele ficou bem contente. Na mesma noite, duas de suas filhas pensaram ter visto assombrações em seus quartos. No dia seguinte, você escreveu os "Sete sermões aos mortos", e você sabia que depois disso nada mais perturbaria sua família, e nada mais de fato aconteceu. É claro que eu sabia que você era o pescador no desenho de seu filho, e você me disse isso, mas o menino não sabia[125].

Em *Memórias*, Jung conta o seguinte:

> Por volta das cinco da tarde no domingo, a campainha da porta de entrada começou a soar insistentemente... Todos imediatamente olharam para ver quem estava lá, mas não dava para ver ninguém. Eu estava sentado próximo à campainha da porta e não a ouvi, mas a vi mover-se. Nós nos entreolhamos, estupefatos! A atmosfera era terrivelmente opressiva, acredite! Percebi que algo ia acontecer. A casa parecia repleta de uma multidão, abarrotada de espíritos. Estavam por toda a parte, até mesmo debaixo da porta, mal se podia respirar. Quanto a mim, eu me debatia com a questão: "Pelo amor de Deus, o que é isto?" Houve então uma resposta uníssona e vibrante: "Nós voltamos de Jerusalém, onde não encontramos o que buscávamos". Essas palavras correspondem às primeiras linhas dos *Septem Sermones ad Mortuos*.
>
> As palavras puseram-se então a fluir espontaneamente, e em três noites a coisa estava escrita. Mal eu começava a escrever, toda a coorte de espíritos desvaneceu-se. A fantasmagoria terminara. A sala tornou-se tranquila, a atmosfera pura até a noite do dia seguinte[126].

Os mortos tinham aparecido numa fantasia em 17 de janeiro de 1914, e tinham dito que estavam prestes a ir a Jerusalém para orar nos túmulos mais sagrados[127]. Sua viagem evidentemente não tinha sido bem-sucedida. Os *Septem Sermones ad Mortuos* é o ponto culminante das fantasias desse período. É uma cosmologia psicológica disposta na forma de um mito de criação gnóstico. Nas fantasias de Jung, um novo Deus tinha nascido em sua alma, o Deus que é o filho dos sapos, Abraxas. Jung compreendeu isto simbolicamente. Ele via esta figura representando

119 Ibid.
120 Sobre a formação do Clube, cf. meu *Cult Fictions*: C.G. Jung and the Founding of Analytical Psychology.
121 *Analytical Psychology*, p. 34.
122 "C.G. Jung: Some memories and reflections". *Inward Light*, 35, 1972, p. 11. Sobre Tina Keller, cf. SWAN, Wendy. *C.G. Jung and Active Imagination*. Saarbrücken: VDM, 2007.
123 Cf. WINTER. *Sites of Memory, Sites of Mourning*, p. 18, 69, 133-144.
124 Há uma nota adicionada no *Livro Negro* 5 neste ponto: "Neste momento as partes I e II [do *Livro Vermelho*] foram escritas. Imediatamente após o início da guerra" (p. 86). Toda a anotação está escrita com a caligrafia de Jung, e "do *Livro Vermelho*" foi acrescentado por outra pessoa.
125 *CFB*.
126 *Memórias*, p. 169.
127 Cf. adiante, p. 294.

a unificação do Deus cristão com satã, portanto apresentando uma transformação na imagem divina ocidental. Só em 1952, em *Resposta a Jó*, Jung elaboraria esse tema em público.

Jung havia estudado a literatura do gnosticismo no período de leituras preliminares para seu *Transformações e símbolos da libido*. Em janeiro e outubro de 1915, durante o serviço militar, estudou as obras dos gnósticos. Depois de ter escrito os *Septem Sermones* nos *Livros Negros*, Jung recopiou-os num esboço caligráfico, num volume separado, rearranjando um pouco a sequência. Adicionou a seguinte inscrição como subtítulo: "Os sete sermões aos mortos, escritos por Basilides em Alexandria, a cidade onde o Oriente encontra o Ocidente"[128]. Jung então autorizou a publicação em caráter particular, sob a forma de folheto, acrescentando: "Traduzido do original grego para o alemão". Essa legenda indica os efeitos estilísticos sobre Jung dos estudos clássicos do século XIX. Ele lembra que os escreveu por ocasião da fundação do Clube Psicológico, e os encarava como um presente a Edith Rockefeller McCormick por ter fundado o clube[129]. Ofereceu cópias a amigos e confidentes. Ao entregar uma cópia a Alphonse Maeder, escreveu:

> Não podia atrever-me a colocar nele o meu nome, mas escolhi o nome de uma grande figura espiritual dos primeiros tempos do cristianismo, figura essa que o cristianismo relegou. Caiu-me do céu, repentinamente, como um fruto maduro na aflição de um tempo difícil; ele acendeu-me uma luz de esperança e consolo nas horas de dor[130].

Em 16 de janeiro de 1916, Jung desenhou um mandala nos *Livros Negros* (ver Apêndice A). Era o primeiro esboço do "Systema Munditotius". Passou então a pintá-lo. Em seu verso, escreveu em inglês: "Este é o primeiro mandala que construí no ano de 1916, inteiramente inconsciente do que significava". As fantasias dos *Livros Negros* continuaram. O "Systema Munditotius" é uma cosmologia pictórica dos *Sermones*.

Entre 11 de junho e 2 de outubro de 1917, Jung prestava o serviço militar em Chateau d'Oex, como comandante dos prisioneiros de guerra ingleses. Por volta de agosto, escreveu a Smith Ely Jeliffe que seu serviço militar o tinha roubado completamente de seu trabalho e que, na sua volta, esperava concluir um longo ensaio sobre os tipos. Concluía a carta dizendo: "Conosco tudo permanece inalterado e quieto. Tudo o mais está engolido pela guerra. A psicose está ainda crescendo, continuando"[131].

Nesse momento, sentia que estava ainda num estado de caos que só começou a clarear perto do final da guerra[132]. Do começo de agosto até o final de setembro, ele desenhou uma série de vinte e sete mandalas a lápis em seu caderno militar, que conservou[133]. A princípio não entendia esses mandalas, mas sentia que eram muito significativos. A partir de 20 de agosto, desenhava um mandala quase todos os dias. Isto lhe dava a sensação de ter feito uma fotografia de cada dia e observava como esses mandalas mudavam. Ele lembra ter recebido uma carta dessa mulher holandesa que lhe enervou terrivelmente[134]. Nessa carta, essa mulher, ou seja, Moltzer, defendia "a opinião de que as fantasias que nascem do inconsciente possuem um valor artístico, pertencendo, portanto, ao domínio da arte"[135]. Jung ficou perturbado porque a opinião não era estúpida e, além do mais, os pintores modernos estavam tentando fazer arte a partir do inconsciente. Isto despertou nele uma dúvida se suas fantasias eram de fato espontâneas e naturais. No dia seguinte, desenhou um mandala, e uma de suas partes estava quebrada, fora de simetria:

> Só pouco a pouco compreendi o que significa propriamente o mandala: "Formação – Transformação, eterna recriação da Eterna Mente". O mandala exprime o si-mesmo, a totalidade da personalidade que, se tudo está bem, é harmoniosa, mas que não permite o autoengano.
> Meus desenhos de mandalas eram criptogramas que me eram diariamente comunicados acerca do estado de meu "si-mesmo"[136].

O mandala em questão parece ser o de 6 de agosto de 1917[137]. A segunda linha é do *Fausto*, de Goethe. Mefistófeles está falando a Fausto, dando-lhe direções no reino das Mães:

> MEFISTÓFELES:
> Um trí*p*ode brilhante mostrar-te-á
> que estás no terreno mais profundo, o mais profundo de todos
> Por sua luz verás as Mães:
> umas estão sentadas, outras estão de pé e andam,
> como pode acontecer. Formação, transformação
> a recreação eterna da mente eterna.
> Envoltos em imagens de todas as criaturas,
> eles não te veem, pois veem apenas vultos.
> Então, cobra ânimo, pois o perigo é grande,
> e vai direto até esse trí*p*ode,
> toca-o com a chave![138]

A carta em questão não veio à luz. Contudo, numa carta subsequente inédita de 21 de novembro de 1918, ainda enquanto estava em Chateau d'Oex, Jung escreveu que "M. Moltzer de novo perturbou-me com suas cartas"[139]. Ele reproduziu os mandalas no *Liber Novus*. Ele observou que foi durante este período que uma ideia viva do si-mesmo apresentou-se a ele pela primeira vez: "Ele me aparecia como a mônada que sou e que é meu mundo. O mandala representa esta mônada e corresponde à natureza microcósmica da alma"[140]. Nesse momento ele não sabia onde este processo o estava levando, mas começou a perceber que o mandala representava a meta do processo: "Só quando comecei a pintar os mandalas vi que o caminho que seria necessário percorrer e cada passo que devia dar, tudo convergia para um dado ponto, o do centro. Compreendi sempre mais claramente que o mandala exprime o centro e que é a expresão de todos os caminhos"[141]. Durante os anos 1920, a compreensão de Jung em torno do mandala aprofundou-se.

128 O Basilides histórico foi um gnóstico que ensinou em Alexandria no século II. Cf. nota 81, p. 346.
129 *MP*, p. 26.
130 19 de Janeiro de 1917. *Cartas*. Vol. I, p. 49. Ao enviar uma cópia dos *Sermones* a Jolande Jacobi, Jung os descreveu como "uma curiosidade da oficina do inconsciente" (7 de outubro de 1928, JA).
131 BURNHAM, John C. *Jeliffe*: American Psychoanalyst and Physician & His Correspondence with Sigmund Freud and C.G. Jung, p. 199 [organizado por William McGuire, p. 199].
132 *MP*, p. 172.
133 Cf. Apêndice A.
134 *Memórias*, p. 173.
135 Ibid.
136 Ibid.
137 Cf. Apêndice A.
138 *Fausto*, 2, Ato 1, 6287s.
139 Carta inédita, *AFJ*. Existe também um quadro sem data de Moltzer que parece ser um mandala quadrada, que ela descreve em breve nota como "Uma apresentação pictórica da Individuação ou do processo de Individuação" (Biblioteca, Clube Psicológico, Zurique).
140 *Memórias*, p. 174. As fontes mais imediatas para a inspiração de Jung sobre o conceito do si-mesmo parecem ser as concepções de Atman/Brahman no hinduísmo, que ele discutiu em seu *Tipos psicológicos* de 1921, e em certas partes de seu *Zaratustra* de Nietzschte. Cf. adiante, nota 29, p. 337.
141 Ibid.

O *Esboço* continha fantasias de outubro de 1913 até fevereiro de 1914. No inverno de 1917, Jung escreveu um manuscrito novo chamado *Aprofundamentos*, que inicia onde ele havia parado. Nele, transcreveu fantasias de abril de 1913 até junho de 1916. Como nos dois primeiros livros de *Liber Novus*, Jung entremeou as fantasias com comentários interpretativos[142]. Ele incluiu os *Sermones* nesse material, e então adicionou os comentários de Filêmon a cada sermão. Nestes, Filêmon salientava a natureza compensatória de seus ensinamentos: ele deliberadamente salientava mais precisamente aquelas concepções que faltavam aos mortos. *Aprofundamentos* forma efetivamente o *Liber Tertius* do *Liber Novus*. A sequência completa do texto seria então a seguinte:

Liber Primus: "O caminho do que há de vir"
Liber Secundus: "As imagens do errante"
Liber Tertius: "Aprofundamentos"

Durante esse período, Jung continuou transcrevendo o *Esboço* no volume caligráfico e acrescentando pinturas. As fantasias dos *Livros Negros* tornaram-se intermitentes. Ele representou sua percepção do significado do si-mesmo, que ocorrera no outuno de 1917, no *Aprofundamentos*[143]. Este contém a visão de Jung do Deus renascido, culminando no retrato de Abraxas. Ele percebeu que muito do que lhe foi dado na parte inicial do livro (ou seja, *Liber Primus* e *Liber Secundus*) na realidade lhe foi entregue por Filêmon[144]. Ele percebeu que havia nele um profético velho sábio, a quem ele não era idêntico. Isso representou uma desidentificação crítica. Em 17 de janeiro de 1918, Jung escreveu a J.B. Lang:

> O trabalho com o inconsciente tem que acontecer primeiro e mais intensamente para nós, conosco. Nossos pacientes irão se beneficiar dele indiretamente. O perigo consiste na ilusão do profeta, que é com frequência o resultado de se lidar com o inconsciente. É o diabo que diz: desdenhe toda a razão e a ciência, os altos poderes da humanidade. Isto nunca é apropriado, ainda que estejamos forçados a reconhecer (a existência do) irracional[145].

A tarefa crítica de Jung de "examinar em detalhes" suas fantasias era a de diferenciar as vozes e as personagens. Por exemplo, nos *Livros Negros* é Jung que dita os *Sermones* aos mortos. Em *Aprofundamentos* não é Jung, mas Filêmon que os diz. Nos *Livros Negros* a principal figura com quem Jung tem diálogos é sua alma. Em algumas seções do *Liber Novus* é, por sua vez, a serpente e o pássaro. Numa conversa de janeiro de 1916, sua alma lhe explica que, quando o Alto e o Baixo não estão unidos ela, se despedaça em três partes – uma serpente, a alma humana, e o pássaro ou alma celestial, que visita os deuses. Assim, a revisão de Jung aqui pode ser encarada como um reflexo de sua compreensão da natureza tripartite de sua alma[146].

Durante esse período, Jung continuou a trabalhar em seu material, e há alguns indícios de que o discutia com seus colegas. Em março de 1918, escreveu a J.B. Lang, que lhe havia enviado algumas de suas próprias fantasias:

> Não gostaria de dizer nada mais a não ser encorajá-lo a continuar com essa abordagem pois, como você mesmo tão corretamente observou, é muito importante que experimentemos os conteúdos do inconsciente antes de formarmos qualquer opinião a respeito. Concordo bastante com você que temos que abraçar o conhecimento da gnose e do neoplatonismo, já que estes são os sistemas que contêm o material adequado para formar a base de uma teoria do espírito inconsciente. Venho trabalhando com isto há bastante tempo, e tive grandes oportunidades de comparar, ao menos parcialmente, minhas experiências com as de outros. Esta é a razão de ter ficado tão satisfeito em escutar praticamente as mesmas coisas de você. Estou contente que você tenha descoberto por si mesmo essa área de trabalho que está pronta a ser atacada. Até agora, eu não tinha trabalhadores. Estou feliz que queira juntar forças comigo. Considero muito importante que você extraia seu próprio material do inconsciente sem influências, tão cuidadosamente quanto possível. Meu material é bastante volumoso, muito complicado, e em parte bem gráfico, já quase todo clarificado. Mas o que me falta completamente é material moderno comparativo. Zaratustra está, de forma muito forte, conscientemente formado. Meyrink modifica esteticamente; além do mais, sinto que lhe falta sinceridade religiosa[147].

O conteúdo

O *Liber Novus* apresenta assim uma série de imaginações ativas junto com a tentativa de Jung de compreender seu significado. Este trabalho de compreensão abrange muitos fios entrelaçados: uma tentativa de compreender-se a si mesmo e de integrar e desenvolver os vários componentes de sua personalidade; uma tentativa de compreender a estrutura da personalidade humana em geral; uma tentativa de compreender a relação do indivíduo com a sociedade de hoje e com a comunidade dos mortos; uma tentativa de compreender os efeitos psicológicos e históricos do cristianismo; e uma tentativa de compreender a futura evolução religiosa do Ocidente. Jung discute muitos outros temas na obra, entre os quais: a natureza do autoconhecimento, a natureza da alma, as relações entre pensar e sentir e os tipos psicológicos, a relação entre a masculinidade e a feminilidade interiores e exteriores, a união dos opostos, a solidão, o valor do conhecimento e da instrução, o *status* da ciência, o significado dos símbolos e como eles devem ser entendidos, o sentido da guerra, a loucura, a loucura divina e a psiquiatria, como a Imitação de Cristo deve ser entendida hoje, a morte de Deus, a importância histórica de Nietzsche, e a relação ente magia e razão.

O tema geral do livro é como Jung recupera sua alma e supera o mal-estar contemporâneo da alienação espiritual. Isto é finalmente alcançado possibilitando o renascimento de uma nova imagem de Deus em sua alma e desenvolvendo uma nova cosmovisão na forma de uma cosmologia psicológica e teológica. O *Liber Novus* apresenta o protótipo da concepção junguiana do processo de individuação, que ele considerava a forma universal do desenvolvimento psicológico individual. O próprio *Liber Novus* pode ser compreendido, por um lado, como descrevendo o processo de individuação de Jung e, por outro, como a elaboração que ele fez deste conceito como um esquema psicológico geral. No início do livro, Jung reencontra sua alma e depois embarca numa sequência de aventuras fantásticas, que formam uma narrativa consequente. Ele percebeu que, até então, havia servido ao espírito da época, caracterizado pelo uso e pelo valor. Além disso, havia um espírito das profundezas, que levava às coisas da alma. De acordo com a

142 Na p. 23 do manuscrito de *Aprofundamentos*, é indicada uma data: "27/11/17", que sugere que foram escritos no segundo semestre de 1917 e, portanto, após as experiências dos mandalas em Chateau d'Oex.
143 Cf. adiante, p. 333s.
144 Cf. adiante, p. 339.
145 Coleção particular, Stephen Martin. A referência é para a declaração de Mefistófeles no *Fausto* (1, 1.851s.).
146 Cf. adiante, p. 367.
147 Coleção particular, Stephen Martin.

autobiografia posterior de Jung, o espírito da época corresponde à personalidade número 1 e o espírito das profundezas corresponde à personalidade número 2. Por isso, esse período poderia ser considerado um retorno aos valores da personalidade número 2. Os capítulos seguem um formato particular: começam com a exposição de fantasias visuais dramáticas. Nelas, Jung encontra uma série de personagens em vários contextos e dialoga com elas. Confronta-se com acontecimentos inesperados e afirmações chocantes. Depois tenta compreender o que aconteceu e formular o significado desses eventos e afirmações em concepções e máximas psicológicas gerais. Jung acreditava que o significado dessas fantasias devia-se ao fato de provirem da imaginação mitopoética que faltava na presente época racional. A tarefa da individuação está em estabelecer um diálogo com as personagens da fantasia – ou conteúdos do inconsciente coletivo – e integrá-las na consciência, recuperando assim o valor da imaginação mitopoética que havia sido perdida na época moderna, reconciliando desse modo o espírito da época com o espírito das profundezas. Essa tarefa iria constituir um *leitmotif* de sua obra erudita posterior.

"Uma nova fonte de vida"

Em 1916, Jung escreveu diversos ensaios e um pequeno livro nos quais começou a tentar traduzir alguns dos temas do *Liber Novus* em linguagem psicológica contemporânea e a refletir sobre o significado e os aspectos gerais de sua atividade. Significativamente, nessas obras ele apresentou os primeiros esboços das grandes componentes de sua psicologia madura. Uma descrição cabal desses ensaios está fora do horizonte desta introdução. A visão geral que damos a seguir destaca elementos que se ligam mais diretamente ao *Liber Novus*.

Nas obras escritas entre 1911 e 1914, Jung ocupou-se principalmente em formular uma explicação estrutural do funcionamento humano geral e da psicopatologia. Além de sua primeira teoria dos complexos, vemos que ele já havia formulado concepções de um inconsciente filogeneticamente adquirido povoado de imagens míticas, de uma energia psíquica não sexual, de tipos gerais de introversão e extroversão, da função compensatória e prospectiva dos sonhos e das abordagens sintética e construtiva das fantasias. Enquanto Jung continuou a ampliar e desenvolver detalhadamente essas concepções, emerge aqui um novo projeto: a tentativa de fornecer uma explicação temporal do desenvolvimento superior, a que deu o nome de processo de individuação. Este foi um resultado teórico essencial de sua autoexperimentação. A elaboração total do processo de individuação e sua comparação histórica e intercultural viriam a ocupá-lo pelo resto da vida.

Em 1916, Jung fez uma preleção na Associação de Psicologia Analítica, intitulada "A estrutura do inconsciente", publicada primeiro em tradução francesa nos *Archives de Psychologie* de Flournoy[148]. Aqui, ele distinguia duas camadas do inconsciente. A primeira, o inconsciente pessoal, consistia em elementos adquiridos durante a vida, junto com elementos que podiam igualmente ser conscientes[149]. A segunda era o inconsciente impessoal ou psique coletiva[150]. Enquanto a consciência e o inconsciente pessoal eram desenvolvidos e adquiridos durante a vida do indivíduo, a psique coletiva era herdada[151]. Nesse ensaio, Jung analisava os curiosos fenômenos que resultavam da assimilação do inconsciente. Notava ele que, quando anexavam os conteúdos da psique coletiva e os consideravam como atributos pessoais, os indivíduos experimentavam estados extremos de superioridade e inferioridade. Ele tomou o termo "semelhança com Deus" de Goethe e Alfred Adler para caracterizar este estado, que surgia da fusão entre a psique pessoal e a psique coletiva e era um dos perigos da análise.

Jung escreveu que era tarefa difícil distinguir entre psique pessoal e psique coletiva. Um dos fatores com que o indivíduo se defrontava era a *persona* – nossa "máscara" ou "papel". Esta representava o segmento da psique coletiva que era erroneamente considerada individual. Quando se analisava isto, a personalidade dissolvia-se na psique coletiva, o que resultava na liberação de uma torrente de fantasias: "Abre-se a total profusão de pensamentos e sentimentos mitológicos"[152]. A diferença entre esse estado e a insanidade estava no fato de que ele era intencional.

Surgiam duas possibilidades: podia-se tentar restaurar regressivamente a *persona* e retornar ao estado anterior, mas era impossível livrar-se do inconsciente. Alternativamente, podia-se aceitar a condição de semelhança com Deus. Mas havia um terceiro caminho: o tratamento hermenêutico das fantasias criativas. Este vinha a ser uma síntese da psique individual com a psique coletiva, que revelava a linha individual da vida. Era o processo de individuação. Numa posterior revisão não datada desse ensaio, Jung introduziu a noção de *anima*, como contraparte da noção de *persona*. Ele considerou ambas como "imagos do sujeito". Aqui, ele definiu a *anima* como "o modo pelo qual o sujeito é visto pelo inconsciente coletivo"[153].

A descrição vivaz das vicissitudes do estado de semelhança com Deus reflete alguns dos estados afetivos de Jung durante seu confronto com o inconsciente. A noção da diferenciação da *persona* e sua análise corresponde à seção de abertura do *Liber Novus*, onde Jung se diferencia de seu papel e realizações e tenta religar-se com sua alma. A liberação de fantasias mitológicas é precisamente o que se seguiu no seu caso, e o tratamento hermenêutico das fantasias criativas foi o que ele apresentou na camada 2 do *Liber Novus*. A diferenciação entre o inconsciente pessoal e o inconsciente impessoal forneceu uma compreensão teórica das fantasias mitológicas de Jung: sugere que ele não as considerou provenientes de seu inconsciente pessoal, mas da psique coletiva herdada. Neste caso, suas fantasias provêm de uma camada da psique que era uma herança humana coletiva e não eram simplesmente idiossincráticas ou arbitrárias.

Em outubro do mesmo ano, Jung fez duas palestras no Clube Psicológico. A primeira intitulava-se "Adaptação". Esta tomou duas formas: adaptação a condições externas e internas. O "interno" foi entendido como designando o inconsciente. A adaptação ao "interno" levou à exigência por individuação, o que era contrário à adaptação aos outros. A resposta a essa exigência e o correspondente rompimento com a conformidade levavam a uma trágica culpa, que precisava de expiação e pedia uma nova "função coletiva", porque o indivíduo devia produzir valores que pudessem servir como um substituto para a ausência dele da sociedade. Esses novos valores possibilitavam compensar o coletivo. A individuação era para poucos. Os insuficientemente criativos deveriam antes restabelecer a conformidade coletiva com a sociedade. O indivíduo

148 Depois de separar-se de Freud, Jung descobriu que Flournoy lhe era um apoio permanente. Cf. Jung em Flournoy, *From India to the Planet Mars*, p. ix.
149 OC, 7, § 444-446.
150 Ibid., § 449.
151 Ibid., § 459.
152 Ibid., § 468.
153 Ibid., § 521.

precisava não só criar novos valores, mas também valores socialmente reconhecíveis, já que a sociedade tinha "direito a *valores utilizáveis*"[154].

Lido em termos da situação de Jung, isto dá a entender que esse rompimento com a conformidade social de procurar sua "individuação" levara-o à ideia de que precisava produzir valores socialmente realizáveis como uma expiação. Isto levou a um dilema: será que a maneira como Jung encarnou esses novos valores no *Liber Novus* seria socialmente aceitável e reconhecível? Esse compromisso com as exigências da sociedade separava Jung do anarquismo dos dadaístas.

A segunda palestra foi sobre "Individuação e coletividade". Jung afirmava que individuação e coletividade eram um par de opostos relacionados pela culpa. A sociedade exigia imitação. Através do processo de imitação, o indivíduo podia obter o acesso a valores que são próprios dele. Na análise, "pela imitação o paciente aprende a individuação, porque ela reativa os valores que são próprios dele"[155]. É possível ler isto como um comentário sobre o papel da imitação nos tratamentos analíticos daqueles pacientes seus a quem Jung havia agora estimulado a empreender processos semelhantes de desenvolvimento. A afirmação de que esse processo evocava os valores preexistentes do paciente era um contragolpe à acusação de sugestão.

Em novembro, enquanto prestava serviço militar em Herisau, Jung escreveu um ensaio sobre "A função transcendente", publicado só em 1957. Ali Jung descrevia o método de trazer à tona e desenvolver fantasias que ele mais tarde chamou de imaginação ativa, e expunha sua fundamentação terapêutica. Esse ensaio pode ser considerado um relato provisório dos progressos a respeito da autoexperimentação de Jung e pode ser proveitosamente considerado um prefácio ao *Liber Novus*.

Jung observou que a nova atitude adquirida com a análise tornava-se obsoleta. Os materiais inconscientes eram necessários para completar a atitude consciente e corrigir-lhe a parcialidade. Mas, como a tensão de energia era baixa no sonho, os sonhos eram expressões inferiores de conteúdos inconscientes. Por isso era preciso recorrer a outras fontes, a saber, as fantasias espontâneas. Um livro de sonhos descoberto recentemente contém uma série de sonhos de 1917 a 1925[156]. Uma cuidadosa comparação desse livro com os *Livros Negros* mostra que as imaginações ativas de Jung não provinham diretamente de seus sonhos, e que essas duas correntes eram geralmente independentes.

Jung descreveu sua técnica para induzir tais fantasias espontâneas: "Este treinamento consiste primeiramente nos exercícios sistemáticos de eliminação da atenção crítica, criando, assim, um vazio na consciência"[157]. A pessoa começava concentrando-se num determinado estado de espírito, procurando tornar-se o mais consciente possível de todas as fantasias e associações que surgiam em conexão com esse estado. O objetivo era permitir à fantasia agir livremente, sem afastar-se do afeto inicial, num livre processo associativo. Isto levava a uma expressão concreta ou simbólica do estado de espírito, o que tinha como consequência trazer o afeto para mais perto da consciência, tornando-o assim mais compreensível. Fazer isso podia ter um efeito vivificante. Os indivíduos podiam desenhar, pintar ou esculpir, dependendo de suas propensões:

> Os tipos visualmente dotados devem concentrar-se na expectativa de que se produza uma imagem interior. De modo geral, aparece uma imagem da fantasia – talvez de natureza hipnagógica – que deve ser cuidadosamente observada e fixada por escrito. Os tipos audioverbais em geral ouvem palavras interiores. De início, talvez sejam apenas fragmentos de sentenças, aparentemente sem sentido... Outros, porém, nestes momentos escutam sua "outra" voz... Um pouco menos frequente, mas não menos valiosa, é a escrita automática, feita diretamente ou em prancheta[158].

Uma vez produzidas e incorporadas essas fantasias, tornavam-se possíveis duas abordagens: formulação criativa e compreensão. Uma precisava da outra e ambas eram necessárias para produzir a função transcendente, que surgia da união entre conteúdos conscientes e conteúdos inconscientes.

Para algumas pessoas, observava Jung, era simples notar a "outra" voz na escrita e responder a ela do ponto de vista do eu: "É exatamente como se se travasse um diálogo entre duas pessoas com direitos iguais..."[159] Esse diálogo levou à criação da função transcendente, o que resultava numa ampliação da consciência. Essa descrição dos diálogos interiores e dos meios usados para evocar fantasias num estado de vigília representa a tarefa do próprio Jung nos *Livros Negros*. A interação entre formulação criativa e compreensão corresponde ao trabalho de Jung no *Liber Novus*. Jung não publicou esse ensaio. Ele observou mais tarde que nunca terminou seu trabalho sobre a função transcendente, porque o fizera sem grande empenho[160].

Em 1917, Jung publicou um pequeno livro com um longo título: *Psicologia dos processos inconscientes: uma visão geral da moderna teoria e método da psicologia analítica*. No prefácio, datado de dezembro de 1916, Jung proclamava que os processos psicológicos que acompanhavam a guerra haviam trazido o problema do inconsciente caótico para o primeiro plano da atenção. No entanto, a psicologia do indivíduo correspondia à psicologia da nação e apenas a transformação da atitude do indivíduo podia produzir uma renovação cultural[161]. Isto articulava a íntima interconexão entre eventos individuais e eventos coletivos que ocupava o centro do *Liber Novus*. Para Jung, a conjunção entre suas visões precognitivas e a eclosão da guerra tornara evidentes as profundas conexões subliminais entre fantasias individuais e acontecimentos mundiais – e, portanto, entre a psicologia do indivíduo e a da nação. O que se fazia necessário agora era elaborar essa conexão mais detalhadamente.

Jung observou que, depois de ter analisado e integrado os conteúdos do inconsciente pessoal, a pessoa opunha-se às fantasias mitológicas que brotavam da camada filogenética do inconsciente[162]. *Psicologia dos processos inconscientes* forneceu uma exposição do inconsciente coletivo, suprapessoal, absoluto – sendo estes termos usados intercambiavelmente. Jung afirmava que a pessoa precisava separar-se do inconsciente apresentando-o visivelmente como algo separado dela. Era essencial distinguir o eu do não eu, ou seja, a psique coletiva ou inconsciente absoluto. Para fazer isso, "o ser humano deve permanecer firmemente de pé em sua função de eu; ou seja, deve cumprir plenamente seu dever para com a vida, para poder ser em todos os aspectos um membro vital da sociedade humana"[163]. Jung estivera se esforçando por cumprir estas tarefas nesse período.

154 OC, 18, § 1.098.
155 Ibid., § 1.100.
156 *AFJ*.
157 OC, 8/2, § 155.
158 Ibid., § 170-171. A prancheta é uma pequena tábua de madeira nos navios de cabotagem usada para facilitar a escrita automática.
159 Ibid., § 186.
160 *MP*, p. 380.
161 OC, 7, p. XIII-XIV.
162 Ao fazer uma revisão dessa obra em 1943, Jung acrescentou que o inconsciente pessoal "corresponde à figura da *sombra*, que frequentemente aparece nos sonhos" (OC, 7, § 103). E acrescentou a seguinte definição desta figura: "*sombra* é para mim a parte 'negativa' da personalidade, isto é, a soma das propriedades ocultas e desfavoráveis, das funções mal desenvolvidas e dos conteúdos do inconsciente pessoal" (OC, 7, § 103n.). Posteriormente, essa fase do processo de individuação foi descrita como o encontro com a sombra (cf. OC, 9/2, § 13-19).
163 *Die Psychologie der Unbewussten Prozesse*. 2. ed. Zurique: Rascher, 1918, p. 104.

Os conteúdos desse inconsciente eram aquilo que Jung, em *Transformações e símbolos da libido*, chamara de mitos típicos ou imagens primordiais. Ele descreveu essas "dominantes" como "as potências reinantes, os deuses, ou seja, imagens de leis e princípios dominantes, regularidades médias no decurso das imagens que o cérebro recebeu da sequência de processos seculares"[164]. Era preciso prestar particular atenção a essas dominantes. Particularmente importante era o "desligar os conteúdos mitológicos ou psicológicos coletivos dos objetos da consciência e consolidá-los como realidade psicológica fora da psique individual"[165]. Isto permitia a uma pessoa reconciliar-se com resíduos ativados de nossa história ancestral. A diferenciação entre pessoal e não pessoal resultava numa liberação de energia.

Esses comentários refletem também a atividade de Jung: sua tentativa de distinguir as várias personagens que apareciam e "consolidá-las como realidades psicológicas". A noção de que essas personagens tinham uma realidade psicológica própria e não eram ficções meramente subjetivas foi a principal lição que ele atribuiu à figura fantástica de Elias: objetividade psíquica[166].

Jung afirmou que a era da razão e do ceticismo inaugurada pela Revolução Francesa havia reprimido a religião e o irracionalismo. Isto, por sua vez, teve sérias consequências, levando à eclosão de irracionalismo representada pela guerra mundial. Era, portanto, uma necessidade histórica reconhecer o irracional como um fator psicológico. A aceitação do irracional é um dos temas centrais do *Líber Novus*.

Em *Psicologia dos processos inconscientes*, Jung desenvolveu sua concepção dos tipos psicológicos. Observou que era um fenômeno comum as características psicológicas dos tipos serem levadas a extremos. Por aquilo que ele chamou de lei da enantiodromia, ou inversão para o oposto, entrou a outra função, a saber, sentimento para o introvertido e pensamento para o extrovertido. Essas funções secundárias encontravam-se no inconsciente. O desenvolvimento da função contrária levava à individuação. À medida que a função contrária não era aceitável ao consciente, era necessária uma técnica especial para chegar a um acordo com ela, a saber, a produção da função transcendente. O inconsciente era um perigo quando não se estava em harmonia com ele. Mas, com o estabelecimento da função transcendente, cessava a desarmonia. Esse reequilíbrio permitia o acesso aos aspectos produtivos e benéficos do inconsciente. O inconsciente continha a sabedoria e a experiência de incontáveis eras e, por isso, constituía um guia incomparável. O desenvolvimento da função contrária aparece na seção "Mysterium" do *Líber Novus*[167]. A tentativa de alcançar a sabedoria armazenada no inconsciente é descrita ao longo de todo o livro, no qual Jung pede à sua alma que lhe diga o que ela vê e o sentido de suas fantasias. O inconsciente é considerado aqui uma fonte de sabedoria superior. Jung concluiu o ensaio indicando a natureza pessoal e experiencial dessas novas concepções: "Nossa época está buscando uma nova fonte de vida. Eu encontrei uma e bebi dela e a água tinha gosto bom"[168].

O caminho para o si-mesmo

Em 1918, Jung escreveu um ensaio intitulado "Sobre o inconsciente", no qual observava que todos nós estamos entre dois mundos: o mundo da percepção externa e o mundo da percepção do inconsciente. Essa distinção descreve sua experiência nessa época. Ele escreveu que Friedrich Schiller afirmara que a aproximação destes dois mundos se fazia por meio da arte. Em contraposição, argumentava Jung, "a meu ver, a união da verdade racional com a verdade irracional deve ser encontrada não tanto na arte, mas muito mais no símbolo, pois é da essência do símbolo conter ambos os lados, o racional e o irracional"[169]. Os símbolos, afirmava ele, provinham do inconsciente, e a criação de símbolos era a função mais importante do inconsciente. Enquanto a função compensatória do inconsciente sempre esteve presente, a função de criação de símbolos só esteve presente quando estivemos dispostos a reconhecê-la. Aqui, vemos que Jung continua evitando considerar suas produções como arte. Não foi a arte, mas os símbolos que tiveram aqui importância primordial. O reconhecimento e a recuperação desta força de criação de símbolos são descritos no *Líber Novus*. O livro retrata a tentativa de Jung de entender a natureza psicológica do simbolismo e de considerar suas fantasias de um ponto de vista simbólico. Ele concluiu que o que foi inconsciente em qualquer época determinada foi apenas relativo e mutante. O que se fazia necessário agora era a "reformulação de nossa visão do mundo, em consonância com os conteúdos ativos do inconsciente"[170]. Assim, a tarefa que o confrontava era a de traduzir as concepções adquiridas através de seu confronto com o inconsciente, e expressas de forma literária e simbólica no *Líber Novus*, numa linguagem que fosse compatível com a perspectiva contemporânea.

No ano seguinte, Jung apresentou um ensaio na Inglaterra perante a Sociedade de Pesquisa Psíquica, da qual era membro honorário, sobre "Os fundamentos psicológicos da crença nos espíritos"[171]. Distinguiu duas situações em que o inconsciente coletivo se tornava atuante. Na primeira, era ativado por uma crise na vida do indivíduo e pelo colapso das esperanças e expectativas. Na segunda, era ativado em tempos de grande convulsão social, política e religiosa. Nesses momentos, os fatores reprimidos pelas atitudes predominantes acumulam-se no inconsciente coletivo. Indivíduos fortemente intuitivos tornam-se conscientes deles e procuram traduzi-los em ideias comunicáveis. Se eram bem-sucedidos em traduzir o inconsciente numa linguagem comunicável, isto tinha um efeito redentor. Os conteúdos do inconsciente tinham um efeito perturbador. Na primeira situação, o inconsciente coletivo poderia substituir a realidade, o que é patológico. Na segunda situação, o indivíduo pode se sentir desorientado, mas o estado não é patológico. Essa diferenciação dá a entender que, na opinião de Jung, sua própria experiência enquadrava-se na segunda categoria – ou seja, a ativação do inconsciente coletivo devido à convulsão cultural geral. Portanto, seu temor inicial de iminente insanidade em 1913 estava em sua incapacidade de perceber essa distinção.

Em 1918, Jung apresentou ao Clube Psicológico uma série de seminários sobre seu trabalho a respeito de tipologia e, nessa época, empenhou-se numa vasta pesquisa erudita sobre esse tema. Desenvolveu e ampliou os temas articulados nestes ensaios em 1921, em *Tipos psicológicos*. No tocante aos temas trabalhados no *Líber Novus*, a seção mais importante do livro era o capítulo 5: "O problema do tipo na poesia". A questão fundamental discutida aqui foi como o problema dos opostos poderia ser resolvido através da produção do símbolo de união ou reconciliação. Isto constitui um

164 Ibid., p. 130.
165 Ibid., p. 134.
166 *Analytical Psychology*, p. 95.
167 Cf. adiante, p. 245-255.
168 *Collected Papers on Analytical Psychology*, p. 444. Esta sentença apareceu apenas na primeira edição do livro de Jung.
169 OC, 10, § 24.
170 Ibid., § 48.
171 OC, 8/2, § 570-600.

dos temas centrais do *Líber Novus*. Jung apresentou uma análise detalhada da questão da solução do problema dos opostos no hinduísmo, no taoismo, em Mestre Eckhart e, nos dias de hoje, na obra de Carl Spitteler. Este capítulo pode ser lido também como uma meditação sobre algumas das fontes históricas que informaram diretamente suas concepções no *Líber Novus*. Anunciou também a introdução de um método importante. Em vez de discutir diretamente a questão da reconciliação dos opostos no *Líber Novus*, Jung procurou analogias históricas e teceu comentários sobre elas.

Em 1921, apareceu o "si-mesmo" como conceito psicológico. Jung definiu-o da seguinte maneira:

> Enquanto o eu for apenas o centro do meu campo consciente, não é idêntico ao todo de minha psique, mas apenas um complexo entre outros complexos. Por isso distingo entre eu e si-mesmo. O eu é o sujeito apenas de minha consciência, mas o si-mesmo é o sujeito do meu todo, também da psique inconsciente. Neste sentido o si-mesmo seria uma grandeza (ideal) que encerraria dentro dele o eu. O si-mesmo gosta de aparecer na fantasia inconsciente como personalidade superior ou ideal como, por exemplo, o *Fausto*, de Goethe, e o *Zaratustra*, de Nietzsche[172].

Jung equiparou a noção hindu de Brahman/Atman ao si-mesmo. Ao mesmo tempo, providenciou uma definição da alma. Afirmou que a alma possuía qualidades que eram complementares à persona, contendo aquelas qualidades de que a atitude consciente carecia. Este caráter complementar da alma afetava também seu caráter sexual, de modo que o homem tinha uma alma feminina, ou *anima*, e a mulher tinha uma alma masculina, ou *animus*[173]. Isto correspondia ao fato de que homens e mulheres tinham traços tanto masculinos quanto femininos. Observou também que a alma dava origem a imagens que supostamente não tinham valor do ponto de vista racional. Havia quatro maneiras de usá-las:

> A primeira possibilidade de utilização é a artística, quando alguém domina esta forma de expressão; uma segunda possibilidade é a especulação filosófica; uma terceira é a especulação quase religiosa que leva à heresia e à constituição de seitas; uma quarta possibilidade é o emprego das forças imanentes nas imagens para cometer excessos de toda forma[174].

Deste ponto de vista, a utilização psicológica dessas imagens representaria um "quinto caminho". Para ser bem-sucedida, a psicologia precisava distinguir-se claramente da arte, da filosofia e da religião. Essa necessidade explica a rejeição das alternativas por parte de Jung.

Nos *Livros Negros* seguintes, ele continuou a elaborar sua "mitologia". As personagens desenvolviam-se e transformavam-se umas nas outras. A diferenciação das personagens era acompanhada por sua aglutinação, chegando Jung a considerá-las como aspectos de componentes subjacentes da personalidade. Em 5 de janeiro de 1922, ele teve um diálogo com sua alma a respeito tanto de sua vocação quanto do *Líber Novus*:

> [Eu]: Sinto que devo falar com você. Por que você não me deixa dormir quando estou cansado? Eu sei que a perturbação vem de você.
> O que leva você a manter-me acordado?
> [Alma]: Agora não é tempo de dormir, mas de ficar acordado e preparar coisas importantes no trabalho noturno. Começa a grande obra.
> [Eu]: Que grande obra?
> [Alma]: A obra que precisa ser feita agora. É uma obra imensa e difícil. Não há tempo para dormir, se você não encontra tempo durante o dia para permanecer na obra.
> [Eu]: Mas eu não sabia que algo deste tipo estava acontecendo.
> [Alma]: Mas você devia ter percebido que eu estava perturbando seu sono há muito tempo. Você esteve inconsciente por um tempo demasiado longo. Agora você deve passar a um nível superior de consciência.
> [Eu]: Estou pronto. O que é? Diga!
> [Alma]: Você precisa ouvir: deixar de ser cristão é fácil. Mas, e depois? Pois muita coisa ainda está por vir. Tudo está esperando por você. E você? Você permanece em silêncio e nada tem a dizer. Mas você deve falar. Por que você recebeu a revelação? Você não deve escondê-la. Você se preocupa com a forma? É importante a forma quando se trata de revelação?
> [Eu]: Mas você não está pensando que devo publicar o que escrevi? Isso seria uma desgraça. E quem iria compreendê-lo?
> [Alma]: Não, escute! Você não precisa romper um casamento, a saber o casamento comigo, nenhuma pessoa deve ser colocada em meu lugar... Quero reinar sozinha.
> [Eu]: Então você quer reinar? Donde você tira o direito a essa presunção?
> [Alma]: Esse direito me vem porque eu sirvo a você e à sua vocação. Eu poderia igualmente dizer que você vem em primeiro lugar, mas acima de tudo sua vocação vem em primeiro lugar.
> [Eu]: Mas qual é minha vocação?
> [Alma]: A nova religião e sua proclamação.
> [Eu]: Meu Deus! Como devo fazer isso?
> [Alma]: Não seja tão pusilânime. Ninguém o sabe tão bem como você. Não há ninguém que saiba proclamá-la tão bem como você.
> [Eu]: Mas quem sabe se você não está mentindo?
> [Alma]: Pergunte a você mesmo se eu estou mentindo. Eu falo a verdade[175].

Aqui sua alma pediu-lhe insistentemente que publicasse o seu material, o que ele recusou. Três dias depois, sua alma informou-lhe que a nova religião "só se expressa visivelmente na transformação das relações humanas. As relações não se deixam substituir pelo mais profundo conhecimento. Além disso, uma religião não consiste apenas em conhecimento, mas, sim, em seu nível visível, numa reorganização das condições de vida humanas. Por isso não espere mais conhecimentos de mim. Você sabe tudo o que é preciso saber agora a respeito da revelação que você recebeu, mas você ainda não vive tudo o que deve ser vivido agora". O "eu" de Jung respondeu: "Posso entender perfeitamente e aceitar isto. Mas é obscuro para mim como o conhecimento possa ser transformado em vida. Você precisa ensinar-me isto". Sua alma lhe disse: "Não há muito a dizer sobre isto. Não é tão racional como você está inclinado a pensar. O caminho é simbólico"[176].

Assim, a tarefa com que Jung se deparava era como realizar

172 *Tipos psicológicos*. OC, 6, § 796 (810).
173 Ibid., § 759 (884).
174 OC, 6, § 468.
175 *Livro Negro 7*, p. 92c.
176 Ibid., p. 95. Num seminário do ano seguinte, Jung ocupou-se com o tema da relação entre as relações individuais e a religião: "Nenhum indivíduo pode existir sem relações individuais, e é assim que é lançado o fundamento da vossa Igreja. As relações individuais estabelecem a forma da Igreja invisível" (*Notes on the Seminar in Analytical Psychology conducted by Dr. C.G. Jung*. Polzeath, Inglaterra, 14-27 de julho de 1923. Organizado pelos membros da classe, p. 82).

e encarnar aquilo que ele aprendera através da investigação de sua própria vida. Durante esse período, os temas da psicologia da religião e da relação entre religião e psicologia foram adquirindo destaque cada vez maior em sua obra, a começar por seu seminário em Polzeath, na Cornualha, em 1923. Jung tentou desenvolver uma psicologia do processo de fazer religião. Em vez de proclamar uma nova revelação profética, seu interesse estava na psicologia das experiências religiosas. A tarefa consistia em descrever a tradução e transposição da experiência numinosa dos indivíduos em símbolos e finalmente nos dogmas e credos das religiões organizadas e, por fim, estudar a função psicológica desses símbolos. Para essa psicologia do processo de fazer religião ser bem-sucedida, era essencial que a psicologia analítica, enquanto proporcionava uma afirmação da atitude religiosa, não sucumbisse à tentação de transformar-se num credo[177].

Em 1922, Jung escreveu um ensaio sobre "A relação da psicologia analítica com a obra de arte poética". Ele distinguiu dois tipos de obras: o primeiro, que brotava inteiramente da intenção do autor, e o segundo, que se apoderava do autor. Exemplos dessas obras simbólicas eram a segunda parte do *Fausto* de Goethe e o *Zaratustra* de Nietzsche. Em sua opinião, essas obras brotavam do inconsciente coletivo. Em casos como esses, o processo criativo consistia na ativação inconsciente de uma imagem arquetípica. Os arquétipos liberavam em nós uma voz mais forte do que a nossa própria:

> Quem fala por meio de imagens primordiais, fala como se tivesse mil vozes; comove e subjuga..., eleva o destino pessoal ao destino da humanidade e com isto também solta em nós todas aquelas forças benéficas que desde sempre possibilitaram à humanidade salvar-se de todos os perigos e também sobreviver à mais longa noite[178].

O artista que produziu essas obras educou o espírito da época e compensou a parcialidade do presente. Ao descrever a gênese dessas obras simbólicas, Jung tinha, ao que parece, suas próprias atividades em mente. Assim, enquanto Jung recusava-se a considerar o *Liber Novus* como "arte", suas reflexões sobre sua composição eram no entanto uma fonte crítica de suas subsequentes concepções e teorias da arte. A questão implícita que esse ensaio levantava era se a psicologia podia cumprir agora esta função de educar o espírito da época e compensar a parcialidade do presente. A partir desse período, Jung chegou a conceber a tarefa de sua psicologia precisamente desta maneira[179].

Deliberações de publicação

A partir de 1922, além dos debates com Emma Jung e Toni Wolff, Jung teve longos debates com Cary Baynes e Wolfgang Stockmayer sobre o que fazer com o *Liber Novus* e a respeito de sua possível publicação. Já que ocorreram enquanto ele ainda estava trabalhando neste livro, esses debates têm importância decisiva. Cary Fink nasceu em 1883. Estudou no Vassar College, onde frequentou as aulas de Kristine Mann, que se tornou uma das primeiras seguidoras de Jung nos Estados Unidos. Em 1910, ela se casou com Jaime de Angulo e completou sua formação médica na Johns Hopkins University em 1911. Em 1921, abandonou-o e foi para Zurique com Kristine Mann. Iniciou a análise com Jung. Ela nunca praticou análise e Jung respeitava-lhe muito a inteligência crítica. Em 1927, casou-se com Peter Baynes. Divorciaram-se mais tarde, em 1931. Jung pediu-lhe que fizesse uma nova transcrição do *Liber Novus*, porque ele acrescentara muito material desde a transcrição anterior. Ela empreendeu essa tarefa em 1924 e 1925, quando Jung estava na África. Sua máquina de escrever era pesada e por isso ela primeiro copiou-o a mão e depois datilografou-o.

Estas notas relatam seus debates com Jung e estão escritas em forma de cartas a ele que não foram enviadas.

> 2 DE OUTUBRO DE 1922
> Num outro livro o "Dominicano branco" de Meyrink, você disse que ele usou exatamente o mesmo simbolismo que ocorrera a você na primeira visão que apareceu ao seu inconsciente. Além disso você disse que ele falara de um "Livro Vermelho" que continha certos mistérios e o livro que você está escrevendo sobre o inconsciente você o chamou de "Livro Vermelho"[180]. Depois você falou que estava em dúvida sobre o que fazer com esse livro. Você disse que Meyrink podia dar uma nova forma ao seu e estava tudo bem, mas você só podia contar com o método científico e filosófico, e esse material você não podia lançar nesse molde. Eu disse que você podia usar a forma do Zaratustra e você disse que era verdade, mas você estava farto disso. Também eu estou. Depois você disse que pensou em fazer dele uma autobiografia. Isto me parece de longe o melhor, porque então você tenderia a escrever como você falava, que era de forma bem pitoresca. Mas, independentemente de qualquer dificuldade com a forma, você disse que temia torná-lo público, porque era como vender sua própria casa. Mas eu critiquei você violentamente e disse que não era nem um pouco parecido com aquilo, porque você e o livro representavam uma constelação do universo e que considerar o livro como puramente pessoal era você identificar-se com ele, algo que você não pensaria em permitir a seus pacientes... Depois nós rimos por eu ter, por assim dizer, apanhado você em flagrante. Goethe viu-se apanhado na mesma dificuldade na parte II do *Fausto*, na qual ele entrara no inconsciente e achara tão difícil conseguir a forma correta que afinal morreu deixando os manuscritos assim mesmo em sua gaveta. Você disse que grande parte do que você experienciou seria considerada como pura e simples maluquice que, se fosse publicada, você fracassaria totalmente não só como cientista, mas também como ser humano; mas eu disse que não, que se você o abordasse a partir do ângulo de *Dichtung und Wahrheit* [Poesia e Verdade], as pessoas poderiam fazer sua própria seleção quanto a distinguir uma coisa da outra[181]. Você fez objeções a apre-

177 Sobre a psicologia da religião de Jung, cf. HEISIG, James. *Imago Dei*: A Study of Jung's Psychology of Religion. Lewisburg: Bucknell University Press, 1979. • LAMMERS, Ann. *In God's Shadow*: The Collaboration between Victor White and C.G. Jung. Nova York: Paulist Press, 1994. Cf. tb. meu "In Statu Nascendi". *Journal of Analytical Psychology*, 44, 1999, p. 539-545.

178 OC, 15, § 129.

179 Em 1930, Jung estendeu-se sobre este tema e descreveu o primeiro tipo de obras como "psicológicas" e o segundo como "visionárias". "Psicologia e poesia". OC, 15.

180 Cf. MEYRINK. *The White Dominican*, 1921/1994, p. 91, cap. 7 [tradução de M. Mitchell]: O "pai fundador" informa o herói do romance, Christopher, de que "quem possuir o livro vermelho de cinábrio, a planta da imortalidade, o despertar do sopro espiritual e o segredo de trazer à vida a mão direita dissolver-se-á com o cadáver... Chama-se livro de cinábrio porque, de acordo com uma antiga crença da China, o vermelho é a cor das vestes dos que alcançaram o mais alto estágio da perfeição e haviam permanecido para trás na terra para salvar a humanidade" (p. 91). Jung estava particularmente interessado nos romances de Meyrink. Em 1921, ao referir-se à função transcendente e às fantasias inconscientes, observou que era possível encontrar na literatura exemplos nos quais esse material fora sujeitado à elaboração estética, e que "entre estes exemplos, gostaria de mencionar as duas obras de Meyrink: *O Golem* e *A face verde*". *Tipos psicológicos*. OC, 6, § 189. Jung considerava Meyrink um artista "visionário" ("Psicologia e poesia". OC, 15, § 142) e estava interessado também nos experimentos alquímicos de Meyrink (*Psicologia e alquimia*. OC, 12, § 341n.).

181 Referência à autobiografia de GOETHE. *From my Life*: Poetry and Truth. Princeton: Princeton University Press, 1994 [Trad. de R. Heitner].

sentar qualquer coisa dele como *Dichtung* quando era tudo *Wahrheit*, mas não me parece falsidade fazer uso desse tanto de máscara para você mesmo proteger-se do provincianismo – e afinal, como eu disse, o provincianismo tem seus direitos, em face da escolha de você como maluco, e eles próprios, enquanto tolos sem experiência, *precisam* escolher a primeira alternativa, mas, se puderem colocar você como poeta, salvam as aparências. Boa parte do seu material, como você disse, chegou-lhe como runas e a explicação dessas runas soa como o mais arrematado absurdo, mas isso não importa se o produto final é o sentido. Em seu caso, eu disse, aparentemente você teve consciência de um número maior de passos da criação do que qualquer outro antes. Na maioria dos casos a mente, é claro, abandona automaticamente o material irrelevante e entrega o produto final, ao passo que você leva consigo todo o negócio, processo matricial e produto. Naturalmente é muito mais difícil de lidar. Meu tempo terminou.

JANEIRO DE 1923

O que você me disse algum tempo atrás deixou-me pensativa e de repente outro dia, enquanto eu lia "Vorspiel auf dem Theater" [Prelúdio no teatro][182], dei-me conta de que você também precisava fazer uso desse princípio que Goethe manejara tão belamente em todo o *Fausto*, a saber, contrapor o criativo e eterno ao negativo e transitório. Você pode não ver imediatamente o que isto tem a ver com o *Livro Vermelho*, mas eu vou explicar. No meu entender, neste livro você vai desafiar os homens a uma nova forma de olhar para suas almas, em todo caso vai haver nele muita coisa que estará fora do alcance do homem comum, exatamente como em certo período de sua vida você dificilmente deve tê-lo entendido. De certa forma é uma "joia" que você está dando ao mundo, não é? Minha opinião é que ele precisa de uma espécie de proteção, para que não seja jogado na sarjeta e algum judeu estranhamente vestido acabe roubando-o ou fazendo-o desaparecer.

A melhor proteção que você poderia inventar, parece-me, seria introduzir no próprio livro uma exposição das forças que tentarão destruí-lo. Um dos grandes dons que você tem é a capacidade de ver tanto o lado ruim quanto o lado bom de qualquer situação determinada, de modo que você saberá melhor do que a maioria das pessoas que atacam o livro o que é que elas querem destruir. Você não poderia frustrar-lhes a expectativa escrevendo suas críticas para eles? Talvez seja justamente isso que você fez na introdução. Talvez você devesse, de preferência, assumir para com o público a atitude de "Pegue ou largue, e seja feliz ou dane-se, o que você preferir". Isso seria bom, de qualquer maneira o que houver de verdade nele irá sobreviver. Mas eu gostaria de ver você fazer a outra coisa se não exigir muito esforço de você.

26 DE JANEIRO DE 1924

Na noite anterior você tivera um sonho no qual eu aparecia disfarçada e devia trabalhar sobre o *Livro Vermelho* e você esteve pensando sobre isso o dia inteiro e especialmente durante a hora da Dra. Wharton antes da minha (bom para ela, devo dizer)... Como você disse, você decidira entregar-me todo o seu material inconsciente representado pelo *Livro Vermelho* etc. para ver o que eu, como observadora estranha e imparcial, diria a respeito dele. Você pensava que eu tinha uma boa crítica e uma crítica imparcial. Como você disse, Toni estava profundamente envolvida nele e, além disso, não tinha nenhum interesse na coisa em si, nem em pô-la numa forma utilizável. Você disse que ela está perdida "esvoaçando como um pássaro". Quanto a você, você disse que sempre soube o que fazer com suas ideias, mas aqui você ficou desorientado. Quando você as abordou, você ficou, por assim dizer, emaranhado e já não podia ter certeza de nada. Você tinha certeza de que algumas delas tinham grande importância, mas não pôde encontrar a forma apropriada – como elas eram agora, você disse, elas poderiam provir de um manicômio. Você disse então que eu devia copiar os conteúdos do *Livro Vermelho* – uma vez antes você mandara copiá-lo, mas depois acrescentou uma porção de materiais, de modo que você quis que ele fosse copiado novamente, e você me explicaria as coisas à medida que eu prosseguisse, porque você entendia quase tudo nele, você disse. Dessa forma, poderíamos chegar a discutir muitas coisas que nunca afloraram em minha análise e eu poderia entender as ideias de você a partir do fundamento. Você me disse então algo mais sobre sua atitude para com o "Livro Vermelho". Você disse que algo dele feriu terrivelmente seu senso da conveniência das coisas e que você evitou registrá-lo por escrito tal qual ele veio a você, mas você dera início ao princípio da "espontaneidade", ou seja, de não fazer nenhuma correção, e manteve-se fiel a ele. Alguns dos quadros eram absolutamente infantis, mas tinham a intenção de o ser. Havia vários personagens falando: Elias, Padre Filêmon etc., mas todos pareciam ser fases daquilo que você pensava devia ser chamado "o mestre". Você tinha certeza de que este último era o mesmo que inspirou Buda, Mani, Cristo, Maomé – todos aqueles que, podemos dizer, tiveram trato íntimo com Deus[183]. Mas os outros haviam-se identificado com ele. Você recusou-se terminantemente. Isso não poderia ser para você, como você disse, você precisava continuar sendo o psicólogo – a pessoa que compreendia o processo. Eu disse então que o que se devia fazer era possibilitar que o mundo também compreendesse o processo, sem que eles tenham a noção de ter, por assim dizer, seu Mestre preso numa gaiola à sua inteira disposição. Eles deviam imaginá-lo como uma coluna de fogo avançando continuamente e sempre fora do alcance dos humanos. Sim, você falou que era algo parecido com isso. Talvez ainda não possa ser feito. À medida que você falava eu adquiria uma consciência sempre mais nítida da incomensurabilidade dos ideais que enchem você. Você dizia que eles tinham sobre eles a sombra da eternidade e eu pude sentir a verdade disto[184].

Em 30 de janeiro, ela observou que Jung falou de um sonho que ela lhe contara:

> Que era uma preparação para o *Livro Vermelho*, porque o *Livro Vermelho* falava da batalha entre o mundo da realidade e o mundo do espírito. Você disse que nessa batalha você estivera bem perto de ser desmantelado, mas conseguiu manter os pés no chão e ter influência sobre a realidade. Você disse que para você isso foi o teste de alguma ideia e que você não tinha respeito nenhum por quaisquer ideias, por mais aladas que fossem, que precisavam existir lá fora no espaço e eram incapazes de causar impressão sobre a realidade[185].

182 Referência ao início do *Fausto*: um diálogo entre o diretor, poeta, e uma pessoa feliz.
183 Com respeito a isto, cf. a inscrição da ilustr. 154 adiante, p. 317.
184 *CFB*.
185 Ibid.

Existe um fragmento não datado de um esboço de carta a uma pessoa não identificada, na qual Cary Baynes expressa sua opinião sobre a importância do *Líber Novus* e a necessidade de sua publicação:

> Estou absolutamente atônita, por exemplo, quando leio o *Livro Vermelho* e vejo tudo quanto ali se diz para o *Reto Caminho* para nós hoje, de ver como Toni deixou isso fora do seu sistema. Ela não teria uma mancha inconsciente em sua psique se tivesse digerido tanto do *Livro Vermelho* quanto eu li e penso que não foi um terço nem um quarto. E outra coisa difícil de entender é por que ela não tem nenhum interesse em fazer com que ele o publique. Há pessoas em meu país que o leriam do princípio ao fim quase sem pausa para respirar, pois ele reexamina e esclarece as coisas de hoje, fazendo cambalear todos os que estão tentando encontrar a chave para a vida... Ele pôs nele todo o vigor e o colorido de sua fala, toda a franqueza e simplicidade que vêm quando, como na Cornualha, o fogo arde nele[186].
>
> Evidentemente pode ser que, como ele diz, se o publicasse como está, ele estaria para sempre *hors du combat* no mundo da ciência racional, mas então deve haver uma maneira neste caso, uma maneira de ele proteger-se contra a estupidez, a fim de que as pessoas que queiram o livro não fiquem privadas durante todo o tempo que levar para que a maioria esteja preparada para ele. Eu sempre soube que ele devia ser capaz de escrever com a paixão com que ele é capaz de falar – e aqui está. Seus livros publicados estão adulterados para o mundo em geral, ou antes aqueles saíram da sua cabeça e este do seu coração[187].

Estas discussões descrevem vivamente a profundidade das deliberações de Jung relativas à publicação do *Líber Novus*, sua percepção da sua centralidade para compreender a gênese de sua obra, e seu temor de que a obra fosse mal compreendida. A impressão que o estilo da obra causaria num público desprevenido preocupava vivamente Jung. Mais tarde, ele relembrou a Aniela Jaffé que a obra ainda precisava de uma forma conveniente para poder ser dada à luz, porque soava à profecia, o que não era do seu gosto[188].

Parece que houve algum debate sobre estas questões no círculo de Jung. Em 29 de maio de 1924, Cary Baynes anotou uma discussão com Peter Baynes, na qual este argumentava que o *Líber Novus* só poderia ser entendido por alguém que tivesse conhecido Jung. Em contrapartida, ela pensava que este livro

> era o registro da passagem do universo pela alma de um homem e, assim como uma pessoa fica parada junto ao mar e ouve essa muito estranha e terrível música e não é capaz de explicar por que seu coração dói ou por que um grito de prazer quer pular de sua garganta, assim eu pensava que seria com o *Livro Vermelho* e que um homem seria forçosamente arrancado para fora de si pela majestade dele e elevado a alturas a que ele nunca tinha sido elevado antes[189].

Há mais outros sinais de que Jung fez circular cópias do *Líber Novus* entre amigos mais íntimos, e que o material foi discutido junto com as possibilidades de sua publicação. Um desses colegas foi Wolfgang Stockmayer. Jung encontrou-se com Stockmayer em 1907. No necrológio inédito dele, Jung escreveu que ele foi o primeiro alemão a interessar-se por sua obra. Lembrou que Stockmayer foi um verdadeiro amigo. Eles viajaram juntos à Itália e à Suíça, e raras vezes houve um ano em que não se encontraram. Jung comentou:

> Ele distinguiu-se por seu grande interesse e igualmente grande compreensão dos processos psíquicos patológicos. Encontrei também nele uma simpática recepção de meu ponto de vista mais amplo, que foi importante para minhas posteriores obras de psicologia comparada[190].

Stockmayer acompanhou Jung na "valiosa penetração de nossa psicologia" na filosofia chinesa clássica, nas especulações místicas da Índia e no yoga tântrico[191].

Em 22 de dezembro de 1924, Stockmayer escreveu a Jung:

> Muitas vezes tenho saudades do *Livro Vermelho* e gostaria de ter uma cópia daquilo que estiver disponível; deixei de fazê-lo quando eu o tinha, como geralmente acontece. Recentemente fantasiei a respeito de uma espécie de revista de "Documentos" sem formato rígido destinada a materiais provenientes da "forja do inconsciente", com palavras e cores[192].

Parece que Jung lhe enviou algum material. Em 30 de abril de 1925, Stockmayer escreveu a Jung:

> Entrementes examinamos cuidadosamente os "Aprofundamentos" e a impressão é a mesma que na grande odisseia[193]. Um ambiente coletivo seleto para isso do *Livro Vermelho* certamente vale a pena ser tentado, embora um comentário por parte de você seria muito desejável. Já que um certo centro adjacente de você está aqui, é de grande importância um amplo acesso às fontes, consciente ou inconscientemente. E obviamente eu fantasio a respeito de fac-símiles, o que você vai entender: você não precisa temer magia de extroversão de minha parte. A pintura também exerce grande atrativo[194].

O manuscrito de Jung "Comentários" (cf. apêndice B) esteve possivelmente ligado a essas discussões.

Assim, as pessoas do círculo de Jung tinham opiniões divergentes sobre o significado do *Líber Novus* e se ele deveria ser publicado, o que pode ter influído nas decisões finais de Jung. Cary Baynes não completou a transcrição, chegando até às primeiras 27 páginas dos *Aprofundamentos*. Nos poucos anos seguintes, ela ocupou seu tempo na tradução dos ensaios de Jung para o inglês, seguida pela tradução do *I Ching*.

Em algum período, que calculo ser nos meados da década de 1920, Jung voltou ao *Esboço* e editou-o novamente, suprimindo e acrescentado material em aproximadamente 250 páginas. Suas revisões serviram para modernizar a linguagem e a terminologia[195].

186 Referência ao seminário de Polzeath.
187 Suspeito que isto foi escrito a seu ex-marido, Jaime de Angulo. Em 10 de julho de 1924, ele escreveu a ela: "Suponho que você esteve tão ocupada quanto eu, com este material de Jung... Li sua carta, aquela em que você anunciou isto, e você exortou-me a não dizer a ninguém, e acrescentou que você não deveria contar-me, mas você sabia que eu sentiria tanto orgulho de você" (*CFB*).
188 *MP*, p. 169.
189 *CFB*.
190 "Stockmayer obituary", *JA*.
191 Ibid.
192 *JA*. As cartas de Jung a Stockmayer não foram tornadas públicas.
193 Referência ao *Líber Secundus* do *Líber Novus*, cf. adiante nota 4, p. 259.
194 *JA*.
195 Por ex., substituindo "Geist der Zeit" por "Zeitgeist" [espírito da época], "Vordenken" [previsão] por "Idee" [ideia].

Revisou também uma parte do material que ele já havia transcrito para o volume caligráfico do *Liber Novus*, bem como algum material que havia sido deixado de lado. É difícil ver por que ele empreendeu esta tarefa, se não estivesse pensando seriamente em publicá-lo.

Em 1925, Jung apresentou seu seminário sobre psicologia analítica ao Clube Psicológico. Aqui, ele discutiu algumas das fantasias importantes do *Liber Novus*. Descreveu como elas se manifestaram e mostrou como constituíram a base das ideias contidas em *Tipos Psicológicos* e a chave para entender a gênese desta obra. O seminário foi transcrito e editado por Cary Baynes. Nesse mesmo ano, Peter Baynes preparou uma tradução inglesa dos *Septem Sermones ad Mortuos*, que foi publicada privadamente[196]. Jung deu exemplares a alguns de seus alunos de língua inglesa. Numa carta que se presume ser uma resposta a uma carta de Henry Murray que lhe agradecia um exemplar, Jung escreveu:

> Estou profundamente convencido de que aquelas ideias que me vieram são realmente coisas muito maravilhosas. Posso dizer isso tranquilamente (sem corar), porque sei o quanto fui resistente e tolamente obstinado quando elas me visitaram pela primeira vez e que trabalheira me deu até eu poder interpretar esta linguagem simbólica, tão superior à minha obtusa mente consciente[197].

É possível que Jung tenha considerado a publicação dos *Sermones* um teste para a publicação do *Liber Novus*. Barbara Hannah afirma que ele lamentou tê-los publicado e que "ele tinha a firme convicção de que só deviam ter sido escritos no *Livro Vermelho*"[198].

A certa altura, Jung escreveu um manuscrito intitulado "Comentários", que fornecia um comentário sobre os capítulos 9, 10 e 11 do *Liber Primus* (cf. apêndice A). Ele analisou algumas dessas fantasias em seu seminário de 1925 e aqui entra em mais detalhes. Pelo estilo e concepções eu calcularia que esse texto foi escrito em meados da década de 1920. Talvez ele tenha escrito – ou tencionado escrever – mais "comentários" para outros capítulos, mas estes não chegaram à luz. Esse manuscrito mostra quanto trabalho ele envidou para compreender todo e cada detalhe de suas fantasias.

Jung deu exemplares do *Liber Novus* a diversas pessoas: Cary Baynes, Peter Baynes, Aniela Jaffé, Wolfgang Stockmayer e Toni Wolff. Talvez tenham sido dados exemplares também a outros. Em 1937, um incêndio destruiu a casa de Peter Baynes e danificou seu exemplar do *Liber Novus*. Alguns anos depois, escreveu a Jung pedindo se por acaso ele tinha outro exemplar e ofereceu-se para traduzi-lo[199]. Jung respondeu: "Procurarei ver se posso arranjar outro exemplar do *Livro Vermelho*. Por favor, não se preocupe com traduções. Tenho certeza de que já existem 2 ou 3 traduções. Mas não sei do que nem por quem"[200]. Esta suposição baseava-se presumivelmente no número de exemplares da obra em circulação.

Jung deixou os seguintes indivíduos ler e/ou examinar o *Liber Novus*: Richard Hull, Tina Keller, James Kirsch, Ximena Roelli de Angulo (quando criança) e Kurt Wolff. Aniela Jaffé leu os *Livros Negros* e Tina Keller teve também permissão de ler seções dos *Livros Negros*. Jung muito provavelmente mostrou o livro a outros companheiros próximos, como Emil Medtner, Franz Riklin Sr., Erika Schlegel, Hans Trüb e Marie-Louise von Franz. Parece que permitiu que lessem o *Liber Novus* aquelas pessoas em quem confiava plenamente e que ele reconhecia terem uma plena compreensão de suas ideias. Um bom número de seus alunos não se encaixava nessa categoria.

A transformação da psicoterapia

O *Liber Novus* é de importância capital para se compreender o surgimento do novo modelo de psicoterapia de Jung. Em 1912, em *Transformação e símbolos da libido*, ele considerou que a presença de fantasias mitológicas – como as presentes no *Liber Novus* – era sinal de um afrouxamento das camadas filogenéticas do inconsciente e indício de esquizofrenia. Através de sua autoexperimentação, ele reviu radicalmente esta posição: o que agora considerou essencial não foi a presença de algum conteúdo determinado, mas a atitude do indivíduo para com ele e, em particular, se o indivíduo podia acomodar esse material em sua cosmovisão. Isto explica por que, em seu posfácio ao *Liber Novus*, ele comentou que, para o observador superficial, a obra iria parecer loucura e poderia ter-se tornado loucura se ele não tivesse conseguido conter e compreender as experiências[201]. No *Liber Secundus*, capítulo 15, ele apresenta uma crítica da psiquiatria contemporânea, destacando a incapacidade desta de distinguir entre experiência religiosa ou loucura divina e psicopatologia. Se o conteúdo de uma visão ou fantasia não tinha nenhum valor diagnósico, ele achava que, mesmo assim, era essencial considerá-lo com cuidado[202].

A partir de suas experiências, Jung desenvolveu novas concepções dos objetivos e métodos da psicoterapia. Desde seu início no final do século XIX, a moderna psicoterapia preocupara-se primariamente com o tratamento de distúrbios nervosos funcionais, ou neuroses, como vieram a ser conhecidos. A partir da época da Primeira Guerra Mundial, Jung reformulou a prática da psicoterapia. Não mais preocupada unicamente com o tratamento da psicopatologia, ela tornou-se uma prática para possibilitar o desenvolvimento ulterior do indivíduo pelo fomento do processo de individuação. Isso iria ter consequências de grande alcance não só para o desenvolvimento da psicologia analítica, mas também para a psicoterapia como um todo.

Para demonstrar a validade das concepções que tirou no *Liber Novus*, Jung tentou mostrar que os processos descritos no livro não eram únicos, e que as concepções ali desenvolvidas eram aplicáveis a outros. Para estudar as produções de seus pacientes, ele organizou uma extensa coleção de seus quadros. Para que seus pacientes não ficassem separados de suas imagens, Jung geralmente lhes pedia que fizessem cópias para ele[203].

Durante esse período, ele continuou a instruir seus pacientes sobre como induzir visões em estado de vigília. Em 1926, Christiana Morgan procurou Jung para submeter-se a análise. Ela havia sido atraída para as ideias de Jung ao ler *Tipos psicológicos* e recorreu a ele em busca de assistência para seus problemas de relacionamentos e depressões. Numa sessão em 1926, Morgan anotou o conselho que Jung lhe deu sobre como produzir visões:

> Bem, como você vê, estas são vagas demais para eu poder dizer muita coisa sobre elas. Elas são apenas o começo. Basta

196 Londres: Stuart and Watkins, 1925.
197 2 de maio de 1925, *Murray papers*, Houghton Library, Harvard University, original em inglês. Michael Fordham lembrou ter recebido um exemplar de Peter Baynes quando alcançara um estágio convenientemente "avançado" em sua análise e ter prestado juramento de guardar segredo a respeito (comunicação pessoal, 1991).
198 C.G. *Jung: His Life and Work* – A Biographical Memoir, p. 121.
199 23 de novembro de 1941, JA.
200 22 de janeiro de 1942. C.G. *Jung Letters*, 1, p. 312.
201 Cf. adiante, p. 360.
202 Cf. os comentários de Jung após uma palestra sobre Swedenborg no Clube Psicológico, documentos de Jaffé, ETH.
203 Estes quadros estão disponíveis para estudo no arquivo de quadros no Instituto C.G. Jung, Küsnacht.

você usar a retina do olho primeiramente para objetivar. Depois, em vez de continuar tentando obter a imagem à força, você só precisa olhar para dentro. Agora, quando você vê estas imagens, você precisa mantê-las e ver para onde elas levam você – como elas mudam. E você precisa tentar entrar você mesma no quadro – tornar-se um dos atores. Quando comecei pela primeira vez a fazer isto, eu via paisagens. Depois aprendi a inserir-me dentro da paisagem e os personagens falavam comigo e eu respondia a eles... As pessoas diziam: ele tem um temperamento artístico. Mas era apenas que meu inconsciente estava me dominando. Agora eu aprendo a representar seu drama como também o drama da vida exterior e assim nada pode ferir-me agora. Escrevi 1000 páginas de material tirado do inconsciente (Contou a visão de um gigante que se transformou num ovo)[204].

Jung descrevia detalhadamente seus próprios experimentos a seus pacientes e os instruía a fazer o mesmo. O papel dele era o de supervisioná-los ao fazer experimentos com sua própria torrente de imagens. Morgan anotou que Jung disse:

> Agora sinto como se eu devesse dizer alguma coisa a você sobre estas fantasias... As fantasias parecem agora um tanto diluídas e cheias de repetições dos mesmos motivos. Não existe nelas suficiente fogo e calor. Elas precisam ser mais excitantes... Você deve estar mais nelas, ou seja, você deve ser seu próprio si-mesmo crítico consciente nelas – impondo seus julgamentos e críticas... Posso explicar o que quero dizer contando-lhe minha própria experiência. Eu estava escrevendo em meu livro e de repente vi um homem de pé observando por sobre meu ombro. Um dos pontos dourados de meu livro saltou fora e atingiu-o no olho. Ele me perguntou se eu iria tirá-lo. Eu disse que não – não, a menos que ele me dissesse quem ele era. Ele disse que não diria. Você vê, eu sabia disso. Se eu tivesse feito o que ele pediu, ele teria mergulhado no inconsciente e eu não teria captado o significado disso, ou seja: por que ele simplesmente havia aparecido do inconsciente. Finalmente, ele me disse que iria dizer-me o sentido de alguns hieróglifos que eu tivera alguns dias antes. Ele o fez e eu tirei a coisa do seu olho e ele desapareceu[205].

Jung chegou a sugerir que seus pacientes elaborassem seus próprios *Livros Vermelhos*. Morgan lembrou tê-lo ouvido dizer:

> Eu deveria aconselhá-la a registrar tudo isso da maneira mais bela que você puder – em algum livro belamente encadernado. Vai parecer como se você estivesse banalizando as visões – mas você precisa fazer isso – então você fica livre do poder delas. Se você fizer isso com este olhar, por exemplo, elas deixarão de atrair você. Você nunca deve tentar fazer estas visões voltarem novamente. Pense nisto em sua imaginação e procure pintá-lo. Depois, quando estas coisas estiverem em algum livro precioso, você poderá ir ao livro e virar as páginas e para você será sua igreja – sua catedral – os lugares silenciosos de seu espírito onde você encontrará renovação. Se alguém lhe disser que isso é mórbido ou neurótico e você lhe der ouvidos, você perderá sua alma – porque nesse livro está sua alma[206].

Numa carta a J.A. Gilbert em 1929, Jung comentou sobre seu procedimento:

> Descobri às vezes que é muito útil, ao tratar um caso desses, estimulá-los a expressar seus conteúdos peculiares seja na forma de escrita ou na de desenho e pintura. Existem tantas intuições incompreensíveis nesses casos, fragmentos de fantasias que brotam do inconsciente, para os quais quase não existe linguagem apropriada. Deixo meus pacientes encontrarem suas próprias expressões simbólicas, sua "mitologia"[207].

O santuário de Filêmon

Na década de 1920, o interesse de Jung deslocou-se cada vez mais da transcrição do *Liber Novus* e da elaboração de sua mitologia nos *Livros Negros* para o trabalho em sua torre em Bollingen. Em 1920, comprou um pedaço de terra na margem norte do Lago de Zurique, em Bollingen. Antes disso, ele e sua família às vezes passavam férias acampados em torno do Lago de Zurique. Jung sentia necessidade de representar seus pensamentos mais íntimos em pedra e de construir uma moradia inteiramente primitiva: "As palavras e os escritos não eram bastante reais para mim; era preciso outra coisa"[208]. Ele precisava fazer uma "profissão de fé em pedra". A torre era uma "representação da individuação". Ao longo dos anos, Jung pintou murais e fez gravações nas paredes. A torre pode ser considerada uma continuação tridimensional do *Liber Novus*: seu "*Liber Quartus*". No final do *Liber Secundus*, Jung escreveu: "Tenho de recuperar um pedaço da Idade Média em mim. Mal terminamos a Idade Média – dos outros. Tenho de começar cedo, naquele tempo em que os eremitas desapareceram"[209]. De forma significativa, a torre foi construída propositalmente como uma estrutura da Idade Média, sem comodidades modernas. A torre era uma obra permanente, em evolução. Jung gravou a seguinte inscrição na parede da torre: "Philemonis sacrum – Fausti poenitentia" [Santuário de Filêmon – Arrependimento de Fausto] (um dos murais da torre é um retrato de Filêmon). Em 6 de abril de 1929, Jung escreveu a Richard Wilhelm: "Por que não existem claustros mundanos para homens que deveriam viver fora do tempo!"[210]

Em 9 de janeiro de 1923, morreu a mãe de Jung. Em 23/24 de dezembro de 1923, ele teve o seguinte sonho:

> Estou no serviço militar. Marchando com um batalhão. Numa floresta perto de Ossingen encontro escavações numa encruzilhada: uma figura em pedra, de 1 metro de altura, de uma rã ou um sapo sem cabeça. Atrás dele está sentado um menino com cabeça de sapo. Depois o busto de um homem com uma âncora fincada na região do coração, estilo romano. Um segundo busto de 1640 aproximadamente, mesmo motivo. Depois cadáveres mumificados. Finalmente vem uma caleche em estilo do século XVII. Nela está sentada uma mulher morta, mas que ainda vive. Ela vira a cabeça quando me dirijo a ela chamando-a de "Senhorita"; sei que "Senhorita" é um título de nobreza[211].

Alguns anos mais tarde, ele entendeu o significado deste sonho. Anotou em 4 de dezembro de 1926:

> Só agora vejo que o sonho de 23/24 XII 1923 significa a morte da *anima* ("Ela não sabe que está morta"). Isto coin-

204 8 de julho de 1926, agendas de análise. Biblioteca de medicina de Countway. A visão a que se faz referência no fim encontra-se no *Liber Secundus*, cap. 11, p. 283.
205 Ibid., 12 de outubro de 1926. O episódio aqui referido é o aparecimento do mago "Ha". Cf. adiante, p. 291, nota 155.
206 Ibid., 12 de junho de 1926.
207 20 de dezembro de 1929, *JA* (original em inglês).
208 *Memórias*, p. 196.
209 Cf. adiante, p. 330.
210 *JA*.
211 *Livro Negro* 7, p. 120.

> cide com a morte de minha mãe... Desde a morte de minha mãe a A. [*anima*] silenciou. Significativo![212]

Alguns anos depois, Jung teve mais alguns diálogos com sua alma, mas a esta altura seu confronto com a *anima* chegara efetivamente a um fim. Em 2 de janeiro de 1927, ele teve um sonho localizado em Liverpool:

> Estou com vários jovens suíços em Liverpool junto ao porto. É uma noite escura e chuvosa com fumaça e nevoeiro. Subimos para a parte alta da cidade, que está num planalto. Chegamos a um jardim central junto a um pequeno lago redondo. No meio deste há uma ilha. Os homens falam de um suíço que mora aqui nesta cidade escura, suja e cheia de fuligem. Mas eu vejo que na ilha ergue-se uma magnólia coberta de flores vermelhas, iluminada por um eterno sol, e penso: "Agora sei por que este suíço mora aqui. Ele também sabe evidentemente". Vejo o mapa da cidade: [Ilustração][213].

Jung pintou então um mandala baseado neste mapa[214]. Atribuiu uma grande importância a este sonho, comentando posteriormente:

> O sonho ilustrava minha situação naquele momento. Vejo ainda as capas de chuva, de cor cinza – amareladas, brilhantes de umidade. Tudo era extremamente desagradável, negro, imcompreensível... como eu me sentia naquela época. Mas eu tinha a visão da beleza terrestre e era ela que me dava a coragem de viver.
> Vi que a meta nele se expressara. Essa meta é o centro, e não é possível ultrapassá-lo. Através deste sonho compreendi que o si-mesmo é um princípio, um arquétipo da orientação e do sentido[215].

Jung acrescentou que o suíço era ele mesmo. O "eu" não era o si-mesmo, mas dali se podia ver o milagre divino. A pequena luz assemelhava-se à grande luz. Daí em diante ele parou de pintar mandalas. O sonho expressara o processo inconsciente de desenvolvimento, que não era linear, e ele o considerou inteiramente satisfatório. Sentia-se completamente só nesse tempo, preocupado com algo grande que outros não entendiam. No sonho, só ele viu a árvore. Enquanto eles estavam de pé, na escuridão, a árvore apareceu radiante. Se ele não tivesse tido essa visão, sua vida teria perdido o sentido[216].

A percepção foi que o si-mesmo é a meta da individuação e que o processo de individuação não era linear, mas consistia numa circumambulação do si-mesmo. Esta percepção deu-lhe força, pois de outra forma a experiência teria enlouquecido a ele ou aos que o cercavam[217]. Ele sentiu que os desenhos de mandalas mostravam-lhe o si-mesmo "em sua função salvadora" e que isto era sua salvação. A tarefa agora era uma tarefa de consolidar essas intuições em sua vida e ciência.

Em sua revisão de *Psicologia dos processos inconscientes*, feita em 1926, Jung realçou a importância da transição da meia-idade. Afirmou que a primeira metade da vida podia ser caracterizada como a fase natural, na qual o objetivo principal era estabelecer-se no mundo, ganhando seu salário ou tendo uma renda e criando uma família. A segunda metade da vida podia ser caracterizada como a fase cultural, que envolvia uma reavaliação de valores anteriores. Neste período a meta era a de conservar valores precedentes junto com o reconhecimento de seus opostos. Isto significava que os indivíduos precisavam desenvolver os aspectos não desenvolvidos e negligenciados de sua personalidade[218]. O processo de individuação era agora concebido como o padrão geral do desenvolvimento humano. Ele afirmou que na sociedade contemporânea havia uma falta de orientação para essa transição e achava que sua psicologia preenchia esta lacuna. Fora da psicologia analítica, as formulações de Jung causaram impacto no campo da psicologia do desenvolvimento dos adultos. Evidentemente, sua experiência da crise constituiu o gabarito para essa concepção dos requisitos das duas metades da vida. O *Liber Novus* descreve a reavaliação feita por Jung de seus valores anteriores e sua tentativa de desenvolver os aspectos negligenciados de sua personalidade. Assim, o livro constituiu a base de sua compreensão de como a transição da meia-idade podia ser feita com êxito.

Em 1928, Jung publicou um pequeno livro, *As relações entre o eu e o inconsciente*, que era uma ampliação de seu ensaio de 1916 intitulado "A estrutura do inconsciente". Aqui, ele se estendeu sobre o "drama interior" do processo de transformação, acrescentando uma seção que tratava detalhadamente do processo de individuação. Ele observava que, depois de alguém ter lidado com as fantasias provenientes da esfera pessoal, deparava-se com as fantasias provenientes da esfera impessoal. Estas não eram simplesmente arbitrárias, mas convergiam para uma meta. Por isso, essas fantasias posteriores podiam ser descritas como processos de iniciação, que forneciam sua analogia mais próxima. Para ocorrer este processo, era necessária a participação ativa: "Quando a consciência desempenha uma parte ativa e experimenta cada fase do processo... a imagem seguinte sempre ascenderá a um estádio superior, constituindo-se assim finalidade da meta"[219].

Após a assimilação do inconsciente pessoal, a diferenciação da persona e a superação do estado de semelhança com Deus, a fase seguinte era a integração da *anima* para os homens e do *animus* para as mulheres. Jung afirmou que, assim como era essencial para um homem distinguir entre o que ele era e como aparecia aos outros, era igualmente essencial adquirir consciência de "seu invisível sistema de relações com o inconsciente" e por isso distinguir-se da *anima*. Ele observou que, quando a *anima* era inconsciente, ela era projetada. Para uma criança, a primeira portadora da imagem da alma era a mãe e, depois, as mulheres que estimulavam os sentimentos do homem. Era preciso objetivar a *anima* e colocar-lhe questões, através do método do diálogo interior ou imaginação ativa. Todos, afirmava Jung, tinham essa capacidade de dialogar consigo mesmos. A imaginação ativa seria assim uma das formas de diálogo interior, uma espécie de pensar dramatizado. Era crucial desidentificar-se dos pensamentos que surgiam e superar a presunção de que a própria pessoa os havia produzido[220]. O mais essencial não era interpretar ou compreender as fantasias, mas vivenciá-las. Isto representou uma mudança na ênfase que Jung dera à formulação criativa e à compreensão em seu ensaio sobre a função transcendente. Jung afirmou que o indivíduo devia tratar as fantasias inteiramente de forma literal enquanto estava empenhado nelas, mas de forma simbólica quando as interpretava[221]. Isto era uma descrição direta do procedimento de Jung nos *Livros Negros*. A tarefa de tais discussões

212 Ibid., p. 121.
213 Ibid., p. 124. Para a ilustr., cf. o apêndice A.
214 Ilustr. 159.
215 *Memórias*, p. 176.
216 *MP*, p. 159-160.
217 Ibid., p. 173.
218 OC, 7, § 114-117.
219 Ibid., § 386.
220 Ibid., § 323.
221 Ibid., § 353.

era objetivar os efeitos da *anima* e tornar-se consciente dos conteúdos em que estão baseados, assim integrando-os à consciência. Depois que alguém se havia familiarizado com os processos inconscientes refletidos na *anima*, ela se tornava então uma função de relação entre a consciência e o inconsciente, não mais um complexo autônomo. Novamente, esse processo de integração da *anima* foi o tema do *Liber Novus* e dos *Livros Negros*. (Isto realça também o fato de que as fantasias contidas no *Liber Novus* deveriam ser lidas simbolicamente e não literalmente. Tirar afirmações delas do contexto e citá-las literalmente representaria um grave mal-entendido). Jung notou que esse processo tinha três efeitos:

> Em primeiro lugar, há uma ampliação da consciência, pois inúmeros conteúdos inconscientes são trazidos à consciência. Em segundo lugar, há uma diminuição gradual da influência dominante do inconsciente; em terceiro lugar, verifica-se uma transformação da personalidade[222].

Após alcançar a integração da *anima*, o indivíduo confrontava-se com outra figura, a saber, a "personalidade-mana". Jung afirmava que, quando a *anima* perdia seu "mana" ou poder, o homem que a assimilou devia tê-lo adquirido e assim se tornado uma "personalidade-mana", um ser de vontade e sabedoria superiores. Contudo, essa figura era "uma dominante do inconsciente coletivo: o conhecido arquétipo do homem poderoso, sob a forma do herói, do cacique, do mago, do curandeiro e do santo, senhor dos homens e dos espíritos, amigo de Deus"[223]. Assim, ao integrar a *anima* e alcançar seu poder, a pessoa identificava-se inevitavelmente com a figura do mágico e enfrentava a tarefa de diferenciar-se deste. Jung acrescentou que, para as mulheres, a figura correspondente era a da Grande Mãe. Se alguém abandonava a pretensão de vitória sobre a *anima*, acabava a possessão pela figura do mágico e ele percebia que o mana pertencia realmente ao "ponto central da personalidade", a saber, o si-mesmo. A assimilação dos conteúdos da personalidade-mana levava ao si-mesmo. A descrição de Jung do encontro com a personalidade-mana, tanto a identificação como a subsequente desidentificação com ela, corresponde a seu encontro com Filêmon no *Liber Novus*. Sobre o si-mesmo, Jung escreveu: "O si-mesmo também pode ser chamado 'o Deus em nós'. Os primórdios de toda nossa vida psíquica parecem surgir inextricavelmente desse ponto, e as metas mais altas e derradeiras parecem dirigir-se para ele"[224]. A descrição que Jung faz do si-mesmo exprime a importância de sua percepção após seu sonho de Liverpool:

> O si-mesmo pode ser caracterizado como uma espécie de compensação do conflito entre o interior e o exterior... Assim, pois, representa a meta da vida, sendo a expressão plena dessa combinação do destino a que damos o nome de indivíduo... Sentindo o si-mesmo como algo de irracional e indefinível, em relação ao qual o eu não se opõe nem se submete, mas simplesmente se liga, girando por assim dizer em torno dele como a terra em torno do sol – chegamos à meta da individuação[225].

O confronto com o mundo

Por que Jung parou de trabalhar no *Liber Novus*? Em seu posfácio, escrito em 1959, escreveu:

> O conhecimento da alquimia, em 1930, afastou-me dele. O começo do fim veio em 1928, quando [Richard] Wilhelm me enviou o texto da "flor de ouro", um tratado alquímico. Então, o conteúdo deste livro encontrou o caminho da realidade e eu não consegui mais continuar o trabalho[226].

Existe mais um quadro terminado no *Liber Novus*. Em 1928, Jung pintou um mandala de um castelo dourado (Ilustração 163). Depois de pintá-lo, impressionou-o o fato de o mandala ter em si algo de chinês. Pouco depois, Richard Wilhelm enviou-lhe o texto de *O segredo da Flor de Ouro*, pedindo-lhe que escrevesse um comentário sobre ele. Jung ficou impressionado com o texto e com a coincidência cronológica:

> O texto me fornecia uma confirmação inesperada no tocante às minhas reflexões sobre o mandala e à deambulação em torno do centro. Este foi o primeiro acontecimento que rompeu a minha solidão. Ali percebi uma afinidade e pude estabelecer laços com alguém e com algo[227].

O significado dessa confirmação é mostrado nas linhas que ele escreveu embaixo da pintura do Castelo Amarelo[228]. Jung ficou impressionado com as correspondências entre as imagens e concepções desse texto e seus próprios quadros e fantasias. Em 25 de maio de 1929, ele escreveu a Wilhelm: "O destino parece ter-nos atribuído o papel de duas pilastras que sustentam a ponte entre Oriente e Ocidente"[229]. Só mais tarde deu-se conta de que a natureza alquímica do texto era importante[230]. Jung trabalhou em seu comentário durante o ano de 1929. Em 10 de setembro de 1929, escreveu a Wilhelm: "Vibrei com este texto, que está tão próximo de nosso inconsciente"[231].

O comentário de Jung sobre *O segredo da Flor de Ouro* representou uma mudança decisiva. Foi sua primeira discussão pública sobre o significado do mandala. Pela primeira vez, Jung apresentou anonimamente três de suas pinturas tiradas do *Liber Novus* como exemplos de mandalas europeus e teceu comentários sobre elas[232]. A Wilhelm, escreveu em 28 de outubro de 1929 a respeito dos mandalas do volume: "As imagens completam-se umas às outras e, justamente por causa de sua diversidade, dão uma excelente imagem dos esforços do espírito inconsciente europeu para compreender a escatologia oriental"[233]. Essa ligação entre o "espírito inconsciente europeu" e a escatologia oriental tornou-se um dos grandes temas na obra de Jung na década de 1930, que ele investigou por meio de outras colaborações com os indólogos Wilhelm

222 Ibid., § 358.
223 Ibid., § 377.
224 Ibid., § 399.
225 Ibid., § 404-405.
226 Cf. adiante, p. 360.
227 *Memórias*, p. 175.
228 Cf. adiante, p. 320, nota 307.
229 *JA*.
230 Prefácio à segunda edição alemã. "Comentário a *O segredo da Flor de Ouro*". OC, 13, p. 16.
231 Wilhelm gostou do comentário de Jung. Em 24 de outubro de 1929, escreveu-lhe: "fiquei de novo profundamente impressionado com seus comentários" (*JA*).
232 Cf. ilustr. 105, 159 e 163 (estes quadros, junto com mais dois, foram de novo reproduzidos anonimamente em 1950 em Ed. Jung. *Gestaltungen des Unbewussten*: Psychologischen Abhandlungen. Vol. 7. Zurique: Rascher, 1950.
233 *JP*.

Hauer e Heinrich Zimmer[234]. Ao mesmo tempo, a forma da obra era crucial: em vez de revelar os detalhes completos de seu experimento, ou do de seus pacientes, Jung usou os paralelos com o texto chinês como maneira indireta de falar sobre ele, de maneira bem semelhante como começara a fazer no capítulo 5 de *Tipos psicológicos*. Este método alegórico tornou-se agora sua forma preferida. Em vez de escrever diretamente sobre suas experiências, ele tecia comentários sobre manifestações análogas em práticas esotéricas e sobretudo na alquimia medieval.

Pouco depois, Jung deixou repentinamente de trabalhar no *Liber Novus*. A última imagem de página inteira foi deixada inacabada e ele parou de transcrever o texto. Mais tarde, Jung lembrou que, quando chegou a este ponto central ou Tao, começou seu confronto com o mundo e ele começou a dar muitas conferências[235]. Dessa forma, chegou ao fim o "confronto com o inconsciente" e começou o "confronto com o mundo". Jung acrescentou que viu essas atividades como uma forma de compensação pelos anos de preocupação interior[236].

O estudo comparativo do processo de individuação

Jung familiarizara-se com textos alquímicos desde 1910 aproximadamente. Em 1912, Théodore Flournoy apresentara uma interpretação psicológica da alquimia em suas preleções na Universidade de Genebra e, em 1914, Herbert Silberer publicou uma extensa obra sobre o tema[237]. A abordagem de Jung à alquimia seguia a obra de Flournoy e Silberer, ao considerar a alquimia a partir de uma perspectiva psicológica. Sua compreensão baseava-se em duas grandes teses: primeiramente que, ao meditar sobre os textos e materiais em seus laboratórios, os alquimistas estavam realmente praticando uma forma de imaginação ativa; e, em segundo lugar, que o simbolismo nos textos alquímicos correspondia ao do processo de individuação no qual Jung e seus pacientes se haviam empenhado.

Na década de 1930, a atividade de Jung deslocou-se do trabalho sobre suas fantasias nos *Livros Negros* para seus cadernos de alquimia. Nestes, ele apresentava uma coleção enciclopédica de excertos de literatura alquímica e obras relacionadas, que classificou de acordo com palavras e temas-chave. Esses cadernos constituíram a base de seus escritos sobre a psicologia da alquimia.

Depois de 1930, Jung pôs de lado o *Liber Novus*. Embora tivesse parado de trabalhar diretamente nele, o livro ainda continuava no centro de sua atividade. Em seu trabalho terapêutico, Jung continuou tentando fomentar manifestações semelhantes em seus pacientes e determinar quais aspectos de sua própria experiência eram singulares e quais tinham alguma generalidade e aplicabilidade para os outros. Em suas pesquisas simbólicas, Jung estava interessado em paralelos com as imagens e concepções do *Liber Novus*. A questão com que ele se ocupava era a seguinte: será que era possível encontrar algo parecido com o processo de individuação em todas as culturas? Em caso positivo, quais eram os elementos comuns e os elementos diferenciais? Nesta perspectiva, o trabalho de Jung após 1930 poderia ser considerado uma extensa ampliação dos conteúdos do *Liber Novus* e uma tentativa de traduzir seus conteúdos numa forma aceitável às concepções contemporâneas. Algumas das afirmações feitas no *Liber Novus* correspondem de perto a posições que Jung iria articular posteriormente em suas obras publicadas e representam suas primeiras formulações[238]. Por outro lado, muita coisa não chegou a entrar diretamente nas Obras Completas, ou foi apresentada de forma esquemática, ou por meio de alegorias e alusões indiretas. Assim o *Liber Novus* possibilita um esclarecimento até aqui insuspeitado dos aspectos mais difíceis das Obras Completas de Jung. Simplesmente não estamos em condição de compreender a gênese da obra posterior de Jung, nem de compreender plenamente o que ele estava procurando realizar, sem estudar o *Liber Novus*. Ao mesmo tempo, as Obras Completas podem ser em parte consideradas um comentário indireto sobre o *Liber Novus*. Ambos explicam-se mutuamente.

Jung considerou seu "confronto com o inconsciente" a fonte de sua obra posterior. Ele lembrou que toda a sua obra e tudo quanto realizou posteriormente proveio dessas imaginações. Ele havia expressado as coisas da melhor forma que podia, em linguagem tosca, deficiente. Muitas vezes sentia como se "gigantescos blocos estivessem caindo sobre mim. Uma tempestade desencadeava outra". Ele estava admirado de que isso não o destruiu como destruíra a outros, como por exemplo Schreber[239].

Quando indagado por Kurt Wolff em 1957 sobre a relação entre suas obras eruditas e suas notas autobiográficas de sonhos e fantasias, Jung respondeu:

> Mas encontrei esta corrente de lava e a paixão nascida de seu fogo transformou e coordenou minha vida. Tal corrente de lava foi a matéria-prima que se impôs e minha obra é um esforço, mais ou menos bem-sucedido, de incluir essa matéria ardente na concepção do mundo de meu tempo. As primeira fantasias e os primeiros sonhos foram como que um fluxo de lava líquida e incandescente; sua cristalização engendrou a pedra em que pude trabalhar[240].

Jung acrescentou que "foram necessários quarenta e cinco anos para elaborar e inscrever no quadro de minha obra científica os elementos que vivi e anotei nessa época de minha vida"[241].

Segundo as próprias palavras de Jung, poder-se-ia considerar que o *Liber Novus* contém, entre outras coisas, um relato das fases de seu processo de individuação. Em obras subsequentes, ele procurou mostrar os elementos comuns esquemáticos gerais para os quais podia encontrar paralelos em seus pacientes e em pesquisas comparativas. As obras posteriores apresentam, portanto, um esboço esquelético, um esboço básico, mas deixaram fora o principal corpo de detalhes. Retrospectivamente, Jung descreveu o *Livro Vermelho* como uma tentativa de formular as coisas em termos de revelação. Tinha esperança de que isto iria libertá-lo, mas descobriu que não o libertou. Percebeu então que precisava retornar ao lado humano e à ciência. Precisava tirar conclusões das intuições. A elaboração do material do *Livro Vermelho* era vital, mas ele precisava também compreender as obrigações éticas. Ao fazê-lo, tinha pago com sua vida e sua ciência[242].

234 Sobre esta questão, cf. SHAMDASANI, Sonu (org.). *The Psychology of Kundalini Yoga*: Notes of the Seminar Given in 1932 by C.G. Jung. Princeton: Princeton University Press/Bollingen Series, 1996.
235 *MP*, p. 15.
236 Em 8 de fevereiro de 1923, Cary Baynes anotou uma discussão com Jung ocorrida na primavera anterior, que teve influência sobre isto: "Você [Jung] disse que, por mais que um indivíduo possa distinguir-se da multidão por dons especiais, ele não terá cumprido com seus deveres, psicologicamente falando, a não ser que possa funcionar com êxito na coletividade. Por funcionar na coletividade nós ambos entendíamos aquilo que comumente se chama "misturar-se" com as pessoas de forma social, não relações profissionais ou de negócios. Você insistia em que, se um indivíduo se mantinha afastado destas relações coletivas, ele perdia algo que não podia dar-se ao luxo de perder" (*CFB*).
237 *Probleme der Mystik und ihre Symbolik*. Viena: Heller, 1914.
238 Estas são indicadas nas notas de rodapé ao texto.
239 *Memórias*, p. 176. • *MP*, p. 144.
240 *Memórias*, p. 176.
241 Ibid.
242 *MP*, p. 148.

Em 1930, Jung começou uma série de seminários sobre as visões fantásticas de Christiana Morgan no Clube Psicológico de Zurique, que podem, em parte, ser consideradas um comentário indireto sobre o *Líber Novus*. Para demonstrar a validade empírica das concepções que obteve neste último, ele precisava mostrar que os processos nele descritos não eram únicos.

Com seus seminários sobre a Yoga Kundalini em 1932, Jung começou um estudo comparativo de práticas esotéricas, pondo o foco nos exercícios espirituais de Inácio de Loyola, no Yoga-sutra de Patanjali, nas práticas meditativas budistas e na alquimia medieval, que ele apresentou numa longa série de preleções no Instituto Federal Suíço de Tecnologia (ETH)[243]. O critério essencial que possibilitou essas ligações e comparações foi a percepção de Jung de que essas práticas baseavam-se todas em diferentes formas de imaginação ativa – e que todas elas tinham como meta a transformação da personalidade – que Jung entendeu como o processo de individuação. Assim, as preleções de Jung no ETH proporcionam uma história comparativa da imaginação ativa, a prática que constituiu a base do *Líber Novus*.

Em 1934, Jung publicou sua primeira descrição ampla de caso do processo de individuação, que foi o de Kristine Mann, que pintara uma extensa série de mandalas. Ele se referiu a seu próprio empreendimento:

> Utilizei evidentemente tal método comigo mesmo e posso constatar que de fato podemos pintar quadros complexos, cujo verdadeiro conteúdo nos é totalmente desconhecido. Enquanto pintamos, o quadro se desenvolve por si mesmo e muitas vezes até contrariando a intenção consciente[244].

Jung observou que o presente trabalho preenchia uma lacuna em seus métodos terapêuticos, pois escrevera pouco sobre a imaginação ativa. Ele usara esse método desde 1916, mas só o delineou em *As relações entre o eu e o inconsciente*, em 1928, e mencionou o mandala pela primeira vez em 1929, em seu comentário sobre *O segredo da Flor de Ouro*:

> Silenciei os resultados desse método por treze anos, a fim de não provocar qualquer sugestão, pois queria certificar-me de que essas coisas – sobretudo os mandalas – surgem espontaneamente e não sugeridas por minha própria fantasia[245].

Em todos seus estudos históricos, convenceu-se de que os mandalas foram produzidos em todos os tempos e lugares. Observou também que eles eram produzidos por pacientes de psicoterapeutas que não eram seus alunos. Isto mostra também uma das razões que podem tê-lo levado a não publicar o *Líber Novus*: convencer-se a si mesmo, e a seus críticos, de que as manifestações de seus pacientes e, especialmente, suas imagens de mandalas não se deviam simplesmente à sugestão. Ele julgava que o mandala representava um dos melhores exemplos da universalidade de um arquétipo. Em 1936, Jung anotou também que ele próprio havia usado o método da imaginação ativa por um longo período de tempo e observado muitos símbolos que conseguiu verificar só anos mais tarde em textos que lhe eram desconhecidos[246]. Contudo, de um ponto de vista comprobativo, dada a amplitude de sua erudição, o material do próprio Jung não teria sido um exemplo particularmente convincente de sua tese de que as imagens provindas do inconsciente coletivo emergiam espontaneamente sem conhecimento prévio.

No *Líber Novus*, Jung articulou sua compreensão das transformações históricas do cristianismo e da historicidade das formações simbólicas. Ocupou-se com esse tema em seus escritos sobre a psicologia da alquimia e sobre a psicologia dos dogmas cristãos e, sobretudo, em *Resposta a Jó*. Como vimos, Jung estava convencido de que suas visões anteriores à guerra eram visões proféticas que levaram à composição do *Líber Novus*. Em 1952, através de sua colaboração com o físico Wolfgang Pauli, ganhador do prêmio Nobel, Jung sustentou que existia um princípio de ordenamento acausal subjacente a tais "coincidências significativas", princípio que ele chamou de sincronicidade[247]. Afirmou que, em certas circunstâncias, a constelação de um arquétipo levava a uma relativização do tempo e do espaço, o que explicava como esses eventos podiam acontecer. Era uma tentativa de ampliar a compreensão científica para acomodar eventos como suas visões de 1913 e 1914.

É importante observar que a relação do *Líber Novus* com os escritos eruditos de Jung não seguiu uma tradução e elaboração direta ponto por ponto. Já em 1916, Jung procurou transmitir alguns dos resultados de seus experimentos numa linguagem erudita, enquanto continuava com a elaboração de suas fantasias. Seria melhor considerar o *Líber Novus* e os *Livros Negros* como representando um *opus* privado que corria paralelo e ao lado de seu *opus* erudito público; embora o último se alimentasse e derivasse do primeiro, eles permaneciam distintos. Depois de deixar de trabalhar no *Líber Novus*, Jung continuou a elaborar seu *opus* privado – sua própria mitologia – em seu trabalho na torre, em seus entalhes em pedra e nos quadros que pintava. Aqui, o *Líber Novus* funcionava como um centro gerador e um bom número de seus quadros e gravuras relacionam-se com ele. Na psicoterapia, Jung procurava tornar seus pacientes capazes de recuperar uma consciência do sentido na vida facilitando-lhes e supervisionando-lhes a autoexperimentação e a criação de símbolos. Ao mesmo tempo, procurou elaborar uma psicologia científica geral.

A publicação do *Líber Novus*

Embora Jung tivesse parado de trabalhar diretamente no *Líber Novus*, permanecia a questão do que fazer com ele e continuava aberta a questão de sua eventual publicação. Em 10 de abril de 1942, Jung respondeu a Mary Mellon sobre uma edição dos *Sermones*: "Quanto à edição dos 'Sete Sermones', desejaria que você esperasse um pouco. Eu tinha em mente acrescentar certo material, mas tenho hesitado fazê-lo durante anos. Mas numa ocasião como essa poder-se-ia arriscar"[248]. Em 1944, Jung teve um grave ataque cardíaco e não levou a cabo esse plano.

Em 1952, Lucy Heyer apresentou um projeto para uma biografia de Jung. Por sugestão de Olga Froebe e insistência de Jung, Cary Baynes começou colaborando com Lucy Heyer nesse projeto. Cary Baynes pensava escrever uma biografia de Jung baseando-se no *Líber Novus*[249]. Para decepção de Jung, ela desistiu do projeto. Após diversos anos de entrevistas com Lucy Heyer, Jung pôs um termo ao projeto biográfico dela em 1955, porque estava insatisfeito com

243 Estas preleções estão sendo preparadas atualmente para publicação. Para mais detalhes, cf. www.philemonfoundation.org
244 "Estudo empírico do processo de individuação". OC, 9/1, § 622.
245 Ibid., § 623.
246 "Aspectos psicológicos da Core". OC, 9/1, § 334.
247 Cf. MEIER, C.A. (org.). *Atom and Archetype*: The Pauli/Jung Letters. Princeton: Princeton University Press, 2001 [com prefácio de Beverley Zabriskie – Trad. de D. Roscoe].
248 *JA*. É provável que Jung tivesse em mente os comentários de Filêmon. Cf. adiante, p. 348-354.
249 Olga Froebe-Kapteyn a Jack Barrett, 6 de janeiro de 1953, arquivo de Bollingen, Biblioteca do Congresso.

seu progresso. Em 1956, Kurt Wolff propôs um outro projeto biográfico, que se transformou em *Memórias, Sonhos, Reflexões*. Em algum momento, Jung deu a Aniela Jaffé uma cópia do esboço do *Liber Novus*, feita por Toni Wolff. Jung autorizou Jaffé a fazer citações do *Liber Novus* e dos *Livros Negros* em *Memórias, Sonhos, Reflexões*[250]. Em suas entrevistas com Aniela Jaffé, Jung discutiu o *Liber Novus* e sua autoexperimentação. Infelizmente, ela não reproduziu todos os comentários dele.

Em 31 de outubro de 1957, ela escreveu a Jack Barrett da Fundação Bollingen a respeito do *Liber Novus* e informou-o de que Jung havia sugerido que este e os *Livros Negros* fossem doados à biblioteca da Universidade de Basileia com uma restrição de 50 anos, 80 anos ou mais, já que "ele odeia a ideia de que alguém leia este material sem conhecer as relações com a vida dele etc." Ela acrescentou que decidira não usar muita coisa deste material em *Memórias*[251]. Num dos primeiros manuscritos de *Memórias*, Jaffé incluíra uma transcrição do esboço datilografado da maior parte do *Liber Primus*[252]. Mas foi omitida do manuscrito final e ela não fez citações do *Liber Novus* nem dos *Livros Negros*. Na edição alemã das *Memórias*, Jaffé incluiu o epílogo de Jung ao *Liber Novus* como apêndice. As estipulações flexíveis de datas propostas por Jung a respeito do acesso ao *Liber Novus* foram semelhantes às que ele deu por essa mesma época a respeito da publicação de sua correspondência com Freud[253].

Em 12 de outubro de 1957, Jung disse a Jaffé que ele nunca terminara o *Livro Vermelho*[254]. De acordo com Jaffé, na primavera de 1959, Jung, após um longo tempo de saúde debilitada, retomou o *Liber Novus* para completar a última imagem que permanecera inacabada. Mais uma vez ele se ocupou em transcrever o manuscrito para o volume caligráfico. Jaffé anota: "Mas também agora ele não pôde ou não quis concluí-lo. Isso tinha a ver, disse ele, com a morte"[255]. A transcrição caligráfica termina abruptamente no meio da frase, e Jung acrescentou um posfácio, que também terminou abruptamente no meio da frase. O pós-escrito e as discussões de Jung sobre sua doação a um arquivo sugerem que Jung tinha consciência de que a obra acabaria sendo estudada em algum momento. Após a morte de Jung, o *Liber Novus*, de acordo com a vontade dele, permaneceu com sua família.

Em sua conferência de Eranos em 1971, intitulada "As fases criativas na vida de Jung", Jaffé citou duas passagens do esboço do *Liber Novus*, observando que "Jung pôs uma cópia do manuscrito à minha disposição com permissão de citá-lo caso surgisse alguma oportunidade"[256]. Esta foi a única vez que ela o fez. Quadros do *Liber Novus* foram mostrados também num documentário da BBC sobre Jung, narrado por Laurens van der Post, em 1972. Esses quadros despertaram um amplo interesse pelo livro. Em 1975, após a muito bem recebida publicação das *Cartas Freud/Jung*, William McGuire, representando a Princeton University Press, escreveu ao advogado do espólio de Jung, Hans Karrer, apresentando uma proposta de publicação do *Liber Novus* e de uma coleção de fotografias das gravuras em pedra e dos quadros de Jung e da Torre. Propôs uma edição fac-similar, possivelmente sem o texto. Escreveu que "faltam-nos informações sobre o seu número de páginas, a quantidade relativa de texto e quadros e o conteúdo e interesse do texto"[257]. Ninguém da editora tinha realmente visto ou lido a obra nem sabia muito sobre ela. Este pedido foi negado.

Em 1975, algumas reproduções do volume caligráfico do *Liber Novus* foram mostradas numa exposição para comemorar o centenário de Jung em Zurique. Em 1977, nove quadros do *Liber Novus* foram publicados por Jaffé em *C.G. Jung: Word and Image* e, em 1989, alguns outros quadros afins foram publicados por Gerhard Wehr em sua biografia ilustrada de Jung[258].

Em 1984, o *Liber Novus* foi fotografado profissionalmente e foram preparadas cinco edições fac-similares. Estas foram dadas às cinco famílias diretamente descendentes de Jung. Em 1992, a família de Jung, que havia apoiado a publicação das Obras Completas de Jung em alemão (concluída em 1995), iniciou um exame dos materiais inéditos de Jung. Como resultado de minhas pesquisas, descobri uma transcrição integral e uma transcrição parcial do *Liber Novus* e apresentei-as aos herdeiros de Jung em 1997. Na mesma época, outra transcrição foi apresentada aos herdeiros por Marie-Louise von Franz. Fui convidado a apresentar informes sobre o assunto e a conveniência de sua publicação, e fiz uma apresentação sobre o assunto. Com base nestes informes e discussões, os herdeiros decidiram em maio de 2000 liberar a obra para publicação.

O trabalho no *Liber Novus* esteve no centro da autoexperimentação de Jung. Ele é nada menos que o livro central de sua obra. Com sua publicação, estamos agora em condição de estudar o que aconteceu ali com base em documentação primária em contraste com as fantasias, fofocas e especulações que constituem boa parte do que se escreveu sobre Jung, e de compreender a gênese e constituição de sua obra posterior. Por quase um século, essa leitura simplesmente não foi possível e a vasta literatura que surgiu sobre a vida e obra de Jung não teve acesso à mais importante fonte documentária individual. A presente publicação marca uma cesura e abre a possibilidade de uma nova era na compreensão da obra de Jung. Fornece uma abertura única para ver como ele recuperou sua alma e, ao fazê-lo, elaborou uma psicologia. Por isso, esta introdução não termina com uma conclusão, mas com a promessa de um novo começo.

---

250 Jung a Jaffé, 27 de outubro de 1957, arquivo de Bollingen, Biblioteca do Congresso.

251 Arquivos de Bollingen, Biblioteca do Congresso. Jaffé deu uma explicação semelhante a Kurt Wolff mencionando 30, 50 ou 80 anos como possível restrição (sem data, recebida a 30 de outubro de 1957), Kurt Wolff papers, Biblioteca Beinecke, Universidade de Yale. Ao ler os primeiros parágrafos dos protocolos das entrevistas de Aniela Jaffé com Jung, Cary Baynes escreveu a Jung em 8 de janeiro de 1958 que "é a correta introdução ao *Livro Vermelho*, e quanto a isso posso morrer em paz!" (*CFB*).

252 Kurt Wolff papers, Biblioteca Beinecke, Universidade de Yale. O prólogo foi omitido e recebeu o título do primeiro capítulo, "Der Widerfindung der Seele" [a redescoberta da alma]. Existe também outra cópia desta seção fortemente editada por uma mão não identificada, que pode ter feito parte do trabalho de prepará-lo para publicação por esse tempo (*JFA*).

253 Pode-se observar que a publicação das cartas Freud-Jung, decisiva em si mesma, enquanto o *Liber Novus* e o grosso das outras correspondências de Jung permaneceram inéditos, lamentavelmente agravou a equivocada visão freudocêntrica de Jung: como vemos, no *Liber Novus*, Jung está se movendo num universo tão afastado da psicanálise quanto se possa imaginar.

254 *MP*, p. 169.

255 JUNG & JAFFÉ. *Erinnerungen, Träume, Gedanken von C.G. Jung*. Olten: Walter Verlag, 1988, p. 387. Os outros comentários de Jaffé neste ponto são inexatos.

256 JAFFÉ. "The creative phases in Jung's life". *Spring*: An Annual of Archetypal Psychology and Jungian Thought, 1972, p. 174.

257 McGuire papers, Biblioteca do Congresso. Em 1961, Aniela Jaffé mostrara o *Liber Novus* a Richard Hull, tradutor de Jung, e ele escrevera suas impressões a McGuire: "Ela [AJ] nos mostrou o famoso 'Livro Vermelho', cheio de verdadeiros desenhos loucos com comentários em escrita monacal; não me causa surpresa que Jung o mantenha guardado a sete chaves! Quando ele entrou e o viu – felizmente fechado – sobre a mesa, disse rispidamente a ela: 'Das soll nicht hier sein. Nehmen Sie's weg!' [Isto não deveria estar aqui. Leve-o embora!], embora ela me tivesse escrito anteriormente que ele tinha dado permissão para eu vê-lo. Reconheci diversos dos mandalas que estão incluídos em "O simbolismo do mandala". Daria uma maravilhosa edição fac-similar, mas eu não considerei prudente levantar a questão ou sugerir a inclusão de desenhos na autobiografia (o que a Sra. Jaffé insistiu que eu fizesse). Deveria realmente fazer parte, em algum momento, do seu *opus*: assim como a autobiografia é um suplemento essencial para seus outros escritos, assim o *Livro Vermelho* o é para a autobiografia. O *Livro Vermelho* causou-me profunda impressão; não há dúvida que Jung passou por tudo quanto uma pessoa insana experimenta, e até mais. Nas palavras da autoanálise de Freud: Jung é em si mesmo um hospício ambulante! A única diferença entre ele e um internado regular é sua espantosa capacidade de manter-se distanciado da terrível realidade de suas visões, de observar e compreender o que estava acontecendo e forjar de sua experiência um sistema de terapia que funciona. Não fosse essa proeza singular, ele seria um doido varrido louco. O material bruto de sua experiência é mais uma vez o mundo de Schreber; só por causa de sua capacidade de observação e distanciamento e esforço de compreender, pode-se dizer dele o que Coleridge, em seus Cadernos, disse de um grande metafísico (e que *motto* não daria para a autobiografia!): 'Ele olhava para sua própria Alma através de um Telescópio / O que parecia totalmente irregular, ele via e mostrava que eram belas Constelações e acrescentava à Consciência mundos ocultos dentro de outros mundos'" (17 de março de 1961, arquivo de Bollingen, Biblioteca do Congresso). A citação de Coleridge foi de fato usada como *motto* para *Memórias, Sonhos, Reflexões*.

258 JAFFÉ, Aniela (org.). *C.G. Jung*: Word and Image. Ilustr. 52-57, 77-79, junto com uma imagem relacionada, a ilustr. 59. • WEHR, Gerhard. *An Illustrated Biography of Jung*, p. 40, p. 140-141.

Nota dos tradutores da edição inglesa*

Mark Kyburz, John Peck e Sonu Shamdasani

No início do *Líber Novus*, Jung experimenta uma crise de linguagem. O espírito das profundezas, que imediatamente desafia o uso da linguagem feito por Jung junto com o espírito da época, informa a Jung que no terreno de sua alma a linguagem por ele conseguida não servirá mais. Sua própria capacidade de saber e falar já não pode mais explicar por que ele profere o que diz ou movido por qual compulsão ele fala. Todas essas tentativas tornam-se arbitrárias no domínio das profundezas, e até mesmo mortíferas. Jung é levado a entender que aquilo que ele poderia dizer nessas ocasiões é ao mesmo tempo "loucura" e, de modo instrutivo, aquilo que é[1]. De fato, numa perspectiva mais ampla, a linguagem que ele irá encontrar para sua experiência interior formaria uma vasta *Commedia*: "Acreditas tu, homem dessa época, que a zombaria é menos que a adoração? Onde estão tuas medidas, falso medidor? A soma da vida na zombaria e na adoração é que decide, não teu julgamento"[2].

Ao traduzir este registro acumulado de encontros imaginais de Jung com seus personagens interiores, proveniente de um período de dezesseis anos a começar pouco antes da Primeira Guerra Mundial, deixamos Jung permanecer um homem que se desprendeu das suas amarras, mas também ficou preso no turbilhão que ficou conhecido pelo nome de modernismo literário. Procuramos não modernizar mais nem tornar mais arcaica a linguagem e as formas em que ele expressou seu testemunho pessoal.

A linguagem do *Líber Novus* segue três grandes registros estilísticos e cada um deles apresenta ao tradutor diferentes dificuldades. Um primeiro registro relata fielmente as fantasias e diálogos interiores dos encontros imaginais de Jung, enquanto um segundo permanece firme e criteriosamente conceitual. Um terceiro registro escreve num estilo mântico e profético, ou romântico e ditirâmbico. A relação entre esses aspectos – informativo, reflexivo e romântico – da linguagem de Jung permanece comedial de uma forma que Dante ou Goethe teriam reconhecido. Ou seja, em cada capítulo os registros descritivo, conceitual e mântico roçam continuamente um com o outro, enquanto ao mesmo tempo nenhum registro sozinho é afetado por seus parceiros. Todos os três registros estilísticos servem a estímulos psíquicos e cada capítulo compartilha um modo polifônico com os outros. Na seção dos *Aprofundamentos* desde 1917 esta polifonia amadurece, suas vozes misturando-se em várias proporções.

O leitor deduzirá rapidamente que este plano não foi premeditado, mas antes nasceu do experimento ao qual Jung se submeteu arduamente. A "Nota Editorial" esquematiza a evolução textual desta composição. Aqui basta apenas observar que Jung, cada vez, registra uma camada protocolar inicial de encontro narrativo, geralmente com um diálogo, e depois, na "segunda camada", uma elaboração lírica e comentário desse encontro. A primeira camada evita um tom elevado, ao passo que a segunda acolhe a elevação e modula-se em reflexões sermonáticas e mântico-proféticas sobre o sentido do episódio, que, por sua vez, esmiúçam os acontecimentos discursivamente. Esse modo de composição – que é único nas obras de Jung – não foi um arranjo temperamental. Ao invés, à medida que os episódios se acumulavam e seu interesse aumentava, transformou-se num experimento que era tanto literário quanto psicológico e espiritual. No vasto *corpus* publicado e inédito de Jung, não existe outro texto que tenha sido submetido a tão cuidadosa e contínua revisão linguística como o *Líber Novus*.

Esses três registros linguísticos já se apresentam como potenciais modelos para uma possível tradução. Nossa prática consistiu em deixá-los coabitar dentro das estruturas exploratórias vigentes no tempo do próprio Jung. A tarefa com que ele se deparou foi descobrir uma linguagem em vez de usar uma linguagem já disponível. Os próprios registros mântico e conceitual podem ser considerados traduções do registro descritivo. Ou seja, estes registros passam de um nível literal a níveis simbólicos que o amplificam, numa analogia moderna com os "modi diversi" de Dante em sua carta a Can Grande della Scala[3]. Em sentido bem real, o *Líber Novus* foi composto através de tradução intertextual. A retórica do livro, sua maneira de abordar, surge dessa estrutura interagente de tradução interna ou transvaloração. Uma tarefa crítica para qualquer tradução da obra, portanto, é transmitir intacta essa textura composicional.

O fato de que quadros pintados de tipo acabado e híbrido iluminam o formato medieval de um fólio em escrita caligráfica dificultam ainda mais quaisquer reflexões sobre a tarefa linguística. A nova linguagem exigia uma escrita antiga renovada. Um estilo polifônico expressa-se à maneira de multimídia dentro de um movimento simbólico de recuo-avanço, medieval e antecipatório, para recuperar a realidade psíquica. Imagens verbais e visuais investem sobre Jung a partir do passado e do presente, enquanto visam o além: surge um instrumento composto de camadas, cujo estilo polifônico reflete em sua linguagem aquela mesma disposição em camadas compostas.

Diante da tarefa de traduzir um texto composto há quase cem anos, os tradutores têm geralmente a vantagem de dispor de modelos anteriores para consultar, como também de décadas de comentários e críticas de caráter erudito. Sem esses modelos à disposição, restou-nos imaginar como a obra poderia ter sido traduzida em décadas passadas. Nossa tradução, por conseguinte, evita diversos modelos inéditos ou hipotéticos para traduzir o *Líber Novus* para o inglês. Existem os surpreendentemente arcaizantes *Septem Sermones* de Peter Baynes de 1925, que se inspiram fortemente numa linguagem vitoriana. Ou a conceitualmente racionalizante versão que R.F.C. Hull poderia ter tentado, se lhe tivesse sido dado traduzi-lo ao lado de seus outros volumes da Série Bollingen das Obras Completas de Jung[4]; ou a elegante tradução literária da mão de um R.J. Hollingdale. Nossa versão ocupa, portanto, uma posição real numa sequência de muitas possibilidades. A consideração sobre esses modelos possíveis realçou questões de como vazar a linguagem dentro de mudanças históricas na prosa inglesa, como veicular as inumeráveis convergências e divergências entre a linguagem do *Líber Novus* e as Obras Completas de Jung, e como traduzir para o inglês uma obra que ao mesmo tempo repercute o alemão de Lutero e a paródia que Nietzsche faz do mesmo em *Assim falava Zaratustra*. Já que nossa versão toma esta posição, ao citarmos as Obras Completas de Jung nós consequentemente traduzimos de maneira nova ou modificamos discretamente as traduções publicadas.

O *Líber Novus* foi contemporâneo do fermento literário que Mikhail Bakhtin chamou de imaginação em prosa dialógica[5]. O escritor e artista anglo-galês David Jones, autor de *In Parenthesis* e *The Anathemata*, referiu-se à ruptura da Primeira Guerra Mundial e seus efeitos sobre o senso histórico dos escritores, artistas e pensadores, chamando-a simplesmente "The Break" (A fratura)[6]. Junto com outros escritos experimentais destas décadas, o *Líber Novus* escava camadas arqueológicas da aventura literária, servindo-se da consciência conquistada a duras penas como pá e, ao mesmo tempo, precioso caco. Embora durante muitos anos tenha pensado efetivamente em publicar o *Líber Novus*, Jung preferiu não tornar-se famoso através

* Embora estas referências tratem da tradução inglesa, há observações interessantes e úteis sobre o estilo de Jung nesta obra, razão por que a mantivemos (Nota da edição brasileira).

1 Cf. abaixo, p. 230.

2 Cf. abaixo, p. 230.

3 Cf. a tradução e discussão desta carta em BOLDRINI, Lucia. *Joyce, Dante, and the Poetics of Literary Relations*. Nova York: Cambridge University Press, 2001, p. 30-35.

4 Sobre a questão das traduções de Jung feitas por Hull, cf. SHAMDASANI. *Jung Stripped Bare by His Biographers, Even*, p. 47-51.

5 Cf. HOLQUIST, Michael (org.). *The Dialogic Imagination*: Four Essays. Austin: University of Texas Press, 1981 [tradução de Caryl Emerson e Michael Holquist].

6 JONES, David. *Dai Greatcoat*: A Self-Portrait of David Jones in his Letters. Londres: Faber and Faber, 1980, p. 41ss. [organizado por Rene Hague].

dessa forma literária – tanto pelo estilo quanto pelo conteúdo – permitindo sua publicação. Por volta de 1921, com *Tipos psicológicos*, Jung já descobrira que seu santuário podia fornecer-lhe seus grandes temas, através da tradução para uma linguagem erudita.

Jung enuncia a tensão entre seus três registros linguísticos, dirigindo-se já a um futuro público leitor – que, entre diferentes camadas do texto, vai de um círculo restrito de amigos até um público mais amplo. Isto aparece nitidamente nas frequentes mudanças pronominais entre as versões, que mostram a maneira como ele estava constantemente reimaginando os possíveis leitores do texto. Jung adotou coerentemente essa postura dialógica – polifônica segundo a terminologia posterior de Bakhtin – mais uma vez atento a um hipotético futuro público e, no entanto, também totalmente alheio à questão do público, não por orgulho mas simplesmente em vista dos objetivos em jogo. Quadros e fantasias deste tesouro privado entraram anonimamente como intertextos criptografados na obra posterior de Jung, aninhando-se como chaves hermenêuticas para o conjunto escondido de sua obra.

Com efeito, podemos imaginar Jung rindo quando escreveu sobre o "3. Caso Z" na última seção de seu ensaio sobre "Aspectos psicológicos da Core" (1941)[7]. Ali ele resume como anônimos doze episódios tirados de seus encontros com a própria alma no *Liber Novus*, chamando-os "uma série de sonhos". Os comentários que ele lhes acrescenta impelem o aventureiro que ele fora, e o sujeito que ele se tornou nessa aventura, para o discurso de uma pretensa ciência. A comédia é ao mesmo tempo ampla e requintada: esse respeitoso hospedeiro da anima maneja também o indicador diagnóstico com toda a seriedade. Sua linguagem movia-se flexivelmente em ambos os contextos, mas ao fazê-lo mantinha também certos véus. Essa estratégia linguística refletia os objetivos mais amplos de Jung de permanecer fecundamente dual e contextual. Declarando que seus mistérios eram particulares, a não serem macaqueados de maneira alguma, Jung ofereceu-lhes, não obstante, também um modelo de processo espiritual formativo e, ao fazê-lo, procurou desenvolver uma linguagem que pudesse ser retomada por outros para articular suas respectivas experiências.

Esta é uma maneira de parafrasear a considerável anomalia da linguagem que Jung teve que encontrar através de noites sem dormir a partir de 1913. Essa linguagem mudava seus contornos, alterava sua escala e levava em consideração caprichos e modismos. Por isso não causa surpresa que, em suas passagens mais elevadas, Jung se tenha apoiado na ressonância da Bíblia de Lutero, ela mesma uma tradução que alcançara, na cultura alemã, a estabilidade de uma rocha. *Ein fester Burg*, "uma cidadela sólida": daí nos apoiarmos aqui na King James Version (KJV) da Bíblia para tonalidades comparáveis em inglês. No entanto, surge imediatamente um paradoxo: aquilo com que Jung contou nessa ressonância havia transplantado para o *Heimat* ou lar germânico um espírito diferente, como se pode igualmente dizer da profunda penetração do mesmo implante na cultura anglo-saxônica. Franz Rosenzweig, ao traduzir partes do Antigo Testamento com Martin Buber em meados da década de 1920, identificou a Bíblia de Lutero como o grande criador de espaço no espírito germânico, precisamente através dos movimentos de aproximação de Lutero à sua fonte: "Para consolo de nossas almas, devemos manter tais palavras, devemos tolerá-las, e assim dar ao hebraico algum espaço no qual ele se sai melhor do que o alemão"[8]. Daí nosso método de não amaciar os diversos estilos de Jung ou torná-los mais fluentes do que é necessário ou mesmo regularizar sua pontuação. Pensemos no estilo "desgrenhado" de Dante ou em outra máxima de Lutero citada nas notas de Rosenzweig: "A lama grudará na roda"[9].

No entanto, mesmo essas profundas concessões ao linguajar arcaico e original por sobre abismos de sentido não consegue aproximar a experiência desestabilizadora, feita na e através da linguagem, de que Jung é testemunha. Seus comentários posteriores na autobiografia publicada, sobre suas reservas quanto ao estilo empolado[10], na verdade encobrem suas pegadas no *Liber Novus*. A experiência original lançou a fala num turbilhão que anima a dimensão iniciática do livro. Também a linguagem empreende uma descida ao inferno e ao domínio dos mortos, que priva o indivíduo da fala precisamente como renova a capacidade de expressão.

Os exemplos seguintes dão alguma ideia do alcance desse fator, mapeando as dificuldades de qualquer ventriloquismo sincero como aquele a que Jung, com a pena na mão, se aventurou ao empreender uma sessão controlada consigo mesmo e seu chão. As ínfimas distorções espaciais de Hölderlin e o carvão ardente nos lábios de Isaías entram ambos nesta liga, junto com Platão sobre a "fúria correta" ou loucura divina: (1) "Minha alma sussurrou-me insistente e medrosamente: 'Palavras, palavras, não faças palavras demais. Cala-te e escuta: Tu reconheceste tua loucura e a admites? Viste que todas as tuas profundezas estão cheias de loucura?"[11] (2) Alma de Jung: "Existem tramas infernais de palavras, somente palavras... Sê cauteloso com palavras, escolhe-as bem... pois tu és o primeiro que nela se enreda. Pois palavras têm significados. Nas palavras puxas para cima o submundo. A palavra é o mais nulo e mais forte. Na palavra correm juntos o vazio e o cheio. Por isso, a palavra é uma imagem de Deus"[12]. (3) "Mas se a palavra for um símbolo, significa tudo. Quando o caminho entra na morte, e nós estamos envoltos em putrefação e nojo, sobe então na escuridão o caminho e sai da boca, como o símbolo salvador, a palavra"[13]. (4) A mulher morta: "Concede-me a palavra – pena que não possas ouvir! Como é difícil – dá-me a palavra!"[14] Ela então se materializa na mão de Jung como HAP, o falo. (5) Alma de Jung: "Tens a palavra que não pode ficar oculta"[15]. (6) Jung: "O que significa minha palavra? É o balbucio da criança..." Alma: "Elas não veem o fogo, não acreditam em tuas palavras, mas veem tua marca e pressentem em ti, sem saber, o mensageiro do tormento que arde... Tu gaguejas, balbucias"[16]. Nos protocolos para sua autobiografia, Jung lembra ter trazido às experiências originais contidas no *Liber Novus* apenas uma "fala altamente canhestra"[17]. No entanto, um exemplo (7) desmente energicamente esta ênfase posterior: "Sei que Filêmon me embriagou e me inspirou uma linguagem estranha a mim mesmo e um outro sentir. Tudo isto desapareceu quando o Deus se elevou e só Filêmon possuía aquela linguagem"[18].

---

7 OC, 9/1.
8 BUBER, Martin & ROSENZWEIG, Franz. *Scripture and Translation*. Bloomington/Indianapolis: Indiana University Press, 1994, p. 49 [citando o Prefácio de Lutero a seu *Saltério alemão* – tradução de Lawrence Rosenwald e Everett Fox].
9 Ibid., p. 69.
10 Cf. acima, p. 214.
11 Cf. adiante, p. 298.
12 Cf. adiante, p. 299.
13 Cf. adiante, p. 310.
14 Cf. adiante, p. 339.
15 Cf. adiante, p. 346.
16 Cf. adiante, p. 346.
17 Cf. *MP*, p. 148.
18 Cf. adiante, p. 339.

O último exemplo mostra que mais tarde Jung atribuiu a Filêmon a fala mântica e ditirâmbica da camada 2 em tudo aquilo que vem antes da seção dos *Aprofundamentos*. A intoxicação literal descrita aqui é linguística, uma versão dramatizada e ventríloqua da loucura divina de Platão. Enfatiza por isso nossa tentativa de traduzir fielmente os registros estilísticos do *Liber Novus*, de modo a apresentar um aspecto vital do experimento literário de Jung, quando empreende a tentativa de encontrar o linguajar mais apropriado para expressar as transformações da experiência interior. A busca da alma, empreendida por Jung, está portanto em harmonia com a busca de uma linguagem adequadamente dialógica e diferenciada.

Estes exemplos, com todas as sua oscilações, afetam uma leitura das Obras Completas de Jung e aconselham cautela ao aplicar seus instrumentos conceituais à tarefa de ler e entender o *Liber Novus*. Para dar apenas um exemplo, começa-se por ver que é uma simplificação excessiva equiparar as profundezas opostas e, no entanto, relacionadas de Logos e Eros com os registros conceituais e lírico-mânticos encontrados no *Liber Novus*. O "Comentário" de Jung aqui incluído sobre a relação Elias-Salomé mostra que essa relação faz parte do desenvolvimento, é uma encenação do mistério do "processo formativo" que acende o amor pelo que há de mais baixo em nós[19]. O espaço modal de linguagem do *Liber Novus* anima assim esse mistério, mas não corresponde diretamente a funções psicológicas opostas.

Este complexo respeito pela linguagem instrui os tradutores do *Liber Novus* ao navegar as tensões submundo/redentoras abarcadas por sua retórica. A grande força que está por trás da tensão mântica ocupou Jung no breve Epílogo que ele inseriu no volume caligráfico em 1959, dois anos antes de sua morte. Percorrendo mais uma vez os mares dessas páginas iluminadas, parece que ele julgou desnecessário qualquer recapitulação ulterior. Interrompendo no meio da frase, Jung deixou o livro subsistir por conta própria, como um dos filões de discurso dentro de toda sua obra. Este contraponto não exigiu nenhum comentário, como tampouco o exigiram os três registros de linguagem no próprio livro. O Ordálio era afinal *Commedia*, que não precisa de nenhuma justificação teórica retrospectiva. O *Liber Novus* sobreviveria aos tateamentos e bombardeios da recepção. Em 1957, Jung observara a Aniela Jaffé que tantas asneiras haviam sido ditas a respeito dele, que algumas a mais não o perturbariam[20]. Aquele ato de levantar a pena, portanto, entregou confiantemente o livro à sua trajetória para as profundezas, penetrando profundamente na pedreira em que se havia transformado, tendo suas Obras Completas e a torre junto ao lago em Bollingen como suas linhagens finais.

Nesta nota procuramos transmitir apenas os princípios gerais que orientaram nossa tradução. Uma discussão completa das escolhas com que nos confrontamos e uma justificação das decisões tomadas encheriam um volume tão extenso como este.

19 Cf. Apêndice B.
20 *MP*, p. 183.

Nota editorial

Sonu Shamdasani

O *Liber Novus* é um *corpus* manuscrito inacabado e não está inteiramente claro como Jung pretendia completá-lo, ou como o teria publicado, caso tivesse decidido fazê-lo. Temos uma série de manuscritos, dos quais nenhuma versão sozinha pode ser considerada definitiva. Consequentemente existem várias maneiras como o texto poderia ser apresentado. Esta nota apresenta as razões editoriais que estão por trás da presente edição.

A sequência dos manuscritos existentes para o *Liber Primus* e o *Liber Secundus* é a seguinte:

Livros Negros 2-5 (novembro de 1913-abril de 1914).
Esboço manuscrito (verão de 1914-1915).
Esboço datilografado (por volta de 1915).
Esboço corrigido (com uma camada de mudanças por volta de 1915; uma camada de mudanças apr. meados da década de 1920).
Volume caligráfico (1915-1930, retomado em 1959, deixado incompleto).
Transcrição de Cary Baynes (1924-1925).
Manuscrito de Yale. Liber Primus, menos o prólogo (idêntico ao *Esboço datilografado*).
Esboço editorado do Liber Primus, menos o prólogo, com correções feitas por mão desconhecida (aprox. final da década de 1950; versão editada do *Esboço datilografado*).

Para os *Aprofundamentos*, temos:

Livros Negros 5-6 (abril de 1914-junho de 1916).
Septem Sermones caligráficos (1916).
Septem Sermones impressos (1916).
Esboço manuscrito (por volta de 1917).
Esboço datilografado (por volta de 1918).
Transcrição de Cary Baynes (1925) (27 páginas, incompleta).

O arranjo aqui apresentado começa com uma revisão da transcrição de Cary Baynes e uma nova transcrição do material restante contido no volume caligráfico junto com o *Esboço datilografado* dos *Aprofundamentos*, com comparações linha por linha com todas as versões existentes. As últimas trinta páginas são completadas do *Esboço*. As variações principais entre os diferentes manuscritos dizem respeito à "segunda camada" do texto. Estas mudanças representam o trabalho contínuo de Jung de compreender o significado psicológico das fantasias. Como Jung considerava o *Liber Novus* uma "tentativa de uma elaboração em termos da revelação", estas mudanças entre as diferentes versões apresentam esta "tentativa de uma elaboração" e, por isso, são uma parte importante da própria obra. Por isso as notas mostram mudanças significativas entre as diferentes versões e apresentam material que esclarece o sentido ou o contexto de uma seção determinada. Cada camada manuscrita é importante e interessante e uma publicação de todas elas – que chegaria a vários milhares de páginas – seria uma tarefa para o futuro[1].

O critério para incluir passagens dos manuscritos anteriores foi simplesmente a pergunta: será que esta inclusão ajuda o leitor a compreender o que está acontecendo? Além da importância intrínseca dessas mudanças, a anotação delas nas notas de rodapé serve a um segundo propósito – mostra com quanto cuidado Jung trabalhou em revisar continuamente o texto.

O *Esboço corrigido* tem duas camadas de correções feitas por Jung. O primeiro conjunto de correções parece ter sido feito depois que o *Esboço* foi datilografado e antes da transcrição no volume caligráfico, pois parece que foi esse manuscrito que Jung transcreveu[2]. Outro conjunto de correções sobre aproximadamente 200 páginas do texto datilografado parece ter sido feito *depois* do volume caligráfico, e eu calcularia que estas foram feitas em algum momento dos meados da década de 1920. Essas correções modernizam a linguagem e relacionam a terminologia com a terminologia de Jung do período dos *Tipos Psicológicos*. São também acrescentados esclarecimentos suplementares. Jung chegou a corrigir material do *Esboço* que foi cancelado no volume caligráfico. Apresentei algumas das mudanças importantes nas notas de rodapé. A partir delas o leitor pode ver como Jung teria revisado todo o texto se tivesse completado essa camada de correções.

Foram acrescentadas subdivisões no *Liber Secundus*, capítulo 21, "O mago", e nos *Aprofundamentos* para fácil referência. Estas são indicadas por números entre chaves: { }. Onde foi possível, a data de cada fantasia foi dada de acordo com os *Livros Negros*. A "segunda camada" acrescentada no esboço é indicada por [2] e o manuscrito retorna à sequência das fantasias nos *Livros Negros* no início do capítulo seguinte. Nas passagens em que foram acrescentadas subdivisões, o retorno à sequência dos *Livros Negros* é indicado por [1].

Os vários manuscritos têm diferentes sistemas de dividir em parágrafos. No *Esboço*, os parágrafos consistem muitas vezes de uma ou duas frases e o texto é apresentado como um poema em prosa. No outro extremo, no volume caligráfico, existem longas passagens de texto sem nenhuma divisão em parágrafos. A maneira mais lógica de divisão em parágrafos é a da transcrição de Cary Baynes. Ela aproveitou frequentemente a presença de iniciais coloridas para dividir em parágrafos. Como é pouco provável que ela tenha reparagrafado o texto sem a aprovação de Jung, seu esquema foi tomado como ponto de partida para esta edição. Em alguns casos, a divisão em parágrafos foi tornada mais conforme ao *Esboço* e ao volume caligráfico. Na segunda metade de sua transcrição, Cary Baynes transcreveu o *Esboço*, já que o volume caligráfico não fora completado. Aqui paragrafei o texto da mesma forma como foi estabelecido antes. Acredito que isto apresenta o texto na forma mais clara e fácil de seguir.

No volume caligráfico, Jung ilustrou certas iniciais e escreveu algumas em vermelho e azul, e às vezes aumentou o tamanho do texto. O plano aqui procura seguir essas convenções. Já que as iniciais em questão nem sempre são as mesmas em português e em alemão, a escolha de qual inicial colocar em vermelho na edição portuguesa orientou-se por sua correspondente localização no texto. O restante do texto, além do que Jung transcreveu no volume caligráfico, foi estabelecido seguindo as mesmas convenções, para manter coerência. No caso dos *Septem Sermones*, a coloração da fonte seguiu a versão impressa de Jung de 1916.

A decisão de incluir os *Aprofundamentos* no final e como parte do *Liber Novus* baseia-se nas seguintes razões editoriais: o material dos *Livros Negros* começa em novembro de 1913. O *Liber Secundus* encerra-se com material de 19 de abril de 1914 e os *Aprofundamentos* começam com material do mesmo dia. Os *Livros Negros* prosseguem consecutivamente até 21 de julho de 1914 e recomeçam a

1 Leitores interessados podem comparar esta edição com as seções do *Esboço* dos Kurt Wolff papers na Universidade de Yale e com a transcrição de Cary Baynes nos Contemporary Medical Archives na Wellcome Collection, em Londres. É bem possível que possam ainda vir à luz alguns outros manuscritos.
2 Existem também algumas marcas pintadas nesse manuscrito.

3 de junho de 1915. Nesse intervalo, Jung escreveu o *Esboço manuscrito*. Quando Cary Baynes transcreveu o *Liber Novus* entre 1924 e 1925, a primeira metade de sua transcrição seguiu o próprio *Liber Novus* até ao ponto a que Jung chegou em sua própria transcrição para o volume caligráfico. Ele continua seguindo o esboço e depois avança 27 páginas nos *Aprofundamentos*, terminando no meio da frase.

No final do *Liber Secundus*, a alma de Jung ascendera ao céu seguindo o Deus renascido. Jung pensa agora que Filêmon é um charlatão e aproxima-se do seu "eu", com o qual deve conviver e que ele deve educar. Os *Aprofundamentos* continuam diretamente a partir desse ponto com um confronto com seu "eu". A ascensão do Deus renascido é mencionada, e sua alma retorna e explica por que ela desaparecera. Filêmon reaparece e instrui Jung sobre como estabelecer a relação correta com sua alma, com os mortos, com Deus e com os daímones. Nos *Aprofundamentos*, Filêmon aparece inteiramente e assume o significado que Jung lhe atribui tanto no seminário de 1925 quanto nas *Memórias*. Só nos *Aprofundamentos* certos episódios do *Liber Primus* e do *Liber Secundus* tornam-se claros. Da mesma forma, a narrativa dos *Aprofundamentos* não faz sentido se não se leu o *Liber Primus* e o *Liber Secundus*.

Em dois lugares dos *Aprofundamentos*, o *Liber Primus* e o *Liber Secundus* são mencionados de uma forma que sugere nitidamente fazerem parte da mesma obra:

> E então estourou a guerra. Abriram-se então meus olhos sobre muita coisa que eu havia vivido antes, e isso me deu também a coragem de dizer tudo o que escrevi nas partes anteriores deste livro[3].
>
> Desde que o Deus se elevou para os espaços superiores, também ΦΙΛΗΜΩΝ ficou diferente. Inicialmente foi para mim um mago que vivia num país distante, mas depois senti sua proximidade e, desde que o Deus se elevou, sei que ΦΙΛΗΜΩΝ me embriagou e me inspirou uma linguagem estranha a mim mesmo e um outro sentir. Tudo isso desapareceu quando o Deus se elevou e só ΦΙΛΗΜΩΝ possuía aquela linguagem. Mas eu senti que ele trilhava outros caminhos e não o meu. A grande maioria do que escrevi nas primeiras partes deste livro foi ΦΙΛΗΜΩΝ que me inspirou[4].

Estas referências às "partes anteriores deste livro" sugerem que tudo isto constitui na verdade um só livro e que os *Aprofundamentos* foram considerados por Jung como parte do *Liber Novus*.

Esta opinião é apoiada pelo número de conexões internas entre os textos. Um exemplo é o fato de que os mandalas do *Liber Novus* estão estreitamente ligados à experiência do si-mesmo, e a percepção de sua centralidade é descrita só nos *Aprofundamentos*. Outro exemplo ocorre no *Liber Secundus*, capítulo 15: quando Ezequiel e seus companheiros anabatistas chegam, eles dizem a Jung que estão indo aos lugares santos de Jerusalém, porque não estão em paz já que não completaram plenamente a vida. Nos *Aprofundamentos*, os mortos reaparecem, dizendo a Jung que estiveram em Jerusalém, mas não encontraram o que ali procuravam. Nesse momento aparece Filêmon e começam os *Septem Sermones*. Talvez Jung tenha pretendido transcrever os *Aprofundamentos* no volume caligráfico e ilustrá-los, já que existem muitas páginas em branco.

A 8 de janeiro de 1958, Cary Baynes perguntou a Jung: "Você se lembra que me mandou copiar um bom pedaço do próprio *Livro Vermelho* enquanto você esteve na África? Cheguei até ao início dos *Aprofundamentos*. Isto vai além do que Frau Jaffé colocou à disposição de K.W. [Kurt Wolff] e ele gostaria de lê-lo. Está OK?"[5] Jung respondeu a 24 de janeiro: "Não tenho objeções a que você empreste suas notas do 'Livro Vermelho' a Mr. Wolff"[6]. Aqui parece que também Cary Baynes considerava os *Aprofundamentos* como parte do *Liber Novus*.

Nas citações feitas nas notas, as elipses foram indicadas por três pontos. Não foram acrescentadas novas ênfases.

3 Cf. adiante, p. 336.
4 Cf. adiante, p. 339.
5 *JA*.
6 *JA*.

Liber Primus

[fol. i(r)][1]

O caminho do que há de vir

Isaías dixit: quis credidit auditui nostro et brachium Domini cui revelatum est? Et ascendet sicut virgultum coram eo et sicut radix de terra sitienti non est species ei neque decor et vidimus eum et non erat aspectus et desideravimus eum: despectum et novissimum virorum virum dolorum e scientem infirmitatem et quasi absconditus vultus eius et despectus unde nec reputavimus eum. vere languores nostros ipse tulit et dolores nostros ipse portavit et nos putavimus eum quasi leprosum et percussum a Deo et humiliatum. cap.liii/i-iv.

parvulus enim natus est nobis filius datus est nobis et factus est principatus super umerum eius et vocabitur nomen eius Admirabilis consiliarius Deus fortis Pater futuri saeculi princeps pacis. caput ix/vi.

[Isaías disse: Quem creu naquilo que ouvimos, e a quem se revelou o braço de Javé? Ele cresceu diante dele como um rebento, como raiz que brota de uma terra seca; não tinha beleza nem esplendor que pudesse atrair o nosso olhar, nem formosura capaz de nos deleitar. Era desprezado e abandonado pelos homens, um homem sujeito à dor, familiarizado com a enfermidade, como uma pessoa de quem todos escondem o rosto; desprezado, não fazíamos caso nenhum dele. E, no entanto, eram as nossas enfermidades que ele levava sobre si, as nossas dores que ele carregava. Mas nós o tínhamos como vítima do castigo, ferido por Deus e humilhado][2].

["Porque um menino nos nasceu, um filho nos foi dado, ele recebeu o poder sobre seus ombros, e lhe foi dado este nome: Conselheiro-maravilhoso, Deus-forte, Pai-eterno, Príncipe-da-paz" (Is 9,6)[3].]

Ioannes dixit: et Verbum caro factum est et habitavit in nobis et vidimus gloriam eius quasi unigeniti a Patre plenum gratiae et veritatis. Ioann.cap.i/xiiii.

[João disse: E o Verbo se fez carne e habitou entre nós, e nós vimos sua glória, glória que Ele tem junto ao Pai como filho único, cheio de graça e de verdade (Jo 1,14).]

Isaías dixit: laetabitur deserta et invia et exultabit solitudo et florebit quasi lilium. germinans germinabit et exultabit laetabunda et laudans. tunc aperientur oculi caecorum et aures sordorum patebunt. tunc saliet sicut cervus claudus aperta erit lingua mutorum: quia scissae sunt in deserto aquae et torrentes in solitudine et quae erat arida in stagnum et sitiens in fontes aquarum. in cubilibus in quibus prius dracones habitabant orietur viror calami et iunci. et erit tibi semita et via sancta vocabitur. non transibit per eam pollutus et haec erit vobis directa via ita ut stulti non errent per eam. cap. xxxv.

[Isaías disse: Alegrem-se o deserto e a terra seca, rejubile-se a estepe e floresça; como o narciso, cubra-se de flores, sim, rejubile-se com grande júbilo e exulte... Então se abrirão os olhos dos cegos, e os ouvidos dos surdos se desobstruirão. Então o coxo saltará como o cervo, e a língua do mudo cantará canções alegres, porque a água jorrará do deserto, e rios, da estepe. A terra seca se transformará em brejo, e a terra árida em mananciais de água. Onde repousavam os chacais surgirá um campo de juncos e de papiros. Ali haverá uma estrada – um caminho que será chamado caminho sagrado. O impuro não passará por ele, ele mesmo andará por esse caminho, de modo que até os estultos não se desgarrarão (Is 35,1-8)[4].]

manu prop[ria] script[um] a C.G.Jung an[n]o Do[mini] mcmxv in dom[u] s[ua] Kusnacht Turic[ense?].

[Escrito de próprio punho por C.G. Jung no ano do Senhor de 1915 em sua casa de Küsnacht/Zurique.]

/ [HI i(v)] [2] Quando falo em espírito dessa época[5], preciso dizer: ninguém e nada pode justificar o que vos devo anunciar. Justificação para mim é algo supérfluo, pois não tenho escolha, mas eu devo. Eu aprendi que, além do espírito dessa época, ainda está em ação outro espírito, isto é, aquele que governa a profundeza de todo o presente[6]. O espírito dessa época gostaria de ouvir sobre lucros e valor. Também eu pensava assim e meu humano ainda pensa assim. Mas aquele outro espírito me força a falar apesar disso para além da justificação, de lucros e de sentido. Cheio de vaidade humana e cego pelo ousado espírito dessa época, procurei por muito tempo manter afastado de mim aquele outro espírito. Mas não me dei conta de que o espírito da profundeza possui, desde sempre e pelo futuro afora, maior poder do que o espírito dessa época que muda com as gerações. O espírito da profundeza submeteu toda vaidade e todo orgulho à força do juízo. Ele tirou de mim a fé na ciência, ele me roubou a alegria da explicação e do ordenamento, e fez com que se extinguisse em mim a dedicação aos ideais dessa época. Forçou-me a descer às coisas mais simples e que estão em último lugar. fol. i(r)/i(v)

O espírito da profundeza tomou minha razão e todos os meus conhecimentos e os colocou a serviço do inexplicável e do absurdo. Ele me roubou fala e escrita sobre tudo que não estivesse a serviço disto, isto é, da interfusão de sentido e absurdo, que produz o sentido supremo.

Mas o sentido supremo é o trilho, o caminho e a ponte para o porvir. É o Deus que vem – não é o próprio Deus, mas sua imagem que se manifesta no sentido supremo[7]. Deus é uma imagem, e aqueles que o adoram devem adorá-lo na imagem do sentido supremo.

1 Os manuscritos medievais eram numerados por fólios em vez de por páginas. O lado da frente do fólio é o *rectum* (a página da direita de um livro aberto), e o lado de trás é o *versum* (a página à esquerda de um livro aberto). No *Liber Primus*, Jung seguiu esta prática. Voltou à paginação contemporânea no Liber Secundus.

2 Essas passagens são tiradas da Bíblia de Lutero. Em 1921, Jung citou os três primeiros versos dessa passagem (da Bíblia de Lutero), observando: "O nascimento do Salvador, isto é, o aparecimento do símbolo, acontece justamente onde não é esperado e exatamente onde a solução é a mais improvável" (*Tipos psicológicos*. OC, 6, § 484s.).

3 Em 1921, Jung cita essa passagem, observando: "A natureza do símbolo redentor é a de uma criança, isto é, a atitude de criança ou atitude não preconcebida faz parte do símbolo e de sua função. A atitude 'de criança' faz com que automaticamente surja no lugar do voluntarismo próprio e da intencionalidade racional um outro princípio orientador tão onipotente quanto divino. O princípio orientador é de natureza irracional, razão por que se manifesta sob a capa do maravilhoso. Isto foi muito bem expresso por Is 9,5. Esses atributos indicam as qualidades essenciais do símbolo redentor... O critério da ação 'divina' é a força irresistível do impulso inconsciente" (OC, 6, § 491-492).

4 Em 1955/1956, Jung observou que a união dos opostos dos poderes destrutivos e construtivos do inconsciente formam um paralelo com a realização do estado messiânico descrito por Isaías nesta passagem (OC, 14, § 258).

5 No *Fausto* de Goethe, Fausto diz: "O que significa para vós o espírito dos tempos, /isto é no fundo o espírito do próprio Senhor, /no qual os tempos se espelham" (*Faust* I, linhas 577-579).

6 O *esboço* continua: "isto me disse alguém que não me conhecia, mas a quem cabia evidentemente sabê-lo: 'Que tarefa notável tu tens! Precisas revelar às pessoas todo teu mais íntimo e mais inferior'. Mas a isto me recusei, pois não detestava outra coisa mais do que isso que me pareceu lascívia e falta de respeito" (p. 1).

7 Em *Transformações e símbolos da libido* (1912), Jung interpretou Deus como um símbolo da libido (OC, B, § 111). Na versão reformulada, Jung deu grande ênfase à distinção entre a imagem de Deus e a existência metafísica de Deus (cf. passagens acrescentadas à edição revista e com novo título (1952) de *Símbolos da transformação* (OC, 5, § 95).

O sentido supremo não é um sentido e não é um absurdo, é imagem e força ao mesmo tempo, glória e força juntas.

O sentido supremo é começo e meta. É ponte de passagem para o outro lado e realização[8].

Os outros deuses morreram em sua temporalidade, mas o sentido supremo não morre, ele se transforma em sentido e então em absurdo, e do fogo e do sangue da colisão de ambos reergue-se o sentido supremo rejuvenescido.

A imagem de Deus tem uma sombra. O sentido supremo existe realmente e lança uma sombra. Pois o que poderia existir real e corporalmente e não ter nenhuma sombra?

A sombra é a tolice. É desprovida de força e não tem existência em si. Mas a tolice é a irmã inseparável e imortal do sentido supremo.

Como as plantas, assim também crescem as pessoas, algumas na luz, outras na sombra. São muitas as que precisam da sombra e não da luz.

A imagem de Deus lança uma sombra que é tão grande quanto ele próprio.

O sentido supremo é grande e pequeno, é amplo como o espaço do céu estrelado e estreito como a célula do corpo vivo.

O espírito dessa época em mim queria muito conhecer a grandeza e amplidão do sentido supremo, mas não sua pequenez. Mas o espírito da profundeza venceu este orgulho, e eu tive de engolir o pequeno como um remédio da imortalidade. Ele queimou naturalmente minhas entranhas, pois era inglório, não heroico, e era até mesmo ridículo e repugnante. Mas a tenaz do espírito da profundeza me segurou, e eu tive de tomar a mais amarga de todas as bebidas[9].

O espírito dessa época tentou-me com as ideias de que tudo isso pertencia ao lado sombrio da imagem de Deus. Isto seria engano pernicioso, pois a sombra é a tolice. Mas o pequeno, o estreito e o cotidiano não é nenhuma tolice, e sim uma das duas essências da divindade. Eu me recusava a reconhecer que o cotidiano pertencesse à imagem da divindade. Eu afugentava esses pensamentos, eu me escondia deles atrás das estrelas mais altas e mais geladas. Mas o espírito da profundeza me apanhou e forçou a bebida amarga entre meus lábios[10].

O espírito dessa época disse-me em voz baixa: "Este sentido supremo, esta imagem de Deus, esta interfusão do quente e do frio, isto és tu e somente tu". Mas o espírito da profundeza falou-me[11]: "Tu és uma imagem do mundo infinito, todos os últimos mistérios do vir a ser e do cessar de ser moram em ti. Se não possuísses tudo isso, como poderias conhecer?"

Em consideração à minha fraqueza humana, o espírito da profundeza deu-me esta palavra. Também esta palavra é supérflua, pois não falo por causa dela, mas porque eu preciso. Pelo fato de o espírito me roubar a alegria e a vida se eu não falar, por isso eu falo[12]. Sou o servo que o traz, e que não sabe o que sua mão carrega. Queimaria sua mão se não o colocasse lá onde o senhor manda que o coloque.

O espírito de nossa época falou-me e disse: "Que necessidade poderia ser essa que te obriga a falar tudo isso?" Esta tentação foi difícil. Queria refletir qual necessidade interna ou externa poderia forçar-me a isso, e porque não encontrei nenhuma necessidade compreensível, estive prestes a imaginar uma. Com isso, o espírito dessa época quase consentiu que, em vez de falar, eu continuasse a pensar em fundamentos e explicações. Mas o espírito da profundeza me falou e disse: "Entender uma coisa é ponte e possibilidade de voltar ao trilho. Mas explicar uma coisa é arbitrariedade e às vezes até assassinato. Contaste os assassinos entre os eruditos?"

Mas o espírito dessa época aproximou-se de mim e colocou à minha frente grossos livros que continham todo o meu saber; suas páginas eram de metal, e um estilete de ferro gravara nelas palavras implacáveis; ele apontou para aquelas palavras implacáveis, falou para mim e disse: "Aquilo que tu falas, isto é a loucura".

É verdade, é verdade, é a dimensão, a embriaguez e a feiura da loucura o que eu falo.

Mas o espírito da profundeza aproximou-se de mim e falou: "O que tu falas é. O tamanho é, a embriaguez é, a trivialidade desprezível, doente, ignorante é, percorre todos os caminhos, mora em todas as casas e rege o dia de toda a humanidade. Também os astros eternos são banais. Ela é a grande senhora e a única essência da divindade. Zomba-se dela, também a zombaria é. Acreditas tu, homem dessa época, que a zombaria é menos que a adoração? Onde estão tuas medidas, falso medidor?[13] A soma da vida na zombaria e na adoração é que decide, não teu julgamento".

Preciso falar também do ridículo. Vós, pessoas vindouras! Conhecereis o sentido supremo no fato de ele ser a zombaria e a adoração, uma zombaria sangrenta e uma adoração sangrenta: o sangue sacrificial une os polos. Quem sabe disso zomba e adora no mesmo respirar.

Mas depois disso apresentou-se diante de mim minha condição de ser humano e falou: "Que solidão, que frieza do abandono colocas sobre mim quando falas assim! Lembra-te da destruição do sendo e dos rios de sangue do sacrifício monstruoso que a profundeza exige"[14].

Mas o espírito da profundeza disse: "Ninguém pode nem deve impedir o sacrifício. Sacrifício não é destruição. Sacrifício é pedra angular do que virá. Não tivestes mosteiros? Não foram para o deserto inúmeros milhares? Deveis trazer mosteiros dentro de vós mesmos. O deserto está em vós. O deserto vos chama e vos puxa de volta, e se estivésseis chumbados com ferro ao mundo dessa época, o chamado do deserto quebra todas as correntes. Verdadeiramente, eu vos preparo para a solidão".

Depois disso, calou-se meu ser humano. Mas ao meu ser espiritual aconteceu algo que preciso chamar de graça.

Minha linguagem é imperfeita. Não que eu queira brilhar com palavras, mas por incapacidade de encontrar aquelas palavras é que falo em imagem. Pois não posso pronunciar de outro modo as palavras da profundeza.

A graça que me aconteceu deu-me fé, esperança, ousadia suficiente para não continuar resistindo ao espírito da profundeza, mas falar suas palavras. Mas antes que pudesse cobrar ânimo para assim proceder, precisei de um sinal visível que me mostrasse que

8 Os termos *hinübergehen* (ir para o além), *Übergang* (transição), *Untergang* (declínio) e *Brücke* (ponte) sobressaem no *Zaratustra*, de Nietzsche, em relação à passagem do homem para o *Übermensch* (além-homem). Exemplo: "A grandeza do homem consiste em ser uma ponte e não uma meta: o que se pode amar no homem é ser ele ascensão e um declínio. Amo aos que não sabem viver senão com a condição de perecer, porque, perecendo, eles passam além" (Petrópolis: Vozes, 2007, "Prólogo", 4, p. 22 [Trad. de Mario Ferreira dos Santos – Palavras sublinhadas como no exemplar de Jung].

9 Jung parece estar se referindo a episódios que ocorrem mais tarde no texto: a cura de Izdubar (*Liber Secundus*, cap. 9), e o beber da bebida amarga, preparada pelo solitário (*Liber Secundus*, cap. 20).

10 O *esboço* continua: "Quem bebe esta bebida jamais terá sede nem no aquém e nem no além, pois bebeu a passagem para o além e a realização. Ele bebeu o metal derretido que se solidifica em duro metal em sua alma e espera por nova fusão e mistura" (p. 4).

11 O volume caligráfico tem: "~~este sentido supremo~~".

12 O *esboço* continua: "Quem sabe, este me compreende e vê que não minto. Cada qual pergunte à sua profundeza se ele precisa daquilo que eu falo" (p. 4).

13 Lit. *Vermessener*. Isso traz também a conotação do adjetivo *vermessen*, ou seja, uma falta ou perda de medida, e por isso implica confiança excessiva, presunção.

14 Uma referência à visão que se segue.

o espírito da profundeza em mim é também ao mesmo tempo o senhor da profundeza do que acontece no mundo.

[15]Aconteceu em outubro de 1913, quando estava sozinho numa viagem, que fui de repente surpreendido em pleno dia por uma visão: vi um dilúvio gigantesco que encobriu todos os países nórdicos e baixos entre o Mar do Norte e os Alpes. Estendia-se da Inglaterra até a Rússia, das costas do Mar do Norte até quase os Alpes. Eu via as ondas amarelas, os destroços flutuando e a morte de incontáveis milhares.

Esta visão durou duas horas, ela me desconcertou e me fez mal. Não fui capaz de interpretá-la. Passaram-se duas semanas e então a visão voltou mais impetuosa do que antes, e uma voz interior falou: "Observa bem, é totalmente real e assim será. Não podes desesperar por isso". Eu lutei novamente por duas horas com esta visão, mas ela me manteve preso. Isto me deixou esgotado e perturbado. E pensei que meu espírito havia ficado doente[16].

Daí em diante voltou o medo do pavoroso acontecimento que deveria ficar diretamente diante de nós. Uma vez também vi um mar de sangue sobre os países nórdicos.

Em 1914, no começo e no final de junho e no início de julho tive por três vezes o mesmo sonho: eu estava num país estranho e, de repente, durante a noite, e bem no meio do verão sobreveio do universo um frio inexplicável e terrível; todos os mares e rios ficaram congelados, todo o verde morreu queimado pelo frio.

O segundo sonho foi bem semelhante a este. O terceiro, no início do mês de julho, foi assim:

Eu estava num distante país de língua inglesa[17]. Era preciso que eu voltasse ao meu país o mais rápido possível num navio bem veloz[18]. Cheguei rapidamente a casa[19]. Em casa deparei-me com o fato de que em pleno verão havia irrompido um frio tremendo a partir do mundo ambiente, que congelou todo ser vivo. Havia ali uma árvore carregada de folhas, mas sem frutos; as folhas se haviam transformado, pela ação do gelo, em doces bagos de uva, cheios de suco medicinal[20]. Colhi as uvas e as dei de presente a uma grande multidão que aguardava[21].

Na realidade aconteceu o seguinte: Na época em que estourou a grande guerra entre as nações da Europa eu me encontrava na Escócia[22]; obrigado pela guerra, decidi voltar para casa no navio mais rápido pelo caminho mais curto. Encontrei o frio monstruoso que tudo congelou, encontrei o dilúvio, o mar de sangue, e encontrei minha árvore sem frutos, cujas folhas o gelo havia transformado em remédio. E eu colhi as frutas maduras e as dei a vós e não sei o que dei de presente a vós, que doce-amarga bebida da embriaguez que deixou um gosto de sangue em vossa língua.

Acreditai-me[23]: *não é nenhuma doutrina nem alguma instrução que vos dou. Donde haveria de buscar para querer instruir-vos? Eu vos informo o caminho dessa pessoa, seu caminho, mas não o vosso caminho. Meu caminho não é o vosso caminho, portanto*

/ *não vo-lo posso ensinar*[24]. *O caminho está em nós, mas não em deuses, nem em doutrinas, nem em leis. Em nós está o caminho, a verdade e a vida.* fol. i(v)/ii(r)

Ai daqueles que vivem segundo exemplos! A vida não está com eles. Se viveis segundo um exemplo, viveis então a vida do exemplo, mas quem deve viver vossa vida a não ser vós mesmos? Portanto, vivei a vós mesmos[25].

Os indicadores do caminho caíram, trilhas indeterminadas estão diante de nós[26]. *Não sejais gulosos em engolir os frutos de campos estranhos. Não sabeis que vós mesmos sois o campo fértil que produz tudo o que vos aproveita?*

Mas quem sabe disso hoje em dia? Quem conhece o caminho para o eterno e fértil campo da alma? Procurais o caminho através de coisas exteriores, ledes livros e ouvis opiniões: de que serve?

Só existe um caminho, e este é o vosso caminho[27].

Procurais o caminho? Eu vos previno contra o meu caminho. Pode ser um descaminho para vós.

Cada qual anda o seu caminho.

Não quero ser para vós nenhum salvador, nenhum legislador, nenhum educador. Já não sois crianças[28].

O legislar, o querer melhorar, o tornar mais fácil transformou-se em um erro e um mal. Cada qual procure seu caminho. O caminho conduz ao amor mútuo em comunidade. As pessoas vão ver e sentir a semelhança e comunhão de seus caminhos.

Leis e doutrinas comuns precisa a pessoa para o estar só, a fim de escapar da pressão da comunidade não desejada, mas o estar só torna a pessoa hostil e venenosa.

Daí, portanto, a dignidade à pessoa e permiti que fique só, a fim de que encontre sua comunidade e a ame.

A violência está contra a violência, desprezo contra desprezo, amor contra amor. Daí à humanidade a dignidade e confiai que a vida encontrará o melhor caminho.

O único olho da divindade é cego, o único ouvido da divindade é surdo, sua ordem é cruzada pelo caos. Portanto, sede pacientes com o aleijado do mundo e não superestimai sua beleza perfeita[29].

O reencontro da alma

[HI ii(r)][30]

Cap. 1.[31]

[2] Quando tive, em outubro de 1913, a visão do dilúvio, isto aconteceu numa época que foi muito importante para mim como pessoa. Naquele tempo, por volta dos meus quarenta anos de vida, havia alcançado tudo o que eu desejara. Havia conseguido fama, poder, riqueza, saber e toda a felicidade humana. Cessou minha ambição de

15 O *esboço* corrigido tem: "No começo" (p. 7)
16 Jung discutiu esta visão em várias oportunidades, acentuando diferentes detalhes: no seminário de 1925 *Analytical Psychology* (p. 41s.), para Mircea Eliade (ver acima, p. 201) e em *Memórias* (p. 210). Jung estava a caminho de Schaffhausen, onde vivia sua sogra e cujo quinquagésimo sétimo aniversário era no dia 17 de outubro. A viagem de trem leva aproximadamente uma hora.
17 O *esboço* continua: "com um amigo (cuja falta de perspicácia e imprudência já me haviam chamado a atenção mais vezes" (p. 8).
18 O *esboço* continua: "meu amigo queria voltar num veleiro pequeno e vagaroso, o que eu achei bobagem e imprudência" (p. 8).
19 O *esboço* continua: "e encontrei lá curiosamente também meu amigo que obviamente havia aproveitado o mesmo navio rápido, sem que eu o percebesse" (p. 8-9).
20 Vinho congelado é feito deixando-se as uvas na vinha até que fiquem congeladas. Depois são espremidas, e o gelo retirado, resultando em um vinho doce, muito saboroso e altamente concentrado.
21 O *esboço* continua: "Este foi meu sonho. Todo esforço de interpretá-lo foi em vão. Esforcei-me durante vários dias. Mas a impressão que deixou foi poderosa" (p. 9). Jung também conta esse sonho em *Memórias* (p. 211).
22 Ver introdução, p. 201.
23 No esboço isto é dirigido a "meus amigos" (p. 9).
24 Cf. o contraste com Jo 14,6: "Jesus lhe respondeu: Eu sou o caminho, a verdade e a vida. Ninguém vem ao Pai senão por mim".
25 O *Esboço* continua: "Isto não é uma lei, mas um anúncio do fato de que havia passado o tempo do exemplo e da lei e da linha reta previamente traçada" (p. 10).
26 O *esboço* continua: "Minha língua seque se eu vos apresentar leis, se vos engambelar com doutrinas. Quem procura isso sairá com fome de minha mesa" (p. 10).
27 O *Esboço* continua: "existe uma só lei, e essa é a vossa lei. Existe uma só verdade, e essa é a vossa verdade" (p. 10).
28 O *esboço* continua: "Não se deve fazer da pessoa uma ovelha, mas da ovelha uma pessoa. Isto exige o espírito da profundeza que está além do tempo presente e passado. Falai e escrevei para aqueles que querem ouvir e ler. Mas não corrais atrás das pessoas, para não manchar a dignidade da humanidade – ela é um bem tão raro. É preferível um declínio triste com dignidade do que um ser sadio sem dignidade. Quem quer ser um médico de almas trata a pessoa como doente. Ele ofende a dignidade humana. É uma impertinência dizer que a pessoa está doente. Quem quer ser um pastor de almas trata as pessoas como ovelhas. Fere a dignidade humana. É um desrespeito dizer que a pessoa é como uma ovelha. Quem vos dá o direito de dizer que a pessoa está doente ou é uma ovelha? Dai-lhe a dignidade para que possa encontrar sua ascensão ou decadência, seu caminho" (p. 11).
29 O *esboço* continua: "Isto é tudo, meus prezados amigos, que posso dizer-vos sobre os fundamentos e intenções de minha mensagem que me é imposta, como ao burro paciente, o peso opressor. Ele se alegra ao descarregá-lo" (p. 12).
30 No texto, Jung identifica o pássaro branco como sendo sua alma. Para a explanação de Jung da pomba na alquimia, ver *Mysterium coniunctionis* (1955/1956. OC, 14, § 81).
31 O *esboço corrigido* tem: "Primeira noite" (p. 13).

aumentar esses bens, a ambição retrocedeu em mim, e o pavor se apoderou de mim[32]. A visão do dilúvio tomou conta de mim, e eu senti o espírito da profundeza, mas eu não o entendia[33]. Mas ele me forçou com um desejo interior insuportável e eu disse[34]:

[1] "Minha alma, onde estás? Tu me escutas? Eu falo e clamo a ti – estás aqui? Eu voltei, estou novamente aqui – eu sacudi de meus pés o pó de todos os países e vim a ti, estou contigo; após muitos anos de longa peregrinação voltei novamente a ti. Devo contar-te tudo o que vi, vivenciei, absorvi em mim? Ou não queres ouvir nada de todo aquele turbilhão da vida e do mundo? Mas uma coisa precisas saber: uma coisa eu aprendi: que a gente deve viver esta vida.

Esta vida é o caminho, o caminho de há muito procurado para o inconcebível, que nós chamamos divino[35]. Não existe outro caminho. todos os outros caminhos são trilhas enganosas. Eu encontrei o caminho certo, ele me conduziu a ti, à minha alma. Eu volto retemperado e purificado. Tu ainda me conheces? Quanto tempo durou a separação! Tudo ficou tão diferente! E como te encontrei? Maravilhosa foi minha viagem. Com que palavras devo descrever-te? Por que trilhas emaranhadas uma boa estrela me conduziu a ti? Dá-me tua mão, minha quase esquecida alma. Que calor de alegria rever-te, minha alma muito tempo renegada! A vida reconduziu-me a ti. Vamos agradecer à vida o fato de eu ter vivido, todas as horas felizes e tristes, toda alegria e todo sofrimento. Minha alma, contigo deve continuar minha viagem. Contigo quero caminhar e subir para minha solidão"[36].

[2] Foi isto que o espírito da profundeza me obrigou a falar e ao mesmo tempo viver contra mim mesmo, pois não o esperava. Naquele tempo estava ainda totalmente preso ao espírito dessa época e pensava de outro modo sobre a alma humana. Eu pensava e falava muita coisa da alma, sabia muitas palavras eruditas sobre ela, eu a analisei e fiz dela um objeto da ciência[37]. Não tomei em consideração que minha alma não pode ser objeto de meu juízo e saber; antes, meu juízo e saber são objetos de minha alma[38]. Por isso obrigou-me o espírito da profundeza a falar para a alma, a invocá-la como um ser vivo e subsistente em si mesmo. Eu tinha de entender que havia perdido minha alma.

Disso aprendemos o que o espírito da profundeza pensa da alma: ele a vê como um ser vivo subsistente em si mesmo, e assim contradiz o espírito dessa época, para o qual a alma é um objeto dependente da pessoa, que se deixa julgar e ordenar e cuja extensão nós podemos compreender. Tive de reconhecer que aquilo que anteriormente eu designei como minha alma não foi na verdade minha alma, mas um sistema doutrinário morto[39]. Por isso tive de falar à minha alma como a algo distante e desconhecido, que não tem existência através de mim, mas através do qual eu tenho existência.

Aquele cuja cobiça se aparta das coisas externas, este chega ao lugar da alma[40]. Se não encontrar a alma, será acometido pelo horror do vazio, e o medo vai expulsá-lo com um chicote de várias tiras para uma aspiração desesperada e para uma cobiça cega das coisas ocas deste mundo. Tornar-se-á um bobo de sua cobiça ilimitada e se perderá de sua alma para nunca mais encontrá-la. Correrá atrás de todas as coisas, vai puxá-las todas para si, mas não encontrará nelas sua alma, pois só a encontrará dentro de si mesmo. É óbvio que sua alma está nas coisas e nas pessoas, mas o cego agarra as coisas e as pessoas, mas não sua alma nas coisas e nas pessoas. Não sabe nada a respeito de sua alma. Como poderia distingui-la das pessoas e das coisas? Ele encontraria, sim, sua alma na própria cobiça, mas não nos objetos da cobiça. Se ele possuísse sua cobiça, e não sua cobiça o possuísse, teria colocado uma mão sobre a alma, pois sua cobiça é imagem e expressão de sua alma[41].

Possuindo a imagem de uma coisa, possuímos a metade da coisa.

A imagem do mundo é a metade do mundo. Quem possui o mundo, mas não sua imagem, possui só a metade do mundo, pois sua alma é pobre e sem bens. A riqueza da alma consiste de imagens[42]. Quem possui a imagem do mundo possui a metade do mundo, mesmo quando seu humano é pobre e sem bens[43]. Mas a fome transforma a alma em fera que engole o prejudicial e com isso se envenena. Meus amigos, é sábio alimentar a alma, senão criareis dragões e demônios em vossos corações[44].

32 O *esboço do manuscrito* tem: "Prezados amigos!" (p. 1). O *esboço* tem: "Prezados amigos!" (p. 1). Em sua preleção na ETH a 14 de junho de 1935, Jung observou: "Por volta do trigésimo quinto ano, existe um ponto em que as coisas começam a mudar, é o primeiro momento do lado sombrio da vida, do descer para a morte. É evidente que Dante encontrou este ponto e os que leram *Zaratustra* saberão que Nietzsche também o descobriu. Quando chega este momento crítico, as pessoas o enfrentam de diversas maneiras: algumas não o aceitam; outras mergulham nele; e para outras ainda algo importante acontece a partir de fora. Se não vemos algo, o Destino no-lo faz ver" (HANNAH, B. (org.). *Modern Psychology* – Vol. 1 and 2: Notes on Lectures given at the Eidgenössische Technische Hochschule, Zürich, by Prof. Dr. C.G. Jung, October 1933-July 1935, 2. ed. Zurique: Ed. Privada, 1959, p. 223).

33 A 27 de outubro de 1913, Jung escreveu a Freud rompendo relações com ele e demitindo-se do cargo de editor do *Jahrbuch für Psychoanalytische und Psychopathologische Forschungen* (McGUIRE, W. & SAUERLANDER, W. (orgs.). *Sigmund Freud C.G. Jung Briefwechsel*. Frankfurt am Main: Fischer Verlag, 1974, p. 612).

34 Em novembro de 1913 (nas notas a seguir, as datas das fantasias específicas foram tiradas dos *Livros Negros*). Após "desejo", o *esboço* tem: "no começo do mês seguinte tomar minha caneta e escrever isto" (p. 13).

35 Esta afirmação ocorre diversas vezes nos escritos tardios de Jung – cf., por exemplo, PRATT, J. "Notes on a talk given by C.G. Jung: 'Is analytical psychology a religion?'" *Spring Journal of Archetypal Psychology and Jungian Thought*, 1972, p. 148.

36 Mais tarde Jung descreveu sua transformação pessoal ocorrida neste tempo como um exemplo do início da segunda metade da vida, que frequentemente assinalou um retorno à alma, depois de alcançadas as metas e as ambições da primeira metade da vida (*Símbolos da transformação*, 1952. OC, 5, p. xxvi). Veja também: "As etapas da vida humana", 1930. OC, 8/2).

37 Jung se refere aqui à sua obra mais antiga. Ele escreveu por exemplo em 1905: "O experimento de associações ao menos nos fornece os meios de traçar o caminho da pesquisa experimental para chegar aos segredos da psique doentia" (OC, 2, § 897).

38 Em *Tipos psicológicos* (1920), Jung observou que na psicologia, as concepções são "um produto da constelação psicológica subjetiva do pesquisador" (OC, 6, § 8). Esta reflexão constituiu tema importante em sua obra posterior (cf. SHAMDASANI. *Jung and the Making of Modern Psychology*: The Dream of a Science. Cambridge: Cambridge University Press, 2003, § 1).

39 O *esboço* continua: "um sistema morto de ensino, por mim excogitado e montado com as chamadas experiências e julgamentos" (p. 16).

40 Em 1913, Jung chama este processo de introversão da libido ("A questão dos Tipos Psicológicos". OC, 6).

41 Em 1912, Jung havia escrito: "É um erro comum *julgar o desejo segundo a qualidade do objeto*... A natureza só é bela devido ao desejo e ao amor, que lhe concede a pessoa. Os atributos estéticos que daqui emanam aplicam-se primeiramente à libido que sozinha constitui a beleza da natureza" (*Transformações e símbolos da libido*. OC, B, § 147).

42 Em *Tipos psicológicos*, Jung articulou esta primazia da imagem através de sua noção de *esse in anima* (OC, 6, § 63s., 73s.). Em suas anotações diárias, Cary Baynes comentou a respeito desta passagem: "O que me impressionou especialmente foi o que o Sr. falou sobre o fato de a "Bild" ser metade do mundo. Essa é a coisa que torna a humanidade tão estúpida. Não entenderam essa coisa. O mundo, essa é a coisa que os mantém extasiados. Eles nunca consideraram "das Bild" seriamente a não ser que tenham sido poetas" (8 de fevereiro de 1924, escritos de Baynes).

43 O *esboço* continua: "Quem ambiciona coisas, este empobrece com o aumento de riquezas exteriores, e sua alma sucumbe a uma doença crônica" (p. 17).

44 O *esboço* continua: "Esta alegoria do reencontro da alma, meus amigos, deve mostrar-vos que só me vistes como meia pessoa, pois eu me havia perdido de minha alma. Com certeza, não o percebestes; pois quantos estão hoje com sua alma? Mas sem alma não há caminho para além deste tempo" (p. 17). Em suas anotações diárias, Cary Baynes comentou esta passagem: "8 de fevereiro [1924]. Cheguei à conversação do Sr. com sua alma. Tudo que o Sr. diz é dito de maneira correta e é sincero. Não é o grito do homem jovem despertando para a vida, mas o do homem maduro que viveu plena e ricamente à maneira do mundo e no entanto, quase que abruptamente, certa noite, ouve alguém dizer que ele não atingiu a essência. A visão veio no auge de sua força, quando o Sr. poderia seguir em frente exatamente como o Sr. era, com perfeito sucesso material. Eu não sei como o Sr. teve força suficiente para prestar-lhe atenção. Concordo realmente com tudo o que o Sr. diz e o entendo. Todos os que perderam a conexão com sua própria alma ou que souberam como dar-lhe vida precisam ter uma oportunidade de ver este livro. Até agora cada palavra para mim está viva e fortalece-me justamente onde me sinto fraca. Mas, como o Sr. diz, hoje o mundo está muito longe de ter esta disposição. Isto não tem muita importância, um livro pode sacudir o mundo inteiro se for escrito com fogo e sangue" (escritos de Baynes).

Alma e Deus

[HI ii (r)2][45]
Cap. ii.

Na segunda noite chamei minha alma[46]:

"Estou cansado, minha alma, já dura demais o meu caminhar, minha busca por mim fora de mim. Passei através das coisas e fui encontrar-te atrás da miscelânea. Mas em minha viagem equivocada através das coisas descobri a humanidade e o mundo. Encontrei pessoas. E reencontrei a ti, minha alma, primeiramente em imagem na pessoa e, depois, a ti mesma. Encontrei-te lá onde menos esperava. De lá subiste para mim de um poço escuro. Tu te anunciaste previamente em sonhos[47]; eles queimavam em meu coração. Eles me impeliram para tudo o que era mais destemido e ousado e forçaram-me a elevar-me acima de mim mesmo. Tu me fizeste ver verdades das quais nada suspeitava antigamente. Fizeste-me percorrer caminhos cujo comprimento interminável me teria assustado se o conhecimento deles não estivesse escondido em ti.

Andei durante muitos anos, tanto que esqueci que possuía uma alma[48]. Onde estavas tu neste tempo todo? Que além te abrigava e te dava guarida? Oh, que tu tenhas de falar através de mim, que minha linguagem e eu sejamos para ti símbolo e expressão! Como devo decifrar-te?

Quem és tu, criança? Como criança, como menina, meus sonhos te representaram[49]; nada sei de teu mistério[50]. Perdoa, se falo como em sonho, como um bêbado – tu és Deus? Deus é uma criança, uma moça?[51] Perdoa, se falo coisas confusas. Ninguém me escuta. Eu falo no silêncio contigo, e tu sabes que não sou um bêbado, um alienado mental e que meu coração se revolve sob a ferida da qual a treva faz escárnio: "Tu mentes para ti. Falas assim para iludir os outros e fazer com que acreditem em ti. Queres ser profeta, mas corres atrás de tua ambição". A ferida ainda sangra, e eu estou longe de poder não escutar a própria fala do deboche.

Como soa estranho para mim chamar-te criança, tu que seguras em tua mão coisas infinitas[52]. Eu andei pelos caminhos do dia e tu foste, invisível comigo, unindo significativamente pedaço a pedaço e fizeste-me ver em cada pedaço um todo.

Tu retiraste aquilo em que eu pensava me segurar e me deste aquilo de onde eu nada esperava, e sempre de novo aduziste destinos de lados diferentes e inesperados. Onde eu semeava, tu me roubavas a colheita e onde eu não semeava, tu me davas frutos em cêntuplo. E sempre de novo perdia o fio, para encontrá-lo outra vez onde jamais teria esperado. Tu seguraste minha fé quando estava só e à beira do desespero. Tu fizeste com que em todos os momentos decisivos eu acreditasse em mim mesmo.

[2] Como um viandante cansado, que não procurou nada no mundo a não ser por ela, devo aproximar-me de minha alma. Devo aprender que por trás de tudo está, em última análise, minha alma, e se eu percorrer o mundo, acontecerá no fim que encontrarei minha alma. Mesmo as pessoas mais queridas não são meta e fim do amor que procuram, são símbolos da própria alma.

Meus amigos, adivinhais vós para qual solidão vamos subir?

Devo aprender que a espuma de meu pensar são meus sonhos, a linguagem de minha alma. Preciso carregá-los em meu coração e movimentá-los de cá para lá em meus sentidos, como as palavras da pessoa mais cara. Os sonhos são as palavras-guia da alma. Como então não deveria amar minha alma e fazer de suas imagens enigmáticas o objeto de minhas considerações diárias? Tu achas que o sonho é tolo e deselegante. O que é belo? O que é deselegante? O que é inteligente? O que é tolo? O espírito dessa época é tua medida. Mas o espírito da profundeza o sobrepuja nas duas pontas. Só o espírito dessa época conhece a diferença entre grande e pequeno; mas esta diferença é ilusória como o espírito que a conhece. / fol. ii(r)/ii(v)

O espírito da profundeza ensinou-me inclusive a considerar como dependentes dos sonhos meu agir e meu decidir. Os sonhos preparam a vida e eles te determinam sem que entendas sua linguagem[53]. Nós gostaríamos de aprender esta linguagem, mas quem é capaz de ensiná-la e aprendê-la? Pois só a erudição não basta; existe um saber do coração, que dá esclarecimentos mais profundos[54]. O saber do coração não é possível encontrá-lo em nenhum livro e em nenhuma boca de professor, mas ele nasce de ti como o grão verde, da terra preta. A erudição pertence ao espírito dessa época, mas este espírito não abrange de forma nenhuma o sonho, pois a alma está em toda a parte onde o saber ensinado não está.

Mas como posso conseguir o saber do coração? Só poderás conseguir este saber vivendo plenamente tua vida. Tu vives tua vida plenamente quando tu vives também aquilo que nunca viveste, mas sempre deixaste para que os outros o vivessem e pensassem[55]. Tu dirás: "Eu não posso viver ou pensar tudo o que os outros vivem e pensam". Mas deves dizer: "A vida que eu ainda poderia viver, eu deveria viver e o pensar que eu ainda poderia pensar, eu deveria pensar". Tu queres fugir de ti, para

45 Em 1945, Jung comentou o simbolismo do pássaro e da cobra em conexão com a árvore em "A árvore filosófica" (OC, 13).
46 14 de novembro de 1913.
47 O *esboço* continua: "que me eram obscuros e que eu procurava captar com minha capacidade insuficiente" (p. 18).
48 O *esboço* continua: "Eu pertencia às pessoas e às coisas. Não pertencia a mim". No *Livro Negro* 2, Jung afirma que vagueou por onze anos (p. 19). Parou de escrever neste livro em 1902, retomando-o no outono de 1913.
49 *Livro Negro* 2: "Somente através da alma da mulher encontrei-te novamente" (p. 8).
50 *Livro Negro* 2: "Vê, eu trago uma ferida comigo que ainda não sarou: minha ambição de causar impressão" (p. 8).
51 *Livro Negro* 2: "Preciso dizer-me francamente: Serve-se ele da imagem de uma criança, que mora dentro de cada pessoa? Não foram Hórus, Tages e Cristo crianças? Também Dioniso e Hércules eram crianças divinas. Não se denominou o Deus humanado, Cristo, a si mesmo *Filho do Homem*? Qual teria sido nisso sua ideia mais profunda? Será que o nome de Deus é a de *Filha do Homem*? (p. 9).
52 O *esboço* continua: "Quão espessa era a escuridão antiga! Quão forte e interesseira era minha paixão, subjugada por todos os demônios da ambição, da busca de fama, cobiça, estagnação, avidez de todo tipo, e quão ignorante eu era então! A vida me arrancou para fora e eu corri conscientemente para longe de ti e o fiz assim todos esses anos. Reconheço que tudo era bom. E eu pensava que tu estavas perdida, ou ao menos me parecia que eu estava perdido. Mas não estavas perdida. Eu andei pelos caminhos do dia.
Tu ias invisível comigo e me conduziste de degrau em degrau, juntando pedaço a pedaço" (p. 20-21).
53 Em 1912 Jung endossou a ideia de Maeder da função premonitória do sonho ("Tentativa de uma apresentação da teoria psicanalítica". OC, 4, § 452). Num debate na Sociedade Psicanalítica de Zurique a 31 de janeiro de 1913, Jung disse: "O sonho não é só satisfação de desejos infantis, mas é também simbólico para o futuro... O sonho dá a resposta através do símbolo, que a gente deve entender" (*MSZ*, p. 5). Sobre o desenvolvimento da teoria do sonho de Jung, cf. meu ensaio *Jung and the Making of Modern Psychology*: The Dream of a Science, seção 2.
54 Isto é um eco da famosa afirmação de Blaise Pascal: "O coração tem razões que a razão desconhece" (*Pensées*, 423 [ed. inglesa: Londres, Penguin, 1660/1995, p. 127]). O exemplar que Jung tinha da obra de Pascal contém numerosas notas marginais.
55 Em 1912, Jung afirmou que a escolaridade era insuficiente se alguém quisesse tornar-se um "conhecedor da alma humana". Para conseguir isso, a pessoa tinha de "pendurar no cabide as ciências exatas, tirar a beca professoral, despedir-se do gabinete de estudos e caminhar pelo mundo com um coração humano: no horror das prisões, nos asilos de alienados, nas tabernas dos subúrbios, nos bordéis e casas de jogo, nos salões elegantes, na bolsa de valores, nos 'meetings' socialistas, nas igrejas, nas seitas predicantes e extáticas, no amor e no ódio, em todas as formas de paixão vividas no próprio corpo" ("Novos caminhos da psicologia". OC, 7, § 409).
56 Em 1931, Jung fez um comentário sobre as consequências patogênicas da vida não vivida dos pais sobre seus filhos: "Via de regra, o fator que atua psiquicamente de um modo mais intenso sobre a criança é a vida que os pais não viveram. Esta afirmação poderia parecer algo sumária e superficial, sem a seguinte restrição: esta parte da vida a que nos referimos seria aquela que os pais poderiam ter vivido se não a tivessem ocultado mediante subterfúgios mais ou menos gastos" ("Introdução à obra de Frances G. Wickes, 'Análise da alma infantil'". OC, 17, § 87).

não teres de viver aquilo que não foi vivido até agora[56]. Mas não podes fugir de ti mesmo. Isto está todo o tempo contigo e exige realização. Se te colocares cega e surdamente esta exigência, tu te colocarás cega e surdamente contra ti mesmo. Então jamais alcançarás o saber do coração.

O saber do coração é como teu coração é.

De um coração mau, conheces coisa má.

De um coração bom, conheces coisa boa.

Para que vosso conhecimento seja completo, considerai que vosso coração é ambos: bom e mau. Tu perguntas: "Mas como? Devo também viver o mal?"

O espírito da profundeza exige: "A vida que ainda poderias viver, deverias viver. O bem decide, não teu bem, não o bem dos outros, mas o bem".

O bem está entre mim e os outros, na comunidade. Também eu vivia o que antes não fazia, e o que ainda podia fazer, eu vivia na profundeza, e a profundeza começou a falar. A profundeza me ensinou a outra verdade. Portanto juntou em mim sentido e absurdo.

Tive de reconhecer que sou apenas símbolo e expressão da alma. No sentido do espírito da profundeza, sou, enquanto estou neste mundo visível, um símbolo de minha alma, e sou totalmente servo, submissão, totalmente obediência. O espírito da profundeza ensinou-me a dizer: "Sou o servo de uma criança". Eu aprendo através dessa palavra sobretudo a extrema humildade, como aquilo que me faz mais falta.

O próprio espírito dessa época fez com que eu acreditasse em minha razão; deixou-me ver uma imagem de meu si-mesmo* como um chefe de ideias maduras. Mas o espírito da profundeza ensinou-me que sou um servidor e servidor de uma criança. Esta palavra repugnou-me e eu a odiei. Mas tive de reconhecer e admitir que minha alma é uma criança e que meu Deus é uma criança em minha alma[57].

Se sois rapazes, então vosso Deus é uma mulher.
Se sois mulheres, então vosso Deus é um rapaz.
Se sois homens, então vosso Deus é uma moça.
Deus está onde vós não estais.
Portanto: é sábio que se tenha um Deus. Isto serve para vossa perfeição.
Uma moça é futuro parturiente.
Um rapaz é futuro gerativo.
Uma mulher é: ter parido.
Um homem é: ter gerado.
Portanto: se sois crianças enquanto seres atuais, então vosso Deus descerá da altura da maturidade para a velhice e a morte.

Mas se sois seres adultos que geraram ou pariram, seja no corpo ou no espírito, então vosso Deus subirá de um berço radioso para a altura incomensurável do futuro, para a maturidade e plenitude do tempo que há de vir.

Quem ainda tem sua vida diante de si é uma criança.
Quem vive sua vida no presente é adulto.
Se vós, portanto, viveis tudo o que podeis viver, sois adultos.

Quem é criança nesta época, para este Deus morre. Quem nesta época é adulto, para este Deus continua vivendo.

Este mistério quem o ensinou foi o espírito da profundeza.
Feliz e infeliz daquele cujo Deus é adulto!
Feliz e infeliz daquele cujo Deus é uma criança!

O que é melhor: que a pessoa tenha vida diante de si, ou que Deus tenha vida diante de si?

Não sei responder. Vivei; o inevitável decide.

O espírito da profundeza me ensinou que minha vida está abrangida pela criança divina[58]*. De sua mão me veio todo o inesperado, todo o vivo.*

Esta criança é o que sinto em mim como a juventude eternamente borbulhante[59]*.*

Na pessoa infantil tu sentes a transitoriedade sem esperança. Tudo o que vês passando, para ela é ainda porvir. Seu futuro é cheio de transitoriedade.

Mas a transitoriedade de tuas coisas que estão chegando nunca experimentou ainda um sentido humano.

Tua continuidade de vida é viver para o além. Tu geras e dás à luz o porvir, tu és fecundo, tu vives para o além.

O infantil é estéril, seu porvir é o já gerado e novamente murchado. Não vive para o além[60]*.*

Meu Deus é uma criança; não vos admireis, pois, que o espírito dessa época se revolte em deboche e zombaria. Ninguém vai rir de mim assim como eu rio de mim.

Vosso Deus não deve ser um homem do deboche, mas vós mesmos sereis homens do deboche. Vós deveis caçoar de vós mesmos e vos revoltar contra isso. Se ainda não o aprendestes dos velhos livros sagrados, ide, bebei o sangue e comei o corpo do escarnecido[61] e torturado por causa de nossos pecados, para que vos torneis totalmente sua natureza, negando seu estar-fora de vós, deveis ser ele mesmo, não *christiani*, mas *Christi*, caso contrário não servireis para o Deus que virá.

Haverá algum entre vós que acredita poder poupar-se o caminho? Poder eximir-se astuciosamente do sofrimento de Cristo? Eu digo: este se ilude para seu próprio prejuízo. Ele se deita sobre pregos e fogo. Do caminho de Cristo ninguém pode ser poupado, pois este caminho conduz ao que virá. Vós todos deveis tornar-vos Cristos[62].

Vós não superareis a velha doutrina fazendo menos, mas fazendo mais. Cada passo para mais perto de minha alma estimula o riso de deboche de meus demônios, aqueles bisbilhoteiros e envenenadores covardes. Para eles era fácil zombar, pois eu tinha coisas estranhas a fazer.

Sobre o serviço da alma

[HI ii(v)]
Cap. iii.

[63]Na noite seguinte, tive de escrever, fiel a seu teor original, todos os sonhos de que me lembrava[64]. O sentido desse procedimento era obscuro para mim. Por que tudo isso? Perdoa o barulho que se levanta em mim. Tu queres que eu faça isto. Que coisas

* Não se trata aqui do arquétipo do si-mesmo que só seria definido posteriormente por Jung. Desde criança, Jung esteve intrigado com manifestações de um "outro eu" interior, que não o ego consciente. Conf. seus diálogos com a pedra, em *Memórias*, p. 49. Entretanto, o conceito teórico do arquétipo do si-mesmo é posterior ao *Livro Vermelho* (Nota do Prof.-Dr. Walter Boechat).

57 No seminário de 1925, Jung anotou a respeito de seus pensamentos nessa época: "Estas ideias sobre *anima* e *animus* levaram-me a adentrar ainda mais nos problemas sentidos supremos, e mais coisas afloraram para reexame. Nessa época, eu concordava com o princípio kantiano de que existiam coisas que nunca poderiam ser resolvidas e que, portanto, não se deveria especular sobre elas, mas me parecia que, se eu pudesse encontrar essas ideias precisas sobre a *anima*, valia bem a pena tentar formular uma concepção de Deus. Mas não consegui chegar a nada de satisfatório e pensei, por algum tempo, que talvez a figura da *anima* fosse a divindade. Eu disse a mim mesmo que talvez os homens tivessem originariamente um Deus feminino; mas, cansando-se de ser governados pelas mulheres, derrubaram este Deus. Pus praticamente todo o problema sentido supremo na *anima* e concebi-a como o espírito dominante da psique. Desta forma, travei uma discussão psicológica comigo mesmo acerca do problema de Deus" (*Analytical Psychology*, p. 46).

58 Em 1940, Jung apresentou um estudo do motivo da criança divina, num volume em colaboração com o classicista húngaro Karl Kerényi, *A criança divina* (cf. "A psicologia do arquétipo da criança". OC, 9/1). Jung escreveu que o motivo da criança ocorre frequentemente no processo de individuação. Ele não representa a infância literal do indivíduo, como se enfatiza por sua natureza mitológica. Compensa a unilateralidade da consciência e prepara o terreno para o futuro desenvolvimento da personalidade. Em determinadas condições de conflito, a psique inconsciente produz um símbolo que une os opostos. A criança é esse símbolo. Ela antecipa o si-mesmo, que é produzido mediante a síntese dos elementos conscientes e inconscientes da personalidade. As fatalidades típicas que sobrevêm à criança indicam o tipo de acontecimentos psíquicos que acompanham a gênese do si-mesmo. O nascimento maravilhoso da criança indica que isto acontece psiquicamente, em contraposição a fisicamente.

59 Em 1940, Jung escreveu: "Um aspecto fundamental do motivo da criança é o seu caráter de futuro. A criança é o futuro em potencial" ("A psicologia do arquétipo da criança". OC, 9/1, § 278).

60 O *esboço* continua: "Meus amigos, vedes que a graça está com os adultos, não com o infantil. Agradeço a meu Deus esta mensagem. Não vos deixeis iludir pela doutrina do cristianismo! Sua doutrina é boa para os espíritos maduros do tempo antigo. Hoje tornou-se boa para os espíritos imaturos. Para nós, o cristianismo já não é uma mensagem portadora de graça, e assim mesmo precisamos da graça. Isto que vos digo é um caminho do porvir, meu caminho para a graça" (p. 27).

61 Isto é, Cristo. Cf. Jung, "O símbolo da transformação na missa" (1942. OC, 11/3).

62 Em "Resposta a Jó", Jung observou: "Com a inabitação da terceira pessoa divina, isto é, do Espírito Santo no homem, opera-se uma cristificação de muitos" (1952. OC, 11, § 758).

63 15 de novembro de 1913.

64 No *Livro Negro* 2, Jung escreveu aqui dois sonhos-pivô, quando ele tinha 19 anos de idade, que o levaram a voltar-se para as ciências naturais (p. 13s.) e que são descritos em *Memórias* (p. 115ss.)

estranhas me dizem respeito? Sei demais para não ver que ando sobre uma ponte oscilante. Para onde levas? Perdoa meu medo repleto de saber. Meus pés vacilam em seguir-te. Para que névoa e escuridão conduz tua vereda? Tenho de aprender também a perder o sentido? Se tu o exiges, que assim seja. Esta hora te pertence. O que existe, onde não há sentido algum? Só tolice e loucura, assim me parece. Será que existe também um sentido supremo? Isto é teu sentido, minha alma? Eu coxeio atrás de ti, apoiado em muletas da razão. Eu sou um homem e tu andas como um Deus. Que tortura! Preciso voltar a mim, para minhas coisas mínimas. Eu via como pequenas as coisas de minha alma, lamentavelmente pequenas. Tu me obrigas a vê-las grandes, fazê-las grandes. É esta tua intenção? Eu vou atrás, mas tenho pavor. Escuta minha dúvida, caso contrário não posso ir atrás, pois teu sentido é um sentido supremo e teus passos são passos de um Deus.

Eu entendo, também não devo pensar; também o pensar não deve existir mais? Devo entregar-me totalmente em tuas mãos – mas quem és tu? Não confio em ti – nem sequer confiança tenho – é isto meu amor por ti, minha alegria em ti? Confio em qualquer pessoa honrada, mas em ti não, minha alma? Tua mão pesa sobre mim, mas eu quero, eu quero. Não tentei amar pessoas e confiar nelas e não devo fazê-lo contigo? Esquece minha dúvida, eu sei, é deselegante duvidar de ti. Tu sabes que posso deixar pesadamente o orgulho de mendigo sobre o próprio pensar. Eu esquecia que também tu pertences a meus amigos e que tens o primeiro direito à minha confiança. O que dou àqueles não deve pertencer a ti? Eu reconheço minha injustiça. Eu te desprezava, ao que me parece. Minha alegria em reencontrá-la era falsa. Reconheço que também a zombaria tinha razão em mim.

Preciso aprender a amar-te[65]. Devo abandonar também a autoavaliação? Eu tenho medo. Então a alma falou-me e disse: "Este medo depõe contra ti". É verdade, ele depõe contra ti. Ele mata a sagrada confiança entre ti e mim.

[2] *Que dureza de destino! Quando vos dirigis à vossa alma, ireis sentir falta logo de imediato de sentido. Acreditais que estais aprendendo no sem sentido, no eterno desordenado. Tendes razão! Nada vos redime do desordenado e insensato, pois esta é a outra metade do mundo.*

Vosso Deus é uma criança, na medida em que não fordes infantis. A criança é ordem, sentido? Ou desordem, capricho? Desordem e insensatez são as mães da ordem e do sentido. Ordem e sentido são feitos e não a se fazer.

Vós abris a porta da alma para deixar entrar em vossa ordem e em vosso sentido as torrentes escuras do caos. Misturai ao ordenado o caos, e gerareis a criança divina, o sentido supremo além do sentido e do absurdo.

Vós temeis abrir a porta? Também eu tenho medo, pois esquecemos que o Deus é terrível. Cristo ensinou: Deus é amor[66]. Mas deveis saber que também o amor é terrível.

Eu falava a uma alma amorosa e, quando cheguei mais perto, fui acometido de pavor e ajuntei um monte de dúvidas e não imaginava que quisesse com isso proteger-me de minha terrível alma.

Tendes pavor da profundeza; deve causar-vos pavor, por sobre isso passa o caminho daquele que vem. Tu deves resistir à tentação do medo e da dúvida e nisso reconhecer até o sangue que teu medo é justificado e tua dúvida, razoável. Senão, / como seria uma verdadeira tentação e uma verdadeira vitória? fol. ii(v)/iii(r)

Cristo venceu a tentação do demônio, mas não a tentação de Deus para o bem e o razoável[67]. Cristo está pois submetido à tentação[68].

Isto ainda tendes de aprender: não ficar submetido a nenhuma tentação, mas fazer tudo voluntariamente; então estareis livres e além do cristianismo.

Tive de reconhecer que era obrigado a me submeter àquilo que eu temia, e mais, que devo inclusive amar aquilo de que tinha pavor. Isto temos de aprender daquele santo que, ao sentir nojo dos doentes da peste, tomava o pus de suas feridas e notava que tinha um odor como o das rosas. As ações dos santos não eram em vão[69].

Tu és dependente de tua alma em todas as coisas que se referem à tua salvação e à obtenção da graça. Por isso nenhum sacrifício pode ser pesado demais para ti. Se tuas virtudes te estorvam na salvação, livra-te delas, pois se tornaram um mal para ti. Tanto o escravo da virtude quanto o escravo do vício não encontram o caminho[70].

Se achas que és o senhor de tua alma, torna-te seu servo; se fores seu servo, assume o poder sobre ela, pois então ela precisa de domínio. Que estes sejam teus primeiros passos.

Doravante, durante seis noites, o espírito da profundeza se calou em mim, pois eu oscilava entre medo, teimosia e nojo e era totalmente refém de minha paixão. Não podia nem queria escutar a profundeza. Mas na sétima noite, o espírito da profundeza me falou: "Olha para tua profundeza, reza para tua profundeza, desperta os mortos"[71].

Mas fiquei desamparado e não sabia o que fazer. Eu olhei para dentro de mim e a única coisa que lá encontrei foi a lembrança de antigos sonhos, que anotei fielmente, não sabendo para que isto serviria. Eu queria jogar tudo fora e voltar para a luz do dia. Mas o espírito me segurou e me obrigou a voltar para dentro de mim.

O deserto

[HI iii(r)].
Cap. iv.

[72]Sexta noite. Minha alma leva-me ao deserto, ao deserto de meu próprio si-mesmo. Não pensava que meu si-mesmo fosse um deserto, um deserto seco e quente, poeirento e sem bebida. A viagem conduz através da areia quente, vadeando lentamente, sem objetivo visível de esperança. Como é horrível este deserto! Parece-me que o caminho leva bem longe das pessoas. Ando meu caminho passo a passo e não sei quanto tempo vai durar minha viagem.

Por que é um deserto meu si-mesmo? Será que vivi por demais fora de mim, nas pessoas e nas coisas? Por que evitei meu si-mesmo? Eu não me era caro? Mas eu evitei o lugar de minha

65 No *Livro Negro* 2, Jung observou aqui: "Aqui está alguém ao meu lado e me cochicha algo de ruim no ouvido: 'Tu escreves para ser impresso e ser divulgado às pessoas. Queres provocar sensação através do incomum. Nietzsche, porém, o fez melhor do que tu. Tu imitas Santo Agostinho'" (p. 20). A referência é às *Confissões*, de Santo Agostinho (400 d.C.), uma obra devocional que escreveu quando tinha 45 anos de idade, na qual narra sua conversão ao cristianismo numa forma autobiográfica (*Confissões*. Oxford: Oxford University Press, 1991 [Trad. de H. Chadwick]). As *Confissões* são dirigidas a Deus, e recordam os anos de seu desgarramento de Deus e a maneira de seu retorno. Fazendo eco a isso, nas seções de abertura do *Liber Novus*, Jung dirige-se à sua alma e recorda os anos de seu desgarramento dela, e a maneira de seu retorno. Em suas obras publicadas, Jung cita várias vezes Agostinho e se refere frequentemente às *Confissões*, em *Transformações e símbolos da libido*.

66 A Primeira Epístola de João: "Deus é amor, e quem permanece no amor permanece em Deus, e Deus nele" (1Jo 4,16).

67 Cristo foi tentado pelo demônio durante quarenta dias no deserto (Lc 4,1-13).

68 Mt 21,18-20: "Ao voltar à cidade de manhã cedo, sentiu fome. Viu uma figueira perto do caminho, foi até ela, mas não achou nada a não ser folhas. Então lhe disse: 'Jamais nasça fruto de ti'. E a figueira secou imediatamente. Vendo isso, os discípulos se admiraram e disseram: 'Como a figueira secou de repente!'" (21,18-20). O evangelho segundo Marcos conta: "No dia seguinte, ao saírem de Betânia, Jesus sentiu fome. Viu de longe uma figueira coberta de folhas e foi ver se encontrava alguma coisa. Mas nada encontrou a não ser folhas, pois não era tempo de figos. Disse, então, à figueira: 'Jamais alguém coma fruto de ti'. E seus discípulos ouviram isto" (11,12-14). Em 1944, Jung escreveu: "O Cristo – meu Cristo – não conhece nenhuma fórmula de maldição. Também não aprova a maldição da inocente figueira pelo rabi Jesus". "Por que não adoto a 'verdade católica'?" (OC, 18, § 1.468).

69 O *esboço* continua: "Eles podem servir para vossa redenção" (p. 34).

70 Em *Assim falava Zaratustra*, Nietzsche escreveu: "E mesmo que se tivessem todas as virtudes, uma, pelo menos, dever-se-ia de ter: mandar dormir a tempo as próprias virtudes". "Das cátedras da virtude" (Petrópolis: Vozes, 2007, p. 44). Em 1939, Jung comentou o conceito oriental de libertação das virtudes e vícios em "Comentário ao livro tibetano da grande libertação" (OC, 11, § 826).

71 Em 22 de novembro de 1913. No *Livro Negro* 2 está escrito: "diz uma voz" (p. 22). Em 21 de novembro, Jung havia feito uma apresentação à Sociedade Psicanalítica de Zurique de "Formulierungen zur Psychologie des Unbewussten" (Formulações à psicologia do inconsciente).

72 28 de novembro de 1913.

alma. Eu era meus pensamentos, depois que não era mais as coisas e as outras pessoas. Mas eu era o meu si-mesmo, colocado diante de meus pensamentos. Eu devo também elevar-me acima de meus pensamentos ao encontro de meu próprio si-mesmo. Para lá vai minha viagem e, por isso, ela conduz para longe das pessoas e das coisas, à solidão. Isto é solidão, estar consigo mesmo? Solidão só quando o si-mesmo é um deserto[73]. Devo fazer do deserto um jardim? Devo povoar um país deserto? Devo abrir o jardim encantado do deserto? O que me leva para o deserto, e o que devo fazer lá? Existe uma ilusão de que não posso mais confiar ao meu pensamento? Verdadeira é apenas a vida, e tão só a vida me leva ao deserto, realmente não meu pensar que gostaria de voltar para as pessoas, para as coisas, pois lhe é sinistro estar no deserto. Minha alma, o que devo fazer aqui? Mas a minha alma falou-me e disse: "Espera". Eu escuto a terrível palavra. Ao deserto pertence a dor[74].

Pelo fato de eu dar à minha alma tudo o que podia dar, cheguei ao lugar da alma e descobri que este lugar era um deserto quente, seco e estéril. Nenhuma cultura do espírito é suficiente para fazer de tua alma um jardim. Eu cuidei de meu espírito, do espírito dessa época em mim, mas não daquele espírito da profundeza, que se volta para as coisas da alma, do mundo da alma. A alma tem seu mundo que lhe é próprio. Nele só entra o si-mesmo, ou a pessoa que se tornou totalmente seu si-mesmo, que, portanto, não está nas coisas, nem nas pessoas e nem em seus pensamentos. Afastando meu desejo das coisas e das pessoas, afastei meu si-mesmo das coisas e das pessoas, mas foi precisamente assim que me tornei presa fácil de meus pensamentos, sim eu me transformei totalmente em meus pensamentos.

[2] Também de meus pensamentos tive de me separar, desviando deles meu desejo veemente. E imediatamente percebi que meu si-mesmo se transformava em deserto, onde somente brilhava o sol dos desejos não satisfeitos. Eu fora vencido pela esterilidade infinita desse deserto. E como poderia lá florescer alguma coisa, se faltava a força criadora do desejo? Onde existe a força criadora do desejo, ali brota do chão a semente que lhe é própria. Mas não te esqueças de esperar. Não viste como tua força criadora se voltou para o mundo, como debaixo dela e através dela se movimentaram as coisas mortas, como cresceram e floresceram e como teus pensamentos fluíram em ricas torrentes? Se tua força criadora se voltar agora para o lugar da alma, verás como tua alma vai reverdecer e como seu campo produzirá frutos maravilhosos.

Ninguém pode furtar-se ao esperar, e a maioria não conseguirá suportar esse tormento, mas se lançarão outra vez com gula sobre as coisas, pessoas e pensamentos, cujos escravos se tornarão a partir desse momento. Pois então ficou claro que esta pessoa é incapaz de perseverar além das coisas, pessoas e pensamentos e, por isso, tornam-se seus senhores, e ela se tornará seu bufão, pois não pode ficar sem eles, nem mesmo o tempo necessário para que sua alma se tenha tornado um campo produtivo. Também aquele cuja alma é um jardim precisa das coisas, pessoas e pensamentos, mas ele é seu amigo e não seu escravo e bufão.

Todo o futuro já existia na imagem: para encontrar sua alma, os antigos iam para o deserto[75]. Isto é uma imagem. Os antigos viviam seus símbolos, pois para eles o mundo ainda não se tornara real. Por isso iam para a solidão do deserto, para ensinar-nos que o lugar da alma é deserto solitário. Lá encontravam a plenitude das visões, os frutos do deserto, as flores maravilhosas e singulares da alma. Pensa diligentemente nas imagens que os antigos nos legaram. Elas mostram o caminho daquele que vem. Olha para trás para a ruína dos ricos, para o crescimento e a morte, para o deserto e os mosteiros, são as imagens daquele que vem. Tudo está predito. Mas quem sabe interpretá-lo?

Se dizes que o lugar da alma não existe, então ele não existe. Mas se dizes que ele existe, então ele existe. Observa o que diziam os antigos na imagem: a palavra é ato criador. Os antigos diziam: no princípio era a palavra[76]. Considera isto e medita nele.

As palavras que oscilam entre a tolice e o sentido supremo são as mais antigas e as mais verdadeiras.

Experiências no deserto

[HI iii(r) 2]

[77]Após duro combate cheguei a um pedaço de caminho mais perto de ti. Como foi dura esta batalha! Entrei num matagal de dúvida, confusão e riso irônico. Reconheço que devo ficar sozinho com minha alma. Eu venho de mãos vazias a ti, minha alma. O que tu queres ouvir? Mas a alma me falou e disse: "Quando você vem a um amigo, você vem para tirar?" Eu sei, não devia ser assim, mas parece-me que sou pobre e vazio. Eu gostaria de sentar-me perto de ti e sentir ao menos o hálito de tua presença vivificadora. Meu caminho é areia quente. Durante todos os dias, estradas areentas, poeirentas. Minha paciência é às vezes pouca e uma vez fiquei desesperado comigo, como tu sabes.

Respondeu então a alma e falou: "Tu falas comigo como se fosses uma criança que se queixa à sua mãe. Não sou tua mãe". Não quero queixar-me, mas permite dizer-te que minha estrada é longa e cheia de poeira. Tu és para mim como uma árvore que dá sombra no deserto. Gostaria de usufruir de tua sombra. Mas a alma respondeu: "Tu és um amante do prazer. Onde está tua paciência? Teu tempo ainda não acabou. Esqueceste por que foste ao deserto?"

Minha fé é fraca, minha face está cega por causa do brilho ofuscante do sol do deserto. O calor pesa sobre mim como chumbo. A sede me atormenta, e eu não ouso imaginar a duração infinda de meu caminho e, sobretudo, não vejo perspectiva diante de mim. Mas a alma respondeu: "Falas como se ainda não tivesses aprendido nada. Não podes esperar? Tudo deve cair maduro e acabado em teu colo? Tu estás cheio, sim, regurgitas de intenções e desejos! Não sabes ainda que o caminho para a verdade só está aberto para os sem intenção?"

Eu sei, minha alma, que tudo o que dizes é também meu pensamento. Mas pouco vivo de acordo com isso. A alma disse: "Como, diz-me, pensas tu que teus pensamentos deveriam ajudá-lo? Eu gostaria de referir-me sempre ao fato de ser um homem, só um ser humano, que é fraco e que às vezes não faz o seu melhor. Mas a alma falou: "Pensas assim do ser pessoa humana?" Tu és dura, minha alma, mas tens razão. Quão pouco jeitosos somos com a vida! Deveríamos crescer como uma árvore, que também desconhece sua lei. Nós nos amarramos com intenções, não lembrados de que a intenção é limitação e mesmo

73 *Livro Negro* 2: "Eu escuto as palavras: 'Um anacoreta em seu próprio deserto'. Vêm-me à mente os monges do deserto sírio" (p. 33).
74 *Livro Negro* 2: "Penso no cristianismo no deserto. Aqueles antigos iam exteriormente para o deserto. Iam também para o deserto de seu próprio si-mesmo? Ou seu si-mesmo não era tão seco e árido quanto o meu? Lá lutavam com o demônio. Eu luto com o esperar. Acho que não é menor minha luta, pois ela é na verdade um inferno quente" (p. 35).
75 Por volta de 285 d.C., Santo Antão foi viver como eremita no deserto do Egito, e outros eremitas o seguiram, os quais ele e Pacômio organizaram em comunidade. Isto constitui a base do monacato cristão, que se espalhou pelos desertos da Palestina e da Síria. No século IV havia milhares de monges no deserto do Egito.
76 Jo 1,1: "No princípio era a Palavra, e a Palavra estava com Deus, e a Palavra era Deus".
77 11 de dezembro de 1913.

exclusão da vida. Acreditamos que com uma intenção podemos iluminar uma escuridão, e assim apontamos para longe da luz[78]. Como podemos iludir-nos e querer saber de antemão donde virá para nós a luz?

Permite que te apresente apenas uma queixa: eu sofro de riso irônico, de meu próprio riso irônico. Mas a alma me falou: "Tu te menosprezas?" Acho que não. A alma respondeu: "Então escuta, tu me menosprezas? Ainda não sabes que não escreves um livro para alimentar tua vaidade, mas para que fales comigo? Como podes sofrer de riso irônico, se falas comigo com as palavras que eu lhe dou? Sabes ao menos quem eu sou? Tu me cercaste, limitaste e reduziste a uma fórmula morta? Mediste a profundidade de meu abismo e pesquisaste todos os caminhos para os quais ainda te levarei? Nenhum sorriso irônico pode afetar-te a não ser que sejas presunçoso até a medula de teus ossos". Tua verdade é dura. Gostaria de entregar-te minha vaidade, pois ela me ofusca. Vê, foi por isso também que pensei que minhas mãos estavam vazias quando hoje cheguei a ti. Não pensei que és tu que enches as mãos vazias, se elas apenas quiserem se estender, mas elas não o querem. Não sabia que eu era teu recipiente, vazio sem ti, mas transbordante contigo.

[2] Isto era a minha 25ª noite do deserto. Foi todo este tempo que minha alma precisou até ter despertado da vida de sombra para a própria vida e ter podido vir ao meu encontro como ser separado. E eu recebi duras palavras dela, mas salutares. Eu precisava ser educado, pois não conseguia vencer o sorriso irônico dentro de mim.

O espírito dessa época julga-se, como todos os espíritos da época em todos os tempos, sobremaneira esperto. Mas a sabedoria é simples, não só modesta. Por isso, o esperto zomba da sabedoria, pois a zombaria é sua arma. Ele usa a arma afiada e envenenada, porque foi ferido pela sabedoria simples. Se não tivesse sido ferido, não precisaria da arma. Somente no deserto compreendemos nossa assombrosa simplicidade, mas temos medo de reconhecê-la. Por isso rimos dela. Mas a zombaria / não atinge a simplicidade. A zombaria cai sobre o zombador, e no deserto, onde ninguém escuta e responde, fica asfixiado em seu próprio riso irônico.

fol. iii(r)/iii(v)

Quanto mais esperto fores, mais tola é tua simplicidade. Os totalmente espertos são totalmente tolos em sua simplicidade. Não podemos libertar-nos da esperteza do espírito dessa época aumentando nós mesmos nossa esperteza, mas aceitar aquilo que mais repugna à nossa esperteza, isto é, a simplicidade. Mas também não queremos tornar-nos tolos artificiais sucumbindo à simplicidade, mas ser tolos espertos. Isto leva ao sentido supremo. A esperteza emparelha com a intenção. A esperteza fascina o mundo, a simplicidade, porém, a alma. Portanto fazei o voto de pobreza do espírito, para terdes parte na alma[79].

Contra isso levantou-se o riso irônico de minha esperteza[80]. Muitos vão rir de minha tolice. Mas ninguém vai rir mais do que eu mesmo já ri. Assim venci o riso irônico. Mas quando o tinha vencido, estava mais perto de minha alma, e ela podia falar-me, e logo pude ver que o deserto reverdeceu.

Descida ao inferno no futuro

[H I iii(v)]
Cap. v.

[81]Na noite seguinte, o ar estava cheio de muitas vozes. Uma voz forte gritou: "Eu caio". Outras gritavam confusas e excitadas: "Para onde? O que tu queres?" Eu devo confiar-me a esta confusão? Eu estremeço. Isto é uma profundeza horrível. Tu queres que eu me entregue ao arbítrio de meu si-mesmo, à ilusão da própria escuridão? Para onde? Para onde? Tu cais, quero cair contigo, quem quer que sejas.

Então o espírito da profundeza abriu meus olhos, e eu observei as coisas interiores, o mundo de minha alma, multiforme e mutável.

[Imagem iii (v) 1]

Vejo paredes de pedra sombrias, ao longo das quais desço a uma grande profundidade[82]. Estou enterrado até os tornozelos numa sujeira preta diante de uma gruta escura. Sombras pairam em torno de mim. Assalta-me o medo, mas sei que devo entrar. Eu rastejo através de fendas rochosas e chego a uma gruta interior, cujo chão está coberto de água preta. Mas lá adiante enxergo uma pedra com brilho vermelho, que devo alcançar. Eu passo pela água lamacenta. A caverna está cheia de um barulho horrendo de vozes aos gritos[83]. Eu pego a pedra; ela cobre uma abertura escura na rocha. Seguro a pedra na mão, olhando interrogativamente ao meu redor. Não quero prestar atenção nas vozes, elas me repugnam[84]. Mas eu quero saber. Aqui alguma coisa deve tomar a palavra. Coloco meu ouvido na abertura. Ouço o ruído forte de torrentes subterrâneas. Vejo a cabeça sangrenta de uma pessoa na torrente escura. Está boiando ali um ferido, um assassinado. Contemplo longamente esta imagem com horror. Vejo um escaravelho grande e negro andando na torrente escura.

No mais profundo da torrente brilha um sol avermelhado, iluminando a água escura. Vi então – e o horror tomou conta de mim – um emaranhado de cobras descendo pelas paredes escuras das pedras para a profundeza onde o sol brilhava com maior intensidade. Milhares de cobras rodearam e encobriram o sol. Fez-se noite completa. Um raio vermelho de sangue, sangue vermelho-escuro veio à tona, jorrou longamente e depois secou. Eu estava paralisado de pavor. O que eu via?[85] [Imagem iii (v) 2]

78 No Comentário de "O segredo da flor de ouro" (1929), Jung criticou a tendência ocidental de transformar tudo em métodos e intenções. A lição mais importante, conforme os textos chineses e conforme o Mestre Eckhart, era deixar que os acontecimentos psíquicos acontecessem espontaneamente: "O deixar-acontecer, o *Sich-lassen*, na expressão de Mestre Eckhart, a ação da não ação foi, para mim, uma chave que abriu a porta para entrar no caminho: devemos deixar as coisas acontecerem psiquicamente" (OC, 13, § 20).

79 Cristo pregava: "Bem-aventurados os pobres em espírito, porque deles é o reino dos céus" (Mt 5,3). Num certo número de comunidades cristãs, os membros faziam o voto da pobreza. Em 1934, Jung escreveu: "Da mesma forma que o voto de pobreza material, no cristianismo, afastava a mente dos bens do mundo, a pobreza espiritual renuncia às falsas riquezas do espírito, a fim de fugir não só dos míseros resquícios de um grande passado, que hoje se chama "Igreja" protestante, mas também de todas as seduções do perfume exótico, a fim de voltar a si mesma, em que à fria luz da consciência, a desolação do mundo se expande até as estrelas". Ele acrescenta que a aceitação do estado de pobreza espiritual era a verdadeira herança do protestantismo ("Sobre os arquétipos do inconsciente coletivo". OC, 9/1, § 29).

80 O *esboço* continua: "Também isto é uma imgem dos antigos de que eles viviam simbolicamente nas coisas: eles renunciavam à riqueza para, na pobreza voluntária, tornar-se participantes de sua alma. Por isso tive de confessar à minha alma minha extrema pobreza e necessidade. E contra isso levantou-se o sorriso irônico de minha esperteza" (p. 47).

81 12 de dezembro de 1913. O *esboço corrigido* tem: ~~IV O jogo do mistério. Primeira noite~~ (p. 34). *Livro Negro* 2 continua: "A luta do último tempo foi a luta contra o riso irônico. Um sonho, que me foi proporcionado por uma noite de insônia e por três dias de sofrimento, comparou-me (do começo ao fim) ao farmacêutico de Chamounix, de G. Keller. Eu conheço e reconheço este estilo. Aprendi que se deve dar seu coração à pessoa, o intelecto, porém, ao espírito da humanidade, a Deus. Então sua obra pode estar além da vaidade, pois não existe prostituta mais hipócrita do que o intelecto, quando ele substitui o coração" (p. 41). Gottfried Keller (1819-1890) foi um escritor suíço. "Der Apotheker von Chamounix: Ein Buch Romanzen". In: KELLER, G. *Gesammelte Gedichte*: Erzählungen aus dem Nachlass. Zurique, Artemis Verlag, 1984, p. 351-417.

82 O *esboço* continua: "Diante dela estava um anão todo de couro, que guardava a entrada" (p. 48).

83 O *esboço corrigido* continua: "A pedra precisa ser levantada, é a pedra ~~do tormento~~, da luz vermelha" (p. 35). O *esboço corrigido* tem: "É um cristal hexagonal, que emitia uma luz fria, avermelhada" (p. 35). Albrecht Dieterich situa a apresentação do submundo em *As rãs*, de Aristófanes (que, no entendimento dele, é de origem órfica), como tendo um lago grande e um lugar com cobras (*Nekyia*: Beiträge zur Erklärung der neuentdeckten Petrusapokalypse. Leipzig: Teubner, 1983, p. 71). Jung sublinhou esses motivos em seu exemplar. Dieterich faz referência à sua descrição novamente na p. 83, que Jung assinalou à margem e sublinhou "Finsternis und Schlamm". Dieterich também se refere a uma representação órfica de uma torrente de lodo no submundo (p. 81). Na lista de referências no verso de seu exemplar, Jung anotou "81 Schlamm".

84 *Livro Negro* 2: "Este buraco escuro – para onde leva, isto eu quero saber, o que ele diz? Um oráculo? É este o lugar da Pítia?" (p. 43).

85 Jung narrou este episódio em seu seminário de 1925, realçando diversos detalhes. Comentou que: "Quando saí da fantasia, dei-me conta de que meu mecanismo havia funcionado às mil maravilhas, mas eu estava muito confuso quanto ao sentido de todas essas coisas que eu vira. A luz na caverna de cristal era, a meu ver, como a pedra da sabedoria. O assassinato secreto do herói eu não pude entender absolutamente. O escaravelho evidentemente eu reconheci que era um antigo símbolo solar, e o sol poente, o disco vermelho luminoso, era arquetípico. As serpentes pensei que podiam estar ligadas a material egípcio. Não pude dar-me conta então de que tudo era tão arquetípico que eu não precisava

Cura as feridas que a dúvida me causa, minha alma. Também isto deve ser vencido, para que eu conheça teu sentido supremo. Como tudo está longe, e quão afastado estou! Meu espírito é um espírito torturante, ele despedaça minha visão interior, gostaria de desintegrar e rasgar tudo. Ainda sou vítima de meu pensar. Quando posso oferecer descanso ao meu pensar, quando meus pensamentos, aqueles cães danados, vão rastejar a meus pés? Como posso esperar alguma vez escutar em tom mais alto tua voz, ver mais claramente tuas manifestações, se todos os meus pensamentos uivam em volta de mim?

Estou perplexo, mas quero estar perplexo, pois jurei, minha alma, confiar em ti, mesmo que me conduzas através de ilusões. Como tornar-me participante de teu sol, se não beber a amarga poção sonífera e não bebê-la até o fim? Ajuda-me a não me afogar no próprio saber. A totalidade de meu saber ameaça cair sobre mim. Meu saber tem uma multidão de falantes com voz de leão; o ar treme quando eles falam, e eu sou sua vítima indefesa. Afasta de mim o esclarecimento inteligente, a ciência[86], aquele carcereiro mau que amarra as almas e as tranca em celas sem luz. Mas protege-me sobretudo da serpente do julgamento, que é uma serpente terapêutica só da superfície, mas em tua profundeza é veneno infernal e morte cruel. Eu gostaria de descer para tua profundeza como puro, com veste branca, e não chegar apressado como um ladrão, roubar e fugir sem fôlego. Deixa-me perseverar no assombro divino[87], para estar pronto a contemplar tuas maravilhas. Deixa-me deitar minha cabeça sobre uma pedra diante de tua porta, a fim de estar pronto para receber tua luz.

[2] Quando o deserto começa a dar frutos, vai produzir uma vegetação estranha. Tu te julgarás louco e, em certo sentido, serás louco[88]. Na medida em que o cristianismo deste século sente falta da loucura, sente falta da vida divina. Observai por que os antigos nos ensinaram em imagens: a loucura é divina[89]. Mas porque os antigos viveram esta imagem nas coisas, tornou-se uma ilusão para nós, pois nós nos tornamos artífices da realidade do mundo. É indubitável: quando penetras no mundo da alma, ficas como doido, e um médico vai julgar-te doente. Isto que eu digo aqui pode parecer doentio. Mas ninguém melhor do que eu para dizer que é doentio.

Assim venci a loucura. Se não sabeis o que é loucura divina, renunciai ao julgamento e esperai pelos frutos[90]. Mas se sabeis que existe uma loucura divina, que nada mais é do que a vitória sobre o espírito dessa época pelo espírito da profundeza, falai então de loucura doentia, quando o espírito da profundeza não pode mais retroceder e obriga a pessoa a falar em línguas em vez de falar numa linguagem humana, e a faz crer que ela mesma é o espírito da profundeza. Falai também de loucura doentia quando o espírito dessa época não abandona uma pessoa e a obriga a ver sempre apenas a superfície, a negar o espírito da profundeza e considerar a si mesma o espírito dessa época. O espírito dessa época é não divino, o espírito da profundeza é não divino, a balança é divina.

Pelo fato de estar preso ao espírito dessa época, teve de me acontecer o que me aconteceu nesta noite, isto é, que o espírito da profundeza irrompeu com poder e removeu qual onda violenta o espírito dessa época. Mas o espírito da profundeza havia conseguido este poder pelo fato de eu, durante 25 noites no deserto, ter falado à minha alma e lhe ter declarado todo o meu amor e submissão. Mas durante os 25 dias dediquei todo meu amor e minha submissão às coisas, às pessoas e aos pensamentos dessa época. Somente à noite eu ia para o deserto.

Nisso podeis distinguir a loucura doentia da loucura divina. Quem faz uma coisa e deixa de fazer a outra pode ser chamado de doente, pois sua balança está fora do prumo.

Quem, no entanto, poderia resistir ao mundo, quando é acometido pela embriaguez e loucura divinas? Amor, alma e Deus são belos e assustadores. Os antigos traziam para este lado do mundo algo da beleza de Deus e, por isso, este mundo ficou tão belo que pareceu perfeito aos olhos do espírito dessa época e melhor do que o seio da divindade. O assombroso e o terrível do mundo estava sob a abertura e na profundeza de nosso coração. Quando o espírito da profundeza se apossa de vós, havereis de sentir a crueldade e gritar de dor. O espírito da profundeza está grávido de ferro, fogo e homicídio. Com razão temeis o espírito da profundeza, pois ele está cheio de horror.

Vós vistes nesses dias o que o espírito da profundeza abrigou. Vós não o acreditáveis, mas o teríeis sabido se o tivésseis perguntado ao vosso medo[91].

---

procurar ligações. Consegui estabelecer ligação entre o quadro e o mar de sangue sobre o qual eu fantasiara anteriormente. / Embora eu não pudesse na ocasião entender o significado do herói assassinado, logo depois tive um sonho no qual Siegfried era assassinado por mim. Era um caso de destruir o ideal do herói de minha eficiência. Este precisa ser sacrificado a fim de se poder fazer uma nova adaptação; numa palavra, isto está ligado ao sacrifício da função superior a fim de conseguir a libido necessária para ativar as funções inferiores" (*Analytical Psychology*, p. 48). (O assassinato de Siegfried ocorre mais adiante, cap. 7). Jung citou também anonimamente e discutiu esta fantasia em sua preleção na *ETH* a 14 de junho de 1935 (*Modern Psychology*. Vol. 1 e 2, p. 223).

86 "A ciência" está apagada no *esboço corrigido* (p. 37).

87 "Bem-aventurado" é substituído no *esboço corrigido* (p. 38).

88 Esta frase foi substituída no *esboço corrigido* por: "Cresce loucura" (p. 38).

89 O tema da loucura divina tem uma longa história. Seu *locus classicus* foi a discussão de Sócrates sobre ela no *Fedro*: a loucura, "desde que venha como um dom do céu, é o canal através do qual recebemos as maiores bênçãos" (PLATÃO. *Phaedrus and Letters VII and VIII*. Londres: Penguin, 1986, p. 46, 244 [Trad. de W. Hamilton]). Sócrates distinguiu quatro tipos de loucura divina: 1) adivinhação inspirada, como na profetiza de Delfos; 2) casos em que indivíduos, quando antigos pecados deram origem a perturbações, prorromperam em profecia e incitaram à oração e ao culto; 3) possessão pelas Musas – o homem de técnica nunca tocado pela loucura das Musas nunca será um bom poeta; 4) o amante. Na Renascença o tema da loucura divina foi retomado pelos neoplatônicos, como Ficino, e por humanistas como Erasmo. A discussão de Erasmo é particularmente importante, porque funde a concepção platônica clássica com o cristianismo. Para Erasmo, o cristianismo era o tipo mais elevado de loucura inspirada. Assim como Platão, Erasmo distinguiu dois tipos de loucura: "Assim, enquanto a alma usa corretamente seus órgãos corporais, um homem é chamado sensato; mas na verdade, quando ela rompe suas cadeias e procura ser livre, fugindo de sua prisão, então chama-se a isso insanidade. Se isto acontece através de doença ou de uma deficiência dos órgãos, então de comum acordo é, simplesmente, insanidade. E no entanto encontramos também homens deste tipo predizendo coisas futuras, conhecendo línguas e escritos que nunca haviam estudado antes – anunciando de modo geral algo divino" (*In Praise of Folly*. Londres: Penguin, 1988, p. 128-129 [Trad. de M.A. Screech]). Erasmo acrescenta que, se a insanidade "acontece através de fervor divino, pode não ser o mesmo tipo de insanidade, mas é tão parecida com ela que a maioria das pessoas não faz distinção". Para pessoas leigas, as duas formas de insanidade pareciam ser a mesma coisa. A felicidade que os cristãos procuravam "nada mais era que um certo tipo de loucura". Os que experimentam isto "experimentam algo que se assemelha muito à loucura. Falam de forma incoerente e anormal, proferem sons sem sentido e seu rosto muda bruscamente de expressão... de fato, eles estão verdadeiramente fora de si" (Ibid., p. 129-133). Em 1815, o filósofo F.W.J. Schelling discutiu a loucura divina de uma forma que apresenta certa proximidade com a análise de Jung, observando que "os antigos não falaram em vão de uma loucura divina e sagrada". Schelling relacionou isto com a "autodilaceração interior da natureza". Sustentou que "nada de grande pode ser realizado sem uma constante tentação de loucura, que sempre deve ser superada, mas nunca deve faltar totalmente". Por um lado, havia espíritos sóbrios nos quais não havia nenhum vestígio de loucura, junto com homens de inteligência que produziam obras intelectuais frias. Por outro lado, "existe um tipo de pessoa que domina a loucura e precisamente neste domínio completo sobre ela mostra a mais alta força do intelecto. O outro tipo de pessoa é dominado pela loucura e é alguém que é realmente louco" (*The Ages of the World*. Albânia: Suny Press, 2000, p. 102-104 [trad. de J. Wirth]).

90 Uma aplicação da noção de regra pragmática de William James. Jung leu o *Pragmatism* de James em 1912, e a obra causou um forte impacto sobre seu pensamento. No prefácio às suas preleções na Fordham University, Jung afirmou que tomara a regra pragmática de James como seu princípio diretor (OC, 4, p. 98). Cf. meu *Jung and the Making of Modern Psychology*: The Dream of a Science, p. 57-61).

91 O *esboço* continua: "Tão estranho me era o espírito da profundeza que precisei de 25 noites para conseguir entendê-lo. E mesmo então me era tão estranho que eu não podia ver nem perguntar. Tinha de vir a mim como estranho de longe de um lado inaudito. Tinha de chamar-me. Eu não podia interrogá-lo a seu respeito e de sua natureza. Ele se anunciava em voz alta, como no tumulto da guerra com a gritaria múltipla das vozes dessa época. O espírito dessa época levantou-se dentro de mim contra o estrangeiro e provocou uma gritaria de batalha com seus muitos servos. Eu ouvia o fragor dessa batalha nos ares. Surgiu então o espírito da profundeza e me conduziu ao lugar do mais interior. Mas o espírito dessa época me mostrou seu rosto de couro, isto é: curtido, ressecado e sem vida. Ele não podia impedir-me de penetrar no submundo escuro do espírito da profundeza. Com surpresa percebi que meus pés afundavam na água de lama preta do rio da morte" [O *esboço corrigido* acrescenta: "pois lá há morte", p. 41]. O mistério do cristal com brilho vermelho era meu próximo objetivo" (p. 54-55).

Sangue brilhou para mim da luz vermelha do cristal e, quando o levantei para descobrir seu segredo, ali estava diante de mim o horror: na profundeza daquele que vem estava o homicídio. O herói louro jazia assassinado. O escaravelho é a morte, que é necessária para a renovação; por isso brilhava como brasa atrás dele um novo sol, o sol da profundeza, o sol enigmático, um sol da noite. E assim como o sol nascente da primavera faz reviver a terra morta, também o sol da profundeza dá vida ao morto, e surge o terrível combate entre luz e treva. Aí vem à tona a fonte poderosa de sangue e de há muito não esgotada. Esta era o que vem, o que agora experimentais em vosso corpo, e é ainda mais do que isto (tive esta visão na noite de 12 de dezembro de 1913).

Profundeza e superfície devem misturar-se para que surja nova vida, mas a nova vida não nasce fora de nós, e sim dentro de nós. O que acontece fora de nós nesses dias é a imagem que os povos vivem nas coisas, para deixar estas imagens a épocas inesquecivelmente distantes, a fim de que delas aprendam para seu próprio caminho, assim como aprendemos para nós das imagens que os antigos viveram nas coisas.

A vida não vem das coisas, mas de nós. Tudo o que acontece fora já passou.

Por isso, quem observa de fora aquilo que acontece só vê o que já passou e que sempre é a mesma coisa. Mas quem olha de dentro sabe que tudo é novo. As coisas que acontecem são sempre as mesmas. Mas a profundeza criadora da pessoa não é sempre a mesma. As coisas não significam nada, só significam em nós. Nós criamos o significado das coisas. O significado é e sempre foi artificial; nós o criamos.

Por isso procuramos em nós mesmos o significado das coisas, a fim de que o caminho
fol. iii(v)/iv(r) *daquele / que vem possa ficar revelado e nossa vida possa continuar fluindo.*

Aquilo de que precisais procede de vós mesmos, isto é, o significado das coisas. O significado das coisas não é o sentido que lhes é próprio. Este sentido encontra-se nos livros eruditos. As coisas não têm sentido.

O significado das coisas é o caminho da salvação por nós criado. O significado das coisas é a possibilidade da vida neste mundo, criada por vós. Ele é domínio sobre este mundo e a afirmação de vossa alma neste mundo.

Este sentido das coisas é o sentido supremo, que não está nas coisas nem na alma, mas o Deus que está entre as coisas e a alma, o medianeiro da vida, o caminho, a ponte e a ultrapassagem[92].

Eu não teria podido enxergar aquilo que vem, se não o tivesse podido ver em mim mesmo.

Portanto, eu estou envolvido em cada assassinato, em mim também brilha o sol da profundeza conforme o qual o assassinato é consumado; em mim também estão as milhares de serpentes, que queriam engolir o sol. Eu mesmo sou assassino e assassinado, sacrificante e vítima[93]. De mim flui a fonte do sangue.

Vós todos tendes participação no assassinato[94]. Em vós estará o renascido, e nascerá o sol da profundeza, e milhares de serpentes vão desenvolver-se a partir de vossa matéria morta e cair sobre o sol para sufocá-lo. Vosso sangue fluirá para lá. Isto os povos demonstram nos dias atuais através de ações inesquecíveis, que serão inscritas com sangue em livros inesquecíveis para memória eterna[95].

Mas quando, eu vos pergunto, as pessoas vão atacar seus irmãos com a força das armas e ações sangrentas? Fazem isso quando não sabem que seus irmãos são elas mesmas. Elas mesmas são ofertantes, mas se prestam mutuamente o serviço da oferta. Elas todas têm de ofertar-se, pois ainda não chegou o tempo em que a pessoa volta contra si mesma a faca do sangue para sacrificar aquele que ele mata em seu irmão. Mas quem as pessoas matam? Elas matam os nobres, os bravos, os heróis. São a estes que visam, mas não sabem que com estes significam a si próprias. Elas deveriam sacrificar o herói dentro de si mesmas, mas, como não o sabem, matam seu bravo irmão.

O tempo ainda não está maduro. Mas através desse sacrifício de sangue deve amadurecer. Enquanto for possível matar o irmão em vez de a si mesma, o tempo não está maduro. Precisam acontecer coisas terríveis até que as pessoas amadureçam. De outro modo, a pessoa não ficará madura. Eis a razão por que tudo isso, que acontece em nossos dias, deve ser assim, para que a renovação possa vir. Pois a fonte de sangue que segue ao encobrimento do sol é também a fonte da nova vida[96].

Assim como se apresentam para vós os destinos dos povos nas coisas, da mesma forma acontecerá em vossos corações. Se o herói estiver assassinado em vós, então nasce para vós o sol da profundeza, brilhando de longe e de lugar inaudito. Mas imediatamente vai reviver em vós tudo o que parecia morto até agora e se transformará em serpentes venenosas que querem encobrir o sol, e vós caireis na noite e na confusão. Vosso sangue jorrará das muitas feridas desse combate horrível. Vosso pavor e vosso desespero serão grandes, mas desse sofrimento nascerá a nova vida. Nascimento é sangue e sofrimento. Vossa escuridão que vós não pressentistes, porque estava morta, vai reviver e sentireis a pressão do totalmente mau e contrário à vida, que ainda agora jaz sepulto na matéria de vosso corpo. Mas as serpentes são pensamentos e sentimentos incrivelmente maus.

Pensáveis que conhecíeis aquele abismo? Ó vós, inteligentes! É outra coisa vivê-lo experimentalmente. Tudo virá a vós. Pensai em todos os horrores e diabólicas atrocidades que as pessoas causaram a seus irmãos. Isto deve chegar a vós em vossos corações. Sofrei-o em vós mesmos através de vossa própria mão e sabei que é vossa mão infame e demoníaca que vos causa o sofrimento, mas não vosso irmão, que luta com seus próprios demônios[97].

92 O *esboço* continua: "Minha alma é meu sentido supremo, minha imagem de Deus, não o próprio Deus nem o próprio sentido supremo. O Deus se revela no sentido supremo da comunidade das pessoas" (p. 58).

93 Em "O símbolo da transformação na missa" (1942), Jung comenta o motivo da identidade do sacrificador e do sacrificado, com especial referência às visões de Zózimo de Panópolis, um filósofo da natureza e alquimista do século III d.C. Jung observou: "O que eu ofereço é minha pretensão egoica, na qual eu mesmo me entrego. Cada sacrifício é por isso mais ou menos um autossacrifício" (vol. XIII), Cf. também o Katha Upanixade, capítulo 2, verso 19. Jung citou os dois versos seguintes do Katha Upanixade sobre a natureza do si-mesmo em 1921 (OC, 6, § 329). À margem do exemplar de Jung há uma linha traçada junto a esses versos em *Livros sagrados do Oriente*, vol. XV, pt. 2, p. 11. Em "Sonhos", Jung observou em conexão com um sonho: "Minha intensa relação inconsciente com a Índia no Livro Vermelho" (p. 9).

94 Jung elaborou o tema da culpa coletiva em "Depois da catástrofe" (1945) (OC, 10).

95 Referência aos acontecimentos da Primeira Guerra Mundial. No outono de 1914 (quando Jung escreveu esta seção da "camada dois") houve a batalha do Marne e a primeira batalha de Ypres.

96 Em sua preleção na *ETH* a 14 de junho de 1935, Jung comentou (parcialmente em referência a esta fantasia, a que ele se referiu anonimamente): "O motivo do sol aparece em muitos lugares e épocas e o sentido é sempre o mesmo – que nasceu uma nova consciência. É a luz da iluminação que é projetada no espaço. É um acontecimento psicológico; o termo médico 'alucinação' não faz sentido em psicologia. / A catábase desempenha um papel muito importante na Idade Média e os antigos mestres concebiam o sol nascente nesta catábase como uma nova luz, a 'lux moderna', a joia, o lápis" (*Modern Psychology*, p. 231).

97 O *esboço* continua: "Sei, meus amigos, que estou falando aqui em enigmas. Mas o espírito da profundeza me fez ver muitas coisas para ajudar o meu entendimento. Desejo contar-vos ainda mais coisas de minhas visões, a fim de entenderdes melhor as coisas que o espírito da profundeza gostaria que vós vísseis. Feliz de quem pode ver essas coisas! Quem não as vê deve vivê-las como destino cego, em imagem" (p. 61).

Eu gostaria que vísseis o que significa o herói assassinado. Aquelas pessoas anônimas, que matam príncipes em nossos dias, são profetas cegos, que representam nas coisas o que só vale para a alma[98]. Através do assassinato de príncipes ficais sabendo que o príncipe, o herói em nós, está ameaçado[99]. Se deve parecer um bom ou mau sinal, não nos vamos preocupar com isso. O que hoje é ruim, em cem anos será bom e em duzentos, novamente ruim. Mas temos de reconhecer o que acontece: existem anônimos em vós que ameaçam vossos príncipes, o legítimo soberano.

Mas nosso soberano é o espírito dessa época, que em nós tudo comanda e dirige, é o espírito universal no qual hoje pensamos e agimos. Ele detém um poder extraordinário, pois trouxe a este mundo bens incomensuráveis e cativou as pessoas com delícias inacreditáveis. Está adornado com as mais belas e heroicas virtudes e gostaria de fazer subir a humanidade a uma altura brilhante do sol, numa subida inaudita[100].

O herói quer desdobrar tudo o que pode. Mas o espírito anônimo da profundeza conduz para cima tudo o que a pessoa não pode. O não poder prejudica a ulterior subida. Mais altura exige maior virtude. Não a possuímos. Temos de primeiro criá-la, aprendendo a viver com nosso não poder. A ele temos de dar vida, pois como poderia evoluir para o poder senão assim?

Não podemos matar nosso não poder e elevar-nos acima disto. Mas era exatamente o que queríamos. O não poder virá sobre nós e vai exigir sua parte na vida. Nós nos perderemos em nosso poder e haveremos de acreditar no sentido do espírito dessa época de que é uma perda. Mas não é uma perda, e sim um ganho, não em bens exteriores, mas em capacidade interior.

Quem aprende a viver com seu não poder aprendeu muito. Isto nos levará a valorizar as menores coisas e a uma sábia limitação, que é exigida pela altura maior. Quando todo o heroico estiver apagado, caímos de volta na indigência do humano e em coisa ainda pior. Nossos fundamentos mais profundos entram em agitação, pois nossa maior tensão, que corresponde ao fora de nós, vai excitá-las. Cairemos no lodaçal e nosso submundo, no lixo de todos os séculos em nós[101].

O heroico em ti é que és comandado pelo pensamento de que isto ou aquilo seja o bem, que esta ou aquela obra seja indispensável, que esta ou aquela coisa seja rejeitável, que este ou aquele objetivo deva ser alcançado pelo trabalho ambicionado lá adiante, que este ou aquele prazer deva ser reprimido por todos os meios e inexoravelmente. Com isso pecas contra o não poder. Mas o não poder existe. Ninguém deve negá-lo, criticá-lo ou levantar a voz contra ele[102].

Divisão do espírito

[HI iv (r)]

Cap. vi.

Mas na quarta noite eu gritei: "Descer ao inferno é o mesmo que tornar-se inferno"[103]. Tudo está terrivelmente confuso e emaranhado. Neste caminho do deserto não há apenas areia escaldante, mas existem também coisas invisíveis, assustadoramente envolventes, que habitam o deserto. Isto eu não sabia. O caminho só é aparentemente livre, o deserto é só aparentemente vazio. Parece estar habitado por seres enfeitiçados que me atacam com intenções assassinas e transformam em aspecto daimoníaco minha face. Eu assumi provavelmente uma forma horrenda, na qual já não me posso reconhecer. Parece que sou uma figura monstruosa de animal, pela qual troquei meu ser humano. Este caminho está cercado de magia infernal; laços invisíveis foram atirados sobre mim e me amarraram.

Mas o espírito da profundeza aproximou-se de mim e falou: "Desce para tua profundeza, afunda-te". Eu, porém, me revoltei contra ele e falei: "Como posso afundar-me? Sou incapaz de fazer isso comigo".

Então o espírito me dirigiu palavras que me pareceram ridículas, e ele disse: "Senta-te e descansa".

Mas eu gritei revoltado: "Assustador, isto soa como tolice, exiges também isto de mim? Tu derrubas deuses que são poderosos e que significam o máximo para nós. Minha alma, onde estás? Confiei-me a um animal imbecil, cambaleio qual bêbado ao encontro da sarjeta, falo coisas sem nexo como um doido? É este o teu caminho, minha alma? O sangue me ferve, e eu gostaria de estrangular-te se te pudesse agarrar. Tu teces as trevas mais densas, e eu fico preso como um louco em tua rede. Mas eu quero, ensina-me".

Mas a alma falou-me e disse: "Meu caminho é luz".

Eu, porém, respondi irritado: "Tu chamas luz aquilo que nós seres humanos chamamos as piores trevas? Tu chamas o dia de noite?"

A isto minha alma falou palavras que me irritaram: "Minha luz não é deste mundo".

Eu exclamei: "Não sei nada daquele outro mundo".

A alma respondeu: "Não deve ele existir, só porque nada sabes dele?" Eu: "E nosso saber? Também nosso saber nada vale para ti? O que deve existir, se não há saber? Onde há certeza? Onde terreno firme? Onde luz? Tuas trevas não são apenas mais negras que a noite, mas também sem fundo. Se o saber não deve existir, então, quem sabe, também não linguagem e palavras?"

98 Em "O eu e o inconsciente" (1927), Jung se refere aos elementos individuais que caem no inconsciente, onde geralmente se transformam em algo de essencialmente pernicioso, destrutivo e anárquico. No aspecto social, este princípio negativo se manifesta através de crimes espetaculares como regicídios, perpetrados por indivíduos de predisposição profética" (OC, 7, § 240).

99 Assassinatos políticos eram frequentes no início do século XX. O fato específico a que se alude aqui é o seguinte: a 28 de junho de 1914, o arquiduque Franz Ferdinand, herdeiro do império austro-húngaro, foi assassinado por Gavrilo Princip, um estudante sérvio de 19 anos. Martin Gilbert descreve este fato, que desempenhou um papel decisivo nos acontecimentos que levaram à eclosão da Primeira Guerra Mundial, como "um momento crítico na história do século XX". *A History of the Twentieth Century* – Volume One: 1900-1933. Londres: William Morrow, p. 308.

100 O *esboço* continua: "Quando eu aspirava ao meu maior poder no mundo, enviou-me o espírito da profundeza pensamentos anônimos e visões que apagaram o que tendia para cima, o que, no sentir dessa época, era o heroico em mim" (p. 62).

101 O *esboço* continua: "Tudo o que esquecemos se tornará novamente vivo em nós, toda paixão humana e divina, as negras serpentes e o sol avermelhado da profundeza" (p. 64).

102 A 9 de junho de 1917 houve um debate sobre a psicologia da guerra mundial na Associação de Psicologia Analítica, após uma apresentação feita por Vodoz sobre "Das Rolandlied". Jung argumentou que "pode-se hipoteticamente colocar a guerra mundial no nível do sujeito. Também nos detalhes o princípio autoritário (o agir movido por princípios) e o princípio instintivo estão em contradição. O inconsciente coletivo alia-se ao instintivo". A respeito do herói, ele disse: "O herói – a figura amada do povo, deve cair. Todos os heróis sucumbem por si, quando difundem em certa medida a atitude de herói e com isso fracassam" (*MPA*, vol. 2, p. 10). A interpretação psicológica da Primeira Guerra Mundial no nível subjetivo descreve o que é desenvolvido neste capítulo. A conexão entre psicologia individual e coletiva que ele articula aqui constitui um dos *leitmotivs* de sua obra posterior (cf. *Presente e futuro*, 1957. OC, 10/1).

103 Em *Além do bem e do mal*, Nietzsche escreveu: "Quem luta com monstros deve ter cuidado para não se tornar um monstro. E se olhas demoradamente um abismo, o abismo olha para dentro de ti" (Petrópolis: Vozes, 2009, § 146).

A alma: "Também nenhuma palavra".

Eu: "Perdão, talvez eu ouça mal, talvez te interprete mal, talvez eu me deixe seduzir por minhas próprias mentiras e macaquices, talvez fazendo uma careta para mim em meu espelho, talvez um louco em meu próprio manicômio. Talvez tropeces em minha demência?"

A alma: "Tu te enganas, a mim não mentes. Tuas palavras são mentiras para ti, não para mim".

Eu: "Mas poderia eu revolver-me numa furiosa tolice, tramar o absurdo, a estupidez perversa?"

A alma: "Quem te dá pensamentos e palavra? Tu os crias? Não és meu servo, um recebedor, que está deitado diante da minha porta e recolhe minha esmola? E tu ousas pensar que aquilo que imaginas e falas poderia ser tolice? Não sabes que isto provém de mim e me pertence?"

Mas eu exclamei cheio de raiva: "Então também minha revolta deve vir de ti, então tu te revoltas em mim contra ti mesma". A isso, a alma falou as palavras ambíguas: "Isto é guerra civil"[104].

Fui acometido de dor e raiva, e respondi: "Que comédia e lenga-lenga! – mas eu quero. Eu também posso rastejar pela lama, o banal mais odiado. Posso também comer pó, isto pertence ao inferno. Não vou retroceder, eu resisto. Quereis continuar imaginando tormentos, monstros com pernas de aranha, monstros teatrais horríveis – ridículos. Para frente, estou preparado. Preparado, minha alma, que és um demônio, a lutar também contigo. Tu colocas uma máscara de Deus, e eu te venero. Depois colocas uma máscara de demônio, ai, uma máscara horrível, a do banal, do eterno medíocre. Só uma vantagem! Permite que volte um pouco para trás e reflita! Vale a pena a luta com esta máscara? Vale a pena a veneração da máscara de Deus? Eu não posso, arde-me nas juntas a vontade de lutar. Não, não vencido posso sair do campo de batalha. Quero pegar-te, esmagar-te, palhaço, macaco. Ai, a luta é desigual, minhas mãos agarram o ar. Mas teus golpes também são ar e eu percebo, são farsas".

Estou novamente no caminho do deserto. Foi uma visão do deserto, uma visão dos solitários que percorrem a longa estrada. Nela estão à espreita assaltantes invisíveis e assassinos traiçoeiros que atiram projéteis envenenados. A seta mortífera está cravada em meu coração?

[2] Como a primeira visão me havia dito, o assassino traiçoeiro saiu da profundeza e veio para cima de mim, assim, como no destino dos povos dessa época, avançou um anônimo e levantou a arma assassina contra o príncipe[105].

Eu me senti transformado numa fera impetuosa. Meu coração fervia de raiva contra o elevado e amado, contra meu príncipe e herói, assim como o anônimo do povo, impelido por seu instinto assassino, lançou-se sobre seu querido príncipe.

Pelo fato de eu trazer o assassinato dentro de mim, eu o previ[106]. Pelo fato de eu trazer a guerra em mim, eu a previ. Senti-me enganado e alvo de mentira por parte de meu rei. Por que me senti assim? Ele não era aquilo que eu queria que ele fosse. Ele dava outra coisa do que eu esperava. Ele devia ser rei no meu sentido e não no seu sentido. Ele devia ser o que eu chamava de ideal. Minha alma me parecia oca, insossa e insignificante. Mas o que eu pensava, referia-se na verdade a meu ideal.

Era uma / visão do deserto, eu lutava contra minhas próprias fol. iv(r)/iv(v) imagens refletidas em espelho. Havia guerra civil dentro de mim. Eu era meu próprio assassino e o próprio assassinado. A seta mortal estava gravada em meu coração, e eu não sabia o que ela deveria significar. Meus pensamentos eram homicídio e pavor mortal que se espalhava como veneno em toda a parte de meu corpo. E assim era o destino dos povos: o assassinato de um era a seta envenenada que voava ao coração da pessoa e atiçava a guerra mais violenta. Este assassinato é a revolta do não poder contra o querer, uma traição de Judas que gostaríamos tivesse sido cometida por outro[107]. Nós procuramos sempre ainda o bode que deve carregar os nossos pecados[108].

Tudo o que fica velho demais torna-se um mal, portanto também o vosso mais elevado. Aprendei isso dos sofrimentos de Deus crucificado que é possível também trair e crucificar um Deus, isto é, o Deus do ano velho. Quando um Deus deixa de ser o caminho da vida, então precisa diminuir discretamente[109].

O Deus fica doente quando ultrapassa a altura do zênite. Por isso arrebatou-me o espírito da profundeza quando o espírito dessa época me havia conduzido para a altura[110].

Assassinato do herói

[HI iv(v)][111]

Cap. vii.

Na noite seguinte, contudo, tive uma visão[112]: eu estava numa montanha alta com um adolescente. Era antes da aurora, o céu no lado leste já estava claro. Soou então sobre as montanhas a trompa de Siegfried em tom festivo[113]. Sabíamos que nosso inimigo mortal estava chegando. Estávamos armados e emboscados num estreito caminho de pedras, com a finalidade de matá-lo. De repente, apareceu ao longe, vindo do cume da montanha num carro feito de ossos de pessoas falecidas. Desceu com muita destreza e glorioso pelo flanco rochoso e chegou ao caminho estreito onde o esperávamos escondidos. Ao surgir

104 *Livro Negro* 2: "És neurótico? Nós somos neuróticos?" (p. 53).

105 Ver nota 99, p. 240.

106 O *esboço* continua: "Meus amigos, se soubésseis a profundeza que o futuro carrega em vós! Quem desce para sua própria profundeza contempla aquilo que vem" (p. 70).

107 O *esboço* continua: "Assim como Judas foi um elo necessário na corrente da obra da salvação, também nossa traição de Judas com relação ao herói é uma passagem necessária para a salvação" (p. 71). Em *Transformações e símbolos da libido* (1912), Jung discute o ponto de vista do abade Oegger na história de Anatole France, em *O jardim de Epicuro*, que sustentava que Deus tinha escolhido Judas como um instrumento para completar a obra redentora de Cristo (OC, B, § 52).

108 Cf. Lv 16,7-10: "Tomando depois os dois bodes, ele os apresentará diante do Senhor à entrada da tenda de reunião. Depois Aarão lançará as sortes sobre os dois bodes, uma para o Senhor e outra para Azazel. Aarão oferecerá o bode que coube por sorte ao Senhor, fazendo um sacrifício pelo pecado. Quanto ao bode que tocou por sorte a Azazel, será apresentado vivo diante do Senhor, para fazer a expiação e mandá-lo ao deserto, para Azazel".

109 O *esboço* continua: "isto nos ensinaram os antigos" (p. 72).

110 O *esboço* continua: "Quem vai para o deserto vai experimentar tudo o que pertence ao deserto. Isto tudo nos descreveram os antigos. Deles podemos aprender. Abri os livros antigos e aprendei o que virá a vós na solidão. Tudo vos será doado e nada economizado, a graça e o sofrimento" (p. 72).

111 Referência à lamentação pela morte do herói.

112 18 de dezembro de 1913. No *Livro Negro* 2, Jung observou: "A noite seguinte foi pavorosa. Eu acordei logo de um sonho terrível" (p. 56). O *esboço* diz: "subiu da profundeza uma visão impressionante" (p. 73).

113 Siegfried foi um príncipe heroico que aparece nas antigas epopeias germânicas e nórdicas. Na *Canção dos nibelungos*, do século XII, é descrito da seguinte maneira: "E com quanto garbo Siegfried cavalgava! Trazia uma grande lança, de haste grossa e ponta larga; sua bela espada chegava até aos calcanhares; e a vistosa corneta que este senhor carregava era feita do ouro mais brilhante" (Londres: Penguin, 2004, p. 129 [Trad. de A. Hatto]). Na *Canção dos nibelungos*, sua esposa Brunilda é levada por artimanhas a revelar o único lugar onde ele poderia ser ferido e morto. Wagner reelaborou esta epopeia em *O anel do nibelungo*. Em 1912, em *Transformações e símbolos da libido*, Jung apresentou uma interpretação psicológica de Siegfried como símbolo da libido, citando principalmente o libreto do *Siegfried* de Wagner (OC, B, § 568s.).

numa curva do caminho, atiramos contra ele, e ele caiu mortalmente ferido. Em seguida preparei-me para fugir, e uma chuva violenta desabou. Depois[114] passei por um tormento mortal e eu senti como certo que eu mesmo deveria me matar, se não conseguisse resolver o enigma do assassinato do herói[115].

Veio então ao meu encontro o espírito da profundeza e disse a frase:

"A verdade maior é uma e a mesma que o absurdo". Esta frase me aliviou, e como uma chuva após longo tempo de calor veio abaixo com força em mim tudo o que estava tenso demais.

Tive então uma segunda visão[116]: Vi um jardim maravilhoso, nele caminhavam figuras vestidas de seda branca, todas envoltas em capas brilhantes e coloridas, algumas eram avermelhadas, outras azuladas e esverdeadas[117]. [Imagem iv(v)]

Eu sei que passei por cima e além da profundeza. Através da culpa, tornei-me um renascido[118].

[2] Nós também vivemos em nossos sonhos, não vivemos só de dia. Às vezes executamos nossos maiores feitos no sonho[119].

Naquela noite, minha vida estava ameaçada, pois eu tinha de matar meu senhor e Deus, não num duelo aberto; pois quem dos mortais poderia matar um Deus num duelo? Tu só podes atingir teu Deus num assassinato à traição[120], se tu quiseres vencê-lo.

Mas isto é o mais amargo para a pessoa mortal: nossos deuses querem ser vencidos, pois necessitam de renovação. Quando as pessoas matam seus príncipes, eles o fazem porque não conseguem matar seus deuses e porque não sabem que deveriam matar seus deuses dentro de si.

Quando o Deus fica velho, ele se torna sombra, tolice, vai para baixo. A maior verdade torna-se a maior mentira; o dia mais claro torna-se a noite mais escura.

Assim como o dia pressupõe a noite e a noite, o dia, assim o sentido pressupõe o absurdo e o absurdo, o sentido.

O dia não existe por si, a noite não existe por si.

O verdadeiro, que existe por si mesmo, é dia e noite.

Portanto, o verdadeiro é sentido e absurdo.

O meio-dia é um instante, a meia-noite é um instante, a manhã vem da noite, o anoitecer caminha para a noite, mas também o anoitecer vem do dia e a manhã caminha para o dia.

Portanto, o sentido é um instante e passagem de absurdo em absurdo, e o absurdo é só um instante e passagem de sentido em sentido[121]

Lastimável que Siegfried, o louro de olhos azuis, o herói alemão, tivesse que tombar por minhas mãos, o mais fiel e mais valente! Ele tinha tudo em si que eu considerava o maior, o mais belo, ele era minha força, minha valentia, meu orgulho. Numa luta de iguais, eu teria perecido, só me restava, pois, o assassinato à traição. Se eu quisesse continuar vivendo, só poderia ser através de astúcia e maldade.

Não julgueis! Pensai no selvagem louro das matas alemãs que teve de denunciar ao deus branco asiático o trovão que empunha o martelo, que foi pregado na cruz como um ladrão de galinhas. O desprezo embaçou o próprio ser dos valentes. Mas sua força vital ordenou-lhes que continuassem a viver, e eles traíram seus deuses belos e selvagens, suas árvores sagradas e a veneração às matas alemãs[122].

Isto significa Siegfried para os alemães! O que quer dizer que Siegfried morre para o alemão! Por isso quase preferi matar a mim mesmo para poupá-lo. Mas eu queria continuar vivendo com um novo Deus[123].

Depois da morte na cruz, Cristo foi para o reino dos mortos, tornou-se inferno. Assumiu assim a figura do anticristo, do dragão. A imagem do anticristo, que os antigos nos transmitiram, dá notícia do novo Deus, cuja vinda os antigos previram.

Deuses são inevitáveis. Quanto mais tu foges de Deus, mais certamente cairás em suas mãos.

A chuva é a grande torrente de lágrimas que virá sobre os povos, a torrente de lágrimas da distensão, depois que a limitação da morte sobrecarregou os povos com um peso terrível. É o choro do morto em mim que precede o sepultamento e o renascimento. A chuva é a fecundação da terra, ela produz o novo trigo, o Deus que brota jovem[124].

Concepção do Deus

[HI iv(v)2]
Cap. viii.

Na segunda noite depois disso, falei à minha alma e disse: "Fraco e artificial parece-me este mundo novo. Artificial é uma

114 O *esboço* continua: "Depois desta visão" (p. 73).

115 No *Livro Negro* 2, Jung anotou: "Subi com facilidade um caminho inacreditavelmente íngreme e depois ajudei minha esposa, que seguia devagar, a subir também. Algumas pessoas caçoavam de nós, mas achei bom, pois indicava que não sabiam que eu havia matado o herói" (p. 57). Jung contou novamente este sonho no seminário de 1925, acentuando diversos detalhes. Antepôs-lhe as seguintes observações: "Siegfried não me era uma figura especialmente simpática e não sei por que meu inconsciente ficou absorvido por ele. O Siegfried de Wagner, de modo especial, é exageradamente extrovertido e às vezes efetivamente ridículo. Nunca gostei dele. No entanto, o sonho mostrou que ele era meu herói. Não pude entender a forte emoção que tive com o sonho". Após narrar o sonho, Jung concluiu: "Senti uma imensa compaixão por ele [Siegfried], como se eu próprio tivesse sido atingido. Devo, portanto, ter tido um herói que eu não apreciava, e foi meu ideal de força e eficiência que eu matei. Eu havia matado meu intelecto, ajudado a fazê-lo por uma personificação do inconsciente coletivo, o homenzinho trigueiro comigo. Em outras palavras, destituí minha função superior... A chuva que caiu é um símbolo da liberação da tensão; ou seja, as forças do inconsciente estão liberadas. Quando isto acontece, produz-se o sentimento de alívio. O crime é expiado, porque, logo que a função principal é destituída, existe uma chance de outras facetas da personalidade aflorarem" (*Analytical Psychology*, p. 56-57). No *Livro Negro* 2, e em suas anotações posteriores sobre este sonho em *Memórias* (p. 215), Jung disse ter sentido que precisaria matar-se a si mesmo, caso não conseguisse resolver este enigma.

116 O *esboço* continua: "caí de novo no sono. Tive uma grande visão" (p. 73-74).

117 O *esboço* continua: "Essas luzes penetraram em mim espiritual e sensivelmente. E novamente caí no sono como um convalescente" (p. 74). Jung recontou este sonho a Aniela Jaffé e comentou que depois de ter sido confrontado com a sombra, como no sonho de Siegfried, este sonho expressou a ideia de que ele era uma coisa e outra coisa ao mesmo tempo. O inconsciente alcança para além da pessoa, à semelhança de uma aura de santo. A sombra era semelhante à esfera colorida de luz que rodeava as pessoas. Ele pensou que se tratava de uma visão do além, onde as pessoas são completas (*MP*, p. 170).

118 O *esboço* continua: "O mundo intermédio é um mundo das coisas mais simples. Não é um mundo da intenção e do dever-ser, mas um mundo do talvez, com possibilidades indeterminadas. Aqui só existem pequenas estradas vicinais, nenhuma estrada larga para movimento das tropas militares, em cima nenhum céu, embaixo nenhum inferno" (p. 74). Em outubro de 1916, Jung deu algumas palestras no Clube de Psicologia sobre "Adaptação, individuação e coletividade" nas quais comentou sobre a importância da culpa: "assim o primeiro passo da individuação é uma *culpa* trágica. A acumulação de culpa exige *expiação* (OC, 18/2, § 1.094).

119 O *esboço* acrescenta: "Vós achais graça disso? O espírito dessa época gostaria de fazer que acreditásseis que a profundeza não é nenhum mundo e nenhuma realidade" (p. 74).

120 O *esboço* continua: "para o Judas" (p. 75).

121 O *esboço* continua: "Minha visão mostrou-me que não estava sozinho no meu ato. Tive como ajudante um adolescente, portanto alguém mais jovem do que eu; eu mesmo como um remoçado" (p. 76).

122 O *esboço* continua: "Assim como Wotan, Siegfried também tinha de morrer" (p. 76). Em 1918, Jung escreveu sobre os efeitos da introdução do cristianismo na Alemanha: "O cristianismo dividiu o barbarismo germânico em sua metade inferior e superior e conseguiu assim – pela repressão do lado mais escuro – domesticar o lado mais claro e torná-lo apropriado à cultura. Enquanto isso, porém, a metade inferior está esperando a libertação e uma segunda domesticação. Mas, até lá, continua associada aos vestígios da era pré-histórica, ao inconsciente coletivo, o que significa uma peculiar e crescente ativação do inconsciente coletivo" ("Sobre o inconsciente". OC, 10, § 17). Desenvolveu esta situação em "Wotan" (OC, 10, 1936).

123 No *esboço*, esta frase é assim: "Mas nós queremos continuar vivendo com um novo Deus, um herói além de Cristo" (p. 76). Nas *Memórias*, Jung relatou a Aniela Jaffé que ele havia pensado de si mesmo como um herói vencedor, mas o sonho indicava que o herói tinha de ser morto. Este exagero da vontade foi demonstrado naquela época precisamente pelos alemães, como na Linha Siegfried. "Uma voz dentro dele dizia: 'Se não entendes o sonho, deves matar-te'" (MP, p. 98. • *Memórias*, 216). A Linha Siegfried original foi uma linha defensiva estabelecida pelos alemães no norte da França em 1917 (era na verdade uma subdivisão da Linha Hindenburg).

124 O tema do deus que morre e ressuscita desempenha papel importante na obra de FRAZER, J. *The Golden Bough*: A Study in Magic and Religion. Londres: Macmillan, 1911-1915. Ela foi usada por Jung em *Transformações e símbolos da libido*.

palavra complicada, mas a semente de mostarda que se desenvolveu em árvore, a palavra que foi concebida no seio de uma virgem, tornou-se um Deus ao qual estava submissa a terra"[125].

Quando assim falei, apareceu de repente o espírito da profundeza, encheu-me de tontura e névoa e falou com voz forte estas palavras: [BO iv(v)] *"Concebi teu embrião tu que vens!*

Eu o concebi na mais profunda necessidade e humildade.

Eu o envolvi em panos ridículos e deitei no berço de pobres palavras.

E escárnio o adorou, teu filho, teu filho maravilhoso, o filho de alguém que está para vir, que deve anunciar o Pai, um fruto que é mais velho do que a árvore da qual nasceu.

Conceberás com dores, e alegria é teu nascimento.

Medo é teu arauto, dúvida está à tua direita; decepção, à tua esquerda.

Perecemos em nosso ridículo e insensatez quando te enxergamos.

Nossos olhos ficaram cegos e nosso saber emudeceu quando captamos teu brilho.

Tu, nova fagulha do fogo eterno em cuja noite nasceste.

Tu vais extorquir de teus fiéis verdadeiras orações, e em tua homenagem precisam falar em línguas, que para eles são um horror.

Tu virás sobre eles na hora de sua ignomínia, tu te revelarás naquilo que eles odeiam, temem e abominam[126].

Tua voz, a harmonia mais rara, nós vamos perceber na gagueira do desordenado, do jogado fora e do amaldiçoado como sem valor.

Teu reino tocarão com as mãos aqueles que adoraram também antes da mais profunda humildade e cujo desejo os impeliu através da torrente de lodo do mal.

Tu darás teus dons àqueles que rezam com horror e dúvida, e tua luz vai brilhar para aqueles cujos joelhos devem dobrar-se contra sua vontade e cheios de revolta.

fol. iv(v)/v(r) *Tua vida está com aquele que venceu a si mesmo* /[BO v(r)] *e negou sua vitória contra si mesmo*[127].

Também eu sei que a liberalidade da graça só é dada àquele que acredita no mais elevado e trai a si mesmo deslealmente por trinta moedas de prata[128].

Os que sujarem suas mãos limpas e que trocarem seu melhor saber pelo erro e tirarem suas virtudes de um covil de assassinos são convidados para teu grande banquete.

O astro de teu nascimento é uma estrela falsa e um planeta.

Estes, ó filho do que virá, são os milagres que se tornarão testemunhas de que és um verdadeiro Deus".

[2] Quando meu príncipe havia caído, o espírito da profundeza abriu minha visão e permitiu que eu observasse o nascimento do novo Deus.

A criança divina opôs-se a mim a partir do tremendamente ambíguo, do feio-bonito, do mau-bom, do ridículo-sério, do doente-sadio, do inumano-humano e do não divino-divino[129].

Compreendi que o Deus[130], que procuramos no absoluto, não há de ser encontrado no belo, bom, sério, elevado, humano, nem mesmo no divino absolutos. Lá esteve uma vez Deus.

Entendi que o novo Deus está no relativo. Se Deus é o belo e bom absolutos, como deve abranger a plenitude da vida, que é bela e feia, boa e má, ridícula e séria, humana e inumana? Como pode o ser humano viver no seio da divindade, se a divindade só se aceita em sua metade?[131]

Se tivermos subido perto da altura do bem e do belo, nosso ruim e feio jazem em tormento extremo. Seu tormento é tão grande e o ar da altura tão rarefeito, que a pessoa mal ainda pode viver. Por isso o bom e o belo se solidificam em ferro da ideia absoluta[132], e o ruim e feio tornam-se poça de lama, cheia de vida infame.

Por isso, o Cristo teve de descer ao inferno após sua morte, caso contrário sua subida ao céu se teria tornado impossível. O Cristo teve de se tornar antes seu anticristo, seu irmão subterrâneo.

Ninguém sabe o que aconteceu nos três dias em que Cristo esteve no inferno. Mas eu cheguei a sabê-lo[133]. As pessoas de antigamente diziam que lá ele pregou aos adormecidos[134]. É verdade o que eles dizem, mas sabeis como isto aconteceu?

Era loucura e momice, uma terrível mascarada infernal dos mais sagrados mistérios. De que outra forma poderia Cristo ter salvo seu anticristo? Lede os livros desconhecidos dos antigos e aprendereis ali muitas coisas. Atendei bem, Cristo não ficou no inferno, mas subiu para a altura do além[135].

Nossa convicção do valor do bom e do belo tornou-se forte e imperdível, por isso pode a vida estender-se para mais além e preencher ainda tudo que estava amarrado e desejoso. Mas o amarrado e desejoso são precisamente o feio e o mau. Tu te revoltas contra o feio e o mau?

Nisso podes perceber quão grandes são sua força e seu valor da vida. Tu pensas que isto está morto em ti? Mas este morto pode transformar-se também em serpentes[136]. As serpentes vão apagar o príncipe de teu dia.

---

125 Uma referência à parábola de Cristo do grão de mostarda. Mt 13,31-2: "O Reino dos Céus é semelhante a um grão de mostarda, que um homem toma e semeia em seu campo. É a menor das sementes, mas depois de crescida é a maior das hortaliças, chegando a tornar-se árvore" (cf. Lc 13,18-20; Mc 4,30-32).

126 Em Mc 16,17, Cristo afirmou que aqueles que acreditam falarão novas línguas. A questão de falar em línguas é discutida em 1Cor 14 e é tema central do movimento pentecostal.

127 O tema da autossuperação é importante na obra de Nietzsche. Em *Assim falava Zaratustra*, Nietzsche escreve: "Eu vos ensino o além-homem. O homem é algo que precisa ser superado. Que fizestes para superá-lo? Até agora todos os seres criaram alguma coisa que os ultrapassou: e quereis ser refluxo dessa grande maré e retornar ao animal em vez de superar o homem?" ("Prólogo de Zaratustra 3"; sublinhado conforme o exemplar de Jung). Para a discussão de Jung sobre este tema em Nietzsche, ver JARRET, J. (org.). *Nietzsche's Zaratustra*: Notes of the seminar given in 1934-1939. Vol. 2. Princeton: Princeton University Press, 1988, p. 1.502-1.508.

128 Judas traiu Jesus por trinta moedas de prata (Mt 26,14-16).

129 Ver nota 58, p. 234.

130 Esta concepção da natureza abrangente do novo Deus é desenvolvida de forma completa mais adiante em "Aprofundamentos" (Sermão, 2, p. 349s.).

131 O tema da integração do mal na divindade desempenhou um papel importante nas obras de Jung – cf. *Aion*, 1951. OC, 9/2, cap. 5, e *Resposta a Jó*, 1952. OC, 11/4.

132 A concepção da ideia absoluta foi desenvolvida por Hegel. Este entendeu-a como a culminação e a unidade autodiferenciadora da sequência dialética que originou o cosmos. Cf. *Hegel's Logic* (Londres, Thames and Hudson, 1975 [Trad. de W. Wallace]). Jung refere-se a isto em 1921 em *Tipos psicológicos* (OC, 6, § 735).

133 Esta frase foi cortada no *esboço corrigido* e substituída por: "mas é possível adivinhá-lo".

134 1Pd 4,6 afirma: "Pois, para isso foi anunciada a boa-nova aos mortos, a fim de que, julgados como homens na carne, vivam segundo Deus no espírito".

135 O tema da descida de Cristo aos infernos desempenha um importante papel em diversos evangelhos apócrifos. No "Credo dos Apóstolos" afirma-se que "ele desceu aos infernos. Ao terceiro dia ressuscitou novamente dos mortos". Jung comentou o aparecimento deste motivo na alquimia medieval (*Psicologia e Alquimia*, 1944. OC, 12, § 61n., 440, 451. • *Mysterium coniunctionis* 1955/1956. OC, 14, § 173). Uma das fontes a que Jung se referia (OC, 12, § 61n.) era *Nekyia: Beiträge zur Erklärung der neuentdeckten Petrusapokalypse* de Albrecht Dieterich, que comentava um fragmento apocalíptico do Evangelho de Pedro, em que Cristo fornece uma descrição detalhada do inferno. O exemplar que Jung tinha desta obra contém numerosas marcações nas margens e no final estão mais dois pedaços de papel com uma lista de referências de páginas e observações. Em 1951, ele deu a seguinte interpretação psicológica do motivo da descida de Cristo aos infernos: "O âmbito da integração é indicado pelo 'descensus ad inferos', descida de Cristo aos infernos, descida cujos efeitos redentores abrangem inclusive os mortos. O seu equivalente psicológico é a integração do inconsciente coletivo, parte constitutiva e indispensável da individuação" (*Aion*. OC, 9/2, § 72). Em 1938 ele anotou: "A descida aos infernos, durante os três dias em que permanece morto, simboliza o mergulho do valor desaparecido no inconsciente, onde, vitorioso sobre o poder das trevas, estabelece uma nova ordem de coisas e de onde volta, para elevar-se até o mais alto dos céus, ou seja, até a claridade suprema da consciência" (*Psicologia e religião*. OC, 11, § 149). A expressão "livros desconhecidos dos antigos" refere-se aos evangelhos apócrifos.

136 O *esboço* continua: "Mas a serpente também é vida. Os antigos disseram em imagem que foi a serpente que preparou um fim para a magnificência juvenil do paraíso, diziam até mesmo que foi o próprio Cristo aquela serpente" (p. 83). Jung comenta este motivo em *Aion* (1950. OC, 9/2, § 291).

Viste que beleza e alegria sobrevieram às pessoas quando a profundeza desencadeou esta grande guerra? E assim mesmo foi um pavoroso começo[137].

Se não tivermos a profundeza, como teremos a altura? Mas vós temeis a profundeza e não quereis admitir que a temeis. Mas é bom que tenhais medo, dizei-o em voz alta que tendes medo. É sabedoria ter medo. Só os heróis dizem que estão isentos de medo. Mas vós sabeis o que acontece ao herói.

Com medo e tremor, olhando desconfiados ao redor de vós, ide assim para a profundeza, mas não um sozinho; em dois ou mais, a segurança é maior, pois a profundeza está cheia de assassinato. Assegurai-vos também sobre o caminho da volta. Ide com cuidado, como se fôsseis covardes, a fim de vos antecipardes ao assassino de almas[138]. A profundeza gostaria de vos engolir por completo e afogar na lama.

Quem desce ao inferno também se torna inferno, por isso não esqueçais de onde viestes. A profundeza é mais forte do que nós; portanto, sede espertos e não heróis, pois nada é mais perigoso do que ser um herói por conta própria. A profundeza gostaria de manter-vos; a muitos ela não mais devolveu, por isso as pessoas fugiram da profundeza e lhe fizeram violência.

O que teria acontecido se a profundeza, devido à violência, se tivesse transformado na morte? Mas a profundeza se transformou na morte; por isso emitiu a morte milhares de vezes quando acordou[139]. Não podemos matar a morte, pois já lhe tomamos toda a vida. Se ainda quisermos vencer a morte, então temos de avivá-la.

Por isso, levai em vossa viagem também taças de ouro, cheias de bebida doce da vida, vinho tinto e dai-o à matéria morta para que readquira vida. A matéria morta vai transformar-se na serpente negra. Não vos assusteis, a serpente apagará imediatamente o sol de vosso dia, e uma noite de maravilhosas luzes falsas virá sobre vós[140].

Fazei força para despertar a morte. Cavai profundas covas e jogai nelas oferendas, a fim de que cheguem ao morto. Pensai com coração bondoso no mal, este é o caminho da subida. Mas antes da subida tudo é noite e inferno.

O que pensais da natureza do inferno? O inferno é quando a profundeza chega a vós com tudo o que não mais ou ainda não dominais. O inferno é quando não podeis alcançar o que poderíeis alcançar. O inferno é quando deveis pensar, sentir e fazer tudo aquilo que sabeis que não quereis. O inferno é quando sabeis que ele é vosso dever e vosso querer e que vós mesmos sois responsáveis por isso. O inferno é quando sabeis que todo o sério que tendes em vista com relação a vós também é ridículo, que todo delicado também é bruto, todo o bom também é mau, todo o alto também é baixo, que todas as obras boas também são obras más.

Mas o inferno mais profundo é quando percebeis que o inferno também não é nenhum inferno, mas um céu alegre, não um céu em si, mas um tanto céu e um tanto inferno.

Esta é a ambiguidade de Deus, ele nasce de uma ambiguidade escura e sobe para uma ambiguidade luminosa. Inequivocidade é unilateralidade e conduz à morte[141]. Mas a ambiguidade é o caminho da vida[142]. Se o pé esquerdo não vai, então vai o direito, e tu caminhas; é isto que Deus quer[143].

Vós dizeis: o Cristo-Deus é inequívoco, ele é o amor[144]. Mas o que é mais ambíguo do que o amor? O amor é o caminho da vida, mas vosso amor só então é um caminho da vida quando ele tem um esquerdo e um direito. Nada é mais fácil do que brincar de ambiguidade, e nada mais difícil do que viver a ambiguidade. Quem brinca é criança, seu Deus é velho e morre. Quem vive é adulto, seu Deus é jovem e passa para o outro lado. Quem brinca esconde a morte interior. Quem vive sente o passar para o outro lado e o imortal. Portanto deixai aos brincalhões a brincadeira. Deixai cair o que quer cair; se o segurardes, ele vos arrasta junto. Existe um verdadeiro amor que não se preocupa com o próximo[145].

Quando o herói havia sido assassinado, o sentido reconhecido como absurdo, quando todo o tenso descia ruidosamente de nuvens prenhes, quando tudo se havia tornado covarde e pensava na própria salvação, tomei consciência então do nascimento de Deus[146]. O Deus inclinou-se para mim em meu coração, quando eu estava perturbado por escárnio e admiração, por pesar e sorriso, por sim e não.

Da fundição dos dois nasceu o único. Ele nasceu como criança de minha própria alma humana, que como uma virgem a concebeu com muito temor. Corresponde assim à imagem que os antigos nos legaram disto[147]. Mas quando a mãe, minha alma, estava grávida de Deus, eu não o sabia. Pareceu-me inclusive como se minha alma fosse o próprio Deus, ainda que ele só morasse em seu corpo[148].

E assim cumpriu-se a imagem dos antigos: eu perseguia minha alma para matar a criança dentro dela. Pois eu sou também o pior inimigo de meu Deus[149]. Mas reconhecia que também minha hostilidade está decretada em Deus. Ele é zombaria, ódio e raiva, pois também isto é um caminho da vida.

Devo dizer que o Deus não podia vir a ser antes que o herói tivesse sido assassinado. O herói, como nós o entendemos, tornou-se inimigo de Deus, pois o herói é perfeição. Os deuses invejam a perfeição do ser humano, pois o perfeito não precisa dos deuses. Mas como ninguém é perfeito, precisamos dos deuses. Os deuses amam o perfeito, pois é o caminho total da vida. Mas os deuses não estão com aquele

137 O *esboço corrigido* tem: "um começo do inferno" (p. 70). Em 1933 Jung recordou: "No início da guerra eu estava em Inverness, e retornei passando pela Holanda e pela Alemanha. Cruzei com os exércitos que iam em direção oeste e tive a sensação de que se tratava daquilo que em alemão chamamos de *Hochzeitsstimmung*, uma festa de amor em todo o país. Tudo estava decorado com flores, era uma explosão de amor, todos eles se amavam uns aos outros e tudo era bonito. Sim, a guerra era importante, um grande empreendimento, mas a coisa principal era o amor fraterno por todo o país, todo mundo era irmão de todo mundo, podia-se ter tudo o que alguém possuísse, seja o que for. Os camponeses abriam suas adegas e distribuíam o que tinham. Isto aconteceu até no restaurante e no bar da estação ferroviária. Eu estava com muita fome, não tivera nada para comer por cerca de 24 horas, e eles tinham alguns sanduíches que haviam sobrado, e, quando perguntei quanto custavam, disseram: 'Oh! nada, pode pegar!' E quando cruzei a fronteira da Alemanha, fomos levados para uma enorme barraca cheia de cerveja e linguiça e pão e queijo, e não pagamos nada, era uma grande festa de amor. Fiquei absolutamente desnorteado" (DOUGLAS, C. *Visions Seminars*. 2. ed. (Princeton: Princeton University Press, 1997, p. 974-975).

138 A expressão "Assassino de almas" fora usada por Lutero e Zwinglio e, mais recentemente, por Daniel Paul Schreber em sua obra *Denkwürdigkeiten eines Nervenkranken*. Lepzig: Oswald Mutze, 1903. Jung discutiu esta obra em 1907 em "A psicologia da dementia praecox" (OC, 3). Em discussões a respeito de Schreber na Associação de Psicologia Analítica a 9 e 16 de julho de 1915, após apresentações de Schneiter, Jung chamou a atenção para paralelos gnósticos das imagens de Schreber (*Minutes of the Association for Analytical Psychology*, vol. 1, p. 88s.).

139 A referência é à carnificina da Primeira Guerra Mundial.

140 Isto se refere à visão do capítulo V, "Descida ao inferno no futuro". Em 1940, Jung escreveu: "A ameaça da própria singularidade por dragões e cobras indica de modo particular o perigo de a consciência recentemente adquirida ser tragada novamente pela alma instintiva, o inconsciente" ("A psicologia do arquétipo da criança", 9/1, § 282).

141 O *esboço corrigido* tem: "a um fim" (p. 73).

142 Em 1952, Jung escreveu a Zwi Werblowsky a respeito da ambiguidade intencional de seus escritos: "A linguagem que falo precisa ser ambígua, deve ter *duplo sentido*, para fazer justiça à natureza psíquica com seu duplo aspecto. Eu procuro consciente e intencionalmente a expressão de duplo sentido, porque é superior à univocidade e corresponde à natureza do ser" (*Cartas II*, p. 245).

143 O *esboço* continua: "Olhai para as imagens dos deuses que os antigos e os antiquíssimos nos legaram: sua natureza é ambígua e de muitos sentidos (p. 87).

144 1Jo 4,16: "Deus é amor; quem permanece no amor permanece em Deus, e Deus nele".

145 O *esboço* continua: "Quem distorce esta e outras palavras é um brincalhão, pois não respeita a palavra falada. Presta atenção, tu ganhas a ti mesmo a partir daquilo que lês num livro. Tu lês num livro tanto para dentro como para fora" (p. 88).

146 O *esboço corrigido* tem "~~nascimento do novo~~" (concepção de um) Deus (p. 74).

147 Referência à Virgem Maria.

148 Cf. nota 57, p. 234.

149 Parece uma referência ao ferimento de Izdubar no *Liber Secundus*, cap. 8, Primeiro Dia. Cf. adiante, p. 278.

que gostaria de ser perfeito, pois é um imitador do perfeito[150]. A imitação foi um caminho da vida, quando o ser humano ainda precisava do exemplo heroico[151]. A maneira de ser do macaco é um caminho da vida para o macaco, e para o ser humano, enquanto é amacacado. O amacacado do ser humano dura por um espaço de tempo colossal, mas chegará o tempo em que vai cair um pedaço do amacacado do ser humano.

Será um tempo de salvação e de descida da pomba e do fogo e salvação eternos.

Então não haverá mais nenhum herói e ninguém que o possa imitar. Pois, a partir desse tempo, toda imitação é amaldiçoada. O novo Deus ri da imitação e do seguimento. Ele não precisa de repetidor e de nenhum discipulado. Ele força a pessoa através dele mesmo. O Deus é seu próprio partidário na pessoa. Ele imita a si mesmo.

Pensamos que em nós há o individual e que fora de nós há o geral. Fora de nós é geral em relação a fora de nós, mas é ser individual em relação a nós. Em nós é ser individual em relação a nós, mas geral em relação a fora de nós. Somos individuais quando estamos em nós, mas gerais em relação a fora de nós. Mas quando estamos fora de nós, somos individuais e egoístas no geral. Nosso si-mesmo sofre necessidade quando estamos fora de nós e assim preenche com suas necessidades o geral; desta maneira o geral é falsificado em relação ao individual. Quando estamos em nós, preenchemos a necessidade do si-mesmo, nós prosperamos, tornamo-nos conscientes das necessidades do geral e podemos satisfazê-las[152].

Quando colocamos um Deus fora de nós, ele nos arranca do si-mesmo, pois o Deus é mais forte do que nós. Nosso si-mesmo sucumbe à miséria. Mas quando o Deus entra no si-mesmo, então ele nos arranca do fora de nós[153]. Chegamos ao ser individual em nós. Assim o Deus torna-se geral em relação ao fora de nós; individual, porém, em relação a nós. Ninguém possui meu Deus, mas meu Deus possui a todos, inclusive a mim. Os deuses de todas as pessoas individuais possuem sempre todas as outras pessoas, inclusive a mim mesmo. E assim é sempre apenas o único Deus apesar de sua multiplicidade. A ele pertences em ti mesmo, mas só pelo fato de teu si-mesmo te prender. Ele te prende no prosseguimento de tua vida.

O herói tem de sucumbir por causa de nossa redenção, pois ele é exemplo e exige imitação. Mas a medida da imitação está cheia[154]. Nós devemos ser salvos para a solidão em nós e para Deus no fora de nós. Ao entrarmos nesta solidão, começa a vida de Deus. Quando estamos em nós, o espaço fora de nós está livre, mas repleto de Deus.

Nosso relacionamento com as pessoas passa por este espaço vazio, portanto através de Deus. Mas antigamente passava pelo egoístico, pois estávamos fora de nós. Por isso me disse previamente o espírito, que a friagem do espaço cósmico se depositaria sobre a terra[155]. Com isso, mostrou-me em imagem que Deus vai colocar-se entre os seres humanos com o chicote da friagem glacial e tocar cada indivíduo para o calor de seu próprio rebanho claustral. Pois as pessoas vagueavam como doidas fora de si.

A ambição egoísta procura ao final a si mesma. Tu te encontrarás a ti mesmo em tua ambição, portanto não digas que a ambição é fútil. Se tu ambicionas a ti mesmo, geras no abraço a ti mesmo o Filho de Deus. Tua ambição é o Deus-Pai, teu si-mesmo a deusa-mãe, mas o Filho é o novo Deus, teu senhor.

Quando abraças teu si-mesmo, parece-te que o mundo ficou frio e vazio. É neste vazio que entra o Deus que virá.

Quando estás em tua solidão e todo espaço ao teu redor se tornou frio e infinito, então te afastaste das pessoas, mas ao mesmo tempo chegaste perto delas como nunca antes. A ambição egoísta conduziu-te apenas aparentemente às pessoas, mas na verdade conduziu-te para longe delas e no final a ti mesmo naquilo que estava mais longe para ti e para as outras pessoas. Mas se estiveres na solidão, teu Deus vai conduzir-te ao Deus das outras pessoas e com isso à verdadeira proximidade, à proximidade do si-mesmo na outra pessoa.

Quando estás em ti mesmo, tomas consciência de teu não poder. Hás de perceber quão pouco és capaz de imitar heróis e tu mesmo seres um herói. Portanto, não mais obrigarás os outros a serem heróis. Eles sofrem do não poder como tu. O não poder também quer existir, mas ele vai perturbar vossos deuses. [BP v(r)] / fol. v(r)/v(v)

Mysterium. Encontro

[HI v(v)]

Cap. ix.

Na noite em que meditei sobre a natureza de Deus, veio-me à mente uma imagem: eu estava deitado numa profundeza escura. Um homem velho estava diante de mim. Tinha a aparência de um daqueles antigos profetas[156]. A seus pés havia uma cobra preta. A certa distância vi uma casa cheia de colunas. Uma linda moça saiu da porta. Caminhava inseguramente, e percebi que era cega. O velho me acenou e eu o sigo para a casa ao pé de um rochedo muito alto. Atrás de nós vem rastejando a cobra. No interior da casa reina a escuridão. Estamos num salão alto com paredes cintilantes. No plano de fundo há uma pedra de aquarela clara. Quando olhei no seu reflexo, apareceu-me a imagem de Eva, da árvore e da serpente. Depois avistei Ulisses e seus companheiros no vasto mar. De repente abriu-se à direita uma porta para um jardim iluminado pelo sol. Saímos, e o velho me falou: "Sabes onde estás?"

Eu: "Sou aqui um estranho e tudo é maravilhoso, assustador como um sonho. Quem és tu?"

E: "Eu sou Elias[157] e esta é minha filha Salomé"[158].

Eu: "A filha de Herodíades, a mulher sanguinária?"

150 A importância da totalidade sobre a perfeição é tema importante na obra posterior de Jung. Cf. *Aion* (1951). OC, 9/2, § 123. • *Mysterium coniunctionis* (1955). OC, 14, § 616.

151 Em 1916, Jung escreveu: "O homem possui uma faculdade muito valiosa para os propósitos coletivos, mas extremamente nociva para a individuação: sua tendência à *imitação*. A psicologia coletiva não pode prescindir da imitação" ("A estrutura do inconsciente". OC, 7, § 463) . Em "A psicologia do arquétipo da criança" (1940), Jung escreveu sobre o perigo da identificação com o herói: "Tal identificação é frequentemente obstinada e preocupante para o equilíbrio anímico. Se essa identificação puder ser dissolvida através da redução da consciência à sua medida humana, a figura do herói vai diferenciar-se gradativamente até o símbolo do si-mesmo" (OC, 9/1, § 303).

152 Jung abordou a questão do conflito entre individuação e coletividade em 1916, em "Individuação e coletividade". OC, 18, § 1.103.

153 Cf. comentários de Jung em "Individuação e coletividade" de que "o indivíduo precisa agora consolidar-se, separando-se totalmente da divindade e tornando-se ele mesmo. Com isso e ao mesmo tempo separa-se da sociedade. Exteriormente mergulha na solidão e, internamente, no inferno, no afastamento de Deus". OC, 18, § 1.103.

154 Uma interpretação do assassinato de Siegfried no *Liber Primus*, cap. vii, "Assassinato do herói".

155 Refere-se ao sonho mencionado no prólogo, p. 231.

156 No *Livro Negro* 2, Jung observa: "com barba grisalha e veste oriental" (p. 231).

157 Elias foi um dos profetas do Antigo Testamento. Aparece pela primeira vez em 1Rs 17, trazendo uma mensagem de Deus a Acab, rei de Israel. Em 1953, o carmelita Père Bruno escreveu a Jung perguntando como se estabelecia a existência de um arquétipo. Jung respondeu tomando Elias como exemplo, descrevendo-o como um personagem altamente mítico, o que não o impedia de ter sido provavelmente uma figura histórica. Aproximando descrições de Elias feitas ao longo da história, Jung descreveu-o como um "arquétipo vivo", que representava o inconsciente coletivo e o si-mesmo. E observou que esse arquétipo constelado deu origem a novas formas de assimilação e representava uma compensação por parte do inconsciente (OC, 18, § 1.518-1.531).

158 Salomé era filha de Herodíades e enteada do rei Herodes. Em Mt 14 e Mc 6, João Batista havia dito ao rei Herodes que não lhe era lícito estar casado com a mulher de seu irmão, e Herodes colocou-o na prisão. Salomé (que não é nomeada, mas simplesmente chamada filha de Herodíades) dançou diante de Herodes no aniversário deste, e ele prometeu dar-lhe tudo que ela desejasse. Ela pediu a cabeça de João Batista, que então foi decapitado. No final do século XIX, a figura de Salomé fascinou pintores e escritores, entre os quais Guillaume Apollinaire, Gustave Flaubert, Stéphane Mallarmé, Gustave Moreau, Oscar Wilde e Franz von Stuck, recebendo destaque em muitas obras. Cf. DIJKSTRA, B. *Idols of Perversity*: Fantasies of Feminine Evil in Fin-de-Siècle Culture. Nova York, Oxford University Press, 1986, p. 379-398.

E: “Por que julgas assim? Tu vês, ela é cega. Ela é minha filha, a filha do profeta”.

Eu: “Que milagre vos uniu?”

E: “Nenhum milagre. Foi assim desde o começo. Minha sabedoria e minha filha são uma coisa só”.

Fiquei estupefato, não consegui entender.

E: “Pensa bem: sua cegueira e minha visão fizeram de nós companheiros desde a eternidade”.

Eu: “Perdoa minha perplexidade, estou mesmo no submundo?”

S: “Tu me amas?”

Eu: “Como posso amar-te? Como chegas a esta pergunta? Só vejo uma coisa: tu és Salomé, um tigre, o sangue do santo está grudado em tuas mãos. Como poderia amar-te?”

S: “Tu vais me amar”.

Eu: “Eu? Amar-te? Quem te dá o direito de tais pensamentos?”

S: “Eu te amo”.

Eu: “Afasta-te de mim, tenho horror de ti, fera”.

S: “Estás sendo injusto comigo. Elias é meu pai e conhece os segredos a fundo. As paredes de sua casa são de pedras preciosas. Seus poços contêm águas com força curativa e seu olho vê as coisas futuras. E o que não darias tu por um só olhar nas coisas infinitas daquele que vem? Não valeriam para ti até mesmo um pecado?”

Eu: “Tua tentação é satânica. Eu anseio pelo mundo do alto. Aqui é horrível. Como o ar está carregado e pesado!”

E: “O que queres? Podes escolher”.

Eu: “Mas eu não pertenço aos mortos. Eu vivo à luz do dia. Por que devo atormentar-me aqui por causa de Salomé, se já tenho o bastante em suportar minha própria vida?”

E: “Escutaste o que Salomé disse”.

Eu: “Não consigo acreditar que tu, o profeta, podes reconhecê-la como filha e companheira. Ela não foi gerada de semente infame? Ela não foi pura cobiça e luxúria criminosa?”

E: “Mas ela amava um santo”.

Eu: “E derramou ignominiosamente seu precioso sangue”.

E: “Ela amava o profeta que anunciava o mundo do novo Deus. Amava-o, entendes? Pois ela é minha filha”.

Eu: “Pensas tu que, pelo fato de ser tua filha, ela amava em João o profeta, o pai?”

E: “Em seu amor podes reconhecê-la”.

Eu: “Mas como ela o amava? Chamas isto de amor?”

E: “O que era então?”

Eu: “Fico horrorizado. A quem não causaria horror se Salomé o amasse?”

E: “Tu és medroso? Pensa bem, eu e minha filha somos um desde eternidades”.

Eu: “Tu me propões enigmas terríveis. Como é possível que esta mulher depravada e tu, profeta de teu Deus, sejais um?”

E: “Por que te admiras? Tu vês que estamos juntos”.

Eu: “O que vejo com meus próprios olhos, isto é precisamente o inconcebível para mim. Tu, Elias, que és um profeta, a boca de Deus, e ela um monstro sedento de sangue. Vós sois o símbolo dos mais extremos opostos”.

E: “Nós somos reais, e não um símbolo”.

Vi como a cobra preta subiu na árvore e se escondeu nos galhos. Tudo ficou escuro e incerto. Elias ergueu-se, eu o segui e voltamos em silêncio pelo salão[159]. A dúvida me dilacerava. Tudo é tão irreal e, assim mesmo, resta um pedaço de meu desejo. Será que voltarei? Salomé me ama, eu a amo? Ouço música selvagem, o tambor, uma noite abafada de luar, a rígida-ensanguentada cabeça do santo[160] – sou tomado pelo medo. Precipito-me para fora. É noite escura em torno de mim. Quem matou o herói? Salomé me ama por causa disso? Eu a amo e por isso matei o herói? Ela é uma com o profeta, uma com João e também uma comigo? Ai, era ela a mão de Deus? Eu não a amo, eu a temo. Então o espírito da profundeza falou para mim e disse: “Nisso reconheces sua força de Deus”. Tenho de amar Salomé?[161]

[2] [162]*Este jogo, que eu vi, é meu jogo, não o vosso jogo. É meu segredo, não o vosso. Não podeis imitar-me. Meu segredo permanece virginal e meus mistérios são invioláveis, pertencem a mim e não podem jamais pertencer-vos. Vós tendes os vossos*[163].

Quem entra no que é seu precisa tatear pelo próximo, precisa apalpar seu caminho pedra por pedra. Precisa abraçar o inútil e o valioso com o mesmo amor. Uma montanha é um nada, e um grão de areia oculta reinos ou também não. O julgamento precisa abandonar-te, inclusive o saber, mas sobretudo o orgulho, ainda que repouse sobre méritos. Bem pobre, miserável, humilde, ignorante, passa pela porta. Vira tua raiva contra ti mesmo, pois só tu estorvas a ti mesmo tanto no contemplar como no viver. O jogo dos mistérios é delicado como o ar e fumaça tênue, e tu és matéria bruta, de peso incômodo. Mas tua esperança, que é teu maior bem e maior poder, deixa

---

159 No *Livro Negro* 2, Jung observa: “O cristal luzia fracamente. Penso novamente na imagem de Ulisses, como circunavegou a ilha rochosa das sereias na longa viagem sem rumo. Devo eu, não devo eu?” (p. 74).

160 Isto é, a cabeça de João Batista.

161 No Seminário de 1925, Jung contou novamente: “Usei a mesma técnica da descida, mas desta vez fui muito mais fundo. A primeira vez devo dizer que cheguei a uma profundidade de aproximadamente mil pés, mas desta vez foi uma profundidade cósmica. Foi como ir até à lua, ou como a sensação de pular no espaço vazio. Primeiro a imagem mental foi de uma cratera, ou de uma cadeia de montanhas, e minha associação sensível foi a de um morto, como se eu fosse uma vítima. Era o estado de espírito da terra do além. Pude ver duas pessoas, um velho de barba branca e uma jovem muito bonita. Presumi que eram reais e prestei atenção ao que estavam dizendo. O velho disse que era Elias e eu fiquei muito chocado, mas ela era ainda mais perturbadora porque era Salomé. Eu disse para mim mesmo que havia uma estranha mistura: Salomé e Elias, mas Elias assegurou-me que ele e Salomé estavam juntos desde toda a eternidade. Também isto perturbou-me. Com eles estava uma serpente negra que tinha simpatia por mim. Ative-me a Elias como o mais razoável do grupo, pois parecia ter juízo. Eu estava excessivamente hesitante quanto a Salomé. Tivemos uma longa conversa, mas eu não entendi. Evidentemente, pensei que o fato de meu pai ser clérigo era a explicação para o fato de eu ter figuras como esta. O que pensar deste velho? Salomé não devia ser tocada. Só muito mais tarde é que achei perfeitamente natural a associação dela com Elias. Sempre que alguém empreende viagens como esta encontra uma jovem e um velho” (*Analytical Psychology*, p. 63-64). A seguir, Jung refere-se a exemplos deste tipo presentes na obra de Melville, Meyrink, Rider Haggard e na lenda gnóstica de Simão Mago (cf. adiante, n. 154, p. 359), Kundry e Klingsor do Parsifal de Wagner (cf. adiante, n. 221, p. 303) e na *Hypnerotomachia* de Francesco Colonna. Em *Memórias*, ele disse a respeito da serpente: “Nos mitos a serpente está frequentemente associada ao herói. Existem numerosos relatos de sua afinidade... Por isso a presença da serpente era um indício de um mito do herói” (p. 206). A respeito de Salomé, Jung disse: “Salomé é uma figura da *anima*. Ela é cega porque não vê o sentido das coisas. Elias é a figura do velho profeta sábio e representa o fator de inteligência e conhecimento; Salomé representa o elemento erótico. Poder-se-ia dizer que as duas figuras são personificações de Logos e Eros. Mas esta definição seria excessivamente intelectual. Faz mais sentido deixar as figuras serem o que elas foram para mim naquele tempo – a saber, acontecimentos e experiências” (p. 206-207). Em 1955/1956, Jung escreveu: “Partindo de considerações puramente psicológicas, procurei em outro lugar caracterizar a consciência masculina com o conceito de *Logos* e a feminina com o de *Eros*. Assim, por ‘Logos’ entendi o distinguir, julgar e reconhecer e por ‘Eros’ entendi o pôr em relação” (*Mysterium coniunctionis*. OC, 14, § 224). Sobre a interpretação que Jung dá de Elias e Salomé em termos de Logos e Eros respectivamente, cf. apêndice B, “Comentários”.

162 O *esboço corrigido* tem: *Reflexão doutrinal* (p. 86). O *esboço* e o *esboço corrigido* têm: “Isto, meus amigos, é um jogo de mistérios para o qual o espírito da profundeza me trasladou. Eu havia conhecido ~~o nascimento do novo Deus~~ [a concepção], e por isso o espírito da profundeza me deixou participar das cerimônias subterrâneas,que deveriam instruir-me sobre as intenções e obras de Deus. Através desses jogos deveria eu ser iniciado nos mistérios da salvação” (*esboço corrigido* p. 86).

163 O *esboço* continua: “No mundo renovado não podeis possuir nada exteriormente, a não ser que vós mesmos o crieis a partir de vós. Tu só podes entrar em teus próprios mistérios. O espírito da profundeza tem outra coisa a te ensinar do que a mim. Eu só devo informar-vos sobre o novo Deus e sobre as cerimônias e mistérios de seu serviço. Mas este é o caminho. É a porta das trevas” (p. 100).

ir em frente e servir-te de guia no mundo da escuridão, pois ela é da mesma substância que as conformações daquele mundo[164] [Imagem v(v)][165].

O cenário do jogo dos mistérios é um lugar fundo como a cratera de um vulcão. Meu interior profundo é um vulcão que lança para fora a lava incandescente do que nunca se formou, do indiscernível. Assim meu íntimo dá à luz filhos do caos, da mãe primeva. Quem entra na cratera vira matéria caótica, derrete-se. O formado nele se dissolve e se une de forma nova com os filhos do caos, os poderes das trevas, os dominadores e sedutores, os coercitivos e aliciadores, os demoníacos e divinos. Essas forças ultrapassam de todos os lados meu determinado e limitado e me unem com todas as formas e com todos os seres e coisas distantes, pelas quais sou informado sobre seu ser e sua natureza.

Pelo fato de eu ter caído na fonte do caos, no primordial, torno-me eu mesmo refundido na união com o primordial que é ao mesmo tempo o que já foi e o que será. Em primeiro lugar, chego ao primordial em mim. Mas assim, por ser parte da matéria do mundo e da constituição do mundo, chego também ao primordial do mundo em geral. Como ser formado e determinado participei da vida, mas só através de minha consciência formada e determinada e por meio disso no pedaço formado e determinado do todo cósmico, mas não no não formado e indeterminado do mundo, que também me é dado. Mas só é dada minha profundeza, não minha superfície, que é consciência formada e determinada.

Os poderes de minha profundeza são o predeterminar e o prazer[166]. O predeterminar e o pensar prévio[167] são o Prometeu[168], que, mesmo sem ideias determinadas, dá forma e determinação ao caótico[169], que cava os canais e apresenta o objeto ao prazer. O pensar prévio também está antes do pensar propriamente dito. Mas o prazer é a força que, sem forma e determinação, deseja e destrói formas. Ele ama a forma que ela assume em si, mas destrói a forma que ela não assume. O que pensa previamente é um vidente, mas o prazer é cego. Ele não prevê, mas deseja aquilo que toca. O pensar prévio não tem força e por isso não é movente. O pensar prévio precisa do prazer para alcançar a configuração. O prazer precisa do pensar prévio para chegar à forma de que necessita[170]. Quando o prazer não tem o formante vai diluir-se no multiforme e, através de interminável partição, ficará despedaçado e impotente, perdido no infinito. Se uma forma não toma para si o prazer e o condensa não pode chegar ao mais elevado, pois ele corre como água, sempre de cima para baixo. Todo prazer entregue a si mesmo corre para o mar profundo e termina na morte imóvel da irradiação no espaço infinito. O prazer não é mais velho do que o pensar prévio, e o pensar prévio não é mais velho do que o prazer. Ambos têm a mesma idade e são intimamente unos por natureza. Só no ser humano torna-se manifesta a separação dos dois princípios.

Além de Elias e Salomé, encontro como terceiro princípio a serpente[171]. Ela é uma estranha entre os dois princípios, ainda que ligada a ambos. A serpente me ensina a diversidade incondicional de natureza dos dois princípios em mim. Quando olho a partir do pensar prévio para além do prazer, vejo em primeiro lugar a repugnante e venenosa serpente. Quando sinto a partir do prazer para além do pensar prévio, sinto primeiramente a fria e horrível serpente[172]. A serpente é a natureza terrena do ser humano da qual não tem consciência. Sua maneira muda de acordo com o país e o povo, pois é o segredo que lhe aflui da mãe-terra nutriz[173].

A condição terrena (*numen loci*) separa o pensar prévio e o prazer no ser humano, mas não em si. A serpente tem sobre si o peso da terra, mas também seu mutável e germinante, do qual tudo provém. Sempre é a serpente que faz com que o ser humano sucumba ora a um ora a outro princípio de tal forma que se torne erro. Não se pode viver só com pensar prévio ou só com o prazer. Tu precisas dos dois. Não podes ficar ao mesmo tempo no pensar prévio e no prazer, mas deves ficar alternadamente no pensar prévio e no prazer, obedecendo às leis respectivas, ou seja, infiel ao outro. Mas as pessoas dão preferência a um ou outro. Uns preferem o pensar e baseiam sobre ele a arte da vida. Exercitam seu pensar e sua cautela, e perdem assim seu prazer. Por isso são velhos e têm um rosto severo. Outros amam o prazer, exercitam seu sentir e vivenciar. Perdem assim o pensar. Por isso são jovens e cegos. Os que pensam baseiam o mundo sobre o pensado, os sensitivos, sobre o sentido. Tu encontras verdade e erro em ambos.

A exemplo da serpente, o caminho da vida ziguezagueia da direita para a esquerda e da esquerda para a direita, do pensar para o prazer e do prazer para o pensar. Portanto, a serpente é um adversário e símbolo da inimizade, contudo uma ponte sábia que liga direita e esquerda através do desejo, segundo a necessidade de nossa vida.

[174]O lugar onde Elias e Salomé moram juntos é um espaço escuro e claro. O espaço escuro é o espaço do pensar prévio. Ele é escuro, por isso aquele que o habita precisa de visão[175]. Este espaço é limitado, por isso o pensar prévio não conduz a uma vasta amplidão, mas à profundeza do passado e do futuro. O cristal é a ideia formada, que brilha no passado vindouro.

Eva / e a serpente me mostram que meu próximo caminho fol. v(v)/vi(r)
me leva para o prazer e daí outra vez para um longo caminho errado, como Ulisses. Ele navegou no erro quando astuciosamente sentiu prazer em Troia[176]. O jardim luminoso é o espaço

164 O *esboço* continua: "O jogo dos mistérios realizou-se no mais profundo de meu ser íntimo, que é precisamente aquele outro mundo. Tu precisas prestar atenção, é também um mundo e sua realidade é grande e assustadora. Tu choras e ris, tremes e às vezes poreja de ti o suor do medo da morte. O jogo dos mistérios representa a mim mesmo e, através de mim, é representado de novo aquele mundo ao qual pertenço. Portanto, meus amigos, aprendeis daquilo que vos digo aqui muita coisa sobre o mundo e, através dele, sobre vós. Mas com isso não percebestes nada de vossos mistérios, sim, vosso caminho está mais escuro do que antes, pois meu exemplo vai ser um estorvo para vós em vosso caminho. Vós podeis seguir-me, mas não em meu caminho, e sim no vosso" (p. 102).

165 Isto retrata a cena na fantasia.

166 Uma interpretação subjetiva das figuras de Elias e Salomé.

167 No *esboço corrigido* "Predeterminar ou pensar previamente" é substituído por "a ideia". Esta substituição ocorre durante o resto desta seção (p. 89).

168 Na mitologia grega, Prometeu criou a humanidade a partir do barro. Ele podia predizer o futuro e seu nome significa "previsão". Em 1921 Jung escreveu uma extensa análise do poema épico de Carl Spitteler *Prometheus und Epimetheus* (1881) junto com o *Prometheus Fragment* (1773) de Goethe (*Tipos Psicológicos*. OC, 6, cap. 5).

169 O *esboço corrigido* tem: "limitação" (p. 89).

170 O *esboço* continua: "Por isso veio a mim o pensador prévio como Elias, o profeta, e o prazer como Salomé" (p. 103).

171 O *esboço* continua: "O animal de horror mortífero que estava deitado entre Adão e Eva" (p. 105).

172 O *esboço corrigido* tem: "A serpente não é só um princípio separador, mas também unificador" (p. 91).

173 Ao comentar isto no seminário de 1925, Jung observou que havia na mitologia muitos relatos da relação entre um herói e uma serpente, de modo que a presença da serpente indicava que "será novamente um mito do herói" (p. 89). Mostrou um diagrama de uma cruz com Racional/Pensamento (Elias) no alto, Sentimento (Salomé) ao pé, Irracional/Intuição (Superior) à esquerda e Sensação/Inferior (Serpente) à direita (p. 90). Jung interpretou a serpente negra como a libido introvertida: "A serpente desencaminha aparentemente o movimento psicológico para o reino de sombras, mortos e imagens falsas, mas também para a terra, para a concretização... Na medida em que a serpente leva para as sombras, ela desempenha a função da *anima*; ela leva você para as profundezas, conecta o superior e o inferior... a serpente é também o símbolo da sabedoria" (*Analytical Psychology*, p. 94-95).

174 O *esboço* continua: "Seguindo Elias e Salomé, sigo os dois princípios em mim e, através de mim, no mundo do qual sou parte" (p. 106).

175 O *esboço corrigido* tem: "i. e, do pensar. E sem pensar não se capta nenhuma ideia" (p. 92).

176 O *esboço* continua: "O que seria de Ulisses sem a viagem errada?" (p. 107). O *esboço corrigido* acrescenta: "Não teria havido Odisseia" (p. 92).

do prazer. Quem o habita não precisa da visão[177]; ele sente o infinito[178]. Uma pessoa que pensa e que desce para seu pensar prévio encontra um próximo caminho no jardim de Salomé. Por isso a pessoa que pensa teme seu pensar prévio, apesar de viver com base nele. A superfície visível é mais segura do que os subfundamentos. O pensar protege contra o caminho errado, por isso conduz à petrificação.

Uma pessoa que pensa teme Salomé, pois ela quer sua cabeça, sobretudo quando ele é um santo. Uma pessoa que pensa não deve ser um santo, senão cai sua cabeça. Não ajuda nada esconder-se no pensar. Lá te alcança o entorpecimento. Deves voltar ao teu pensar prévio maternal para tomar renovação. Mas o pensar prévio conduz à Salomé.

[179]Porque fui um pensador e porque avistei o princípio hostil do prazer a partir do pensar prévio, pareceu-me ele ser Salomé. Se tivesse sido um sentimental e tivesse tateado para além, para o pensar prévio, teria me parecido a um dáimon serpentiforme, caso o tivesse enxergado. Mas eu teria sido cego. Só teria sentido coisas escorregadias, mortas, perigosas, crenças ultrapassadas, coisas desinteressantes, coisas adocicadas e teria me afastado com o mesmo horror com o qual me afastei de Salomé.

Os prazeres da pessoa que pensa são maus, por isso ela não tem prazer. Os pensamentos do sentimental[180] são maus, por isso não tem pensamentos. Quem prefere pensar a sentir[181] deixa apodrecer seu sentir[182] no escuro. Não amadurece, mas faz brotar no mofo trepadeiras doentias que não alcançam a luz. Quem prefere sentir a pensar, este deixa seu pensar no escuro, onde tece sua teia em cantos sujos, tramas desoladoras em que ficam presas moscas e mariposas. O pensador sente o repugnante dos sentimentos, pois o sentimento nele é sobretudo repugnante. O sensitivo pensa o repugnante dos pensamentos, pois o pensar nele é sobretudo repugnante. Portanto, a serpente está entre aquele que pensa e aquele que sente. São mutuamente veneno e terapia.

No jardim teve que se revelar para mim que eu amo Salomé. Este conhecimento me atormentou, pois não o havia imaginado. O que um pensador não pensa, ele acha que não existe e o que um sensitivo não sente, ele acha que não existe. Tu começas a vislumbrar o todo quando dominas teu contraprincípio, pois o todo repousa sobre dois princípios que nascem de uma só raiz[183].

Elias dizia: "Em seu amor deves reconhecê-la". Não só tu santificas o objeto, mas o objeto santifica também a ti. Salomé amava o profeta, e isto a santificava. O profeta amava a Deus, e isto o santificava. Mas Salomé não amava a Deus, e isto a dessantificava. O profeta não amava Salomé, e isto o dessantificava. Portanto eram veneno e morte um para o outro. Que o pensador receba seu prazer e o sentimental, seu próprio pensar. Isto conduz ao caminho[184].

Instrução

[HI vi(r)]

Cap. x.

Na noite seguinte[185] fui conduzido a uma segunda imagem: estou de pé na profundeza rochosa que me parece uma cratera. Diante de mim vejo a casa cheia de colunatas. Vejo Salomé andando para a esquerda ao longo da parede da casa, apalpando o caminho como cega. É seguida pela serpente. Na porta está o velho, que me acena. Hesitante, eu me aproximo. Chama Salomé de volta. Parece uma pessoa doente. Não consigo descobrir nada de sua maldade em sua natureza. Suas mãos são brancas e seu rosto, de expressão meiga. Diante dos dois está a serpente. Estou diante deles, sem jeito, como um garoto bobo, dominado pela indecisão e ambiguidade. O velho me olha perquiridor e diz: "O que queres aqui?"

Eu: "Perdoa, não é impertinência nem presunção que me trazem aqui. Estou aqui como por acaso; não sei o que quero. Um desejo, que ficou ontem em mim em tua casa, foi que me trouxe aqui. Vê, profeta, estou cansado, minha cabeça está pesada como chumbo. Estou perdido em minha ignorância. Já brinquei demais comigo. Foram jogos hipócritas que eu fazia comigo, e todos me teriam causado repugnância se eu não tivesse sido esperto de jogar no mundo das pessoas o que os outros de nós esperam. A mim me parece que seria mais real. Contudo não gosto de estar aqui".

Calados, Elias e Salomé entraram na casa. Fui atrás com relutância. Atormentava-me um sentimento de culpa. Seria má consciência? Gostaria de voltar, mas não posso. Estou diante do jogo incendiário do cristal fulgurante. Vejo no brilho a mãe de Deus com a criança. Diante dela está Pedro em adoração – Pedro sozinho com a chave – o Papa com a tiara tríplice – um Buda sentado imóvel no círculo de fogo – uma deusa ensanguentada de quatro braços[186] – Salomé é aquilo com as mãos torcidas em desespero[187] – isto me envolve, é minha própria alma e agora vejo Elias na imagem da pedra.

Elias e Salomé estão diante de mim sorrindo.

Eu: "Este olhar é angustiante, e o sentido dessas imagens é obscuro para mim, Elias; gostaria de pedir-lhe, dá luz".

Elias se afasta em silêncio e vai em frente para a esquerda. Salomé vai para a direita e entra numa arcada. Elias me conduz a uma sala ainda mais escura. No teto está pendurada uma lâmpada de luz avermelhada. Sento-me numa cadeira, esgotado. Elias está diante de mim, encostado num leão de mármore, no meio da sala.

E: "Estás com medo? Tua ignorância acusa de culpa tua má consciência. Não saber é culpa, mas tu presumes que a necessidade

177 O *esboço corrigido* tem: "Bem mais do prazer, a fim de usufruir do jardim" (p. 92).
178 O *esboço corrigido* tem: "é impressionante que o jardim de Salomé fique tão perto do salão respeitável e misterioso das ideias. Esvoaça por isso um respeito pensante ou talvez mesmo um temor diante da ideia, devido à sua proximidade do paraíso?" (p. 92).
179 O *esboço* continua: "Eu era um pensador. O que poderia causar-me maior admiração do que a união interna dos princípios hostis do pensar prévio e do prazer?" (p. 108).
180 Em vez disso, o *esboço corrigido* tem: "que sente prazer" (p. 94).
181 No *esboço corrigido* está: "prazer" (p. 94).
182 No *esboço corrigido* está: "prazer" (p. 94).
183 O *esboço* continua: "como disse um de vossos poetas: 'O poço suporta dois ferros'" (p. 110).
184 Em 1913 Jung apresentou seu ensaio "A questão dos tipos psicológicos", no qual notava que a libido ou energia psíquica num indivíduo estava dirigida caracteristicamente para o objeto (extroversão) ou para o sujeito (introversão) (OC, 6). A partir do verão de 1915, ele manteve sobre essa questão uma extensa correspondência com Hans Schmid, em que ele agora caracterizava os introvertidos como sendo dominados pela função do pensar e os extrovertidos como sendo dominados pela função do sentir. Caracterizou também os extrovertidos como sendo dominados pelo mecanismo de prazer-dor, procurando encontrar o amor do objeto, e inconscientemente buscando o poder tirânico. Os introvertidos buscavam inconscientemente o prazer inferior e precisavam ver que o objeto era também um símbolo de seu prazer. A 7 de agosto de 1915, Jung escreveu a Schmid: "*Os opostos precisam ser equilibrados no próprio indivíduo*" (ISELIN, H.K. (org.). *Zur Entstehung von C.G. Jungs "Psychologischen Typen"*, p. 66). Esta ligação entre pensar e introversão e entre sentir e extroversão foi mantida em sua análise deste tema em 1917 em "*Psicologia dos processos inconscientes*". Em *Tipos Psicológicos*, em 1921, este modelo havia-se expandido para englobar dois grandes tipos de atitude de introvertidos e extrovertidos, ulteriormente subdivididos pela predominância de uma das quatro funções psicológicas de pensar, sentir, sensação e intuição.
185 22 de dezembro de 1913. Em 19 de dezembro de 1913, Jung deu uma palestra na Associação Psicanalítica de Zurique sobre "A psicologia do inconsciente".
186 O *esboço* continua: "Kali" (p. 113).
187 *Livro Negro 2*: "ora aquela figura branca de menina com o cabelo preto – minha própria alma –, ora aquela figura branca de homem, que naquela época também me apareceu – ela é como o Moisés sentado de Michelangelo – é Elias" (p. 84). O Moisés de Michelangelo está na Igreja de São Pedro Acorrentado, em Roma. Foi objeto de um estudo de Freud, publicado em 1914 (*The Standard Edition of the Complete Psychological Works of Sigmund Freud*. 24 vols. Vol. 13, Londres: The Hogarth Press and The Institute of Psycho-analysis, 1953-1974 [org. por J. Strachey]). O pronome da terceira pessoa "aquilo" identifica aparentemente Salomé como Kali, cujas diversas mãos se retorcem mutuamente. Cf. nota 196, p. 250.

de saber proibido seja a causa de teu sentimento de culpa. Por que achas que estás aqui?"

Eu: "Eu não sei. Eu mergulhei neste lugar quando eu, ignorante, desejei o não ignorado. E assim estou aqui, admirado e confuso, um portão ignorante. Eu percebo coisas maravilhosas em tua casa, coisas que me assustam e cujo significado desconheço".

E: "Não seria tua lei estar aqui, senão como estarias aqui?"

Eu: "Acomete-me o sentimento de fraqueza mortal, meu pai".

E: "Tu foges. Não podes livrar-te de tua lei".

Eu: "Como posso livrar-me daquilo que me é desconhecido, que não posso atingir nem com sentimento e nem com pressentimento?"

E: "Tu mentes. Não sabes que tu mesmo conheceste o que significa quando Salomé te ama?"

Eu: "Tens razão. Surgiu-me uma ideia duvidosa e incerta. Mas eu a esqueci de novo".

E: "Tu não a esqueceste. Ela queimou fundo em teu interior. Tu és covarde? Ou não consegues distinguir suficientemente esta ideia de ti mesmo, de forma que dela quisesses tomar posse?"

Eu: "A ideia foi muito longe, e eu temo ideias que voam longe. São perigosas, pois sou um ser humano, e tu sabes que as pessoas estão muito acostumadas a considerar ideias como coisas próprias suas, de modo que acabam se confundindo afinal com elas".

E: "Vais confundir-te com uma árvore ou um animal, só porque os vês e porque eles vivem contigo num mesmo mundo? Precisas ser tuas ideias, porque vives no mundo de tuas ideias? Tuas ideias estão tão fora de teu si-mesmo quanto as árvores e os animais estão fora de teu corpo"[188].

Eu: "Entendo. Meu mundo das ideias foi para mim mais palavra do que mundo. Eu pensei de meu mundo das ideias: ele é eu".

E: "Dizes a teu mundo humano e a cada ser fora de ti: tu és eu?"

Eu: "Eu entrei em tua casa, meu pai, com o medo de um aluno de escola. Mas tu me ensinaste sabedoria salutar[189]. Também posso contemplar minhas ideias como estando fora de mim. Isto me ajuda a voltar àquela conclusão assustadora que minha língua teme em pronunciar. Eu pensei que Salomé me ama porque sou parecido com João ou contigo. Esta ideia me pareceu inacreditável. Por isso a descartei e pensei que ela me ama porque sou muito contrário a ti, ela ama sua maldade na minha maldade. Esta ideia foi aniquiladora".

Elias ficou quieto. Desceu um peso sobre mim. Então entrou Salomé, aproximou-se de mim e colocou seu braço em meu ombro. Certamente me tomou por seu pai, em cuja cadeira eu estava sentado. Não ousei mexer-me nem falar.

S: "Sei que não és o pai. Tu és seu filho, e eu sou tua irmã".

Eu: "Tu, Salomé, minha irmã? Foi esta a terrível sensação que emitiste, aquele inominável horror de ti, de teu contato? Quem foi nossa mãe?"

S: "Maria".

Eu: "Isto é um sonho infernal? Maria, nossa mãe? Que loucura se esconde nesta tua palavra? A mãe do Salvador, nossa mãe? Quando ultrapassei hoje vosso limiar, pressenti desgraça. Ai! Aconteceu. Perdeste o juízo, Salomé? Elias, guarda do direito divino, dize: Isto é um sortilégio demoníaco dos réprobos? Como pode ela dizer semelhante coisa? Ou ambos estais fora do juízo? Vós sois símbolos, e Maria é um símbolo. Eu estou apenas confuso demais para vos compreender agora".

E: "Tu podes chamar-nos de símbolos com o mesmo direito que podes chamar de símbolos também as outras pessoas iguais a ti. Nada enfraqueces e nada resolves ao nos chamar de símbolos".

Eu: "Tu me lanças numa confusão terrível. Vós quereis ser reais?"

E: "Com certeza somos aquilo que chamas de real. Aqui estamos nós, e tu tens de nos aceitar. Tu tens a escolha".

Eu me calei. Salomé afastou-se de mim. Olhei desconfiado ao redor de mim. Atrás de mim ardia uma chama amarelo-avermelhada num altar redondo. Em torno da chama se deitara a serpente em forma de círculo. Seus olhos faiscavam o reflexo amarelado. Encaminhei-me vacilante para a saída. Ao passar pelo salão, vi andando à minha frente um enorme leão. Fora era noite fria e estrelada.

[2] [190]Não é pouca coisa admitir seu desejo. Muitas pessoas precisam para isso de um esforço especial de sua lealdade. Muitos não querem saber onde está seu desejo, pois lhes pareceria impossível ou por demais doloroso. E, apesar disso, o desejo é o caminho da vida. Se não admites teu desejo, não segues a ti mesmo, mas trilhas caminhos estranhos, prescritos por outras pessoas. E assim não vives a tua vida, mas uma vida estranha. Mas quem deve viver tua vida, se tu não a vives? Não é apenas imbecilidade trocar sua própria vida por uma estranha, mas também uma brincadeira estúpida, pois nunca conseguirás viver realmente a vida de outra pessoa, tu apenas a finges, enganas o outro e a ti mesmo, pois só podes viver tua própria vida.

Se desistes de teu si-mesmo, vais vivê-lo em outra pessoa; tu te tornarás egoísta em relação a ela e, assim, enganarás a outra pessoa. Todos acreditam que tal vida é possível. Mas é apenas imitação simiesca. A fim de ceder a teus apetites simiescos, contaminas a outra pessoa, porque o macaco estimula o simiesco. Assim, fazes de ti e da outra pessoa um macaco. Através de imitação mútua viveis segundo a expectativa mediana, para a qual foi estabelecida em toda a época, através dos desejos de imitação de todos, uma imagem, um herói. Por isso o herói foi assassinado, pois tornamo-nos todos para ele macacos. Sabes por que não consegues abrir mão do simiesco? Por medo da solidão e da sujeição.

Viver a si mesmo significa: ser tarefa para si mesmo. Não digas nunca que é um prazer viver a si mesmo. Não será nenhuma alegria, mas um longo sofrimento, pois precisas tornar-te teu próprio criador. Se quiseres criar a ti mesmo, não comeces pelo melhor

---

188 Jung mencionou esta conversa no seminário de 1925 e comentou: "Só então aprendi a objetividade psicológica. Só então pude dizer a um paciente: 'Fique calmo, algo está acontecendo'. *Existem* coisas como ratos numa casa. Não se pode dizer que alguém está errado quando tem um pensamento. Para compreender o inconsciente devemos ver nossos pensamentos como acontecimentos, como fenômenos" (*Analytical Psychology*, p. 95).

189 Em vez disso, o *esboço corrigido* tem: "verdade" (p. 100).

190 O *esboço corrigido* tem: *reflexão* (p. 103). No *esboço* e no *esboço corrigido* ocorre uma passagem longa. O que segue aqui é uma paráfrase: Eu me pergunto se isto é real, um mundo inferior, ou a outra realidade, e se foi a outra realidade que me impeliu para cá. Vejo aqui que Salomé, meu prazer, move-se para a esquerda, o lado do impuro e mau. Este movimento segue a serpente, que representa a resistência e a hostilidade contra este movimento. O prazer se afasta da porta. O pensar prévio [*esboço corrigido*: "a ideia", ao longo de toda esta passagem] está à porta, conhecendo a entrada para os mistérios. Por isso o desejo funde-se nos muitos, se o pensar prévio não o orienta e não o impele para a sua meta. Se encontramos um homem que apenas deseja, encontraremos, por trás do desejo, resistência contra o desejo dele. O desejo sem pensar prévio ganha muito, mas não conserva nada, por isso seu desejo é a fonte de constante decepção. Por isso Elias chama de volta Salomé. Se o prazer está unido com o pensar prévio, a serpente permanece diante deles. Para ter sucesso em alguma coisa, é preciso primeiro lidar com a resistência e a dificuldade, caso contrário a alegria deixa para trás dor e decepção. Por isso aproximei-me mais. Eu precisava primeiro superar a dificuldade e a resistência para conseguir o que eu desejava. Quando o desejo supera a dificuldade, torna-se visão e segue o pensar prévio. Por isso vejo que as mãos de Salomé estão puras, sem nenhum vestígio de crime. Meu desejo é puro se eu primeiro superar a dificuldade e a resistência. Se eu examino cuidadosamente o prazer e o pensar prévio, sou como um louco, que segue cegamente seus anseios. Se eu sigo meu pensamento, renuncio ao meu prazer. Os antigos diziam em imagens que o louco encontra o caminho certo. O pensar prévio tem a primeira palavra, por isso Elias perguntou-me o que eu queria. Sempre se deve perguntar a si mesmo o que se deseja, já que existem pessoas demais que não sabem o que querem. Eu não sabia o que eu queria. Você deve confessar a você mesmo seus anseios e aquilo por que você anseia. Assim você satisfaz seu prazer e alimenta seu pensar prévio ao mesmo tempo (*esboço corrigido*, p. 103-104).

e mais elevado, mas pelo pior e mais baixo. Por isso dize que te repugna viver a ti mesmo. A confluência dos rios da vida não é alegria, mas dor, pois é violência contra violência, culpa, e rompe com coisas sagradas.

A imagem da mãe de Deus com a criança, que tenho diante dos olhos, dá-me o entendimento do mistério da transformação[191]. Quando pensamento prévio e prazer se unem em mim, surge um terceiro, o Filho divino, que é o sentido supremo, o símbolo, a passagem para uma nova criatura. Eu mesmo não me torno sentido supremo[192] ou símbolo, mas o símbolo torna-se em mim, de tal forma que ele tem sua substância, e eu a minha. Assim estou eu, como Pedro, em adoração diante do milagre da transformação e do tornar-se realidade de Deus em mim.

Ainda que eu mesmo não seja o filho de Deus, represento-o contudo como alguém que foi mãe para Deus e a quem por isso foi dado, em nome de Deus, a liberdade do atar e desatar. O atar e desatar acontece em mim[193]. Enquanto acontece em mim, e eu sou parte do mundo, acontece também através de mim no mundo, e ninguém pode impedi-lo. Mas não acontece por via de minha vontade, e sim por via de efeito inevitável. Não sou eu que sou senhor sobre vós, mas o ser de Deus em mim. Com uma chave tranco o passado, com a outra abro o futuro. Isto acontece enquanto me transformo. O milagre da transformação é que comanda. Eu sou seu servo, igual ao Papa.

Vês que é muito desvairamento acreditar isto de si mesmo[194]. Não se aplica a mim, mas ao símbolo. O símbolo torna-se meu senhor e soberano infalível, vai firmar seu domínio e se transformar numa imagem rígida e enigmática, cujo sentido se volta totalmente para dentro e cujo prazer reluz para fora como fogo chamejante[195], um Buda na chama[196]. Enquanto assim me concentrava em meu símbolo, o símbolo de meu um me transforma em meu outro, e aquela deusa cruel de meu interior, meu prazer feminino, meu autêntico outro, o atormentador atormentado, naquilo a ser atormentado. Interpretei esta imagem o melhor que pude com palavras pobres.

[197]Segue no momento de tua confusão teu pensar prévio, não teu apetite cego, pois o pensar prévio te conduz ao difícil, que sempre deve chegar em primeiro lugar. E ele chega. Quando procuras uma luz, cais inicialmente numa escuridão ainda mais profunda. Nesta escuridão encontrarás uma luz fraca, de chama avermelhada, que dá uma claridade muito pequena, mas suficiente para ver a coisa seguinte. É extenuante chegar a esta meta, que não parece meta alguma. E é bom assim: estou paralisado e por isso disposto a aceitar. Meu pensar prévio lança-me sobre o leão, minha força[198].

Eu persisti na forma santificada e não autorizei o caos a romper seus diques. Eu acreditava na ordem do mundo e odiava todo desordenado e sem forma. Por isso tinha de admitir antes de tudo que minha própria lei me havia trazido a este lugar. Enquanto Deus estivesse em mim, pensava eu, ele seria uma parte de meu si-mesmo. Eu pensava que meu eu o envolvia e por isso o considerava como meus pensamentos. Mas de meus pensamentos eu pensava que eram parte de meu eu. Assim eu colocava a mim mesmo em meus pensamentos e assim também a mim mesmo nos pensamentos de Deus, considerando-o / uma parte de meu fol. vi(r)/vi(v)
si-mesmo.

Por causa de meus pensamentos, abandonei a mim mesmo; por isso meu si-mesmo ficou faminto e fez de Deus uma ideia egoísta. Se eu abandonar meu si-mesmo, a fome vai impelir-me a encontrar meu si-mesmo em meu conteúdo, portanto em meu pensamento. Por isso gostas de pensamentos razoáveis e ordenados, pois não suportarias que teu si-mesmo estivesse em pensamentos desordenados, isto é, impróprios. Através de teu desejo egoísta expulsas de teu pensamento tudo o que não te parece ordenado, isto é, não apropriado. A ordem tu a crias de acordo com o que sabes; mas os pensamentos do caos tu não os conheces, e assim mesmo eles existem. Meus pensamentos não são meu si-mesmo, e meu eu não abrange o pensamento. Teu pensamento tem este significado e ainda outro, não somente um, mas muitos significados. Ninguém sabe quantos.

Meus pensamentos não são meu si-mesmo, mas são exatamente como as coisas do mundo, vivas e mortas[199]. Assim como não sou prejudicado por viver num mundo parcialmente desordenado, também não sou prejudicado se viver em meu mundo de ideias parcialmente desordenado. Pensamentos são fenômenos da natureza dos quais não tens a posse e cujo significado só conheces bem imperfeitamente[200]. Os pensamentos crescem em mim como uma floresta, diversos animais a habitam. Mas o ser humano é autoritário em seu pensar e com isso mata o prazer da floresta e dos animais selvagens. O ser humano é violento em sua cobiça, e ele mesmo se torna floresta e animal selvagem. Assim como tenho a liberdade no mundo, também tenho a liberdade em meus pensamentos. A liberdade é limitada.

191 O *esboço corrigido* tem: "em sua manifestação exterior, na miséria da realidade terrena" (p. 107).
192 Em vez disso, o *esboço corrigido* tem: "Filho de Deus" (p. 107).
193 Cf. Mt 18,18: "Tudo que ligardes na terra será ligado nos céus, e tudo que desligardes na terra será desligado nos céus".
194 O *esboço* e o *esboço corrigido* continuam: "O papa em Roma tornou-se para nós uma imagem ~~e símbolo~~ de como se realiza a encarnação de Deus e de como ele (Deus) se torna o senhor visível dos homens. Portanto, o Deus vindouro torna-se o senhor do mundo. Isto acontece primeiramente (aqui) em mim. O sentido supremo torna-se meu senhor e soberano infalível, mas não só em mim, talvez também em muitos outros que eu não conheço" (*esboço corrigido* p. 108-109).
195 O *esboço corrigido* tem: "torno-me então como o Buda sentado no fogo" (p. 109).
196 O *esboço corrigido* continua: "Onde está a ideia, também está sempre o prazer. Se a ideia está dentro, o prazer está fora. Por isso me envolve então exteriormente um brilho de prazer pior. Uma divindade lasciva e ávida de sangue me dá o brilho falso. Isto provém do fato de eu ter de suportar totalmente o vir a ser de Deus e que por isso não posso separá-lo de mim inicialmente. Mas enquanto não estiver separado de mim, sou tomado pela ideia de que eu sou ela, e por isso sou também a mulher, que está ligada desde o começo à ideia. Ao receber a ideia e a apresentar à maneira de Buda, meu prazer é formado como a Kali indiana, pois ela é o outro lado de Buda. Mas Kali é Salomé, e Salomé é minha alma" (p. 109).
197 No *esboço*, ocorre aqui um longa passagem, da qual segue uma paráfrase: O torpor é como uma morte. Eu preciso de total transformação. Através disto, minha intenção, como a do Buda, dirigiu-se totalmente para dentro. Então aconteceu a transformação. Mudei então para o prazer, já que eu era um pensador. Enquanto pensador, rejeitei meu sentimento, mas eu havia rejeitado parte da vida. Então meu sentimento tornou-se uma planta venenosa e, quando acordei, ele era sensualidade em vez de prazer, a forma mais inferior e mais comum de prazer. Esta é representada por Kali. Salomé é a imagem do meu prazer, que sente dor porque foi excluído por muito tempo. Ficou evidente então que Salomé, isto é, meu prazer, era minha alma. Quando reconheci isto, meu pensamento mudou e subiu à ideia, e então apareceu a imagem de Elias. Isto me preparou para o jogo do mistério, e mostrou-me antecipadamente o caminho da transformação pelo qual eu tinha que passar no Mysterium. A convergência do pensar prévio com o prazer produz o Deus. Reconheci que o Deus em mim queria tornar-se homem, e considerei isto e respeitei isto, e tornei-me o servo do Deus, mas para nenhum outro senão eu mesmo [*esboço corrigido*: seria loucura e presunção supor que fiz isto também para outros, p. 110]. Mergulhei na contemplação da maravilha da transformação, e primeiro transformei-me no nível inferior do meu prazer, e depois, através disto, reconheci minha alma. Os sorrisos de Elias e Salomé indicam que estavam contentes com meu aparecimento, mas eu estrava em profundas trevas. Quando o caminho é escuro, é a ideia que fornece luz. Quando a ideia, no momento de confusão, possibilita as palavras e não o anseio cego, então as palavras levam você à dificuldade. Ao passo que a ideia leva você para a direita. É por isso que Elias volta-se para a esquerda, para o lado do pecaminoso e mau, e Salomé volta-se para o lado do correto e bom. Ela não vai ao jardim, o lugar do prazer, mas permanece na casa do pai (p. 125-127).
198 No *esboço* ocorre uma passagem da qual segue uma paráfrase: Se sou forte, também o são minhas intenções e pressuposições. Meu pensamento enfraquece e muda para a ideia. A ideia se torna forte; ela é sustentada por sua própria força. Reconheço isto no fato de Elias ser sustentado pelos leões. O leão é de pedra. Meu prazer está morto e transformado em pedra, porque não amei Salomé. Isto deu ao meu pensamento a frieza da pedra, e disto a ideia tomou sua solidez, que é necessária para subjugar meu pensamento. Ele precisava ser subjugado, já que lutava contra Salomé, porque ela lhe pareceu má (p. 128).
199 Em 1921, Jung escreveu: "Devido à realidade específica dos conteúdos inconscientes, podemos chamá-la de objeto com os mesmos direitos com que chamamos as coisas exteriores de objetos" (*Tipos psicológicos*. OC, 6, § 280).
200 O *esboço* e o *esboço corrigido* têm: "~~Deveria considerar-me louco~~ ; [*esboço corrigido*: seria mais que absurdo] se eu pensasse que tinha gerado os pensamentos do mistério" (*esboço corrigido*, p. 115).

A certas coisas do mundo devo dizer: vós não deveis ser assim, porém diferentes. Mas antes disso observo cuidadosamente sua natureza, caso contrário não posso mudá-las; de modo semelhante procedo com certos pensamentos. Tu mudas aquelas coisas do mundo que, mesmo não sendo proveitoso, põem em risco teu bem-estar. Procede igualmente assim com os pensamentos. Nada é perfeito, muita coisa é conflituosa. O caminho da vida é transformação, não exclusão. O bem-estar é melhor juiz do que o direito.

Mas quando tomei consciência da liberdade em meu mundo de ideias, Salomé me abraçou, e eu me tornei profeta, pois tinha encontrado prazer não primordial na floresta e nos animais selvagens. Tinha muito mais vontade de equiparar-me ao observado, do que ter a felicidade de contemplar. Corro o risco de acreditar que eu mesmo tenho sentido, porque contemplo o significativo. Nisso ficamos sempre de novo malucos, e transformamos o observado em loucura e macaquice, porque não conseguimos abandonar a imitação[201].

Assim como meu pensar é o filho do pensar prévio, meu prazer é a filha do amor, da mãe inocente e concebedora de Deus. Além de Cristo, Maria deu à luz Salomé. Por isso diz Cristo no evangelho aos egípcios a Salomé: "Come qualquer verdura, mas não comas a verdura amarga". E como Salomé quisesse saber o porquê, Cristo lhe disse: "Se tirardes o manto da vergonha e se os dois se tornarem um, e o masculino com o feminino, nem masculino e nem feminino"[202].

O pensamento prévio é gerador, o amor é recebedor[203]. Ambos estão além deste mundo. Aqui estão razão e prazer, o resto nós apenas pressentimos. Seria tola ilusão afirmar que estão neste mundo. Em torno desta luz há tanta coisa enigmática e serpentiforme. Eu recuperei da profundeza o poder, e como um leão ele anda diante de mim[204].

Solução

[HI vi(v)][205]

Cap. xi.

[206]Na terceira noite seguinte, fui tomado por um desejo profundo de continuar vivenciando o mistério. Grande era o conflito entre dúvida e desejo em mim. Mas de repente vi que estava numa alcantilada crista rochosa em região desértica. É dia de claridade ofuscante. Avistei acima de mim, num plano mais elevado, o profeta. Sua mão fez um gesto de afastamento, e eu desisti de minha intenção de subir. Esperei embaixo, olhando para cima. Olho: à direita para a noite escura, à esquerda para o dia claro. O rochedo divide dia e noite. No lado escuro está deitada uma grande serpente negra, no lado claro, uma serpente branca. Levantam suas cabeças uma contra a outra, em atitude de luta. Elias está acima delas lá no alto. De repente, as serpentes precipitam-se uma contra a outra, e se trava uma luta feroz. A serpente negra parece ser mais forte. A branca recua. Grandes nuvens de pó levantam-se do lugar da batalha. Mas vejo: a serpente negra retira-se de novo. A parte dianteira de seu corpo tornou-se branca. Ambas as serpentes contorcem-se e desaparecem, uma na luz, a outra na escuridão[207].

Elias: "O que viste?"

Eu: "Eu vi a luta de duas serpentes muito fortes. Pareceu-me que a serpente negra venceria a branca, mas repara, a negra retirou-se, e sua cabeça e a parte dianteira de seu corpo ficaram brancas".

E: "Entendes isto?"

Eu: "Eu refleti, mas não consigo entender nada. Quer dizer que o poder da boa luz é tão grande que mesmo a escuridão, que lhe resiste, é iluminada por ela?"

Elias sobe à minha frente a uma altura muito grande; eu sigo atrás. No cume, chegamos a um muro, armado em blocos maciços. Era uma fortaleza ao redor de todo o cume[208]. No interior havia um grande pátio, e no meio dele, um imenso bloco de pedra, como um altar. Sobre esta pedra está o profeta e fala: "Este é o templo do sol. Este pátio é um recipiente que recolhe a luz do sol".

Elias desce da pedra, sua figura vai diminuindo ao descer, praticamente um anão, bem diferente dele mesmo.

Eu perguntei: "Quem és tu?"

"Eu sou Mime[209], e eu quero mostrar-lhe as fontes. A luz recolhida torna-se água e flui em diversas fontes do cume para os vales da terra". Depois disso, desaparece numa fenda da rocha. Eu o sigo descendo para uma caverna escura. Ouço o rumorejar de uma fonte. Ouço, vinda lá de baixo, a voz do anão: "Aqui estão meus poços, sábio ficará quem deles beber".

Mas não consigo chegar até embaixo. Falta-me coragem. Saio da caverna e fico andando de cá para lá sobre as pedras do pátio. Tudo me parece estranho e incompreensível. Aqui é tudo solitário e de silêncio sepulcral. O ar é claro e fresco como na

201 O *esboço* continua: "...reconheci o Pai, mas porque eu era um pensador, no entanto, não conheci a mãe, porém vi o amor na forma do prazer, e o chamei de prazer, e por isso ficou sendo Salomé para mim. Agora percebo que Maria é a mãe, a inocente, e receptora de amor e não de prazer, que em sua natureza fogosa e sedutora traz o germe do mal. /Se Salomé, o prazer maldoso, é minha irmã, então eu sou um santo pensador, e meu intelecto está arruinado. Eu preciso sacrificar meu intelecto e devo confessar que aquilo que vos disse sobre o prazer, de que ele é o princípio diante do pensar prévio, imperfeito e preconcebido. Eu olhava como um pensador a partir do ponto de vista de meu pensar, senão teria podido reconhecer que Salomé, como a filha de Elias, é um derivado do pensar e não o próprio princípio. Maria, a mãe virginal e inocente, aparece como sendo esse princípio" (p. 133).

202 O Evangelho dos Egípcios é um dos evangelhos apócrifos, que expõe um diálogo entre Cristo e Salomé. Cristo afirma que veio destruir a obra do feminino, a saber, a concupiscência, o nascimento e a deterioração. À pergunta de Salomé sobre quanto tempo a morte prevalecerá, Cristo respondeu: enquanto as mulheres gerarem filhos. Aqui Jung está se referindo à seguinte passagem: "Ela disse: 'Então eu fiz bem em não parir', imaginando que não é permitido gerar filhos. O Senhor respondeu: 'Come de todas as ervas, mas não comas das amargas'". O diálogo continua: "Quando Salomé perguntou quando isto será tornado público, o Senhor disse: 'Quando você calcar aos pés o manto da vergonha e quando de dois for feito um, e o masculino com o feminino, nem masculino nem feminino'" (*The Apocryphal New Testament*. Oxford: Oxford University Press, 1999, p. 18 [org. por J.K. Elliot]). Jung cita este *lógion*, ao qual teve acesso através dos *Stromateis* de Clemente, como exemplo da união dos opostos em *Visions*, vol. 1, p. 524 (1932), e como exemplo da *coniunctio* de masculino e feminino em "A psicologia do arquétipo da criança" (1940). OC, 9/1, § 295) e *Mysterium coniunctionis* (1955/1956). OC, 14, § 528.

203 O *esboço* e o *esboço corrigido* têm: "~~mas~~ quando o jogo dos mistérios me mostrou isto, não o entendi, mas pensei que tinha gerado um pensamento desvairado. ~~Sou alienado, se acreditar nisso. E eu acreditei~~. Por isso o medo tomou conta de mim, e eu queria esclarecer Elias e Salomé como meus pensamentos arbitrários e, assim, enfraquecê-los" (*esboço corrigido*, p. 118).

204 O *esboço* continua: "A imagem da noite fresca e estrelada, com o vasto céu, abriu-me os olhos para a infinitude do mundo interior que eu, como pessoa mais ávida, ainda achei muito fria. Não posso apoderar-me das estrelas, apenas contemplá-las. Por isso minha impetuosa avidez sente aquele mundo como escuro e frio" (p. 135).

205 Isto descreve uma cena na fantasia a seguir.

206 25 de dezembro de 1913.

207 No seminário de 1925, Jung disse: "Algumas noites mais tarde senti que as coisas deviam continuar, de modo que novamente procurei seguir o mesmo procedimento, mas *a coisa* não descia. Permaneci na superfície. Dei-me conta então de que eu tinha um conflito dentro de mim a respeito de descer, mas não pude entender o que era, apenas senti que dois princípios escuros estavam lutando um contra o outro, duas serpentes" (*Analytical Psychology*, p. 95).

208 No seminário de 1925, Jung acrescentou: "Eu pensei: isto é um lugar sagrado dos druidas" (*Analytical Psychology*, p. 96).

209 Em *O anel do nibelungo*, de Wagner, o anão nibelungo Mime é irmão de Alberich e mestre artesão. Alberich roubou o ouro do Reno das donzelas do Reno; renunciando ao amor, ele conseguiu forjar com ele um anel que conferia poder ilimitado. No *Siegfried*, Mime, que mora numa caverna, traz Siegfried para fora, para que mate o gigante Fafner, que foi transformado num dragão e agora possui o anel. Siegfried mata Fafner com a espada invencível forjada por Mime, e mata Mime, que queria matá-lo depois de recuperar o ouro.

maior altura, em toda parte transbordando maravilhosamente a luz do sol, em volta de mim o grande muro. Uma serpente vem rastejando sobre as pedras. É a serpente do profeta. Como vem ela do submundo para o mundo da superfície? Sigo-a e vejo que rasteja na direção do muro. Recebo uma coragem estranha: lá está uma casa pequena, com um pórtico, muito pequena, encravada na rocha. A serpente torna-se infinitamente pequena. Sinto como eu também vou encolhendo. Os muros erguem-se em imponentes montanhas, e eu vejo: eu estou embaixo, no chão da cratera, no submundo, e estou diante da casa do profeta[210]. Ele sai pela porta de sua casa.

Eu: "Percebo, Elias, que me deixaste ver e viver todo tipo de coisas estranhas, antes que eu pudesse chegar a ti. Mas confesso que tudo é obscuro para mim. Teu mundo me aparece hoje numa nova luz. Há pouco ainda me sentia como se estivesse separado de teu lugar por distâncias astronômicas, lá onde pretendo chegar hoje e vejo: parece ser o mesmo lugar".

E: "Estiveste muito ansioso para vir aqui. Não fui eu que enganei, tu te enganaste a ti mesmo. Mas vê bem, quem quer ver, perde muita coisa; tu te enganaste".

Eu: "É verdade, eu desejava muito chegar a ti para perceber o ulterior. Salomé me assustou e me tornou confuso. Tive vertigens, pois o que ela dizia parecia-me monstruoso e como loucura. Onde está Salomé?"

E: "Como estás agitado! O que isto te importa? Vai até o cristal e prepara-te em sua luz".

Uma coroa de fogo envolveu de raios a pedra. O medo me atacou, o que vejo: o sapato grosseiro do camponês? O pé de um poderoso que esmaga uma cidade inteira? Vejo a cruz, o descimento da cruz, a lamentação – quão dolorosa é esta visão! Não quero mais – vejo a criança divina, na mão direita a serpente branca e na mão esquerda a serpente negra – vejo o monte verde, no alto dele a cruz de Cristo, e torrentes de sangue descem do cume do monte – não aguento mais, é insuportável – vejo a cruz e nela Cristo em sua última hora e tormento – em torno do pé da cruz movimenta-se a serpente negra – em redor dos meus pés ela se enroscou – eu estou enfeitiçado e abro meus braços. Salomé se aproxima. A serpente enrolou-se ao redor de todo o meu corpo, e minha aparência é a de um leão.

Salomé diz: "Maria foi a mãe de Cristo, entendes?"

Eu: "Eu vejo que uma força terrível e incompreensível me obriga a imitar o Senhor em seu último padecimento. Mas como poderia atrever-me a chamar Maria de minha mãe?"

S: "Tu és Cristo".

Estou parado em pé, com os braços abertos como um crucificado, meu corpo apertado e horrivelmente enrolado pela serpente: "Tu, Salomé, dizes que sou Cristo?"[211]

Sinto-me como se estivesse sozinho em pé, num alto monte, com os braços rígidos e abertos. A serpente aperta meu corpo com seus anéis aterradores, e o sangue jorra de meu corpo em fontes nos lados do monte para baixo. Salomé curva-se sobre meus pés e os envolve com seus cabelos negros. Fica muito tempo assim deitada. De repente ela grita: "Eu vejo luz!" Realmente ela enxerga, seus olhos estão abertos. A serpente cai de meu corpo e jaz como morta no chão. Passo por cima dela e me ajoelho aos pés do profeta, cujo semblante brilha como chama.

E: "Tua obra está acabada aqui. Outras coisas virão. Procura incansavelmente e sobretudo escreve fielmente o que vês".

Salomé olhava extasiada para a luz que se irradiava do profeta. Elias transformou-se numa poderosa chama de brilho branco, a serpente deitou-se em volta de seu pé, como paralisada. Salomé estava ajoelhada diante da luz em admirável arrebatamento. Brotaram-me lágrimas dos olhos, e eu saí apressadamente para a noite como alguém que não tem parte na glória do mistério. Meus pés não tocaram o chão desta terra, e minha sensação é a de desfazer-me no ar[212].

[2][213]Meu desejo[214] levou-me para cima, para o dia superclaro, cuja luz é o contrário do espaço escuro do pensar prévio[215]. O contraprincípio é, como eu acreditava entender, o amor celestial, a mãe. A escuridão que envolve o pensar prévio[216] parece provir do fato de que ele se processa invisivelmente no interior e na profundeza[217]. Mas a claridade do amor parece provir do fato de o amor ser vida e agir visíveis. Meu prazer estava no pensar prévio e tinha lá seu jardim de delícias, cercado de pura escuridão

---

210 No seminário de 1925, Jung interpretou este episódio da seguinte maneira: "A luta das duas serpentes: a branca significa um movimento para o dia, a negra para o reino das trevas, com aspectos morais também. Havia dentro de mim um conflito real, uma resistência a descer. Minha tendência mais forte era subir. Porque eu ficara tão impressionado no dia anterior com a crueldade do lugar que havia visto, minha tendência era realmente encontrar um caminho para o consciente subindo, como fiz na montanha... Elias disse que embaixo ou em cima era exatamente a mesma coisa. Confira o *Inferno* de Dante. Os gnósticos expressam esta mesma ideia com o símbolo dos cones invertidos. Assim, a montanha e a cratera são semelhantes. Não havia nada de estrutura consciente nestas fantasias, eram apenas fatos ocorridos. Por isso suponho que Dante tirou suas ideias dos mesmos arquétipos" (*Analytical Psychology*, p. 96-97). McGuire sugere que Jung está se referindo à concepção de Dante "da forma cônica da cavidade do Inferno, com seus círculos, espelhando inversamente a forma do Céu, com suas esferas" (Ibid.). Em *Aion*, Jung observou também que as serpentes eram um típico par de opostos e que o conflito entre serpentes era um motivo encontrado na alquimia medieval (1951. OC, 9/2, § 181).

211 No seminário de 1925, Jung contou isto novamente, após a declaração de Salomé de que ele era Cristo: "Apesar de minhas objeções, ela manteve isto. Eu disse: 'isso é loucura', e me enchi de resistência cética" (*Analytical Psychology*, p. 96). Ele interpretou este acontecimento da seguinte maneira: "A abordagem de Salomé e sua veneração por mim é obviamente esse lado da função inferior que está cercado por uma aura de mal. O indivíduo é assaltado pelo medo de que talvez isto seja loucura. É assim que a loucura começa, isto *é* a loucura... Você não pode tornar-se consciente destes fatos inconscientes sem entregar-se a eles. Se você puder superar seu medo do inconsciente e deixar-se descer, estes fatos adquirem uma vida própria. Você pode ser agarrado por estas ideias a tal ponto que você fica realmente louco, ou quase louco. Estas imagens têm tanta realidade, que se recomendam a si mesmas, e sentido tão extraordinário que se fica preso. Fazem parte dos antigos mistérios; na verdade, tais fantasias é que fizeram os mistérios. Comparem-se os mistérios de Ísis, narrados em Apuleio, com a iniciação e divinização do iniciado... Tem-se uma sensação especial ao passar por semelhante iniciação. A parte importante que levou à divinização foi o ato de a serpente enrolar-se em mim. A performance de Salomé foi a divinização. O rosto do animal no qual senti que o meu foi transformado era o famoso [Deus] Leontocéfalo dos mistérios de Mitra, a figura representada com uma serpente enrolada num homem, a cabeça da serpente encostada na cabeça do homem, e o rosto do homem no de um leão... Neste mistério de divinização você se transforma no veículo e é o veículo da criação no qual os opostos se conciliam". E acrescentou que "tudo isto é simbolismo mitraico do início ao fim" (Ibid., p. 98-99). Em *O asno de ouro*, Lúcio passa por uma iniciação aos mistérios de Ísis. A importância deste episódio é que ele é a única descrição direta de uma tal iniciação que chegou até nós. Sobre o acontecimento em si, Lúcio afirma: "*Aproximei-me dos próprios portões da morte e pus o pé no limiar de Perséfone, e no entanto foi-me permitido voltar, arrebatado através de todos os elementos. À meia-noite vi o sol brilhando como se fosse meio-dia; entrei na presença dos deuses do mundo inferior e dos deuses do mundo superior, fiquei perto deles e adorei-os*". Em seguida, ele foi apresentado num púlpito no templo diante de uma multidão. Vestia trajes que tinham desenhos de serpentes e leões alados, segurava uma tocha e trazia uma grinalda de folhas de palmeira com as pontas voltadas para fora como raios de luz" (*The Golden Ass*. Harmondsworth, 1984, p. 241 [Trad. de R. Graves]). O exemplar de Jung de uma tradução desta obra tem uma linha na margem na altura desta passagem.

212 Em "Aspectos psicológicos da Core"(1951), Jung descreveu estas cenas como segue: "Em uma casa subterrânea, ou melhor, no mundo subterrâneo vive um mago e profeta velhíssimo, com uma 'filha', que não é sua filha verdadeira. Ela é dançarina, uma criatura muito flexível, mas está em busca de cura, pois ficou cega" (OC, 9/1, § 360). Esta descrição de Elias levou-o posteriormente à descrição de Filêmon. Jung observou que isto "esboça a desconhecida como uma figura mítica no além (isto é, no inconsciente). Ela é *soror* ou *filia mystica* de um hierofante ou 'filósofo', portanto é evidentemente um paralelo em relação àquelas sizígias místicas tais como as encontramos nas figuras de Simão Mago e Helena, Zósimo sob a Teosebeia, Comário e Cleópatra, etc. Nossa figura onírica está mais próxima à de Helena" (OC, 9/1, § 372).

213 O *esboço corrigido* tem: "reflexão" (p. 127). No *Livro Negro* 2, Jung copiou as seguintes citações da *Divina Comédia*, de Dante na tradução alemã (p. 104): "Pensativo, escuto o sopro do amor; aceito como verdade o que sempre me prediz, e copio tudo, nada inventando eu mesmo" (Dante. Purgatório. 24. Canto 52-54). "E logo a chama, que ainda se movimenta, para onde quer que a trilha do fogo vá, assim segue a forma aonde o espírito a carrega" (DANTE. Purgatório. 25. Canto 97-99).

214 O *esboço* tem: "A notícia do desejo reanimado da mãe" (p. 143).

215 O *esboço corrigido* tem: "Imagem primordial" (p. 127).

216 O *esboço corrigido* tem: "A ideia ou a imagem primordial" (p. 127).

217 O *esboço corrigido* tem: "vive" (p. 127).

e noite. Para meu prazer eu desci, mas para meu amor eu subi. Vejo Elias no alto, acima de mim: isto mostra que o pensar prévio está mais perto do amor do que eu, a pessoa. Antes que suba para o amor, uma condição precisa ser satisfeita, que se apresenta como a luta das duas serpentes. À esquerda é dia, à direita é noite. Claro é o reino do amor, escuro é o reino do pensar prévio. Os dois princípios se separaram rigorosamente, são até mesmo inimigos e assumiram a forma de serpentes. A figura da serpente significa a natureza demoníaca dos dois princípios. Reconheço nesta luta uma repetição daquela visão em que presenciei a batalha entre o sol e a serpente negra[218].

Naquela vez a adorável luz foi apagada, e o sangue começou a escorrer. Foi a Grande Guerra. Mas o espírito da profundeza[219] quer que esta guerra seja entendida como uma divisão na própria natureza de cada pessoa[220]. Pois, após a morte do herói, nosso impulso de vida não pôde imitar mais nada e por isso foi para a profundeza de cada pessoa e causou a assustadora divisão entre as forças da profundeza[221]. O pensar prévio é ser só, o amor é ser junto. Os dois precisam um do outro, mas mesmo assim se matam mutuamente. Pelo fato de as pessoas não saberem que a divisão
fol. vi(v)/vii(r) está dentro delas mesmas, tornam-se desvairadas / e empurram a culpa uma para a outra. Se uma metade da humanidade está sem razão, então cada pessoa está pela metade sem razão. Mas não vê a divisão em sua alma, que é a fonte da desgraça externa. Se estás irritado contra teu irmão, pensa que estás irritado contra o irmão dentro de ti, isto é, contra aquilo em ti que é semelhante a teu irmão.

Enquanto pessoa és parte da humanidade e por isso tens parte no todo da humanidade de tal forma como se fosses a humanidade toda. Se tu vences e matas o teu concidadão que se opõe a ti, então matas aquela pessoa também em ti e terás matado uma parte de tua vida. O espírito desse morto vai seguir-te e não permitirá que te alegres com tua vida. Tu precisas de teu todo para passar pela vida.

Se eu me abandono ao puro princípio, coloco-me num dos lados e me torno unilateral. Por isso meu pensar prévio torna-se, no princípio[222] da mãe celeste, um anão repulsivo que mora na caverna escura como um não nascido no útero. Tu não o seguirás, mesmo que te diga que poderias beber sabedoria em sua fonte. O pensamento prévio[223] vai aparecer-te lá como esperteza de anão, falsa e obscura, assim como me apareceu lá embaixo a mãe do céu como Salomé. O que falta oportunamente no princípio puro aparece como serpente. O herói ambiciona ao máximo o princípio puro e por isso é finalmente vencido pela serpente. Quando te diriges ao pensar[224], leva junto teu coração. Quando te diriges ao amor, leva junto tua cabeça. Vazio é o amor sem pensar, ou o pensar sem amor. A serpente espreita atrás do princípio puro. Por isso fiquei sem ânimo até encontrar a serpente que me levou imediatamente para o outro princípio. Na descida, eu encolhi.

Grande é quem está no amor, pois o amor é a obra atual do grande criador, do momento atual do vir a ser e do desaparecer do mundo. Poderoso é quem ama. Mas quem se afasta do amor sente-se poderoso.

Em teu pensar prévio conheces a nulidade de teu ser momentâneo como um dos menores pontos entre o infinito do passado e o infinito do porvir. Pequeno é o pensador, grande ele se julga quando se afasta do pensar. Mas quando falamos da aparência, a coisa é outra. Para quem está no amor, a forma é um empecilho pequeno. Mas seu horizonte termina com a forma que lhe é dada. Para quem está no pensar, a forma é intransponível e alta como o céu. Mas ele vê na noite a variedade dos incontáveis mundos e de suas intermináveis rotações. Quem está no amor é um recipiente cheio e transbordante que aguarda o momento de doar. Quem está no pensamento prévio é profundo e vazio e espera o enchimento.

Amor e pensamento prévio estão num mesmo lugar. O amor não pode existir sem pensamento prévio, e pensamento prévio, sem amor. A pessoa humana está sempre por demais em um ou outro. Isto está relacionado com a natureza humana. Os animais e as plantas parecem ter o suficiente em todos os lados, só o ser humano oscila entre o demais e o de menos. Oscila quem está inseguro do quanto deve dar aqui e do quanto deve dar lá, alguém cujo saber e poder são suficientes, mas que ele mesmo deve fazer. O ser humano não cresce apenas por si mesmo, mas é também[225] criador por si mesmo. Deus se manifesta nele[226]. O ser humano é menos habilidoso para a divindade, e por isso oscila entre o demais e o de menos[227].

O espírito dessa época condenou-nos à precipitação. Não tens mais futuro nem passado, se servires ao espírito dessa época. Precisamos da vida da eternidade. Na profundeza guardamos futuro e passado. O futuro é velho e o passado é jovem. Tu serves ao espírito dessa época e pensas que podes fugir do espírito da profundeza. Mas a profundeza não demora muito e vai forçá-lo para dentro do mistério de Cristo[228]. Faz parte desse mistério que o ser humano não será salvo pelo herói, mas que ele mesmo se torna um Cristo. Isto nos ensina simbolicamente o exemplo da vida dos santos.

218 Isto é, no capítulo 5, "Descida ao inferno no futuro".

219 O *esboço* corrigido tem: "o espírito" (p. 127).

220 O *esboço* continua: "Por isso dizem todos que ele pode lutar pelo bem e pela paz, lá onde não é possível um duelar mútuo pelo bem. Mas como as pessoas não sabem que a divisão está em seu próprio interior, acham os alemães que os ingleses e russos não têm razão; os ingleses e russos porém dizem que os alemães não têm razão. Mas ninguém consegue julgar os rostos segundo ter razão e não ter razão. Quando a metade da humanidade está sem razão, cada pessoa está pela metade sem razão. Por isso é uma divisão em sua própria alma. Mas o ser humano é obcecado e sempre só conhece uma de suas metades. O alemão tem em si o inglês e o russo, que ele combate fora de si mesmo. De igual modo, o inglês e o russo têm em si o alemão que eles combatem. As pessoas veem a discórdia externa, mas não a interna, que é a única fonte da grande guerra. Mas antes que o ser humano possa ascender para a luz e o amor, há necessidade da grande batalha" (p. 145).

221 Em dezembro de 1916, em seu prefácio a *A psicologia dos processos inconscientes*, Jung escreveu: "Nada mais apropriado do que os processos psicológicos que acompanham a guerra atual – notadamente a anarquização inacreditável dos critérios em geral, as difamações recíprocas, os surtos imprevisíveis de vandalismo e destruição, a maré indizível de mentiras e a incapacidade do homem de deter o demônio sanguinário para obrigar o homem que pensa a encarar o problema do inconsciente caótico e agitado, debaixo do mundo ordenado da consciência. Esta Guerra Mundial mostra implacavelmente que o homem civilizado ainda é um bárbaro. Ao mesmo tempo, prova que um açoite de ferro está à espera, caso ainda se tenha a veleidade de responsabilizar o vizinho pelos seus próprios defeitos. *A psicologia do indivíduo corresponde à psicologia das nações*. As nações fazem exatamente o que cada um faz individualmente; e *do modo como o indivíduo age, a nação também agirá*. Somente com a transformação da atitude do indivíduo é que começará a transformar-se a psicologia da nação" (vol. 7, p. xix).

222 O *esboço corrigido* tem: "o profeta, a personificação da ideia" (p. 131).

223 O *esboço corrigido* tem: "ideia" (p. 131).

224 O *esboço corrigido* tem: "ideia" (substituída durante todo o parágrafo) (p. 131).

225 O *esboço corrigido* acrescenta: "consciente". *De dentro de si mesmo* é suprimido (p. 133).

226 Em vez disso, o *esboço* e o *esboço corrigido* têm: "A força criadora de Deus torna-se (nele), ~~uma, pessoa~~ [uma consciência pessoal] a partir do (inconsciente) coletivo (p. 133-134).

227 O *esboço* e o *esboço corrigido* têm: "mas por que, perguntas tu, aparece-te ~~o pensar prévio~~ [a ideia] na figura de um velho profeta judeu e teu [o] prazer na figura da pagã Salomé? Mas amigo, não te esqueças de que eu também sou um pensador volente no espírito dessa época e que estou totalmente sob o feitiço da serpente. Através da iniciação nos mistérios do espírito ~~da profundeza~~, estou disposto a não relegar ainda totalmente todo o arcaico, que falta ao pensador no espírito dessa época, conforme o espírito dessa época sempre exige, mas reassumi-lo em meu ser pessoa, para tornar plena minha vida. Eu fiquei realmente pobre e bem afastado de Deus. Preciso assumir ainda em mim o divino e o mundano, pois o espírito dessa época nada mais tem para me dar e ainda me tirou o pouco que eu possuía da verdadeira vida. Tornou-me sobretudo imprudente e ganancioso, pois ele é só presente e me obrigou a caçar tudo o que é presente para satisfazer o momento atual" (p. 134-135).

228 O *esboço* e o *esboço corrigido* têm: "Como os antigos ~~profetas~~ [antigos] viveram antes do mistério de Cristo, assim estou também eu ainda antes do [desse] mistério ~~de Cristo~~ [enquanto reassumo o passado] apesar de eu viver dois mil anos após ele [mais tarde] e ter acreditado ser um cristão. Mas jamais fui um Cristo" (p. 136).

Vê mal quem deseja ver. Foi minha vontade que me enganou. Foi minha vontade que provocou a grande divisão dos demônios. Portanto, não devo mais querer? Eu satisfiz minha vontade tão bem quanto pude. E assim saciei tudo o que tinha ambições dentro de mim. Ao final concluí que em tudo isso eu queria a mim mesmo, mas sem procurar a mim mesmo. Por isso não quis mais procurar-me fora de mim, mas dentro de mim. Quis então segurar a mim mesmo, e quis de novo ir adiante, sem saber o que queria, e assim caí no mistério.

Portanto, não devo mais querer? Vós quisestes esta guerra. Isto é bom. Se não a quisésseis de fato, o mal desta guerra seria pequeno[229]. Mas com vossa vontade tornais o mal grande. Mas não conseguis fazer dessa guerra o maior mal, nunca aprendereis a vencer a violência e o combate fora de vós[230]. Por isso é bom que queirais de todo o coração este maior mal[231]. Vós sois cristãos e seguidores de heróis e esperais por salvadores, que devem tomar sobre si vossos sofrimentos e poupar-vos o Gólgota. Com isso erigis para vós[232] um monte Calvário, que cobre toda a Europa. Se vos sucede fazer dessa guerra um mal terrível e lançar nesta fauce escancarada incontáveis vítimas, isto é bom, pois torna cada um de vós pronto para sacrificar a si mesmo. Pois como eu, assim vós vos aproximais da realização do mistério de Cristo.

Logo sentireis o punho de ferro na nuca. Este é o início do caminho. Quando sangue, fogo, gritos de aflição encherem este mundo, então vos reconhecereis em vossos atos: embebedai-vos no horror sangrento da guerra, saciai-vos de matar e destruir, então vossos olhos se abrirão de que sois vós mesmos que produzis tais frutos[233]. Vós estais a caminho se quereis tudo isso. O querer cria cegueira, e cegueira conduz ao caminho. Devemos querer o erro? Não deves, mas irás querer aquele erro que tu consideras a melhor verdade, assim como procederam as pessoas desde sempre.

O símbolo do cristal significa a lei imutável do acontecimento que vem por si mesmo. Neste núcleo vês o que virá. Eu vi algo amedrontador e inconcebível (isto foi na noite de Natal de 1913). Eu vi o sapato grosseiro, o sinal do horror da guerra dos camponeses[234], dos incêndios criminosos e da atrocidade sanguinária. Não sabia interpretar de outro modo para mim este sinal a não ser de que estava diante de nós algo sangrento e terrível. Vi o pé de um poderoso que esmagava uma cidade inteira. De que outro modo poderia interpretar este sinal? Vi que aqui começava o caminho do autossacrifício. Serão todos arrebatados pelo terror dos grandes acontecimentos e vão querer entendê-los na cegueira como acontecimentos externos. É um acontecimento interior, é o caminho da realização do mistério de Cristo[235], pois os povos aprendem o autossacrifício.

O horror pode ser tão grande, que o olhar das pessoas pode voltar-se para dentro, que seu querer não mais procure o si-mesmo nos outros, mas em si mesmas[236]. Eu o vi, eu sei que este é o caminho. Eu vi a morte de Cristo e vi seu lamento, eu senti o tormento de sua morte, da grande morte. Eu vi um novo Deus, um menino que domina os demônios com sua mão[237]. Deus mantém em seu poder os princípios separados e os une. Deus vem a ser em mim através da união dos princípios. Ele é sua união.

Se queres um princípio, então estás no teu ser um, mas longe de teu ser outro. Se queres os dois princípios, um e outro, então suscitas a desunião dos princípios, pois não podes querer os dois ao mesmo tempo. Disso surge a necessidade em que aparece Deus, ele toma na mão teu querer dividido, na mão de uma criança, cuja vontade é simples e está além da desunião. Não podes aprendê-lo, ele só pode vir a ser em ti. Não podes querê-lo, ele tira de tua mão o querer e quer a si mesmo. Deseja a ti mesmo, isto leva ao caminho[238].

Mas no fundo tens horror de ti mesmo, por isso preferes correr a todos os outros do que a ti mesmo. Eu vi a montanha do sacrifício, e o sangue escorria em torrentes de seus lados. Quando vi como orgulho e força enchiam os homens, como brilhava a beleza nos olhos das mulheres quando a Grande Guerra rebentou, soube então que a humanidade estava a caminho do autossacrifício.

O espírito da profundeza[239] tomou conta da humanidade e a obrigou ao autossacrifício. Não procureis a culpa aqui ou ali. O espírito da profundeza apoderou-se do destino dos homens, assim como se apoderou de meu destino. Ele conduz a humanidade através da torrente de sangue para o mistério. No mistério, a própria pessoa torna-se os dois princípios, leão e serpente.

Pelo fato de eu querer também meu ser outro, devo tornar-me um Cristo. Eu serei transformado em Cristo, devo suportá-lo. Assim jorra o sangue redentor. Através do autossacrifício, meu prazer será transformado e passa para um princípio mais alto. O amor enxerga, mas o prazer é cego. Os dois princípios são um só no símbolo da chama. Os princípios despem-se da forma humana[240].

O mistério mostrou-me em imagem o que eu devia viver depois. Eu não possuía nada daquelas amabilidades que o mistério me mostrou, mas teria que adquiri-las todas ainda[241].

finis part. prim. (fim da primeira parte)

229 Em *Assim falava Zaratustra*, escreveu Nietzsche: "Redimir os homens passados e em vez de dizer "é o passado", dizer-se então "é o que eu quis" – só isto é redenção para mim" ("Da Redenção", p. 191).

230 Em 11 de fevereiro de 1916, num debate na Associação de Psicologia Analítica, Jung disse: "Abusamos da vontade quando dizemos que o crescimento natural está submetido à vontade... A guerra nos ensina: querer não adianta nada – devemos ver como ficará. Nós estamos totalmente sujeitos ao poder absoluto do vir a ser" (*MPA*, vol. 1, p. 106).

231 O *esboço* e o *esboço corrigido* têm: "Pois vós sois [nós somos] interiormente ainda velhos judeus e pagãos com deuses abomináveis" (p. 137).

232 O *esboço corrigido* tem: "para nós" (p. 138).

233 O *esboço corrigido* tem: "e nós nos chamávamos cristãos, seguidores de Cristo. Sermos nós mesmos Cristo, este é o verdadeiro seguimento de Cristo" (p. 139).

234 Isto se refere possivelmente à revolta dos camponeses alemães de 1525.

235 Em 1918, em seu prefácio à 2. ed. de *A psicologia do inconsciente*, Jung escreveu: "O espetáculo dessa catástrofe faz com que o homem, sentindo-se totalmente impotente, se volte para si mesmo, olhe para dentro e, como tudo vacila, busque algo que lhe dê segurança. Muitos ainda procuram fora de si mesmos... Mas são poucos os que buscam dentro de si, poucos os que se perguntam se não seriam mais úteis à sociedade humana se cada qual começasse por si, se não seria melhor, em vez de exigir dos outros, pôr à prova primeiro em sua própria pessoa, em seu foro interior, a suspensão da ordem vigente, as leis e vitórias que apregoam em praça pública" (OC, 7, p. xv).

236 O *esboço* tem: "Se isto não acontecer, o Cristo não será vencido e o mal precisa ficar ainda maior. Por isso eu te digo isso, meu amigo, para que o repitas aos teus amigos, e para que chegue aos ouvidos do povo" (p. 157).

237 O *esboço* continua: "eu vi que a partir do Cristo-Deus formou-se um novo Deus, um Héracles mais jovem" (p. 157).

238 No *esboço* e no *esboço corrigido*, ocorre aqui uma longa passagem, da qual segue uma paráfrase: O Deus segura o amor na mão direita, o pensar prévio ["a ideia", substituída do princípio ao fim] na esquerda. O amor está no nosso lado favorável, o pensar prévio no desfavorável. Isto deveria recomendar a você o amor, na medida em que você faz parte deste mundo, e especialmente se você é um pensador. ~~O Deus possui ambos~~. A unidade deles é Deus. ~~O~~ Deus se desenvolve através da união de ambos os princípios em ~~você~~ [mim]. Você [eu] não se torna Deus através disto, ou se torna divino, mas Deus se torna humano. Ele se torna manifesto em você e através de você, como uma criança. ~~O divino virá a você como infantil ou imaturo, na medida em que você é um homem desenvolvido. O homem infantil tem um Deus velho, o velho Deus que nós conhecemos e cuja morte nós vimos. Se você é adulto, você só pode tornar-se mais infantil. Você tem a juventude diante de você e todos os mistérios do que está por vir. O infantil tem a morte diante dele, já que precisa primeiro tornar-se adulto. Você se tornará adulto na medida em que superar o Deus dos antigos e da sua infância~~. Você o supera não pondo-o de lado, obedecendo ao ~~espírito do tempo~~ [: Zeitgeist]. O espírito deste tempo oscila entre o sim e o não como um bêbado ["já que ele é a incerteza da consciência geral presente"]. ~~Você~~ ["Alguém", do princípio ao fim] só pode superar o velho Deus transformando-se você mesmo nele e experimentando você mesmo o sofrimento e morte dele. Você o supera e se torna você mesmo, como alguém que se procura a si mesmo e já não imita heróis. Você se liberta a si mesmo quando você se liberta do velho Deus e seu modelo. Quando você se tornou o modelo, você já não precisa mais do dele. ~~No fato de o Deus segurar em suas mãos o amor e a prudência na forma da serpente, foi-me mostrado que ele se apoderara da vontade~~

~~humana~~. ["Deus unifica a oposição entre o amor e a ideia, e a segura em suas mãos".] O amor e o pensar prévio existiram desde toda a eternidade, mas não foram queridos. Todos querem sempre o espírito deste tempo, que pensa e deseja. Aquele que quer o espírito das profundezas, quer o amor e o pensar prévio. Se você quer os dois, você se torna Deus. Se você faz isto, o Deus nasce e toma posse da vontade dos homens e segura a vontade dele na mão de seu filho. ~~O espírito das profundezas aparece em você como totalmente infantil. Se você não quer o espírito das profundezas, ele é para você um tormento. O querer leva ao caminho.~~ O amor e o pensar prévio estão no mundo do além, enquanto você não os quer e a vontade de você ~~está entre eles como a serpente~~ ["os mantém separados"]. Se você quer os dois, eclode em você a luta entre querer o amor e querer ~~o pensar prévio~~ ["o reconhecimento"]. Você verá que você não pode querer os dois ao mesmo tempo. Nesta necessidade o Deus nascerá, ~~como você experimentou no mysterium~~, e ele tomará a vontade dividida em suas mãos, nas mãos de uma criança, cuja vontade é simples e para além do ser dividida. O que é esta vontade divino-infantil? Você não consegue aprendê-la através de uma descrição, ela só pode vir a ser em você. Você tampouco pode querê-la. Você não pode aprendê-la ou ter empatia com ela a partir daquilo que eu digo. ~~É incrível como os homens são capazes de enganar-se a si mesmos e mentir para si mesmos. Que isto seja uma advertência. O que eu digo é o meu mistério e não o de você, o meu caminho e não o de você, já que o meu self pertence a mim e não a você. Você não deve aprender o meu caminho, mas o seu próprio. Meu caminho leva a mim e não a você~~ (p. 142-145).

239 O *esboço corrigido* tem: "o grande espírito" (p. 146).

240 A esta altura o *esboço corrigido* tem uma longa passagem, da qual segue uma paráfrase: Enquanto ~~você via como~~ o orgulho e a força encheram os homens e a beleza jorrou dos olhos das mulheres quando a guerra fascinou as pessoas, ~~você sabia que~~ a humanidade estava a caminho. Você sabia que esta guerra não era apenas aventura, atos criminosos e assassinatos, mas o mistério do autossacrifício. O ["grande", mudado do início ao fim] espírito ~~das profundezas~~ apoderou-se da humanidade e forçou-a, através da guerra, ao autossacrifício. ~~Não procure a culpa aqui ou ali.~~ ["A culpa não está fora"]. – ~~É o espírito das profundezas que leva as pessoas ao Mysterium, assim como me levou a mim.~~ Ele leva o povo ao rio de sangue, como me levou a mim. Experimentei no Mysterium aquilo ~~que as pessoas foram forçadas a fazer na atualidade~~ ["que aconteceu fora em grande escala"]. ~~Eu não o sabia, mas o Mysterium ensinou-me como minha vontade lançou-se aos pés do Deus crucificado.~~ Eu ~~experimentei~~ [quis] o autossacrifício de Cristo. O Mysterium ~~de Cristo~~ completou-se diante dos meus olhos. ~~Meu pensar prévio~~ ["A ideia que estava acima de mim"] forçava-me a isto, mas eu resisti. ~~Meu desejo mais alto, meus leões, minha paixão mais ardente e mais forte~~, eu queria levantar contra a misteriosa vontade de autossacrifício. Assim eu era como um leão envolvido pela serpente, ["uma imagem do destino renovando-se eternamente"]. Salomé achegou-se a mim vindo da direita, do lado favorável. ~~O prazer despertou em mim.~~ Experimentei que meu prazer me vem quando realizo o autossacrifício. Ouço que Maria, ~~o símbolo do amor~~, é também a [minha] mãe ~~de Cristo~~, já que o amor também gerou a Cristo. O amor traz o autossacrificador e o autossacrifício. O amor é também a mãe do meu autossacrifício. No fato de ouvir e aceitar isto, experimento que me torno Cristo, já que reconheço que o amor me transforma em Cristo. Mas ainda duvido, já que é quase impossível o pensador diferenciar-se de seu pensamento e aceitar que aquilo que acontece em seu pensamento é também algo fora dele mesmo. ~~Está fora dele no mundo interior. Eu me torno Cristo no Mysterium; ou melhor, eu vejo como fui transformado em Cristo e no entanto ainda sou inteiramente eu mesmo, de modo que eu podia ainda duvidar quando meu prazer me disse que eu era Cristo.~~ [Salomé,] Meu prazer, disse-me ["que eu sou Cristo"] porque o amor, que é mais elevado que o prazer, mas que ainda está em mim escondido no prazer, levara-me ao autossacrifício e transformara-me em Cristo. O prazer aproximou-se de mim, envolveu-me com anéis e forçou-me a experimentar o tormento de Cristo e a derramar meu sangue pelo mundo. Minha vontade, que antes servia ao ~~espírito deste tempo~~ ["Zeitgeist", substituído do início ao fim], desceu ao espírito das profundezas e, assim como estava anteriormente determinada pelo espírito do tempo, está agora determinada pelo espírito das profundezas, pelo pensar prévio ["ideia", substituída do início ao fim] e o prazer. Determinou-me através da vontade de autossacrifício, e ao derramamento do sangue, a essência de minha vida. Note-se que é meu prazer mau que me leva ao autossacrifício. Sua parte mais recôndita é o amor, que será libertado do prazer através do sacrifício. Aqui aconteceu a maravilha de que meu prazer anteriormente cego começou a ver. Meu prazer era cego, e era amor. Já que minha vontade mais forte quis o autossacrifício, meu prazer mudou, entrou num princípio superior, que em Deus é um princípio com pensar prévio. O amor tem visão, mas o prazer é cego. O prazer quer sempre aquilo que está mais próximo, e explora a multiplicidade, indo de uma coisa a outra, sem uma meta, apenas buscando e nunca satisfeito. O amor quer aquilo que está mais afastado, o melhor e o que satisfaz. E vi algo mais, a saber, que o pensar prévio em mim tinha a forma de um antigo profeta, o que mostrava que era pré-cristão, e transformou-se num princípio que já não aparecia mais em forma humana, mas na forma absoluta de pura luz branca. ~~Assim o relativo humano transformou-se no absoluto divino através do Mysterium de Cristo.~~ O pensar prévio e o prazer uniram-se em mim de uma forma nova e a vontade em mim, que parecia estranha e perigosa, a vontade do espírito das profundezas, ~~ficou paralisada aos pés~~ da chama cintilante. Tornei-me uma só coisa com minha vontade. Isto aconteceu em mim, eu apenas o vi ~~no jogo do mistério. Através disto, tornaram-se conhecidas muitas coisas que antes eu não sabia.~~ ["como num jogo"]. Mas achei tudo duvidoso. Senti como se eu estivesse derretendo no ar, já que a terra do Mysterium [daquele espírito] ainda me era estranha. ~~O Mysterium mostrou-me as coisas que estavam diante de mim e precisavam ser levadas a cabo. Mas eu não sabia como nem quando.~~ Mas aquela imagem de Salomé dotada de visão, ajoelhada em êxtase diante da chama branca, era um forte sentimento que veio para o lado de minha vontade e guiou-me através de todas as coisas que vieram depois. O que aconteceu foi minha viagem comigo mesmo, através de cujo sofrimento eu precisava alcançar o que ~~servia para a conclusão do Mysterium que eu havia visto~~ ["eu havia visto antes"] (p. 146-150).

241 Gilles Quispel informa que Jung contou ao poeta holandês Roland Horst que ele havia escrito *Tipos psicológicos* com base em trinta páginas do *Livro Vermelho*. Apud HOELLER, S. *The Gnostic Jung and the Seven Sermons to the Dead* (Wheaton, Ill., Quest, 1985, p. 6). É provável que ele tivesse em mente estes três capítulos precedentes do "Mysterium". O que é apresentado aqui desenvolve as noções do conflito entre funções opostas, da identificação com a função principal e do desenvolvimento do símbolo reconciliador como uma solução do conflito dos opostos, que são as questões centrais no cap. 5 de *Tipos psicológicos* (OC, 6), o "Problema dos tipos na poesia". No seminário de 1925, Jung disse: "Descobri que o inconsciente está elaborando enormes fantasias coletivas. Assim como, antes, eu estava apaixonadamente interessado em elaborar mitos, agora adquiri interesse exatamente igual pelo material do inconsciente. Esta é, na verdade, a única maneira de chegar à formação de um mito. E por isso o primeiro capítulo de *Psicologia do inconsciente* tornou-se exatissimamente verdadeiro. Observei a criação de mitos que acontecem, e adquiri um conhecimento do inconsciente, formando assim o conceito que desempenha esse papel nos *Tipos*. Tomei todo o meu material empírico de meus pacientes, mas a solução do problema tirei-a de dentro, de minhas observações dos processos inconscientes. Procurei fundir estas duas correntes de experiência exterior e experiência interior no livro dos *Tipos* e dei ao processo de fusão das duas correntes o nome de função transcendente" (*Introduction to Jungian Psychology*, p. 35).

Liber Secundus

As imagens do errante[1]

[IH 1] [2,3]*nolite audire verba prophetarum, qui prophetant vobis et decipiunt vos: visionem cordis sui loquuntur, non de ore Domini. audivi quae dixerunt [prophetae] prophetantes in nomine meo mendacium, atque dicentes: somniavi, somniavi. usquequo istud est in corde prophetarum vaticinantium mendacium et prophetantium seductionem cordis sui? qui volunt facere ut obliviscatur populus meus nominis mei propter somnia eorum, quae narra[n]t unusquisque ad proximum suum: sicut obliti sunt patres eorum nominis mei propter Baal. propheta, qui habet somnium, narret somnium et qui habet sermonem meum, loquatur sermonem meum vere: quid paleis ad triticum? dicit dominus.*

["Não ouçais as palavras dos profetas que vos profetizam! Eles vos enganam, anunciando *visões que provêm de seu coração* e não da boca do Senhor" (Jr 23,16)].

["Ouvi o que disseram os profetas que profetizam mentiras em meu nome. *Tive um sonho*! Tive um sonho! Até quando haverá entre os profetas os que profetizam mentiras e os que profetizam enganos de seu coração? Eles que tentam fazer o meu povo esquecer o meu nome, por meio de sonhos que contam uns aos outros: como seus pais esqueceram o meu nome por causa de Baal! O profeta que tem um sonho, que o conte! E o que tem uma palavra minha, que a fale com verdade! O que tem a palha em comum com o
1/2 grão? – oráculo do Senhor" (Jr 23,25-28)]. /

O Vermelho[4]

Cap. i.

[IH 2][5] A porta do mistério está trancada atrás de mim. Sinto que minha vontade está paralisada, e que o espírito da profundeza me possui. Nada sei sobre um caminho. Por isso não posso querer isto ou aquilo, pois nada me indica se é isto ou aquilo que quero. Eu espero, sem saber o que eu espero. Mas já na noite seguinte senti que havia alcançado um ponto seguro[6].

[7]Julguei encontrar-me na torre mais alta de um castelo. Eu o percebo pelo ar: estou bem afastado no tempo. Longamente vagueia meu olhar por sobre torres solitárias e onduladas, uma variação de campos e matas. Eu usava uma capa verde. Pendia de meu ombro uma trompa. Eu era o guarda da torre. Olhei para fora para o espaço longínquo. Vi lá fora um ponto vermelho, vem se aproximando por uma estrada prodigiosa, desaparece às vezes na mata e surge de novo: é um cavaleiro com roupa vermelha, o Cavaleiro Vermelho. Vem ao meu castelo: já cavalga através do portão. Ouço passos na escada, os degraus rangem, batem à porta: um medo estranho se apodera de mim. Ali está o Vermelho, sua esbelta figura toda de vermelho, até mesmo seu cabelo é vermelho. Eu penso: deve ser o demônio.

O Vermelho: "Minhas saudações, homem da torre alta! Eu o vi de longe, observando e esperando. Tua espera me chamou".

Eu: "Quem és tu?"

O V.: "Quem eu sou? Tu pensas que sou o demônio. Não faças julgamentos apressados. Talvez possas conversar comigo sem saber quem eu sou. Que companheiro supersticioso tu és, para logo pensar no demônio?"

Eu: "Se não tens um poder sobrenatural, como pudeste perceber que eu estava em minha torre em atitude de espera, olhando para o desconhecido e novo? Minha vida no castelo é pobre, uma vez que fico sempre sentado aqui e ninguém sobe até mim".

O V.: "O que esperas então?"

Eu: "Espero muitas coisas, mas espero sobretudo que possa vir a mim algo da riqueza do mundo que não vemos".

O V.: "Então estou no lugar certo junto de ti. Viajo há muito por todas as terras e procuro aqueles que, como tu, estão sentados numa torre alta e buscam coisas nunca vistas".

Eu: "Tu me tornas curioso. Pareces ser de um tipo raro. Tua aparência não é comum, e – desculpe-me – também me parece que trazes contigo um ar estranho, algo mundano, atrevido ou folgazão, ou – dito francamente – algo pagão".

O V.: "Tu não me ofendes; ao contrário, acertas bem no alvo. Mas não sou um velho pagão, como pareces crer".

Eu: "Isto também não quero afirmar; para isso não és suficientemente vistoso e latino. Não tens nada de clássico em ti. Pareces ser um filho de nosso tempo, mas, devo observar, um pouco fora do comum. Tu não és um autêntico pagão, mas um pagão que corre ao lado de nossa religião cristã".

O V.: "És de fato um bom decifrador de enigmas. Tu desempenhas teu papel bem melhor do que muitos outros que simplesmente me ignoraram".

Eu: "Teu tom é reservado e irônico. Nunca tiveste teu coração atingido pelos sacrossantos mistérios de nossa religião cristã?"

O V.: "Tu és uma pessoa inacreditavelmente lerda e séria. És sempre assim tão insistente?"

Eu: "Eu gostaria – diante de Deus – ser sempre tão sério e fiel a mim mesmo, como procuro sê-lo. Para mim está se tornando difícil estar em tua presença. Tu trazes contigo uma espécie de ar de condenação, certamente és um integrante da escola negra de Salerno[8], onde se ensinam artes maléficas de pagãos e descendentes de pagãos".

O V.: "Tu és supersticioso e alemão demais. Tu tomas ao pé da letra o que dizem as Sagradas Escrituras, caso contrário não poderias julgar tão duramente".

/ Eu: "Longe de mim um julgamento duro. Mas o meu faro não 2/3
me engana. Tu estás te esquivando e não queres te trair. O que escondes?"

(O Vermelho parece ficar mais vermelho, sua capa resplandece como ferro em brasa).

O V.: "Não escondo nada, seu ingênuo cordial. Divirto-me apenas com tua ponderosa seriedade e tua cômica sinceridade. O que é raro em nossa época, sobretudo nas pessoas que dispõem da razão".

Eu: "Eu creio que não podes entender-me de todo. Tu me avalias segundo aqueles que conheces de pessoas vivas. Mas devo dizer-te, por amor à verdade, que eu de fato não pertenço a esta

1 O esboço manuscrito tem *A aventura do percurso errado* (p. 353).

2 Em seu ensaio sobre Picasso, em 1932, Jung descreveu as pinturas (quadros) de esquizofrênicos, levando em conta somente aqueles em que uma perturbação psíquica produziria provavelmente sintomas esquizoides, em vez de pessoas que sofriam dessa condição, como a seguir: "Do ponto de vista puramente formal predomina a característica da *fragmentação*, expressa nas assim chamadas linhas de ruptura, uma espécie de fendas de rejeição psíquica, traçadas através do quadro" (OC, 15, § 208).

3 Essas passagens em latim da Bíblia, também transcritas da Bíblia de Lutero, são todas citadas por Jung em *Tipos psicológicos* (1921), que ele introduziu com os seguintes comentários: "A forma pela qual Cristo apresentou ao mundo o conteúdo de seu inconsciente foi aceita e declarada obrigatória em geral. Todas as fantasias individuais perderam seu efeito e valor; foram perseguidas como heréticas, como no-lo atestam o movimento gnóstico e todas as heresias posteriores. O profeta Jeremias já se expressara neste sentido" (OC, 6, § 81).

4 O *esboço corrigido* tem: *V A grande Odisseia* I. O Vermelho (p.157).

5 Isto retrata Jung na cena de abertura dessa fantasia.

6 Este parágrafo foi acrescentado ao *esboço* (p. 167).

7 26 de dezembro de 1913.

8 Salerno é uma cidade ao sudoeste da Itália, fundada pelos romanos. Jung refere-se provavelmente à *Accademia Segreta*, criada nos anos 1540 e que promovia a alquimia.

época e a este lugar. Um feiticeiro me baniu para este lugar e para esta época desde tempos muito antigos. Na realidade não sou aquele que vês diante de ti".

O V.: "Falas coisas espantosas. Quem és então?"

Eu: "Isto não vem ao caso: estou diante de ti como aquele que sou atualmente. Por que estou aqui e sou assim, não sei. Mas sei que devo estar aqui para te dar satisfação da melhor forma possível. Sei tão pouco quem tu és, quão pouco tu sabes quem eu sou".

O V.: "Isto soa bem estranho. És por acaso um santo? Um filósofo não és, pois a linguagem erudita não está contigo. Mas um santo? É mais provável. Tua seriedade cheira a fanatismo. Tu tens uma atmosfera ética e uma simplicidade que lembram pão e água".

Eu: "Não posso dizer sim nem não: falas como um aprisionado no espírito dessa época. Faltam-te, ao que me parece, as metáforas".

O V.: "Por acaso frequentaste também a escola dos pagãos? Respondes como um sofista[9]. Como chegaste então ao ponto de me medir com a medida da religião cristã, se não és nenhum santo?"

Eu: "Parece-me que isto seria uma medida a ser utilizada mesmo por quem não é santo. Creio ter percebido que ninguém pode esquivar-se impunemente dos mistérios da religião cristã. Repito que aquele que nunca despedaçou seu coração com o senhor Jesus Cristo arrasta consigo um pagão, que o impede de chegar ao melhor".

O V.: "De novo este velho refrão? Para que isto, se não és nenhum santo cristão? Não serás de fato um maldito sofista?"

Eu: "Tu estás preso em teu mundo. Mas podes pensar que seria possível estimar corretamente o valor do cristianismo sem que seja necessariamente um santo".

O V.: "És um doutor em teologia, que examina o cristianismo a partir de fora e o avalia historicamente, portanto um sofista?"

Eu: "Tu és teimoso. O que penso é que não foi por acaso que o mundo todo se tornou cristão. Creio também que foi tarefa da humanidade ocidental trazer Cristo no coração e crescer com seu sofrimento, morte e ressurreição".

O V.: "Existem também judeus que são pessoas de bem e que não precisaram de teu elogiado evangelho".

Eu: "Ao que me parece, não és um bom conhecedor de pessoas: nunca percebeste que falta algo ao judeu, a um na cabeça, a outro no coração, e que ele mesmo sente que lhe falta alguma coisa?"

O V.: "Não sou judeu, mas tenho que defender os judeus: tu pareces um odiador de judeus".

Eu: "Com isso repetes todos aqueles judeus que sempre acusam um julgamento não muito favorável a eles de ódio aos judeus, ao passo que eles mesmos fazem as piadas mais picantes sobre sua própria raça. Pelo fato de os judeus sentirem bem nitidamente aquela determinada falta, mas não a quererem admitir, são tão suscetíveis a qualquer julgamento. Acreditas que o cristianismo passou pela alma da pessoa sem deixar vestígio? E acreditas que alguém que não o compartilhou interiormente terá parte em seus frutos?"[10]

O V.: "Tu tens argumentos. Mas tua seriedade? Poderias estar mais à vontade. Se não és nenhum santo, não vejo realmente por que precisas ser tão sério. Tu estragas totalmente teu prazer. Que, diabos, há em tua cabeça? Só o cristianismo com sua fuga lamurienta do mundo pode tornar as pessoas / tão tardas e fasti- 3/4
diosas".

Eu: "Acho que existem ainda outras coisas que pregam a seriedade".

O V.: "Ah, já sei, tu queres dizer a vida. Conheço este palavrório. Eu também vivo e ela não me preocupa nem um pouco. A vida não exige nenhuma seriedade; ao contrário, é melhor dançar pela vida"[11].

Eu: "Conheço a dança. Seria bom se tudo se resolvesse com a dança! A dança faz parte do tempo do ardor. Sei que há pessoas para as quais é sempre tempo de ardor e pessoas que também querem dançar a seu Deus. Os primeiros são ridículos, os outros brincam de tempos antigos, em vez de admitirem honestamente sua deficiência em possibilidades de expressão".

O V.: "Aqui, meu caro, tiro minha máscara. Agora transformo-me em algo sério, pois isto se refere a meu ramo. Seria imaginável ainda uma terceira coisa de que a dança fosse símbolo".

O vermelho do cavaleiro transformou-se num vermelho delicado, cor de carne. E olhai – ó maravilha – de minha capa verde brotam folhas em toda parte.

Eu: "Existe provavelmente também uma alegria diante de Deus, que poderíamos chamar de dança. Mas esta alegria eu ainda não a encontrei. Meu olhar perscruta as coisas que vêm. Vieram coisas, mas entre elas não estava a alegria".

O V.: "Não me reconheces, meu irmão, eu sou a alegria!"

Eu: "Deverias tu ser a alegria? Eu te vejo como através de uma névoa. Tua imagem desaparece diante de mim. Deixa-me pegar tua mão, amado, onde estás? Onde estás?"

A alegria? Era ele a alegria?

[2] Certamente era o demônio, este Vermelho, mas o meu demônio. Era minha alegria, a alegria da pessoa séria que vigia sozinha numa alta torre, sua alegria rósea, com odor de rosas, de um vermelho claro e quente[12]. Não a alegria secreta em seus pensamentos e em seu olhar, mas aquela estranha alegria do mundo que chega inesperadamente como um vento sul quente com ondas de perfumes de flores e de facilidade da vida. Sabeis de vossos poetas que pessoas sérias, quando olham para fora esperando as coisas da profundeza, são primeiramente procuradas pelo demônio em sua alegria primaveril[13]. Como uma onda, ela levanta a pessoa e a leva para fora. Quem prova dessa alegria esquece a si mesmo[14]. E não há nada mais doce do que esquecer a si mesmo. Não são poucos os que se esquecem do que foram. Porém mais numerosos são aqueles que estão tão firmemente enraizados, que nem mesmo a onda rósea consegue erradicá-los. Estão petrificados e são pesados demais, os outros são leves demais.

Eu discuti seriamente com o demônio e me portei com ele como se fosse uma pessoa real. Aprendi no mistério tratar como pessoas e seriamente aqueles livres-errantes desconhecidos, que habitam o mundo interior, pois eles são reais porque atuam[15]. Não adianta dizer no espírito dessa época: não há demônio. Comigo

9 Os sofistas eram filósofos gregos do século IV e V a.C., sediados em Atenas, incluindo pessoas como Protágoras, Górgias e Hípias. Davam aulas e aceitavam alunos, cobrando honorários; dedicavam especial atenção à retórica. O ataque de Platão a eles em alguns Diálogos, deu uma conotação negativa ao termo, como alguém que brinca com palavras.

10 O *esboço* continua: "Ninguém pode importar-se com um desenvolvimento psíquico de muitos séculos e colher o que não semeou" (p. 172).

11 Em *Assim falava Zaratustra*, de Nietzsche, Zaratustra alerta para a superioridade de espírito da seriedade e adverte: "Homens superiores, o pior que tendes é não haverdes aprendido a dançar como é preciso dançar: a dançar por cima de vós mesmos" ("Do homem superior", xx, p. 368).

12 Num seminário de 1939, Jung discutiu a transformação histórica da figura do demônio. Disse: "Quando aparece vermelho, tem fogo, isto é, natureza de paixão: causa luxúria, ódio e amor indomável" (JUNG, L. & MEYER-GRASS, M. *Kinderträume*. Düsseldorf: Walter Verlag, 1987, p. 194).

13 O *esboço* continua: "Já percebestes, através de Fausto, de que espécie incondicional é esta alegria" (p. 175). A referência é ao *Fausto*, de Goethe.

14 O *esboço* tem: "Como sabeis através de Fausto, não são poucos os que esquecem o que foram, porque deixam levar tudo pela água" (p. 175).

15 Jung elaborou este ponto em 1928 ao apresentar o método da imaginação ativa: "Contra isso, o credo científico de nossa época desenvolveu uma fobia supersticiosa em relação à fantasia. *É verdadeiro aquilo que atua*. Ora, as fantasias do inconsciente atuam sem dúvida alguma" (OC, 7, § 353).

houve um. Tal coisa ocorreu em mim. Fiz com ele o que pude. Pude falar com ele. Com o demônio é inevitável uma conversa sobre religião, pois ele a provoca, se a gente não se quiser submeter incondicionalmente a ele. A religião é exatamente o assunto no qual não me entendo com o demônio. Tenho que discutir com ele, pois não posso esperar sem mais que ele, como personalidade autônoma, aceite meu ponto de vista.

Seria fuga se não procurasse me entender com ele. Se tiveres a rara oportunidade de falar com o demônio, não te esqueças de dialogar seriamente com ele. Ele é, em última análise, o teu demônio. O demônio é, como adversário de teu outro ponto de vista, aquele que te tenta e coloca pedras em teu caminho, lá onde você menos delas precisa.

Aceitar o demônio não significa passar para o lado dele, caso contrário a gente se torna demônio. Significa entender-se. Com isso assumes teu outro ponto de vista. Com isso o demônio perde algum terreno e tu também. E isto poderia ser muito bom.

Apesar de a religião repugnar ao demônio, devido à sua especial seriedade e cordialidade, fica patente que é exatamente a religião pela qual o demônio pode ser levado a um entendimento. O que eu disse sobre a dança faz sentido, pois falei sobre algo que pertence a seu domínio. Ele só não leva a sério o que diz respeito a outra pessoa, pois é uma peculiaridade de todo demônio. Assim
4/5 chego à sua seriedade e alcançamos terreno comum /, onde o entendimento é possível. O demônio está convencido de que a dança não é ardor nem loucura, mas expressão de algo que não pertence nem a um, nem à outra, e sim à alegria. Nisso concordo com o demônio. Por isso ele se humaniza diante de meus olhos. Mas eu fico verde como árvore na primavera.

Mas que a alegria seja o demônio, ou o demônio seja a alegria, isto deve dar-te o que pensar. Eu pensei sobre isso uma semana inteira, mas temo que não foi o suficiente. Tu negas que tua alegria seja o demônio. Mas parece que na alegria há sempre algo de demoníaco. Se tua alegria não é nenhum demônio para ti, tampouco o é para teu próximo, pois a alegria é o maior desabrochar e reverdejar da vida. Isto te arrasta para a descida, e tu precisas tatear nova pista, pois a luz se apagou totalmente para ti no fogo da alegria. Ou tua alegria arrasta teu próximo e o atira para fora dos trilhos, pois a vida é como um grande fogo que incendeia tudo o que é combustível. Mas o fogo é o elemento do demônio.

Quando vi que o demônio era a alegria, teria preferido fazer um pacto com ele. Mas com a alegria não podes fazer pacto nenhum, pois ela some rapidamente de novo. É por isso também que não podes capturar teu demônio. Faz parte de sua natureza não ser capturável. Se ele se deixar prender, é bobo, e tu não terás nenhum ganho em possuir mais um demônio bobo. O demônio procura sempre serrar o galho em que estás sentado. Isto é útil e previne contra o adormecer e os vícios a ele ligados.

O demônio é um mau elemento. E a alegria? Que a alegria também traz em si o mal, tu o vês quando andas atrás dela, pois então chegas ao prazer, e do prazer diretamente ao inferno, ao teu inferno, especificamente teu, um inferno que é diferente para cada um[16].

Mediante o entendimento com o demônio, ele assumiu algo de minha seriedade, e eu, algo de sua alegria. Isto me deu coragem. Mas se o demônio tiver ganho em seriedade, então é necessário preparar-se para alguma coisa[17]. É sempre arriscado aceitar a alegria, mas ela nos conduz à vida e à sua desilusão, da qual depende toda nossa vida[18].

O castelo na floresta[19]

Cap. ii.

[IH 5] [20]Na segunda noite imediatamente a seguir, entrei sozinho na floresta escura e notei que me havia perdido[21]. Estou numa estrada de terra muito ruim e vou tropeçando na escuridão. Cheguei finalmente a uma água escura e parada de charneca, no meio da qual havia um pequeno e velho castelo. Eu pensei que seria bom pedir aqui pousada para a noite. Bato no portão, espero muito tempo, começa a chover. Preciso bater de novo. Agora ouço alguém vindo: a pessoa abre a porta. Um senhor com vestes antiquadas, um servo, pergunta o que desejo. Peço hospedagem para a noite, e ele me faz entrar numa antessala escura. Depois me leva a subir uma escada de madeira, gasta e escura. Em cima, chego a um espaço mais amplo e mais alto, em forma de salão, com paredes brancas, ao longo das quais há arcas e armários pretos.

Sou levado a uma espécie de sala de recepções. É uma sala simples com velhos móveis estofados. A luz mortiça de um lampião antiquado ilumina a sala apenas o necessário. O servo bate numa porta lateral e depois a abre devagar. Olho rapidamente para lá: é o quarto de trabalho de um sábio, estantes de livros nas quatro paredes, uma grande mesa de trabalho à qual está sentado um velho em veste talar preta. Acena-me para que me aproxime. O ar no quarto é pesado, e o velho dá uma impressão preocupante. Ele não é sem dignidade, isto é, parece pertencer àqueles que têm tanta dignidade quanta a gente lhes dá. Tem aquela expressão modesta-temerosa da pessoa culta que há muito foi reduzida a
nada pela quantidade de saber. Penso que ele é um verdadeiro / 5/6
sábio que aprendeu a grande modéstia diante da incomensurabilidade do saber e que se dedicou completamente ao objeto da ciência, ponderando tímida e imparcialmente como se ele em pessoa tivesse que apresentar com responsabilidade o processo da veracidade científica.

Cumprimentou-me timidamente, como que ausente e afastando-me. Não me admirei, pois eu tinha a aparência de um homem comum. Só com esforço conseguia desviar os olhos de seu trabalho. Eu repeti meu pedido de hospedagem por uma noite. Após longa pausa, o velho disse: "Bem, tu queres dormir, dorme em paz". Vi que estava absorto e por isso lhe pedi que recomendasse ao servo para me mostrar um quarto de dormir. Disse: "Tu pedes muito, espera, não posso me distrair agora". Mergulhou de novo em seu livro. Esperei pacientemente. Após certo tempo, olhou-me admirado: "O que desejas aqui? – Oh, desculpa – eu havia esquecido totalmente que estavas esperando aqui. Chamarei imediatamente o servo". O servo veio e levou-me ao mesmo andar de antes, para um pequeno quarto com paredes brancas nuas e uma grande cama. Desejou-me boa-noite e se retirou.

Como eu estivesse cansado, tirei a roupa e me deitei na cama, após ter apagado a luz de uma vela de sebo. Os lençóis eram extremamente ásperos e o travesseiro, duro. Meu caminho errado levou-me a um lugar estranho: um velho e pequeno castelo, cujo sábio proprietário passava evidentemente sozinho suas noites com seus livros. Parece que não havia mais ninguém na casa, a não ser o servo, que morava acolá

16 O *esboço* continua: "Toda pessoa atenta conhece seu inferno, mas não seu demônio. Não existem só demônios alegres, mas também tristes" (p. 178).

17 O *esboço* continua: "Como o demônio conseguiu a seriedade, isto eu experimentei numa aventura posterior. Através da seriedade, ele se torna certamente mais perigoso para ti, mas, acredita-me, isto lhe fará mal" (p. 178-179).

18 O *esboço* continua: "Com a alegria recém-adquirida, saí para a aventura, sem saber para onde o caminho me levava. Evidentemente eu poderia ter sabido que o demônio sempre nos alicia em primeiro lugar através das mulheres. Como pensador, eu era sabido em pensamentos, não em matéria de vida. Ali eu era até mesmo tolo e confuso. Portanto, pronto para cair numa armadilha de pegar raposa" (p. 179).

19 O *esboço manuscrito* tem: *Segunda aventura* (p. 383).

20 28 de dezembro de 1913.

21 O *inferno*, de Dante, começa com o poeta perdido numa floresta escura. Há uma tira de papel nesta página do exemplar de Jung.

na torre. Um modo de vida ideal, mas solitário o desse velho com seus livros, pensei eu. E nisso se demoraram por longo tempo meus pensamentos, até que percebi que um outro pensamento não me abandonava, isto é, que o velho mantinha escondida aqui sua bela filha – ideia romântica absurda – um tema sem graça e já explorado – mas o romântico está em todas as juntas de cada pessoa – uma ideia genuinamente romântica – um castelo na floresta – solitário-crepuscular – um velho mumificado em seus livros, que guarda um tesouro valioso e o esconde ciosamente de todo mundo – que ideias ridículas me sobrevêm! É inferno ou purgatório que preciso conceber em minha viagem errada à semelhança dos sonhos infantis? Mas sinto-me incapaz de elevar meus pensamentos a algo mais forte ou mais bonito. Devo consentir nesses pensamentos. O que adiantaria repeli-los – eles voltam – melhor engolir este gole insípido do que mantê-lo na boca. Como será que ela se parece, esta heroína aborrecida? Certamente loura, pálida – olhos azuis – ansiosamente esperando de cada caminhante extraviado o salvador de sua prisão paterna – ah, eu conheço este absurdo trivial – prefiro dormir – por que, diabos, devo atormentar-me com essas fantasias ocas?

O sono não quer nada. Viro-me de um lado a outro – o sono não vem – devo eu ter em mim mesmo afinal esta alma não resgatada? Será que é ela que não me deixa dormir? Terei eu uma alma tão romântica? Só faltava isto – seria dolorosamente ridículo. Será que a mais insípida das bebidas não terá mais fim? Já deve ser meia-noite – e nada de sono ainda. O que será que não me deixa dormir? Será alguma coisa neste quarto? A cama estará enfeitiçada? É simplesmente macabro para onde a insônia pode levar uma pessoa – inclusive para as teorias mais disparatadas e mais supersticiosas. Parece fazer frio, eu estou com frio – talvez, e não durma por causa disso – aqui é realmente sinistro – Deus sabe o que acontece aqui – não escutei passos há pouco? Não, deve ter sido lá fora – viro para o outro lado, fecho os olhos com força, preciso dormir. A porta está se abrindo? Meu Deus, alguém está aí? Estou vendo bem? Uma moça esguia, pálida como a morte, está à porta? Céus, o que é isto? Ela se aproxima!

"Chegaste finalmente?", perguntou baixinho. Impossível – é um engano pavoroso – o romance quer tornar-se real – quer transformar-se em história estúpida de fantasmas? A que disparate estou condenado? É minha alma que alberga tais glórias românticas? Isto também deve acontecer comigo? Estou realmente no inferno – o pior despertar após a morte quando se ressuscita numa biblioteca pública. Desprezei as pessoas de minha época e seu gosto, tanto assim que devo viver e escrever no inferno os romances sobre os quais já cuspi há muito tempo? Será que a metade inferior do gosto médio da humanidade também tem direito à santidade e inviolabilidade, de modo que não possamos
6/7 dizer nenhuma palavra desairosa / sobre isso, sem termos de pagar o pecado no inferno?

Ela fala: "Ah, tu também pensas o trivial de mim? Também tu te deixas seduzir pela malfadada ilusão de que eu pertenço a um romance? Também tu, de quem esperava que tivesse abandonado as aparências e se esforçasse para atingir a essência das coisas?"

Eu: "Perdão, mas existes realmente? É uma semelhança por demais infeliz com aquelas cenas de romances, desgastadas até a parvoíce, que eu pudesse aceitar que não fosses apenas um produto de meu cérebro insone. Minha dúvida não está realmente justificada, quando uma situação coincide de tal forma com o tipo do romance sentimental?"

Ela: "Infeliz, como podes duvidar de minha realidade?"

Caiu de joelhos, soluçando, aos pés de minha cama e escondeu o rosto nas mãos. Meu Deus, ela é de fato real, e eu lhe faço injustiça? Minha compaixão despertou.

Eu: "Mas, dize-me, por amor de Deus: tu és real? Devo levar-te a sério como realidade?"

Ela chorou e nada respondeu.

Eu: "Quem és então?"

Ela: "Eu sou a filha do velho. Ele me mantém aqui numa prisão insuportável, não por ciúme ou ódio, mas por amor, pois sou sua única filha e o retrato vivo de minha mãe, falecida muito jovem".

Recorri à minha razão: isto não é uma estupidez infernal? Palavra por palavra, o romance de uma biblioteca pública! Ó deuses, para onde me levastes? É para rir, é para chorar – é duro ser um belo sofredor, um destroçado tragicamente, mas tornar-se um macaco, vós belos e grandes? O banal e eternamente ridículo, o indizivelmente gasto e usado nunca vos foi depositado nas mãos, erguidas em oração, como dádiva do céu.

Ela continua deitada ali e chora – e se fosse real? Seria então digna de pena e toda pessoa teria compaixão dela. Se for uma moça decente, o que não lhe deve ter custado entrar no quarto de dormir de um homem desconhecido! E vencer de tal modo sua timidez?

Eu: "Minha querida criança, apesar de tudo e de todos, quero acreditar que és real. O que posso fazer por ti?"

Ela: "Afinal, finalmente uma palavra de boca humana!"

Ela se levanta, seu rosto brilha, ela é bonita. Uma pureza profunda está em seu olhar. Ela possui uma alma bela e afastada do mundo, uma alma que gostaria de chegar à vida da realidade, a toda a realidade deplorável, ao banho de lama e poço de saúde. Oh, sobre esta beleza da alma! Vê-la descer para o submundo da realidade – que espetáculo!

Ela: "O que podes fazer por mim? Já fizeste muito. Tu falaste a palavra libertadora quando não colocaste mais entre mim e ti o banal. Pois fica sabendo: eu estava enfeitiçada pelo banal".

Eu: "Ai de mim, agora de tornas bem fantástica".

Ela: "Sê razoável, prezado amigo, e não tropeces sobre o fantástico, pois o conto de fadas é só a avó do romance e mais universalmente válido do que o romance mais lido de tua época. E tu sabes que aquilo que, desde milênios, passa pela boca de todo o povo é com efeito o mais mastigado e que mais se aproxima da verdade humana mais elevada. Portanto, não deixes que o fantástico se interponha entre nós"[22].

Eu: "Tu és inteligente e não pareces ter herdado a sabedoria de teu pai. Dize-me, o que pensas das verdades divinas, das chamadas verdades últimas? Seria muito estranho para mim procurá-las na banalidade. De acordo com sua natureza devem ser bem excepcionais. Pensa apenas em nossos grandes filósofos".

Ela: "Quanto mais excepcionais essas verdades últimas, tanto mais inumanas também devem ser e tanto menos vão dizer-lhe algo de valor e significativo sobre a natureza e o ser humanos. Só o que é humano e que tu insultas como banal e vulgar, isto
/ contém a sabedoria que tu procuras. O fantástico não fala 7/8
contra, mas a favor de mim e prova que sou humanamente universal e que não só preciso da libertação, mas também a mereço.

22 Em seu "Satisfação do desejo e simbolismo nos contos de fada" (1908), o colega de Jung, Franz Riklin, argumenta que os contos de fadas foram as invenções espontâneas da alma humana primitiva e a tendência geral da satisfação do desejo (*The Psychoanalytic Review*, 1913, p. 95 [trad. de W.A. White]). Em *Transformações e símbolos da libido*, Jung considerou tanto os contos de fada quanto os mitos como representando imagens primordiais. Em sua obra posterior, considerou-os como expressão dos arquétipos, como em "Sobre os arquétipos do inconsciente coletivo" (OC, 9/1, § 6). A discípula de Jung Marie-Louise von Franz desenvolveu a interpretação psicológica dos contos de fada numa série de obras. Cf. *Psychologische Märcheninterpretation* – Eine Einführung. Munique: Kösel Verlag, 1986.

Pois consigo viver no mundo da realidade tão bem ou talvez melhor do que muitos de minha espécie".

Eu: "Notável senhorita, tu és desconcertante. Quando vi teu pai, pensei que fosse convidar-me para uma conversa intelectual. Não o fez, e eu fiquei aborrecido, pois senti-me ultrajado em minha dignidade por seu pouco caso. Mas junto a ti encontrei coisa bem melhor. Tu me dás assunto para pensar. Tu és incomum".

Ela: "Tu te enganas, sou bem comum".

Eu: "Não posso acreditar nisso. Como é bela e adorável a expressão de tua alma em teus olhos! Feliz e invejável o homem que te libertar!"

Ela: "Tu me amas?"

Eu: "Por Deus, eu te amo – mas infelizmente já sou casado".

Ela: "Portanto – vês tu: a realidade banal é inclusive um libertador. Agradeço-te, prezado amigo, e mando por ti uma saudação a Salomé".

A estas palavras, desfez-se sua figura na escuridão. Luz mortiça da lua entrou no quarto. No lugar onde esteve, há algo escuro – é um buquê de rosas vermelhas[23].

[2] [24]Quando não te acontece nenhuma aventura externa, também não acontece nenhuma interna. O pedaço que assumes do demônio, ou seja, a alegria, providencia aventura para ti. Faz falta para ti conhecer teus limites. Se não os conheces, corres dentro das barreiras artificiais de tua imaginação e da expectativa de teus semelhantes. Mas tua vida suporta mal ser contida por barreiras artificiais. A vida quer saltar por sobre essas barreiras e tu te tornas desunido contigo mesmo. Essas barreiras não são teus verdadeiros limites, mas são limitação arbitrária que te impõe uma violência inútil. Procura então encontrar teus verdadeiros limites. Nós não os conhecemos de antemão, mas só os vemos e compreendemos quando nós os alcançamos. Mas isto também só te acontece quando tu tens equilíbrio. Sem equilíbrio, cais por cima e para fora de teus limites, sem perceber o que te aconteceu. Mas só consegues equilíbrio se alimentares teu oposto. Mas isto te repugna interiormente, pois não é heroico.

Meu espírito pensou em tudo o que é raro e incomum, espreita possibilidades não descobertas, pistas que vão para o oculto, luzes que brilham na noite. E quando meu espírito fez isto, todo o comum sofreu dano em mim, sem que eu o percebesse, e começou a querer vida, pois eu não a vivia. Por isso aconteceu-me esta aventura. O romântico me atacou. O romântico é um passo para trás. Para chegar ao caminho, nós devemos também dar alguns passos para trás[25].

Na aventura, vivo o que vi no mistério. O que lá vi como Elias e Salomé, isto transformou-se em vida no velho sábio e em sua pálida e aprisionada filha. O que eu vivo é um retrato deturpado do mistério. No caminho do romântico cheguei à disformidade e medianidade da vida, em que meus pensamentos se apagam e na qual esqueço praticamente a mim mesmo. O que amava antes disso, devo agora vivenciar como bagaço e ressequido, e o que desprezava antes, tive que invejar como ascendente e desejar desamparado. Eu aceitei o ridículo dessa aventura. Mas aconteceu isto, vi também que a moça se transformava e mostrava um sentido próprio seu. Se perguntarmos pelo desejo do ridículo, isto basta para transformá-lo.

O que se passa com a masculinidade? Sabes quanta feminilidade falta ao homem para seu aperfeiçoamento? Sabes quanta masculinidade falta à mulher para seu aperfeiçoamento? Vós procurais o feminino na mulher e o masculino no homem. E assim há sempre apenas homens e mulheres. Mas onde estão as pessoas? Tu, homem, não deves procurar o feminino na mulher, mas deves procurá-lo e reconhecê-lo em ti, pois tu [o] possuis desde o começo. Mas gostas de desempenhar o papel da masculinidade, porque isto flui pelo caminho desimpedido do tradicional. Tu, mulher, não deves procurar o masculino no homem, mas deves aceitar em ti o masculino, pois tu / o possuis desde o começo. Mas isto te diverte e é fácil fazer o papel de mulherzinha, por isso o homem te despreza, pois ele despreza o feminino. Mas a pessoa é masculina e feminina, não é só homem ou só mulher. De tua alma não sabes dizer de que gênero ela é. Mas se prestares bem atenção, verás que o homem mais masculino tem alma feminina, e que a mulher mais feminina tem alma masculina. Quanto mais homem és, tanto mais afastado está de ti o que a mulher realmente é, pois o feminino em ti mesmo te é estranho e desprezível[26]. 8/9

Se tomares do demônio um pedaço de alegria e com isso saíres para a aventura, aceitas para ti teu prazer. Mas o prazer alicia imediatamente tudo o que desejas, e agora depende de ti se teu prazer te vai corromper ou elevar. Se fores do demônio, vais andar às escuras atrás da variedade e nisto te perder. Mas se ficares contigo mesmo, como pessoa que é seu si-mesmo e não do demônio, então te recordarás de tua humanidade. Tu te comportarás para com a mulher não simplesmente como homem, mas como pessoa, isto é, como se fosses do mesmo gênero dela. Tu te recordarás de teu feminino. Poderá parecer-te como se fosses pouco viril, até certo ponto estúpido e efeminado. Mas tu deves aceitar o ridículo, senão ele sofre necessidade em ti e, quando menos te prevines contra ele, vai de repente cair sobre ti e tornar-te ridículo.

É difícil para o homem mais masculino aceitar seu feminino, pois lhe parece ridículo, sinal de fraqueza e de deselegância. Sim, parece-te como se tivesses perdido todas as virtudes, como se tivesses sido rebaixado. O mesmo se dá com a mulher que aceita seu masculino[27]. Parece-te uma escuridão. Tu és escravo daquilo que precisas em tua alma. O homem mais masculino precisa da mulher, por isso é seu escravo. Torna-te tu mesmo mulher[28], e ficarás livre da escravização à mulher. Não te é permitido abandonar a mulher enquanto não souberes caçoar de toda tua masculinidade. Fica-te bem usar uma vez vestes femininas: vão zombar de ti, mas à medida que te tornas mulher, alcanças a liberdade em relação à mulher e

23 Em "Aspectos psicológicos da Core"(1951), Jung descreve este episódio assim: "Uma casa isolada numa floresta. Nela mora um velho sábio. Aparece de repente sua filha, uma espécie de fantasma, queixando-se de que as pessoas sempre a consideram como mero fantasma" (OC, 9/1, § 361). Jung comentou (seguindo suas observações sobre o episódio de Elias e Salomé, acima nota 212, p. 69): "O sonho 3 apresenta o mesmo tema, porém num plano mais semelhante ao do conto de fadas. Aqui a *anima* é caracterizada como um ser fantasmagórico" (ibid., § 373).

24 O *esboço* continua: "Meu amigo, não percebes nada de minha vida exteriormente visível. Só ouves de minha vida interior a contrapartida da vida exterior. Mas se pensas por isso que eu só tenho minha vida interior e que esta é minha única vida, estás enganado. Pois precisas saber que tua vida interior não fica mais rica à custa da vida exterior, mas fica mais pobre. Se não vives exteriormente, não ficarás mais rico interiormente, apenas mais sobrecarregado. Isto não contribui para teu benefício, e é um começo do mal. Nem tua vida exterior ficará mais rica e mais bela à custa da vida interior, mas só mais pobre e mais miserável. O equilíbrio encontra o caminho" (p. 188).

25 O *esboço* continua: "Voltei à minha Idade Média, onde ainda fui romântico e lá vivi a aventura" (p. 190).

26 Em *Tipos psicológicos* (1921), Jung escreveu: "Mulher muito feminina tem alma masculina; homem muito masculino tem alma feminina. Deve-se este contraste ao fato de o homem não ser plenamente viril em todas as coisas, mas possuir, via de regra, certos traços femininos. Quanto mais viril sua atitude externa, mais suprimidos são os traços femininos; aparecem, então, no inconsciente"(OC, 6, § 759 [884]). Ele designa a alma feminina do homem de *anima*, e a alma masculina da mulher de *animus*, e descreve como as pessoas projetam suas imagens da alma sobre os membros do sexo oposto (ibid.).

27 Para Jung, a integração da *anima* para o homem, e do *animus* para a mulher era necessária para o desenvolvimento da personalidade. Em 1928, ele descreveu este processo, que exigiu a retirada das projeções dos membros do sexo oposto, diferenciando-as e tomando consciência delas em "O eu e o inconsciente" (OC, 7, § 296s. Cf. tb. *Aion*, 1951. OC, 9/2, § 20s.).

28 Em vez dessa frase, o *esboço corrigido* tem: "Mas se ele assumir em si mesmo o feminino, ficará livre da escravidão da mulher" (p. 178).

de sua tirania. A aceitação do feminino leva ao aperfeiçoamento. O mesmo vale para a mulher que aceita seu masculino.

O feminino no homem está ligado ao mal. Encontro-o no caminho do prazer. O masculino na mulher está ligado ao mal. Por isso repugna à pessoa aceitar seu próprio outro. Mas, se o aceitas, acontece o que está vinculado ao aperfeiçoamento da pessoa: quando te tornaste objeto de caçoada para ti, vem voando para perto o pássaro branco da alma, que estava longe, mas que tua humildade atraiu[29]. O mistério chega perto de ti, e acontecem coisas ao teu redor como milagres. Brilha o fulgor áureo, pois o sol emerge de seu sepulcro. Como homem, não tens alma, pois ela está na mulher; como mulher, não tens alma, pois ela está no homem. Mas quando te tornas pessoa, tua alma vem a ti.

Se permaneces dentro dos limites arbitrária e artificialmente criados, andas como entre dois muros: não enxergas a incomensurabilidade do mundo. Mas se derrubas os muros que limitam tua visão e quando a incomensurabilidade e sua infinita incerteza se tornarem assustadores para ti, desperta em ti o antiquíssimo adormecido cujo mensageiro é o pássaro branco. Então precisas da mensagem do velho domador do caos. No turbilhão do caos moram os eternos milagres. Teu mundo começa a ficar maravilhoso. A pessoa não faz parte só de um mundo ordenado, mas pertence também ao mundo maravilhoso de sua alma. Por isso precisaríeis incutir horror em vosso mundo ordenado a fim de que percais o gosto pelo estar demasiado fora.

Vossa alma sofre necessidade, pois em seu mundo pesa a cobiça. Quando olhais para fora de vós, vedes a mata ao longe e as montanhas e para além disso vosso olhar sobe para os espaços siderais. Mas quando olhais para dentro de vós, vedes novamente o que está perto, longe e infinito, pois o mundo interior é tão infinito quanto o mundo exterior. Assim como tendes parte na natureza multiforme do mundo através de vosso corpo, assim tendes parte na natureza multiforme do mundo interior através de vossa alma. Este mundo interior é realmente infinito e em nada mais pobre do que o exterior. O ser humano vive em dois mundos. Um demente vive aqui ou lá, mas nunca aqui e lá.

[30]Tu pensas talvez que uma pessoa, que dedica sua vida à pes-
9/10 quisa, leve uma vida espiritual e viva sua alma em / maior medida do que qualquer outra pessoa. Mas também esta vida é externa, tão externa como a vida de uma pessoa que vive as coisas externas. Um tal pesquisador não vive as coisas externas, mas os pensamentos externos, portanto não a si mesmo, porém seu objeto. Se dizes de uma pessoa que ela se perdeu totalmente na exterioridade e desperdiça em devassidão seus anos, deves dizer o mesmo desse velho. Ele aviltou-se em todos os livros e em todos os pensamentos de outros. Por isso sua alma passa por necessidade, precisa humilhar-se e correr ao quarto de todos os estranhos, para mendigar aquele reconhecimento que ela lhe nega.

Por isso vês aqueles velhos sábios correndo atrás de reconhecimento de modo ridículo e desprezível. Ficam ofendidos quando não se menciona seu nome, desolados, quando alguém diz melhor a mesma coisa, intransigentes, quando alguém muda uma coisinha em sua opinião. Se fores a uma reunião de pessoas sábias, verás esses velhos lastimáveis com seus grandes méritos e suas almas famintas, que estão sedentas de reconhecimento, mas que nunca conseguem mitigar sua sede. A alma exige tua tolice, não teu saber.

Pelo fato de não me elevar acima do sexual-masculino e assim não ultrapassar o humano, transforma-se o ridículo feminino para mim numa natureza plena de sentido. O mais difícil é estar além do sexual e ficar dentro do humano. Se te elevas acima do sexual, com a ajuda de uma proposição geral, tu mesmo te tornas aquela proposição e ultrapassas o humano. Ficarás portanto seco, duro e inumano.

Tu gostarias de ultrapassar o sexual a partir de fundamentos humanos e jamais a partir de fundamentos de uma proposição geral que continua sendo sempre a mesma nas mais diversas situações e que, por isso, não tem valor pleno para cada situação em particular. Quando atuas a partir do humano, atuas a partir da respectiva situação, sem princípio geral, só de acordo com a situação. Assim correspondes à situação, talvez com violação de uma proposição geral. Mas isto não deve molestá-lo demais, pois tu não és a proposição. Existe um outro humano, um demasiado humano, e quem entrou neste humano, a este faz bem lembrar-se do benefício da proposição geral[31]. Pois também a proposição geral tem sentido e não foi colocada por brincadeira. Há muito trabalho respeitável do espírito humano nela. Pessoas dessa espécie não estão além da sexualidade devido a um princípio geral, mas devido à sua imaginação na qual se perderam. Tornaram-se sua própria imaginação e arbitrariedade, para seu próprio prejuízo. Faz-lhes falta lembrar-se do sexual a fim de que acordem de seus sonhos para a realidade.

É tão doloroso quanto uma noite em claro sentir o além a partir do aquém, isto é, o outro e o oposto em mim. Aproxima-se cautelosamente qual febre, qual névoa venenosa. E quando teus sentidos estão excitados e tensos ao máximo, então vem o demoníaco como algo tão insípido e gasto, tão morno e sem sabor, que sentes enjoo. Aqui gostarias muito de não mais sentir teu além. Assustado e enojado, desejas estar de volta à beleza muito alta de teu mundo visível. Cospes e amaldiçoas tudo o que está além de teu belo mundo, pois sabes que é náusea, escória, imundície do animal humano, que se alimenta em casas bolorentas, que se arrasta em todas as trilhas, que mete o nariz em todos os cantos do mundo e que, desde o berço até a morte, só desfruta daquilo que já andou na boca de todos.

Mas não gostarias de parar aqui, não coloques a náusea entre teu aquém e teu além. O caminho para teu além passa pelo inferno, por teu inferno todo especial, cujo chão consiste de entulho que atinge os joelhos, cujo ar foi respirado milhares de vezes, cujo fogo é a paixão de anões e cujo demônio são os letreiros quiméricos.

Todo o odiado e todo o nojento é teu inferno todo especial. Poderia ser diferente? Todo inferno diferente seria ao menos digno de ser visto ou divertido. Mas isto não é nunca o inferno. Teu inferno está construído de todas as coisas que tu atiras com uma maldição e um pontapé para fora de teu santuário. Quando entras em teu inferno, não penses jamais que entras como alguém que sofre em termos de beleza ou como um desprezador orgulhoso, mas entras como um imbecil curioso e admiras as migalhas que caíram de tua mesa[32]. / 10/11

29 Albrecht Dieterich observou: "Muitas vezes, a alma já é de antemão um pássaro na crença popular" (*Abraxas* – Studien zur Religionsgeschichte des späten Altertums. Leipzig: [s.e.], 1891, p. 184).

30 O *esboço* e o *esboço corrigido* têm: "À medida que eu era este velho, enterrado em livros ~~e árida ciência~~, justo e ponderado, arrancando grãos de areia do deserto sem fim, sofre meu [si-mesmo] ~~assim chamado alma, isto é, meu si-mesmo interior~~, grande necessidade (p. 180).

31 *Humano, demasiado humano* é o título de uma obra de Nietzsche, publicada em três fascículos a partir de 1878. Descreve a observação psicológica como a reflexão sobre o "humano, demasiado humano" (Cambridge: Cambridge University Press, 1996, p. 31 [trad. de R.J. Hollingdale]).

32 Em outubro de 1916, em sua palestra no Clube de Psicologia sobre "Individuação e coletividade", Jung ponderou que, através da individuação, "o indivíduo precisa agora consolidar-se, separando-se totalmente da divindade e tornando-se ele mesmo. Com isso separa-se ao mesmo tempo da sociedade. Exteriormente mergulha na solidão e internamente no inferno, no afastamento de Deus"(OC, 18/2, § 1.103).

Tu preferirias tudo bem irritado, mas percebes ao mesmo tempo como lhe vai bem a ira. Teu ridículo infernal estende-se por milhas. Feliz de ti quando consegues praguejar! Vais sentir que o praguejar redime a vida. Quando passares, portanto, pelo inferno, não te esqueças de prestar atenção em tudo o que vais encontrando. Entende-te calmamente com tudo o que quer despertar teu desprezo ou tua raiva; assim abres caminho para a maravilha que eu vivenciei com a moça pálida. Tu dás alma ao desalmado e, através disso, pode surgir alguma coisa do pavoroso nada. Assim teu outro será salvo para a vida. Teus valores vão puxá-lo daquilo que és atualmente para frente e para além de ti mesmo. Mas teu sendo vai puxar-te para o chão como chumbo. Não podes viver as duas coisas ao mesmo tempo. Por isso salva-te o caminho. Tu não podes estar ao mesmo tempo na montanha e no vale, mas teu caminho leva-te da montanha para o vale e do vale para a montanha. Muita coisa começa divertido e conduz para a escuridão. O inferno tem círculos[33].

Um dos degradados[34]

Cap. iii.

[IH 11] Na noite seguinte[35] encontrei-me de novo andando em terras cobertas de neve de aspecto familiar. Um céu de anoitecer cinzento encobria o sol. O ar é de frio úmido. Alguém juntou-se a mim, que não parecia confiável. Tinha um olho só e ainda uma série de cicatrizes no rosto. Está vestido de maneira pobre e suja, um vagabundo. Tinha uma barba preta comprida, que não via tesoura há muito tempo. Para qualquer emergência, eu tinha um bom bastão. "Está um frio maldito", disse ele após algum tempo. Concordei. Após pausa ainda mais longa, perguntou: "Para onde o senhor vai?"

Eu: "Eu vou até o próximo vilarejo, onde pretendo passar a noite".

Ele: "Também queria fazer o mesmo, mas não vai dar para uma cama".

Eu: "Falta dinheiro? Bem, veremos. O senhor não tem emprego?"

Ele: "Pois é, os tempos estão difíceis. Até poucos dias atrás, era empregado de um serralheiro. Aí ele ficou sem trabalho. Agora estou na estrada e procuro emprego".

Eu: "Não quer empregar-se numa lavoura? No campo sempre há falta de força de trabalho".

Ele: "O emprego na lavoura não me serve. Significa levantar cedo de manhã, o trabalho é pesado e o salário é baixo".

Eu: "Mas no campo é sempre mais bonito do que numa cidade".

Ele: "No campo é monótono, a gente não vê ninguém".

Eu: "Existem pessoas também na aldeia".

Ele: "Mas não se tem atrações intelectuais, os camponeses são rudes.

Eu o olhei admirado. Por Deus, ele também quer atrações intelectuais? Ele deveria ganhar honestamente seu sustento e, depois
11/12 disso, pensar numa atração intelectual. /

Eu: "Mas dize-me, qual a atração intelectual que o senhor encontra na cidade?"

Ele: "À noite pode-se ir aos cinematógrafos. É formidável e barato. Lá é possível ver tudo o que se passa no mundo".

Devo pensar no inferno, lá também existem cinematógrafos para aqueles que desprezaram este instituto na terra e nele não entraram, porque todos os outros encontraram nele seu gosto.

Eu: "O que lhe interessou mais no cinematógrafo?"

Ele: "A gente vê todo tipo de belas habilidades. Havia um que corria pelas casas acima. Um outro trazia a cabeça debaixo do braço. Outro ainda ficava em meio ao fogo sem se queimar. É realmente maravilhoso o quanto as pessoas sabem fazer".

E isto o homem chama de atrações intelectuais! De fato – isto parece maravilhoso: os santos também não traziam as cabeças debaixo do braço?[36] São Francisco e Santo Inácio também não se elevaram do chão orando – os três homens num forno em chamas?[37] Não é uma ideia blasfema considerar a *Acta Sanctorum* como um cinematógrafo histórico?[38] Ah, os milagres de hoje são simplesmente algo menos mítico do que técnico. Olho para meu acompanhante com ternura – ele vive a história do mundo – e eu?

Eu: "De certo, isto é muito bem feito. Viu mais alguma coisa do gênero?

Ele: "Sim, eu vi como o rei da Espanha foi assassinado".

Eu: "Mas ele não foi assassinado".

Ele: "Bem, isto não importa, então foi um outro desses malditos reis capitalistas. Um ao menos se foi. Pena que não levou a todos, então o povo estaria livre".

Não ousei dizer mais nada: *Guilherme Tell*, uma obra de Friedrich Schiller – o homem está no meio, na torrente da história heroica. Alguém que dá aos povos adormecidos a notícia do assassinato do tirano[39].

Chegamos à hospedaria, uma propriedade rural – uma sala sofrivelmente limpa – alguns homens sentados a um canto, bebendo cerveja. Sou tratado por "senhor" e levado para o melhor canto, onde uma toalha quadriculada cobria a parte superior da mesa. O outro sentou-se na parte inferior da mesa, e resolvi encomendar-lhe uma boa janta. Ele me olhava impaciente e faminto – com seu único olho.

Eu: "Onde o senhor perdeu seu olho?"

Ele: "Numa briga. Mas eu também esfaqueei ele bastante. Ele recebeu uma pena de três meses de prisão. Eu recebi seis meses. Mas era bonito na prisão. Naquele tempo, a construção era totalmente nova. Eu trabalhava na serralheria. Não havia muito que fazer, mas a comida era boa. A prisão não é tão ruim".

Olhei ao redor para certificar-me de que ninguém estava escutando que eu estava em companhia de um ex-presidiário. Parece que ninguém havia percebido nada. Ao que tudo indicava, eu estava numa sociedade limpa. Há no inferno também presídios para aqueles que nunca estiveram num deles em vida? Além do mais – não será um sentimento muito bonito ter chegado uma vez bem ao fundo do poço, ao chão da realidade, a partir do qual não existe nenhum para baixo, mas no máximo ainda um para cima? Onde se tem diante de si toda a altura da realidade?

Ele: "Depois de cumprida a pena, fiquei ao desamparo, porque me mandaram embora. Fui, então, para a França. Lá era bonito".

Que nuances apresenta a beleza! É possível aprender alguma coisa de pessoas assim.

Eu: "Qual foi o motivo de sua briga?"

33 Na descrição de Dante, em a *Divina Comédia*, o inferno tem nove círculos.

34 O *esboço manuscrito* tem: *Terceira aventura* (p. 440). O *esboço corrigido* tem: "O vagabundo", que vem coberto por um papel (p. 186).

35 29 de dezembro de 1913.

36 O emblema da cidade de Zurique traz este motivo, mostrando os mártires do final do século terceiro, Félix, Régula e Exuperâncio.

37 Parece ser uma referência a Sidrac, Misac e Abdênago, em Daniel 3, aos quais Nabucodonosor mandou jogar na fornalha por se recusarem a adorar o ídolo de ouro que ele havia erigido. Eles saíram ilesos do fogo, o que levou Nabucodonosor a decretar que seria decapitado desde então quem falasse contra o Deus deles.

38 A *Acta Sanctorum* é uma coletânea da vida e lendas dos santos, ordenada de acordo com seus dias comemorativos, publicada pelos jesuítas da Bélgica, conhecidos como padres bolandistas. A publicação começou em 1643 e chegou a 63 fólios.

39 Em *Guilherme Tell* (1805), Friedrich Schiller dramatizou a revolta dos cantões suíços contra o controle pelo império dos Hapsburgos da Áustria no começo do século catorze, o que levou à fundação da confederação suíça. No quarto ato, terceira cena, Guilherme Tell mata Gessler, o representante imperial. Stussi, o guarda florestal, anunciou: "O tirano do país está morto. Daqui para frente não teremos mais opressão. Somos homens livres" (TELL, W. Chicago: University of Chicago Press, 1973, p. 119 [Trad. de W. Mainland]).

Ele: "Foi por causa de uma moça. Ela teve um filho bastardo com ele, mas eu queria casar com ela assim mesmo. De resto, ela era direita. Depois, ela não quis mais. Nunca mais tive notícias dela".

Eu: "Que idade o senhor tem agora?"

Ele: "Faço 35 na primavera. Preciso encontrar um trabalho decente, então nos casaremos. Eu encontrei um. Mas eu tenho um problema nos pulmões. Isto, no entanto, melhorará em breve".

12/13 / Teve um violento acesso de tosse. Não eram boas perspectivas e eu me admirava em silêncio do inabalável otimismo do pobre diabo.

Após o jantar, fui para a cama num quarto bem simples. Escutei como o outro arrumava seu alojamento ao lado. Tossiu várias vezes. Depois ficou quieto. Mas de repente acordei de novo com seus gemidos e gorgolejar lúgubres, misturados com tosse semissufocada. Escutei com atenção preocupada – sem dúvida, era o outro. É como uma coisa perigosa. Levantei-me depressa e vesti apenas o necessário. Abri a porta de seu quarto. O brilho da lua entrava de cheio. O homem jazia vestido sobre um colchão de palha. De sua boca saía um fio escuro de sangue que fez uma poça no chão. Ele gemia semissufocado e expectorava sangue. Quis levantar-se, mas caiu de novo para trás. Apressei-me em socorrê-lo. Mas vi que a morte já havia colocado a mão sobre ele. Está tudo sujo de sangue. Minhas mãos estão cheias de sangue. Solta um suspiro de estertor. A tensão se desfaz, um leve estremecimento perpassa seus membros. E então tudo está morto e quieto.

Onde estou? Existem também falecimentos no inferno para aqueles que nunca pensaram na morte? Olho para minhas mãos cobertas de sangue – como se eu fosse um assassino... Não é o sangue de meu irmão que se cola em minhas mãos? A lua desenha em preto minha sombra na parede branca do quarto. O que faço aqui? Para que este espetáculo pavoroso? Olho interrogativamente para a lua como testemunha. O que interessa isto à lua? Ela já não viu coisa pior? Isto é indiferente para suas montanhas anulares de eterna duração – um pouco mais ou menos. A morte? Não revela ela o embuste terrível da vida? Por isso é totalmente indiferente para a lua se e como alguém parte daqui. Somente nós damos muita importância a isso – com que direito?

O que fez este homem? Ele trabalhou, passou algum tempo sem fazer nada, riu, bebeu, comeu, dormiu, sacrificou seu olho pela mulher e, por amor a ela, perdeu sua honra de cidadão, além disso viveu sofrivelmente o mito humano, admirou os autores de coisas maravilhosas, elogiou o assassinato do tirano e sonhou obscuramente com a liberdade do povo. E então – então morreu lamentavelmente – como todos os outros. Isto é válido em geral. Eu me sentei sobre o fundamento mais baixo. Quanta sombra sobre a terra! Todas as luzes somem na última desesperança e solidão. Isto é uma última verdade, não um enigma. Que ilusão pôde fazer-nos acreditar num enigma?

[2] Nós estamos sobre as pedras agudas da miséria e da morte.

Um vagabundo juntou-se a mim e quer entrar em minha alma, portanto sou muito vagabundo. Onde se meteu minha vagabundagem, enquanto eu não a praticava? Eu fui um jogador da vida, alguém que a pensava como difícil e a vivia na facilidade. O vagabundo estava bem longe e esquecido. A vida tornara-se dura e mais sombria. O inverno não terminava mais, e o vagabundo estava na neve e sentia frio. Juntei-me a ele, pois precisava dele. Ele torna a vida fácil e simples. Ele conduz à profundeza, ao fundamento, em que eu vejo a altitude. Sem a profundeza, não tenho a altitude. Talvez eu esteja na altitude, mas é exatamente por isso que não me dou conta dela. Preciso por isso do nível profundo para minha renovação. Se eu estiver sempre na altitude, eu a desgasto, e então o melhor se torna para mim um horror.

Mas como não quero que meu melhor se torne um horror, eu mesmo me transformo num horror, num horror para mim, num horror para os outros, num terrível espírito de tortura. Sê honesto e dize que teu melhor tornou-se um horror para ti, assim livrarás a ti e a outros de um tormento inútil. Uma pessoa que não consegue mais descer de sua altitude é doente e tormento para si e para os outros. Quando atingires tua profundeza, verás tua altitude brilhar claramente sobre ti, digna de desejo e longe, como se fosse inalcançável, pois no mais íntimo de ti preferes ainda não alcançá-la, por isso ela te parece inalcançável. Tu gostas de exaltar tua altitude, mesmo no tempo de teu nível profundo, e dizer-te que só a abandonaste com pesar e que não viveste neste tempo todo em que passaste sem ela. Bons costumes, que quase se transformaram em outra natureza em ti, fizeram que assim falasses. Mas sabes que bem no fundo isto não é verdade.

Em teu nível profundo não te distingues em nada mais de teus irmãos humanos. Não te envergonhes e não te arrependas, pois à medida que vives a vida de teus irmãos e desces à sua inferioridade, / embarcas também na torrente sagrada da vida em geral, na 13/14
qual não és mais um indivíduo em alta montanha, mas um peixe entre peixes, uma rã entre rãs.

Tua altitude é tua própria montanha, que pertence a ti e só a ti. Lá estás em tua individualidade e vives tua vida particularíssima, não vives a vida da história e dos fardos e bens imperdíveis, nunca perdidos da humanidade. Lá vives o ser contínuo, mas não o tornar-se. O tornar-se pertence à altitude e é doloroso. Como podes tornar-te, se nunca és? Por isso precisas do nível profundo, pois lá tu és. Por isso precisas da altitude, pois lá te tornas.

Quando vives no teu nível profundo a vida comum, tomas consciência de teu si-mesmo. Quando estás em tua altitude, tu és teu melhor e só tomas consciência de teu melhor, mas não daquilo que és como sendo na vida comum. O que nós somos como tornando-se não se sabe nunca. Mas na altitude, a imaginação é mais forte. Imaginamos que sabemos o que somos como tornando-nos e tanto mais quanto menos queremos saber o que somos como sendo. Por isso não gostamos do nível profundo, apesar de, ou sobretudo porque somente lá atingiremos um conhecimento claro de nós mesmos.

Para o tornando-se tudo é enigmático, para o sendo não. Quem sofre por causa do enigmático pensa em seu nível profundo; resolve os enigmas de que sofremos, mas não aqueles em que nos alegramos.

Ser aquele que tu és é banho do renascimento. O ser do nível profundo não é um persistir incondicional, mas um crescimento infinitamente vagaroso. Tu pensas estar parado quieto como água de cisterna, mas tu te derramas lentamente no mar, que cobre em toda parte a terra nos lugares mais profundos e é tão grande que a terra firme parece apenas uma ilha, encaixada no seio do mar infindo.

Como gota do mar participas das correntes das marés altas e baixas. Devagar avanças para a terra e devagar retornas, num respirar de infinda duração. Tu viajas longas distâncias em correntezas imperceptíveis, banhas litorais desconhecidos e não sabes como chegaste lá. Levantas-te com as ondas da grande tempestade e despencas de novo na profundeza. E não sabes como isto te acontece. Antes pensavas que teu movimento vinha de ti e que havia necessidade de tua decisão e de teu esforço para que te movimentasses e saísses do lugar. Mas com todo o esforço nunca terias chegado àquele movimento e àquelas paragens a que o mar e o grande vento do mundo te levam.

Sobre infindas planícies azuis afundas em negras profundezas; peixes luminosos passam por ti, ramagem maravilhosa te envolve. Tu te esgueiras através de fendas e de plantas entrelaçadas, balouçantes, de folhas escuras, e o mar aflui novamente para ti em água verde-clara sobre litorais de areia branca, e uma onda te espumeja para a praia e te engole outra vez, e uma grande onda mansa te ergue e te conduz para novas planícies e profundezas, para plantas entrelaçadas, peixes de rabos longos e polvos viscosos deslizando devagar, e água verde, e areia branca, e ondas de arrebentação.

Mas de longe brilha para ti em luz dourada tua altitude sobre o mar, como a lua que emerge da maré alta, e tu tomas consciência de longe de teu si-mesmo. E o desejo apanha a ti e a vontade para seu próprio movimento. Tu queres ir do ser para o tornar-se, pois reconheceste que a respiração do mar existe e que seu fluir e refluir que te leva de lá para cá, onde parte nenhuma te prende, e onde suas ondas, que te jogam para litorais estranhos e te engolem novamente, te gorgolejam para baixo e para cima.

Tu viste que isto foi a vida do todo e a morte de cada indivíduo. Ali te sentiste envolvido pela morte geral, pela morte no lugar mais profundo da terra, pela morte em tua própria profundeza, respirando e fluindo estranhamente. Oh – tu desejas sair, desespero e medo mortal tomam conta de ti em toda esta morte, que respira devagar e que flui eternamente para lá e contra. Todas essas águas claras e escuras, quentes, mornas e frias. Todos esses zoófitos ondeados, balouçantes e oscilantes, todas essas maravilhas noturnas vão tornar-se horror para ti e tu desejas sol, ar límpido e seco, rochedo firme, lugar determinado e linha reta, o imóvel e seguro, regra e objetivo premeditado, estar só e intenção própria.

De noite veio-me o conhecimento da morte, do morrer que engloba o mundo todo. Vi como nós vivemos para dentro da morte, como o cereal dourado e ondulante vem abaixo sob a
14/15 foice do ceifeiro, / à semelhança de uma onda mansa do mar na
praia. Quem está posicionado na vida comum tomará consciência, assustado, da morte. Por isso o medo da morte o empurra para a solidão. Lá ele não vive, mas toma consciência da vida e se alegra, pois na solidão ele é um tornando-se e venceu a morte. Ele vence a morte através da vitória sobre a vida comum. Na solidão ele não vive, pois ele não é o que é, mas ele se torna.

Alguém tornando-se toma consciência da vida, alguém sendo, nunca, pois está no meio da vida. Ele precisa da altitude e da solidão para tomar consciência da vida. Mas na vida torna-se consciente da morte. E é bom que tomes consciência da morte comum, pois então sabes para que servem tua solidão e tua altitude. Tua altitude é como a lua, que caminha solitariamente iluminando e eternamente clara observa as noites. Às vezes ela se esconde, e então estás totalmente no escuro da terra, mas sempre de novo completa-se até a claridade plena. O morrer da terra lhe é estranho. Ela vê de longe a vida na terra, ela mesma imóvel e clara, sem vapor envolvente e sem mar em movimento. Sua forma imutável está firme desde a eternidade. Ela é a luz solitária e clara da noite, o ser individual e o pedaço próximo da eternidade.

A partir dela tu vês de modo frio, imóvel e radiante. Com uma luz prateada do além e com crepúsculos verdes, soterras o horror longínquo. Tu o vês, mas teu olhar é claro e frio. Tuas mãos estão vermelhas de sangue vivo, mas o luar de teu olhar é imóvel. É o sangue vital de teu irmão; sim, é teu próprio sangue, mas teu olhar permanece brilhando e abrange o todo do horror e a rotundidade da Terra. Teu olhar repousa sobre mares prateados, sobre cumes cheios de neve, sobre vales azuis, e não ouves o gemer e uivar do animal humano.

A lua está morta. Tua alma foi para a lua, para o guarda das almas[40]. E assim a alma entrou na morte[41]. Eu entrei na morte interior e vi que o morrer exterior é melhor do que a morte interior. E eu resolvi morrer fora e viver dentro. Por isso eu me desviei[42] e procurei os lugares da vida interior.

O eremita

Cap. iv. Dies I.[43]

[IH 15] Novamente na noite seguinte[44], encontrei-me em novos caminhos; ar quente e seco me circundava, e eu vi: o deserto, areia amarela em toda a extensão, amontoada em dunas, um sol causticante, um céu azul como aço liquefeito, o ar tremulando sobre a terra, à minha direita um vale profundamente escavado com um leito seco de rio, algumas gramíneas amareladas e algumas sarças cobertas de poeira. Na areia vejo pegadas de pés descalços que vão do vale rochoso para o planalto. Eu os segui ao longo de uma duna elevada. Onde ela entra em declive, as pegadas mudam para outra direção, parecem frescas, ao lado estão pegadas velhas, semiapagadas. Sigo-as com atenção: vão novamente pela encosta
da duna e desembocam numa outra pegada – mas é a mesma / que 15/16
eu já havia seguido, ou seja, aquela que subiu do vale.

Sigo, admirado, as pegadas agora para baixo. Logo chego às rochas quentes, avermelhadas, carcomidas pelo vento. Sobre a pedra, perde-se a pegada, mas vejo onde o rochedo cai em degraus e eu desço. O ar está quente e a pedra queima minhas solas dos pés. Agora estou embaixo; aqui estão de novo as pegadas. Elas vão ao longo das curvas do vale e percorrem curta distância. Estou de repente diante de pequena cabana de adobe, coberta de juncos. Uma bamboleante armação de madeira formava a porta sobre a qual estava desenhada uma cruz em vermelho. Abri devagar. Um homem magro, de cabeça calva, pele marrom-escura, envolto num manto branco de linho, está sentado numa esteira, com o dorso encostado na parede. Sobre seus joelhos está um livro em pergaminho amarelado com bela escrita preta – um livro em grego, dos evangelhos sem dúvida. Estou junto a um eremita do deserto líbio[45].

---

40 Em *Transformações e símbolos da libido* (1912) Jung cita crenças de diferentes culturas de que a lua foi o lugar de reunião das almas que haviam partido (OC, B, § 496). Em *Mysterium coniunctionis* (1955/1956),Jung comenta este motivo na alquimia (OC, 14, § 150).

41 O *esboço* continua: "Eu aceitei o vagabundo, vivi e morri com ele. Ao vivê-lo, eu o assassinei, pois a gente mata o que a gente vive" (p. 217).

42 O *esboço corrigido* tem: "da morte" (p. 200).

43 (Primeiro dia.) O *esboço manuscrito* tem: "*Quarta aventura: primeiro dia* (p. 476). O *esboço corrigido* tem: "Dies I. Noite" (p. 201).

44 30 de dezembro de 1913, No *Livro Negro* 3, Jung observou: "Todo tipo de coisas me desviam para longe de minha ciência à qual eu acreditava estar dedicado firmemente. Através dela, queria servir à humanidade, e agora, minha alma, tu me levas para essas coisas novas. Sim, o *mundo do meio*, intransitável, multiplamente cintilante. Esqueci que cheguei a um mundo novo, que antes me era estranho. Não vejo caminho nem trilha. Aqui deverá tornar-se verdade o que acreditei sobre a alma, que ela sabia melhor seu próprio caminho e que nenhum desígnio lhe poderia prescrever um caminho melhor. Sinto que é tirado um grande pedaço da ciência. Deve estar certo, por amor à alma e por amor à sua vida. Dolorosa é apenas a ideia de que isto só aconteceu para mim e que talvez ninguém consiga tirar alguma luz daquilo que eu produzo. Mas minha alma exige esta produção. Devo poder dizê-lo também só para mim sem esperança – por amor a Deus. Deveras um caminho duro. Contudo aqueles eremitas dos primeiros séculos cristãos – o que faziam de diferente? E eram, por acaso, as piores e mais imprestáveis pessoas que viviam naquele tempo? De modo nenhum, pois eram aqueles que tiravam a mais inexorável consequência da necessidade psicológica de seu tempo. Eles deixavam mulher e filhos, riqueza, fama – ciência e se dirigiam ao deserto – por amor a Deus. Assim seja" (p. 1-2).

45 No capítulo seguinte, o eremita é identificado com Amônio. Numa carta de 31 de dezembro de 1913, Jung observou que se trata de um eremita do terceiro século d.C. (*AFJ*). Há três personagens históricos de nome Amônio em Alexandria daquela época: Amônio, um filósofo cristão do terceiro século, considerado por um tempo o responsável pela divisão medieval dos evangelhos; Amônio Ceto, nascido cristão, mas que voltou à filosofia grega, e cuja obra apresenta uma transição do platonismo para o neoplatonismo; e um Amônio neoplatônico do século quinto, que tentou conciliar Aristóteles e a Bíblia. Em Alexandria havia bom entendimento entre neoplatonismo e cristianismo, e alguns dos discípulos deste último Amônio converteram-se ao cristianismo.

Eu: "Estou perturbando o senhor, pai?"

E: "Tu não perturbas. Mas não me chames de pai. Sou um homem como tu. O que desejas?"

Eu: "Venho sem desejo algum. Vim por acaso a este lugar do deserto e encontrei lá em cima pegadas na areia, que me trouxeram por diversas voltas a ti".

E: "Tu encontraste as pegadas de minha caminhada diária à hora do arrebol e à hora do pôr do sol".

Eu: "Perdoa-me se interrompo tua concentração. Mas para mim é uma oportunidade única estar junto a ti. Nunca tinha visto um eremita".

E: "Daqui para baixo podes ver não poucos neste vale. Alguns têm cabanas como eu, outros moram em túmulos que os antigos escavaram nessas rochas. Eu moro no lugar mais alto do vale, porque aqui é o ponto mais solitário e mais quieto e porque aqui tenho mais próximo o sossego do deserto".

Eu: "Já estás há muito tempo aqui?"

E: "Vivo aqui provavelmente há uns dez anos, mas de fato não consigo lembrar-me exatamente quanto tempo faz. Pode fazer alguns anos mais. O tempo passa tão depressa".

Eu: "O tempo passa rápido para ti? Como é possível? Tua vida deve ser tremendamente monótona".

E: "Certamente, o tempo passa rápido para mim. Até rápido demais. Tu pareces ser um pagão".

Eu: "Eu? Não – não exatamente. Cresci na fé cristã".

E: "Então, como podes perguntar se o tempo é longo para mim? Deves saber com que se ocupa alguém que está triste. Longo se torna o tempo só para os ociosos".

Eu: "Perdoa-me de novo – minha curiosidade é grande – com que te ocupas tu?"

E: "És por acaso uma criança? Em primeiro lugar vês que aqui eu leio e, depois, tenho minha distribuição regular do tempo".

Eu: "Mas eu não vejo nada aqui com que poderias te ocupar. Este livro já o deves ter lido todo várias vezes. E se são os evangelhos, como suponho, certamente já os sabes de cor".

E: "Com que infantilidade tu falas! Tu sabes que se pode ler um livro diversas vezes – talvez o saibas quase de cor, e apesar disso, quando olhas para as linhas que estão diante de ti, vão aparecer coisas novas para ti, ou terás mesmo ideias totalmente novas, que não tinhas antes. Cada palavra pode agir criativamente em teu espírito. E mais, se puseres de lado o livro por uma semana e o retomares, depois que teu espírito sofreu nesse meio tempo diversas transformações, nascerá para ti mais do que uma nova luz".

Eu: "Tenho dificuldade em entender isso. No livro está sempre apenas uma única e mesma coisa, certamente um conteúdo maravilhosamente profundo, mesmo divino, mas não tão rico que pudesse encher anos incontáveis".

E: "Tu és surpreendente. Como lês este livro sagrado? Tu vês de fato sempre apenas um único e mesmo sentido nele? Donde vens tu? És realmente um pagão".

Eu: "Rogo-te, não me leves a mal se falo como um pagão. Permite apenas que fale contigo. Estou aqui para aprender de ti. Considero-me um aluno ignorante, que o sou deveras nessas coisas".

E: "Se te chamo pagão, não consideres isto um insulto. Também
16/17 eu fui antigamente um pagão e pensava, se bem / me lembro, exatamente como tu. Como posso então condenar tua ignorância?"

Eu: "Agradeço tua paciência. Mas interessa-me muito saber como tu lês e o que extrais do livro".

E: "Não é fácil responder à tua pergunta. É mais fácil explicar as cores a um cego. Antes de mais nada precisas saber de uma coisa: uma sequência de palavras não tem apenas um sentido. Mas as pessoas se esforçam por dar a um ordenamento de palavras apenas um único sentido, isto é, por ter uma linguagem inequívoca. Este esforço é universal e limitado e pertence aos graus mais profundos do plano criador de Deus. Nos graus mais elevados da introspecção dos fundamentos divinos, conheces que os ordenamentos de palavras têm mais de um sentido válido. Só ao onisciente é dado conhecer todos os sentidos das sequências das palavras. Aos poucos, e com esforço, conseguimos captar algum sentido mais".

Eu: "Se entendo bem, é tua opinião que também as Sagradas Escrituras do Novo Testamento têm um sentido duplo, um sentido exotérico e esotérico, assim como o afirmam de seus livros sagrados alguns letrados judeus".

E: "Longe de mim tal sinistra superstição. Percebo que és bem inexperiente nas coisas de Deus".

Eu: "Preciso reconhecer minha profunda ignorância nessas coisas. Mas estou curioso para perceber e assimilar o que tu entendes por sentido múltiplo do ordenamento das palavras".

E: "Infelizmente não estou em condições de lhe dizer tudo o que sei a este respeito. Mas tentarei esclarecer-lhe ao menos os elementos básicos. Para tanto e devido à tua ignorância, vou começar por um outro lado: precisas saber que eu, antes de conhecer o cristianismo, fui professor de retórica e filósofo na cidade de Alexandria. Eu tinha grande afluência de estudantes, entre os quais muitos romanos, também alguns bárbaros da Gália e Bretanha. Eu não lhes ensinava apenas a história da filosofia grega, mas também os sistemas mais novos, entre eles também o sistema de Filo, que nós chamávamos "o judeu"[46]. Era um crânio, mas tremendamente abstrato, como costumam ser os judeus quando criam sistemas, e com isso era escravo de suas palavras. Então criei meu próprio sistema e urdi uma trama medonha de palavras na qual sufoquei não só meus ouvintes como também a mim mesmo. Digeríamos mal palavras e conceitos, nossas próprias palavras deploráveis, e lhes atribuíamos até potência divina. Acreditávamos mesmo em sua realidade e julgávamos possuir o divino e tê-lo fixado em palavras".

Eu: "Mas Filo, o judeu – certamente te referes a este –, foi um filósofo sério e grande pensador, e o próprio evangelista João não se recusou a assumir alguns pensamentos de Filo em seu evangelho".

E: "Tens razão. Este é o mérito de Filo. Ele cunhou uma linguagem, como tantos outros filósofos. Ele pertence aos artistas da linguagem. Mas as palavras não devem tornar-se deuses"[47].

Eu: "Aqui não te entendo. Não está dito no evangelho de João: Deus era a Palavra? Parece-me estar dito aí claramente o que tu condenaste há pouco".

E: "Cuida-te para não te tornares um escravo da palavra. Aqui está o evangelho. Lê a partir dessa passagem onde se diz: nela estava a vida. O que diz João ali?"[48]

Eu: "'E a vida era a luz dos homens. A luz brilha nas trevas, mas as trevas não a compreenderam. Houve um homem enviado por Deus, de nome João. Ele veio como testemunha, para dar testemunho da luz. Era esta a luz verdadeira que, vindo ao mundo,

46 Filo, o judeu, também chamado Fílon de Alexandria (20 a.C.-50 d.C.), foi um filósofo judeu de língua grega. Suas obras são uma fusão da filosofia grega e do judaísmo. Para Fílon, Deus, a quem se referia pelo termo platônico "O Uno", era transcendente e incognoscível. Certos poderes desciam de Deus para o mundo. A faceta de Deus que nos é conhecível através da razão é o Logos divino. Houve muito debate sobre a exata relação entre o conceito de Logos de Fílon e o do Evangelho de João. Em 23 de junho de 1934, Jung escreveu a James Kirsch: "A gnose, da qual proveio o Evangelista João, é certamente judia, mas é helênica na essência, no estilo de Fílon judeu, do qual também se origina a doutrina do Logos" (JA).

47 Em 1957, Jung escreveu: "Até hoje não se percebeu com a necessária clareza e profundidade que a nossa época, apesar do excesso de irreligiosidade, está consideravelmente sobrecarregada com o que adveio da era cristã, a saber, com o *predomínio da Palavra*, daquele Logos que representa a figura central da fé cristã. A palavra tornou-se, ao pé da letra, o nosso Deus e assim permaneceu" (OC, 10, § 554).

48 Jo 1,1-10: "No princípio era a Palavra, e a Palavra estava com Deus, e a Palavra era Deus. No princípio ela estava com Deus. Todas as coisas foram feitas por meio dela, e sem ela nada se fez do que foi feito. Nela estava a vida, e a vida era a luz dos seres humanos. A luz brilha nas trevas, mas as trevas não a compreenderam. Houve um homem enviado por Deus, de nome João. Ele veio como testemunha, para dar testemunho da luz, a fim de que todos cressem por meio dele. Ele não era a luz, mas veio para dar testemunho da luz. Era esta a luz verdadeira que, vindo ao mundo, ilumina todas as pessoas. Ela estava no mundo, e por ela o mundo foi feito, mas o mundo não a conheceu".

ilumina todas as pessoas. Ela estava no mundo, e por ela o mundo foi feito, mas o mundo não a conheceu'. É isto que leio aqui. Mas o que achas disso?"

E: "Eu te pergunto, este λογος (lógos) era um conceito, uma palavra? Ele era uma luz, até mesmo um homem e morou entre os homens. Tu vês, Filo só emprestou a palavra a João, para que João tivesse à disposição, além da palavra 'luz', também a palavra λογος, para descrever o Filho do Homem. Em João, o sentido do λογος foi atribuído ao homem vivo, mas em Filo foi atribuído ao λογος a vida, a vida divina inclusive ao conceito de morto. Com isso, o morto não ganha nenhum vida, e o vivo será morto. E isto também foi meu erro monstruoso".

Eu: "Percebo o que pensas. Este pensamento é novo para mim e parece-me digno de consideração. Sempre me pareceu até
17/18 agora / que era exatamente isto o mais significativo em João, de que o Filho do Homem é o λογος, erguendo o mais ínfimo até o espiritual mais elevado, até o mundo do λογος. Mas tu me levas a ver a coisa de modo invertido, ou seja, que João traz para baixo o sentido do λογος ao homem".

E: "Aprendi a reconhecer que João tem inclusive o grande mérito de ter elevado o ser humano acima do sentido do λογος".

Eu: "Tu tens pontos de vista estranhos que despertam ao máximo minha curiosidade. Como é isto? Tu pensas que o humano está acima do λογος?"

E: "A esta pergunta quero responder dentro do limite de tua compreensão: se o humano não tivesse sido o mais importante para Deus, ele, como Filho, não teria sido manifestado na carne, mas no λογος"[49]

Eu: "Isto me parece evidente, mas confesso que esta concepção é supreendente para mim. É especialmente admirável que tu, um eremita cristão, tenhas chegado a tais ideias. Jamais esperava isto de ti".

E: "Como já observei, tu fazes uma ideia totalmente errada de mim e de minha natureza. Tu desejas ver aqui um pequeno exemplo de minha ocupação. Só com a mudança de aprendizado passei muitos anos. Tu também já mudaste alguma vez de aprendizado? – Então deves saber que é preciso muito tempo para isso. Eu fui um professor de sucesso em minha profissão. Como sabes, essas pessoas dificilmente ou jamais mudam de aprendizado. Eu, por exemplo, vejo que o sol se pôs. Logo será noite total. A noite é o tempo do silêncio. Vou mostrar-lhe o lugar de passar a noite. A manhã eu a preciso para meu trabalho, mas após o meio-dia podes vir de novo, se quiseres. Continuaremos então a nossa conversa".

Conduziu-me para fora da cabana, o vale está imerso em sombra azul. Já brilham as primeiras estrelas no céu. Levou-me ao redor do canto de um rochedo. Estamos diante da entrada de um túmulo[50], que foi escavado na pedra. Entramos: não longe da entrada havia um monte de juncos, coberto com uma esteira. Ao lado, uma moringa de água, e sobre uma toalha branca, tâmaras secas e um pão preto.

E: "Aqui está tua pousada e tua refeição da noite. Dorme bem e não te esqueças de tua oração da manhã, quando o sol se levantar".

[2] O solitário mora num deserto imenso, cheio de beleza admirável. Ele observa o todo no sentido interior. Para ele é odioso o multiforme quando lhe está próximo. Ele o observa de longe, em seu todo. Por isso estão para ele acima do multiforme, o fulgor prateado, a paz e a beleza. O que lhe está próximo precisa ser simples e natural, pois o multiforme e embaraçado, quando próximos, rasgam e quebram o fulgor prateado. Não pode haver nenhuma turvação do ar, nenhuma fumarada e nenhuma neblina ao seu redor, caso contrário não consegue observar o distante multiforme no todo. Por isso, o solitário prefere o deserto, onde tudo o que está perto é simples, e nenhuma turvação e embaralhamento há entre ele e o longínquo.

A vida do solitário seria fria, não fosse o grande sol, que aquece o ar e os rochedos. O sol e seu brilho eterno substituem no solitário o calor de sua vida.

Seu coração deseja ardentemente o sol.

Ele viaja para as terras do sol.

Sonha com o brilho tremeluzente do sol, com pedras de calor abrasador, expostas
ao sol do meio-dia, com reflexos de calor dourado da areia seca. / 18/19

O solitário procura o sol, e ninguém está mais disposto do que ele para abrir seu coração. Por isso ama mais que tudo o deserto, porque ama seu profundo sossego.

Precisa de menos alimento, pois o sol e seu calor o alimentam. Por isso, o solitário ama sobretudo o deserto, pois é uma mãe para ele, que dá no tempo oportuno alimento e calor vivificantes.

No deserto, o solitário está livre de preocupações, por isso toda sua vida se volta para os pomares em flor de sua alma, que só conseguem medrar sob um sol quente. Em seus pomares crescem as preciosas frutas vermelhas, que escondem, sob pele esticada, doçura tumescente.

Tu pensas que o solitário é pobre. Não vês que ele caminha debaixo de árvores carregadas de frutas e que sua mão toca em centenas de grãos. Sob folhas escuras, nasce de um viçoso rebento a flor de um vermelho exuberante, e os frutos quase explodem devido ao sumo que pressiona. Resinas cheirosas gotejam de suas árvores, e sob seus pés desabrocha a semente que pressiona.

Quando o sol, como pássaro cansado, desce sobre a superfície plana do mar, o solitário se recolhe, suspende a respiração, não se mexe e é só expectativa até que a maravilha da renovação da luz se eleva no Oriente.

Existe uma expectativa bastante incerta para o solitário[51]*.*

Os sustos do deserto e a morte por sede o envolvem, e tu não entendes como o soli-
tário consegue viver. / 19/20

Seu olhar, porém, repousa sobre os pomares e seu ouvido escuta as fontes, sua mão toca ao mesmo tempo as folhas e os frutos e sua respiração inala doces aromas de árvores ricamente floridas.

Não tem palavras suficientes para falar-te sobre a magnificência exuberante de seus pomares. Gagueja quando fala disso e parece pobre de espírito e vida. Sua mão não sabe onde pegar nessa abundância indescritível.

Ele te dá uma pequena e pouco vistosa fruta que caiu agora mesmo a seus pés. Parece-te sem valor; mas quando a observas, vês que esta fruta tomou um sol que nunca terias sonhado. Exala um aroma que perturba teu sentido olfativo, que te leva a sonhar com jardins de rosas, com vinhos doces e palmeiras sussurrantes. E tu seguras sonhando esta fruta na mão e tu gostarias de ter a árvore na qual ela cresceu, o pomar no qual esta árvore está e o sol que fecundou este pomar.

E tu mesmo queres ser aquele solitário que caminha com o sol por seus pomares, cujo olhar repousa sobre ramagens que pendem floridas, cuja mão acaricia o grão cêntuplo cuja respiração permite beber os aromas de milhares de rosas.

Extenuado pelo sol e embriagado por vinho espumante, vais deitar-te para repouso em túmulos antiquíssimos, cujas paredes ressoam de várias vozes e estão multicoloridas por milhares de anos solares do passado.

Ao acordar, vês tudo vivo de novo o que já passou, e / quando dormes, descansas 20/21
como tudo que já passou, e teus sonhos fazem ressoar de novo suaves hinos sacros, vindos de longe.

Tu afundas no sono através dos milhares de anos solares e te ergues despertando através dos milhares de anos solares, e teus sonhos, cheios de coisas já sabidas enfeitam

49 Jo 1,14: "E a Palavra se fez carne e habitou entre nós, vimos a sua glória, a glória do Filho único do Pai, cheio de graça e verdade".
50 O *esboço* tem: "egípcio" (p. 227). Nesse contexto, água, tâmaras e pão eram oferendas aos mortos.
51 O *esboço* continua: "Seguindo rastos e círculos aleatórios, volto a mim mesmo e a ele, o solitário, cuja luz protegida vive na profundeza, protegida por maciços rochedos, tendo acima deserto escaldante e céu resplandecente" (p. 229).

as paredes de teu quarto de dormir.
Tu te vês também no todo.

Tu estás sentado, encostado na parede e observas o todo belo e enigmático. A *Summa*[52] está diante de ti como um livro, e um desejo indizível se apossa de ti para devorá-lo. Por isso te recostas, ficas como que paralisado e sentado por longo tempo. És totalmente incapaz de compreendê-lo. Cá e lá tremula uma luz, cá e lá cai uma fruta de alta árvore, que podes apanhar, cá e lá teu pé dá de encontro a ouro. Mas o que é isto, comparado com o todo que está exposto diante de ti e ao teu alcance? Tu estendes a mão, mas ela fica presa em teias invisíveis. Tu queres ver isto com exatidão, mas logo se interpõe algo nebuloso e através do qual não se pode enxergar. Gostarias de arrancar um pedaço para ti. Mas é liso e impenetrável como ferro polido. Por isso te recostas na parede e, quando tiveres rastejado através de todos os cadinhos incandescentes do inferno do desespero, estás sentado de novo e te recostas e observas a maravilha da *Summa* que jaz espalhada diante de ti. Cá e lá tremula uma luz, cá e lá cai uma fruta. Tudo é muito pouco para ti. Mas começas a te divertir e não dás atenção aos anos que vão passando. O que são anos? O que é tempo passando depressa para aquele que está sentado debaixo da árvore? Teu tempo passa como um sopro e tu esperas pela próxima luz, pela próxima fruta.

A Escritura está diante de ti e diz sempre a mesma coisa se acreditas em palavras. Mas se acreditas em coisas para as quais foram estabelecidas apenas palavras, nunca chegarás ao fim. E assim mesmo precisas caminhar pela estrada sem fim, pois a vida não flui sobre caminhos limitados, mas ilimitados. Mas a ausência de limites te[53] mete medo, pois o ilimitado é assustador, e teu humano se revolta contra isso; por isso procuras limites e restrições para que não te percas cambaleando para dentro do infinito. Restrição será imprescindível para ti. Tu gritas pela palavra que tem este único significado e nenhum outro, a fim de que escapes do ambíguo ilimitado. A palavra será Deus para ti, pois ela te protege das inúmeras possibilidades de interpretação. A palavra é magia protetora contra os demônios do infinito que querem arrancar tua alma e espalhá-la aos quatro ventos. Estás salvo se puderes finalmente dizer: isto é isto e somente isto. Tu dizes a palavra mágica, e o ilimitado está preso no finito. Por isso as pessoas procuram e criam palavras[54].

Quem rompe o dique da palavra derruba deuses e profana o templo. O solitário é um assassino. Ele mata o povo, pois com isso pensa e quebra velhas muralhas sagradas. Ele chama para dentro os demônios do ilimitado. Ele fica sentado, recosta-se e não vê nem ouve o gemer da humanidade, tomado pela terrível embriaguez de fogo. Apesar disso não consegues encontrar as novas palavras, se não quebrares as velhas. Mas ninguém deve quebrar velhas palavras, porque encontra a palavra nova que é um dique resistente contra o ilimitado e traz em si mais vida do que a palavra velha. Uma palavra nova é um Deus novo para a pessoa velha. A pessoa permanece a mesma, se tu lhe crias também imagens novas de Deus. Ela continua sendo uma imitadora. O que era palavra deve tornar-se pessoa. A palavra criou e era antes do mundo. Brilhou como uma luz nas trevas, e as trevas não a entenderam[55]. Deve portanto surgir uma palavra que entenda as trevas, pois para que serve a luz que não entende as trevas? Mas tua luz deve alcançar o significado da luz.

O Deus da palavra é frio e morto e brilha de longe como a lua, enigmática e inatingível. Deixa que a palavra volte a seu / criador, 21/22
precisamente ao homem, e assim a palavra é elevada ao homem. Que o homem seja luz, limite, medida. Que seja vosso fruto que ansiosamente tentais pegar. As trevas não entendem a palavra, mas o homem; sim, elas o entendem, pois ele mesmo é um pedaço das trevas. Não descendo da palavra para o homem, mas subindo da palavra até o homem, isto entendem as trevas. As trevas são tua mãe, convém a elas ter respeito, pois a mãe é perigosa. Ela tem poder sobre ti, pois é tua genitora. Honra as trevas como a luz, assim iluminas tuas trevas.

Quando entendes as trevas, elas tomam posse de ti. Vêm sobre ti como a noite com uma sombra azul e inúmeras estrelas bruxuleantes. Silêncio e paz te encobrem quando começas a entender as trevas. Só quem não entende as trevas teme a noite. Através da compreensão das trevas, do noturno, do abissal em ti, serás totalmente simples. E tu te preparas para dormir como todos durante os séculos, e dormes por debaixo do seio dos milênios, e tuas paredes ressoam de velhos cânticos sacros. Pois o simples é aquilo que sempre foi. Silêncio e noite azul estendem-se sobre ti, enquanto tu dormes no túmulo dos milênios.

Dies II.[56]

Cap. v.

[IH 22][57], [58]Acordei, o dia avermelhava o Oriente. Uma noite, uma noite maravilhosa ficou para trás, na profundeza mais longínqua dos tempos. Em que espaços distantes estive? Com que sonhei? Com um cavalo branco? Parece-me que vi este cavalo branco no céu oriental sobre o sol nascente. O cavalo falou-me: "O que disse isto?" Isto falou: "Vivas a quem está na escuridão, pois para ele o dia já passou". Eram quatro cavalos brancos com asas douradas. Puxavam o carro do sol para cima, nele estava de pé Hélio, com cabeça chamejante[59]. Eu estava aqui embaixo no desfiladeiro, admirado e assustado. Milhares de serpentes negras apressavam-se para seus buracos. Hélio continuava subindo para as largas trilhas do céu. Ajoelhei-me, levantei minhas mãos suplicantes para o alto e gritei: "Dá-nos tua luz, sedutor do fogo, abraçado, crucificado e ressuscitado, tua luz, tua luz". Com esse clamor, acordei. Não disse Amônio ontem à noite: "Não te esqueças de tua oração da manhã, quando o sol se levantar?" Pensei: talvez ele adore secretamente o sol. /

Do lado de fora soprava um vento fresco da manhã. Areia 22/23
amarela escorre em finos veios pelas rochas abaixo. O vermelho estende-se sobre o céu, e eu vejo os primeiros raios se lançando para o firmamento. Silêncio e solidão majestosos ao redor. Lá uma grande lagartixa sobre uma pedra espera o sol. Estou como que paralisado e lembro-me com dificuldade de tudo o que aconteceu ontem e sobretudo do que disse Amônio. O que disse afinal? Que as sequências de palavras têm vários sentidos e que João trouxe

52 Palavra latina para "todo".
53 O *esboço* tem "te" (Dich) e o *esboço corrigido* tem "me" (Mir), p. 232. Durante toda esta seção, o *esboço corrigido* substitui "te" por "me" e "tu" por "eu" (p. 214).
54 Em 1940, Jung comentou sobre a magia protetora da palavra ("O símbolo da transformação na missa". OC, 11, § 442).
55 Cf. nota 48 acima.
56 O *esboço corrigido* tem: "(O eremita). Segundo dia. De manhã" (p. 219).
57 Em "A árvore filosófica" (1945), Jung observou: "Uma pessoa que está enraizada embaixo e no alto pareceria uma árvore tanto na posição normal, como na inversa. A meta não é o alto, mas o centro" (OC, 13, § 333). Comentou também sobre "a árvore invertida" no § 410s.
58 1º de janeiro de 1914.
59 Na mitologia grega, Hélio era o deus-sol, que dirigia pelo cosmo uma carruagem puxada por quatro corcéis.

para os homens o λογος. Isto não soa muito cristão. Será que ele é um gnóstico?[60] Não, parece-me impossível, pois isto o foram os piores de todos os idólatras da palavra, como ele provavelmente diria.

O sol – o que me enche de tão grande júbilo interior? Não devo esquecer minha oração da manhã – mas onde está minha oração da manhã? Amado sol, não tenho oração, pois não sei como devo invocar-te. Agora rezei para o sol. Mas Amônio achava que eu devia rezar a Deus ao raiar da manhã. Mas ele não sabe – não temos mais oração. Como poderia ter noção de nossa nudez e pobreza? Para onde foram as orações? Aqui elas me faltam. Isto deve ser causado pelo deserto. Aqui parece que deveria haver oração. Será que este deserto é tão especialmente difícil? Penso que não é mais difícil do que nossas cidades. Mas por que não rezamos lá? Devo olhar para o sol, como se ele tivesse alguma coisa a ver com isso. Ah – sonhos antiquíssimos da humanidade, não é possível fugir deles.

O que farei nesta longa manhã toda? Não entendo como Amônio aguentou esta vida por um ano que seja. Ando para cima e para baixo no leito seco do rio e sento-me finalmente numa pedra. Diante de mim, algumas ervas amarelas. Um besouro preto vem se arrastando e vai empurrando uma bolinha diante de si – um escaravelho[61]. Ó pequeno e querido animalzinho, estás ainda no trabalho de viver teu belo mito? Como trabalha com seriedade e sem descanso! Tivesses apenas uma pálida ideia de que representas um mito antigo, pararias com tua quimera, assim como nós, humanos, paramos de representar mitologia.

O irreal causa nojo. Soa bem estranho neste lugar o que digo, e o bom Amônio certamente não concordaria com isso. Mas, o que procuro exatamente aqui? Não, não quero julgar de antemão, pois ainda não entendi realmente o que ele pensa de fato. Ele tem direito de ser ouvido. Além do mais, ontem eu pensava diferente, era-lhe até muito grato por querer me ensinar. Tomo novamente uma atitude crítica e superior, estou portanto no melhor caminho de nada aprender. Seus pensamentos, que não são tão ruins, são até bons. Não sei por que desejo sempre rebaixar a pessoa.

Querido besouro, para onde foste, não te vejo mais – ah, lá adiante já estás com tua bolinha mítica. Esses animaizinhos ficam absortos em seu trabalho de maneira bem diferente de nós – nenhuma dúvida, nada de desistir, nenhuma hesitação. Será que isto vem do fato de eles viverem seu mito?

Querido escaravelho, meu pai, eu te venero, bendito seja teu trabalho – eternamente – amém.

Que absurdo estou dizendo? Estou adorando um bicho – deve ser efeito do deserto. Ele parece exigir incondicionalmente oração.

Como é bonito aqui! A cor avermelhada das pedras é maravilhosa. Elas refletem o calor de cem mil sóis passados – esses grãozinhos de areia rolaram em mares fantasticamente primitivos nos quais nadavam monstros de formas jamais vistas. Onde estavas tu, ser humano, naqueles dias? Nesta areia quente estiveram deitados, aconchegados como crianças à sua mãe, teus antepassados pré-históricos ainda em forma animal.

Ó mãe pedra, eu te amo, aconchegado a teu corpo quente, estou deitado, teu filho tardio. Bendita sejas, mãe primitiva.

23/24 */ Teus são meu coração, toda a glória e força. Amém.*

O que digo? Isto foi o deserto. Como tudo me parece ter vida! Este lugar é realmente terrível. Essas pedras – são mesmo pedras? Parece que se juntaram deliberadamente. Estão ordenadas como um exército perfilado. Dispuseram-se simetricamente em formações rochosas, as grandes ficam sós, as pequenas preenchem as lacunas e se juntam num grupo que precede o grande. Aqui as pedras foram Estados.

Estou sonhando ou acordado? Faz calor – o sol já vai alto – como andam depressa as horas! De fato, a manhã já passou – e como foi maravilhosa! Será que é o sol, ou serão essas pedras vivas, ou será o deserto que fazem zunir minha cabeça?

Vou subindo do vale para cima e logo estou diante da cabana do eremita. Está sentado em sua esteira, perdido em profunda meditação.

Eu: "Meu pai, aqui estou eu".

E: "Como passaste tua manhã?"

Eu: "Ontem, fiquei admirado quando disseste que o tempo passava muito depressa para ti. Não perguntei mais nada e não me admirei mais disso. Aprendi muita coisa. Mas não o suficiente para que continues sendo um enigma ainda maior para mim agora do que antes. O que não deves vivenciar no deserto, homem admirável! Até as pedras devem falar contigo".

E: "Alegro-me que tenhas aprendido a entender alguma coisa da vida de eremita. Isto facilitará nossa difícil tarefa. Não quero meter-me em teus segredos, mas sinto que vens de um mundo estranho que não tem nada a ver com o meu".

Eu: "O que dizes é verdade. Aqui eu sou um estranho, o mais estranho que já viste. Mesmo um homem das costas mais distantes da Bretanha estaria mais próximo de ti do que eu. Por isso, tem paciência, mestre, e permite que eu beba da fonte de tua sabedoria. Ainda que o deserto sedento nos rodeie, flui de ti uma torrente invisível de água viva".

E: "Fizeste tua oração?"

Eu: "Perdão, mestre, eu procurei, mas não encontrei oração alguma. Senti no entanto que eu rezava ao sol nascente".

E: "Não te preocupes por causa disso. Se tu não encontraste palavras, tua alma, contudo, encontrou palavras indizíveis para saudar o dia que raiava".

Eu: "Mas foi uma oração pagã a Hélio".

E: "Isso te basta".

Eu: "Mas, mestre, eu não rezei em meu sonho só ao sol, e sim também, em meu auto-esquecimento, ao escaravelho e à terra".

E: "Não te admires de nada e de modo nenhum condenes ou lamentes isso. Vamos ao trabalho. Gostarias de perguntar algo a respeito de nossa conversa de ontem?"

Eu: "Eu te interrompi ontem quando falavas de Filo. Querias explicar-me o que entendes pelo sentido múltiplo das sequências de palavras".

E: "Quero agora contar-te como fiquei livre do terrível enredamento da teia de palavras: certa vez aproximou-se de mim um liberto de meu pai, que desde minha infância me era afeiçoado, e me disse:

> 'Amônio, está tudo bem contigo?' 'Certamente', respondi, 'vês que sou letrado e tenho grande êxito'.
>
> Ele: 'Eu quero dizer se és feliz e se vives?'
>
> Eu ri: 'Estás vendo que tudo está bem'.

Disse o idoso: 'Eu vi como deste preleções. Parecias preocupado com o julgamento de teus ouvintes.

60 Durante este período, Jung estava ocupado com o estudo dos textos gnósticos, nos quais encontrou paralelos históricos com suas próprias experiências. Cf. RIBI, A. *Die Suche nach den eigenen Wurzeln*: Die Bedeutung von Gnosis, Hermetik und Alchemie für C.G. Jung und Marie-Louise von Franz und deren Einfluss auf das moderne Verständnis dieser Disziplin. Berna: Peter Lang, 1999.

61 Em "*Sincronicidade: um princípio de conexões acausais*" (1952), Jung escreveu: "O escaravelho é um símbolo clássico do renascimento. O livro *Am-Tuat* do Egito descreve a maneira como o deus-sol morto se transforma no Kheperâ, o escaravelho, na décima estação e, a seguir, na duodécima estação, sobe à barcaça que trará o deus-sol rejuvenescido de volta ao céu matinal do dia seguinte" (OC, 13, § 843).

Inserias chistes espirituosos para agradar o auditório. Reunias maneiras eruditas de falar para impressioná-lo. Tu eras inquieto e apressado, como se ainda tivesses que arrebatar todo o saber para ti. Tu não estás em ti mesmo'.

Ainda que essas palavras me tivessem parecido inicialmente ridículas, elas me impressionaram, e eu, contra a minha vontade,
24/25 tive de / dar razão ao velho, pois ele estava certo.

Disse ele então: 'Meu prezado Amônio, tenho para ti uma excelente novidade: Deus tornou-se carne em seu Filho e trouxe a nós todos a salvação'.

'O que dizes', exclamei, 'queres evidentemente significar Osíris[62], que deve aparecer em corpo mortal'.

'Não', retrucou ele, 'este homem viveu na Judeia e nasceu de uma virgem'.

Ri e respondi: 'Já sei, um mercador judeu levou para a Judeia a notícia de nossa rainha-virgem, cuja imagem vês na parede de um de nossos templos, e lá a contou como história da carochinha'.

'Não', insistiu o velho, 'ele era o Filho de Deus'.

'Então pensas naturalmente em Hórus[63], o filho de Osíris', respondi eu.

'Não, ele não era Hórus, mas um homem real e foi suspenso numa cruz'.

'Ah, pensas então em Seth, cujo castigo nossos antepassados relataram muitas vezes'.

O velho continuou em sua convicção e disse: 'Ele morreu e, ao terceiro dia, ressuscitou'.

'Nesse caso, trata-se de Osíris', falei já com certa impaciência.

'Não', exclamou ele, 'seu nome era Jesus, o Ungido'.

'Ah, tu queres dizer esse Deus judeu, que o povo da classe inferior venera no porto e cujos mistérios imundos ele celebra nos subterrâneos'.

'Ele era um homem e contudo Filho de Deus', disse o velho, e me olhou fixamente.

'Isto é absurdo, meu prezado velho', disse eu e o empurrei pela porta a fora. Mas como um eco em distantes rochedos escarpados repetiam-se as palavras em mim: uma pessoa humana e contudo Filho de Deus. Pareceu-me significativo, e foram estas palavras que me levaram ao cristianismo.

Eu: "Mas não pensas que o cristianismo poderia ser ao final uma remodelação de vossas doutrinas egípcias?"

E: "Se dizes que nossas antigas doutrinas eram expressões menos pertinentes ao cristianismo então concordo de imediato contigo".

Eu: "Sim, mas aceitas então que a história das religiões visa a um objetivo último?"

E: "Meu pai comprou certa vez um escravo negro na região das nascentes do rio Nilo. Vinha de um país que nunca ouvira falar de Osíris ou de qualquer outro de nossos deuses, mas ele me contava coisas que numa linguagem simples diziam a mesma coisa que nós acreditávamos de Osíris e dos outros deuses. Aprendi a entender que aqueles negros incultos já possuíam, sem o saber, a maioria daquilo que as religiões dos povos cultos desenvolveram até uma doutrina acabada. Quem entendesse corretamente aquela linguagem poderia reconhecer nela não só as doutrinas pagãs, mas também a doutrina de Jesus. E é com isso que me ocupo agora: leio os evangelhos e procuro seu sentido vindouro. Conhecemos seu significado como está patente diante de nós, mas não conhecemos seu sentido oculto que aponta para o futuro. É um erro acreditar que as religiões sejam diferentes em sua essência. No fundo, trata-se sempre da mesma religião. Cada forma religiosa subsequente é o sentido das anteriores".

Eu: "E descobriste o significado vindouro?"

E: "Não, ainda não, é muito difícil, mas tenho esperança de que vou conseguir. Até agora quer parecer-me que preciso do estímulo de outros para isso, mas são tentações de satanás, eu o sei".

Eu: "Não chegas a acreditar que esta obra poderia antecipar seu êxito se estivesses mais perto de outras pessoas?"

E: "Talvez tenhas razão."

De repente ele olhou para mim como que em dúvida e desconfiado. "Mas", continuou ele, "eu amo o deserto, compreendes? Este deserto amarelo, cheio do calor do sol. Aqui tu vês diariamente a face do sol, aqui estás sozinho, aqui vês o glorioso Hélio – não isto é pagão – o que há comigo? Estou perturbado – tu és satanás – eu te conheço – afasta-te de mim, inimigo".

/ Levantou-se de repente como enlouquecido e quis atirar-se 25/26
sobre mim. Mas eu estou bem longe, no século vinte[64].

[2] [IH 26] *Quem dorme no túmulo dos milênios sonha um sonho glorioso. Sonha um sonho antiquíssimo. Sonha com o sol nascente.*

Se tu dormes este sono nesta época do mundo e sonhas este sonho, sabes que nesta época também nascerá o sol. Agora ainda estamos na escuridão, mas o dia está acima de nós.

Quem traz em si as trevas, a este está próxima a luz. Quem desce para dentro de suas trevas, este chega ao nascer da luz atuante, do Hélio que atrai o sol.

Seu carro sobe puxado por quatro corcéis brancos; em suas costas não há cruz e em seu lado não há chaga, mas ele é saudável e sua cabeça arde em fogo.

Não é um homem, objeto de escárnio, mas um ser glorioso e de poder indiscutível.

Eu não sei o que eu falo, eu falo no sonho. Ampara-me, pois cambaleio embriagado de fogo.

Bebi fogo nesta noite, pois desci pelos milênios abaixo e mergulhei no mais profundo do sol.

E ergui-me embriagado de sol, com a face ardente e minha cabeça em fogo.

Dá-me tua mão, uma mão humana, para que me mantenha preso à terra, pois / 26/27
rodas girantes de fogo me levantam e desejo jubiloso me arrebata até o zênite.

No entanto vem o dia, verdadeiro dia, o dia desse mundo. E eu estou escondido no desfiladeiro da terra, bem embaixo e sozinho, na sombra alvorecente do vale. Esta é a sombra e a gravidade da terra.

Como posso rezar ao sol que nasce bem distante no Oriente sobre o deserto? Por que devo rezar a ele? Eu bebi o sol em mim, por que deveria rezar? Mas o deserto, o deserto em mim exige oração, pois o deserto quer encher-se de coisa viva. Eu gostaria de pedi-lo a Deus, ao sol e a algum dos outros imortais.

Eu peço porque sou vazio e um pedinte. No dia do mundo esqueço que eu bebi em mim o sol e estou embriagado de luz atuante e força que queima. Mas eu entrei na sombra da terra e vi que estou nu e que nada tenho para cobrir minha pobreza. Mal tocas a terra, liquidada está a vida que mora em ti; ela foge de ti para dentro das coisas.

E uma vida maravilhosa começa nas coisas. O que tu conside-

62 Osíris era o Deus egípcio da vida, morte e fertilidade. Seth era o Deus do deserto. Osíris foi assassinado e esquartejado por seu irmão Seth. Seu corpo foi recuperado por sua esposa Ísis, reajuntado e ressuscitado. Jung tratou de Osíris e Seth em *Transformações e símbolos da libido* (1912). OC, B, § 358s.

63 Hórus, filho de Osíris, era o Deus egípcio do céu. Ele lutou contra Seth.

64 O *esboço corrigido* tem: "e a mim mesmo pareceu tão irreal como um sonho" (p. 228). Os eremitas cristãos estavam sempre de prontidão contra o aparecimento de satanás. Famoso exemplo de tentações pelo demônio ocorre na vida de Santo Antão, escrito por Santo Atanásio. Para prevenir seus monges, "ensina como o diabo se disfarça para levar à queda os santos. O diabo é, evidentemente, a voz do próprio inconsciente do eremita que se volta contra a repressão violenta da natureza individual" (OC, 6, § 82). As experiências de Antão foram elaboradas por Flaubert em seu livro *La tentation de Saint Antoine*, obra familiar a Jung (*Psicologia e alquimia*. OC, 12, § 59).

ravas morto e inanimado revela vida secreta, intenção silenciosa e inexorável. Tu entraste numa engrenagem em que cada coisa percorre seu próprio caminho com gestos específicos, ao teu lado, acima de ti, abaixo de ti e através de ti, inclusive as pedras falam contigo e fios mágicos tecem uma trama de ti para a coisa e da coisa para ti. Coisas distantes e próximas atuam em ti e tu ages de maneira obscura sobre a coisa próxima e distante. E sempre estás desamparado e és vítima.

Mas se olhares bem, verás algo que nunca viste antes, isto é, que as coisas vivem tua vida, que elas se alimentam de ti: os rios carregam tua vida para o vale, com tua força cai uma pedra sobre a outra, também plantas e animais crescem através de ti e tu morres neles. Uma folha dançando ao vento dança em ti, o animal irracional[65] adivinha teus pensamentos e te representa. A terra inteira suga sua vida de ti e tudo se espelha em ti.

Não acontece nada naquilo em que não estás enredado de maneira secreta; pois tudo se ordenou em torno de ti e representa teu mais íntimo. Nada em ti está oculto às coisas por mais distante, precioso e secreto que seja. As coisas o possuem. Teu cachorro rouba teu pai falecido de há muito e tu o achas parecido com ele. A vaca no pasto adivinhou tua mãe e, cheia de tranquilidade e certeza, ela te fascina. As estrelas insinuam-se em teus segredos mais profundos, e os vales macios da terra abrigam-te em seio materno.

Qual criança sem rumo estás lamentavelmente entre os poderosos que seguram os fios de tua vida. Tu bradas por socorro e te agarras ao melhor que primeiro aparece no caminho. Talvez ele saiba aconselhar-te, talvez conheça os pensamentos que não tens e que todas as coisas sugaram de ti.

Eu sei que tu gostarias de ouvir notícias daquele que nunca foi vivido pelas coisas, mas que viveu e realizou a si mesmo. Pois tu és um filho da terra, esgotado pela terra sugadora, que por si nada pode, mas apenas suga o sol. Por isso gostarias de ter notícias do filho do sol, que brilha e não suga.

27/28 */ Gostarias de ouvir do Filho de Deus, que brilhou, ofereceu e testemunhou, e do qual foi renascido, como a terra gera para o sol filhos verdes e coloridos.*

Dele gostarias de ouvir, do salvador reluzente, que, como filho do sol, cortou as teias da terra, que arrebentou os fios mágicos e soltou o amarrado, que foi dono de si mesmo e servo de ninguém, que não exauriu ninguém e cujo tesouro ninguém esvaziou.

Gostarias de ouvir daquele que não foi obscurecido pela sombra da terra, mas que a iluminou, que viu todos os pensamentos e cujos pensamentos ninguém adivinhou, que possuiu em si o sentido de todas as coisas e cujo sentido nenhuma coisa soube exprimir.

O solitário fugiu do mundo, fechou os olhos, tampou os ouvidos e enterrou-se numa caverna dentro de si mesmo, mas de nada adiantou. O deserto o exauriu, a pedra falou a seus pensamentos, a caverna ressoa seus sentimentos, e assim tornou-se ele mesmo deserto, pedra e caverna. E tudo era vazio, deserto, impotência e esterilidade, pois ele não brilhava e continuou sendo um filho da terra, que esgotou um livro e ele mesmo foi esgotado pelo deserto. Ele era desejo e não brilho, totalmente terra e não sol.

Por isso estava no deserto como um santo esperto, pois sabia muito bem que de outro modo não conseguiria distinguir-se dos outros filhos da terra. Tivesse bebido de si, teria bebido fogo.

O solitário foi para o deserto a fim de encontrar-se. Não deseja, porém, encontrar a si mesmo, mas o sentido múltiplo do livro sagrado. Tu podes sugar para dentro de ti a incomensurabilidade do pequeno e do grande, mas tu ficarás mais vazio, cada vez mais vazio, pois plenitude incomensurável e vazio incomensurável são a mesma coisa[66].

Desejava encontrar no exterior aquilo de que precisava. Mas o sentido múltiplo tu só o encontras em ti, não nas coisas, pois a multiplicidade do sentido não é algo que é dado de uma só vez, mas é um encadeamento de significados. Os significados que se seguem uns aos outros não estão nas coisas, mas em ti, que estás sujeito a muitas mudanças enquanto tiveres parte na vida. Também as coisas mudam, mas tu não o percebes, se tu mesmo não mudares. Mas se mudas, modifica-se o aspecto do mundo. O sentido múltiplo das coisas é teu sentido múltiplo. É inútil querer fundamentá-lo nas coisas. E é propriamente por isso que o solitário foi para o deserto; não examina porém a si mesmo, mas a coisa.

E por isso aconteceu-lhe o mesmo que a todo solitário quando ele deseja: o demônio veio a ele com fala mansa e fundamentação convincente, sabia dizer a palavra certa no momento certo. Ele o alicia para o seu desejo. Eu certamente deveria parecer o demônio para ele, pois eu assumi minhas trevas. Eu comia a terra e bebia o sol, e eu era uma árvore verde, que está de pé e cresce na solidão[67]./ 28/29

A morte[68]

Cap. vi.

[IH 29] Na noite seguinte[69], fui para a terra do Norte e encontrei-me sob céu cinzento, num ar nebuloso e úmido-frio. Dirigi-me para as planícies, onde as águas em manso deslizar, luzindo em grandes espelhos, aproximam-se do mar, onde mais e mais acaba toda pressa do fluir e onde toda força e todo esforço se acasalam com a imensidão ilimitada do oceano. As árvores rareiam, grandes charnecas acompanham as águas calmas e turvas, sem fim e solitário é o horizonte, rodeado por nuvens cinzentas. Devagar, com a respiração suspensa, com a grande e medrosa expectativa daquele que espumeja furiosamente e se esparrama pelo infinito, sigo minha irmã, a água. Silencioso e quase imperceptível é seu fluir e, assim mesmo, aproximamo-nos sempre mais do feliz e mais elevado abraço, para entrar no seio da origem, na extensão sem limites e na profundeza incomensurável. Lá se erguem colinas baixas e amarelas. Um lago grande e morto estende-se a seu sopé. Caminhamos silenciosamente ao seu redor, e as colinas se abriram para um horizonte crepuscular, indizivelmente longínquo, onde céu e mar se fundem numa infinitude.

Lá em cima, sobre a última duna está alguém, trazia um manto preto e pregueado, está de pé, imóvel, e olha para longe. Aproximo-me dele; é magro e pálido e uma seriedade absoluta estampa-se em seus traços fisionômicos. Dirijo-lhe a palavra:

"Posso ficar um pouco contigo, Escuro? Eu te reconheci de longe. Só um fica parado como tu, tão só e no último canto do mundo".

---

65 Uma inversão da definição de Aristóteles do homem como "animal racional".
66 Cf. a descrição de pleroma, em Jung, p. 347 abaixo.
67 O *esboço* e o *esboço corrigido* continuam: "Mas eu vi a solidão e sua beleza, eu compreendi a vida do não vivido e o sentido do sem-sentido. Compreendi também este lado de minha multiplicidade. E assim cresceu minha árvore na solidão e no sossego; comeu a terra com raízes profundas e bebeu o sol com galhos altos. O hóspede solitário [estranho] entrou em minha alma. Mas minha vida verdejante me inundou. [Assim caminhei, seguindo a natureza da água]. ~~A solidão cresceu e estendeu-se em torno de mim. Eu não conhecia a infinitude da solidão, e eu caminhava, caminhava e olhava. Queria sondar as profundezas da solidão e fui tão longe até que se extinguiu cada um dos últimos ecos da vida~~" (p. 235).
68 O *esboço manuscrito* tem: *Quinta aventura: a morte* (p. 557).
69 2 de janeiro de 1914.

Respondeu: "Estranho, podes ficar à vontade comigo se não ficares com frio. Vês que sou frio e nunca um coração bateu em mim".

"Eu sei que és gelo e fim, tu és a quietude fria da pedra, tu és a neve mais alta das montanhas e a geada mais intensa no espaço cósmico vazio. Isto preciso sentir e é a razão por que devo ficar perto de ti".

"O que te traz a mim, matéria viva? Os vivos nunca são hóspedes aqui. É verdade que vêm todos passando tristes em grandes
29/30 grupos, todos que se despediram / lá em cima da luz do dia, para nunca mais voltar. Mas pessoas vivas não vêm nunca. O que procuras aqui?"

"Meu caminho estranho e inesperado trouxe-me até aqui, quando eu seguia, cheio de esperança, o caminho das torrentes da vida. E assim te encontrei. Aqui estás bem e no teu devido lugar?"

"Sim, daqui se parte para o indistinguível, onde ninguém é igual ou diferente do outro, mas onde todos são um. Vês o que vem vindo lá?"

"Vejo algo como uma parede escura de nuvens que vem nadando na torrente".

"Olha melhor, o que reconheces?"

"Vejo tropas incalculáveis e bem cerradas de homens, velhos, mulheres e crianças. No meio, vejo cavalos, gado e rebanho miúdo, uma nuvem de insetos voa em volta da tropa – uma floresta vem boiando – flores murchas sem conta – um verão todo, morto. Estão perto. O olhar de todos é fixo e frio – seus pés não se movem – nenhum som sai de suas fileiras cerradas. Rígidos, seguram-se pelas mãos e braços, olham para frente e não prestam atenção em nós – passam fluindo na monstruosa torrente. Escuro, esta visão é horrível!"

"Tu quiseste ficar comigo, sossega. Presta atenção agora!"

Eu vejo: "As primeiras filas chegaram lá onde as ondas da rebentação se misturam violentamente com a água da torrente. E parece como se uma onda de ar, batendo contra o mar, estivesse batendo contra a multidão dos mortos. Bem alto redemoinham, esvoaçando em pretos farrapos e se desfazendo em nuvens turvas de névoa. Uma onda após outra se aproxima e sempre novas multidões somem no ar negro. Escuro, dize-me, isto é o fim?"

"Observa!"

O mar escuro rebenta com fragor – uma pedra avermelhada aparece dentro disso – é como sangue – um mar de sangue espumeja aos meus pés – a profundeza do mar fica vermelha – sinto-me estranho – estou dependurado no ar pelos pés? Isto é o mar ou o céu? Uma bola de sangue e de fogo se mistura – uma luz vermelha estoura de seu invólucro fumegante – um novo sol avança para a mais profunda profundeza – ele desaparece sob meus pés[70].

Olho ao meu redor. Estou só. Ficou noite. O que disse Amônio? A noite é o tempo do silêncio.

[2] [IH 30] Olhei ao meu redor e percebi que a solidão se estendera ao incomensurável, e me penetrou de um frio horripilante. Ainda ardia sol em mim, mas eu senti que entrava na grande sombra. Sigo a multidão que, devagar e imperturbável, encontra o caminho da profundeza, da profundeza do vindouro.

Assim saí daquela noite (era a segunda noite de 1914) e fiquei cheio de expectativa medrosa. Saí para abraçar o vindouro. O caminho era longo, e assustador era o vindouro. Era a morte horrenda, um mar de sangue, que eu vi. Disso fez-se um novo sol, pavoroso e uma inversão do que chamávamos de dia. Agarramos a escuridão, e seu sol há de brilhar sobre nós, sangrento e ardente como um grande ocaso.

Quando entendi minha escuridão, veio sobre mim a noite maravilhosa, e meu sonho mergulhou-me nas profundezas dos milênios, e daí ergueu-se minha fênix.

Mas o que aconteceu com meu dia? Archotes foram acesos, cólera sangrenta e brigas se inflamaram. Assim que a escuridão tomou conta do mundo, levantou-se a guerra cruel, e a escuridão destruiu a luz do mundo, pois ela era inconcebível e não prestava mais. Portanto, tínhamos de experimentar o inferno.

Eu vi como as virtudes se transformaram nessa época em vício, como tua doçura se transformou em dureza, tua bondade em rudeza, teu amor em ódio e tua razão em loucura. Por que querias entender a escuridão? Mas tu precisavas entendê-la, senão ela te agarraria. Feliz daquele que se antecipa a este agarramento.

Pensaste alguma vez no mal em ti? Oh, falaste disso, tu o mencionaste e consentiste sorrindo nele como um defeito humano em geral ou como um mal-entendido que aparece frequentes vezes.
Mas sabias / o que é o mal e que ele está muito perto, atrás de 30/31
tuas virtudes, de tal modo que ele é inclusive tua própria virtude, como seu conteúdo inevitável[71]. Tu encarceraste satanás durante um milênio no abismo e, passado este milênio, riste dele, porque se tornara um conto de fadas infantil[72]. Mas quando o terrível Grande levanta sua cabeça, o mundo estremece. O frio exterior penetra em ti. Com pavor vês que estás indefeso e que a multidão de tuas virtudes cai impotente de joelhos. O mal se agarra com a violência de demônios, e tuas virtudes transvazam para ele. Nesta batalha estás totalmente só, pois teus deuses ficaram surdos. Não sabes quais são os piores demônios, se teus vícios ou tuas virtudes. Mas de uma coisa ficarás ciente: que virtude e vício são irmãos.

[73]Nós precisamos do frio da morte para que vejamos claramente. A vida quer viver e morrer, começar e terminar[74]. Tu não és forçado a viver eternamente, mas também podes morrer, pois para ambas as coisas há uma vontade em ti.

Vida e morte devem manter em tua existência o equilíbrio[75]. As pessoas de hoje precisam de um grande pedaço de morte, pois coisa incorreta demais vive nelas, e coisas corretas demais morrem nelas. Correto é o que mantém o equilíbrio, incorreto é o que destrói o equilíbrio. Mas atingido o equilíbrio, então é incorreto o que mantém o equilíbrio e correto o que o destrói. Equilíbrio é vida e morte ao mesmo tempo. Da perfeição da vida faz parte o equilíbrio com a morte. Quando aceito a morte, reverdece minha árvore, pois a morte intensifica a vida. Se eu me concentro na morte global, meus botões se abrem. Quanto nossa vida precisa da morte!

70 Cf. a visão no *Liber Primus*, cap. 5, "Descida ao inferno no futuro", p. 241.

71 Em 1940, Jung escreveu: "O mal é relativo; em parte é evitável e em parte é uma fatalidade. Isto se aplica também à virtude, e muitas vezes não sabemos o que é pior" ("Interpretação psicológica do dogma da Trindade". OC, 11/2, § 291.

72 No *esboço corrigido* esta frase é substituída por: "O mal é a metade do mundo, uma das conchas da ostra" (p. 242).

73 O *esboço* continua: "Nesta batalha sangrenta, a morte se dirigiu a ti, assim como hoje o grande matar e morrer enche o mundo. O frio da morte te penetra. Quando na solidão eu estava enrijecido até a morte, vi claramente e vi o vindouro tão claramente como as estrelas e as montanhas distantes na noite gelada" (p. 260).

74 Em *Transformações e símbolos da libido* (1912) Jung afirmou que a libido não era apenas um impulso vital schopenhaueriano, mas que continha o esforço contrário em direção à morte nela mesma (OC, B, § 696).

75 O *esboço* continua: "Deixar viver o correto e deixar morrer o incorreto, esta é a arte de viver" (p. 261). Em 1934, Jung escreveu: "A vida é um processo energético como qualquer outro, mas, em princípio, todo processo energético é irreversível e, por isso, orientado univocamente para um objetivo. E o objetivo é o estado de repouso... Do meio da vida em diante, só aquele que se dispõe a morrer conserva a vitalidade, porque na hora secreta do meio-dia da vida inverte-se a parábola e *nasce a morte*... Não querer viver é sinônimo de não querer morrer. A ascensão e o declínio formam uma só curva" ("A alma e a morte". OC, 8, § 798 e 800). Cf. meu "'The Boundless Expanse': Jung's Reflections on Life and Death". *Quadrant*: Journal of the C.G. Jung Foundation for Analytical Psychology, 38, 2008, p. 9-32.

A alegria nas menores coisas só vem a ti quando tiveres aceito a morte. Mas se olhares vorazmente para aquilo que ainda poderias viver, teu entretenimento não é grande o suficiente para ti, e as coisas menores que ainda te cercam não são mais alegria para ti. Por isso encaro a morte com simpatia, pois ela me ensina a viver.

Quando aceitas a morte em ti, isto é como uma noite de amadurecimento e um pressentimento medroso, mas é uma noite de amadurecimento numa vinha, carregada de uvas doces[76]. Em breve te alegrarás com tua riqueza. A morte amadurece. Precisamos da morte para poder colher frutos. Sem a morte, a vida não tem sentido, pois o prolongamento anula de novo a si mesmo e nega seu próprio sentido. Para ser e gozar de teu ser, precisas da morte, e a limitação faz com que possas realizar teu ser.

[IH 31] Quando vejo a desolação e a tolice da terra e por isso entro de cabeça coberta na morte, tudo o que vejo vira gelo, mas no mundo da sombra se levanta o outro, se levanta o sol vermelho[77]. Ele se ergue secreta e inesperadamente e, como fantasma satânico, gira meu mundo. Eu pressinto sangue e assassinato. Somente sangue e assassinato ainda são sublimes e têm sua beleza própria. Pode-se aceitar a beleza de um ato sangrento de violência.

Mas é o inaceitável, o tremendamente adverso, aquilo que eu rejeitei desde sempre, que se ergue dentro de mim. Pois quando termina a miserabilidade e pobreza desta vida, começa uma outra vida naquilo que é o oposto a mim. Isto é tão oposto que nem faço ideia. Pois não está oposto segundo as leis da razão, mas totalmente e de acordo com todo o seu ser. Sim, não é apenas oposto, mas repugnante, invisível e horrivelmente repugnante, algo que me tira o fôlego, que arranca a força dos músculos, confunde minha mente, que me fere venenosamente e por trás no calcanhar e sempre acerta justamente lá onde eu não imaginava que tivesse um lugar vulnerável[78].

Não vem de encontro a mim como um inimigo forte, valente e perigoso, mas eu é que morro num monte de esterco, enquanto galinhas mansas cacarejam ao meu redor e, admiradas e sem nada entender, botam ovos. Um cachorro passa e levanta sua perna na minha direção e continua trotando calmamente seu caminho. Amaldiçoo sete vezes a hora de meu nascimento, e se eu não preferir suicidar-me imediatamente, preparo-me para viver minha segunda hora de nascimento. Os antigos diziam: "*Inter faeces et urinam nascimur*[79]. Durante noites perdidas cercaram-me os horrores do nascimento. Na terceira noite fez-se ouvir uma risada da mata virgem para a qual nada é simples demais. Então a vida começou
31/32 novamente a se mexer. /

Os restos de templos antigos[80]

Cap. vii.

[IH 32] [81,82]E apareceu outra vez uma nova aventura: diante de mim estendem-se imensas pradarias – um tapete de flores – colinas suaves – bem ao longe – bosques de verde vivo. Encontro-me com duas pessoas estranhas – companheiros bem casuais de caminhada: um velho monge e uma pessoa alta, espigada e magra, com andar infantil e com uma veste vermelha desbotada. Quando chegaram mais perto, reconheci no comprido o cavaleiro vermelho. Como mudou! Está mais velho, seu cabelo vermelho ficou grisalho, sua veste de um vermelho de fogo estava gasta, surrada e lastimável. E o outro? Tem uma barriga respeitável e parece que não teve dias ruins. Mas seu rosto me pareceu conhecido: ele é, por todos os deuses, Amônio!

Que transformações! E donde vêm esses homens diferentíssimos? Aproximo-me deles e os saúdo. Ambos me olham assustados e fazem o sinal da cruz. Percebo que o horror deles é causado por minha aparência: estou todo coberto de folhas verdes que brotam de meu corpo. Eu os saúdo, sorrindo, por uma segunda vez.

Amônio exclama horrorizado: "Apage Satanas"[83].

O Vermelho: "Maldita ralé pagã da floresta!"

Eu: "Mas, prezados amigos, o que pensais? Eu sou o estranho hiperbóreo, que te visitou no deserto, Amônio[84]. E eu sou o guarda da torre que tu, Vermelho, visitaste uma vez".

Amônio: "Eu te conheço, chefe dos demônios. Contigo começou minha degradação".

O Vermelho olhou para ele repreensivamente e lhe deu um cutucão. O monge calou-se constrangido. O Vermelho dirigiu-se orgulhosamente a mim.

V: Apesar de tua seriedade hipócrita, tu me deste já naquela vez uma impressão duvidosa de falta de caráter. Tua maldita pose cristã!"

Neste momento, Amônio deu-lhe forte cutucão, e o Vermelho se calou contrariado. E assim ficaram os dois diante de mim constrangidos e ridículos, e também dignos de compaixão.

Eu: "Homem de Deus, de onde vens? Que destino inaudito te traz até aqui e, ainda mais, na companhia do Vermelho?"

A: "Não gosto de falar contigo. Mas parece ser um desígnio de Deus, do qual não se pode fugir. É bom que saibas que tu, espírito maligno, operaste algo horrível em mim. Tu me seduziste
com / tua amaldiçoada curiosidade a fim de estender avidamente 32/33
minha mão para os mistérios divinos, pois me tornaste consciente naquela vez de que eu não sabia propriamente nada sobre eles. Tua observação de que eu precisava da proximidade das pessoas para chegar aos mais altos mistérios entorpeceu-me como veneno infernal. Logo em seguida, convoquei uma reunião dos irmãos no vale e disse-lhes que um mensageiro de Deus me aparecera – tão miseravelmente me deslumbraste – e me aconselhara a fundar um mosteiro com os irmãos.

Quando o Irmão Fileto levantou uma objeção, refutei-a mencionando a passagem da Sagrada Escritura onde se diz que não é bom para o homem viver só[85]. E assim fundamos o mosteiro, perto do Nilo, donde podíamos ver os navios passando.

Cultivamos campos férteis, e tanto havia a fazer, que os estudos sagrados caíram em esquecimento. Tornamo-nos prósperos, e um dia fui tomado de imensa saudade de rever Alexandria. Meti-me na cabeça que lá queria visitar o bispo. Mas primeiramente a vida no navio, depois o grande movimento nas ruas de Alexandria me inebriaram de tal forma que me perdi completamente.

---

76 Cf. acima, nota de rodapé 20, p. 231.
77 Uma referência à visão supra.
78 Em *Transformações e símbolos da libido* (1912), Jung comentou o motivo do calcanhar ferido (OC, B, § 461).
79 "Nascemos entre fezes e urina", um dito atribuído a Santo Agostinho, entre outros.
80 Em vez disso, o *esboço manuscrito* tem: "Sexta aventura" (p. 586). O *esboço corrigido* tem: "6. Ideais adulterados" (p. 247).
81 A forma de mosaico se parece com os mosaicos de Ravena, que Jung visitou em 1913 e 1914 e que lhe causaram profunda impressão.
82 5 de janeiro de 1914.
83 "Retira-te, satanás" – expressão comum na Idade Média.
84 Na mitologia grega, os hiperbóreos eram um povo que vivia num país de luz solar, além do vento norte, adorando Apolo. Nietzsche se refere várias vezes aos espíritos livres como hiperbóreos em *O anticristo*, § 1. Frankfurt no Meno: Insel Verlag, 1986.
85 Uma referência a Gn 2,18: "E o Senhor disse: Não é bom que o homem esteja só; vou fazer-lhe uma auxiliar que lhe corresponda". Há uma referência a um certo Fileto na Bíblia, 2Tm 2,16-19: "Evita as conversas fúteis e mundanas. Os que com elas se ocupam, mais e mais avançam para a impiedade, e sua palavra alastra-se como gangrena. Himeneu e Fileto são desse grupo. Eles se desviaram da verdade, dizendo que a ressurreição já se realizou e, assim, subvertem a fé de alguns".

Como no sonho, embarquei num dos grandes navios que iam para a Itália. Fui tomado de ânsia incontrolável de ver o mundo; bebia vinho e via que as mulheres eram lindas. Eu me deliciava com os prazeres e me animalizava totalmente. Quando desembarquei em Nápoles, lá estava o Vermelho e soube então que havia caído nas mãos do maligno".

V: "Cala-te, velho maluco. Não fosse eu, terias te transformado totalmente em porco. Quando me avistaste, tu finalmente te controlaste, abandonaste a bebida e as mulheres e voltaste ao mosteiro.

Agora escuta minha história, sátiro maldito: eu também caí na tua armadilha, tuas artimanhas pagãs me seduziram. Depois daquela nossa conversa, na qual me apanhaste numa armadilha de raposas com tua observação sobre a dança, fiquei sério, tão sério que entrei para o mosteiro, rezei, jejuei e me converti.

Em meu deslumbramento, queria reformar o culto divino, e introduzi, com a aprovação episcopal, a dança no ritual.

Tornei-me Abade e, como tal, era o único a ter o direito de dançar diante do altar, assim como Davi diante da Arca da Aliança[86]. Mas aos poucos também os irmãos começaram a dançar, inclusive a piedosa comunidade, e finalmente dançou a cidade inteira.

Foi espantoso. Fugi para a solidão e dancei o dia todo até a exaustão, mas de manhã recomeçou a dança infernal.

Procurei fugir de mim mesmo, andei errante pelas noites afora. De dia eu me ocultava e dançava sozinho nas matas e montes desertos. Assim cheguei aos poucos à Itália. Lá embaixo, no Sul, passei mais despercebido do que no Norte, e pude misturar-me ao povo. Só em Nápoles reencontrei certa orientação e foi também lá que encontrei este esfarrapado homem de Deus. Seu aspecto me fortaleceu. Nele pude restabelecer-me. Ouviste como também ele recobrou o ânimo comigo e pôde chegar de novo ao caminho certo".

A: "Preciso confessar que não me entendi tão mal com o Vermelho, ele é uma espécie de demônio atenuado".

V: "Também eu devo dizer que meu monge é de uma espécie pouco fanática, apesar de eu ter adquirido uma grande má vontade contra toda essa religião cristã desde minhas vivências no mosteiro".

Eu: "Prezados amigos, alegro-me de coração por vê-los juntos e satisfeitos".

Ambos: "Não estamos satisfeitos, zombador e satanás; deixa o caminho livre, ladrão, pagão!"

Eu: "Então por que andais juntos pelo mundo se não estais satisfeitos e se não sois amigos?"

A: "O que fazer? Também o demônio é necessário, caso contrário não se tem nada para incutir temor às pessoas".

V: "É absolutamente necessário que eu compactue com o clero, senão perco minha freguesia".

Eu: "Quer dizer que foi a necessidade da vida que vos reuniu! Ide em paz e suportai-vos um ao outro".

Ambos: "Isto não poderemos jamais".

Eu: "Oh, eu vejo, isto depende do sistema. Vós quereis primeiro morrer de todo? Agora deixai o caminho livre para mim, velhos fantasmas!"

[2] [IH 33] Depois que vi a morte e todo o terrível aparato que a cercava e depois que eu mesmo me tornei noite e gelo, levantou-se em mim uma vida e movimento desagradáveis. Começou minha sede pelas águas ruidosas do saber mais profundo[87]; com o tinir dos copos de vinho, ouvia ao longe gritaria de bêbados, risadas de
33/34 mulheres, barulho de rua. Música de dança, / batida de pés e gritos de euforia brotavam de todas as gretas e, em vez do vento sul com odor de rosas, cercava-me o cheiro do animal humano. Tagarelice suja de luxúria de prostitutas resvalava em risadinhas ao longo das paredes, vapor de vinho e fumaça de cozinha, vozerio estúpido da multidão vinham em fumaçada. Mãos quentes, pegajosas e macias tentavam agarrar-me, cobertas macias de cama de enfermos me enrolaram. Fui gerado para a vida a partir de baixo, e cresci como crescem os heróis, tanto em horas como em anos. E, quando estava crescido, encontrei-me no meio da terra e vi que era primavera.

[IH 34] Mas eu não era mais a pessoa que havia sido, e sim um estranho cresceu através de mim. Este ser era um ente alegre da floresta, um monstro de folhas verdes, um sátiro e travesso, que mora sozinho na floresta e que é um ser arbóreo, que nada mais ama do que o verdejante e o que cresce, que não vai à procura nem recebe as pessoas, cheio de caprichos e acasos, obedecendo a leis invisíveis, esverdeando e murchando com as árvores, nem belo e nem feio, nem bom e nem mau, somente vivo, velhíssimo e ainda bem jovem, nu e assim mesmo vestido naturalmente. Não é gente, mas natureza, assustador, ridículo, poderoso, infantil, fraco, enganador e enganado, cheio de inconstância e superficialidade e, no entanto, atingindo a profundidade até o cerne do mundo.

Eu havia sugado para dentro de mim a vida de meus dois amigos; sobre as ruínas do templo cresceu uma árvore verde. Eles não se opuseram à vida, mas, seduzidos pela vida, tornaram-se sua própria farsa. Eles caíram no esterco, por isso chamavam o ser vivo de demônio e traidor. Pelo fato de os dois acreditarem à sua maneira em si e em sua própria bondade, caíram finalmente no esterco, como lugar de enterro natural e último de todos os ideais sobrevividos. O mais belo e o melhor, como o mais feio e o pior terminam a seu tempo no lugar mais ridículo do mundo, rodeados por mascarados, conduzidos por loucos, seguem horrorizados para a cova da podridão.

Depois do amaldiçoar vem o riso, para que a alma seja liberta dos mortos.

Os ideais são desejados e pensados segundo sua natureza e na medida em que são, mas também só na medida em que são. Contudo, não se pode negar seu ser atuante. Quem acha que vive realmente seus ideais, ou que possa vivê-los, tem mania de grandeza e se comporta como louco, ao representar para si um ideal elevado: o herói, porém, está morto. Os ideais são mortais, portanto é preciso preparar-se para seu fim: pode custar-lhe talvez o pescoço. Mas não vês que foste tu que deste sentido, valor e força atuante a teu ideal? Quando te tornaste vítima do ideal, então o ideal enlouquece, brinca carnaval contigo e conduz na Quarta-feira de Cinzas ao inferno. O ideal é um instrumento que se pode descartar a qualquer momento, uma tocha em caminhos escuros. Quem anda por aí de dia com uma tocha é louco. Quanto desceram meus ideais, com que frescor reverdejou minha árvore!

[88]Quando eu reverdeci, estavam aí os restos tristes de templos e jardins de rosas antigos, e eu reconheci com horror seu parentesco íntimo. Ao que me parece, eles se uniram numa aliança desavergonhada. Mas entendi que esta aliança já existiu em tempos idos. Uma vez que eu ainda afirmava de maus santuários de que eram de pureza cristalina, uma vez que eu comparava meus amigos com o perfume das rosas da Pérsia[89], os dois concluíram um pacto de silenciosa reciprocidade.

86 Em 1Cr 15, Davi dança diante da Arca da Aliança.
87 O *esboço corrigido* tem "da sabedoria", em vez de "do saber mais profundo" (p. 251).
88 O *esboço* e o *esboço corrigido* têm: "Eu era o holocausto de meus santuários e me tornara belezas, ~~por isso eles me levaram para a morte no abatimento~~ [por isso me sobreveio a morte]" (p. 254).
89 Na Pérsia, as pétalas esmagadas de rosas eram destiladas para se fazer óleo de rosas, do que se faziam perfumes.

Aparentemente fugiam um do outro, mas secretamente trabalhavam de mãos dadas. O silêncio solitário do templo atraiu-me para longe das pessoas, para mistérios supraterrenos, nos quais me envolvi até o tédio. Enquanto eu lutava com Deus, o demônio ficou pronto para que eu o recebesse e me arrastou o quanto possível para seu lado. Também lá não encontrei limites a não ser tédio e nojo. Eu não vivia, mas era impelido, um escravo de meus ideais[90].

Agora estão elas aí, as ruínas, discutem entre si e não conseguiram reconciliar-se nem mesmo em sua miséria comum. Eu me havia tornado um comigo mesmo como ser natural, mas eu era um sátiro[91], que assustava caminhantes solitários e que evitava os lugares das pessoas. Mas eu reverdecia e florescia por mim mesmo. Ainda não era novamente alguém com seu conflito entre prazer mundano e prazer do espírito. Eu não vivia esses prazeres, mas vivia a mim mesmo, e era uma árvore verde bem feliz numa distante floresta primaveril. Assim aprendi a viver sem mundo e sem espírito, e me admirava de como se pode viver bem dessa maneira.

Mas o ser humano, a humanidade? Ali estavam as duas pontes abandonadas, que deveriam levar para a humanidade: uma levava de cima para baixo, e as pessoas escorregavam nela para baixo;
34/35 isto as divertia. / A outra levava de baixo para cima, e as pessoas subiam por ela gemendo. Isto as cansava. Nós vivemos nossos semelhantes no cansaço e na alegria. Se eu mesmo não vivo, mas só me arrasto para cima, isto proporciona ao outro diversão imerecida. Se eu apenas me divirto, isto causa ao outro cansaço imerecido. Se eu só vivo, estou afastado das pessoas. Elas não me veem mais, e, se me virem, ficam admiradas e assustadas. Mas eu mesmo, simplesmente vivendo, reverdecendo, florindo, murchando, estou como árvore sempre no mesmo lugar e deixo impassivelmente que os sofrimentos e as alegrias das pessoas soprem ruidosamente por cima de mim. E mesmo assim sou uma pessoa que não pode alienar-se da discórdia do coração humano.

Mas meus ideais podem ser também meus cachorros, cujos latidos e brigas não me perturbam. Então sou para as pessoas ao menos um cachorro bonzinho ou mau. Mas o que deveria ser não é obtido, isto é, que eu viva e seja uma pessoa. Parece quase impossível viver como pessoa. Enquanto não estiveres consciente de teu si-mesmo, podes viver; mas quando te tornares consciente de teu si-mesmo, vais caindo de um buraco em outro. Com todos os teus[92] renascimentos poderias dar-te[93] mal em última análise. Por isso também Buda desistiu finalmente do renascimento, pois estava farto de passar por todas as formas de pessoas e animais[94]. Após todos os renascimentos permaneces sendo o leão de quatro patas sobre a terra, o χαμαλεων [camaleão], uma criatura, um caleidoscópio, um sáurio rastejante e brilhante, mas nenhum leão, cuja natureza seja análoga à do sol, que tem sua força por si mesmo e que não entra de rastos nas cores protetoras do meio ambiente e que se defende pelo disfarce. Eu conheci o camaleão e não quero mais andar de rastos sobre a terra, mudar de cor e ser renascido, mas quero ser por força própria, como o sol que dá a luz e não a suga. Isto é próprio da terra. Lembro-me de minha natureza solar e gostaria de apressar-me na direção de meu começo. Mas as ruínas[95] estão no meu caminho. Elas dizem: "Em relação às pessoas tu deves ser isto ou aquilo". Minha pele de camaleão se eriça. As ruínas insistem comigo e querem colorir-me. Mas já não deve ser. Nem o bem e nem o mal devem ser meus senhores. Empurro-as para o lado, restos ridículos de vida, e continuo meu caminho que me leva ao Oriente. Atrás de mim estão as forças querelantes que estiveram tanto tempo entre mim e mim mesmo.

Agora estou bem sozinho. Já não posso dizer-te: "Escuta!", ou: "tu deves", ou: "tu poderias", mas agora só falo ainda comigo. Agora ninguém pode fazer por mim a menor coisa que seja. Não tenho mais obrigação contigo, e tu não tens obrigação comigo, pois eu desapareço e tu desapareces para mim. Não escuto mais pedido nenhum e não tenho pedido a te fazer. Não brigo nem me reconcilio mais contigo, mas coloco o silêncio entre mim e ti.

Longe perde-se teu chamado, e o rasto de meus passos não podes encontrar. Pois com o vento oeste, que vem da superfície do oceano, viajo sobre a terra verde, passo pelas florestas e vou dobrando a relva nova. Falo com as árvores e os animais da floresta, e as pedras me indicam o caminho. Quando sinto sede, e a fonte não vem a mim, eu mesmo vou à fonte. Quando sinto fome, e o pão não vem a mim, procuro meu pão e o pego lá onde o encontro. Não presto ajuda e não preciso de ajuda nenhuma. Se alguma necessidade me aflige, não olho ao redor se há algum ajudante por perto, mas aceito a necessidade, eu me curvo, eu me viro e supero. Eu rio, eu choro, eu blasfemo, mas não olho ao redor.

Neste caminho ninguém me segue, e eu não cruzo o caminho de ninguém. Estou sozinho, mas preencho minha solidão com minha vida. Sou para mim mesmo pessoa, barulho, entretenimento, consolo, ajuda suficientes. E assim viajo para o distante Oriente. Não que eu soubesse qual seria o meu destino longínquo. Vejo horizontes azuis diante de mim: são para mim objetivo suficiente. Apresso-me para o Oriente, para o meu começo. Eu
quero o meu nascente. / [Ilustração 36][96] / 35/37

Primeiro dia

Cap. viii.[97]

[IH 37] Na terceira noite[98], um monte gigantesco de pedras obstruiu meu caminho, mas um desfiladeiro permitiu-me passagem. O caminho prossegue inevitavelmente entre altas paredes de montanhas. Meus pés estão descalços e eles se machucam nas pedras pontiagudas –. Aqui a vereda torna-se plana e uniforme. Uma parte do caminho é branca, a outra, preta. Piso no lado preto e recuo assustado: é ferro quente. Piso na metade branca: é gelo. Mas deve ser assim. Apresso-me

90 Em 1926, Jung escreveu: "A passagem da manhã para a tarde é uma *inversão dos antigos valores*. É imperiosa a necessidade de se reconhecer o valor oposto aos antigos ideais, de perceber o engano das convicções defendidas até então de reconhecer e sentir a inverdade das verdades aceitas até o momento, de reconhecer e sentir toda a resistência e mesmo a inimizade do que até então julgávamos ser amor" ("O inconsciente na vida psíquica normal e patológica". OC, *7*, § 115).

91 O *esboço corrigido* tem: "um ente verde" (p. 255).

92 O *esboço corrigido* tem "meus" (p. 257).

93 O *esboço corrigido* tem "me" (p. 257).

94 O *esboço corrigido* tem: "como um camaleão" (p. 258). Ocorre aqui uma passagem no *esboço* do qual o que se segue é uma paráfrase: é nossa natureza de camaleão que nos impele através dessas transformações. Enquanto formos camaleões, necessitamos de uma incursão anual no banho do renascimento. Por isso, Jung olhava com horror para o aspecto ultrapassado de seus ideais, pois amava seu verde e desconfiava de sua pele de camaleão, que mudava de cor segundo o meio ambiente. O camaleão faz isso astutamente. Há quem chame esta mudança de progresso através do renascimento. Assim tu experimentas 777 renascimentos. O Buda não precisou de tanto tempo para ver que mesmo os renascimentos eram em vão (p. 275-276). Havia uma crença de que a alma tinha de passar por 777 reencarnações (WOODS, E. *The New Theosophy*. Wheaton, Ill.: The Theosophical Press, 1929, p. 41).

95 Em vez disso, o *esboço* tem: "meus restos ideais de vida" (p. 277).

96 Legenda da ilustração: "Este quadro foi pintado no Natal de 1915. "O quadro de Izdubar parece-se muito com uma ilustração dele na obra de Wilhelm Roscher, *Ausführliches Lexikon der griechischen und römischen Mythologie*, do qual Jung possuía um exemplar (Leipzig: Teubner, 1884-1937). Izdubar era o nome original do personagem conhecido agora como Gilgamesh. Isto baseou-se numa transcrição errada. Em 1906, Peter Jensen observou: "O fato de o principal herói da epopeia chamar-se Gilgamesh, e não por exemplo Gistchubar ou Izdubar, como se admitia antes, sabemo-lo agora definitivamente" (*Das Gilgamesh-Epos in der Weltliteratur*. Strassburgo: Karl Trübner, 1906, p. 2). Jung tratou da epopeia Gilgamesh em 1912, em *Transformações e símbolos da libido*, usando a forma correta e citando várias vezes a obra de Jensen.

97 Em vez disso, o *esboço manuscrito* tem: "*Sétima aventura. Primeiro dia*" (p. 626). Mas o *esboço corrigido* tem: "7. O grande encontro. Primeiro dia. O herói do Oriente" (p. 262).

98 8 de janeiro de 1914.

a uma saída e, finalmente, o vale se alarga num imenso caldeirão rochoso. Uma senda estreita conduz por rochas verticais para o alto, ao cume da montanha.

Ao aproximar-me do alto, vem um forte estrondo do outro lado do monte, como de minério extraído. O som vai crescendo aos poucos, e muito estrondar repercute o som nas montanhas. Ao atingir a passagem, vejo no outro lado aproximar-se uma pessoa gigantesca.

De sua enorme cabeça saem dois chifres de touro. Uma armadura preta e tilintante cobre seu peito. Sua barba negra está agrisalhada e enfeitada com pedras preciosas. Na mão traz o machado brilhante de dois gumes, com o qual se abatem os touros. Antes de me haver recuperado do grande susto, o portentoso estava diante de mim, e eu vejo seu rosto: é pálido, amarelado e profundamente amedrontado. Seus olhos escuros, em forma de amêndoas, encaram-me admirados. Eu sou tomado pelo pavor: isto é Izdubar, o poderoso, o homem-touro. Ele está parado e olha para mim: seu rosto exprime medo consumidor interno, suas mãos e joelhos tremem. Izdubar, o potente touro, treme? Ele tem medo de mim? Eu o interpelo:

"Ó Izdubar, o mais poderoso, poupa minha vida e perdoa o fato de eu, verme, ter-me colocado em teu caminho".

Iz: "Não exijo tua vida. Donde vens?"

Eu: "Venho do Ocidente".

Iz: "Vens do Ocidente? Sabes alguma coisa da terra do Ocidente? É este o caminho certo para a terra do Ocidente?"[99]

Eu: "Eu venho de uma terra ocidental, cujos litorais são banhados pelo mar ocidental".

Iz: "O sol afunda naquele mar? Ou toca ele, em seu ocaso, a terra firme?"

Eu: "O sol se põe muito além do mar".

Iz: "Além do mar? O que existe lá?"

Eu: "Lá não há nada, espaço vazio. A terra é redonda e gira, além disso, ao redor do sol".

Iz: "Maldito, donde te vem tal conhecimento? Então não existe em lugar nenhum aquela terra imortal, onde o sol entra para renascer? Falas a verdade?"

Seus olhos flamejam de raiva e medo. Dá um passo trepidante para mais perto. Eu tremo.

Eu: "Ó Izdubar, o mais poderoso, perdoa minha petulância, mas falo realmente a verdade. Venho de uma terra onde isto é ciência indiscutível e onde moram as pessoas que dão volta ao redor da terra em seus navios. Nossos cientistas sabem exatamente através de medições o quanto dista o sol de cada ponto da superfície da terra. Ele é um corpo celeste que está indizivelmente longe no espaço infinito".

Iz: "Infinito, dizes tu? O universo é infinito e nós nunca podemos chegar ao sol?"

Eu: "Poderosíssimo, enquanto fores da espécie mortal, jamais poderás chegar ao sol".

Vejo que ele é tomado de medo sufocante.

Iz: "Eu sou mortal – e eu nunca poderei alcançar o sol, a imortalidade?"

Com um golpe violento, de som agudo, despedaça seu machado na pedra.

Iz: "Vai-te, arma miserável, não serves para nada. O que pode-
37/38 rias valer contra o infinito, contra o eterno vazio / e o não preenchível? Não tens mais ninguém a dominar. Despedaça-te – o que adianta!" (No Ocidente o sol de vermelho-sangue desaparece no seio de nuvens abrasadoras). "Assim te vais, sol, Deus três vezes maldito, e te escondes em tua infinitude!" (Ele ajunta do chão os pedaços partidos de seu machado e os atira atrás do sol). "Aqui tens teu sacrifício, teu último sacrifício!"

Ele cai e soluça como uma criança. Fico imóvel, chocado, e mal ouso mexer-me.

Iz: "Verme miserável, onde sugaste este veneno?"

Eu: Ó Izdubar, poderoso, é a ciência que tu chamas de veneno. Em nossa terra somos alimentados com isso desde a juventude, e isto pode ser um dos motivos de não nos desenvolvermos tão bem e permanecermos pequenos como anões. Quando olho para ti, fico pensando se não estamos todos envenenados de certa forma"[100].

Iz: "Nenhum forte jamais me derrubou, nenhum monstro resistiu à minha força. Mas teu veneno, verme, que tu puseste em meu caminho, paralisou-me na medula. Tua magia venenosa é mais poderosa do que o exército de Tiamat[101]. (Jazia como paralisado, estendido ao comprido no chão). "Deuses, ajudai, aqui está deitado vosso filho, derrubado pela mordida no calcanhar da cobra invisível. Tivesse eu te esmagado quando te vi, e nunca tivesse escutado tuas palavras!"

Eu: "Ó Izdubar, grande, digno de compaixão, tivesse eu sabido que minha ciência te pudesse derrubar, teria calado minha boca diante de ti. Mas eu queria dizer-te a verdade".

Iz: "Tu chamas o veneno de verdade? O veneno é verdade? Ou a verdade é veneno? Não dizem também nossos intérpretes dos astros e nossos sacerdotes a verdade? No entanto, ela não atua como veneno".

Eu: "Ó Izdubar, a noite desce e aqui no alto fica frio. Não devo buscar ajuda para ti junto às pessoas?"

Iz: "Deixa estar, é melhor que me respondas".

Eu: "Mas não podemos filosofar aqui. Teu estado lastimável requer cuidados".

Iz: "Eu repito, deixa estar. Se eu tiver que morrer esta noite, assim deve ser. Agora responde-me".

Eu: "Temo que minhas palavras sejam fracas se tiverem que curar".

Iz: "Coisas piores não podem causar. A desgraça já aconteceu. Portanto, dize o que sabes. Talvez tenhas uma palavra mágica que tire o efeito do veneno".

Eu: "Minhas palavras, poderosíssimo, são pobres e não têm força mágica".

Iz: "Seja como for, fala!"

Eu: "Não duvido que vossos sacerdotes digam a verdade. E, sem dúvida, uma verdade, mas que soa diferente da nossa verdade".

Iz: "Existem então dois tipos de verdade?"

Eu: "Parece-me que é assim. Nossa verdade é aquilo que nos vem a partir do conhecimento das coisas externas. A verdade de vossos sacerdotes é aquela que vos advém a partir das coisas internas".

Iz (levantando meio corpo): "Isto foi uma palavra salutar".

Eu: "Sinto-me bem pelo fato de minha fraca palavra ter-te causado alívio. Soubesse eu mais dessas palavras que te pudessem ajudar! Está ficando frio e escuro. Vou fazer fogo para esquentar a ti e a mim".

Iz: "Faze isto, talvez esta ação proporcione ajuda". (Ajunto lenha e acendo um grande fogo) "O fogo sagrado me aquece. Mas dize-me como fazes fogo tão rápida e misteriosamente?"

Eu: "Para isso só preciso de fósforo. Vê, são pauzinhos com uma

99 Na mitologia egípcia, as terras ocidentais (a margem ocidental do Nilo) eram a terra dos mortos.

100 Em *Die fröhliche Wissenschaft* (A gaia ciência) Nietzsche argumenta que o pensar nasceu do cultivo e da união de vários impulsos que tinham o efeito de venenos: o impulso de duvidar, de negar, de esperar, de coletar e dissolver ("A doutrina dos venenos", livro 3, seção 113, Frankfurt no Meno: Insel Verlag, 2000).

101 Na mitologia babilônica, Tiamat, a mãe dos deuses, entrou em guerra contra um exército de demônios.

substância especial na pontinha. Esfrega-se um pauzinho na caixa e temos o fogo".

Iz: "Isto é admirável! Onde aprendeste esta arte?"

Eu: "Em nossa terra todos têm fósforos. Mas isto é o de menos.
38/39 Nós também podemos voar com máquinas engenhosas". /

Iz: "Podeis voar como os pássaros? Se tuas palavras não contivessem tanta magia, eu diria: tu mentes".

Eu: "Não estou mentindo. Vê, aqui tenho também por exemplo um relógio, que indica com precisão as horas do dia e da noite".

Iz: "Isto é fantástico. Vejo que vens de uma terra especial e magnífica. Certamente vens da afortunada terra do Ocidente. Tu és imortal?"

Eu: "Eu – imortal? Não existe nada mais mortal do que nós".

Iz: "O que? Vós não sois imortais e entendeis assim mesmo dessas artes?"

Eu: "Infelizmente nossa ciência ainda não descobriu um recurso contra o morrer".

Iz: "Então, quem vos ensinou essas artes?"

Eu: "No correr dos séculos, as pessoas fizeram várias descobertas por meio de uma observação precisa e de conhecimento científico das coisas externas".

Iz: "Mas este conhecimento científico é precisamente a magia abominável que me paralisou. Como é possível que ainda estejais vivos, se todo dia tomais desse veneno?"

Eu: "Nós nos acostumamos a ele com o tempo, assim como o ser humano se acostuma a tudo. Mas já estamos algo paralisados. Contudo, este conhecimento científico proporciona por outro lado um grande benefício, como tu viste. O que perdemos em força, nós o recuperamos muitas vezes através da dominação sobre as forças da natureza".

Iz: "Não é lamentável ser paralítico dessa forma? Eu, por minha vez, prefiro minha própria força às forças da natureza. Deixo as forças ocultas aos covardes ilusionistas e aos mágicos efeminados. Quando reduzi a cabeça de alguém a uma pasta só, cessa também sua magia miserável".

Eu: "Mas tu vês como o contato com nossa magia atuou sobre ti? Penso – terrível".

Iz: "Infelizmente tens razão".

Eu: "Como vês, não tivemos escolha. Tivemos de engolir o veneno da ciência. Se não aconteceria a nós todos o que aconteceu a ti: estaríamos totalmente paralisados se tivéssemos tido contato com ele inadvertida e despreparadamente. Este veneno é tão invencivelmente forte, que cada qual, mesmo o mais forte, e mesmo os deuses eternos a ele sucumbem. Se amamos a vida, sacrificamos de preferência um pedaço de nossa força vital, a expor-nos à morte certa".

Iz: "Já não penso que vens da afortunada terra do Ocidente. Tua terra deve ser monótona, cheia de paralisia e renúncia. Anseio voltar para o Oriente, onde corre a fonte pura de nossa sabedoria dispensadora da vida".

Ficamos sentados em silêncio perto do fogo crepitante. A noite é fria. Izdubar respira com dificuldade e olha para o céu estrelado.

Iz: "O dia mais terrível de minha vida – interminável – tão comprido – tão comprido – miseráveis artes mágicas – nossos sacerdotes não sabem nada, caso contrário poderiam ter-me protegido contra isso – até mesmo os deuses morrem, diz ele. Não tendes mais deuses então?"

Eu: "Não, só temos ainda as palavras".

Iz: "Mas essas palavras são poderosas?"

Eu: "Afirma-se que sim, mas não se percebe nada disso".

Iz: "Nós também não vemos os deuses, mas cremos que existem. Reconhecemos sua atuação nos acontecimentos naturais".

Eu: "A ciência tirou-nos a capacidade de crer"[102].

Iz: "Também isso perdestes? Como viveis então?"

Eu: "Vivemos assim: um pé no frio e o outro no quente e, no mais, tudo ao deus dará".

Iz: "Tu te expressas de maneira obscura".

Eu: "Assim acontece conosco, tudo é obscuro".

Iz: "Podeis suportar isso?"

Eu: "Não muito bem. Eu pessoalmente não me sinto bem com esta situação. Por isso eu me pus a caminho do Oriente, para a terra do sol nascente, a fim de procurar a luz que nos falta. Onde nasce, pois, o sol?"

Iz: "A terra, como dizes, é redonda em toda parte. Portanto, o sol não nasce em lugar nenhum".

Eu: "Tendes, por acaso, a luz que nos falta?" / 39/40

Iz: "Olha para mim: eu me desenvolvi à luz do mundo oriental. Podes então fazer uma ideia da fecundidade dessa luz. Mas se tu vens de uma tal terra de escuridão, protege-te contra a luz invencível; poderias ficar cego, assim como nós todos somos um pouco cegos".

Eu: "Se vossa luz é tão fabulosa, como tu és, serei precavido".

Iz: "Fazes bem".

Eu: "Estou ansioso por vossa verdade".

Iz: "Assim como eu pela terra do Ocidente. Eu te previno".

Fez-se silêncio. Já é tarde da noite. Pegamos no sono junto ao fogo.

[2] [IH 40] Fui para o sul e encontrei o calor insuportável do estar só comigo mesmo. Fui para o norte e encontrei a morte fria, pois todo mundo morre. Voltei para minha terra ocidental, onde as pessoas são ricas em saber e poder, e comecei a sofrer da escuridão vazia de sol. Larguei tudo para lá e fui para o Oriente, onde diariamente a luz se ergue. Como uma criança, fui para o Oriente. Não perguntava, só esperava.

Prados cordiais de flores e amoráveis florestas de primavera orlavam meu caminho. Mas na terceira noite veio o pesado. Como um monte de pedras, cheio de deserto triste, ficou diante de mim, e tudo queria me desencorajar de prosseguir lá o caminho de minha vida. Mas eu encontrei a entrada e o caminho estreito. O sofrimento era grande, pois não foi à toa que eu afastei de mim os dois decrépitos e degenerados. O que eu rejeito, eu o aceito em mim confiadamente. O que aceito, isto vai para a parte de minha alma que eu conheço; o que rejeito vai para a parte de minha alma que desconheço. O que aceito, eu mesmo o faço; o que rejeito, isto é feito a mim.

Portanto, o caminho de minha vida conduziu-me apesar de tudo por sobre os opostos rejeitados, que unidos numa estrada por demais escorregadia e – ah – tão dolorosa estavam diante de mim. Pisei neles com os pés, mas eles queimaram e gelaram as plantas de meus pés. E assim alcancei o outro lado. Mas o veneno da cobra, cuja cabeça esmagaste, entra em ti através da ferida no calcanhar, e assim a cobra fica mais perigosa para ti agora do que era antes. Pois, o que rejeito também está em minha natureza. Acho que estava fora e por isso acreditei que poderia destruí-lo. Mas está em mim e só assumiu forma exterior transitória e veio ao meu encontro. Destruí sua forma e acreditei ser um vencedor. Mas eu ainda não me venci.

O oposto externo é uma imagem de meu oposto interior. Quando reconheci isto, fico quieto e penso no abismo de desunião em minha alma. Opostos externos são fáceis de vencer. Eles existem de verdade, mas apesar disso podes estar de acordo contigo mesmo. Vão queimar e gelar realmente as plantas de teus pés, mas somente as plantas dos pés. Dói, mas tu caminhas e olhas para objetivos distantes.

102 A questão da relação da ciência com a fé foi crítica na psicologia junguiana da religião. Cf. *Psicologia e Religião* (1938). OC, 11.

Após ter alcançado a maior altitude e querer contemplar minha esperança pelo Oriente, aconteceu algo maravilhoso: assim como eu me dirigia para o Oriente, um outro vinha apressado do Oriente a meu encontro e almejava a luz que se apagava. Eu queria luz, ele noite. Eu queria subir, ele descer. Eu era nanico como criança, ele grande como gigante, um herói de força atávica. Eu vinha paralisado de saber, ele ofuscado pela plenitude da luz. E assim nos apressamos um ao encontro do outro, ele vindo da luz e eu, da escuridão; ele forte e eu fraco; ele Deus, eu cobra; ele muitíssimo velho, eu ainda bem jovem; ele ignorante, eu conhecedor; ele fabuloso, eu austero; ele corajoso, violento, eu covarde, ardiloso. Mas ambos admirados por nos vermos na linha divisória da manhã e da noite.

Como eu era uma criança e crescia como árvore verdejante e deixava calmamente soprar através de meus ramos o vento, gritos
40/41 distantes e a agitação dos opostos, / como eu era um menino e caçoava de heróis mortos, como eu era um adolescente que afasta de si, tanto à direita quanto à esquerda, as amarras, não ligava para o poderoso, o cego e imortal que se dirigia ansiosamente para o sol poente, que queria partilhar do oceano até seus fundamentos e descer até a fonte da vida. Pequeno é o que se apressa para o levante, grande é o que se volta para o poente. Por isso eu era pequeno, pois mal havia saído da profundeza de meu poente. Eu estive lá, para onde ele quer ir. Aquele que vai para o poente é grande, e algo fácil para ele seria esmigalhar-me. Mas um Deus que escolhe o sol para si não dá caça a vermes. O verme, no entanto, visa ao calcanhar do poderoso e vai preparar-lhe o ocaso de que precisa. Sua força é grande e cega. É formidável vê-lo e desperta medo. Mas a cobra encontra seu lugar. Um pouco de veneno, e o grande tomba. As palavras daquele que nasce não têm ressonância e são amargas. Não se trata de um veneno doce, mas de um veneno mortal para todos os deuses.

Ah, ele é meu amigo mais belo e preferido, ele que se apressa para cá, que seguindo o sol e semelhante ao sol, que deseja casar-se com a mãe incomensurável. Como têm parentesco próximo, sim, como são totalmente unos cobra e Deus! A palavra, que era nosso salvador, tornou-se uma arma mortal, tornou-se uma cobra que morde traiçoeiramente.

Não são mais opostos externos que bloqueiam meu caminho, mas é minha própria oposição que vem a meu encontro; levanta-se gigantescamente diante de mim, e nós nos bloqueamos mutuamente o caminho. Com efeito, a palavra da cobra vence o perigo, mas o meu caminho continua bloqueado, pois na continuação de meu caminho devo cair da paralisia para a cegueira, enquanto o Poderoso, para escapar de sua cegueira, sucumbiu à paralisia. Eu não posso chegar à força ofuscante do sol, assim como ele, o Poderoso, não pode chegar ao seio renascente da escuridão. Parece que a mim foi recusada a força; a ele, o renascimento, mas eu evito a ofuscação na força, e ele evita a morte no nada. Minha esperança na plenitude da luz se despedaça, assim como naufraga seu desejo por uma vida conquistada sem limites. Eu aguardei os mais fortes, e o Deus desce até ao moribundo.

[BO 41] *O Poderoso caiu, jaz no chão*[103].
O poder precisa afastar-se por amor à vida.
A abrangência da vida exterior precisa ser diminuída.
Muito mais mistério, fogo solitário, cavernas, florestas grandes e escuras, pequenas povoações dos poucos, águas fluindo silenciosamente, noites silenciosas de inverno e verão, poucos navios e carros, e escondido nas casas o raro e o precioso.
De longe vêm viajantes por estradas solitárias e olham isto e aquilo.
Impossível a pressa, cresce a paciência. / 41/42

[BO 42] *Cessa o barulho do dia do mundo, e no interior arde o fogo que esquenta.*
Em torno do fogo estão sentadas as sombras de outrora, queixam-se baixinho e dão notícia do que passou.
Vinde ao fogo solitário, vós, cegos e paralíticos, e escutai os dois aspectos da verdade: o cego ficará paralítico, e o paralítico ficará cego, no entanto o mesmo fogo aquece os dois, o mesmo fogo que arde sozinho na noite imensa.
Um fogo muito velho e misterioso arde entre nós, dando pouca claridade, mas calor abundante.
O fogo antiquíssimo, que domina toda e qualquer necessidade, deve incendiar-se de novo, pois a noite do mundo é imensa e fria, e a necessidade é grande.
O fogo bem cuidado reúne os distantes, os que sofrem frio, que mutuamente não se podem ver nem tocar, nem vencer o sofrimento e despedaçar a necessidade.
As palavras ao fogo são ambíguas e profundas e apontam o caminho certo da vida.
O cego deve ser paralítico a fim de não correr para o abismo, e o paralítico deve ser cego a fim de não olhar ávida e desdenhosamente para as coisas que não pode alcançar.
Ambos desejam estar conscientes de sua profunda desvalia, a fim de venerar novamente o fogo sagrado, as sombras, que estão sentadas ao redor da lareira, e as palavras que gravitam em torno da chama.

Os antigos chamavam de Logos a Palavra salvadora, uma expressão da razão divina[104]. Havia tanta irracionalidade / no ser 42/43
humano, que necessitava da razão como salvação. Quando a gente espera o tempo suficiente, vê-se como os deuses ao final se transformam todos em cobras e dragões do submundo. Este é também o destino do Logos: ao final ele nos envenena a todos. Com o tempo fomos envenenados, mas guardávamos em nós, sem o saber, o Um, o Poderoso, o que sempre está viajando, longe do veneno. Nós espalhamos veneno e paralisia ao redor de nós, à medida que queremos educar todo o mundo em torno de nós para a razão.

Um tem sua razão no pensar, outro no sentir. ambos são servidores do Logos e se tornaram secretamente adoradores de cobras[105].

Tu podes impor-te um jugo, podes acorrentar-te, diariamente te flagelar até arrancar sangue: tu te rebaixaste, mas não te venceste. Mas precisamente através disso ajudaste o Poderoso, fortaleceste tua paralisia e fomentaste tua cegueira. Ele é quem gostaria de ver e fazer sempre nos outros o que ávida e tiranicamente, com obstinação e tenacidade de touro, gostaria de impor a ti e a outros o Logos. Dá-lhe do Logos para experimentar. Ele tem medo, treme já de longe, pois ele pressente que sobreviveu e que uma gotinha ínfima do veneno do Logos vai paralisá-lo. Mas por ser teu belo e bem-amado irmão, estás escravamente dedicado a ele e gostarias de poupar-lhe o que não poupaste a nenhum de teus semelhantes. Não titubeaste diante de nenhum meio ardiloso e violento para atingir teus semelhantes com a seta venenosa. Um animal de caça aleijado é um despojo indigno. O próprio caçador poderoso, que lutou com o touro até derrubá-lo, que despedaçou o leão e derrotou o exército de Tiamat, ele é um alvo digno de teu arco[106].

Quando tu vives como aquele que tu és, ele vai investir com fúria contra ti, tu não podes deixar de encontrá-lo. Ele te fará violência e te forçará a serviços de escravo, se não te lembrares de tua arma secreta e temível, que sempre usaste em teu serviço contra ti

103 O *esboço* continua: "Foi isto o que vi no sonho" (p. 295).
104 Cf. *Liber Secundus*, cap. 4, p. 268s.
105 Em *Tipos psicológicos* (1921) Jung considerou o pensar e sentir como funções racionais (OC, 6, § 731).
106 O *esboço* continua: "Gostarias de prostrá-lo com um tiro atrevido de funda assim como Davi fez com Golias! (p. 299). Em *Transformações e símbolos da libido* (OC, B, § 383s.) Jung aborda o mito babilônico da criação, no qual Marduk, deus da primavera, combate com Tiamat, mãe dos deuses, e com todo o exército dela. Marduk mata Tiamat e disso criou o mundo. Por isso o "caçador poderoso" corresponde a Marduk.

mesmo. Astuto, cruel e frio deves ser, se puseres mãos à obra para deitar abaixo o belo e bem-amado. Contudo não deves matá-lo, mesmo quando ele sofre e se torce em dores insuportáveis. Amarra São Sebastião numa árvore e atira devagar e sensatamente flecha após flecha em sua carne que estremece[107]. Lembra-te ao fazer isso de que cada flecha que o atinge é poupada a um de teus irmãos muito pequenos e paralíticos. Portanto queres atirar muitas flechas. Mas numerosos por demais e quase inextirpáveis são os mal-entendidos: as pessoas querem sempre destruir o belo e bem-amado fora delas, nunca porém dentro delas

Ele, o belo e bem-amado, vem ao meu encontro do Oriente, vem daquele lugar aonde eu me esforçava por chegar. Admirado, vi sua força e esplendor, e descobri que ele procura alcançar exatamente aquilo que eu havia abandonado, isto é, o amontoado populacional na obscuridade. Percebi a cegueira e ignorância de sua aspiração, que se opunha ao meu desejo, e eu lhe abri os olhos e paralisei com picada venenosa seus membros fortes. Ele ficou deitado chorando como criança, como aquilo que era, uma criança, uma antiquíssima criança grande, necessitada do Logos humano. Assim jazia diante de mim, indefeso, meu cego, enxergando só pela metade, Deus paralítico. Fiquei tomado de compaixão, pois percebi com total clareza que não poderia morrer-me, ele que me veio ao encontro desde o nascente, daquele lugar onde ele poderia estar bem, mas aonde eu jamais conseguiria chegar. Eu possuía agora aquele que eu procurava. O Oriente nada mais me poderia dar do que ele, o doente, o sucumbido.

Tu só tens que fazer a metade do caminho, a outra metade ele a faz. Se o ultrapassas, sucumbes à cegueira. Se ele te ultrapassa, sucumbe à paralisia. Por isso, enquanto for da índole dos deuses ultrapassar os mortais, sucumbem à paralisia e se tornam indefesos como crianças. Divindade e humanidade são preservadas, quando o ser humano fica parado diante do Deus, e o Deus diante do ser humano. A chama elevada é o caminho do meio, cujo trajeto luminoso se estende entre o humano e o divino.

A força primitiva dos deuses é cega, pois sua face transformou-se em ser humano. O ser humano é a face da divindade. Quando Deus se aproxima de ti, pede que conserve tua vida, pois o Deus é terror amoroso. Os antigos diziam que é terrível cair nas mãos do Deus vivo[108]. Falavam assim porque o sabiam, pois ainda estavam perto da antiga floresta e à maneira de crianças verdejavam como
43/44 as árvores e se elevavam longe para o Oriente. /

E nisso caíam nas mãos do Deus vivo. Aprendiam a ficar de joelhos e com a face por terra, aprendiam a mendigar a compaixão, o medo servil e o agradecimento. Mas quem o viu, o belo-assustador, com seus olhos negros e aveludados e as grandes pestanas, os olhos que não enxergam, mas que só contemplam levemente amedrontados, este aprendeu a gritar e a gemer, para ao menos atingir o ouvido da divindade. Somente teu grito de pavor faz com que Deus pare. E então vês que também o Deus treme, pois está diante de sua face, de seu olhar vidente em ti, e ele sente uma força desconhecida. O Deus tem medo humano.

Se meu Deus estiver paralítico, preciso ficar com ele, pois não posso abandonar o bem-amado. Sinto que ele é o meu quinhão, meu irmão, que estava na luz e nela crescia, enquanto eu [estava] no escuro e me alimentava de veneno. É bom saber disso: quando nós estamos na noite, nosso irmão está na plenitude da luz, realiza suas grandes obras, despedaça o leão e mata o dragão. E retesa seu arco para alvos cada vez mais distantes, até que descobre o sol que viaja para o alto e ao qual gostaria de caçar. Mas quando descobriu seu despojo mais valioso, cresce também em ti o desejo pela luz. Tu arrancas as amarras e te diriges para o lugar da luz nascente. E assim caminhais apressados um ao encontro do outro. Ele julgava poder capturar o sol e se defrontou com o verme da sombra. Tu imaginavas que no Oriente poderias beber da fonte de luz e capturas para ti o gigante de chifres, diante do qual tu cais de joelhos. Sua natureza é cega de cobiça desmedida e de força impiedosa; minha natureza é limitação que vê e a incapacidade do esperto. Ele possui em abundância o que me falta. Por isso também não quero abandoná-lo, o deus-touro, que outrora paralisou a coxa de Jacó e o qual eu paralisei agora para mim[109]. Gostaria de apossar-me de sua força.

É por isso um esforço cuidadoso manter com vida alguém gravemente ferido, para que sua força me seja conservada. De nada sentimos mais falta do que da força divina. Dizemos: "Sim, sim, assim deveria ou poderia ser. Isto ou aquilo deveria ser alcançado". Falamos assim, ficamos parados assim e olhamos constrangidos ao nosso redor se em algum lugar alguma coisa vai acontecer. E quando alguma coisa está para acontecer, observamos e dizemos: "Sim, sim, entendemos, é isto ou aquilo, é semelhante a isto ou àquilo". Assim falamos, ficamos parados e olhamos ao nosso redor para ver se algo mais vai acontecer em algum lugar. Sempre acontece alguma coisa, mas nós não acontecemos, pois nosso Deus está doente. De tanto ver e entender, nós o matamos com um olhar venenoso de basilisco. Nós temos de pensar em sua cura. E eu o senti novamente como certeza de que minha vida seria partida ao meio se não conseguisse curar meu Deus. Por isso fiquei com ele
durante a longa noite fria.[Ilustração 44] / [Ilustração 45][110] / 44/46

Segundo dia

Cap. ix.

[IH 46] Nenhum sonho inspirou-me a palavra redentora[111]. Izdubar esteve deitado quieto e rígido, durante toda a noite, até o novo dia[112]. Eu andava pensativo de cá para lá no cume da montanha e olhava retrospectivamente para minha terra ocidental, onde havia tanto conhecimento e tanta possibilidade de ajuda. Eu amo

107 São Sebastião foi um mártir cristão, perseguido pelos romanos, que viveu no terceiro século. É representado muitas vezes amarrado numa árvore e alvejado por flechas. A representação mais antiga encontra-se na basílica de Santo Apolinário, em Ravena.

108 Isto se refere a Hb 10,31: "É terrível cair nas mãos do Deus vivo".

109 Isto refere-se à luta de Jacó contra o anjo, em Gn 32,24-29: "Quando Jacó ficou sozinho, um homem se pôs a lutar com ele até o romper da aurora. Vendo que não podia vencê-lo, atingiu-lhe a articulação da coxa de modo que o tendão da coxa de Jacó se deslocou enquanto lutava com ele. O homem disse a Jacó: 'Solta-me, pois já surge a aurora'. Mas Jacó respondeu: 'Não te soltarei se não me abençoares'. E o homem lhe perguntou: 'Qual é teu nome?' 'Jacó', respondeu. E ele lhe disse: 'De ora em diante já não te chamarás Jacó, mas Israel, pois lutaste com Deus e com homens e venceste. E Jacó lhe pediu: 'Dize-me por favor teu nome'. Mas ele respondeu: 'Para que perguntas por meu nome? E ali mesmo o abençoou".

110 Legenda da ilustração: "Atharva-veda 4,1,4". *Atharva-veda* 4,1,4 é um encantamento para estimular a virilidade: "A ti, planta que Gandharva desenterrou para Varuna, quando sua virilidade decaiu, a ti que causas força, nós te desenterramos. / Ushas (Aurora), Sûrya (o sol) e este encantamento meu; o touro Pragâpati (o senhor das criaturas) irá despertá-lo com seu fogo poderoso! / Esta erva encher-te-á de tanta força poderosa que, quando estiveres excitado, exalarás calor como uma coisa incandescente! / O fogo das plantas e a essência dos touros despertá-lo-ão! Tu, ó Indra, controlador dos corpos, põe a força poderosa dos homens nesta pessoa! / Tu (ó erva) és a seiva primogênita das águas e também das plantas. Ademais, tu és o irmão de Soma e a força poderosa do antílope macho! / Por favor, ó Agni, por favor, ó Savitar, por favor, ó deusa Sarasvatî, por favor, ó Brahmanaspati, retesa o pasas como um arco! Eu reteso teu pasas como uma corda de arco no arco. Abraça (as mulheres) como o antílope macho abraça a gazela com (força) sempre inesgotável! / Concede-lhe a força do cavalo, do jumento, do bode e do carneiro, e também a força do touro, ó controlador dos corpos (Indra)!" (*Sacred Books of the East*, 42, p. 31-32). É uma referência à cura do deus-touro ferido, Izdubar, mencionado no texto.

111 Em vez disso, o *esboço manuscrito* tem: "Dormi pouco; sonhos confusos me perturbaram mais do que me inspiravam a palavra salvadora" (p. 686).

112 9 de janeiro de 1914.

Izdubar, ele não deve perecer miseravelmente. Mas donde poderá vir ajuda? Ninguém vai ultrapassar o caminho quente-frio. E eu? Tenho medo de voltar àquele caminho. E no Oriente? Será que teria ajuda lá? Mas os perigos desconhecidos que lá ameaçam? Eu não gostaria de ficar cego. O que isto aproveitaria a Izdubar? Também como cego não posso carregar este paralítico. Sim, se eu fosse forte como Izdubar. Do que adianta aqui toda a ciência?

Mas ao anoitecer cheguei perto de Izdubar e disse:

"Izdubar, meu príncipe, ouve! Não deixarei que vás perecer. A segunda noite já se aproxima. Não temos comida, e a morte certa é iminente para nós se eu não conseguir trazer ajuda. Do Ocidente não podemos esperar ajuda. Mas no Oriente talvez exista alguma possibilidade. Não encontraste ninguém pelo caminho que poderíamos chamar em socorro?"

Iz: "Deixa estar, a morte pode vir quando quiser.

Eu: "O coração me sangra quando penso que devo abandonar-te aqui sem ao menos haver tentado a última coisa por ti".

Iz: "O que te vale tua arte mágica? Se fosses forte como eu, poderias carregar-me. Mas vosso veneno só pode destruir e não ajudar".

Eu: "Estivéssemos em minha terra, carros velozes poderiam trazer-nos ajuda".

Iz: "Estivesse eu em minha terra, teu ferrão venenoso não me teria atingido".

Eu: "Dize-me, não conheces nenhuma ajuda do Oriente?"

Iz: "O caminho para lá é longo e ermo, e quando sais das montanhas para a planície, atinge-te o sol violento, que vai cegar-te".

Eu: "Mas se eu caminhar de noite e me proteger do sol durante o dia?"

Iz: "De noite saem todas as cobras e dragões de seus buracos e tu, desarmado, serás vítima irremediável deles. Deixa estar! O que isto vai ajudar? Minhas pernas estão secas e mortas. Prefiro não levar para casa a ruína dessa viagem".

Eu: "Não devo tentar tudo?"

Iz: "Inútil! Nada se ganha se pereceres".

Eu: "Deixa-me refletir mais um pouco, talvez ainda me surja algum pensamento salvador".

Afastei-me e me sentei numa pedra bem no alto do cume da montanha. Começou então em mim este discurso: "Grande Izdubar, tu estás numa situação sem saída – e eu não menos[113]. O que fazer? Nem sempre é necessário fazer, às vezes pensar é melhor. No fundo, estou convencido de que Izdubar não é real no sentido comum, mas uma fantasia. A situação estaria resolvida se lhe fosse dado outro aspecto... fosse dado... fosse dado – fenomenal, o fato de que aqui até ecoarem os pensamentos, é preciso que se esteja bem sozinho. Mas isto será difícil. Não vai querer aceitar que ele seja uma fantasia, mas afirmará que é bem real e que só poderá advir-lhe ajuda de modo real: contudo, pode-se tentar este meio. Por isso vou interpelá-lo e lhe dizer:

Eu: "Meu príncipe, poderoso, ouve: tive uma ideia que talvez traga a salvação. Estou pensando que tu não és real, mas apenas uma fantasia".

Iz: "Sinto arrepios por causa desses teus pensamentos. Eles são
46/47 mortíferos. Queres declarar-me irreal / – depois que me paralisaste miseravelmente?"

Eu: "Talvez me tenha expressado de forma equivocada, por demais na linguagem da razão. Não preciso naturalmente que sejas totalmente irreal, mas apenas tão real quanto uma fantasia. Se pudesses aceitar isto, muita coisa estaria ganha".

Iz: "O que se ganharia com isso? Tu és um demônio atormentador".

Eu: "Digno de compaixão, eu não quero atormentar. A mão do médico não quer atormentar, mesmo quando ela faz doer. Não poderias aceitar o fato que és uma fantasia?"

Iz: "Ai de mim! Em que magia queres sufocar-me? Isto ajudará se eu me considerar uma fantasia?"

Eu: "Tu sabes que o nome que trazemos significa muito. Sabes também que muitas vezes se dá outro nome aos doentes para curá-los, pois com o novo nome recebem uma nova natureza. Teu nome é tua natureza".

Iz: "Tens razão. Isto o dizem também nossos sacerdotes".

Eu: "Portanto, queres admitir que és uma fantasia?"

Iz: "Se isto ajuda – sim!"

A voz interior falou-me então da seguinte maneira: Agora ele é uma fantasia, mas apesar disso a situação está extremamente enrolada. Mesmo uma fantasia não se deixa simplesmente negar e manipular com resignação. Alguma coisa precisa acontecer concomitantemente. Embora seja uma fantasia – portanto notavelmente volátil – acho que vejo uma possibilidade: agora posso tomá-lo sobre os ombros. Aproximei-me então de Izdubar e disse:

"Foi encontrado um caminho. Tu ficaste leve, mais leve que uma pena. Agora posso carregar-te". Eu o peguei e levantei do chão; é mais leve que o ar, e tenho até dificuldade em manter meus pés no chão, pois minha carga me faz flutuar.

Iz: "Isto foi um golpe de mestre. Para onde me levas?"

Eu: "Vou levá-lo para a terra do Ocidente. Meus compatriotas vão alegrar-se em poder receber uma tão grande fantasia. Quando tivermos deixado para trás as montanhas e chegado às cabanas hospitaleiras das pessoas, posso procurar com calma um remédio que o fará recuperar-se completamente".

Com ele às costas, desci cuidadosamente o estreito caminho de pedras, temendo mais ser arrebatado aos ares pelo vento do que ser arrastado ao abismo por minha carga. Estou preso à minha carga superleve. Finalmente chegamos ao vale, e aí está também o caminho das dores quente-frio. Mas dessa vez um vento oriental bem forte, soprando através da garganta de pedras, levou-me por cima dos campos para lugares habitados. O caminho doloroso não atingiu as plantas de meus pés. Alado, passo apressado por terra bonita. Diante de mim andam dois na estrada. São Amônio e o Vermelho. Quando nos aproximamos deles por trás, eles se viraram e correram com gritos pavorosos pelos campos afora. Portanto, meu aspecto devia ser estranhíssimo.

Iz: "Que figuras disformes são essas? São teus compatriotas?"

Eu: "Não são pessoas, são as chamadas relíquias do passado que encontramos muitas vezes no Ocidente. Antigamente tinham grande importância. Agora são empregados sobretudo como pastores de ovelhas".

Iz: "Que terra esquisita! Mas olha, não está ali uma cidade? Não queres ir para lá?"

Eu: "Não, Deus me livre, não quero provocar um motim, lá moram os esclarecidos. Tu não percebes seu cheiro? Eles são deveras perigosos, pois cozinham os venenos mais fortes, dos quais até eu tenho de me precaver. As pessoas de lá são totalmente paralíticas,

113 O *esboço* continua: "(assim falou outra voz em mim como um eco)" (p. 309).

envolvidas num vapor marrom de veneno, rodeadas por máquinas barulhentas que matraqueiam e só conseguem mover-se por
47/48 meios artificiais. / Mas não te preocupes. Já está tão escuro agora, que ninguém nos vê. Além disso, ninguém afirmaria ter-me visto. Conheço aqui uma casa solitária. Lá tenho amigos confiáveis que nos darão hospedagem por esta noite.

Cheguei com Izdubar a um jardim escuro e quieto, no qual havia uma casa silenciosa. Escondi Izdubar debaixo dos galhos frondosos e bem baixos de uma árvore e fui em direção à porta da casa para bater. Olhei pensativamente para a porta: é pequena demais. Nunca conseguirei fazer passar nela Izdubar. Mas uma fantasia não precisa de espaço! Por que não cheguei antes a esta ideia excelente? Voltei ao jardim, apertei sem esforço algum Izdubar até o tamanho de um ovo e o coloquei no bolso. Entrei assim na casa hospitaleira, onde Izdubar haveria de encontrar a cura.

[2] [IH 48][114] Assim encontrou a salvação o meu Deus. A salvação se deu por lhe acontecer exatamente o que se deveria considerar o impreterivelmente mortal, isto é, que fosse considerado uma trama da imaginação. Quantas vezes já se pensou que os deuses eram levados a seu fim dessa maneira[115]. Foi realmente um grande engano, pois por meio disso o Deus era precisamente salvo. Ele não perecia, mas tornava-se uma fantasia viva, cujo efeito eu experimentei no meu próprio corpo: o peso que me cabia por natureza sumiu, o caminho quente-frio das dores já não queimava nem gelava a planta de meus pés, a gravidade já não me prendia ao chão, mas, leve como uma pluma, carregava-me o vento, enquanto eu carregava o gigante[116].

A gente acreditava que era possível cometer um assassinato de Deus. Mas o Deus foi salvo, ele forjou ao fogo um novo machado e mergulhou de novo na torrente de luz do Oriente, para recomeçar sua primigênia circunvolução[117]. Mas nós, pessoas inteligentes, andávamos furtiva e venenosamente por aí e não sabíamos que nos faltava alguma coisa. Mas eu amava o meu Deus e o levei comigo para a casa das pessoas, pois estava convencido de que, mesmo como fantasia, vivia realmente e por isso não devia ser deixado só, ferido e doente. Por isso experimentei o milagre de que meu corpo perdeu seu peso quando eu tomei às costas o Deus.

São Cristóvão, o gigante, sentiu o peso de sua carga, apesar de só carregar o Menino Jesus[118]. Mas eu era pequeno como criança e carreguei o gigante e, mesmo assim, minha carga me ergueu. Para o Menino Jesus, o gigante Cristóvão teria sido uma carga leve, pois o próprio Cristo disse: "Meu jugo é suave e meu peso é leve"[119]. Não devemos carregar Cristo, pois ele é incarregável, mas devemos ser cristos, então nosso jugo é suave e nosso peso, leve. Este mundo palpável e visível é uma das realidades, mas a fantasia é a outra das realidades. Enquanto deixarmos o Deus visível e palpável fora de nós, ele é incarregável e sem esperança. Mas se transformarmos o Deus numa fantasia, estará em nós e leve de se carregar. Deus fora de nós aumenta o fardo com tudo o que é pesado, Deus em nós torna leve todo o pesado. Por isso todos os cristóforos têm costas encurvadas e fôlego ofegante, pois o mundo é pesado.

[IH 48/2] Há muitos que gostariam de buscar ajuda para seu Deus doente e que foram engolidos pelas cobras e dragões que estão de tocaia no caminho para a terra do sol. Eles submergiram no dia superclaro e se tornaram homens da escuridão, pois seus olhos foram cegados. Agora vagueiam por aí como sombras, falam da luz e não enxergam nada. Mas seu Deus está em tudo o que eles não veem: ele está na terra escura do Ocidente e aguça olhos que enxergam, ajuda a cozinhar o veneno e direciona as cobras para os calcanhares dos cegos que praticam a violência. Por isso, se fores inteligente, levas o Deus junto, então sabes onde ele está. Se não o tiveres contigo na terra do Ocidente, ele virá sobre ti em atropelo durante a noite, com couraça tilintante e machado esmagador de luta[120]. Se não o tiveres contigo na terra do Oriente, pisarás sem querer no verme divino, que espreita teu calcanhar desprevenido. / 48/49

[IH 49] Tudo recebes do Deus a quem carregas, mas não sua arma, pois ele a quebrou. Usa a arma quem quer conquistar. Mas o que ainda queres conquistar? Mais do que a Terra não podes conquistar. E o que é a Terra? Ela é redonda em toda parte, uma gota que está dependurada no grande universo. E ao sol jamais chegarás, nem mesmo à lua monótona chega teu poder, não dominarás o mar, nem a neve dos polos, nem a areia do deserto, mas ao final só uns poucos sítios de terra verde. Nem mesmo conquistas algo com o passar do tempo. Amanhã teu domínio vira pó, pois deverias sobretudo – e ao menos – dominar a morte. Portanto não sejas um tolo e depõe a arma. O próprio Deus destruiu sua arma. A armadura basta para te proteger dos loucos que ainda sofrem de conquista. A armadura de Deus te torna invulnerável, e até mesmo invisível para os loucos mais perigosos.

Leva teu Deus junto. Leva-o para baixo, à tua terra escura, onde moram as pessoas que toda manhã esfregam os olhos, mas que sempre enxergam a mesma coisa e nunca a outra coisa. Leva teu Deus para baixo, ao vapor prenhe de veneno, mas não como aqueles cegados, que querem iluminar as trevas com lâmpadas, a esses a treva não entende, mas leva secretamente teu Deus para o teto hospitaleiro. Pequenas são as cabanas das pessoas e, apesar de sua hospitalidade e boa vontade, não podem receber o Deus. Por isso não esperes até que mãos brutalmente inábeis de pessoas despedacem teu Deus, mas envolve-o de novo, amorosamente, até que ele tenha assumido a forma do primeiro de todos os seus começos. Não deixes que um olho humano veja o bem-amado, terrivelmente magnífico no estado de sua doença e impotência. Lembra-te de que teus concidadãos são animais, sem o saberem. Enquanto caminham em suas pastagens ou ficam deitados ao sol, ou amamentam suas crias, ou se acasalam, são belas e inofensivas criaturas da preta mãe terra. Mas quando aparece o Deus, começam a enfurecer-se, pois a proximidade do Deus gera fúria. Tremem de medo

114 Isto se refere à cena do texto que descreve como Jung reduziu Izdubar ao tamanho de um ovo para possibilitar-lhe entrar na casa a fim de poder ser curado. Jung disse a Aniela Jaffé, a respeito destas seções, que algumas das fantasias foram acionadas pelo medo, como o capítulo sobre o demônio e o capítulo sobre Gilgamesh-Izdubar. De certo ponto de vista era uma estupidez ele precisar encontrar uma forma de ajudar o gigante, mas ele achava que, se não o fizesse, ele teria fracassado. Pagou pela ridícula solução percebendo que havia capturado um Deus. Muitas destas fantasias eram uma combinação diabólica de sublime e ridículo (*MP*, p. 147-148).

115 No *esboço* a frase soa assim: "Quantos deuses e quantas vezes foi o Deus interpretado como fantasia, e assim se acredita ter acabado com ele" (p. 314).

116 O *esboço* continua: "Nós, humanos, pensamos que uma fantasia não existe, e quando dizemos que algo é fantasia, então está completamente aniquilada" (p. 314). Em 1932, Jung comentou sobre o descrédito contemporâneo da fantasia ("Da formação da personalidade". OC, 17, § 302).

117 Isto parece referir-se ao capítulo seguinte.

118 São Cristóvão (em grego "carregador de Cristo") foi um mártir do século III. Segundo a lenda, teria ele procurado um eremita e perguntado como poderia servir a Jesus. O eremita sugeriu-lhe que ajudasse as pessoas a atravessarem um rio perigoso. E ele assim o fez. Certa ocasião, uma criança pediu-lhe que a levasse para o outro lado. Ele achou a criança mais pesada do que qualquer outra pessoa; e a criança revelou-lhe que ela era Cristo, carregando os pecados do mundo.

119 Mt 11,30.

120 Isto é, como Izdubar veio a Jung.

e raiva e lançam-se de repente numa batalha fratricida, pois um fareja no outro o Deus próximo. Esconde portanto o Deus que trouxeste contigo. Deixa que se enfureçam e se dilacerem mutuamente. Tua voz é muito fraca para que os raivosos a possam escutar. Por isso não fales e não mostres o Deus, mas senta-te num lugar ermo e canta as encantações de acordo com a maneira bem antiga:

Coloca diante de ti o ovo, o Deus em seu princípio.
E contempla-o.
E com teu olhar de calor mágico choca-o.

49/50 AQUI COMEÇAM AS ENCANTAÇÕES. /

As encantações[121]
Cap. x.

[Ilustração 50][122]

O Natal chegou. O Deus está no ovo.
Estendi para meu Deus um tapete, um tapete vermelho e muito valioso do Oriente.
Que esteja cercado pelo brilho da magnificência de sua terra oriental.
Sou a mãe, a serva pura que concebeu e não soube como.
Eu sou o pai cuidadoso que protege a serva.
Eu sou o pastor que recebeu a mensagem, quando apascentava seu rebanho durante a noite em pastos escuros[123].

50/51 / [Ilustração 51]

Eu sou o sagrado animal que está admirado e não consegue entender o vir a ser de Deus.
Eu sou o sábio que veio do Oriente, pressentindo de longe a maravilha[124].
E eu sou o ovo que contém e guarda em si o germe do Deus.

51/52 / [Ilustração 52]

As horas festivas crescem.
E meu humano é miserável e padece tormento.
Pois eu sou uma parturiente.
Para onde me deslumbras, ó Deus?
Ele é o eterno vazio e o eterno cheio[125].
Nada se lhe parece, e ele se parece a tudo.
Eternamente escuro e eternamente claro.
Eternamente embaixo e eternamente em cima.
Dupla natureza na simplicidade.
Simples no múltiplo.
Sentido no absurdo.
Liberdade na rejeição.
Submisso quando vitorioso.
Velho na juventude.
Sim no não.

/ [Ilustração 53] 52/53

Ó
luz do caminho do meio,
encerrado no ovo,
germinativo,
repleto de dificuldade, oprimido.
Repleto de tensão,
esperando memória perdida, visionário.
Pesado como pedra, rígido.
Quente derretendo,
transparente.
Claro brilhando, voltado para si.

/ [Ilustração 54][126,127] 53/54

Amém, tu és o Senhor do nascente.
Amém, tu és a estrela do Oriente.
Amém, tu és a flor que floresce sobre todos.

Amém, tu és o cervo que irrompe da floresta.
Amém, tu és o castigo que ressoa longe sobre a água.
Amém, tu és o começo e o fim.

/ [Ilustração 55][128] 54/55

Uma palavra que nunca foi pronunciada.
Uma luz que jamais brilhou.
Uma confusão sem igual.
E uma estrada sem fim.

/ [Ilustração 56] 55/56

Eu me perdoo estas palavras como também tu me perdoas por amor à tua luz chamejante.

/ [Ilustração 57] 56/57

Sobe, fogo compassivo da noite antiga.
Eu beijo a soleira de teu surgimento.
Minha mãe te estende tapetes e espalha sobre tua plenitude flores vermelhas.
Sobe, meu amigo, que estavas doente, rompe a casca.
Nós te preparamos uma refeição.
Oferendas foram postas diante de ti.
Dançarinas te aguardam.
Construímos uma casa para ti.

121 O título foi omitido no volume caligráfico, e foi mantido aqui com base no *esboço*.
122 As ilustrações 50-64 representam simbolicamente a regeneração de Izdubar.
123 Lc 2,8-11: "Naquela mesma região havia uns pastores no campo, vigiando à noite o rebanho. Um anjo do Senhor apresentou-se diante deles, e a glória do Senhor os envolveu de luz, ficando eles muito assustados. O anjo lhes disse: Não temais, pois vos anuncio uma grande alegria, que é para todo o povo. Nasceu-vos hoje, na cidade de Davi, um Salvador, que é Cristo Senhor".
124 Mt 2,1-2: "Tendo nascido Jesus em Belém da Judeia no tempo do rei Herodes, alguns magos do Oriente chegaram a Jerusalém e perguntaram: Onde está o rei dos judeus, que acaba de nascer? Vimos sua estrela no Oriente e viemos adorá-lo".
125 Os atributos do Deus são elaborados nesta seção como os atributos de Abraxas, no segundo sermão em "Provações". Cf.. abaixo, p. 349.
126 Em "Dreams", Jung anotou a 3 de janeiro de 1917: "In Lib. nov. snake image III incent." [estímulo à imagem da serpente em *Liber Novus*] (p. 1). Isto parece referir-se a esta imagem.
127 Legenda da ilustração: "Brahmanaspati". Julius Eggling nota que "Brihaspati ou Brahmanaspati, o senhor da oração ou do culto, toma o lugar de Agni como representante da dignidade sacerdotal... No Rig-Veda X, 68,9... diz-se que Brihaspati descobriu (avindat) a aurora, o céu e o fogo (agni) e expulsou as trevas com sua luz (arka, sol); parece representar antes o elemento da luz e do fogo em geral" (*Sacred Books of the East* 12, p. xvi.) Cf. tb. nota da imagem 45.
128 O barco solar é um motivo comum no Antigo Egito. O barco era considerado o meio típico de locomoção do sol. Na mitologia egípcia o deus sol lutou contra o monstro Aphophis, que tentou engolir o barco solar quando este atravessava o céu cada dia. Em *Transformações e símbolos da libido*, Jung analisou o "disco solar vivo" egípcio (OC, B, § 153) e o motivo do monstro marinho (§ 549s.). Na revisão que fez deste texto em 1952, observou que a batalha com o monstro marinho representava a tentativa de libertar a consciência do ego do controle do inconsciente (*Símbolos da transformação*. OC, V, § 539). O barco solar assemelha-se a algumas das ilustrações contidas no *Livro egípcio dos mortos* (WALLIS BUDGE, E.A. (org.). Londres: Arkana, 1899/1985) (isto é, as vinhetas nas p. 390, 400 e 404). O remador é geralmente um Hórus com cabeça de falcão. A viagem noturna do Deus Sol através do mundo inferior é descrita no *Amduat*, e foi considerada um processo simbólico de transformação. Cf. ABT, T. & HORNUNG, E. *Knowledge for the Afterlife* – The Egyptian Amduat – A Quest for Immortality. Zurique: Living Human Heritage, 2003.

Teus servos estão à tua disposição.
Reunimos para ti rebanhos em verde pastagem.
Enchemos teu cálice com vinho tinto.
Colocamos frutas cheirosas em travessas douradas.
Batemos à porta de tua prisão e nela aplicamos nosso ouvido para escutar.
As horas aumentam, não tardes mais.

57/58 / [Ilustração 58][129]
Nós somos miseráveis sem ti e esgotamos nossos cantos.
Nós te dissemos todas as palavras que nosso coração nos deu.
O que queres mais?
O que devemos realizar para ti?
Abrimos para ti todas as portas.
Dobramos nossos joelhos aonde tu quiseres.
Vamos a todas as direções do céu, segundo teu desejo.
Trazemos o que está embaixo para cima, e o que está em cima, nós o tornamos o inferior, conforme mandares.
Nós damos e tomamos segundo tua vontade.
Queríamos ir à direita, mas vamos à esquerda, obedecendo a um aceno teu. Subimos e caímos, balançamos e ficamos firmes, nós enxergamos e somos cegos, ouvimos e somos surdos, dizemos sim e não, sempre atendendo à tua palavra.
Não entendemos, e vivemos o incompreensível.
Não amamos, e vivemos o não amado.
E novamente nos viramos, e compreendemos, e vivemos o compreensível.
58/59 *Amamos e vivemos o amado, fiéis à tua lei.* /

Vem a nós, que somos obedientes por vontade própria.
Vem a nós, que te entendemos por inteligência própria.
Vem a nós, que te esquentamos com fogo próprio.
Vem a nós, que te curamos com arte própria.
Vem a nós, que te geramos com ventre próprio.
Vem, criança, ao pai e à mãe.

59/60 59/60 [Ilustração 59][130] /
Perguntamos à terra.
Perguntamos ao céu.
Perguntamos ao mar.
Perguntamos ao vento.
Perguntamos ao fogo.
Nós te procuramos em todos os povos.
Nós te procuramos junto a todos os reis.
Nós te procuramos junto a todos os sábios.
Nós te procuramos na nossa própria cabeça e coração.
60/61 *E nós te encontramos no ovo.* [Ilustração 60] /

Eu te imolei uma preciosa vítima humana,
um jovem e um velho.
Eu esfolei minha pele com facas.
Eu aspergi teu altar com meu próprio sangue.
Expulsei pai e mãe, para que tu pudesses morar comigo.
Fiz de minha noite dia e andei por volta do meio-dia como um sonâmbulo.
Derrubei todos os deuses, infringi as leis, comi o que era impuro.
Joguei de lado minha espada e vesti roupas efeminadas.
Arrebentei meu castelo fortificado e brinquei na areia como criança.
Vi os guerreiros indo para a batalha e quebrei minha armadura com o martelo.
Eu plantei meu campo e deixei as frutas apodrecerem.
Tornei pequeno todo o grande e todo o pequeno, grande.
Troquei meus objetivos mais distantes pelo que havia de mais próximo, portanto estou pronto.

[Ilustração 61][131]
/ [IH 62] Mas não estou pronto, pois ainda não assumi em mim aquilo que aperta o coração. Aquele terrível é a decisão do Deus no ovo. Alegro-me muito que aconteceu a grande façanha, mas esqueci do susto por causa dessa façanha. Eu amo e admiro o que é poderoso. Ninguém é maior do que aquele com os chifres de touro, e assim mesmo eu o tornei paralítico, eu o carreguei e o diminuí com facilidade. Quase caí ao chão quando o vi, e agora eu o escondo no côncavo da mão. Estas são as forças que te amedrontam e oprimem, estes são teus deuses, teus senhores desde tempos imemoriais: tu podes também colocá-los no bolso. O que pode uma blasfêmia contra isso? Eu gostaria de poder blasfemar contra o Deus: teria ao menos um Deus ao qual pudesse ofender, mas não vale a pena ofender um ovo que a gente carrega no bolso. Este é um Deus que nunca se pode ofender. 61/62

Eu odeio a miséria do Deus. Basta-me a minha vileza. Ela não se importa se eu a carregar ainda com a miserabilidade do Deus. Não resiste: tu te desagradas a ti mesmo, tu te desfazes em pó. Tu desagradas o Deus, e ele se esconde, assustado, num ovo. Tu asperges as portas do inferno: risos sufocados de máscaras e música de loucos se fazem ouvir. Tu assaltas o céu: os bastidores do teatro desmoronam e o ponto em seu cubículo desmaia. Tu percebes: não és real, em cima não é real, embaixo não é real, à esquerda e à direita estão ilusões. Para onde tateias há ar, ar, ar.

Mas eu o prendi, aquele que é temido desde tempos imemoriais, e o tornei pequeno; minha mão o abarca todo. Isto é o fim dos deuses: o homem coloca-os no bolso. Este é o fim da história dos deuses. Nada restou dos deuses a não ser um ovo. E este ovo, eu o possuo. Talvez eu possa acabar com este único e último e assim exterminar definitivamente a espécie dos deuses. Agora que sei que os deuses caíram em meu poder – o que podem ainda contra mim os deuses? Velhos e maduros demais tombaram e foram enterrados num ovo.

Como aconteceu isso? Eu abati o Grande, eu o lamentei, não quis abandoná-lo, pois eu o amava, porque ninguém dos mortais

129 Em "Sonhos", Jung escreveu: "17 I 1917: Hoje de noite: avalanches assustadoras e terríveis despencam das montanhas, como nuvens colossais vão encher o vale, em cuja extremidade, no lado oposto, eu me encontrava. Eu sei que preciso fugir para o alto, diante da terrível catástrofe. Este sonho foi bem explicado na mesma data no *Livro Negro*. Em 17.01.1917 surgiu também o desenho vermelho da mancha na p. 58, do *Lib. Nov.* Em 18.01.1917, li no jornal sobre a grandiosa formação atual das manchas do sol". O que segue é uma paráfrase do apontamento de 17 de janeiro de 1917 no *Livro Negro* 6: Jung pergunta o que é que o enche de ansiedade e pavor, o que está caindo da alta montanha. Sua alma lhe diz que ajude os deuses e lhes ofereça sacrifícios. Ela lhe diz que o verme rasteja até o céu, começa a cobrir as estrelas e com uma língua de fogo devora a mansão dos sete céus azuis. Ela lhe diz que também ele será devorado e que ele deve rastejar para dentro da pedra e aguardar no estreito abrigo até que a torrente de fogo passe. Das montanhas cai neve, porque o hálito ígneo cai de cima das nuvens. O deus está chegando, Jung deve preparar-se para recebê-lo. Jung deve esconder-se na pedra, já que o deus é um fogo terrível. Precisa permanecer quieto e olhar para dentro, de modo que o deus não o consuma nas chamas (p. 152s.).

130 Legenda da ilustração: "hiranyagarbha". No *Rig-Veda*, hiranyagarbha era a semente primordial da qual nasceu Brahma. No exemplar de Jung do vol. 32 dos *Livros Sagrados do Oriente* (Hinos védicos), a única seção que está destacada é a seção inicial, que começa com um hino "Ao Deus Desconhecido". Este começa: "No início surgiu a Criança Dourada (Hiranyagarbha); logo que nasceu, foi o único senhor de tudo que existe. Estabeleceu a terra e este céu: – Quem é o Deus ao qual devemos oferecer sacrifício?" (p. 1). No exemplar de Jung dos Upanishads, nos *Livros sagrados do Oriente*, há um pedaço de papel na p. 311 do Maitrâyana-Brâhmana-Upanishad, e uma passagem que descreve o Si-mesmo, que começa: "E o próprio Si-mesmo é também chamado... Hiranyagarbha" (*Sacred Books of the East*. Vol. 15, parte 2).

131 A cara do monstro é semelhante a IH 29.

se igualava a ele. Por amor imaginei o truque que o exonerou do peso e o libertou da espacialidade. Por amor, eu lhe tirei a forma e a corporeidade. Eu o tranquei amorosamente no ovo maternal. Devo eu matar o indefeso, a quem amo? Devo despedaçar a débil casca de seu túmulo e abandonar aos ventos do mundo o sem peso e sem expansão? Mas não cantei a encantação por causa de sua desolação? Não o fiz por amor a ele? Por que eu o amo? Não quero arrancar de meu coração o amor ao Grande. Quero amar o meu Deus, o desarmado e desamparado. Quero adotá-lo como a uma criança.

Não somos filhos dos deuses? Por que os deuses não podem ser os nossos filhos? Se morrer para mim meu Deus-pai, deve nascer para mim um Deus-filho de meu coração maternal. Pois eu amo o Deus e não quero abandoná-lo. Só quem ama o Deus pode abatê-lo, e o Deus se entrega a seu vencedor e adapta-se às suas mãos e morre em seu coração que o ama e lhe promete nascimento.

Meu Deus, eu te amo, como uma mãe ama o não nascido que ela carrega debaixo de seu coração. Cresce no ovo do Oriente, alimenta-te de seu amor, bebe as seivas de minha vida, para que te tornes um Deus brilhante. Precisamos de tua luz, ó criança. Uma vez que andamos na escuridão, ilumina nosso caminho. Tua luz brilhe diante de nós, teu fogo esquente o frio de nossa vida. Não precisamos de tua força, mas da vida.

62/63 / De que nos aproveita a força? Não queremos dominar. Queremos viver, queremos a luz e o calor, e por isso precisamos de ti. Assim como a terra e alguns corpos vivos precisam do sol, precisamos nós como espíritos de tua luz e calor. Um espírito sem sol torna-se um parasita do corpo. Mas o Deus alimenta o espíri-
63/64 to. [Ilustração 63] / [Ilustração 64][132,133] /
64/65

A abertura do ovo[134]

Cap. xi.

[IH 65] [135]*À noite do terceiro dia, ajoelhei-me novamente no tapete e abri cuidadosamente o ovo. Qual fumaça isto saiu de dentro, e de repente está Izdubar de pé diante de mim, enorme como um gigante, transformado e perfeito. Seus membros estão sadios, e eu não encontro neles vestígio do dano sofrido. É como se ele despertasse de um sono profundo. Falou:*

"Onde estou? Como é apertado aqui – como está escuro – como está frio – estou no túmulo? Onde estive? Pareceu-me que estive lá fora no universo – acima e abaixo de mim um céu escuro e sem fim, cintilante de estrelas
– eu estava num calor indizivelmente agradável.
Torrentes de fogo irrompiam de meu corpo brilhoso –
Eu mesmo flutuava em chamas vivas –
Eu mesmo nadava em mar bem apertado contra mim de fogo cheio de vida –
Todo luz, todo desejo, todo eternidade –
Antiquíssimo e eternamente me renovando –
Caindo do mais alto para o mais baixo e do mais baixo para o mais alto agitado luzente para cima –
Em nuvens incandescentes pairando em torno de mim mesmo –
Enquanto a chuva incandescente batendo como espuma da rebentação, / inundando a 65/66
mim mesmo em fervura –
Em jogo incomensurável me abraçando e repelindo –
Onde estava eu? Eu era todo sol."[136]

Eu: "Ó Izdubar! Divino! Que maravilha! Tu estás curado!"

"Curado? Estive alguma vez doente? Quem está falando de doença? Eu era sol, todo sol. Eu sou o sol".

Uma luz indizível sai de seu corpo, uma luz que meus olhos não podem suportar. Tenho de cobrir meu rosto e protejo-o no chão.

Eu: "Tu és o sol, a luz eterna – perdoa, Poderosíssimo, que minha mão te tenha carregado".

Tudo está quieto e escuro. Olho ao meu redor: sobre o tapete está a casca vazia de um ovo. Eu apalpo a mim mesmo, apalpo o chão e as paredes: tudo está como sempre foi, bem simples e bem real. Eu gostaria de dizer: tudo em torno de mim virou ouro. Mas não é verdade – tudo é como sempre foi. Aqui brilha a luz eterna, incomensurável e ultrapoderosa[137].

[2] [IH 66] Aconteceu que eu abri o ovo e que o Deus saiu do ovo. Estava perfeitamente bem e brilhava em constituição transformada; eu me ajoelhei como criança e não consegui entender o milagre. Ele que jazia comprimido no casulo do princípio, levantou-se e não se encontrou nele nenhum vestígio de doença. E quando eu imaginei que havia prendido o Forte e segurado no côncavo da mão, era o próprio sol.

132 Em "Sonhos", Jung anotou a 4 de fevereiro de 1917: "Começado o trabalho sobre a Abertura do Ovo (ilustr.)" (p. 5). Isto mostra que a ilustração retrata a regeneração de Izdubar do ovo. A respeito do barco solar nesta ilustração, cf. Ilustração 55.

133 Legenda da ilustração: "çatapatha-brâhmana 2,2,4". Çatapatha-brâhmana 2,2,4 (*Sacred Books of the East*. Vol. 12) apresenta a justificação cosmológica que está por trás do Agnihotra. Começa descrevendo como Prajapati, desejando ser reproduzido, produziu Agni de sua boca. Prajapati ofereceu-se a Agni e salvou-o da Morte, porque estava prestes a ser devorado. O Agnihotra (lit. cura pelo fogo) é um ritual védico realizado ao nascer do sol e ao pôr do sol. Aquele que o executa purifica-se, acende um fogo sagrado, recita versos e uma oração a Agni.

134 Em vez disso, o *esboço* tem: "Terceiro dia" (p. 329).

135 10 de janeiro de 1914. No *Livro Negro* 3, Jung escreveu: "Parece como se através dessa experiência memorável se tenha alcançado novamente alguma coisa. Mas ainda não dá para ver aonde tudo isto vai levar. Ouso dizer apenas que o destino de Izdubar é trágico-cômico, pois a vida mais santa é trágico-cômica. Fr. Th. Vischer (A[uch]. E[iner].) fez a primeira tentativa de erigir em sistema esta verdade. A ele se deve um lugar entre os imortais. O que está no meio é a verdade. Ela tem muitas faces. Uma delas é certamente cômica, outra triste, uma terceira má, uma quarta trágica, uma quinta feliz, uma sexta uma careta, etc. Se uma dessas faces se torna especialmente impositiva a nós, reconhecemos nisso que nos desviamos da verdade segura e nos aproximamos de um extremo, que é certamente um beco sem saída, se quisermos teimar em continuar neste caminho. É uma tarefa sangrenta escrever uma sabedoria da vida real, sobretudo quando nós passamos muitos anos na seriedade da ciência. A coisa mais difícil é captar o jocoso (nos preferiríamos dizer – o infantil) da vida. Todos os aspectos diversos da vida: o grande, o belo, o sério, o negro, o demoníaco, o bom, o ridículo, o grotesco são áreas de utilização das quais todo indivíduo trata de engolir totalmente o observador ou quem descreve. / Nossa época precisa de um regulador do espiritual. Assim como o mundo do concreto se ampliou a partir da visão limitada dos antigos para a multiplicidade incomensurável da visão moderna, também o mundo das possibilidades espirituais se desenvolveu para o multiforme inconcebível. Caminhos infinitamente longos, calçados com grossos cordéis, levam de uma especialidade a outra. Em breve ninguém mais poderá trilhar estes caminhos. E então só haverá mais especialistas. Precisamos mais do que nunca da verdade viva da vida espiritual, uma orientação reguladora" (p. 74-77). A obra de Vischer era *Auch Einer*: Eine Reisebekanntschaft. Stuttgart, 1884. Em 1921, Jung escreveu: "O romance de F. Th. Vischer, *Auch Einer*, dá uma visão pertinente desse lado do estado introvertido da alma, bem como do simbolismo subjacente ao inconsciente coletivo" (*Tipos psicológicos*. OC, 6, p. 627). Em 1932, Jung comentou a compreensão de Vischer da "malícia do objeto", em SHAMDASANI, S. (org.). *A psicologia da ioga kundalini*. Princeton: Princeton University Press, 1996, p. 54 [Bollingen Series]. Sobre *Auch Einer*, cf. HELLER, R. "Auch Einer: the epitome of F. Th. Vischer's Philosophy of Life". *German Life and Letters*, 8, 1954, p. 9-18.

136 Roscher observa que, "como Deus, Izdubar está associado ao deus-sol" (*Ausführliches Lexikon der griechischen und römischen Mythologie*. Vol. 2, p. 774). A incubação e renascimento de Izdubar segue o padrão clássico dos mitos solares. Em *Das Zeitalter des Sonnengottes*, Leo Frobenius salienta o difundido motivo de uma mulher engravidando através de um processo de concepção imaculada e dando à luz o deus-sol, que se desenvolve num período de tempo notoriamente curto. Em algumas formas, fica incubado num ovo. Frobenius relaciona isto ao nascer e ao pôr do sol no mar (Berlim: G. Reimer, 1904, p. 223-263). Jung cita esta obra em diversas passagens em *Transformações e símbolos da libido* (1912).

137 Em *Tipos psicológicos* (1921) Jung comentou o motivo do Deus renovado: "O Deus renovado significa uma atitude renovada de vida intensa, uma nova consecução de vida, porque psicologicamente Deus significa sempre o valor maior, a maior quantidade de libido, a maior intensidade de vida, o ótimo da vitalidade psicológica" (OC, 6, § 301).

Eu viajei para o Oriente, para o nascente do sol. Eu mesmo queria nascer como se fosse o sol. Eu queria agarrar o sol e com ele subir para o dia resplandecente. Mas ele veio ao meu encontro e indicou-me o caminho. Tive de ouvir dele que me havia sido tirada toda possibilidade de chegar ao nascente. Mas, ele queria apressar-se para o poente, para descer com o sol ao seio da noite, foi paralisado por mim e foi-lhe tirada toda esperança de chegar ao bem-aventurado Ocidente.

Mas observa! Eu aprisionei o sol sem o saber e o carreguei em minha mão. Ele, que queria pôr-se com o sol, encontrou por meu intermédio o seu ocaso. Eu mesmo tornei-me sua mãe noturna, que chocou o ovo do princípio. E ele nasceu renovado, renascido para maior glória.

Mas enquanto ele nasce, eu chego ao ocaso. Enquanto eu sujeitava o Deus, sua força fluía para mim. Mas enquanto o Deus descansava no ovo e esperava seu começo, minha força passou para ele. E enquanto se erguia reluzente, eu estava prostrado sobre meu rosto. Ele tomou minha vida consigo. Toda minha força estava com ele. Minha alma nadava como peixe em seus mares de fogo. Meu humano, porém, estava deitado na horripilante frialdade da sombra da terra e afundava cada vez mais na escuridão mais inferior. Toda luz se retirara de mim. O Deus ergueu-se na terra do Oriente, e meu eu caiu no horror do mundo inferior. Como uma parturiente terrivelmente dilacerada e sangrando sopra sua vida sobre o recém-nascido, e no olhar moribundo unifica morte e vida, assim jazia eu, a mãe do dia, uma presa da noite. Meu Deus me dilacerou horrivelmente, bebeu a seiva de minha vida, bebeu para dentro de si a máxima força de meu amor e tornou-se magnífico e forte como o sol, um Deus curado em que não há mancha nem falta. Tirou-me a asa, roubou-me a intumescência de meus músculos, o poder de minha vontade desapareceu com ele. A mim deixou-me impotência e lamúrias.

66/67 / Eu não sabia como me aconteceu que agora mesmo desapareceu de meu seio maternal tudo o que era poderoso, belo, cheio de alegria, sobre-humano; nada me restou do ouro brilhante. Terrível e ingratamente, o pássaro do sol abriu suas asas e levantou voo para o espaço incomensurável. Restaram-me cascas quebradas, casulo deplorável de seu princípio, e o vazio da profundeza abriu-se embaixo de mim.

Ai da mãe que dá à luz um Deus! Se der à luz um Deus ferido e cheio de dores, uma espada traspassará sua alma. Mas se der à luz um Deus curado, abrir-se-á para ela o inferno do qual sairão monstros serpentários, que sufocarão a mãe com bafo pestilento. O nascimento é difícil, mas mil vezes mais difícil é o pós-parto infernal[138]. Atrás do filho divino vêm todos os dragões e monstros serpentários do vazio eterno.

O que resta da natureza humana, quando o Deus se tornou maduro e usurpou toda a força para si. Tudo o que é incapaz, tudo o que é sem força, todo o eternamente trivial, todo o vazio, todo o desfavorável e prejudicial, todo o repugnante, aviltante, destruidor, todo o absurdo, tudo o que encerra em si a insondável noite da matéria, isto é o pós-parto do Deus e a deformidade horripilante de seu irmão infernal.

O Deus sofre quando o ser humano não assume suas trevas. Por isso as pessoas tiveram que ter um Deus sofredor, enquanto elas sofriam do mal. Sofrer do mal significa que tu ainda amas o mal e no entanto não o amas mais. Tu te prometes ainda algo disso, mas não queres admitir, por medo, que podes descobrir que apesar disso ainda amas o mal. Por isso sofre o Deus, porque tu, ainda amando o mal, sofres disso. Tu não sofres disso porque tens de reconhecer o mal, mas porque ele ainda te proporciona uma diversão secreta e porque ele parece prometer-lhe algum prazer em alguma ocasião desconhecida.

Enquanto teu Deus sofre, tens pena dele e de ti. Com isso poupas teu inferno e prolongas seu sofrimento. Se tu, sem pena secreta de ti, quiseres curá-lo, o mal te cairá nos braços, cuja existência tu reconheces em geral, mas cuja força infernal em ti mesmo tu não conheces. Tua ignorância do mal provém da inocência prévia de tua vida, do sossego da conjuntura e da ausência do Deus. Mas quando o Deus se aproxima, tua natureza se agita, e o lado negro da profundeza vem à tona.

O ser humano está entre o cheio e o vazio. Quando sua força se une ao cheio, ele atua no cheio moldando. Esta modelação é sempre de qualquer modo boa. Quando sua força se une ao vazio, ela atua dissolvendo e destruindo, não podendo o vazio ser modelado jamais, mas só ambiciona saciar-se à custa do cheio. Assim unida, a força humana faz do vazio o mal. Quando tua força modela o cheio, ela assim procede devido à sua união com o cheio. Mas para que tua modelagem perdure, é necessário que tua força fique ligada a ela. Através da constante modelagem perdes aos poucos tua força, quando finalmente toda a força fica unida ao modelado. Ao final, quando julgas estar rico, ficaste pobre e estás como mendigo em meio às tuas modelações. Este é então o momento em que a pessoa deslumbrada é tomada por maior desejo da modelação, pois ela acha que através de formas muitas vezes multiplicadas pode ser saciado seu desejo. Pelo fato de sua força estar no fim, torna-se ávida e começa a obrigar os outros a servi-la e tira deles a força para configurar a sua.

Nesse momento precisas do mal. Quando percebes que tua força chega ao fim e que começa a cobiça, precisas tirar tua força da conformação e puxá-la de volta para teu vazio e, através dessa ligação com o vazio, consegues diluir em ti a conformação. Assim conquistas de volta a liberdade, ao desprender tua força da união opressora com o objeto. Enquanto persistires no ponto de vista do bem, não podes diluir tua conformação, pois ela é precisamente o teu bem. Não podes diluir bem com bem. Só podes diluir o bem com o mal. Pois também teu bem te conduz finalmente à morte através da progressiva ligação de tua força. Não podes viver de forma nenhuma sem o mal.

Tua forma de ser cria em primeiro lugar uma imagem de tua conformação em ti mesmo. Esta imagem permanece em ti e / é a 67/68
primeira e imediata expressão de tua forma de ser. Então se cria através dessa imagem uma imagem externa, que pode subsistir sem ti e sobreviver a ti. Tua força não está vinculada diretamente à tua conformação exterior, mas só através da imagem que permanece em ti. Quando começas a diluir tua conformação com o mal, não destrois a conformação exterior, caso contrário destruirias tua própria obra. Mas só destróis a imagem que formaste em ti. pois é esta imagem que segura tua força. Na medida em que esta imagem prende tua força, na mesma medida precisarás também do mal para diluir tua conformação e libertar a ti mesmo do poder do que passou.

Por isso há muitos bons que se esvaem em sangue devido à sua conformação porque não conseguem aceitar na mesma medida também o mal. Quanto melhor alguém é e quanto mais, por isso, está preso à sua conformação, tanto mais perderá sua força. O que acontece quando o bom perdeu totalmente sua força em sua conformação? Não só tentará forçar outras pessoas com astúcia e violência inconscientes ao serviço de sua conformação, mas

138 No próximo capítulo, Jung se encontra no inferno.

também se tornará, sem o saber, mau em seu bem, pois seu desejo de saciedade e fortalecimento vai torná-lo cada vez mais egoísta. Mas com isso, o bom destrói finalmente sua própria obra, e todos que ele forçou ao serviço de sua obra se tornarão seus inimigos, porque ele os alienou. Mas quem te aliena de ti mesmo, ainda que a serviço da melhor causa, tu vais começar a odiá-lo secretamente, mesmo contra teu próprio desejo. Ao bom, que comprometeu sua força, tornar-se-á infelizmente fácil demais encontrar escravos para seu serviço, pois existem muitos que não desejam outra coisa do que alienar-se de si sob um bom pretexto.

Tu sofres com o mal porque não o amas conscientemente no oculto nem para ti mesmo. Gostarias de evitá-lo e começar a odiar o mal. E outra vez estás ligado ao mal através de teu ódio, pois se o amas ou odeias, isto continua sendo o mesmo para ti: estás ligado ao mal. Deve-se aceitar o mal. O que nós queremos permanece em nossa mão. O que não queremos, e assim mesmo é mais forte do que nós, arrasta-nos junto e não podemos detê-lo sem nos prejudicar a nós mesmos. Pois nossa força permanece então no mal. Portanto devemos aceitar nosso mal, sem amor e sem ódio, reconhecendo que ele está aí e que precisa ter sua parte na vida. Dessa maneira tiramos dele a força para nos vencermos.

Quando conseguimos criar um Deus e quando, através dessa criação, toda a nossa força entrou nessa configuração, somos tomados do desejo irresistível de elevar-nos com o filho divino e tornar-nos partícipes de sua glória. Mas nos esquecemos de que então nada mais somos do que forma vazia, tendo a configuração de Deus arrancado para si toda nossa força. Não nos tornamos apenas pobres, mas matéria completamente podre, à qual jamais conviria participar da divindade.

Como sofrimento terrível ou perseguição demoníaca inevitável constrange-nos a miséria e a necessidade de nossa matéria. A matéria impotente começa a sugar e gostaria de engolir novamente sua imagem. Mas como estamos sempre enamorados de nossa configuração, acreditamos que o Deus nos chama a si, e nós fazemos esforços desesperados para seguir a Deus no espaço mais elevado, ou nos voltamos aos nossos concidadãos, pregando e admoestando a que forcem ao menos outras pessoas a seguir Deus. Infelizmente existem pessoas que se deixam facilmente convencer disso para prejuízo delas e nosso.

Há muita fatalidade nesta pressão: pois quem poderia imaginar que ele, criado por Deus, estivesse condenado ao inferno? E no entanto é assim, pois a matéria, que está despida da força do brilho divino, é vazia e tenebrosa. Quando o Deus sai da matéria, sentimos o vazio da matéria como parte do espaço infinitamente vazio.

Através da pressa, da vontade e do agir multiplicados queremos escapar do vazio e, portanto, do mal. Mas o caminho certo é aceitar o vazio, destruir a imagem da configuração em nós, unir o Deus e descer ao insondável e abominável da matéria. O Deus como obra nossa está fora de nós e já não precisa de nossa ajuda. Ele está criado e permanece entregue a si mesmo. Uma obra criada que desaparece tão logo nos afastemos dela não presta, mesmo
68/69 que / fosse um Deus.

Mas onde está então o Deus após sua criação e após sua separação de mim? Quando constróis uma casa, tu a vês posicionada no mundo exterior. Quando criaste um Deus, que não vês com os olhos corporais, então ele está no mundo espiritual, que não é menor que o mundo real externo. Ele está lá e opera para ti e para os outros tudo o que podes esperar de um Deus. Assim, tua alma é teu próprio si-mesmo no mundo espiritual. Mas o mundo espiritual, como morada dos espíritos, é também um mundo exterior. Assim como tu não estás sozinho no mundo visível, mas rodeado por coisas que te pertencem e que só a ti obedecem, também tu tens pensamentos que te pertencem e só a ti obedecem. Mas assim como também estás rodeado no mundo visível por coisas e seres, que não te pertencem nem te obedecem, também estás cercado no mundo espiritual por pensamentos e seres ideais que não te obedecem nem te pertencem.

Assim como teus filhos carnais foram gerados e nascidos de ti, crescem e se separam de ti, para viverem seu próprio destino, também geras ou dás à luz seres ideais que se separam de ti e vivem sua própria vida. Assim como uma pessoa se separa de seus filhos quando fica velha e devolve seu corpo de novo à terra, também eu me separo de meu Deus, o sol, e mergulho no vazio da matéria e apago em mim a imagem que tinha de mim como criança. Isto acontece quando aceito a natureza da matéria e deixo fluir a força de minha configuração para dentro de meu vazio. Assim como eu fiz renascer renovado o Deus doente através de minha força geradora, dou vida agora ao vazio da matéria, donde nasce a configuração do mal.

A natureza é brincalhona e assustadora. Uns veem o lado brincalhão, riem com ele e deixam que brilhe. Outros veem o horror, cobrem a cabeça e estão mais mortos do que vivos. O caminho não está entre os dois, abrange os dois em si. É jogo divertido e horror frio[139].[Ilustração 69][140] / [Ilustração 70] / [Ilustração 71][141] 69/71
/ [Ilustração 72]. / 71/73

O inferno

Cap. xii.

[IH 73] Na segunda noite[142] após a criação do meu Deus, informou-me uma visão de que eu havia chegado ao submundo.

Eu estava num subterrâneo tenebroso, o chão consistia de placas úmidas de pedras. No meio havia uma coluna da qual pendiam cordas e enxadas. Ao pé da coluna jazia um emaranhado assustador, semelhante a cobras, de corpos humanos. Vi em primeiro lugar a figura de uma jovem com maravilhoso cabelo vermelho-dourado – debaixo dela, encoberto até a metade, estava deitado um homem de aspecto demoníaco – sua cabeça estava inclinada para trás – um filete de sangue escorria de sua testa – sobre os pés e o corpo da moça jogaram-se mais dois demônios semelhantes. Seus rostos têm expressão inumana – o mal em pessoa – seus músculos estão tensos e rígidos e seus corpos são elásticos como os de cobras. Estão deitados inertes. A jovem mantém a mão sobre o único olho do homem que está deitado debaixo dela, que é o mais poderoso dos três – sua mão segura firmemente um pequeno anzol de prata que ela cravou no olho do demônio.

Um suor de medo brotou-me de todos os poros. Eles queriam torturar a jovem até a morte; ela reagia com a força de extremo

139 Em "Sonhos" Jung escreveu em 15 de fevereiro de 1917: "A cena da abertura completamente transcrita. / O mais belo sentimento de renovação. Hoje de manhã novamente ao trabalho científico. / Tipos!" (p. 5). É uma referência à conclusão da transcrição desta seção para o volume caligráfico e à continuação dos trabalhos sobre os tipos psicológicos.
140 Os círculos azuis e amarelos são semelhantes aos da ilustração 60.
141 Esta ilustração pode ser aquela a que se refere Tina Keller na seguinte afirmação numa entrevista em que lembra a discussão de Jung de suas relações com Emma Jung e Toni Wolff: "Jung mostrou-me certa vez uma ilustração no livro que estava pintando e me disse: 'Veja que estas três cobras estão entrelaçadas. Esta é a maneira como nós três lutamos com este problema'. Só posso dizer que me pareceu muito importante que, mesmo como fenômeno passageiro, aqui estavam três pessoas aceitando um destino que não correu muito bem para satisfação pessoal delas" (Entrevista com Gene Nameche, 1969, R.D. Laing papers, University of Glasgow, p. 27).
142 12 de janeiro de 1914.

desespero e conseguiu atingir o olho do diabo com o pequeno arpão. Se ele se mexesse, ela lhe arrancaria o olho com um último puxão. O pavor me paralisou: o que acontecerá? Uma voz falou:

"O diabo não pode fazer sacrifícios, não pode oferecer em sacrifício seu olho, a vitória está com aquele que pode oferecer sacrifícios".[143]

[2] A visão desapareceu. Eu percebi que minha alma havia caído no poder abissal do maligno. O poder do maligno é inconteste; é com razão que o tememos. Aqui não ajuda nenhuma oração, nenhuma palavra piedosa, nenhum passe de mágica. Às vezes te acomete violência brutal, e não há ajuda em lugar nenhum. Outras vezes, o mal te agarra sem compaixão, e não há pai, nem mãe, nem direito, nem muros e torres, nem armadura e força protetora que venham em teu socorro. Mas, impotente e totalmente só, cais na mão da superioridade do mal. Nesta batalha estás sozinho. Eu queria dar à luz o meu Deus, por isso queria também o mal. Quem quer criar o eternamente cheio, vai criar para si também o eternamente vazio[144]. Não podes uma coisa sem a outra. Se queres fugir do mal, não crias nenhum Deus, mas tudo o que fazes é morno e cinzento. Eu queria meu Deus incondicionalmente. Por isso quero também o meu mal. Se meu Deus não fosse ultrapoderoso, também não seria ultrapoderoso o meu mal. Mas eu quero que meu Deus seja poderoso e magnífico e reluzente sobre as massas. Só assim eu amo o meu Deus. E por amor ao brilho de sua beleza vou experimentar também o chão do inferno.

Meu Deus levantou-se no céu oriental, mais claro que todos os astros e trouxe para cima um novo dia sobre as nuvens. Por isso desejo viajar para o inferno. Uma mãe não dá sua vida por seu filho? Quanto mais não daria minha vida, quando só meu Deus vence o tormento da última hora da noite e triunfante irrompe através da névoa vermelha da manhã. Não duvido: eu quero também o mal por amor a meu Deus. Eu aceito a batalha desigual, pois esta batalha é sempre desigual e de inutilidade certa. Como seria de outro modo assustadora e desesperada esta batalha? Mas é exatamente isto que ela é e será.

73/74 / Nada é mais valioso para o maligno do que seu olho, pois só por causa de seu olho pode o vazio captar o cheio brilhante. Pelo fato de o vazio sentir a falta do cheio, ambiciona o cheio e sua força reluzente. E ele o bebe através de seu olho, que consegue captar a beleza e o brilho sem mancha do cheio. O vazio é pobre e, se não tivesse o olho, seria sem esperança. Ele vê o mais belo e quer engoli-lo para destruí-lo. O demônio sabe o que é belo, por isso ele é a sombra do belo e o segue por toda parte, esperando o momento em que a beleza, revolvendo-se em dores, gostaria de dar a vida a Deus.

Quando tua beleza cresce, arrasta-se para cima também o monstruoso verme, esperando sua presa. Para ele nada é sagrado senão seu olho, com o qual observa o mais belo. Jamais abandonará seu olho. Ele é invulnerável, mas nada protege seu olho; ele é terno e claro, perito em beber a luz eterna. Ele quer a ti, a luz vermelho-clara de tua vida.

Eu conheço a natureza humana tremendamente diabólica. Cubro diante dela meus olhos. Estendo minha mão recusante quando alguém deseja aproximar-se de mim, por medo que minha sombra possa cair sobre ele, ou sua sombra cair sobre mim, pois eu vejo também o diabólico nele, o companheiro inofensivo de sua sombra.

Que ninguém me toque; assassinato e infâmia espreitam a ti e a mim. Tu sorris inocentemente, meu amigo? Não vês que um leve pestanejar de teu olho revela o terrível, cujo mensageiro tu és sem suspeitar? Teu tigre sedento de sangue rosna baixinho, tua cobra peçonhenta sibila furtivamente, enquanto tu, só consciente de tua bondade, estendes tua mão para o cumprimento. Eu conheço tua e minha sombra, que anda atrás de nós e que nos acompanha, só esperando a hora do crepúsculo, onde ela, com todos os demônios da noite, vai estrangular a ti e a mim.

Que abismo de história sangrenta separa a ti e a mim! Eu tomei tua mão e olhei no teu olho humano. Eu deitei minha cabeça em teu colo e senti o calor vital de teu corpo, era tão especialmente meu, que parecia ser meu próprio corpo – e eu senti de repente uma corda escorregadiça em torno do pescoço, que sufocava sem dó, e uma martelada atroz cravou-me um prego na testa. Pelos pés, arrastaram-me sobre o pavimento, e cães ferozes devoravam partes de meu corpo na noite lúgubre.

Ninguém deve admirar-se de que as pessoas sejam tão distantes umas das outras, de que não se entendam, de que se façam guerra e se matem. Há que admirar-se muito mais de que as pessoas acreditem que estão próximas umas das outras, de que se entendem e se amam. Ainda há duas coisas a serem descobertas. A primeira é o abismo infinito que separa as pessoas umas das outras. A segunda é a ponte que poderia ligar duas pessoas entre si. Já pensaste alguma vez em quanta animalidade jamais imaginada te possibilita conviver com as pessoas?

[145]Quando minha alma caiu nas mãos do mal, estava indefesa até que sua fraca vara de pescar pudesse tirar novamente o peixe de sua força do mar do vazio. O olho do mal sugou toda a força de minha alma, só lhe restando sua vontade, que é precisamente aquele pequeno anzol. Eu queria o mal, pois eu vi que não conseguiria fugir dele. E pelo fato de eu querer o mal, minha alma segurou na mão o precioso anzol com o qual eu queria prender o lugar vulnerável do mal. Quem não quer o mal, a este falta a possibilidade de salvar sua alma do inferno. Apesar de ele mesmo permanecer na luz do mundo de cima, torna-se a sombra de seu si-mesmo. Mas sua alma definha no cárcere dos demônios. Com isso lhe é criado um contrapeso que o limita para sempre. Os círculos mais elevados do mundo interior permanecem-lhe inatingíveis. Ele fica onde estava, sim, ele retrocede. Tu conheces essas pessoas e conheces o modo esbanjador como a natureza das pessoas espalha / vida e força em desertos áridos. Não deves 74/75
lamentá-lo, caso contrário te tornas um profeta e queres salvar o que não deve ser salvo. Não sabes que a natureza também aduba seus campos com pessoas? Recebe aquele que procura, mas não vás à procura seguindo os que erram. O que sabes de seu erro? Talvez seja sagrado. Não deves perturbar o sagrado. Não olhes

143 Nota marginal ao volume caligráfico: "çatapatha-brâhmanam 2,2,4". A mesma inscrição é dada à ilustr. 64. Cf. notas 132 e 133 acima.

144 Em *Assim falava Zaratustra*, Nietzsche escreveu: "É preciso ter um caos dentro de si, para poder gerar uma *estrela dançante* ("Prólogo de Zaratustra", § 5). (O itálico está sublinhado no exemplar de Jung).

145 Nota marginal ao volume caligráfico: "khândayoga-upanishad I,2,1-7". O *Chândayoga Upanishad* assim reza: "Outrora, quando os deuses e demônios, ambos filhos de Prajâpati, dispuseram-se em ordem de batalha uns contra os outros, os deuses apoderaram-se do Grande Canto. 'Com isto os derrotaremos', pensaram eles. / Por isso veneraram o Grande Canto como o sopro nas narinas. Os demônios cobriram-no de mal. / Em consequência, cheira-se com ele tanto os odores agradáveis quanto os desagradáveis, pois está coberto de mal. / Depois veneraram o Grande Canto como fala. Os demônios cobriram-no de mal. Em consequência, fala-se com ele tanto o que é verdadeiro quanto o que é falso, pois está coberto de mal. / Depois veneraram o Grande Canto como visão. Os demônios cobriram-no de mal. Em consequência, vê-se com ele tanto o que é bom quanto o que não é bom, pois está coberto de mal. / Depois veneraram o Grande Canto como audição. Os demônios cobriram-no de mal. Em consequência, ouve-se com ele tanto o que é bom de ouvir quanto o que não é, pois está coberto de mal. / Depois veneraram o Grande Canto como a mente. Os demônios cobriram-no de mal. Em consequência, pensa-se com ele tanto o que é bom de pensar quanto o que não é, pois está coberto de mal. / Finalmente veneraram o Grande Canto como simplesmente este sopro aqui dentro da boca. E quando os demônios se precipitaram contra ele, foram reduzidos a pedacinhos como um torrão de terra jogado contra um alvo que é uma rocha" (*Upanishads*. Oxford University Press, 1996 [Trad. de P. Olivelle]). O "Grande Canto" é OM.

para trás e não lamentes. Vês muitos caírem ao teu lado? Sentes compaixão? Mas tu deves viver tua vida, então restará ao menos um de milhares. Tu não impedes o morrer.

Mas por que minha alma não arrancou o olho do mal? O mal tem muitos olhos; perdendo um, nada se perde. E se o tivesse feito, estaria assim totalmente à mercê do mal. O diabo só não pode oferecer sacrifício. Não deves prejudicá-lo, sobretudo não seu olho, pois o mais belo nada seria se ele não visse o diabo e depois o desejasse. O diabo é sagrado.

O vazio não pode oferecer nada em sacrifício, pois está sempre em penúria. Só o cheio pode oferecer sacrifício, pois tem a plenitude. O vazio não pode oferecer em sacrifício sua fome do cheio, pois não pode negar sua própria natureza. Por isso nós também precisamos do diabo. Mas, pelo fato de haver recebido anteriormente a plenitude, posso sacrificar ao diabo minha vontade. Toda a força flui de novo para mim, uma vez que o diabo destruiu minha imagem da figura de Deus. Mas a imagem da figura de Deus ainda não estava destruída em mim. Causa-me horror esta destruição, pois ela é terrível, uma profanação sem igual do templo. Tudo se arrepia em mim contra a monstruosidade sem par. Pois eu ainda
75/76 não sabia o que significava dar à luz um Deus. [Ilustração 75] /

O assassinato sacrificial[146]

Cap. xiii.

[IH 76] Mas esta foi a visão que eu não queria ver, o terror que eu não queria viver. Uma sensação doentia de nojo me surpreendeu, cobras repugnantes e traiçoeiras serpeiam devagar e estalando pelos bosques, ficam dependuradas preguiçosamente e cheias de sono asqueroso, enroscadas num enovelado horroroso nos galhos. Fico arrepiado em pisar neste vale de figuras enfadonhas e feias, onde os bosques ficam em encostas pedregosas. O vale parece tão vulgar, seu ar cheira a crime, a toda ação covarde e ruim. Sou acometido de nojo e horror. Ando hesitante sobre pedras de cascalho, evitando aquele lugar escuro, por medo de pisar numa cobra. O sol brilha fracamente num céu distante e cinzento, e toda a relva está seca. De repente, vejo diante de mim, no meio das pedras, uma boneca com a cabeça quebrada – mais alguns passos, um pequeno avental – e lá, atrás de uma moita, o corpo de uma menina – cheio de horríveis ferimentos – ensanguentado – um pé está com meia e sapato, o outro, cheio de sangue e esmagado – a cabeça – onde está a cabeça? – A cabeça é uma sopa de sangue misturada com cabelo, contendo ainda pedaços esbranquiçados de ossos – em volta estão as pedras respingadas de massa encefálica e sangue. Minha visão é tomada de horror – do lado da criança está uma figura encoberta, como a de uma mulher, quieta, o rosto coberto por um véu impenetrável. Ela me perguntou:

Ela: "O que dizes disso?"

Eu: "O que dizer? Aqui não cabem palavras".

Ela: "Entendes isso?"

Eu: "Recuso-me a entender algo assim. Não posso falar disso sem ficar irritado".

Ela: "Por que deverias te irritar? Tu irias te irritar todo dia, enquanto viveres, pois isso e coisa semelhante acontecem na terra diariamente".

Eu: "Mas na maioria das vezes não o vemos".

Ela: "Portanto, não te basta saber disso para ficares irritado?

Eu: "Quando apenas sei de algo, a coisa se torna mais fácil e simples. O assustador no mero saber é menos real".

Ela: "Aproxima-te, vês que o ventre da criança foi aberto com faca, tira o fígado".

Eu: "Eu não vou tocar neste cadáver. Se alguém me visse, diria que eu era o assassino".

Ela: "És covarde, pega o fígado".

Eu: "Por que devo fazer isso? É absurdo".

Ela: "Eu quero que tires o fígado. Tu precisas fazê-lo".

Eu: "Quem és tu para pensar que podes dar-me esta ordem?"

Ela: "Eu sou a alma desta criança. Tu tens de fazer esta ação por mim".

Eu: "Não entendo nada, mas vou acreditar em ti e fazer a tolice horrorosa". / 76/77

Meto a mão no ventre aberto – sinto que ainda está quente – o fígado está preso – pego da minha faca e corto nos lugares que o prendem. Retiro-o e apresento-o com mãos cheias de sangue à figura.

Ela: "Agradeço muito".

Eu: "O que devo fazer?"

Ela: "Conheces a importância e significado do fígado[147] e deves com ele cumprir o rito sagrado".

Eu: "E qual é?"

Ela: "Toma um pedaço, em vez do fígado todo, e come".

Eu: "O que estás exigindo? Isto é loucura perigosa. Isto é violação de cadáver. É antropofagia. Tu me tornas cúmplice deste mais medonho de todos os crimes".

Ela: "Tu imaginaste os piores tormentos para o assassino com que pudéssemos expiar sua ação. Só há uma expiação: rebaixa-te e come".

Eu: "Não posso – eu me recuso–, não posso partilhar dessa culpa terrível".

Ela: "Tu tens parte nesta culpa".

Eu: "Eu? Parte nesta culpa?"

Ela: "Tu és um ser humano, e um ser humano perpetrou este ato".

Eu: "Sim, eu sou um ser humano – eu o amaldiçoo por ele ser um humano, e eu me amaldiçoo por eu ser um humano".

Ela: "Portanto – toma parte em seu ato, rebaixa-te e come. Eu preciso da expiação".

Eu: "Assim seja, por amor à tua vontade, já que és a alma desta criança".

Ajoelhei-me nas pedras, separo um pedaço do fígado e o enfio na boca. Minhas entranhas trazem o vômito até a garganta – lágrimas saem de meus olhos – suor frio sobre minha testa – um gosto insipidamente adocicado de sangue – engulo com esforço desesperado – não vai – mais uma vez e mais outra – quase desmaio – deu certo. O repugnante se consumou[148].

Ela: "Eu te agradeço".

Ela afasta seu véu para trás – uma bela mocinha de cabelo ruivo.

Ela: "Tu me conheces?"

Eu: "Por mais estranhamente conhecida que me sejas, quem és?"

Ela: "Eu sou tua alma"[149].

146 Em vez disso, o *esboço manuscrito* tem: "*Oitava aventura*" (p. 793).

147 Em *Memórias*, ao comentar o sonho de Liverpool (cf. abaixo, p. 318, n. 296), Jung observou: "O fígado, segundo concepção antiga, é a sede da vida" (p. 236).

148 Em 1940, Jung discutiu a antropofagia ritual, sacrifício e antissacrifício em "O símbolo da transformação na missa" (OC, 11).

149 No *Livro Negro* 3, Jung observa: "A cortina cai. Que peça horrível foi representada aqui? Eu percebo: Nil humanum a me alienum esse puto [julgo que nada de humano é alheio a mim]" (p. 91). A frase é do teatrólogo romano Terêncio, de *Heauton Timorumenos*. Em 2 de setembro de 1960, Jung escreveu a Herbert Read: "Na qualidade de psicólogo e médico, não só acho, mas estou plenamente convencido de que *nil a me alienum esse* é inclusive meu dever" (*Cartas*, vol. II, p. 284).

[2] O sacrifício está consumado: a criança divina, a imagem da figura divina está assassinada e eu comi da carne do sacrifício[150]. Na criança, na imagem da figura divina, não está contido apenas o meu desejo humano, mas também o primitivo e a força originária, que os filhos do sol possuem como herança imperdível. De tudo isso precisa o Deus para seu nascimento. Mas se ele é criado e se retira rapidamente para os espaços infinitos, então precisamos novamente do ouro do sol. Precisamos restaurar de novo a nós mesmos. Mas como a criação de Deus é uma ação criadora do mais elevado amor, a restauração de nossa vida humana significa uma ação do inferior. Este é um grande e obscuro mistério. A pessoa humana não consegue por si só realizar esta obra, para tanto ajuda-a o maligno, que a faz em lugar da pessoa. Mas a pessoa precisa reconhecer sua culpa conjunta na obra do diabo. Precisa comprovar este reconhecimento comendo da carne sangrenta do sacrifício. Com esse gesto anuncia que é uma pessoa humana, que reconhece tanto o mal quanto o bem, e que através da retração de sua força vital destrói a imagem da figura divina, e com isso também se declara desvinculada do Deus. Isto acontece para o bem
77/78 da alma, que é a verdadeira mãe da criança divina./

Quando minha alma carregou e gerou o Deus, ela era totalmente de natureza humana, possuindo em si as forças originárias desde os tempos antigos, mas em estado de sono. Elas fluíam para dentro da figura de Deus sem minha colaboração. Mas, pelo assassinato sacrificial, retomei as forças originárias para dentro de mim e as acresentei à minha alma. Uma vez dentro de uma configuração viva, as forças originárias despertaram para uma vida própria. Se as tomar de volta agora, elas não estarão mais em estado de sono, mas acordadas, ativas e refulgindo o brilho de seu agir divino em minha alma. E assim ela recebe uma condição divina que ultrapassa sua condição humana. Por isso, o comer da carne sacrificial contribui para seu bem. Isto também nos mostraram os antigos, quando nos ensinaram a beber o sangue e a comer a carne do Salvador. Os antigos acreditavam que isto contribuía para o bem da alma[151].

Não existem muitas verdades, mas poucas. Seu sentido é profundo demais para que as possamos entender, a não ser como símbolos[152].

Um Deus que não é mais forte do que os seres humanos – o que ele é? Vós deveis experimentar ainda o medo divino. Como quereis saborear dignamente o vinho e o pão, senão tiverdes entrado em contato com o fundamento negro da natureza humana? Por isso sois sombras tíbias e enfadonhas, radiantes com vossas praias rasas e largas rodovias. Mas serão abertas comportas, há coisas irresistíveis das quais só Deus vos salvará.

A força originária é brilho solar, que os filhos do sol trazem em si desde os éons e legam a seus filhos. Mas quando a alma mergulha no brilho, ela se tornará implacável como o próprio Deus, pois a vida da criança divina, que tu comeste, estará em ti como brasas incandescentes. É como um fogo espantoso, que jamais se apaga. Mas, apesar de todo o tormento, não podes sair dessa situação, pois ele não te larga. Reconhecerás nisso que teu Deus vive e que tua alma começou a andar por caminhos impiedosos. Tu sentes que o fogo do sol está extinto. Foi-te acrescentado algo novo, uma doença sagrada.

Por vezes tu mesmo não te reconheces mais. Tu queres vencer isso, mas é ele que te vence. Tu queres impor-lhe limites, mas ele te mantém cercado. Tu queres fugir dele, mas ele vem contigo. Tu queres usá-lo, mas tu és seu instrumento; tu queres tirá-lo do pensamento, mas teus pensamentos pertencem a ele. Finalmente és tomado de pânico por causa do inevitável, pois devagar e invencivelmente ele se achega a ti.

Não há escapatória. Reconhecerás nisso o que é um verdadeiro Deus. Tu imaginas todo tipo de palavras sábias, medidas de precaução, saídas secretas, subterfúgios, beberagens de esquecimento de todo tipo, mas tudo inútil. O fogo te perpassa com seu calor. Aquilo que guia obriga-te a seguir o caminho.

Mas o caminho é o meu mais próprio si-mesmo, minha própria vida, baseada sobre mim. O Deus quer minha vida. Ele quer ir comigo, sentar-se à mesa comigo, trabalhar comigo. Quer estar presente sempre e em toda parte[153]. Mas eu tenho vergonha do meu Deus. Não gostaria de ser divino, mas racional. O divino me parece uma ilusão irracional. Eu o odeio como uma perturbação insensata de meu agir humano sensato. Parece-me uma doença impertinente que se infiltrou no curso ordenado de minha vida. Sim, eu acho o divino totalmente supérfluo. / [Ilustração 79] [Ilustração 80] [Ilustração 81] [Ilustração 82] [Ilustração 83] [Ilustração 84][154] [Ilustração 85] [Ilustração 86] [Ilustração 87] [Ilustração 88] [Ilustração 89][155] [Ilustração 90] [Ilustração 91] [Ilustração 92] [Ilustração 93][156] [Ilustração 94][157] [Ilustração 95]
[Ilustração 96] [Ilustração 97] / 78/98

150 Em vez dessa frase, o *esboço* tem: “Nessa experiência consumou-se aquilo de que eu precisava. Aconteceu de maneira horrível. O mal, que eu queria, realizou a ação ignominiosa, aparentemente sem mim, mas assim mesmo comigo, pois eu senti que tinha parte em toda a natureza assustadoramente humana. Eu mesmo destruí a criança divina, a imagem de minha figura de Deus, com o mais horrendo dos crimes de que a natureza humana é capaz. Houve necessidade dessa ação pavorosa, a fim de destruir em mim a imagem de Deus, que bebera todas as seivas de minha vida, e assim puder recuperar minha vida” (p. 355).

151 Isto é, o ritual da missa.

152 Jung desenvolveu suas ideias sobre o significado dos símbolos em *Tipos psicológicos* (1921). OC, 6, § 814s.

153 Em 1909, ficou pronta a casa de Jung em Küsnacht, que trazia gravada sobre a porta o seguinte mote do oráculo de Delfos: “Vocatus atque non vocatus deus aderit” [chamado ou não, deus estará presente]. A fonte da citação foi a *Collectanea adagiorum*, de Erasmo. Jung explicou o mote da maneira seguinte: “Ele quer dizer: sim, o deus estará no local, mas sob que forma e para qual finalidade? Coloquei esta inscrição lá para lembrar a mim e a meus pacientes que o ‘*Timor dei initium sapientiae*’ (Sl 111,10). Aqui começa um outro e não menos importante caminho, não o acesso ao ‘cristianismo’, mas a Deus mesmo, e esta parece ser a questão definitiva” (carta a Eugene Rolfe, 19/11/1960, em *Cartas*, vol. III, p. 304).

154 Há uma nota ao pé da página: “21.VIII.1917. fect. 14.X.17” [possivelmente uma abreviação de “fecit”, i.e, “fez”].

155 No *Livro Negro 7*, na fantasia de Jung, de 7 de outubro de 1917, aparece uma figura, Ha, que diz que é o pai de Filêmon. A alma de Jung o descreve como um homem da magia negra. Seu segredo são as runas, que a alma de Jung quer conhecer. Ele se recusa a ensiná-las, mas mostra alguns exemplos, que a alma de Jung pede para lhe explicar. Algumas dessas runas aparecem mais tarde nessas pinturas. Sobre as runas nesta pintura, Ha explicou: “Olha os dois com pés diferentes, um pé terreno e um pé solar – eles estendem a mão para o cone superior e têm dentro o sol, mas eu tracei uma linha torta para um outro sol. Por isso um deles precisa descer. Entretanto, o sol superior sai do cone, e o cone olha para ele, preocupado em saber para onde ele vai. É preciso pegá-lo de volta com o arpão e encerrá-lo na pequena prisão. Então precisam 3 ficar juntos, unir-se e enrodilhar-se juntos no alto (... [?]). Assim recebem o sol de volta da prisão. Agora fazei um chão firme e um telhado onde o sol esteja seguro no alto. Mas no interior da casa, também o outro sol se levantou. Por isso estais enrodilhados também no alto e fizestes embaixo de novo um telhado sobre a prisão, para que o sol superior ali não penetre. Pois ambos os sóis querem sempre encontrar-se – eu bem que o disse – os dois cones – cada qual tem um sol. Vós quereis que eles se encontrem, porque então pensais que poderíeis ser assim um só. Trouxestes agora para fora os dois sóis e os fizestes se encontrar e estais em posição oblíqua ao outro lado – isto é importante (=), mas então há simplesmente dois sóis embaixo, por isso pensais em ir para o cone inferior. Lá juntareis os sóis, mas no meio, não em cima nem embaixo, por isso não há 4, e sim 2, mas o cone superior está embaixo e em cima há um telhado grosso e se quereis ir adiante, vós desejais com ambos os braços retroceder. Mas embaixo tendes uma prisão para dois, para vós dois. Por isso fazeis uma prisão para o sol inferior e caís para o outro lado, para tirar da prisão o sol inferior. Em seguida sentis saudades, e o cone superior vem e faz uma ponte para a parte inferior, toma de novo dentro de si seu sol, que anteriormente lhe havia fugido e já aparecem no cone inferior as nuvens da manhã, mas seu sol tornou-se invisível após a linha (horizonte). Agora sois um e alegres por terdes o sol em cima e desejais ir ao alto até ele. Mas vós estais presos na prisão do sol inferior que acaba de nascer. Há uma parada. Agora fazeis em cima algo quadrado, que chamais de ideia, uma prisão sem porta com grossas paredes, para que o sol do alto não avance, mas o cone já sumiu. Vós vos deitais para o outro lado, desejais o inferior e vos enrodilhais embaixo. Então sois um e fazeis o caminho das cobras entre os sóis – isto é divertido! (~) e importante (=). Mas porque estava alegre embaixo, em cima há um telhado e vós deveis levantar para o alto o arpão com ambos os braços, para que atravesse o telhado, Então o sol é livre embaixo e há uma prisão em cima. Vós olhais para baixo, mas o sol superior olha para vós. Mas vós estais precisamente a dois e afastastes de vós a cobra – isto vos faz pena. Por isso fazeis uma prisão para o inferior. Agora a cobra anda por si através do céu sobre a terra. Vós vos afastais totalmente, a cobra se enrosca através do céu em volta de todas as estrelas longe sobre a terra. / Embaixo está: esta sabedoria me deu a mãe. / Ficai satisfeitos” (p. 9-10). Para Aniela Jaffé, Jung contou que tivera uma visão de uma tabuleta de argila vermelha com hieróglifos na parede de seu quarto, que ele transcreveu

A divina loucura[158]

Cap. xiv.

[IH 98][159] Estou num salão alto. Diante de mim vejo um cortinado verde entre duas colunas. A cortina se abre devagar. Vejo um recinto pouco profundo com paredes nuas, no alto uma pequena e redonda janela com vidro azulado. Coloco meu pé no degrau que leva a este recinto entre as colunas e entro. À direita e à esquerda vejo uma porta na parede traseira do recinto. Tenho a impressão de que devo decidir entre esquerda e direita.

Escolho a direita. A porta está aberta, eu entro: estou na sala de leitura de uma grande biblioteca. Bem no fundo está sentado um homem pequeno e magro, de rosto pálido, certamente o bibliotecário. A atmosfera está pesada – ambições eruditas – presunção de sabedoria – vaidade de erudição ferida. Além do bibliotecário não vejo ninguém. Vou até ele. Levanta os olhos de seu livro e pergunta: "O que deseja?"

Estou um pouco confuso, pois não sei exatamente o que desejo: ocorre-me mencionar Tomás de Kempis.

Eu: "Gostaria de ter *A imitação de Cristo*, de Tomás de Kempis"[160].

Ele me olha com certo espanto, como não acreditando em mim, e deu-me a preencher uma ficha de requisição. Eu também penso que é espantoso pedir exatamente Tomás de Kempis.

"Admira-se o senhor de que eu peça exatamente a obra de Tomás?"

"De fato, o livro é pouco solicitado, e precisamente do senhor não teria esperado este interesse".

"Eu devo confessar que me surpreendeu essa ideia repentina, mas li recentemente [uma passagem] de Tomás, que me causou impressão especial; por que, não saberia dizê-lo. Se bem me lembro, foi o problema do seguimento de Cristo".

"O senhor tem interesses teológicos ou filosóficos especiais, ou –"

"O senhor pensa – se quero lê-lo por devoção?"

"Bem, provavelmente não".

"Quando leio Tomás de Kempis, isto acontece mais por devoção ou por algo semelhante do que por interesse científico".

"O senhor é tão religioso assim? Não sabia".

"O senhor sabe que eu prezo sumamente a ciência, mas existem de fato momentos na vida em que também a ciência nos deixa vazios e doentes. Em tais momentos, um livro como o de Tomás de Kempis significa muito, pois foi escrito a partir da alma".

"Mas algo bem ultrapassado. Não podemos mais hoje em dia fiar-nos na dogmática cristã".

"Com o cristianismo não chegamos ao fim, se simplesmente o colocarmos de lado. Parece-me que há mais nisso do que vemos".

"O que mais estaria nisso? É só uma religião". / 98/99

"Por que razões e em que idade a gente o coloca de lado? A maioria o faz ao tempo dos estudos ou até mais cedo. O senhor chama este um tempo especialmente adequado para julgamentos? E o senhor examinou alguma vez com maior precisão as razões pelas quais a gente coloca de lado a religião positiva? As razões são, na maioria das vezes, levianas; por exemplo, porque o conteúdo da fé se choca com a ciência ou com a filosofia".

"Isto não é, segundo acho, uma contrarrazão a ser incondicionalmente desprezada, apesar de existirem razões melhores. A falta de sentido da realidade nas religiões, eu a considero por

---

no dia seguinte. Ele achava que continha uma mensagem importante, mas que ele não entendia (*MP*, p. 172). Em cartas de 13 de setembro e 10 de outubro de 1917, Jung escreveu a Sabina Spielrein, comentando o significado de alguns hieróglifos num sonho que ela lhe havia mandado. Em 10 de outubro, escreveu-lhe que "com seus hieróglifos estamos lidando com engramas filogenéticos de natureza histórico-simbólica". Comentando o menosprezo manifestado pelos freudianos em relação a *Transformações e símbolos da libido*, descreveu a si mesmo como "aderindo às runas", que não passaria àqueles que não as queriam entender ("The Letters of Jung to Sabine Spielrein". *Journal of Analytical Psychology*, 41, 2001, p. 187-188).

156 As runas neste quadro aparecem no *Livro Negro* 7, no inciso de 7 de outubro de 1917. Jung colocou nelas a data de 10 de outubro de 1917. Ha explicou: "Se tiverdes recebido o dorso para frente, fazei abaixo uma ponte e ide a partir do meio para cima e para baixo, ou separareis em cima embaixo, dividi novamente o sol e rastejai como a cobra sobre o superior e recebei o inferior. Vós levais junto aquilo que experimentastes e ides para frente em direção a algo novo" (p. 11).

157 As runas deste quadro aparecem no *Livro Negro* 7, no inciso de 7 de outubro de 1917. Jung acrescenta a elas a data de 11 de setembro de 1917. Ha explicou: "Agora fazeis uma ponte entre vós, e uma das coisas deseja o superior. Mas então a cobra rasteja em cima e pega para si o sol. Então andais ambos em cima e quereis ir para cima (   ), mas o sol está embaixo e procura puxar-vos para baixo. Vós, porém, fazeis um risco sobre o inferior e desejais o alto e sois totalmente um aí dentro. Chega então a cobra e quer beber do recipiente embaixo. Mas vem o cone superior e para. Mas novamente avança a visão igual à da cobra e, depois, desejais muito (–) voltar. Mas o sol inferior puxa e assim chegais novamente ao equilíbrio. Mas logo tombais para trás, pois uma coisa pesquisou o sol superior. A outra não quer, e assim vos desfazeis, precisais por isso amarrar-vos juntos três vezes. Então estais novamente em posição correta e segurais ambos os sóis diante de vós, como se fossem vossos olhos, vós a luz do em cima e do embaixo diante de vós e vós estendeis os braços para isso, e vós vos reunis num só e precisais separar os dois sóis e suspirais um pouco pelo inferior e agarrais para diante pelo superior. Mas, pelo fato de os sóis estarem tão perto, o cone inferior engoliu o cone superior. Por isso empurrais de novo para cima o cone superior e, pelo fato de o inferior não estar mais aí, quereis trazê-lo novamente para cima e tendes grande saudade do cone inferior, enquanto em cima está vazio, porque o sol por cima do risco é invisível. Porque tivestes tanta saudade do que passou e do inferior, o cone superior desce e tenta prender dentro de si o sol superior e invisível. Ali vai o caminho da cobra bem no alto, vós estais divididos, e todo o inferior está debaixo do chão. Vós continuais desejando o alto, mas logo vem o desejo inferior qual cobra e vós fazeis uma prisão sobre ela. Mas surge então o cone inferior, vós desejais o bem baixo e de repente aí estão de novo os dois sóis, próximos um do outro. Vós sentis saudades e sois encerrados na prisão. Um teima, o outro deseja o inferior. A prisão se abre, o um deseja ainda mais o inferior, o que teima deseja em cima e não está mais teimoso, mas exige aquilo que virá. Aí vem ele: embaixo o sol nasce, mas está aprisionado e em cima foram feitos 3 ninheiros para vós dois e o sol superior que esperais, porque aprisionastes o inferior. Desce então com grande poder o cone superior e vos parte em dois e engole o cone inferior. Isto não funciona. Por isso colocais os cones ponta contra ponta e vos enrodilhais para frente no meio. Pois assim não o podeis deixar. Portanto, tem que ser diferente. O um procura embaixo, o outro em cima; isto lhes deve causar esforço, pois, quando os cones se encontram na ponta, então quase não se pode mais separá-los – por isso introduzi no meio o cerne duro. Ponta contra ponta – isto seria belo demais normalmente. Isto agrada a pai e mãe, mas onde fico eu? E meu cerne? Por isso rapidamente outra coisa! Nós fazemos ponte entre vós dois, encarceramos novamente o sol inferior, o um tem saudade do superior e embaixo, o outro especialmente forte para frente, em cima e embaixo. Assim o futuro pode tornar-se – vê como já posso falar bem agora – sim, eu sou inteligente – mais inteligente do que vós – agora que tomastes tudo tão belamente na mão, conseguis colocar também tudo tão belamente sob o telhado e dentro da casa, a cobra e os dois sóis. Isto é sempre o mais divertido. Mas vós estais separados e porque fizestes o risco em cima, a cobra está por demais embaixo com os sóis. Isto provém do fato de vos terdes enrodilhado antes a partir de baixo. Mas chegais juntos e de acordo e estais direito, porque é bom, alegre e bem sucedido e dizeis: assim ficará. Mas já vem descendo o cone superior, porque se sentiu insatisfeito, uma vez que vós fizestes antecipadamente os limites. O cone superior estende logo sua mão para seu sol – mas não há mais sol em lugar nenhum e a cobra também salta para fora para pegar o sol. Vós tombais, e um de vós será devorado pelo cone inferior. Com a ajuda do cone superior, vós o tirais para fora e dais em vez disso ao cone inferior seu sol e ao cone superior também. Vós vos deitais em cima como o Polifemo, que vagueia pelo céu, e mantendes o cone embaixo de vós – mas no fim a coisa vai mal. Vós deixais que os cones e os sóis vão embora e ficais juntos, mas não quereis a mesma coisa. No final chegais a um acordo, amarrar-vos triplamente ao cone superior que vem descendo neste instante. / Eu me chamo Ha, Ha, Ha – um nome alegre – eu sou inteligente – vede meu último sinal, esta é a magia do homem branco, que mora nas grandes casas da magia, a magia que vós chamais de cristianismo. Vosso curandeiro o disse pessoalmente: "Eu e o Pai somos um. Ninguém vem ao Pai senão por mim". Eu vo-lo havia dito, o cone superior é o Pai. Ele se ligou triplamente a ele e está entre os outros e o Pai. Por isso, o outro precisa passar por ele se quiser ir ao cone" (p. 13-14).

158 Em vez disso, o *esboço manuscrito* tem: "Nona aventura. Noite I" (p. 814).

159 14 de janeiro de 1914.

160 *A imitação de Cristo* é uma obra de ensino devocional que apareceu no início do século XV e que se tornou extremamente popular. Sua autoria ainda é discutida, mesmo que geralmente seja atribuída a Tomás de Kempis (por volta de 1380-1471), cônego regular agostiniano, do mosteiro de Agnetenberg, um dos primeiros representantes da *devotio moderna*, um movimento que enfatizava a meditação e a vida interior. Numa linguagem clara e simples, *A imitação de Cristo* exorta as pessoas a ocupar-se com a vida interior, como oposta às coisas exteriores, dá conselhos de como esta deve ser vivida e indica o conforto e recompensa final de uma vida vivida em Cristo. O título provém da primeira linha do primeiro capítulo em que também se afirma que "quem quiser compreender e saborear plenamente as palavras de Cristo, é-lhe preciso que procure conformar à dele toda a sua vida" (*A imitação de Cristo*. Petrópolis: Vozes, 1969, p. 22 [Trad. de Fr. T. Borgmeier]). O tema da imitação de Cristo é de data bem anterior. Houve discussão na Idade Média sobre como ela podia ser entendida (sobre a história desse conceito, cf. CONSTABLE, G. "The Ideal of the Imitation of Christ". In: *Three Studies in Medieval Religious and Social Thought*. Cambridge, Cambridge University Press, 1955, p. 143-248). Como mostra Constable, podem ser distintas duas grandes abordagens, dependendo de como a imitação era entendida: a primeira, a imitação da divindade de Cristo, salientava a doutrina da deificação, pela qual "Cristo mostrou a maneira de tornar-se Deus através dele" (p. 218). A segunda, a imitação da humanidade e corpo de Cristo, salientava a imitação de sua vida na terra. A forma mais extremada disso estava na tradição dos estigmáticos, indivíduos que traziam as chagas de Cristo em seus corpos.

exemplo diretamente um prejuízo. Além do mais criou-se agora abundante substituição para a perda do pendor para a devoção, causada pelo desmoronamento da religião. Nietzsche escreveu, por exemplo, mais do que um verdadeiro devocionário[161], sem falar do Fausto".

"Isto é correto em certo sentido. Mas sobretudo a verdade de Nietzsche é para mim por demais inquieta e provocativa – boa para aqueles que ainda devem ser libertados. Mas por isso sua verdade também só é boa para eles. Acredito ter descoberto ultimamente que precisamos também de uma verdade para aqueles que têm de caminhar na estreiteza. Para eles é uma verdade depressiva aquela que diminui e interioriza a pessoa, talvez mais por necessidade".

"Mas, por favor, Nietzsche interioriza a pessoa de modo totalmente incomum".

"Talvez o senhor tenha razão a partir de seu ponto de vista, mas não posso fugir da impressão de que Nietzsche fala por si mesmo àqueles a quem mais falta faria a liberdade, mas não àqueles que colidiram duramente com a vida e sangram de suas feridas, que se prenderam às coisas da realidade".

"Mas também a essas pessoas atribui Nietzsche um valioso sentimento de superioridade".

"Não posso negá-lo. Mas conheço pessoas que não precisam da superioridade, e sim da inferioridade".

"O senhor se expressa muito paradoxalmente. Não consigo entendê-lo. A inferioridade poderia no máximo ser um *desideratum*".

"Talvez me entenda melhor se, em vez de inferioridade, eu disser submissão, uma palavra que se ouvia muito antigamente, mas raras vezes hoje em dia".

"Isto também soa muito cristão".

"Como ficou dito, no cristianismo parece haver de tudo que talvez ainda tenhamos de tomar para nós. Nietzsche é por demais contradição. Infelizmente a verdade se mantém, como todo o saudável e duradouro, mas no caminho do meio, que nós abominamos injustamente".

"Eu não sabia realmente que o senhor ocupava uma posição tão conciliadora".

"Nem eu – minha posição não é muito clara para mim. Se eu concilio, faço-o de uma maneira bem específica". Neste momento, o atendente trouxe o livro, e eu me despedi do bibliotecário.

[2] O divino quer viver comigo. Minha recusa é em vão. Perguntei ao meu pensar, e ele falou: "Tome um modelo que te mostre como se deve viver o divino". Nosso modelo natural é o Cristo. Estamos desde sempre sob sua lei, primeiro exteriormente e depois interiormente. Primeiro nós o sabíamos e depois não o sabíamos mais. Lutávamos contra o Cristo, nós o depúnhamos e nos sentíamos vencedores. Mas ele permanecia em nós e nos dominava.

Melhor seria estar preso em algemas visíveis do que invisíveis. Tu podes perfeitamente abandonar o Cristo, mas ele não te abandona. Tua libertação dele é utopia. Cristo é o caminho. Tu podes andar por desvios, mas então não estás mais no caminho. O caminho do Cristo termina na cruz. Por isso estamos crucificados com ele dentro de nós. Com ele esperamos nossa ressurreição na morte[162]. Com Cristo, o ser vivo não experimenta nenhuma ressurreição, a não ser que lhe aconteça isto depois da morte[163].

Quando sigo o Cristo, ele está sempre à minha frente e eu não
posso chegar nunca ao objetivo, a não ser nele. / Mas dessa forma 99/100
saio de mim e do tempo no qual e através do qual sou assim como sou. Entro então no Cristo e em seu tempo, que o criou assim e não diferente. E assim estou fora do meu tempo, ainda que minha vida esteja neste tempo, e eu fico dividido entre a vida do Cristo e a minha, que pertence a este tempo presente. Se quiser entender de fato o Cristo, devo considerar como o Cristo viveu realmente sua própria vida e que não imitou ninguém. Ele não imitou modelo algum[164].

Se eu, portanto, seguir verdadeiramente o Cristo, não sigo a ninguém, não imito ninguém, mas trilho meu próprio caminho, nem me denominarei mais cristão. A princípio quis imitar o Cristo, segui-lo, querendo viver minha vida, mas sob a observância de suas leis. Uma voz dentro de mim revoltou-se contra isso e quis lembrar-me de que também este meu tempo teria seus profetas que se insurgiriam contra o jugo que o passado nos impôs. E eu não fui capaz de sintonizar o Cristo com o profeta desse tempo. Um exige suportar, o outro derrubar, um recomenda submissão, o outro vontade[165]. Como deveria eu conceber esta contradição, sem fazer injustiça a este ou àquele? O que não posso pensar enquanto estou junto, posso vivê-lo um após outro.

Resolvi, pois, passar ao outro lado, para a vida mais humilde e comum, para a minha vida, e lá embaixo começar onde eu estava realmente.

Quando o pensar leva ao impensável, é tempo de voltar à vida simples. O que o pensar não soluciona, isto a vida soluciona, e aquilo que o fazer nunca decide está reservado ao pensar. Se eu, de um lado, tiver subido ao mais elevado e mais difícil, mas quiser atingir uma ascensão para mais alto ainda, o verdadeiro caminho não vai para o alto, mas para o fundo, pois só meu outro me conduz para além de mim mesmo. Mas aceitar o outro significa uma descida para o contraditório, do sério para o ridículo, do triste para o alegre, do belo para o feio, do puro para o impuro[166].

Nox secunda[167]

Cap. xv.

[IH 100] Quando havia saído da biblioteca estava de novo na antessala[168]. Dessa vez olho para a porta do outro lado à esquerda. Coloquei o pequeno livro no bolso. Fui até aquela porta; também ela estava aberta: atrás, uma grande cozinha, sobre o fogão um potente exaustor. Duas longas mesas estavam no centro do recinto; ao lado delas, bancos. Nas paredes havia, sobre estantes, frigideiras de latão e de cobre e outras vasilhas mais. Ao fogão estava uma senhora grande e corpulenta – sem dúvida

161 Isto é, *Assim falava Zaratustra*.
162 Na *Imitação de Cristo*, Tomás de Kempis escreveu: "Não há salvação da alma nem esperança de vida senão na cruz. Toma, pois, tua cruz, segue a Jesus e entrarás na vida eterna. O Senhor foi adiante, com a cruz às costas, e nela morreu por teu amor, para que tu também leves a tua cruz e nela desejes morrer. Porquanto, se com ele morreres, também com ele viverás" (Livro segundo, cap. 12, p. 121).
163 O *esboço* continua: "Sabemos que os antigos nos falaram em imagem. Por isso sugeriu-me meu pensamento que tomasse o Cristo como modelo, não imitá-lo por causa dele, mas porque ele é o caminho. Quando sigo por um caminho, não o imito. Mas quando sigo Cristo, então ele é meu objetivo, não meu caminho. Mas quando ele é meu caminho, então eu vou ao seu objetivo, como me foi mostrado anteriormente no mistério. Assim falou-me meu pensamento em linguagem confusa e ambígua, quando me aconselhou a seguir Cristo" (p. 366).
164 O *esboço* continua: "Este seu caminho próprio levou-o à cruz, pois o caminho próprio da humanidade leva à cruz. Também o meu caminho me leva à cruz, mas não à cruz de Cristo, e sim à minha cruz, que é a imagem do sacrifício e da vida. Mas como eu ainda estava obcecado, inclinei-me a condescender com a enorme tentação da imitação e olhar para o Cristo como se Ele fosse um objetivo, e não meu caminho" (p. 367).
165 As referências parecem ser a Schopenhauer e a Nietzsche respectivamente.
166 O *esboço* continua: "Considera isto. Quando tiveres considerado isto, entenderás a aventura que me ocorreu na noite seguinte" (p. 368).
167 Segunda noite.
168 17 de janeiro de 1914.

a cozinheira, com um avental quadriculado. Cumprimentei-a um pouco surpreso. Também ela parecia constrangida. Eu lhe perguntei: “Poderia sentar-me um pouco aqui dentro? Está frio lá fora e eu preciso esperar por uma coisa”.

“Por favor, acomode-se”.

Ela passou um pano na mesa à minha frente. Como não tinha outra coisa a fazer, tomei do meu Tomás e comecei a ler. A cozinheira está curiosa e me olha furtivamente. De vez em quando passa perto de mim.

“Desculpe perguntar, o senhor é por acaso um homem espiritual?”

“Não, por que pensa assim?”

“Oh, eu apenas pensei assim porque o senhor está lendo um pequeno livro preto. Eu também tenho um que ganhei de minha mãe de saudosa memória”.

“Sei, e que livro é este?”

“Chama-se *A imitação de Cristo*. É um livro muito bonito. Muitas vezes rezo nele à noite”.

“A senhora adivinhou bem, este livro que estou lendo também é *A imitação de Cristo*”.

“Não acredito, um cavalheiro como o senhor não leria um livro desses, a não ser que seja um pastor”.

“Por que não deveria lê-lo? Também a mim faz bem ler algo correto”.

“Minha saudosa mãe o tinha consigo, mesmo em seu leito de morte, e ela o entregou em minha mão antes de morrer”.

Enquanto ela falava, folheei aleatoriamente o livro. Minha
100/101 atenção recaiu no cap. 19 sobre a seguinte / passagem: “O propósito dos justos mais se firma na graça de Deus, na qual confiam em tudo o que empreendem, do que sobre sua própria sabedoria”[169].

Penso então que é o método intuitivo que Tomás recomenda[170]. Dirigi-me à cozinheira: “Sua mãe foi uma senhora inteligente, fez bem em deixar-lhe este livro”.

“Certamente, ele já me consolou muitas vezes em horas difíceis, e é possível sempre buscar nele um conselho”.

Estou novamente mergulhado em meus pensamentos: penso que se pode ir também atrás do próprio nariz. Também isto seria método intuitivo[171]. Mas a bela forma em que o faz o cristão poderia ser de valor bem especial. Eu gostaria de imitar os cristãos – Uma inquietude interior me envolve – o que deve acontecer? Um estranho rumor e zumbido ecoam – e de repente ouve-se no salão um barulho como o de um bando de grandes pássaros – com estrondoso bater de asas – como sombras, vejo muitas figuras de pessoas passando por mim e ouço do repetido vozerio as palavras “adoremos no templo”.

“Para onde vão com tanta pressa?”, perguntei em voz alta. Um homem barbudo, de cabelos desgrenhados e de olhar sombrio parou e se voltou para mim: “Estamos indo a Jerusalém para rezar no túmulo mais sagrado”.

“Levai-me convosco”.

[172]“Não podes vir junto, tu tens um corpo. Nós, porém, estamos mortos”.

“Quem és?”

“Meu nome é Ezequiel e sou um anabatista”[173].

“Quem são esses com os quais viajas?”

“São meus irmãos na fé”.

“Por que viajais então?”

“Não podemos parar, temos que peregrinar para todos os lugares sagrados”.

“O que vos impele a isso?”

“Não sei. Mas parece que ainda não temos descanso, mesmo que tenhamos morrido na verdadeira fé”.

“Por que não tendes descanso se morrestes na verdadeira fé?”

“Parece-me sempre como se não tivéssemos chegado a um fim correto com a vida”.

“Esplêndido – mas como assim?”

“Parece-me que esquecemos algo importante que também era para ter sido vivido”.

“E o que teria sido?”

“Tu o sabes?”

A essas palavras olhou ávida e inquietamente para mim, seus olhos brilhavam como de um ardor interno.

“Solta, demônio, tu não viveste teu animal”[174].

Diante de mim estava a cozinheira, com cara de espanto, tomou-me pelo braço e me segurou: “Por amor de Deus”, disse ela, “o que há com o senhor? Está passando mal?”

Olhei-a admirado e procurei lembrar-me de onde estava. Mas já entravam de roldão pessoas estranhas – o bibliotecário também estava ali – inicialmente surpreso e confuso ao extremo, mas depois sorrindo maliciosamente: “Oh, isto eu havia imaginado. Rápido, a polícia!”

Antes que pudesse refazer-me, fui empurrado por uma multidão de pessoas para dentro de um carro. Segurava ainda nas mãos o meu Tomás, e veio-me à mente a pergunta: “O que diz ele agora dessa nova situação?” Abri o livrinho e meu olhar caiu no capítulo 13, onde se lê: “Enquanto vivemos neste mundo, não podemos estar sem trabalhos e tentações. Ninguém há tão perfeito e santo que não tenha às vezes tentações, e não podemos ser delas totalmente isentos”[175].

Sábio Tomás, tu sabes de fato e sempre uma palavra apropriada! Isto não o sabia o maluco do anabatista, senão poderia ter parado tranquilamente. Poderia tê-lo lido também em Cícero: *rerum omnium satietas vitae facit satietatem – satietas vitae tempus maturum*

---

169 “O propósito dos justos mais se firma na graça de Deus, que em sua própria sabedoria, nela confiam sempre, em qualquer empreendimento. Porque o homem propõe, mas Deus dispõe, e *não está na mão do homem o seu caminho*” (*Imitação de Cristo*, livro primeiro, cap. 19, p. 59).

170 Em vez dessa frase, o *Livro Negro* 4 tem: “Pois bem, Henri Bergson, penso eu, aqui acertaste em cheio – este é o autêntico e verdadeiro método intuitivo” (p. 9). Em março de 1914, Adolf Keller deu uma palestra sobre “Bergson und die Libidotheorie” à Sociedade Psicanalítica de Zurique. Na discussão, Jung disse: “Bergson já deveria ter sido discutido aqui há muito tempo. Ele diz tudo o que nós não dissemos (MSZ, vol. 1, p. 57). Em 24 de julho de 1914, Jung deu uma conferência em Londres em que observou que seu “método construtivo” correspondia ao “método intuitivo” de Bergson (LONG, C. (org.). “On Psychological Understanding”. *Collected Papers on Analytical Psychology*. Londres: Ballière/Tindall and Cox, 1917, p. 399). A obra que Jung leu foi *L'évolution créatrice*. Paris: Alcan, 1907. Jung possuía a tradução alemã, de 1912.

171 A transcrição de Cary Baynes tem: “Bergsons”.

172 No *esboço*, o falante é identificado como “o sinistro”.

173 O Ezequiel bíblico foi um profeta de Israel no século VI a.C. Jung viu muita coisa de significado histórico em suas visões que incorporaram um mandala com quaternidades, como que representando a humanização e diferenciação de Javé. Ainda que as visões de Ezequiel sejam muitas vezes consideradas patológicas, Jung defende sua normalidade, dizendo que as visões são fenômenos naturais que só podem ser chamadas de patológicas quando seus aspectos mórbidos forem provados (“Resposta a Jó”, 1952. OC, 11/4, § 665, 667, 686). O anabatismo foi um movimento radical da Reforma protestante do século XVI que tentou restaurar o espírito da Igreja primitiva. O movimento teve origem em Zurique nos anos 1520, rebelando-se contra a relutância de Zwinglio e Lutero de reformar completamente a Igreja. Rejeitavam a prática do batismo de crianças e promoviam os batismos de adultos (o primeiro teve lugar em Zöllikon, perto de Küsnacht, onde Jung morava). Os anabatistas frisavam a imediaticidade da relação humana com Deus e criticavam as instituições religiosas. O movimento foi violentamente sufocado, e milhares foram mortos. Cf. LIECHTY, D. (org.). *Anabaptist Spirituality*: Selected Writings. Nova York: Paulist Press, 1994.

174 Em 1918, Jung afirmou que o cristianismo suprimiu o elemento animal (“Sobre o inconsciente”, in *Civilização em transição*. OC, 10/3, § 31). Desenvolveu este tema em seus seminários, de 1923, em Polzeath, Cornwall. Em 1939, disse que o “pecado psicológico” que Cristo cometeu foi de “não ter vivido o lado animal de si mesmo” (*Modern Psychology*, 4, p. 230).

175 O cap. 13 do livro primeiro da *Imitação de Cristo* começa assim: “Enquanto vivemos neste mundo, não podemos estar sem trabalhos e tentações. Por isso lemos no Livro de Jó: É um combate a vida do homem sobre a terra. Cada qual, pois, deve estar acautelado contra as tentações, mediante a vigilância e a oração, para não dar azo às ilusões do demônio, que nunca dorme, mas anda por toda parte em busca de quem possa devorar. Ninguém há tão perfeito e santo que não tenha, às vezes, tentações, e não podemos ser delas totalmente isentos” (p. 44). Continua enfatizando os benefícios da tentação, como meios através dos quais o homem é “humilhado, purificado e disciplinado”.

mortis affert [A saciedade de todas as coisas causa a saciedade da vida – a saciedade da vida traz o tempo maduro da morte][176]. Este conhecimento levou-me obviamente a um conflito com a sociedade: à direita está sentado um policial e à esquerda está sentado um policial. "Bem", disse-lhes eu, "agora podem soltar-me de
101/102 novo". "Sim, nós podemos" /, diz um deles rindo. "Fica sentado aí bem quieto", disse o outro severamente. Portanto: a viagem seguirá certamente para o manicômio. Isto é um desperdício. Mas parece que este caminho também deve ser percorrido. Ele não é tão incomum, pois milhares de nossos semelhantes o percorrem.

Chegamos – um enorme portão, uma sala bem grande – um amável e diligente supervisor – e agora também dois mestres doutores. Um deles é um professor pequeno e gordo.

Pr: "Que espécie de livro o senhor tem aí?"

"É Tomás de Kempis: *A imitação de Cristo*".

Pr: "Portanto uma forma religiosa de alienação, claramente uma paranoia religiosa[177]. – O senhor vê, meu prezado, o seguimento de Cristo leva hoje em dia ao manicômio".

"Não há dúvida nenhuma, senhor professor".

Pr: "O homem tem humor – certamente algo despertado maniacamente. O senhor ouve vozes?"

"É claro! Hoje foi todo um bando de anabatistas que esvoaçaram pela cozinha".

Pr: "Bem, aí está. O senhor é perseguido pelas vozes?"

"De modo nenhum, sou eu que as procuro".

Pr: "Ah, é outro caso que prova claramente que os alucinantes procuram diretamente as vozes. Isto pertence à história da doença. Quer ter a bondade, senhor doutor, de anotar isto imediatamente?"

"Permita, senhor professor, a observação: isto não é absolutamente doentio; é, antes, método intuitivo".

Pr: "Decididamente, o homem tem também uma formação de linguagem nova. Ora – o diagnóstico poderia estar suficientemente esclarecido. Desejo, pois, melhoras, e mantenha-se bem quieto".

"Mas, senhor professor, eu não estou doente. Sinto-me muito bem".

Pr: "Veja, meu prezado, o senhor ainda não tem ideia da doença. O prognóstico é naturalmente mau, no melhor dos casos trata-se de cura deficiente".

Supervisor: "O paciente pode ficar com o livro?"

Pr: "Certamente, parece um livro inofensivo de piedade".

Fazem um inventário de minhas roupas – depois vem o banho – e agora sou levado ao isolamento. Entro numa grande enfermaria, onde devo ir para a cama. Meu vizinho de cama à esquerda está deitado imóvel, com o rosto petrificado, o da direita parece ter um cérebro que diminui de volume e peso. Eu gozo de perfeita tranquilidade. O problema da loucura é profundo. A loucura divina – uma forma mais elevada da irracionalidade da vida que flui em nós – ainda assim loucura que não deve ser incorporada à sociedade hodierna – mas como? Se a gente incorpora a forma social na loucura? Aqui fica escuro e não há fim à vista[178].

[2] [IH 102] A planta que cresce faz brotar um rebento à direita, e quando este está plenamente desenvolvido, o impulso natural de crescimento não quer continuar crescendo para além do broto final, mas flui de volta ao tronco, à mãe do galho e abre para si no escuro e mergulhado no tronco um caminho incerto e encontra finalmente o lugar certo à esquerda e faz brotar lá um novo rebento. Mas esta nova direção do crescimento é totalmente contrária à antiga. E assim mesmo a planta cresce simetricamente, sem tensão exagerada e sem perturbação do equilíbrio.

À direita está meu pensar, à esquerda, meu sentir. Eu entro no recinto do meu sentir, que antes disso me era desconhecido, e vejo com surpresa a diferença entre meus dois recintos. Não consigo reprimir o riso – muitos riem em vez de chorar. Pisei com o pé direito sobre o esquerdo e estremeci atingido por dor interna. É grande demais a diferença entre quente e frio. Eu abandono o espírito desse mundo, que odiou o Cristo até o fim, e passo para aquele outro reino alegre – tremendo, no qual reencontro o Cristo.

"A imitação de Cristo" levou-me ao próprio mestre e a seu admirável reino. Não sei o que lá quero, só posso seguir o mestre que comanda este outro reino em mim. Neste reino vigoram outras leis que não as diretivas de minha sabedoria. A "graça de Deus", à qual nunca me confiei em meu reino por boas razões da experiência, é aqui a lei suprema do agir. A graça de Deus significa
um estado / especial da alma, em que me confio a todo o próxi- 102/103
mo, com tremor e hesitação e máximo dispêndio de esperança, de que tudo sairá a contento.

Já não posso dizer: é preciso alcançar este ou aquele objetivo, vale esta ou aquela razão porque deve ser boa, mas vou tateando através de névoa e noite. Não se produz uma linha, nenhuma lei se estabelece, tudo é total e convincentemente fortuito, até assustadoramente fortuito. Mas uma coisa fica pavorosamente clara: em relação a meus caminhos antigos e a todas as suas intenções e intuições, tudo é descaminho a partir de agora. Fica sempre mais claro que nada conduz, como minha esperança me quis insinuar, mas que tudo seduz.

E de repente te fica claro, para teu horrível espanto, que caíste no desmedido, no desordenado, na estupidez do caos eterno. Aproxima-se velozmente como nas asas ruidosas do temporal, como na onda avassaladora do mar.

Cada pessoa tem em sua alma um lugar sossegado, onde tudo é óbvio e facilmente explicável, um lugar no qual gosta de refugiar-se contra as possibilidades perturbadoras da vida, porque lá tudo é simples e claro, de finalidade manifesta e restrita. Para nada no mundo pode a pessoa dizer com igual convicção do que para este lugar: "Tu nada mais és do que...", e ele também o disse.

E mesmo este lugar é uma superfície lisa, um anteparo de todo dia, nada mais do que uma crosta bem protegida e muitas vezes polida sobre o mistério do caos. Se quebrares o mais cotidiano de todos os anteparos, jorra para dentro em torrente incontrolável o

---

176 A citação é tirada de Cícero, *Cato Maior de Senectute* [Catão Maior sobre a velhice]. O texto é um elogio à velhice. As linhas que Jung cita vêm em itálico na passagem a seguir: "76. Omnino, ut mihi quidem videtur, *rerum omnium satietas vitae facit satietatem*. Sunt pueritiae studia certa; num igitur ea desiderant adulescentes? Sunt ineuntis adulescentiae: num ea constans iam requirit aetas quae media dicitur? Sunt etiam eius aetatis; ne ea quidem quaeruntur in senectute. Sunt extrema quaedam studia senectutis: ergo, ut superiorum aetatum studia occidunt, sic occidunt etiam senectutis; quod cum evenit, *satietas vitae tempus maturum mortis affert*". [Sem dúvida, como ao menos me parece, *a saciedade de todas as coisas causa a saciedade da vida*. A infância tem certas atividades; será que os adolescentes também as desejam? A juventude tem seus interesses: será que as pessoas maduras ou de meia-idade precisam deles? A maturidade também possui interesses que não são procurados na velhice e, finalmente, existem os interesses próprios da velhice. Por isso, assim como os prazeres e interesses das idades anteriores perdem sua atração, isto também acontecerá com os da velhice; e quando isto acontece, a pessoa está saciada da vida, e o tempo está maduro para a morte"]. CÍCERO. *De Senectute, De Amicitia, De Divinatione*. Londres: William Heinemann, 1927, p. 86-88.

177 O *Livro Negro* 4 tem: "forma paranoide de dementia praecox" (p. 16).

178 No *esboço* ocorre uma passagem da qual é uma paráfrase o que segue: Sendo eu um pensador, meu sentimento era o mais ínfimo, o mais antiquado e menos desenvolvido. Quando eu fui instruído contra o impensável através de meu poder de pensar, então só podia pressionar para frente de uma maneira forçada. Mas eu sobrecarreguei de um lado, e o outro lado submergiu mais fundo. Sobrecarregar não é crescimento, que é o de que precisamos (p. 376).

caos. O caos não é um múltiplo simples, mas interminável. Não é informe, caso contrário seria simples, mas está repleto de figuras que, por amor à sua plenitude, atuam de modo perturbador e triunfante[179].

Essas figuras são os mortos, não só os teus mortos, isto é, todas as imagens de tua conformação passada, que deixou para trás de si tua vida progressiva, mas as massas dos mortos da história humana, o cortejo de fantasmas do passado, que é um mar em vista da gota de tua própria duração de vida. Vejo atrás de ti, atrás do espelho de teu olho a aglomeração de perigosas sombras, dos mortos que olham avidamente através de buracos vazios dos olhos, que gemem e esperam realizar através de ti o indissolúvel de todos os tempos que neles suspira. Tua ignorância não prova nada. Cola teu ouvido na parede e perceberás o barulho de seu cortejo.

Agora sabes por que colocas naquele lugar o mais simples e o mais esclarecedor, por que louvas aquele lugar sossegado como o mais seguro: para que ninguém, e muito menos tu, desenterre lá o mistério. Pois este é o lugar onde dia e noite se misturam dolorosamente. O que tu excluis de tua vida, o que tu abjuras e amaldiçoas, tudo que foi e poderia ter sido desvio para ti, isto te espera atrás daquele anteparo em frente ao qual estás sentado calmamente.

Quando lês os livros de história, encontras relatos sobre pessoas que queriam o extravagante e inaudito, que armavam ciladas para si mesmas e que foram capturadas por outros em armadilhas para lobos, que queriam o mais alto e mais profundo e que foram apagadas, imperfeitas, do quadro dos sobreviventes. Poucos dos vivos sabem delas, e esses poucos não sabem valorizar nada nelas, mas sacodem a cabeça devido à sua loucura.

Enquanto tu zombas delas, uma está atrás de ti, bufando de raiva e desespero para que tua estupidez não a contagie. Ela te oprime com noites sem dormir, às vezes te prende numa doença e às vezes frustra tuas intenções. Ela te torna altivo e ávido, ela incita teus desejos por tudo que não te aproveita, ela afoga teus êxitos em insatisfação. Ela te acompanha como teu espírito ao qual não concedeste nenhuma salvação.

Ouviste algo daqueles escuros que acorriam incógnitos ao lado dos que dominavam o dia e que conjurados causavam a intranquilidade? Que excogitavam ousadias e não recuavam temerosos diante de nenhum delito em honra de seu Deus?

Entre esses coloca o Cristo, que foi o maior deles. Mas para ele foi muito pouco partir o mundo e por isso partiu a si mesmo. E assim ficou sendo o maior deles todos, e os poderes deste mundo não o atingiram. Mas eu falo dos mortos que caíram vítimas do poder, partidos pela violência e não por si mesmos. Seus bandos
103/104 povoam o terreno da alma. Se tu os aceitas, / eles te enchem com delírio e revolta contra aquilo que governa o mundo. A partir do mais profundo e do mais alto planejam as coisas mais perigosas. Não eram de natureza comum, mas som nobre do mais puro aço. Eles desprezam toda participação na pequena vida da pessoa. Viviam em alturas e no rejeitável mais completo. Eles esqueceram algo: não viviam seu animal.

O animal não se revolta contra sua espécie. Observa os animais: como são imparciais, honestos, como obedecem ao tradicional, como são fiéis à terra que os sustenta, como voltam à sua migração costumeira, como cuidam de suas crias, como vão juntos ao seu pasto e como levam uns aos outros à fonte. Não há nenhum que esconda sua sobra da presa e deixe seu irmão morrer de fome. Não há nenhum que force sua própria espécie à sua vontade. Não há nenhum que imagine ser elefante quando é apenas uma mosca. O animal vive honesta e fielmente a vida de sua espécie, nada mais e nada menos.

Quem nunca vive seu animal vai tratar forçosamente seu irmão como um animal. Humilha-te e vive teu animal, a fim de que possas ser justo com teu irmão. Assim salvas todos aqueles mortos que vagueiam por aí e aspiram nutrir-se junto aos vivos. E não faças daquilo que praticas uma lei, pois isto é arrogância de poder[180].

Quando chegar o tempo em que abres as portas aos mortos, teus terrores vão acometer também teu irmão, pois teu rosto anuncia a desgraça. Por isso retira-te e vai para a solidão, pois ninguém pode aconselhar-te quando lutas com os mortos. Não grites por socorro quando os mortos te cercam, caso contrário fogem de ti os vivos que são tua única ponte para o dia. Vive a vida do dia e não fales dos mistérios, mas consagra a noite aos mortos por amor à salvação.

Mas quem te arranca dos mortos com disposição de ajudar prestou a ti o pior dos serviços, pois cortou teu galho vital da árvore da divindade. Também se insurge contra a recondução do criado e mais tarde submetido e perdido[181]. "Com efeito, o mundo criado aguarda ansiosamente a manifestação dos filhos de Deus. De fato, as criaturas estão sujeitas a caducar, não voluntariamente, mas pela vontade daquele que as sujeitou, na esperança de serem também elas libertadas do cativeiro da corrupção para participarem da liberdade gloriosa dos filhos de Deus. Pois sabemos que toda a criação até agora geme e sente dores de parto".

Cada degrau para cima será a recondução de um degrau para baixo, a fim de que os mortos sejam salvos para a liberdade. A criação do novo receia o dia, pois sua natureza é secreta, ela prepara a destruição desse mesmo dia, na esperança de sua passagem para uma nova criação. Na criação do novo está um mal que não podes difundir em voz alta. O animal que espreita novas oportunidades de caça vai agachado e farejante por caminhos camuflados e não quer ser surpreendido.

Pensa que este é o sofrimento do criando: que traz em si um mal, uma lepra da alma, que o separa de seus semelhantes. Ele poderia ostentar sua lepra como virtude, e deveras o poderia por virtude. Mas ele imitaria o Cristo e seria por isso seu seguidor. Mas só um foi Cristo e só um podia infringir as leis como ele. É impossível cometer maior violação em seu caminho. Cumpre aquilo que te diz respeito. Parte o Cristo em ti para que te encontres e finalmente encontres teu animal que é honesto em seu bando e não quer violar suas leis. Baste a violação da lei de que não imites o Cristo, pois com isso dás um passo para trás diante do cristianismo e um passo para além. Através do poder, Cristo trouxe a salvação, o não poder vai salvar-te.

Contaste os mortos que o senhor do holocausto julgou dignos? Tu lhes perguntaste por amor a que sofreram a morte? Tomaste consciência da beleza do pensamento deles, da pureza de intenção deles? "Ao sair, poderão contemplar os corpos daqueles que se revoltaram contra mim,

179 Nota marginal ao volume caligráfico: "26.1.1919". Parece que a data se refere ao tempo em que a seção foi transcrita.

180 Em 1930, Jung disse num seminário: "Nós temos preconceitos em relação ao animal. As pessoas não entendem quando digo que elas se devem familiarizar com seus animais ou assimilar seus animais. Elas pensam que o animal está sempre pulando sobre paredes e fazendo barulheira infernal em toda a cidade. Mas, por natureza, o animal é um cidadão bem comportado. Ele é leal, segue o caminho com grande regularidade, nada faz de extravagante. Somente o ser humano é extravagante. Se você assimilar o caráter do animal, você se tornará um cidadão respeitador da lei e da ordem, você irá com muita cautela e se tornará muito sensato em seus caminhos, na medida em que conseguir assimilá-lo" (*Visions* I, p. 168).

181 O *esboço manuscrito* tem na margem: "Rm 8,19" (p. 863). O que se segue é uma citação de Rm 8,19-22.

pois seu verme não morre e seu fogo não se apaga"[182].

Por isso faze penitência e vê o que coube à morte por amor ao cristianismo, coloca-o diante de ti e força-te a assumi-lo em ti. Pois os mortos precisam de salvação. A multidão dos mortos não salvos tornou-se maior do que o número dos cristãos vivos, por isso é tempo que nós intervenhamos a favor dos mortos[183].

Não invistas com raiva ou com intenção destrutiva contra o que se tornou. O que queres colocar em seu lugar? Quando consegues destruir o que se tornou, não sabes que voltarás contra ti mesmo a vontade de destruir? Mas cada qual que faz da destruição seu objetivo, perecerá através da autodestruição. É muito melhor levar bem em consideração o que se tornou, pois o respeito é uma bênção.

Depois disso volta-te para os mortos[184], ouve suas queixas e vai ao encontro deles com amor. Não sejas seu porta-voz deslumbrado[185],
104/105 / [Ilustração 105][186] / há profetas que no final se apedrejam a si
105/106 mesmos. Mas nós procuramos a salvação e por isso precisamos ter respeito diante do que se tornou e da aceitação dos mortos, que desde tempos imemoriais voam através dos ares e, como morcegos, moram sob nosso teto. O novo se construirá sobre o velho, e múltiplo será o sentido do que se tornou. Portanto salvaguardarás tua pobreza no que se tornou para a riqueza do que virá.

O que gostaria de afastar-te do cristianismo e de seu bem-sucedido mandamento do amor são os mortos que não puderam encontrar a paz no Senhor, pois suas obras inacabadas os seguiam. Uma nova salvação é sempre uma reposição do perdido anteriormente. Não foi o próprio Cristo que trouxe de volta o sacrifício humano cruento que desde tempos antigos havia sido eliminado do ritual sagrado por costumes melhores? Não foi ele que reintroduziu o ritual sagrado de comer o sacrifício humano? Em teu ritual sagrado será novamente incluído o que uma lei anterior havia condenado.

Como foi o próprio Cristo que trouxe novamente o sacrifício humano e o comer do sacrifício, aconteceu tudo nele e não no irmão, pois o Cristo colocou por cima disso o maior mandamento do amor, isto é, que ninguém pudesse prejudicar nisso o irmão, mas que todos pudessem alegrar-se com a reposição. O mesmo aconteceu como antigamente, mas sob a lei do amor[187]. Portanto, se não tens respeito pelo que se tornou, destruirás a lei do amor[188]. O que acontecerá então contigo? Serás forçado a trazer de volta o que existia em tempos passados, isto é, violência, assassinato, injustiça e desprezo de teu irmão. Um será estranho ao outro, e reinará a confusão.

Por isso deves ter respeito pelo que se tornou, para que a lei do amor se transforme em salvação através da recondução do inferior e do passado e não em condenação através do domínio ilimitado dos mortos. Mas os espíritos daqueles que, por amor à nossa atual imperfeição, sucumbem agora à morte antes do tempo, vão habitar em bandos escuros o forro de nossas casas e encher nossos ouvidos com lamentos de urgência até que nós lhes proporcionemos salvação através da reposição daquilo que existiu antigamente sob a lei do amor.

O que nós chamamos de tentação é a exigência dos mortos que antes do tempo e imperfeitos partiram através do delito do bem e da lei. Pois nenhum bem é tão perfeito que não fizesse injustiça e quebrasse o que não deveria ser quebrado.

Nós somos uma geração cega. Vivemos apenas na superfície, só no hoje e pensamos só no amanhã. Agimos cruamente com o passado, não nos importando com os mortos. Só queremos fazer trabalhos com resultados visíveis. Queremos sobretudo ser pagos. Pareceria absurdo fazermos um trabalho oculto que não servisse visivelmente às pessoas. Não há dúvida de que a necessidade da vida nos forçou a preferir frutos palpáveis. Mas quem sofre mais sob a influência sedutora e enganadora dos mortos do que aqueles que se perderam totalmente na superfície do mundo?

Existe uma obra necessária, mas escondida e peculiar, uma obra-prima, que tu precisas realizar em segredo por amor aos mortos. Quem nunca consegue chegar a seu campo e a seu vinhedo visíveis, este é seguro pelos mortos que dele exigem a obra de expiação. E antes que não tenha realizado esta, não pode chegar às suas obras exteriores, pois os mortos não lho permitem. Que se vire e aja com tranquilidade segundo seu desígnio e complete o secreto, para que os mortos se soltem. Não olhes demais para frente, mas para trás e para dentro, para que não deixes de ouvir os mortos.

Isto pertence ao caminho do Cristo: que ele leve consigo para cima poucos dos vivos mas muitos dos mortos. Sua obra era a salvação dos desprezados e perdidos. E por causa deles foi crucificado entre dois malfeitores.

Eu sofro meu tormento entre dois loucos. Eu cresço na verdade quando desço. Acostuma-te a estar sozinho com os mortos. É difícil, mas exatamente assim descobrirás o valor de teus semelhantes vivos.

O que fizeram os antigos por seus mortos? Tu acreditas que podias eximir-te da atenção e das obras necessárias pelos mortos, pois o que estava morto era passado. Tu te desculpas com tua

182 É uma citação de Is 66,24.

183 O *esboço* continua: "Um profeta caminhou à frente de nós, a quem a proximidade de Deus deixou furioso. Ele esbravejava cegamente em sua pregação contra o cristianismo, mas era o advogado dos mortos que o escolheram para porta-voz e trombeta sonante. Ele gritava com voz fortíssima de modo que muitos o ouviam, e o poder de sua fala queimava também os adversários dos mortos. Ele ensinava a luta contra o cristianismo. Também isso era bom" (p. 387). A referência é a Nietzsche.

184 O *esboço* continua: "cujo advogado tu és" (p. 388).

185 O *esboço* continua: "como aquele profeta furioso que não sabia de quem era a causa que estava defendendo, mas acreditava que falava a partir de si mesmo, e se considerava a vontade da destruição" (p. 388). A referência é a Nietzsche.

186 Em 1930, Jung reproduziu de forma anônima esta ilustração no "Comentário ao *Segredo da Flor de ouro*" como um mandala desenhado por um paciente durante o tratamento. Ele o descreveu assim: "No centro a luz branca, brilhando no espaço sideral; na primeira circunferência, germes protoplasmáticos de vida; na segunda: princípios cósmicos girando que contêm as quatro cores básicas; na terceira e na quarta: forças criadoras atuando para dentro e para fora. Nos pontos cardeais: as almas feminina e masculina, ambas separadas novamente segundo claro e escuro" (OC, 13). Ele o reproduziu novamente em 1952, em "O simbolismo do mandala", e escreveu: "Trata-se do quadro de um homem de meia idade. No centro há uma estrela. O céu é azul com nuvens douradas. Nos quatro pontos cardeais vemos figuras humanas: em cima, um velho em atitude contemplativa e embaixo Loki ou Hefesto, com cabelo ruivo chamejante, segurando um templo na mão. À direita e à esquerda há duas figuras femininas, uma escura e outra clara. São indicados desse modo quatro aspectos da personalidade, isto é, quatro figuras arquetípicas que pertencem por assim dizer à periferia do si-mesmo. As duas figuras femininas podem ser logo reconhecidas como os dois aspectos da *anima*. O velho corresponde ao arquétipo do sentido, ou seja, do espírito, e a figura ctônica escura no plano inferior, ao oposto do sábio, isto é, ao elemento luciferiano, mágico (e às vezes destrutivo). Na alquimia trata-se de Hermes Trismegisto *versus* Mercúrio como o 'trickster' evasivo. O primeiro círculo ao redor do céu contém estruturas vivas semelhantes a protozoários. As dezesseis esferas de quatro cores no círculo contíguo provêm de um tema originário de olhos e representam portanto a consciência observadora e diferenciadora. Assim também os ornamentos que se abrem para dentro do círculo seguinte significam aparentemente receptáculos, cujo conteúdo é despejado em direção ao centro [nota de rodapé: Ideia semelhante encontra-se na alquimia, isto é, no assim chamado Manuscrito Ripley e suas variantes (cf. *Psicologia e alquimia*, p. 524, fig. 257). Nela os deuses planetários misturam suas qualidades ao banho do renascimento]. Os ornamentos do círculo mais externo abrem-se inversamente para fora, a fim de receber algo do exterior. No processo de individuação, as projeções originárias refluem para dentro, isto é, são novamente integradas na personalidade. Em contraste com a ilustração 25, o 'em cima' e o 'embaixo', bem como o 'masculino' e o 'feminino', aqui são integrados, como no *hermaphroditus* alquímico (OC, 9/1, § 682). Em 21 de março de 1950, Jung escreveu a Raymond Piper a respeito da mesma ilustração: "A outra figura é a de um homem bastante culto, com aproximadamente 40 anos de idade. Também ele fez o desenho como uma tentativa, a princípio inconsciente, de restaurar a ordem no estado emocional em que se encontrava, provocado pela invasão de conteúdos inconscientes" (*Cartas II*, p. 157).

187 O *esboço* continua: "Nenhum título da lei cristã foi abolido, mas nós acrescentamos outro: a aceitação do lamento dos mortos" (p. 390).

188 O esboço continua: "Não é mais que prazer costumeiro e mau, nada mais que tentação cotidiana, enquanto não sabes que é a exigência dos mortos. Mas assim que sabes a respeito dos mortos, entendes tua tentação. Enquanto não for mais que prazer mau, o que podes fazer com ela? Trapacear, arrepender-te e levantar de novo, para tropeçar de novo,

descrença na imortalidade da alma. Pensas então que os mortos não têm existência, porque tu imaginas que a imortalidade é impossível? Tu acreditas em teus ídolos de palavras. Os mortos atuam, é o que basta. No mundo interior não existe uma explicação do caminho, tampouco quanto podes explicar no mundo exterior o caminho do mar. Tu precisas finalmente entender qual é o objetivo de tua explicação do caminho, isto é, busca de proteção[189].

Eu aceitei o caos, e na noite seguinte minha alma veio a mim.
106/108 / [Ilustração 107] /

Nox tertia[190]

Cap. xvi.

[I H 108][191] Minha alma sussurrou-me insistente e medrosamente: "Palavras, palavras, não faças palavras demais. Cala-te e escuta: Tu reconheceste tua loucura e a admites? Viste que todas as tuas profundezas estão cheias de loucura? Não queres reconhecer tua loucura e dar-lhe amáveis boas-vindas? Tu querias certa vez aceitar tudo. Aceita então também a loucura. Deixa que brilhe a luz de tua loucura, e deverá nascer para ti uma grande luz. Não se deve desprezar nem temer a loucura, mas deves dar-lhe a vida".

Eu: "Tuas palavras soam duras, e difícil é a tarefa que me colocas".

A: "Se queres encontrar caminhos, não deves também rejeitar a loucura, uma vez que ela constitui tão grande parte de tua natureza".

Eu: "Não sabia que era assim".

A: "Alegra-te que o possas reconhecer, assim evitas ser sua vítima. A loucura é uma forma especial de espírito que adere a todas as teorias e filosofias, mais ainda à vida de todo dia, pois a própria vida está cheia de tolices e é essencialmente irracional. O ser humano só luta pela razão a fim de que possa criar regras para si. A vida mesma não tem regras. Este é seu segredo e sua lei desconhecida. O que tu chamas de conhecimento é uma tentativa de impor à vida algo compreensível".

Eu: "Isto soa bem desconsolador, mas desperta minha discordância".

A: "Tu não tens nada que discordar. Estás num manicômio".

Ali está o gordo professor – foi ele que assim falou? E eu pensei que fosse minha alma.

Prof.: "Sim, meu caro, o senhor está louco. O senhor fala de modo totalmente incoerente".

Eu: "Eu também creio que me perdi completamente. Estou realmente louco? Está tudo tão confuso".

Prof.: "Tenha paciência, tudo vai se arranjar. Durma bem!"

Eu: "Obrigado, mas tenho medo".

Tudo se agita e se precipita em confusão. A coisa fica séria, o caos vem. É este o fundamento último? O caos é também um alicerce? Se ao menos eu não sentisse essa terrível agitação. Como ondas escuras tudo se mistura na maior confusão. Sim, eu vejo e entendo: é o oceano, a onipotente maré noturna – lá vai um navio – um grande navio a vapor – eu entro no salão para fumantes – muitas pessoas – belos vestidos – todos olham surpresos para mim – alguém se dirige a mim: "O que há com o senhor? Está parecendo um fantasma! O que aconteceu?"

Eu: "Nada – isto é – eu acho que estou fora de mim – o chão rodopia – tudo gira –".

Alguém: "Mas nós teremos esta noite unicamente o mar agitado – beba um grogue quente – o senhor está com enjoo".

Eu: "O senhor tem razão, estou enjoado, mas de um modo especial – eu estou na verdade no manicômio".

Alguém: "Lá vem o senhor outra vez com piadas, a vida volta de novo".

Eu: "O senhor chama isto de piada? Faz pouco que o professor me declarou totalmente louco".

O pequeno e gordo professor está realmente sentado a uma mesa forrada de verde, jogando cartas. Ouvindo minhas palavras, voltou-se para mim e sorriu: "Onde o senhor esteve? Venha aqui. Bebe também um copo? O senhor é de uma originalidade incrível. Com suas ideias, o senhor alvoroçou todas as damas".

Eu: "Senhor professor, isso é demais para mim. Há pouco eu era ainda seu paciente".

Ouviu-se uma risada generalizada e bem alta.

Prof.: "Espero que não tenha levado isso pelo lado trágico".

Eu: "Ser trancado num manicômio não é nenhuma pilhéria".

O alguém, com o qual eu havia falado anteriormente, aproximou-se de repente de mim e olhou-me no rosto. É um homem de barba preta e cabelos revoltos, com olhos de brilho melancólico. Falou-me com voz firme: "Para mim foi pior, já estou aqui há cinco anos".

Percebo, é meu vizinho de cama que evidentemente acordou de sua apatia e que agora se sentou na minha cama. Ele continua falando com firmeza e convicção: "Eu sou Nietzsche, mas o rebatizado, também sou Cristo, o salvador designado para salvar o mundo, mas eles não me deixam".

Eu: "Quem não deixa?"

O louco: "O diabo. Aqui nós estamos no inferno. O senhor naturalmente não percebeu nada disso. Eu também só percebi no segundo ano de minha estada aqui que o diretor era o diabo".

Eu: "O senhor quer dizer o professor? Parece inacreditável".

O louco: "O senhor é um ignorante. Eu já deveria ter-me casado há muito tempo com a mãe de Deus[192]. Mas o professor, o diabo, é senhor dela. Toda noite ao pôr do sol ele gera um filho com ela. De manhã cedo, ao nascer do sol, ela o dá à luz. Então vêm todos os diabos e matam a criança de / [Ilustração 109][193] / 108/110
forma cruel. Ouço perfeitamente seus gritos".

Eu: "Mas isto é mitologia mais pura que o senhor está contando".

O louco: "Tu estás louco e por isso não entendes nada disso. Tu pertences ao manicômio. Meu Deus, por que minha família sempre me tranca junto com loucos? Eu deveria salvar o mundo, pois eu sou o salvador".

Deitou-se na cama e sucumbiu à sua apatia anterior. Eu agarro as beiradas da minha cama para proteger-me contra o terrível balouçar. Olho fixamente para a parede a fim de prender-me ao menos com

ridicularizar-te e odiar-te, mas com certeza desprezar interiormente e ter compaixão. Mas se souberes da exigência dos mortos, a tentação vai transformar-se para ti em fonte de tua melhor criação, da obra salvadora em geral: quando Cristo ressuscitou após completar sua obra, levou para o alto consigo os que haviam morrido prematura e imperfeitamente sob a lei da dureza, da alienação e da mais crua violência. Naquele tempo os ares estavam tão cheios de lamentos dos mortos e seu queixume tornou-se tão forte que até mesmo os vivos ficaram tristes, cansados e fartos da vida, desejando morrer para este mundo já em seu corpo vivo. Assim conduzes também tu em tua obra salvadora os mortos à sua perfeição" (p. 390-391).

189 O *esboço* continua: "Tu empregas velhas palavras mágicas para proteger-te supersticiosamente, pois ainda és uma criança indefesa da antiga floresta. Mas nós vemos por trás de tua palavra mágica, e ela está sem força, e nada te protege do caos a não ser a aceitação" (p. 398).

190 Terceira noite.

191 18 de janeiro de 1914.

192 Em *O Eu e o Inconsciente* (1928) Jung se refere a um caso de um homem com demência paranoide que ele encontrou ao tempo de Burghölzli, que estava em contato telefônico com a Mãe de Deus (OC, 7, § 229).

193 Legenda da ilustração: "Esta pessoa feita de matéria subiu demais para dentro do mundo do espírito, mas lá o espírito perfurou-lhe o coração com o raio de ouro. Ela entrou em êxtase e se desagregou. A serpente, que é o mal, não podia permanecer no mundo do espírito".

meus olhares. Na parede há uma linha horizontal, abaixo dela a parede é pintada de cor mais escura. Em frente está um aquecedor – é um corrimão, mais adiante vejo o mar. A linha é o horizonte. E lá nasce agora o sol em aura vermelha, só e majestoso – dentro há uma cruz e nela está pendurada uma cobra – ou é um touro, esquartejado como no açougue – ou é um burro? É sem dúvida um carneiro com a coroa de espinhos – ou é o *Crucifixus*, eu mesmo? O sol do martírio nasceu e derrama raios sangrentos sobre o mar. Dura muito este espetáculo, o sol sobe mais, seus raios ficam mais brilhantes[194] e mais quentes e o sol arde branco cá para baixo sobre um mar azul. O balouçar terminou. Uma calma benfazeja da manhã de verão repousa sobre o mar tremeluzente. Ergue-se um vapor salgado de água. Uma onda fraca e extensa quebra na areia com som abafado e sempre de novo ela volta, doze vezes, as badaladas do relógio do mundo[195] – a décima segunda hora se completou. E agora se faz calma. Nenhum barulho, nenhuma respiração. Tudo está inerte, em quietude mortal. Eu espero intimamente angustiado. Vejo surgir do mar uma árvore. Seus galhos alcançam o céu e suas raízes descem até o inferno. Estou completamente só e atarantado e olho de longe. É como se toda a vida tivesse fugido de mim, totalmente entregue ao inconcebível e espantoso. Estou muito fraco e impotente. "Salvação", sussurro eu. Uma voz estranha fala: "Aqui não há salvação"[196], mas o senhor tem de fazer silêncio, caso contrário vai perturbar os outros. É noite, e as outras pessoas querem dormir". Eu vejo, é o guarda. O salão está fracamente iluminado por um pequeno lampião, e tristeza pesa sobre o ambiente.

Eu: "Eu não encontrei o caminho".

Ele diz: "O senhor não precisa procurar agora nenhum caminho".

Ele diz a verdade. O caminho, ou seja lá o que for sobre o qual caminhamos, é nosso caminho, o caminho certo. Não há nenhum caminho traçado para o futuro. Nós dizemos que é este caminho, e ele o é. Nós construímos as estradas enquanto caminhamos. Nossa vida é a verdade que procuramos. Só minha vida é a verdade, a verdade em geral. Nós criamos a verdade enquanto a vivemos.

[2] Esta é a noite em que todos os diques se romperam, em que se move o que antes estava firme, em que as pedras se transformaram em cobras e todo ser vivo ficou paralisado. É uma trama de palavras? Então a trama de palavras é inferno para aquele que nela está preso.

Existem tramas infernais de palavras, somente palavras, mas o que são palavras? Sê cauteloso com palavras, escolhe-as bem, toma palavras precisas, palavras sem armadilhas, não as entrelaces para que não surja nenhuma trama, pois tu és o primeiro que nela se enreda[197]. Pois palavras têm significados. Nas palavras puxas para cima o submundo. A palavra é o mais nulo e o mais forte. Na palavra correm juntos o vazio e o cheio. Por isso, a palavra é uma imagem de Deus. A palavra é o máximo e o mínimo que o ser humano criou, assim como aquilo que atua através do ser humano é o maior e o menor.

Por isso, quando sucumbo à trama da palavra, sucumbi ao maior e ao menor. Estou entregue ao mar, à onda indefinida, que incansavelmente altera o lugar. Sua natureza é movimento, e movimento é sua ordem. Quem resiste à onda está abandonado ao acaso. O contínuo é obra do ser humano, mas isto boia sobre o caos. Quem vem do mar, a este parece loucura a atividade das pessoas. Mas as pessoas o consideram um louco[198]. Quem vem do mar é doente. Mal consegue suportar o olhar das pessoas. Pois elas lhe parecem todas bêbadas e alucinadas por causa dos venenos soníferos. Elas querem vir em teu socorro, mas tu gostarias de aceitar menos ajuda do que iludir-te mais em sua companhia e ser completo, como alguém que nunca viu o caos, mas que só fala dele.

Para quem viu o caos, não há mais ocultação, mas ele sabe que o chão treme e o que este tremor significa. Ele viu a ordem e a desordem do infinito, ele está a par das leis ilegítimas. Ele tem conhecimento do mar e jamais pode esquecê-lo. Terrível é o caos: dias cheios de chumbo, noites cheias de horror[199].

Mas assim como Cristo sabia que ele era o caminho, a verdade e a vida, enquanto através dele chegou ao mundo o novo tormento e salvação renovada, também eu sei que o caos deve vir sobre os seres humanos e que as mãos daqueles que, confiantes e sem o saber, atravessam as finas paredes, que nos afastam do mar, estão ocupadas. Pois este é o nosso caminho, nossa verdade e nossa vida.

Assim como os discípulos de Cristo reconheceram que o Deus se tornara carne e que morava entre eles como uma pessoa humana, também nós reconhecemos agora que o Ungido dessa época é um Deus que não aparece na carne, não é pessoa humana, e assim mesmo é um Filho do Homem, não na carne, mas no espírito, e por isso só pode nascer através do espírito do ser humano na condição de útero concebedor de Deus[200]. A este Deus é feito o que tu fazes ao menor em ti mesmo, sob a lei do amor, da qual nada pode ser subtraído. Pois de que outro modo pode teu mais ínfimo ser salvo da corrupção? / [Ilustração 111][201] / Quem deve encarregar-se 110/111
do mais ínfimo em ti se tu não o fazes? Mas quem o faz por orgulho,

194 Nota marginal de Jung no volume caligráfico: "22.3.1919", Isto parece referir-se à época em que esta passagem foi transcrita no volume caligráfico.

195 Em *Psicologia e religião* (1938) Jung comenta o simbolismo do relógio do mundo (OC, 11, § 110s.).

196 Na *Divina Comédia*, de Dante, as seguintes linhas estão gravadas acima do portão de entrada do inferno: "Lasciate ogni speranza voi ch'intrate" [Abandonai toda esperança vós que entrais] (Canto 3, linha 9). *The Divine Commedy of Dante Aleghieri*. Vol, 1. Nova York: Oxford University Press, 1997, p. 55 [org. e trad. de R. Durling].

197 O *esboço* continua: "Pois palavras não são meras palavras, mas têm significados para quem foram compostas. Elas atraem os significados como sombras demoníacas. Pelas palavras puxas para cima o submundo" (p. 403).

198 O *esboço* continua: "Depois de teres visto o caos, olha uma vez para teu rosto: tu viste mais que morte e sepultura, tu viste o outro lado, e teu rosto está marcado como o rosto de alguém que viu o caos e assim mesmo era um ser humano. Muitos passam para o outro lado, mas não veem o caos; o caos porém os vê, olha fixamente em seu rosto e lhes imprime uma marca. Ficam então assinalados para sempre. Chame alguém assim de louco, pois ele o é; tornou-se onda e perdeu seu humano, seu permanente" (p. 404).

199 A frase anterior está riscada no *esboço corrigido* e tem escrito na margem "identificação ΦΙΛΗΜΩΝ" (p. 405).

200 Jung desenvolveu este assunto muitos anos depois em *Resposta a Jó* (1952), onde estudou a transformação histórica das imagens judeu-cristãs de Deus. Um tema importante nesse contexto foi a encarnação continuada de Deus depois de Cristo. Tecendo um comentário sobre o Apocalipse, Jung argumentou que "desde o momento em que João, autor do Apocalipse, sentiu pela primeira vez (talvez de modo inconsciente) o conflito no qual o cristianismo introduz diretamente, a humanidade está debaixo de seu peso: Deus quis e quer tornar-se homem" (OC, 11, § 739). Na concepção de Jung, havia uma vinculação direta entre os pontos de vista de João e os de Eckhart: "Esta irrupção perturbadora gerou dentro dele a figura da companheira divina, cuja imagem habita em cada homem, da criança que também Mestre Eckhart contemplou em sua visão. Ele foi aquele que sabia que Deus não é feliz sozinho em sua divindade, mas deve nascer na alma do ser humano. A encarnação em Cristo é o protótipo que será transposto progressivamente para a criatura através do Espírito Santo" (ibid., § 741). Em tempos mais recentes, Jung deu grande importância à Bula papal da Assunção de Maria. Ele afirmou que ela: "aponta para a realização do hierósgamos no pleroma, e este hierósgamos, por sua vez, refere-se, como já foi dito, ao futuro nascimento da criança divina que, em virtude da tendência divina de encarnar-se, escolherá o homem empírico para lugar de nascimento. Este acontecimento metafísico é conhecido pela psicologia do inconsciente como *processo de individuação*" (ibid., § 755). O processo de individuação encontrou seu sentido último através de sua identificação com a encarnação continuada de Deus na alma. Em 3 de maio de 1958, Jung escreveu a Morton Kelsey: "A verdadeira história do mundo parece ser a encarnação progressiva da deidade" (*Cartas* III, p. 151).

201 Legenda da ilustração: "A serpente tombou morta sobre a terra. E este foi o cordão umbilical de seu novo nascimento". A serpente é semelhante à da ilustração 109. No *Livro Negro* 7, em 27 de janeiro de 1922, a alma de Jung se refere retrospectivamente às ilustr. 109 e 111. Sua alma diz: "Terrível é a nuvem gigante da noite eterna. Vejo sobre esta nuvem da esquerda para cima um risco de brilho amarelo na forma de um raio irregular, por trás luz vermelha indeterminada na nuvem. Não se movimenta. Debaixo da nuvem vejo deitada uma cobra preta morta, e o raio está cravado em sua cabeça como uma lança. Uma mão, grande como a de um Deus, atirou a lança e tudo ficou rijo qual imagem de brilho sombrio. Seja qual for seu significado! Lembras-te daquele quadro que pintaste há anos em que o homem vermelho-escuro com a cobra branco-preta foi atingido pelo raio de Deus? Lá está dependurado aquele quadro, pois mais tarde pintaste também a cobra morta, e não é que hoje de manhã apareceu-te diante dos olhos um quadro lúgubre, aquele homem com veste branca e rosto negro como uma múmia?" "I" de Jung: "O que é isso?" Alma: "Uma imagem de teu si-mesmo" (p. 57).

egoísmo ou cobiça, e não por amor, está condenado. Também na condenação nada é subtraído[202].

Inevitável é o sofrimento quando tu assumes o mais ínfimo em ti, pois tu fazes o abjeto e ergues o que estava destruído. Há muito sepulcro e cadáver putrefato em nós, um mau cheiro de decomposição[203]. Assim como Cristo subjugou a carne através do sofrimento da santificação, também o Deus dessa época martirizará o espírito através da carne. Pois nosso espírito tornou-se prostituta insolente, um escravo das palavras criadas pelos seres humanos e não mais a própria palavra divina[204].

O ínfimo em ti é a fonte da graça. Nós assumimos esta doença, a falta de paz, a insignificância e baixeza, para que o Deus fique curado e se levante luminoso, purificado da decomposição da morte e da lama do submundo. Fulgurante e todo curado se erguerá para sua libertação o vergonhosamente aprisionado[205].

Existe um sofrimento que seja grande demais por amor a nosso Deus? Tu só vês uma coisa e não percebes a outra. Mas se existe uma coisa, então existe também uma outra, e esta é o ínfimo em ti. Mas o ínfimo em ti é também o olho do mal, que te encara fixamente e com frieza, e que suga tua luz para dentro do abismo escuro. Bendizei a mão que vos mantém no alto, no mínimo humano, no ínfimo com vida. Não poucos vão preferir a morte. Pois como o Cristo impôs à humanidade o sacrifício cruento, também o Deus renovado não poupará o sangue.

Por que teu manto está tão vermelho e tua roupa como a de quem pisa o lagar? Eu piso sozinho o lagar e ninguém está comigo. Eu me espremi em minha ira e pisado fui em meu furor. Por isso meu sangue borrifou minhas vestes, e eu sujei meu manto por inteiro. Pois eu me propus um dia de vingança, chegou o dia de me libertar. Olhei em torno de mim, e não havia quem me ajudasse; eu me admirei, e ninguém me socorreu, mas meu braço teve de me ajudar, e minha ira veio em meu auxílio. E eu pisei em cima de mim em minha ira, eu me embriaguei em meu furor, e derramei meu sangue sobre a terra[206]. Pois eu tomei sobre mim meu delito para que Deus ficasse curado.

Como o Cristo disse que não trouxera a paz, mas a espada[207], assim aquele que aperfeiçoa o Cristo dentro de si não se dará a paz, mas uma espada. Ele se levantará contra si mesmo, e uma coisa estará dirigida contra a outra dentro dele. Ele também odiará aquilo que ama em si mesmo. Ele será em si mesmo flagelado, escarnecido e entregue ao tormento da cruz, e ninguém estará a seu lado para abrandar seu tormento.

Assim como o Cristo foi crucificado entre os dois malfeitores, também nosso ínfimo está em ambos os lados de nosso caminho. E como um dos malfeitores foi para o inferno e o outro subiu ao céu, também nosso ínfimo em nós se dividirá em duas metades no dia de nosso juízo. Uma, destinada à condenação e à morte, a outra, a quem cabe subir para o alto[208]. Mas demorará muito até entenderes o que está destinado à morte e o que, à vida, pois o ínfimo em ti ainda está indiviso em ti, é uma coisa só e em profundo sono.

Quando aceito em mim o ínfimo, enterro um germe no chão do inferno. O germe é invisivelmente pequeno, mas dele nasce e cresce a árvore de minha vida que liga o inferior ao superior. Em ambas as extremidades há fogo e calor máximo. O superior está em fogo e o inferior está em fogo. Entre os fogos insuportáveis cresce tua vida. Entre esses dois polos estás dependurado. Num movimento aterrador sem limites oscila para cima e para baixo o pendente distendido[209].

Por isso a gente teme nosso ínfimo, pois é sempre uno com o caos aquilo que não possuímos, e toma parte em seu fluxo e refluxo enigmáticos. Aceitando em mim o ínfimo, precisamente aquele sol avermelhado-incandescente da profundeza, e sucumbindo por causa disso à confusão do caos, também nasce para mim o sol que brilha no alto. Por isso quem aspira ao mais alto encontra o mais profundo.

Para salvar as pessoas de sua época do pendente distendido, o Cristo tomou realmente sobre si este tormento e ensinou: "Sede espertos como as cobras e sem falsidade como as pombas"[210]. Pois a esperteza aconselha contra o caos, e a ingenuidade oculta seu

202 O *esboço* continua: "Mas quem o faz sob a lei do amor, a este sucederá para além do sofrimento, sentar-se à mesa com o Ungido e contemplar a glória de Deus" (p. 406).

203 O *esboço* continua: "Mas quem toma sobre si seu sofrimento sob a lei do amor, a este virá o Deus e fará com ele uma nova aliança. Pois está predeterminado que o Ungido deve retornar, não mais em carne, mas em espírito. Assim como o Cristo levou a carne a curar-se através do padecimento, também o Ungido dessa época levou o espírito a curar-se através do padecimento" (p. 407).

204 O *esboço* continua: "O ínfimo em ti é a pedra que os construtores rejeitaram. Ela se tornará a pedra angular. O ínfimo em ti vai brotar, erguer-se e ficar bem alto como um rebento em solo árido, em areia do deserto mais seco. Do rejeitado vem para ti a felicidade. De brejos lamacentos nasce teu sol. Tu te aborreces, como todos os outros, com o ínfimo em ti porque sua forma é mais feia do que a imagem que tu amas em ti mesmo. O ínfimo em ti é o universalmente desprezado e desvalorizado, cheio de dores e doença. Ele é tão desprezado que a gente esconde o rosto diante dele, que a gente o considera um nada, que até se diz que ele não existe, pois a gente se envergonharia e se desprezaria a si mesmo por causa dele. Na verdade, ele suporta nossa doença e está carregado de nossas dores. Nós o consideramos como aquele que foi atormentado e castigado por causa de sua feiúra desprezível. Mas ele foi ferido e entregue à loucura por causa de nossa própria justiça, por causa de nossa própria beleza foi torturado e oprimido. Nós deixamos o castigo e a tortura para ele, para que nós pudéssemos ter paz. Mas tomaremos sobre nós sua doença e, através de nossas feridas, virá a nós a felicidade" (p. 407-408). As primeiras linhas se referem ao Sl 118,22; A passagem é um eco de Is 53, que Jung cita acima, p. 229.

205 O *esboço* continua: "Por que nosso espírito não deve tomar sobre si tormento e falta de paz para a santificação? Mas tudo isso virá sobre vós, pois já ouço os passos daqueles que receberam a chave para abrir os portões da profundeza. O barulho das lutas que ressoa por vales e montanhas, o lamento dorido que se ergue de inúmeros lugares habitados é prenúncio do que virá. Minhas visões são verdade, pois eu vi o que virá. Mas não deveis acreditar em mim, caso contrário vos desviareis de vosso caminho certo que vos conduz por via segura exatamente para vosso sofrimento, que eu prevejo. Nenhuma crença vos leve ao erro, assumi vossa descrença máxima e conduzi-vos ao caminho. Assumi vossa traição e deslealdade, vosso orgulho e vossa pretensão e chegareis à estrada correta que vos levará ao vosso ínfimo; e o que fazeis ao vosso ínfimo em vós, isto o fazeis para o Ungido. Não vos esqueçais de uma coisa: nada é abolido da lei do amor, mas muita coisa lhe é acrescentada. Mas amaldiçoado é aquele que mata por si ou em si aquele que ama, pois incontável é o número de mortos que morreram por causa do amor, e o mais poderoso entre esses mortos é o Senhor, o Cristo. Veneração diante desses mortos é sabedoria. O fogo do inferno espera por aquele que mata dentro de si o que ama. Vós lamentareis e odiareis a impossibilidade de unir em vós o ínfimo com a lei do amor. Eu vos digo: como Cristo submeteu a natureza do corporal ao espiritual sob a lei da Palavra do Pai, assim deverá ser submetida a natureza do espiritual ao corporal sob a lei da lei, completada por Cristo, da obra da salvação através do amor. Vós tendes medo da periculosidade; mas sabei que onde Deus está mais próximo, aí o perigo é maior. Como podeis reconhecer o Ungido sem perigo? Pode-se adquirir uma valiosa pedra preciosa por uma moeda de cobre? O ínfimo em vós é também vosso perigo. O medo e o perigo são os guardas da porta de vosso caminho. O ínfimo em vós é ilimitado, pois não o vedes. Portanto, dai-lhe forma e contemplai-o. Com isso abris as comportas do caos. Do mais escuro, molhado e frio nasce o sol. As pessoas ignorantes dessa época só veem o um; nunca percebem a aproximação do outro. Mas se existe o um, também existe um outro" (p. 409-410). Jung cita aqui implicitamente as primeiras linhas de *Patmos*, de Friedrich Hölderlin, que era um de seus poemas favoritos: "Perto está / o Deus, e difícil de entender./ Mas onde há perigo, / a salvação também cresce". Jung tratou disso em *Transformações e símbolos da libido* (1912. OC, B, § 651s.).

206 Essas linhas citam realmente Is 63,2-6.

207 Mateus 10,34: "Não penseis que vim trazer paz à terra. Não vim trazer a paz, e sim a espada".

208 Em *Resposta a Jó* (1952) Jung escreveu sobre o Cristo na cruz: "Este quadro é completado pela presença de dois malfeitores, um dos quais desce ao inferno e o outro sobe ao paraíso. Não se poderia representar melhor a antinomia do símbolo central do cristianismo" (OC, 11, § 659).

209 Dieterich observa que no *Górgias*, de Platão, há o motivo de que os transgressores ficam dependurados no Hades (*Nekyia*, p. 117). Na lista de referências de Jung no verso de seu exemplar de *Nekyia*, escreveu: "117 estão dependurados".

210 Mateus 10,16: "Eu vos envio como ovelhas no meio de lobos; sede, pois, prudentes como as serpentes e simples como as pombas".

aspecto horrível. Portanto, as pessoas podiam andar pelo seguro caminho do meio, com limite para cima e para baixo.

Mas os mortos de cima e de baixo se multiplicaram, e sua exigência tornou-se cada vez mais veemente. E levantaram-se pessoas distintas e infames que, sem o saber, transgrediram a lei do meio. Abriram portas para cima e para baixo. Levaram muitos com eles para o delírio superior e inferior e semearam assim a confusão e prepararam o caminho daquele que está para chegar.

Mas quem entra no um e não ao mesmo tempo no outro, enquanto aceita aquele que lhe vem ao encontro, só ensinará e viverá o um, e disso fará uma realidade. Pois ele se tornará vítima do um. Se tu entras no um e por isso consideras como inimigo o outro que lhe vem ao encontro, combaterás o outro. Pois não vês que o outro também está em ti. Tu achas que ele vem de qualquer modo de fora e tu achas que o vês também nas opiniões contrárias a ti e nas ações de teus concidadãos. Lá o combates e estás totalmente cego. Mas quem aceita o outro que lhe vem ao encontro, porque também já está nele, este já não combate, mas olha para

112/114 dentro de si e se cala. / [Ilustração 113][211] /

Ele vê a árvore da vida, cujas raízes chegam até o inferno e cuja copa toca o céu. Também não conheces mais as diferenças[212]: Quem tem razão? Quem é santo? O que é verdade? O que é bom? O que está certo? Ele só conhece uma diferença: a diferença entre o embaixo e o em cima. Pois ele vê que a árvore da vida cresce de baixo para cima, e que em cima tem uma copa nitidamente diferente das raízes. Isto é óbvio para ele. Assim conhece ele o caminho da salvação.

Faz parte de tua salvação que desaprendas as diferenças, exceto esta da direção. Assim te libertas da antiga maldição do conhecimento do bem e do mal. Porque separaste, de acordo com tua melhor opinião, o bem do mal e só atentaste para o bem e renegaste o mal, que apesar disso praticaste e não o tomaste sobre ti, tuas raízes não mais sugaram a escura nutrição da profundeza, e tua árvore ficou doente e secou.

Por isso diziam os antigos que, após Adão ter comido a maçã, a árvore do paraíso secou[213]. Tu precisas do escuro para tua vida. Mas quando sabes que é o mal, não mais o podes aceitar, passas por necessidades e não sabes por quê. Mas também não o podes aceitar como o mal, caso contrário teu bem te rejeita. Também não podes negar que conheces o bem e o mal. Por isso o conhecimento do bem e do mal foi uma maldição insuperável.

Mas se voltares para o caos primitivo, se sentires e conheceres o pendente distendido entre os polos insuportáveis do fogo, perceberás que não podes mais separar definitivamente o bem e o mal, nem pelo sentimento e nem pelo conhecimento, mas que só te é dado distinguir a direção do crescimento, que vai de baixo para cima. Assim desaprendes a diferença entre o bem e o mal e não a sabes mais enquanto tua árvore cresce de baixo para cima. Mas logo que o crescimento para, desfaz-se o unificado indiferençável no crescimento e tu conheces novamente o bem e o mal.

Jamais podes negar diante de ti mesmo o conhecimento do bem e do mal, de forma que pudesses enganar teu bem para viver o mal. Tão logo separas bem e mal, tu os conheces. Só no crescimento estão ambos unificados. Mas tu cresces quando ficas quieto numa grande dúvida, e por isso a quietude na grande dúvida é uma verdadeira flor da vida.

Quem não suporta a dúvida não suporta a si mesmo. Esta pessoa é indecisa, não cresce e por isso também não vive. A dúvida é o sinal do mais forte e do mais fraco. O forte tem a dúvida, mas a dúvida possui o fraco. Por isso o mais fraco está próximo do mais forte e quando pode dizer para sua dúvida "Eu te possuo", então ele é o mais forte[214]. Mas ninguém pode dizer sim à sua dúvida, ele suporta então o caos aberto. Pelo fato de haver tantos abaixo de nós que podem dizer tudo, repara como vivem. O que um diz pode significar muito ou bem pouco. Pesquisa por isso sua vida.

Meu discurso não é claro nem escuro, pois é o discurso de alguém em crescimento.

211 Legenda da ilustração: "Esta é a imagem da criança divina. Significa a plenitude de uma longa trajetória. Justo quando a ilustração estava pronta, em abril de 1919, e a próxima estava sendo iniciada, veio aquele que trouxe o ☉ conforme ΦΙΛΗΜΩΝ [Filêmon] me havia predito. Eu o chamei ΦΑΝΗΣ [Fanes], porque ele é o Deus recém-aparecendo". ☉ pode ser o sinal astrológico para o sol. Na teogonia órfica, Éter e Caos nasceram de Crono. Crono fez um ovo em Éter. O ovo se partiu em dois e apareceu Fanes, o primeiro dos deuses. Guthrie escreve que "ele é imaginado como extraordinariamente belo, uma figura de luz brilhante, com asas de ouro às costas, quatro olhos e as cabeças de vários animais. Tem os dois sexos, pois deve criar sozinho a raça dos deuses" (GUTHRIE. *Orpheus and Greek Religion*: A Study of the Orphic Movement. Londres: Methuen, 1935, p. 80). Em *Transformações e símbolos da libido* (1912), ao discutir as concepções mitológicas da força criativa, Jung chamou a atenção para "a figura órfica de Fanes, o 'brilhante', o princípio da criação, o 'pai de Eros'. Fanes tem também o significado (órfico) de Priapo, é um Deus do amor, bissexual e equiparado ao tebano Dioniso Lísio. O sentido órfico de Fanes é igual ao do Kâma hindu, o Deus do amor que é também um princípio cosmogênico" (OC, B, § 223). Fanes aparece no *Livro Negro* 6, no outono de 1916. Seus atributos condizem com as descrições clássicas, e é descrito como o brilhante, um Deus de beleza e luz. O exemplar que Jung possuía do livro de Isaac Cory, *Ancient Fragments of the Phoenician, Chaldean, Egyptian, Tyrian, Carthaginian, Indian, Persian, and Other Writers; With an Introductory Dissertation; And an Inquiry into the Philosophy and Trinity of the Ancients*, traz partes sublinhadas na seção sobre a teogonia órfica e uma tira de papel com a seguinte frase: "Imaginam o Deus como um ovo concebente e concebido, ou uma veste branca, ou uma nuvem, porque Fanes nasce deles" (Londres: William Pickering, 1832, p. 310). Fanes é o Deus de Jung. Em 20 de fevereiro de 1917, Fanes é descrito como um pássaro de ouro (*Livro Negro* 6, p. 119). Em 20 de fevereiro de 1917, Jung se refere a Fanes como o mensageiro de Abraxas (ibid., p. 167). Em 20 de maio de 1917, Filêmon diz que deseja tornar-se Fanes (ibid., p. 195). Em 11 de setembro, Filêmon o descreve assim: "Fanes é o Deus que sobe brilhante das águas. / Fanes é o sorriso da aurora. / Fanes é o dia luzente. / Ele é o rumorejar das torrentes. / É o galopar dos ventos. / É fome e saciedade. / É amor e prazer. / É tristeza e consolo. / É promessa e cumprimento. / É a luz que ilumina toda escuridão. / É o eterno dia. / É a luz prateada da lua. / É o cintilar das estrelas. / É a estrela cadente que brilha, passa e se apaga. / É a chuva de estrelas cadentes que se repete a cada ano. / É o sol e a lua que retornam. / É o cometa que traz guerras e vinho nobre. / É o bem e a plenitude do ano. / Ele enche as horas de encantos de vida. / É o abraço e o balbucio do amor. / É o calor da amizade. / É a esperança que vivifica o vazio. / É o esplendor de todos os sóis renovados. / É a alegria por todo nascimento. / É o resplendor das flores. / É o aveludado das asas das borboletas. / É o aroma dos jardins floridos que enche as noites. / É o canto da alegria. / É a árvore da luz. / Ele é toda a perfeição, cada aperfeiçoamento. / Ele é tudo que soa bem. / É a harmonia. / É o número sagrado. / É a promessa de vida. / É o contrato e o sagrado juramento. / É a multiplicidade de tons e cores. / É a santificação da manhã, do meio-dia e da noite. / É a bondade e a mansidão. / Ele é a salvação... / Realmente, Fanes é o dia feliz... / Realmente, Fanes é o trabalho, sua realização e sua paga. / Ele é o labutar cansativo e o repouso noturno. / É o passo no caminho do meio, é seu começo, sua metade e seu fim. / Ele é a previsão. / É o fim do medo. / É a semente germinativa, o botão que se abre. / É a porta da recepção, o acolhimento e a hospedagem. / É a fonte e o deserto. / É o porto seguro e a noite tempestuosa. / É a certeza e a dúvida. / É a segurança na dissolução. / É a libertação do cativeiro. / É o conselho e a força no caminhar para frente. / É o amigo dos seres humanos, a luz que dele emana, a luz clara que observa a pessoa em seu caminho. / É a grandeza do ser humano, seu valor e sua força" (*Livro Negro* 7, p. 16-19). Em 31 de julho de 1918, o próprio Fanes diz: "O mistério da manhã de verão, o dia feliz, a realização do momento atual, a plenitude do possível, nascido de sofrimento e alegria, a joia da eterna beleza, a meta dos 4 caminhos, a fonte e o mar dos 4 caudais, a realização dos 4 sofrimentos e das 4 alegrias, pai e mãe dos deuses dos 4 ventos, crucifixão, sepultamento, ressurreição e elevação dos homens a Deus, a máxima ação e o ser nada, mundo e grão, eternidade e momento atual, pobreza e abastança, desdobramento, morte e renascimento de Deus, suportado por força criativa eterna, brilhando em toda atividade, amado pelas duas mães e esposas-irmãs, encanto indizivelmente importuno, incognoscível, impensável, uma ponta de agulha entre a morte e a vida, uma torrente de universos cobrindo o céu – eu lhe dou o amor humano, o cântaro de opala; ele derrama água, vinho, leite e sangue, alimento dos homens e dos deuses. / Eu lhe dou a alegria do sofrimento e o sofrimento da alegria. / Eu lhe dou o encontrado: a duração na mudança e a mudança na duração. / A talha de pedra, o vaso do aperfeiçoamento. A água correu para dentro, o vinho correu para dentro, o leite correu para dentro, o sangue correu para dentro. / Os quatro ventos precipitaram-se para dentro do vaso precioso. / Os deuses dos quatro cantos do céu conservam sua rotundidade, as duas mães e os dois pais observam-na. O fogo do Norte queima sobre sua boca, a cobra do Sul rodeia seu chão, o espírito do Oriente mantém seu lado, e o espírito do Ocidente mantém seu outro lado. / Eternamente negado, permanece por toda a eternidade. Retornando sob todas as formas, eternamente o mesmo, o único vaso precioso, apertado pelo círculo dos animais, negando-se a si mesmo, e brilhando de modo novo por sua negação. / O coração de Deus e do ser humano. / É um só e muita coisa. Um caminho que leva através de montanhas e vales, uma estrela-guia no mar em ti e sempre adiante de ti. / Perfeito, sim, perfeito é aquele que sabe disso. / Perfeição é pobreza. Mas pobreza significa gratidão. Gratidão é amor (2 de agosto). Na verdade, perfeição é o sacrifício. / Perfeição é alegria e previsão da sombra. / Perfeição é fim. Fim significa começo, por isso perfeição é pequenez e começo no menor. / Tudo é imperfeito, por isso perfeição é solidão. / Mas a solidão procura por comunidade. Por isso, perfeição significa comunidade. / Eu sou a perfeição, mas só é perfeito quem alcançou seus limites. / Eu sou a luz que jamais se apaga, mas é perfeito quem está entre o dia e a noite. Eu sou o amor que dura para sempre, mas perfeito é quem colocou a faca sacrificial ao lado de seu amor. / Eu sou a beleza, mas perfeito é quem está sentado perto do muro do templo e

Nox quarta[215]

Cap. xvii.

[IH 114][216] Ouço o zunido do vento da manhã, que desce pelas montanhas. A noite foi superada, uma vez que toda minha vida foi sacrificada e sufocada no eterno confuso e pendia distendida entre os polos de fogo.

Minha alma falou-me em voz clara: "A porta deve ser tirada dos gonzos para haver uma passagem livre entre aqui e lá, entre sim e não, entre em cima e embaixo, entre direita e esquerda. Devem ser construídas passagens arejadas entre todas as coisas opostas, estradas planas e fáceis devem levar de um polo a outro. Uma balança deve ser montada, cujo fiel oscile levemente. Deve arder uma chama que não seja apagada pelo vento. Uma torrente deve correr para sua meta mais profunda. Os bandos de animais selvagens devem vir a seus lugares de pastagens na sua tradicional migração. A vida segue daqui em diante seu caminho, do nascimento à morte, da morte ao nascimento, ininterruptamente como o caminho do sol. Que tudo faça este caminho".

Assim fala minha alma. Mas eu brinco negligente e insensivelmente comigo mesmo. É dia ou noite? Estou dormindo ou acordado? Estou vivo ou já morri?

Trevas espessas me cercam – um grande muro – um verme cinzento do crepúsculo se arrasta ao longo dele. Ele tem uma cara redonda e ri. A risada é enternecedora e realmente libertadora. Abro os olhos: diante de mim está a gorda cozinheira: "O senhor tem um sono deveras bom. O senhor dormiu por mais de uma hora".

Eu: "É verdade? Eu dormi? Tive um sonho, um espetáculo horrível! Peguei no sono nesta cozinha; é este de fato o reino das mães?"[217]

"Beba um copo de água, o senhor ainda está tonto de sono".

Eu: "Sim, este sono pode deixar alguém tonto. Onde está meu Tomás? Ali está, aberto no capítulo 21: 'Ó minha alma, em tudo e acima de tudo descansa sempre no Senhor, porque ele é o eterno repouso dos santos'"[218].

Li esta passagem em voz alta. Não está depois de cada palavra um ponto de interrogação?

"Se o senhor pegou no sono com esta frase, então deve ter tido um belo sonho".

Eu: "Eu sonhei sem dúvida – pensarei no sonho. Mas, diga-me, para quem a senhora cozinha?"

"Sou cozinheira do senhor bibliotecário. Ele gosta de uma boa cozinha, e eu já estou neste serviço há muitos anos". / [Ilustração
114/116 115][219] /

Eu: "Oh, eu não sabia que o senhor bibliotecário tinha semelhante cozinha".

"Sim, o senhor precisa saber, ele é um gastrônomo".

Eu: "Passar bem, senhorita cozinheira; agradeço sua acolhida".

"De nada, a honra foi toda minha".

Agora estou do lado de fora. Esta é então a cozinha do senhor bibliotecário. Será que ele sabe o que ali dentro se cozinha? Provavelmente nunca experimentou aí dentro um sono do templo[220]. Creio que vou devolver-lhe o Tomás de Kempis. Entro na biblioteca.

B: "Boa-noite, aí está senhor de novo".

Eu: "Boa-noite, senhor bibliotecário, estou devolvendo o Tomás. Eu me sentei por instantes num canto de sua cozinha para ler, mas não sabia que era sua cozinha".

B: "Não se importe, não faz mal nenhum. Espero que minha cozinheira o tenha recebido bem".

Eu: "Sobre a acolhida não posso me queixar. Eu até tirei uma soneca em cima do Tomás".

B: "Isto não me admira. Esses devocionários são terrivelmente enfadonhos".

Eu: "Sim, para nós outros. Mas para sua cozinheira, este pequeno livro significa muita edificação".

B: "Sim, para a cozinheira".

Eu: "Permita-me uma pergunta indiscreta: o senhor também já tirou um sono de incubação em sua cozinha?"

B: "Não, nunca me passou pela cabeça ideia tão extravagante".

Eu: "Digo-lhe que com isso poderia ter aprendido algo sobre a natureza de sua cozinha. Boa-noite, senhor bibliotecário".

Depois dessa conversa, saí da biblioteca e fui para a antessala onde me deparei com a cortina verde. Puxei-a para um lado, e o que vi? Vi um alto pórtico – no plano de fundo um jardim que parecia magnífico – o jardim mágico de Klingsor, como logo percebi. Eu entrei num teatro: lá estão dois que fazem parte da peça: Anfortas e Kundry ou antes – o que vejo? É o senhor bibliotecário e sua cozinheira. Ele está doente, pálido e com o estômago embrulhado, ela está desiludida e com raiva. À esquerda está Klingsor e segura a caneta que o senhor bibliotecário costuma trazer atrás da orelha. Klingsor me parece tão familiar! Maldita peça! Mas observa, da direita vem Parsifal. Maravilhoso, também ele me parece familiar. Klingsor atira maldosamente a caneta na direção de Parsifal, que a pega calmamente.

A cena muda: parece que o público, neste caso eu, participa da representação do último ato. Temos de ajoelhar, pois o suplício da Sexta-feira Santa começa: Parsifal entra – com passos vagarosos,

---

remenda sapatos em troca de pagamento. / O perfeito é simples, solitário e concorde. Por isso procura o variado, a comunidade, o discordante. Por sobre o variado, o comum, o contestado ele avança para a simplicidade, para a solidão e para a conformidade. / O perfeito conhece o sofrimento e a alegria, mas eu sou o encanto para além da alegria do sofrimento. / O perfeito conhece o claro e o escuro, mas eu sou a luz para além do dia e das trevas. / O perfeito conhece o em cima e o embaixo, mas eu sou a altura para além do alto e do baixo. / O perfeito é o que cria e o criado, mas eu sou a imagem geradora para além da criação e do criado. / O perfeito conhece o amar e o ser amado, mas eu sou o amor para além do abraço e da tristeza. / O perfeito conhece o homem e a mulher, mas eu sou a pessoa, seu pai e seu filho para além da masculinidade e da feminilidade, para além da criança e do ancião. / O perfeito conhece nascer e ocaso, mas eu sou o ponto intermédio para além da aurora e do pôr do sol. / O perfeito me conhece e por isso é diferente de mim" (*Livro Negro 7*, p. 76-80).

212 Nota à margem no volume caligráfico: "14. IX. 1922".

213 Em *Transformações e símbolos da libido* (1912), Jung se refere a uma lenda em que a árvore secou após o outono (OC, B, § 375).

214 O *esboço* continua: "Por isso ensinou o Cristo: Felizes sois vós, os pobres, porque vosso é o Reino de Deus" (p. 416). Texto referente a Lc 6,20.

215 Quarta noite.

216 19 de janeiro de 1914.

217 No primeiro ato da segunda parte do *Fausto*, de Goethe, Fausto tinha de descer ao reino das mães. Houve muita especulação sobre o significado dessa expressão em Goethe. Para Eckermann, Goethe afirmou que a origem do nome vem de Plutarco. Com toda a probabilidade, esta foi a discussão de Plutarco da deusa-mãe em Engina (cf. HAMLIN, C. (org.). *Faust*. Nova York: Norton, 1976, p. 328-329). Em data posterior, Jung identificou o reino das mães com o inconsciente coletivo ("Um mito moderno: a respeito de coisas vistas no céu", 1958. OC, 10, § 714).

218 *A imitação de Cristo*, cap. 21, p. 181.

219 Legenda da ilustração: "Isto é o ouro material no qual mora a sombra de Deus".

220 Jung refere-se às práticas gregas da incubação do sonho, assim como no culto a Asclépio. Cf. MEIER, C.A. *Healing Dream and Ritual*: Ancient Incubation and Modern Psychotherapy. Einsiedeln: Daimon Verlag, 1989.

a cabeça coberta com um elmo negro; traz sobre os ombros a pele do leão de Héracles e na mão, a clava, além disso usa modernos calções pretos, por causa do grande feriado religioso. Eu me arrepiei e estendi as mãos em gesto de repulsa, mas a peça continua. Parsifal tira o elmo da cabeça. Mas não está presente nenhum Gurnemanz para absolvê-lo e ungi-lo. Kundry está longe, esconde a cabeça e ri. O público está deslumbrado e se reconhece a si mesmo em Parsifal. Ele é eu. Eu me dispo de minha armadura histórico-factual, de meu ornamento quimérico e me dirijo em minha camisola de penitência à fonte, lavo sem ajuda estranha meus pés e mãos. Tiro então minha camisola espiritual e visto meus trajes civis. Saí de cena e aproximei-me de mim mesmo, pois eu como público ainda estava piedosamente de joelhos. Levantei a mim mesmo do chão e tornei-me um comigo mesmo[221].

[2] O que seria zombaria, se não fosse verdadeira zombaria? O que seria dúvida, se não fosse verdadeira dúvida? O que seria oposição, se não fosse verdadeira oposição? Quem quiser aceitar a si mesmo deve também aceitar verdadeiramente seu outro. Pois no sim, todo não é não verdadeiro, e no não todo sim é mentira. Mas como hoje posso estar no sim e amanhã no não, tanto sim e não são verdadeiros. Sim e não não podem ceder, pois são nossos conceitos de verdade e de erro.

Tu gostarias de ter certeza sobre verdade e erro? Certeza dentro do um ou do outro não só é possível, mas também necessário, mas a certeza no um é garantia e resistência contra o outro. Quando estás no um, tua certeza do um exclui o outro. Mas então como podes chegar ao outro? E por que o um nunca consegue bastar-nos? O um não nos pode bastar porque também o outro está em nós. E se nós nos contentássemos com o outro, o outro passaria necessidade e nos atacaria com sua fome. Mas nós não entendemos essa fome e acreditamos ter sempre mais fome do um e por isso nos aferramos mais ainda em nossa luta pelo um.

Evidentemente levamos com isso a que o outro faça valer em nós com mais força sua exigência. Se estivermos dispostos então a reconhecer em nós a exigência do outro, podemos passar para dentro do outro a fim de saciá-lo. Mas só podemos chegar lá porque o outro ficou consciente para nós. Mas se nossa cegueira através do um for forte, afastamo-nos ainda mais do outro, e abre-se um calamitoso abismo em nós entre o um e o outro. O um fica supersaciado e o outro superfaminto. O saciado fica podre e o faminto fica fraco. E assim afogamo-nos na gordura, consumidos pela escassez.

Isto é doentio, mas desse tipo vês muitos. Deve ser assim, mas também não deve ser assim. Há razões e causas suficientes para
ser assim, mas nós queremos que também não / seja assim. Foi 116/117
dada ao ser humano a liberdade de superar também as causas, pois ele é criador em si e por si mesmo. Quando conquistaste através do sofrimento de teu espírito aquela liberdade, apesar de tua máxima crença no um, de aceitar também o outro porque também o és, então começa teu crescimento.

Quando os outros zombam de mim, são sempre os outros que o fazem, e eu posso atribuir-lhes culpa por causa disso e esquecer-me de zombar de mim mesmo. Mas quem não consegue zombar de si mesmo torna-se objeto de zombaria dos outros. Portanto, aceita também tua autozombaria, a fim de que descaia de ti o caráter de seres deus e herói e te tornes tão somente humano. Teu caráter de seres deus e herói é para o outro uma zombaria em ti. Por amor ao outro em ti, abandona teu papel mirabolante que desempenhaste até agora e torna-te o que és.

Quem possui a ventura e desventura de um dom especial, sucumbe à ilusão de acreditar ser ele mesmo esse dom. Por isso ele é também muitas vezes seu próprio bufão. Um dom especial é algo fora de mim. Não sou a mesma coisa que ele. A natureza do dom não tem nada a ver com a natureza da pessoa, que é seu portador. Ele vive inclusive muitas vezes à custa do caráter de seu portador. Sua personalidade é marcada pelas desvantagens de seu dom, até mesmo pela oposição a ele. Por isso, nunca está à altura de seu dom, mas sempre abaixo. Quando aceita seu outro, torna-se apto a suportar seu dom sem prejuízos. Mas se quiser viver apenas em seu dom e por isso rejeita o outro, perde a medida, pois a natureza de seu dom é extra-humana e um fenômeno da natureza, o que ele na verdade não é. Todo mundo vê seu erro, e ele é vítima de sua zombaria. Diz ele então que são os outros que dele zombam, enquanto é apenas a negligência de seu outro que o torna ridículo.

Quando o Deus entra na minha vida, volto para minha pequenez por amor a Deus. Eu tomo sobre mim o peso da pequenez e carrego toda minha feiura e ridículo e também todo o desprezível em mim. Dessa maneira alivio o peso do Deus de tudo o que causa confusão e de toda tolice que sobre ele cairiam se eu não o assumisse. Assim preparo o caminho para o agir de Deus. Ainda é noite, uma longa noite cheia de inquietação. O que vai acontecer? Os abismos escuros foram esvaziados e esgotados? Ou o que é que espera e está lá embaixo, ameaçador e com brilho vermelho? [Ilustração 117][222]

221 No *Parsifal*, Wagner apresentou sua reelaboração da lenda do Graal. O enredo é o seguinte: Titurel e seus cavaleiros cristãos têm o santo Graal sob sua proteção em seu castelo, com uma lança sagrada para protegê-lo. Klingsor é um feiticeiro que procura o Graal. Ele seduziu os guardas do Graal atraindo-os para seu jardim mágico, onde existem donzelas-flores e a feiticeira Kundry. Amfortas, filho de Titurel, entra no castelo para destruir Klingsor, mas é enfeitiçado por Kundry e deixa cair a lança sagrada, e Klingsor o fere com ela. Amfortas precisa do toque da lança para curar a ferida. Gurnemanz, o mais velho dos cavaleiros, procura Kundry, não sabendo do papel dela no ferimento de Amfortas. Uma voz vinda do santuário do Graal profetiza que só um jovem sem malícia e inocente pode recuperar a lança. Parsifal entra, depois de matar um cisne. Não sabendo o seu nome nem o de seu pai, os cavaleiros esperam que seja ele esse jovem. Gurnemanz leva-o ao castelo de Klingsor. Klingsor manda Kundry seduzir Parsifal. Parsifal derrota os cavaleiros de Klingsor. Kundry é transformada numa linda mulher. Ela o beija. A partir daí, ele percebe que Kundry seduziu Amfortas, e a repele. Klingsor arremessa a lança contra ele e Parsifal a agarra. O castelo e o jardim de Klingsor desaparecem. Depois de muito perambular, Parsifal encontra Gurnemanz, agora vivendo como eremita. Parsifal está revestido com uma armadura negra e Gurnemanz fica escandalizado por ele estar armado na Sexta-feira Santa. Parsifal põe a lança diante dele e tira o capacete e depõe as armas. Gurnemanz reconhece-o e unge-o rei dos cavaleiros do Graal. Parsifal batiza Kundry. Eles vão ao castelo e pedem a Amfortas que descubra o Graal. Amfortas pede-lhes que o matem. Parsifal entra e toca-lhe a ferida com a lança. Amfortas é transfigurado e Parsifal, radiante, ergue o Graal. A 16 de maio de 1913, Mensendieck fez uma apresentação à Sociedade Psicanalítica de Zurique sobre "A saga Graal-Parsival". No debate, Jung disse: "Para o tratamento exaustivo da Saga Graal-Parsifal em Wagner dever-se-ia acrescentar ainda a consideração sintética de que às diversas personagens correspondem no artista diversas aspirações. – O fato de a sedução de Kundry ter malogrado talvez não deva ser explicado com a proibição do incesto, mas pela medida psíquica da tendência superior do anseio humano" (Atas da Sociedade Psicanalítica de Zurique, p. 20. Zurique: Archives of the Psychological Club). Em *Tipos psicológicos* (1921), Jung apresentou uma interpretação psicológica do *Parsifal* (OC, 6, § 421-422).

222 Texto na ilustração: "(Atmavictu); (iuvenis adiutor) [um jovem ajudante]; (ΤΕΛΕΣΦΟΡΟΣ) [TELÉSFORO]; Spiritus malus in hominibus quibusdam) (espírito mau em alguns homens)". Legenda da ilustração: "O dragão quer comer o sol, o jovem implora que não o faça. Apesar disto ele o come". Atmaviktu (como é grafado aqui) aparece pela primeira vez no *Livro Negro* 6 em 1917. Eis uma paráfrase da fantasia de 25 de abril de 1917: A serpente diz que Atmaviktu foi seu companheiro durante milhares de anos. Era primeiro um velho, depois morreu e tornou-se um urso. Depois morreu e tornou-se uma lontra. Depois morreu e tornou-se uma salamandra. Depois morreu novamente e tornou-se a serpente. A serpente é Atmaviktu. Antes disso, ele cometeu um erro e tornou-se um homem, enquanto era ainda uma serpente terrestre. A alma de Jung diz que Atmaviktu é um duende, um encantador de serpentes, uma serpente. A serpente diz que ela é o núcleo do eu. De serpente, Atmaviktu transformou-se em Filêmon (p. 179s.). Existe uma escultura dele no jardim de Jung em Küsnacht. Em "Das primeiras experiências de minha vida", Jung escreveu: "Quando eu estive na Inglaterra em 1920, esculpi duas figuras semelhantes de ramo fino sem ter a mais leve lembrança dessa experiência de infância. Uma delas eu reproduzira em tamanho maior em pedra e esta figura está agora em meu jardim em Kuesnacht. Só nessa época é que o inconsciente forneceu-me um nome. Chamei a figura de Atmavictu – o 'sopro da vida'. É um desenvolvimento ulterior desse objeto quase-sexual de minha infância, que veio a ser o 'sopro da vida', o impulso criativo. Basicamente, o homúnculo é um kabir" (*JA*, p. 29-30. Cf. *Memórias*, p. 52-53). A figura de Telésforo é como Fanes na ilustr. 113. Telésforo é um dos cabiros, e o daimon de Asclépio (cf. fig. 77 de *Psicologia e alquimia*. OC, 12). Foi também considerado um Deus da cura e tinha um templo em Pérgamo na Ásia Menor. Em 1950, Jung cinzelou uma imagem dele em sua pedra em Bollingen, junto com uma dedicatória a ele em grego, combinando versos de Heráclito, da Liturgia mitraica e de Homero (*Memórias*, p. 267).

117/118 / Que fogo não foi apagado e que brasas ainda ardem? Nós sacrificamos inúmeras vítimas à profundeza escura, mas ela continua exigindo mais. O que é o desejo absurdo que quer ser satisfeito? Quem é que levanta a gritaria tresloucada? Quem sofre assim entre os mortos? Aproxima-te e bebe sangue a fim de que possas falar[223]. Por que recusas o sangue? Queres leite? Ou o suco vermelho da videira? Queres talvez amor? Amor aos mortos? Enamoramento dos mortos? Exiges semente da vida para o corpo morto há milhares de anos do submundo? Uma libertinagem impura e incestuosa pelos mortos. Algo que faz o sangue enregelar. Tu queres uma promiscuidade lasciva com o cadáver? Eu falei de "aceitação"– mas tu queres "apoderar-te de mim, abraçar-me, copular?" Tu queres violação da morte? Aquele profeta, dizes tu, deitou-se sobre a criança, colocou sua boca sobre a boca da criança, seus olhos sobre os olhos dela, suas mãos sobre as mãos dela e estendeu-se pois sobre a criança, para que o corpo dela ficasse quente. Levantou-se de novo e caminhou no quarto de cá para lá, voltando a subir e se encurvar sobre a criança. Ela espirrou sete vezes e abriu os olhos. Assim deve ser tua aceitação, assim deves aceitar, não friamente, não com superioridade, não astutamente, não como mortificação própria, mas com prazer, exatamente com aquele prazer ambíguo, impuro, que atrai o mais profundo e que, devido à sua ambiguidade, vincula o mais elevado com aquele prazer santo-mau, do qual não sabes se é virtude ou vício, com aquele prazer que é repugnância lasciva, medo libidinoso, imaturidade sexual. Com esse prazer a gente desperta mortos.

Teu ínfimo está num sono semelhante à morte e precisa do calor da vida, que contém o bem e o mal indistintos e indistinguíveis. Este é o caminho da vida, tu não podes chamá-lo de mau ou bom, de puro ou impuro. Mas isto não é objetivo e sim caminho e passagem. É também doença e começo da cura. É a mãe de todas as infâmias e de todos os símbolos salutares. É a forma mais primitiva da criação, o primeiríssimo impulso escuro, que, no mais abscôndito, atravessa os recantos secretos e passagens tenebrosas, com a regularidade não intencional da água, e fertiliza os lugares inesperados de solo descuidado, de gretas minúsculas brotando terra seca. É o primeiro e secreto mestre da natureza, que ensinou às plantas e animais as astúcias e artes admiráveis e superespertas, que nossa razão mal consegue entender. É o grande sábio, que conhece o sobre-humano, que tem o domínio de todas as ciências, que da confusão cria a ordem e olhando para adiante da plenitude inconcebível prediz coisas futuras. É o caráter serpentário, o pernicioso e salutar, o demoníaco aterrador e ridículo. É a seta que sempre atinge o ponto fraco, a mandrágora que abre as tesourarias trancadas.

Não podes chamá-lo de esperto nem de bobo, nem de bom e nem de mau, pois é totalmente de natureza inumana[224]. É o filho da terra, o escuro, que tu deves despertar. É homem e mulher ao mesmo tempo e de sexo imaturo, rico de interpretação e de má interpretação, tão pobre em sentido e assim mesmo tão rico. Este é o que está morto, que gritou mais alto, que estava no plano mais baixo e esperava, que sofreu mais que todos. Não quer sangue, nem leite e nem vinho para o sacrifício aos mortos, mas a boa vontade de nossa carne. Seu desejo não ligava para os sofrimentos de nosso espírito, que se esforçava e martirizava para entender o que não era para se entender, que a si mesmo se flagelava e se entregava como oferenda. Quando nosso espírito jazia esquartejado sobre o altar, só então ouvi a voz do filho da terra, só então vi que ele era o grande sofredor que precisava da redenção. Ele é o escolhido, pois foi o mais rejeitado. É duro dizer isto; talvez eu ouça mal, talvez entenda errado o que a profundeza diz. É triste dizer isto, mas preciso dizê-lo.

A profundeza se cala. Ele se ergueu, observa a luz do sol e demora-se entre os vivos. Inquietação e discórdia levantam-se com ele, dúvida e a plenitude da vida.

Assim, está terminado. Real é o que era irreal; irreal, o que era real. Mas eu não desejo, eu não quero, eu não posso. Ó miséria humana! Ó falta de vontade em nós! Ó dúvida e desespero! Esta é realmente a Sexta-feira Santa em que o Senhor morreu, desceu aos infernos e concluiu o mistério[225]. Esta é a Sexta-feira Santa em que aperfeiçoamos o Cristo em nós e em que nós mesmos descemos aos infernos. Esta é a Sexta-feira Santa em que lamentamos e choramos por causa do aperfeiçoamento de Cristo, pois após seu aperfeiçoamento nós descemos aos infernos. Tão poderoso foi o Cristo, que seu reino cobriu o mundo todo, só deixando fora de si o inferno.

Quem consegue com boas razões consciência pura e obedecendo à lei do amor ultrapassar os limites desse reino? Quem é, entre os vivos, o Cristo que desce aos infernos em carne viva? Quem é que amplia o reino do Cristo por causa do inferno? Quem é que, sóbrio, está cheio de embriaguez? Quem é que do ser uno desceu para o ser duplo? Quem é que rasgou seu próprio coração para unir o separado?

Eu o sou, o sem-nome, que não se conhece a si mesmo e cujo nome está oculto diante dele mesmo. Eu não tenho nome, pois ainda não era, mas só me tornei há pouco. Sou para mim um rebatizado, estranho para mim. Eu, o eu que eu sou, não o sou. Mas eu, o eu antes de mim e o eu depois de mim, que será, eu o sou com certeza. Ao me rebaixar, elevei-me como um outro. Ao me assumir, dividi-me em dois, e ao me conciliar comigo mesmo, tornei-me uma pequena parte de meu si-mesmo. Isto eu sou em minha consciência. No entanto, sou em minha consciência assim como se também estivesse separado disso. Eu não estou / [Ilus- 118/120
tração 119][226] / em meu segundo e maior, como se eu mesmo fosse este segundo e maior, mas estou sempre em minha consciência comum, mas tão separado e distinto disso, como se estivesse em meu segundo e maior, mas sem o estar realmente de acordo com minha consciência. Eu fiquei até mesmo menor e mais pobre, mas precisamente por causa de minha pequenez posso tornar-me consciente da proximidade da grandeza,.

Eu fui batizado com água impura para o renascimento. Uma chama de fogo do inferno me esperava sobre a pia batismal. Banhei-me com impureza, e com sujeira me purifiquei. Eu o recolhi, eu o aceitei, o irmão divino, o filho da terra, o bissexual

223 No livro II da *Odisseia*, Ulisses faz uma libação aos mortos para habilitá-los a falar. Walter Burkert observa: "Os mortos bebem as libações e até o sangue – eles são convidados a vir ao banquete, a saciar-se com sangue; assim como os líquidos derramados penetram na terra, assim os mortos enviarão coisas boas para cima" (*Greek Religion*. Oxford: Basil Blackwell, 1987, p. 194-195 [trad. de J. Raffar]). Jung havia usado este motivo em sentido metafórico em 1912 em *Transformações e símbolos da libido*: "esforcei-me, como outrora Ulisses, por fazer esta sombra [Miss Frank Miller] beber apenas a quantidade suficiente de sangue para fazê-la falar, a fim de que ela nos revelasse alguns segredos do mundo inferior" (OC, B, § 57n.). Por volta de 1910, Jung empreendeu uma viagem de barco a vela com seus amigos, Albert Oeri e Andreas Vischer, durante a qual Oeri leu em voz alta os capítulos da *Odisseia* que tratam de Circe e a nekyía. Jung observou que, pouco depois disto, ele "como Ulisses foi presenteado pelo destino com uma nekyía, a descida ao sombrio Hades" (JUNG & JAFFÉ. *Memórias, sonhos, reflexões*, p. 130). A passagem que segue, descrevendo a reanimação da criança pelo profeta, parafraseia a reanimação do filho da viúva sunamita por Eliseu em 2Rs 4,32-36.

224 Cf. abaixo, p. 327.

225 Cf. acima, nota 135, p. 243.

226 Legenda da ilustração: "O maldito dragão devorou o sol, abriram-lhe a barriga com uma faca e agora precisa entregar o ouro do sol, juntamente com seu sangue. Esta é a volta de Atmavictus, o velho. O senhor que destruía as colinas verdes e vicejantes é o jovem que me ajudou a matar Siegfried". A referência é ao *Liber Primus*, cap. 7, "Assassinato do herói".

e imaturo, e durante a noite tornou-se púbere. Nasceram-lhe dois dentes incisivos, e penugem de barba juvenil cobriu seu queixo. Eu o segurei, eu o venci, eu o envolvi. Ele exigiu muito de mim e assim mesmo contribuiu com tudo. Pois ele é rico; a ele pertence a terra. Mas seu cavalo preto está separado dele.

Verdadeiramente, liquidei um soberbo inimigo meu, um maior e mais forte forcei a ser meu amigo. Nada deve separar-me dele, o escuro. Se quero afastar-me dele, ele me segue como uma sombra. Mesmo que não pense nele, está assim mesmo sinistramente perto de mim. Ele se transforma em medo quando eu o renego. Devo pensar muito nele, devo fazer-lhe oferta de alimentos; eu encho um prato para ele em minha mesa. Muita coisa que antigamente teria feito às pessoas, tenho de fazer agora a ele. Por isso consideram-me egoísta, pois não sabem que ando com meu amigo, e que muitos dias lhe são consagrados[227]. Mas a intranquilidade cessou, leve tremor subterrâneo, um rumorejar longínquo e grande. Caminhos são abertos para o passado remoto e para o futuro vindouro. Prodígios estão próximos e terríveis segredos. Eu sinto as coisas que foram e que serão. Atrás do trivial entreabrem-se os abismos eternos. A terra me devolve o
120/122 que ele recolheu. / [Ilustração 121][228, 229, 230] / [Ilustração 122][231, 232]
122/124 / [Ilustração 123][233] /

As três profecias

Cap. xviii.

[IH 124] [234]Coisas admiráveis se aproximam. Eu chamei minha alma e lhe pedi que mergulhasse no alagadouro, cujo barulho eu percebera. Isto aconteceu no dia 22 de janeiro de 1914, como vem relatado em meu *Livro Negro*. Mergulhou no escuro, com a rapidez de uma flecha, e lá do fundo ela gritou: "Tu aceitarás o que vou trazer?"

Eu: "Aceitarei o que quiseres. Não cabe a mim o direito de julgar e recusar".

A: "Então escuta: existem aqui embaixo velhas armaduras, ferramentas de nossos pais, carcomidas pela ferrugem, correias de couro emboloradas estão presas nelas, hastes carcomidas de lanças, pontas retorcidas de espadas, flechas quebradas, escudos apodrecidos, caveiras, pernas de homens e de cavalos mortos, velhos canhões, catapultas, archotes decompostos, sinalizadores destroçados, clavas de pedra, pontas de pedra, ossos afiados, dentes aguçados próprios para flechas – tudo o que as guerras de outrora abandonavam no campo de batalha. Queres aceitar tudo isso?"

Eu: "Eu aceito. Tu o sabes melhor, minha alma".

A: "Encontrei pedras pintadas, ossos riscados com sinais mágicos, fórmulas mágicas sobre pedaços de couro e chapinhas de chumbo, bolsas sujas cheias de dentes, de cabelos e unhas humanos, paus amarrados, bolas pretas, peles de animais abatidos – todas as superstições tramadas pelos atros tempos do passado. Queres tudo isso?"

Eu: "Aceito tudo. Como posso rejeitar alguma coisa?"

A: "Encontrei coisa ainda pior: fratricídio, assassinato covarde – tortura – sacrifício de crianças – extermínio de povos inteiros – incêndio – traição – guerra – revolução – queres também isso?"

Eu: "Também isso, se for preciso. Como posso julgar?"

A: "Encontro epidemias – catástrofes da natureza – navios afundados – cidades destruídas – selvageria terrivelmente animal – fome – falta de amor das pessoas – e medo – montanhas inteiras de medo".

Eu: "Assim deve ser, porque tu o dás".

A: "Encontro os tesouros de todas as culturas passadas – imagens magníficas de deuses – templos enormes – pinturas – rolos de papiro – folhas de pergaminho com a escrita de línguas mortas – livros cheios de sabedoria extinta – cantos e hinos de antigos sacerdotes – as histórias que foram contadas durante milhares de gerações".

Eu: "É um mundo que não consigo abranger. Como posso aceitar?"

A: "Não querias aceitar tudo? Não conheces teus limites. Não consegues restringir-te?"

227 O *esboço* continua: "Deixei de lado muitas pessoas, livros e pensamentos por amor a ele, mas muito mais tirei do mundo presente e fiz o trivial e simples, o mais imediato para seu serviço secreto. Enquanto eu fazia isso para a escuridão, aproximou-se de mim um outro no caminho da graça. Se me atormentam intenções e desejos, penso, sinto e ajo dentro do mais próximo. Assim me atinge o mais distante" (p. 434).

228 Em 1944, em *Psicologia e alquimia*, Jung se refere a uma representação alquímica de um círculo enquadrado por quatro "rios" no contexto de uma discussão sobre o simbolismo do mandala (OC, 12, § 167n.). Jung comentou sobre os quatro rios do paraíso em diversas ocasiões – cf., por exemplo, *Aion*. OC, 9/2, § 311, 353, 358, 372.

229 Legenda da ilustração: "XI.MCMXIX. [11.1919: A data parece referir-se ao tempo em que esta ilustração foi feita]. Esta pedra, de aspecto fascinante, é certamente o *Lapis Philosophorum*. Ela é mais dura que o diamante. Mas estende-se no espaço sob quatro propriedades, quais sejam, largura, altura, profundidade e tempo. Por isso é invisível e tu podes passar através dela, sem o perceber. Da pedra fluem as quatro torrentes de aquário. Esta é a semente incorruptível, colocada entre pai e mãe, que impede que as pontas dos dois cones se toquem, a mônada que contrabalança o pleroma". Sobre o pleroma, cf. abaixo, p. 347. Com referência à semente incorruptível, ver o diálogo com Ha, na nota da ilustr. 94, p. 292, nota 157 acima.

230 Em 3 de junho de 1918, a alma de Jung descreve Filêmon como a alegria da terra: "Os demônios se reconciliam no ser humano, que se encontrou a si mesmo, que é a fonte das quatro torrentes, ele mesmo a terra que gera as fontes. De seu cerne jorram águas para os quatro ventos. Ele é o mar que dá à luz o sol, ele é a montanha que carrega o sol, ele é o pai das quatro grandes torrentes, ele é a cruz que amarra os quatro grandes demônios. Ele é a semente incorruptível do nada, que por acaso cai através dos espaços. Esta semente é começo, mais novo do que todos os começos, mais velho que qualquer fim" (*Livro Negro* 7, p. 61). Alguns motivos dessa afirmação podem ter alguma conexão com esta ilustração. Há uma lacuna entre julho de 1919 e fevereiro de 1920 no *Livro Negro*, 7 quando Jung estava, presumivelmente, escrevendo os *Tipos psicológicos*. No dia 23 de fevereiro, há o seguinte parágrafo: "O que há no entremeio, disso se fala no *Livro dos sonhos*, mais ainda porém se encontra nas ilustrações do *Livro Vermelho*" (p. 88). Em "Sonhos", Jung menciona em torno de oito sonhos durante este período e a visão, numa noite de agosto de 1919, de dois anjos, uma massa escura e transparente e uma jovem mulher. Isto sugere que o processo simbólico continua nas ilustrações do *Liber Novus*, que não parecem ter referência direta nem ao *Liber Novus* e nem aos *Livros Negros*. Em 1935, Jung apresentou uma interpretação psicológica do simbolismo da alquimia medieval, considerando a pedra filosofal – a meta do opus alquímico – como um símbolo do si-mesmo (*Psicologia e alquimia*. OC, 12).

231 Legenda da ilustração: "4.Dec.MCMXIX [1919: A data parece referir-se ao tempo da pintura da ilustração]. Esta é a parte de trás da joia. Quem está na pedra tem esta sombra. Este é Atmavictus, o velho, depois que se retirou da criação. Ele voltou para a interminável história, donde tirou seu começo. Tornou-se novamente pedra e resíduo depois que terminou sua criação. Em Izdubar superou em crescimento o ser humano e a partir dele libertou ΦΙΛΗΜΩΝ (Filêmon) e Ka. ΦΙΛΗΜΩΟΝ deu a pedra, Ka deu o ⊙". Este sinal parece ser um símbolo astrológico para o sol.

232 Sobre Atmavictus, cf. nota à ilustr. 117. Em 20 de maio de 1917, Filêmon disse: "Como Atmavictus cometi o erro e me tornei ser humano. Meu nome era Izdubar. E como tal fui a seu encontro. Ele me paralisou. Sim, o ser humano me paralisou e me transformou numa serpente-dragão. Aconteceu-me a salvação, pois reconheci meu erro, e o fogo devorou a serpente. E assim se fez Filêmon. Minha figura é aparência. Antes disso, minha aparência era a figura" (*Livro Negro* 7, p. 195). Em *Memórias*, disse Jung: "Mais tarde, Filêmon foi relativizado pela aparição de outro personagem que denominei Ka. No antigo Egito, o 'Ka do Rei' era considerado sua forma terrestre, sua alma encarnada. Na minha fantasia, a alma-Ka vinha de sob a terra como que de um poço profundo. Pintei-a em sua forma terrestre como um Hermes, cujo pedestal era de pedra e a parte superior de bronze. Bem no alto da imagem aparece uma asa de martim-pescador; entre esta última e a cabeça do Ka paira uma nebulosa redonda e luminosa. A expressão do Ka tem algo de demoníaco, e mesmo de mefistofélico. Segura numa das mãos uma forma semelhante a um pagode colorido ou a um cofre de relíquias; na outra segura um estilete e com este trabalha aquele objeto. O Ka diz sobre si mesmo: 'Eu sou aquele que enterra os deuses no ouro e nas pedras preciosas'./ Filêmon tem um pé paralisado, mas é um espírito alado, enquanto o Ka é uma espécie de demônio da terra ou dos metais. Filêmon encarna o aspecto espiritual, o 'sentido'. O Ka, pelo contrário, é um gênio da natureza como o anthroparion da alquimia grega, que eu desconhecia nessa época. O Ka é aquele que torna tudo real, mas que vela o espírito do martim-pescador, o sentido, ou que o substitui pela beleza, pelo 'eterno reflexo'./ Com o tempo integrei essas duas figuras. O estudo da alquimia ajudou-me a consegui-lo" (p. 220-221). Wallace Budge observa que "O Ka era uma individualidade abstrata que possuía a forma e atributos do homem a que pertencia e, ainda que seu lugar normal de moradia fosse no túmulo com o corpo, podia peregrinar à vontade; era independente da pessoa e podia ir e morar em qualquer estátua dela" (*Egyptian Book of the Dead*, p. lxv). Em 1928, Jung comentou: "Num estádio superior de desenvolvimento, quando já existem representações da alma, nem todas as imagens continuam projetadas... mas um ou outro complexo podem aproximar-se da consciência, a ponto de não serem percebidos como algo estranho, mas sim como algo próprio... Tal sentimento fica de certo modo entre o consciente e o inconsciente, numa zona crepuscular: por um lado pertence ao sujeito da consciência, mas por outro lhe é estranho, mantendo uma existência autônoma que o opõe ao consciente. De qualquer forma, não obedece necessariamente à intenção subjetiva, mas é superior a esta, podendo constituir um manancial de inspiração, de advertência, ou de informação 'sobrenatural'. Psicologicamente, tal conteúdo poderá

Eu: "Tenho de restringir-me. Quem poderia abarcar esta riqueza?"

A: "Sê modesto e constrói teu jardim com sobriedade"[235].

Eu: "Quero fazê-lo. Vejo que não adianta conquistar um pedaço maior da incomensurabilidade em vez de um menor. Um pequeno jardim bem cuidado é melhor que um jardim grande e mal cuidado. Em vista da incomensurabilidade, ambos os jardins são igualmente pequenos, mas cuidados desigualmente".

A: "Pega uma tesoura e poda tuas árvores".

[2] A partir da escuridão inundante que o filho da terra havia trazido, a alma deu-me coisas velhas, que significam o futuro. Deu-me três coisas: a calamidade da guerra, as trevas da feitiçaria, a dádiva da religião.

Se fores inteligente, entenderás que essas três coisas estão inter-relacionadas. Essas três significam a libertação do caos e de suas forças, mas as três são igualmente o aprisionamento do caos. A guerra é manifesta e cada qual a vê. A feitiçaria é escura e ninguém a vê. A religião ainda não é manifesta, mas será. Pensaste que os horrores de semelhante atrocidade bélica viriam sobre nós? Pensaste que existisse feitiçaria? Pensaste numa nova religião? Eu fiquei sentado por longas noites, olhava para o vindouro e ficava horrorizado. Não me acreditas? Não me importa. O que é acreditar? O que é não acreditar? Eu observava e me horrorizava.

Mas o meu espírito não conseguia captar o monstruoso, imaginar a abrangência do vindouro. A força de seu desejo se esgotava, e sem forças caem as mãos que colhem. Eu sentia o peso do trabalho mais terrível dos tempos vindouros. Eu via onde e como, mas nenhuma palavra conseguia defini-lo, nenhuma vontade pode forçá-lo. Não pude fazer outra coisa, deixei-o cair de novo na profundeza.

Não posso dá-lo a ti, só posso falar do caminho do vindouro. Pouca coisa de bom virá a vós de fora. O que cabe a vós está dentro de vós. Mas o que está lá! Gostaria de desviar os meus olhos, fechar meus ouvidos e renegar todos os meus sentidos, gostaria de ser um entre vós, que nada sabe e que nunca viu nada. É demais e por demais inesperado. Mas eu o vi e minha lembrança não me abandona[236]. Mas meu desejo que gostaria de estender-se para o futuro, eu o corto e volto para meu pequeno jardim que está atualmente em flor e cuja dimensão eu posso calcular. Ele deve ser cuidado.

O futuro deve ser deixado para os futuros. Eu retorno ao pequeno e real, pois este é o grande caminho, o caminho do que há de vir. Eu retorno para minha simples realidade, para minha incontestável pedra menor. E eu tomo de uma faca e coloco sob julgamento tudo o que cresceu sem medida e sem objetivo. Realmente, matas cresceram a meu redor, plantas trepadeiras sobem em mim, sou totalmente coberto por coisas que vicejam sem fim. A profundeza é inesgotável, ela dá de tudo. Tudo é tão bom como nada. Fica com um pouco e terás alguma coisa. É sem medida conhecer e reconhecer tua cobiça e tua ambição; reunir, / [Ilustração 125][237] / montar, abranger, tornar útil, influenciar, dominar, 124/126
ordenar, dar sentido e interpretação a teu vício.

É desvario, como tudo que ultrapassa seus limites. Como podes reter o que não és? Tu gostarias de submeter o todo, que tu não és, ao jugo de teu miserável saber e conhecer? Pensa bem, tu podes conhecer a ti, e com isso sabes o suficiente. Mas tu não podes conhecer o outro e todo o outro. Cuida para não saberes além de ti, senão afogas com a presunção de teu saber a vida do outro, que se conhece a si mesmo. Um cognoscente pode conhecer a si mesmo. Este é seu limite.

Com um golpe doloroso, corto o que pretendi saber sobre o além de mim. Eu me amputo do emaranhado ardiloso dos significados que eu dei ao além de mim. E minha faca corta ainda mais fundo e me separa dos significados que dei a mim mesmo. Aprofundo o corte até a medula, até que todo o significativo se desprenda de mim, até não ser mais nada do que poderia parecer a mim, até saber apenas ainda que sou, sem saber o que sou. Quero ser pobre e simples, quero estar nu diante do Implacável. Quero ser meu corpo e sua indigência. Quero ser de terra e viver sua lei. Quero ser meu animal humano e aceitar todos os seus temores e prazeres. Quero passar pelo lamento e felicidade daquele que ficava com corpo pobre e desarmado sobre terra ensolarada, sozinho, uma presa de seu instinto e dos animais selvagens à espreita, daquele que fora assustado por fantasmas e sonhava com deuses distantes, daquele que possuía a proximidade e ao qual era hostil a distância daquele que tirava fogo de pedras e do qual forças irreconhecíveis roubavam os rebanhos e destruíam a sementeira de seu campo, daquele que não sabia e não conhecia, mas vivia segundo o próximo, e ao qual coube por graça o remoto.

---

ser explicado como sendo um complexo parcialmente autônomo e não totalmente integrado à consciência. Esses complexos são as almas primitivas, as ba e ka egípcias" (OC, 7, § 295). Em 1956, Jung descreveu o anthroparion na alquimia como "uma espécie de duende que, na qualidade de πνευμα παρεδρον (espírito devotado) ou *spiritus familiaris*, assiste o adepto no opus e ajuda o médico a ajudar os outros" (OC, 14, § 298). O anthroparion representava os metais alquímicos (OC, 9/1, § 268) e aparecia nas visões de Zósimo (OC, 13, p. 61s.). O desenho do Ka, a que Jung se refere não veio à luz. Ka apareceu a Jung numa fantasia de 22 de outubro de 1917, na qual ele mesmo se apresenta como o outro lado de Ha, sua alma. Foi Ka que deu a Ha as runas e a sabedoria inferior (veja nota 155, p. 325-326). Seus olhos eram de ouro puro e seu corpo, de ferro preto. Ele diz a Jung e à sua alma que eles precisam de seu segredo, que é a essência de toda a magia. Isto é amor. Filêmon diz que Ka é a sombra de Filêmon (*Livro Negro* 7, p. 25s.). Em 20 de novembro, Ka chama Filêmon de sua sombra e seu mensageiro. Ka diz que é eterno e permanece, ao passo que Filêmon é efêmero e passageiro (p. 34). Em 10 de fevereiro de 1918, Ka diz que construiu um templo como prisão e sepultura para os deuses (p. 39). Ka sobressai no *Livro Negro* 7 até 1923. Durante este período, Jung tenta entender a conexão entre Ka, Filêmon e as outras figuras, e estabelecer a correta relação a eles. A 15 de outubro de 1920, Jung discutiu um quadro não identificado com Constance Long, que estava fazendo análise com ele. Alguns comentários anotados por ela, lançavam luz sobre a compreensão que ele tinha da relação entre Filêmon e Ka: "As duas figuras em cada lado são personificações dos 'pais' dominadores. Uma é o pai criativo, Ka; a outra, Filêmon, aquele que dá forma e vida (o instinto formativo). Ka equivaleria a Diôniso e F = Apolo. Filêmon dá formulação às coisas presentes nos elementos do inconsciente coletivo... Filêmon dá a ideia (talvez de um deus), mas esta permanece flutuante, distante e indistinta, porque todas as coisas que ele inventa são aladas. Mas Ka dá substância e é chamado aquele que sepulta os deuses em ouro e mármore. Ele tem tendência a desprezá-los na matéria, e por isso eles correm o perigo de perder seu sentido espiritual e de ficar sepultados na pedra. Assim o templo pode tornar-se o túmulo de Deus, assim como a Igreja tornou-se o túmulo de Cristo. Quanto mais a Igreja se expande, tanto mais Cristo morre. Não se deve permitir a K produzir demais – você não deve depender da substanciação; mas se for produzida muito pouca substância a criatura flutua. A função transcendente é o todo. Não este quadro, nem minha racionalização dele, mas o novo e vivificante espírito criativo que é o resultado da comunicação entre a inteligência consciente e o lado criativo. Ka é sensação, F é intuição, ele é também supra-humano (ele é Zaratustra, extravagantemente superior no que ele diz e frio. CGJ não imprimiu as perguntas que dirigiu a F nem as respostas deste)... Ka e Filêmon são maiores do que o homem, eles são supra-humanos (Desintegrado neles, o indivíduo está no Inconsciente Coletivo)" (Diário, Countway Library of Medicine, p. 32-33).

233 Legenda da ilustração: "IV Jan.MCMXX [4 de janeiro de 1920: A data parece referir-se ao tempo em que a ilustração foi feita]. Este é o sagrado regador. Das flores que brotaram do corpo do dragão crescem os cabiros. Em cima está o templo".

234 No *Livro Negro* 4, Jung observou: "Depois disso, prossigo com a tensão de uma pessoa que espera algo novo, que antes nunca lhe havia ocorrido. Advertido, instruído e ouvindo corajosamente a profundeza, esforçado em viver para fora uma vida plenamente humana" (p. 42).

235 Estas são as últimas linhas de *Candide*, de Voltaire: "Tout cela est bien dit – mais il faut cultiver notre jardin" [Tudo isto está bem dito – mas é preciso cultivar nosso jardim], *Candide and Other Stories* (Oxford: Oxford University Press, 1759/1998, p. 392-393 [Trad. de R. Pearson]). Jung guardava um busto de Voltaire em seu gabinete.

236 O *esboço* continua: "Como posso abarcar dentro de mim aquilo que os 800 anos vindouros vão preencher, até aquele tempo em que o um [mostrará] seu domínio? Só falo do caminho daquele que vem" (p. 440).

237 A cena na paisagem representa de perto a cena que ocorre em uma das fantasias de Jung em estado de vigília durante a infância, relatada em *Memórias*, em que a Alsácia é submersa pela água, Basileia é transformada num porto, existe um navio a vela e um navio a vapor, uma cidade medieval, um castelo com canhões e soldados e habitantes da cidade, e um canal (p. 111-112).

Era uma criança e insegura, e no entanto cheia de segurança, fraca e contudo detentora de força inaudita. Quando seu Deus não ajudou, tomou um outro. E quando este também não ajudou, ela o castigou. E então: numa próxima vez os deuses ajudaram. Portanto, jogo fora todo o lastro de significados, todo o divino e demoníaco com o qual o caos me sobrecarregou. De fato, não cabe a mim comprovar os deuses, os demônios e os monstros do caos, alimentá-los com responsabilidade, arrastá-los cuidadosamente comigo, contá-los e dar-lhes nome e com fé protegê-los da descrença e da dúvida.

Um homem livre só conhece deuses e demônios livres, que subsistem por si e atuam com força própria. Se não atuam, é problema deles, e eu posso aliviar-me desse fardo. Mas se atuam, não precisam de minha proteção, nem de meus cuidados e nem de minha fé. Por isso podes esperar tranquilamente para ver se atuam. E quando atuam, sê esperto, pois o tigre é mais forte que tu. Tu deves poder abandonar tudo, caso contrário és o escravo, mesmo que sejas o escravo de um Deus. A vida é livre e escolhe seu caminho. Está limitada o bastante, por isso não aumentes as barreiras. Por isso cortei tudo o que limitava. Aqui estava eu, e lá jazia o multiforme enigmático do mundo.

E um pavor me invadiu. Não sou eu o limitado? E o mundo de lá não é o ilimitado? E minha fraqueza se tornou consciente para mim. O que seria pobreza, nudez, desarmamento sem a consciência da fraqueza e sem o horror da impotência? Fiquei parado e me horrorizei. Então minha alma me sussurrou:

O dom da magia

Cap. xix.

[IH 126] [238]"Não ouves alguma coisa?"

Eu: "Nada de que tenha consciência, o que devo escutar?"

A: "Um som".

Eu: "Um som? De onde? Não escuto nada".

A: "Então escuta melhor".

Eu: "Talvez com o ouvido esquerdo. O que significa?"

A: "Desgraça".

Eu: "Aceito o que dizes. Terei sorte e desgraça".

A: "Estende pois tuas mãos para cima e recebe o que te cabe".

Eu: "O que é? Uma vara. Uma cobra preta? Uma vara preta, da forma de uma cobra – duas pérolas como olhos – uma correntinha de ouro ao pescoço. Não se parece com uma varinha de condão?"

A: "Isto é uma varinha de condão".

Eu: "O que significa magia para mim? A varinha de condão é uma desgraça? A magia é uma desgraça?"

A: "Sim para aqueles que a possuem".

Eu: "Isto soa como uma velha saga – como és maravilhosa, minha alma! O que significa magia para mim?"

A: "Para ti significa muito".

Eu: "Temo que despertes minha cobiça e meu mau entendimento. Tu sabes que o ser humano não para de cobiçar a necromancia e as coisas que nada lhe custam".

A: "A magia não é simples e custa sacrifício".

Eu: "Custa ela o sacrifício do amor? Da humanidade? Então toma a vara de volta".

A: "Não sejas precipitado. A magia não exige este sacrifício. Ela exige outro sacrifício".

Eu: "Qual é o sacrifício?"

A: "O sacrifício que a magia exige é o do consolo".

Eu: "Consolo? Estou entendendo bem? É incrivelmente difícil entender-te. Dize o que isto significa".

A: "O consolo é para ser oferecido em sacrifício".

Eu: "Como imaginas isso? O consolo que eu dou ou que recebo deve ser oferecido em sacrifício?"

A: "As duas coisas".

Eu: "Estou confuso. É muito obscuro".

A: "Por amor à vara preta tens de sacrificar o consolo, o consolo que dás e o consolo que recebes".

Eu: "Não devo receber o consolo por parte daquele que eu amo? E não devo dar nenhum consolo àqueles que eu amo? Isto significa a perda de um pedaço da humanidade e em seu lugar entra aquilo que chamamos de dureza contra si mesmo e contra os outros"[239].

A: "Assim é".

Eu: "A vara exige este sacrifício?"

A: "Ela exige este sacrifício".

Eu: "Posso eu, devo eu fazer este sacrifício por amor à vara? Preciso aceitar a vara?"

A: "Queres ou não queres?"

Eu: "Não sei dizer. O que sei a respeito da vara preta? Quem a dá para mim?"

A: "A escuridão que está deitada diante de ti. É a próxima coisa que te cabe. Queres aceitá-la e oferecer-lhe teu sacrifício?"

Eu: "É duro oferecer à escuridão, à treva cega – e que sacrifício!"

A: "A natureza – a natureza consola? Ela recebe consolo?"

Eu: "Tu ousas dizer uma palavra pesada. Que solidão exiges de mim?"

A: "Esta é tua desgraça e – o poder da vara preta".

Eu: "Como falas lugubremente, cheia de pressentimentos! Tu me envolves com a armadura / [Ilustração 127][240] / de dureza 126/128
férrea? Apertas meu coração com torniquetes de bronze? Eu me alegrei com o calor da vida. Devo perdê-lo? – por amor à magia? O que é magia?"

A: "Tu não conheces a magia. Portanto não julgues. Contra o que te opões?"

Eu: "Magia? O que adianta a magia? Não acredito nela, não posso crer nela. Meu coração fenece – e eu devo sacrificar à magia grande parte da humanidade?"

A: "Eu te aconselho direito. Não resistas e sobretudo – não te comportes tão esclarecidamente, como se no mais íntimo não acreditasses na magia".

Eu: "Tu és implacável. Mas eu não posso acreditar na magia – ou eu tenho uma ideia bem errônea dela".

A: "Esta última parece ser a hipótese válida. Abandona teus preconceitos cegos e atitudes críticas, caso contrário nunca irás entender nada. Queres ainda desperdiçar muitos anos esperando?"

Eu: "Tem paciência, minha ciência ainda não foi vencida".

A: "Está mais que na hora de a venceres".

---

238 23 de janeiro de 1914.

239 Em *Ecce homo*, Nietzsche escreveu: "Toda aquisição, todo passo adiante no conhecimento é o resultado de coragem, de severidade consigo mesmo, de limpeza com relação a si mesmo" (Harmondsworth: Penguin, 1979, prefácio 3, p. 34 [Trad. de R.J. Hollingdale]).

240 Inscrição ao alto: "Amor triumphat". Inscrição ao pé: "Este quadro foi terminado em 9 de janeiro de 1921, após ter esperado, inacabado, por 9 meses. Ele expressa, não sei, que espécie de tristeza, um sacrifício quádruplo. Quase não consegui decidir-me a acabá-lo. É a roda inexorável das quatro funções, a natureza cheia de sacrifícios de tudo o que vive". Em 23 de fevereiro de 1920, Jung observou no *Livro Negro* 7: "O que acontece entre o amante e o amado é toda a plenitude da divindade. Por isso eles são os dois enigmas insondáveis. Pois quem entende a divindade? / Mas Deus é gerado na solidão, a partir do mistério do indivíduo. / A separação entre vida e amor é a contradição entre ser um só e ser dois" (p. 88). A próxima anotação no *Livro Negro* 7 acontece em 5 de setembro de 1921. Em março de 1920, Jung foi para o norte da África com Hermann Sigg, voltando em 17 de abril.

Eu: "Tu exiges muito, quase muito demais. Em última análise – a ciência é indispensável à vida? A ciência é vida? Há pessoas que vivem sem ciência. Mas subjugar a ciência por amor à magia? Isto é sinistro e ameaçador".

A: "Estás com medo? Não queres arriscar a vida? A vida não coloca este problema diante de ti?"

Eu: "Tu deixas tudo tão sombrio e confuso para mim. Não tens uma palavra de luz para mim?"

A: "Oh – pedes consolo? Queres a vara ou não?"

Eu: "Tu dilaceras meu coração. Eu quero submeter-me à vida – por mais penoso que seja! Eu quero a vara preta, porque é a primeira coisa que a escuridão me dá. Não sei o que esta vara significa nem o que ela dá – eu só sinto o que ela tira. Vou ajoelhar-me e receber a vara preta e a seguro, a enigmática, em minha mão – é fria e pesada como ferro. Os olhos perolíferos da cobra me encaram cega e cintilantemente. O que queres, dádiva misteriosa? Toda a escuridão, todo o mundo primevo se compactam em ti, aço duro e preto! És tu tempo e destino? Essência da natureza, dura e eternamente desconsoladora, mas soma de toda força misteriosa da criação? Antiquíssimas fórmulas mágicas parecem brotar de ti – efeito misterioso tece em torno de ti – que artes poderosas dormitam em ti? Tu me transpassas com tensão insuportável – que travessuras vais aprontar? Que mistério assustador vais criar? Vais trazer temporais, ventanias, frio e raios ou tornarás produtivos os campos e abençoarás o ventre da grávida? Qual é a característica de teu ser? Ou não precisas dela, filha do seio tenebroso? Tu te satisfazes com a escuridão nebulosa, cuja concretização e cristalização tu és? Onde te alojarei em minha alma? Em meu coração? Ai, meu coração deve ser teu clamor, teu santuário? Então escolhe teu lugar. Eu te aceitei. Que tensão penosa trazes contigo! Não se parte o feixe de meus nervos? Eu dei pousada ao mensageiro da noite".

A: "Nele mora a magia mais poderosa".

Eu: "Eu o sinto, mas não posso descrever a terrível força que lhe foi dada. Eu queria rir, porque na risada muita coisa muda e porque tanta coisa só encontra nela sua solução. Mas a risada morreu em mim. A magia da vara é resistente como o ferro e fria como a morte. Desculpa, minha alma, não quero ser impaciente, mas parece-me que algo precisa acontecer para romper esta tensão insuportável que a vara me trouxe".

A: "Espera, mantém olhos e ouvidos abertos".

Eu: "Fico arrepiado, e não sei por quê".

A: "Às vezes a gente se arrepia diante do – maior".

Eu: "Eu me curvo, minha alma, diante de forças desconhecidas – gostaria de dedicar um altar a cada Deus desconhecido. Eu preciso sujeitar-me. O ferro preto em meu coração me dá uma força misteriosa. É como despeito e – desprezo das pessoas"[241].

[2] Ó ação tétrica, profanação, homicídio! Dá à luz, abismo, o abominável. Quem é nosso salvador? Quem é chefe? Onde estão caminhos através de desertos tenebrosos? Deus, não nos abandones! O que chamas de Deus? Levanta tuas mãos para a escuridão acima de ti, reza, desespera, torce as mãos, ajoelha, aperta tua testa contra o pó, grita, mas não o menciones, não olhes para ele. Deixa-o sem nome e sem forma. O que significa forma para quem não tem forma? Nome, para quem não tem nome? Pisa no grande caminho e pega o próximo. Não procures com os olhos, não queiras, mas segura as mãos para o alto. São cheios de enigmas os dons da escuridão. Quem consegue prosseguir nos enigmas, a este está aberto um caminho. Submete-te aos enigmas e ao totalmente
incompreensível. São enganosas / [Ilustração 129] / pontes sobre 128/130
abismos de profundidade eterna. Mas segue os enigmas.

Suporta-os, os terríveis. Ainda está escuro, ainda cresce o horrendo. Mergulhados, engolidos pelas torrentes de vida geradora, aproximamo-nos das forças superpoderosas e sobre-humanas que estão ativamente trabalhando para criar os tempos vindouros. Quanta coisa futura esconde a profundeza! Não se tecem nela os fios sobre milênios?[242] Cuida dos enigmas, guarda-os em teu coração, esquenta-os, anda prenhe deles. Assim carregas futuro.

Insuportável é em nós a tensão do futuro. Precisa romper através de fendas estreitas, precisa forçar novos caminhos. Tu gostarias de alijar a carga. Gostarias de escapar do inescapável. Mas fugir é ilusão e desvio. Fecha os olhos para não veres o multiforme, o externamente múltiplo, o arrebatante e aliciante. Só existe um caminho, e este é o teu caminho, só uma salvação, e esta é tua salvação. Por que olhas ao redor como quem está procurando ajuda? Acreditas que vem ajuda de fora? O vindouro será criado em ti e fora de ti. Por isso olha para dentro de ti mesmo. Não compares, não meças. Nenhum outro caminho se parece ao teu. Todos os outros caminhos são para ti ilusão e descaminho. Tu precisas aperfeiçoar o caminho dentro de ti.

Oh, se todas as pessoas e todos os seus caminhos pudessem tornar-se estranhos para ti. Assim poderias reencontrar as pessoas fora de ti e conhecer seus caminhos. Mas que fraqueza! Que desespero! Que medo! Tu não suportarás andar teu caminho. Terás sempre ao menos um pé em caminho estranho, para que não te sobrevenha a grande solidão! Para que a mãe-consolo esteja sempre perto de ti! Para que sejas aprovado, reconhecido, lamentado, consolado e estimulado! Para que alguém te arraste para caminhos desconhecidos onde te extravias de ti mesmo e onde, aliviado, te possas pôr de lado. Como se não fosses tu mesmo! Quem deve praticar tuas ações? Quem deve carregar tuas virtudes e teus fardos? Não te arranjarás com tua vida, e os mortos vão perturbar-te terrivelmente por causa de tua vida não vivida. Tudo, tudo mesmo deve ser cumprido. O tempo urge, por que queres ajuntar uma coisa aos montes e deixar a outra se deteriorar?

Grande é o poder do caminho[243]. Nele crescem juntos céu e inferno, nele se unem as forças de baixo e as forças de cima. Mágica é a natureza do caminho, mágicos são os pedidos e o apelo[244], mágicas são maldição e ação quando acontecem sobre o grande caminho. É magia o efeito das pessoas umas sobre as outras, mas não [é] assim que tua ação vai atingir o próximo, mas ela te atinge primeiro a ti, e só quando lhe resistes, acontece um efeito invisível de ti sobre o próximo. Há mais disso no ar do que jamais imaginei. No entanto, não se pode captá-lo. Ouve:

241 No *Livro Negro* 4, Jung anotou o seguinte diálogo: [alma]: "Controla tua impaciência. Aqui só adianta esperar". [I]: Esperar – eu conheço esta palavra. Também Héracles, ao sustentar a abóbada celeste, achou fatigante esperar sob o peso de sua carga. [alma]: "Por amor às maçãs, ele teve de esperar até que Atlas voltasse e segurasse novamente a abóbada celeste" (p. 60). A referência é ao décimo primeiro trabalho de Hércules, no qual tinha de pegar as maçãs de ouro, que conferiam a imortalidade. Atlas ofereceu-se para pegar as maçãs para ele, caso ele segurasse o mundo nesse meio tempo.

242 Na mitologia grega as Moiras, ou três destinos, Cloto, Láquesis e Átropos, teciam e controlavam os fios da vida humana. Na Mitologia Nórdica, as Nornas teciam os fios do destino aos pés de Yggdrasil, a árvore do mundo.

243 O *esboço* continua: "Tão grande é o poder do caminho que ele arrasta consigo outros e os incendeia. Tu não sabes como isto acontece, por isso é melhor que chames de mágico este efeito" (p. 453).

244 O *esboço* continua: "que precisamente devido à sua natureza especial, é representado pela cobra" (p. 453).

O superior é poderoso.
O inferior é poderoso.
Poder duplo existe em um.
Norte, aproxima-te,
Oeste, adapta-te,
Leste, flui para cima,
Sul, transborda.

Os ventos intermédios prendem o
barlavento. Os polos se unem
através dos polos intermédios. Degraus
levam de cima para baixo.
Água fervente borbulha em
chaleiras. Cinza ardente envolve
os solos arredondados[245]*.*
A noite cai azul e profunda de cima,
a terra se levanta negra de baixo.
130/132 / [Ilustração 131] /

Um solitário cozinha poções terapêuticas,
ele asperge aos quatro ventos.
Ele saúda as estrelas e toca a terra.
Ele tem algo brilhante em suas mãos.

Flores brotam ao redor dele e um novo prazer primaveril beija todos os seus membros.

Pássaros vêm voando, e os animais ariscos da floresta olham para ele.

Está longe das pessoas, e mesmo assim o fio de seu destino passa por sua mão.

Creditai-lhe vossas preces, a fim de que sua poção fique boa e forte e que traga a cura das feridas mais profundas.

É solitário por amor a vós, e sozinho espera entre céu e terra para que a terra suba e o céu desça até [ele].

Todos os povos ainda estão longe e atrás da parede da escuridão. Mas eu escuto suas palavras que chegam até mim de longe.

Ele escolheu para si um escrevente ruim, com dificuldade de audição e que também gagueja quando escreve.

Não conheço o solitário. O que ele diz? Ele diz: "Tenho medo e sofro necessidades por amor às pessoas".

Eu desenterrei velhas runas e fórmulas mágicas, pois as palavras não atingem nunca as pessoas. As palavras tornaram-se sombra.

Por isso peguei utensílios velhos de magia e cozinhei poções quentes, misturei nelas coisas misteriosas e coisas fortes de tempos imemoriais, coisas que nem o mais inteligente adivinha.

Eu cozinhei as raízes de todos os pensamentos e ações humanas. Durante muitas noites estreladas vigiei a caldeira. Muito lentamente vai efervescendo a poção. Preciso de vossas preces, de vossa genuflexão, de vosso desespero e de vossa paciência. Preciso de vosso último e maior desejo, de vossa vontade mais pura, de vossa submissão mais humilde.

Solitário, por quem esperas? A ajuda de quem aguardas? Não há ninguém que te possa socorrer, pois todos olham para ti e esperam ansiosos por tua arte curativa.

Todos nós somos totalmente impotentes e mais necessitados de ajuda do que tu. Concede-nos tua ajuda, para que te retribuamos ajuda.

O solitário fala: "Ninguém me ajudará nesta necessidade? Devo abandonar o que estou fazendo para ajudar-vos a fim de que vós possais ajudar-me em retribuição? Mas como posso ajudar-vos se minha poção não fica pronta e forte? Eu teria de ajudar-vos. O que esperais de mim?"

Vem a nós! Por que suportas e cozinhas coisas maravilhosas? Que significam para nós tuas poções mágicas e curativas? Acreditas em poções terapêuticas? Encara a vida,
132/134 *e vê o quanto ela precisa de ti!* / [Ilustração 133] /

O solitário fala: Idiotas, não podeis ficar acordados uma hora comigo[246]*, até que o difícil e demorado dê certo e que o cozimento fique bom?*

Mais um pouco e a efervescência está pronta. Por que não podeis esperar? Por que deveria vossa impaciência frustrar a obra máxima?"

O que é a obra máxima? Nós não vivemos; frio e entorpecimento nos apanharam. Tua obra, solitário, não vai terminar nem em éons, mesmo que prossiga dia após dia.

Interminável é a obra da salvação. Por que desejas esperar o fim dessa obra? E mesmo que tua espera te petrifique por tempos ilimitados, não conseguirias durar até o fim. E se tua salvação tivesse chegado a seu fim, deverias ser de novo salvo de tua salvação.

O solitário fala: "Que lamúria comovente chega a meus ouvidos! Que choradeira! Que sois vós, céticos ignaros, crianças rebeldes! Esperai, ainda esta noite estará terminada".

Não esperaremos mais noite nenhuma, chega de esperar. És um Deus, para o qual mil noites são como uma noite? Mesmo esta uma noite seria para nós, que somos seres humanos, como mil noites. Desiste da obra da salvação e já estaremos salvos. Por quanto tempo nos queres salvar?

O solitário fala: "Lamentável povo humano, tolo bastardo de Deus e animal, falta ainda um pedaço de tua carne preciosa na mistura de minha caldeira. Sou porventura o pedaço mais valioso de teu assado? Vale a pena que eu me deixe cozinhar por vós? Um se deixou pregar na cruz por amor a vós. Nele foi sem dúvida o suficiente. Ele me impede o caminho. Por isso não ando em seus caminhos, preparo-vos um cozimento terapêutico, nenhuma poção imortal[247] *de sangue eu vos deixo, mas deixo a poção e a caldeira e o efeito secreto por amor a vós, pois não conseguis esperar e experimentar em detalhes a plenitude. Eu dispenso vossas preces, vossas genuflexões, vossas invocações. Vós pretendeis salvar a vós mesmos de vossa impossibilidade de salvação e de vossa possibilidade de salvação. Vosso valor subiu alto o bastante para que um morresse por vós. Mostrai agora vosso valor pelo fato de cada um viver para si. Meu Deus, como é difícil deixar incompleta uma obra por amor aos seres humanos! Mas por amor ao ser humano renunciei a ser um salvador. Agora minha poção completou sua efervescência. Eu não misturei a mim mesmo à poção, mas cortei um pedaço de humanidade, e vede, ele clareou a poção de espuma turva.*

Que sabor doce,
que sabor amargo
ele tem!
O inferior é fraco,
O superior é fraco.

Dupla tornou-se
a forma do um.
Norte, retira-te,
Oeste, afasta-te para teu
lugar,

Leste, alarga-te,
Sul, deita-te.
Os ventos intermédios
sontam o barlavento / 134/135
[Ilustração135][248] / 135/136

Os polos distantes estão separados
pelos polos intermédios.
Os degraus são caminhos extensos,
estradas pacientes.
A caldeira borbulhante fica fria.

A cinza fica pardacenta
debaixo de seu chão.
A noite cobre o céu,
e longe embaixo está a terra escura.

O dia vem surgindo e o sol distante sobre as nuvens.
Nenhum solitário cozinha poções terapêuticas.
Os quatro ventos sopram e riem de sua dádiva.
E ele caçoa dos quatro ventos.
Ele viu as estrelas e tocou a terra.
Por isso sua mão segura uma coisa luminosa e sua
sombra cresceu até o céu. [Ilustração 136]

Coisa inexplicável acontece. Tu gostarias de abandonar a ti mesmo e correr para aquele possível multíplice. Tu gostarias de ousar todo tipo de crime a fim de roubares para ti o segredo do variegado. Mas sem fim é a estrada.

O caminho da cruz

Cap. xx.[249]

[IH 136] [250] Eu vi como a serpente negra[251] se enroscou no alto do lenho da cruz. Ela entrou no corpo do crucificado e novamente saiu, transformada, da boca dele. Havia ficado branca. Ela se

245 Isto parece referir-se ao círculo mágico em que são realizados os atos rituais.
246 Em Mt 24.40, Cristo repreende seus discípulos por terem sido incapazes de vigiar uma hora enquanto ele orava no Jardim do Getsêmani.
247 Nota marginal ao volume caligráfico: "29/11/1922". Parece referir-se à data em que esta passagem foi transcrita.
248 Inscrição: "Terminado em 25 de novembro de 1922. De Muspilli vem o fogo e engloba a árvore da vida. Uma rotação está concluída, mas é a rotação no ovo do mundo. Um Deus estranho, que não dá para chamar de Deus do solitário, foi o que chocou. Novos seres vitais formam-se a partir de fumaça e cinza". Na mitologia nórdica, Muspilli (ou Muspelheim) é a morada dos Deuses do Fogo.
249 Nota à margem no volume caligráfico: "25 de fevereiro de 1923. A transformação da magia negra em branca".
250 27 de janeiro de 1914.
251 O *esboço* continua: "a cobra de meu caminho" (p. 460).

enrolou em torno da cabeça do morto como um diadema, e uma luz brilhou sobre a cabeça, e no Oriente surgiu esplendoroso o sol. Fiquei estático e olhei desorientado, e carga pesada oprimiu minha alma. Mas o pássaro branco que estava pousado em meu ombro disse-me[252]: "Deixa chover, deixa o vento assobiar, deixa que as águas corram e que o fogo arda em chamas. Deixa a cada um seu crescimento, deixa ao que se vai tornando seu tempo".

[2] 2. Realmente, o caminho passa pelo crucificado, isto é, por aquele a quem não foi pouco viver sua própria vida e que, por isso, foi elevado à glória. Não ensinou conhecimento nem coisas dignas de serem conhecidas, mas ele viveu isto. Não dá para dizer quão grande deve ser a humildade daquele que toma sobre si a tarefa de viver sua própria vida. Difícil é dimensionar o nojo daquele que deseja penetrar em sua própria vida. Adoece frente à aversão. Vomita sobre si mesmo. Suas entranhas se revoltam, seu cérebro desfalece. Excogita todo tipo de ardil que lhe possibilite a fuga, pois nada se compara ao tormento do próprio caminho. Parece ser penoso ao impossível, tão penoso que dificilmente haverá outra coisa que não se prefira a este tormento. Não são poucos que até amam as pessoas por medo de si mesmos. Acredito que também existem aqueles que cometem um crime para encontrar um argumento contra si mesmos. Por isso aferro-me a tudo que me veda o caminho para mim mesmo.

3. [253]Quem vai ao encontro de si mesmo desce. Ao grande profeta, que precedeu esta nossa época, apareceram figuras lamentáveis e ridículas; elas eram as figuras de seu próprio ser. Ele não as aceitou, e remeteu-as a outro. Mas finalmente viu-se obrigado a fazer uma ceia com sua própria pobreza e aceitar por compaixão aquelas figuras de seu próprio ser, compaixão essa que é a aceitação do ínfimo em nós[254]. Mas então enfureceu-se o leão de seu poder e afugentou o perdido e devolvido para a escuridão da profundeza[255]. E, como um poderoso, quis aquele com o grande nome irromper à semelhança do sol, do seio das montanhas[256]. Mas o que lhe aconteceu? Seu caminho o levou para diante do crucificado, e ele começou a esbravejar. Ele enfureceu-se contra o homem do escárnio e das dores, porque a força do seu próprio ser o obrigou a seguir este caminho, assim como o fez o Cristo antes de nós. Mas ele anunciou em voz alta seu poder e sua grandeza. Ninguém falava mais alto de seu poder do que aquele de quem fugia o chão sob os pés. Finalmente foi atingido pelo ínfimo nele, a impotência, e esta crucificou seu espírito, portanto, como ele mesmo predisse, que sua alma morreria antes que seu corpo[257].

4. Ninguém sobe acima de si mesmo que não tenha empregado as armas mais perigosas contra si mesmo. Alguém que deseja subir acima de si mesmo desça, carregue-se com o peso de si mesmo e arraste a si mesmo para o lugar do sacrifício. Mas quanta coisa precisa acontecer à pessoa até perceber que o êxito externo e
visível, que se deixa pegar com as mãos, / é um caminho errado. 136/137
Por quanto sofrimento deve passar a humanidade até que o ser humano pare de saciar sua ambição de poder em seus semelhantes e de querê-lo impor sempre aos outros. Quanto sangue ainda deve correr até que se abram os olhos do ser humano e ele veja seu caminho e seu próprio inimigo e até que se dê conta de seus verdadeiros êxitos. Tu deves poder viver contigo mesmo e não à custa de teu vizinho. O animal de rebanho não é o parasita e espírito atormentador de seu irmão. Ser humano, tu esqueceste até mesmo que também és um animal. Tu continuas acreditando que é melhor estar lá onde não estás. Ai de ti se teu vizinho também pensar assim. Mas podes estar certo de que ele também pensa assim. Alguém deve começar a não ser mais infantil.

5. Teu desejo se sacia em ti. Não podes levar a teu Deus alimentos sacrificiais mais valiosos do que a ti mesmo. Que tua voracidade te engula, então ela ficará cansada e quieta, e tu dormirás bem e olharás o sol de cada dia como um presente. Se tu devoras outro e mais outro em vez de ti, tua voracidade permanece eternamente insatisfeita, pois ela exige mais, exige o mais valioso, exige a ti. E assim forças tua ambição sobre teu próprio caminho. Tu gostarias de implorar a outros, à medida que precisas de conselho e ajuda. Mas exigir não deves de ninguém, ambicionar não deves de ninguém, esperar não deves de ninguém, a não ser de ti mesmo. Pois teu desejo só se sacia em ti mesmo. Tu temes queimar-te em teu próprio fogo. Disso nada te pode impedir, nem compaixão estranha e nem compaixão perigosa de ti mesmo. Pois contigo mesmo deves viver e morrer.

6. Quando a chama da tua voracidade te devora e nada sobra de ti a não ser cinzas, então nada havia em ti que subsistisse. Mas a chama na qual te consumiste iluminou a muitos. Mas se tu, cheio de medo, foges de teu fogo, chamuscas teus semelhantes, e o tormento ardente de tua voracidade não pode apagar-se enquanto não desejares a ti mesmo.

7. Da boca sai a palavra, o sinal e o símbolo. Se a palavra for um sinal, então não significa nada. Mas se a palavra for um símbolo, significa tudo[258]. Quando o caminho entra na morte, e nós estamos envoltos em putrefação e nojo, sobe então na escuridão o caminho e sai da boca, como o símbolo salvador, a palavra. Ele conduz para cima o sol, pois no símbolo está a salvação dos coagidos e a força humana que luta com a escuridão. Nossa liberdade

252 No *Livro Negro* 4, quem diz isto é sua alma. Neste capítulo e nos *Aprofundamentos* encontramos uma mudança na atribuição de algumas afirmações contidas nos *Livros Negros*: em vez de atribuídas à alma, passam a ser atribuídas aos outros personagens. Pode-se considerar que esta revisão textual marca um importante processo psicológico de diferenciação dos personagens, separando-os uns dos outros, e desidentificando-se deles. Jung analisou este processo em geral em 1928, em *O eu e o inconsciente*, cap. 7: "A técnica de diferenciação entre o eu e as figuras do inconsciente" (OC, 7). No *Livro Negro* 6, a alma de Jung explica-lhe em 1916: "Se eu não me mantiver unido pela unificação do inferior e do superior, desintegro-me nas três partes: a *Serpente*, e enquanto tal ou em outra forma animal vagueio por aí, vivendo fatidicamente a natureza, infundindo medo e anseio. A *alma humana*, aquilo que vive sempre contigo. A *alma celeste*, e como tal eu permaneço então junto aos deuses, longe de ti e desconhecida a ti, aparecendo em forma de pássaro" (Apêndice C, p. 370). As mudanças textuais que Jung faz entre a alma, a serpente e o pássaro dos *Livros Negros* neste capítulo e nas *Provações* podem ser consideradas como o reconhecimento e diferenciação da tríplice natureza da alma. A noção de Jung da unidade e multiplicidade da alma tem semelhanças com Eckhart. No Sermão 52 Eckhart escreveu: "A alma com seus poderes superiores toca a eternidade, que é Deus, enquanto seus poderes inferiores, estando em contato com o tempo, a tornam sujeita à mudança e inclinada a coisas corporais, que a degradam" (*Sermons & Treatises*. Vol. 2. Londres: Watkins, 1981, p. 55 [Trad. de O.C. Washe]). No Sermão 85 escreveu: "Três coisas impedem a alma de unir-se com Deus. A primeira é que ela é por demais dispersa, e não é unitária: porque, quando a alma está inclinada a criaturas, ela não é unitária. A segunda é quando ela está envolvida com coisas temporais. A terceira é quando ela está voltada para o corpo, pois então ela não consegue unir-se com Deus" (ibid., p. 264).

253 O *esboço* continua: "'Por que', perguntas, 'o ser humano não quer ir a seu próprio encontro?' O profeta delirante, que precedeu este tempo, escreveu um livro que enfeitou com um título imponente. Neste livro podes ler como e por que o ser humano não quer ir ao encontro de si mesmo" (p. 461). A referência é ao livro *Assim falava Zaratustra*, de Nietzsche.

254 Cf. "A ceia", em *Assim falava Zaratustra*, p. 355s.

255 No último capítulo de *Assim falava Zaratustra*, "O sinal", quando o homem superior veio para encontrar-se com Zaratustra em sua caverna, "o leão afastou-se rapidamente de Zaratustra e precipitou-se para a caverna, rugindo furiosamente" (p. 397). Em 1926, Jung observou: "Rugindo, o leão zaratustriano fazia com que todos os homens 'superiores', que clamavam pela participação vital, regressassem à caverna do inconsciente. Logo, sua vida não demonstra seu ensinamento" (OC, 7, § 37).

256 Nietzsche termina *Assim falava Zaratustra* com as palavras: "Assim falou Zaratustra e afastou-se da caverna, ardente e vigoroso como o sol matinal, que surge dos sombrios montes" (p. 397).

257 No prólogo de Zaratustra, um malabarista caiu da corda bamba. Zaratustra disse ao malabarista da corda bamba: "Tua alma vai morrer mais depressa ainda que teu corpo. Não temas mais" (Zaratustra, § 6, p. 30. Sublinhado como no exemplar de Jung, p. 22). Em 1926, Jung falou que isto foi uma visão profética do próprio destino de Nietzsche (cf. OC, 7, § 36-44).

258 Para a diferenciação que Jung faz de sinais e símbolos, cf. *Tipos psicológicos* (1921) (OC, 6, § 903s.).

não está fora de nós, mas dentro de nós. Externamente, podemos estar amarrados, e assim mesmo nos sentirmos livres, porque arrebentamos as amarras interiores. Podemos conquistar a liberdade exterior através de um agir vigoroso, contudo a liberdade interior só a criamos através do símbolo.

8. O símbolo é a palavra que sai da boca, que a gente não fala, mas que sobe da profundeza do si-mesmo como uma palavra da força e da necessidade e que inesperadamente se coloca sobre a língua. É uma palavra surpreendente e que aparece aleatoriamente, mas a gente a reconhece como símbolo no fato de ser estranha ao aspecto consciente. Quando a gente aceita o símbolo é como se uma porta se abrisse para um novo espaço de cuja existência nada sabíamos anteriormente. Mas quando não se aceita o símbolo, é como se passássemos desatentos por esta porta; e pelo fato de ser a única porta que leva aos aposentos interiores, é preciso pegar novamente a estrada e prosseguir em todas as exterioridades. Mas a alma sofre necessidade, pois a liberdade exterior não lhe serve. A salvação é uma longa estrada que leva através de muitas portas. As portas são os símbolos. Cada nova porta é a princípio invisível; é
137/138 como se tivesse que ser criada primeiramente /, pois ela sempre só está aí quando nós escavamos a mandrágora, o símbolo.

Para encontrar a mandrágora, precisa-se do cachorro preto[259], pois é assim: o bem e o mal precisam sempre conciliar-se primeiro, quando o símbolo deve ser criado. O símbolo não pode ser ideado nem inventado: ele se torna. Seu tornar-se é como o tornar-se do ser humano no ventre da mãe. A gravidez pode ser provocada por acasalamento fortuito. Mas quando a profundeza concebeu, o símbolo cresce por si e nasce da cabeça, como convém a um Deus. Mas logo a mãe gostaria de lançar-se sobre a criança como um monstro e engoli-la novamente.

De manhã, quando o novo sol se levanta, sai a palavra de minha boca, mas é assassinada impiedosamente, pois eu não sabia que ela era o salvador. A criança recém-nascida cresce depressa quando eu a aceito. E logo tornou-se meu cocheiro. A palavra é a condutora, o caminho do meio, que oscila levemente como o fiel da balança. A palavra é o Deus que toda manhã emerge das águas e anuncia às nuvens a lei orientadora. Lei externa e sabedoria externa são eternamente insatisfatórias, pois só existe uma lei, só uma sabedoria, isto é, minha lei de todo dia, minha sabedoria de todo dia. Em cada noite renova-se o Deus.

O Deus aparece em múltiplas formas; pois, quando ele se manifesta, tem em si algo do caráter da noite e das águas noturnas em que cochilou e em que lutou nas últimas horas da noite por sua renovação. Por isso sua manifestação é discrepante e equívoca; ela é inclusive dilacerante para o coração e a razão. Em sua aparição, o Deus me chama para a direita e a esquerda, de ambos os lados soa para mim seu chamado. Mas o Deus não quer nem o um e nem o outro. Ele quer o caminho do meio. O meio é o começo do longo trajeto.

Mas este começo, o ser humano não o pode ver nunca, ele só vê sempre o um ou o outro, ou o um e o outro, mas nunca aquilo que o um bem como o outro encerram em si. O ponto do começo é a imobilidade da razão e da vontade, um estado de suspensão, que chama para fora minha insubordinação, minha teimosia e finalmente meu grande pavor. Pois não vejo mais nada e não posso querer mais nada. Ao menos é isto que me parece. O caminho é uma estranha paralisação de tudo aquilo que antigamente era movimento, uma espera cega, um escutar desconfiado em volta e um tatear desconfiado em volta. A gente acha que precisa explodir. Mas é precisamente dessa tensão que nasce o resgatador, e ele está quase sempre aí onde a gente menos desconfia.

Mas o que é o resgatador? É sempre algo muito antigo e exatamente por isso algo novo, pois algo passado de há muito, que hoje retorna num mundo transformado, é novo. Gerar algo antiquíssimo para dentro de um tempo é criação. É criação do novo, e este me liberta. Libertação é desobrigar da tarefa. Tarefa é gerar para dentro do novo tempo algo velho. A alma da humanidade é como a grande roda do zodíaco que gira sobre o caminho. Tudo o que, em constante movimento, vem de baixo para o alto já estava antigamente no alto. Não é uma parte da roda que não voltaria. Por isso flui outra vez para cima o que já foi, e o que já foi será novamente. Pois são todas coisas cujas propriedades inatas são da natureza humana. Pertence à natureza do movimento para frente que aquilo que já foi retorne[260]. Só um ignorante pode admirar-se disso. No eterno retorno do idêntico não está o sentido[261], mas no modo de sua recriação no tempo.

O sentido está no modo e na orientação da recriação. Mas como crio para mim o cocheiro? Ou gostaria de ser eu meu próprio cocheiro? Eu só posso guiar-me pela vontade e pela intenção. Mas vontade e intenção são apenas partes de meu si-mesmo. Por isso não bastam para expressar meu todo. Intenção é o que posso ter em vista, e vontade é querer um objetivo predeterminado. Mas donde tiro o objetivo? Tiro-o daquilo que me é conhecido atualmente. Portanto, coloco o presente no lugar do futuro. Dessa
/ forma não posso alcançar o futuro, mas eu gero artificialmente 138/139
um constante presente. Tudo o que pretende interferir neste presente, eu o tomo como distúrbio e procuro afastá-lo, a fim de que minha intenção permaneça incólume. E assim elimino o progresso da vida. Mas com que posso ser cocheiro a não ser com a vontade e a intenção? É por isso também que um sábio não deseja ser cocheiro, pois sabe que a vontade e a intenção alcançam objetivos, mas impedem o vir a ser do futuro.

O futuro se produz fora de mim, eu não o construo, mas assim mesmo eu o construo, não com intenção e vontade, mas também contra a intenção e a vontade. Se eu quiser construir o futuro, trabalho contra o meu futuro. E se não quiser construí-lo, não tomo parte suficiente na construção do futuro, e tudo acontecerá segundo leis inevitáveis das quais serei vítima. Para constranger o destino, os antigos inventaram a magia. Precisavam dela para determinar o destino externo. Nós precisamos dela para determinar o destino interno e encontrar o caminho que não podemos imaginar. Pensei longamente

259 A mandrágora é uma planta cujas raízes têm alguma semelhança com a figura humana, e por isso tem sido usada em ritos mágicos. Segundo a lenda, ela solta gritos agudos quando é arrancada do solo. Em "Der philosophische Baum" (1945), Jung observou, a respeito da mandrágora, que ela "lança o primeiro grito quando, amarrada à cauda de um cão preto, é arrancada da terra" (OC, 13, § 410).

260 O *esboço* continua: "Tudo é sempre a mesma coisa e, no entanto, não é a mesma coisa, pois a roda vai girando sobre a longa estrada. Mas o caminho leva por vales e montes. O movimento da roda e a idêntica volta de suas partes individuais é indispensável ao carro, mas o sentido está no caminho. O sentido só é alcançado pelo constante girar e movimento para frente. Faz parte da natureza do movimento para frente que aquilo que já foi retorne. Disso só um ignorante pode admirar-se. Por ignorância, revoltamo-nos contra o retorno necessário do idêntico e, por avidez, nós nos deixamos lançar pela roda para cima e para frente no movimento ascensional, porque achamos que com essa parte da roda chegaremos sempre mais alto. Mas não chegamos mais alto e sim mais fundo e finalmente estaremos bem embaixo. Exalte, portanto, a imobilidade, pois ela lhe mostra que não estás amarrado aos raios da roda como Íxion, mas que estás sentado ao lado do cocheiro que te explicará o sentido do caminho" (p. 469-470). Na mitologia grega, Íxion era o filho de Ares. Ele tentou seduzir Hera, e Zeus o castigou amarrando-o a uma roda de fogo que girava sem parar.

261 A noção de que todas as coisas retornam encontra-se em várias tradições, como o estoicismo e o pitagorismo, e figura em lugar de destaque na obra de Nietzsche. Tem-se discutido muito, nos estudos nietzschianos, se deve ser entendida primariamente como um imperativo ético de afirmação da vida ou como uma doutrina cosmológica. Cf. LÖWITH, K. *Nietzsche's Doctrine of the Eternal Recurrence of the Same*. Berkeley: University of California Press, 1977 [Trad. de J. Lomax]. Jung discute isto em 1934, em *Nietzsche's Zaratustra*. Vol. 1, p. 191-192.

sobre o modo como esta magia deveria ser. Acabei não chegando a nada. Quem não consegue chegar a alguma conclusão por si mesmo deve procurar ensinamento; então fui para um país distante onde mora um grande mago, cuja fama me chegara aos ouvidos.

O mago[262]

Cap. xxi.

[IH: 139] {1}[1] [263]Após longa procura, encontrei a pequena casa, no campo, diante da qual se estendia um canteiro de tulipas em flor e onde moravam o mago ΦΙΛΗΜΩΝ (Filêmon) e ΒΑΥΚΙΣ (Báucis). ΦΙΛΗΜΩΝ é um mago que ainda não conseguiu exorcizar a velhice, mas que a vive com dignidade, e sua mulher nada mais pode do que fazer o mesmo[264]. Seus interesses na vida parecem ter ficado restritos, até mesmo infantis. Eles regam seu canteiro de tulipas e falam entre si das flores que recém-desabrocharam. Seus dias vão se apagando num lusco-fusco pálido e oscilante, iluminado pelas luzes do passado, pouco temeroso da escuridão daquele que virá.

Por que ΦΙΛΗΜΩΝ é um mago?[265] Com sua mágica, ele está arranjando a imortalidade, uma vida no além? Ele só foi mago por vocação, mas agora parece um mago aposentado, que se retirou do negócio. Extinguiram-se nele o desejo veemente e o dinamismo e, por mera impotência, goza do bem merecido descanso, como toda pessoa idosa, que nada mais pode fazer do que plantar tulipas e regar seu pequeno jardim. A varinha de condão está guardada no armário de parede juntamente com o sexto e sétimo livros de Moisés[266] e do Livro da Sabedoria de ΕΡΜΗΣ ΤΡΙΣΜΕΓΙΣΤΟΣ [Hermes Trismegisto][267]. ΦΙΛΗΜΩΝ ficou velho e um pouco demente; por um bom donativo em moedas sonantes ou para a cozinha, ainda murmura algumas fórmulas mágicas em prol do gado enfeitiçado. Mas é incerto se ainda são as fórmulas corretas e se ele entende seu sentido. Também está claro que não importa
139/140 o que ele murmura, / talvez o gado fique bom por si mesmo. Lá vai o velho ΦΙΛΗΜΩΝ pelo jardim, encurvado, com o regador nas mãos trêmulas. ΒΑΥΚΙΣ está à janela da cozinha e olha para ele com indiferença apática. Ela já viu esta cena milhares de vezes – cada vez algo mais decrepitamente, mais fracamente, cada vez enxerga menos, pois a força de seus olhos está diminuindo aos poucos[268].

Eu estou parado no portão do jardim. Eles não notaram a presença do estranho. "Filêmon, velho feiticeiro, como estás passando?", falo em voz alta. Ele não me ouve, parece completamente surdo. Eu vou atrás dele e o seguro pela manga da camisa. Ele se vira e me cumprimenta sem jeito e trêmulo. Tem uma barba branca, cabelos brancos e ralos e um rosto enrugado, mas neste rosto parece haver algo. Seus olhos são baços e velhos, mas neles uma coisa é estranha, poder-se-ia dizer, viva. "Vou bem, estranho", respondeu, "mas o que queres de mim?"

Eu: "Disseram-me que tu és entendido em magia negra. Interesso-me pelo assunto. Poderias contar-me algo sobre ela?"

Φ: "O que devo contar? Não há nada para contar".

Eu: "Não fiques zangado, velho, eu gostaria de aprender alguma coisa".

Φ: "Tu és certamente mais instruído do que eu. O que poderia eu ensinar-te?"

Eu: "Não sejas avaro. Com certeza não lhe farei concorrência. Só me causa admiração o que tu fazes e enfeitiças".

Φ: "O que queres? Em tempos passados, eu ajudei cá e lá pessoas contra a doença e danos de vários tipos".

Eu: "Como fazes isto?"

Φ: "Bem simplesmente, com simpatia".

Eu: "Esta palavra, meu velho, soa cômica e ambígua".

Φ: "Como assim?"

Eu: "Poderia significar: Tu ajudaste as pessoas através de participação pessoal ou com meios supersticiosos, de simpatia".

Φ: "Bem, talvez tenha sido ambas as coisas".

Eu: "E isto era toda sua magia?"

Φ: "Eu sei mais".

Eu: "O que é? Fala".

Φ: "Isto não te interessa. Tu és malcriado e impertinente".

Eu: "Por favor, não leves a mal minha curiosidade. Recentemente ouvi falar da magia que despertou meu interesse para esta arte do passado. Então vim imediatamente a ti, porque ouvi dizer que eras entendido na magia negra. Se ainda hoje ensinassem nas Universidades a magia, eu a teria estudado lá. Mas já faz muito tempo que a última escola, que ensinava as forças mágicas, foi fechada. Hoje em dia nenhum professor sabe mais nada sobre magia. Portanto, não fiques irritado nem sejas avaro, mas deixa-me saber algo de tua arte. Tu não vais querer levar teus segredos contigo para o túmulo?"

---

262 Em vez disso, o *esboço manuscrito* tem: "*Décima aventura*" (p. 1.061).

263 27 de janeiro de 1914.

264 Nas *Metamorfoses*, Ovídio conta a história de Filêmon e Báucis. Júpiter e Mercúrio vão andando, disfarçados de mortais, na região montanhosa da Frígia. Procuravam um lugar para descansar e foram barrados em mil lares. Um casal de velhos os acolheu. Haviam casado em sua cabana quando jovens e envelheceram juntos e aceitavam contentes sua pobreza. Prepararam uma refeição para os hóspedes. Durante a refeição, viram como a jarra, logo que era esvaziada, enchia-se de novo automaticamente. Em honra de seus hóspedes, prontificaram-se a matar o único ganso que tinham. O ganso refugiou-se junto aos deuses, que disseram que ele não deveria ser morto. Os deuses revelaram-se e disseram ao casal que a vizinhança seria castigada, mas eles dois seriam poupados, e pediram-lhes que subissem à montanha com eles. Quando chegaram ao topo, viram que a região ao redor de sua cabana havia sido inundada pela água, e apenas a cabana permanecia, transformada num templo com colunas de mármore e teto de ouro. Os deuses perguntaram-lhes qual era o seu desejo, e Filêmon respondeu que gostariam de ser seus sacerdotes e servir no seu templo e também que pudessem morrer juntos. Seu desejo foi acolhido e, quando morreram, transformaram-se em árvores uma ao lado da outra. No *Fausto* 2, ato V, de Goethe, um andarilho, que anteriormente fora salvo por eles, visita Filêmon e Báucis. Fausto estava construindo uma cidade em terra recuperada ao mar. Fausto passa a dizer a Mefistófeles que ele quer que Filêmon e Báucis sejam removidos. Mefistófeles e três homens fortes foram e incendiaram a cabana, com Filêmon e Báucis dentro. Fausto respondeu que ele apenas queria mudar a moradia deles. A Eckermann, Goethe contou que "meu Filêmon e Báucis [...] nada têm a ver com aquele antigo casal famoso ou com a tradição ligada a eles. Dei a este casal os nomes apenas para exaltar seus personagens. As pessoas e as relações são semelhantes e daí o uso dos nomes causa um bom efeito" (6 de junho de 1831, apud GOETHE. *Faust*. Nova York: Norton Critical Editions, 1976, p. 428 [trad. de W. Arndt]). A 7 de junho de 1955, Jung escreveu a Alice Raphael uma carta em que faz referência aos comentários de Goethe a Eckermann: "Quanto a *Filêmon e Báucis*: uma típica resposta goethiana a Eckermann! tentando ocultar seus vestígios. *Filêmon* (Φιλημα [philema] = beijo), o carinhoso, o casal simples e carinhoso de velhinhos, apegados à terra e conscientes dos Deuses, o oposto total do super-homem Fausto, produto do demônio. A propósito: em minha torre em Bollingen há uma inscrição escondida: *Philemonis sacrum Fausti poenitentia* [Santuário de Filêmon, Arrependimento de Fausto]. Quando encontrei pela primeira vez o arquétipo do velho sábio, ele se chamava a si mesmo *Filêmon*. / Na alquimia F. e B. representavam o artifex ou *vir sapiens* e a *soror mystica* (Zosimos-Theosebeia, Nicolas Flamel-Péronelle, Mr. South e sua filha no século XIX) e o par no *mutus liber* (por volta de 1677)". Beineke Library, Yale University. Sobre a inscrição de Jung, cf. também sua carta a Hermann Keyserling, de 2 de janeiro de 1928 (*Cartas*, 1, p. 65). A 5 de janeiro de 1942, Jung escreveu a Paul Schmitt: "[constatei que eu] havia *assumido Fausto como herança*, e isso como advogado e vingador de Filêmon e Báucis que, diferentemente do super-homem Fausto, são os hospedeiros dos deuses numa época de infâmia e esquecimento de Deus" (*Cartas*, 1, p. 316).

265 Em *Tipos psicológicos* (1921), no contexto da discussão sobre Fausto, Jung escreveu: "O feiticeiro preservou um pedaço do paganismo antigo; ele mesmo possui em si uma natureza que não foi atingida pela dilaceração cristã; isto é, tem acesso ao inconsciente que ainda é pagão onde os opostos ainda estão lado a lado em ingenuidade original, e que está além de toda pecaminosidade, mas, quando assumido na vida consciente, está apto a produzir com a mesma força original e, portanto, demoníaca, tanto o mal quanto o bem... Por isso é um destruidor e também um salvador. Esta figura é, portanto, a mais indicada para se tornar a imagem simbólica de uma tentativa de união" (OC, 6, § 314).

266 O sexto e sétimo livros de Moisés (isto é, em aditamento aos cinco contidos na Torá) foram publicados em 1849 por Johann Schiebel, que afirmou que eles provinham de antigas fontes talmúdicas. A obra é um compêndio de fórmulas mágicas cabalísticas que haviam gozado de uma popularidade permanente.

267 A figura de Hermes Trismegisto foi formada por amálgama de Hermes com o Deus egípcio Toth. Foi atribuído a ele o *Corpus Hermeticum*, coleção de textos majoritariamente alquímicos e mágicos, datados do início da era cristã, mas inicialmente considerados muito mais antigos.

268 No *Fausto*, de Goethe, Filêmon fala do declínio de suas forças: "Mais velho, eu não estava à disposição / Não era útil como de costume / E à medida que minhas forças diminuíam / Também a onda já havia passado" (L. I 11087-9).

Φ: “Tu só caçoas disso. Por que deveria eu dizer-lhe alguma coisa? É melhor que tudo seja enterrado comigo. Alguém, mais tarde, pode descobrir isto de novo. A humanidade não vai ficar privada dela, pois a magia renasce com todo ser humano”.

Eu: “Como entendes isto? Acreditas que a magia é realmente inata no ser humano?”

Φ: “Eu diria: sim, naturalmente. Mas tu o achas ridículo”.

Eu: “Não, dessa vez não estou rindo, pois já me admirei muitas vezes com o fato de que todos os povos, em todos os tempos em todos os lugares têm os mesmos ritos mágicos. Eu mesmo já pensei a mesma coisa que tu”.

Φ: “O que achas da magia?”

Eu: “Dito abertamente: nada, ou muito pouco. Parece-me que a magia é um dos recursos imaginários da pessoa inferiorizada perante a natureza. Além disso, não posso descobrir outro significado compreensível da magia”.

Φ: “Tanto assim sabem provavelmente também teus professores”.

Eu: “Sim, mas o que sabes a respeito disso?”

Φ: “Não gostaria de dizê-lo”.

Eu: “Não procedas tão misteriosamente, velho, senão devo admitir que não sabes mais sobre isso do que eu”.

Φ: “Pois admite, se isto te agrada”.

Eu: “Em conclusão a esta resposta, devo admitir que entendes disso algo mais do que os outros”.

Φ: “Homem esquisito, como és teimoso! Agrada-me, porém, que não te deixas desencorajar por tua razão”.

Eu: “É este realmente o caso. Sempre que quero aprender e entender alguma coisa, deixo em casa minha assim chamada razão e dou àquela coisa, que desejo adquirir, a fé que necessariamente exige. Eu aprendi isso aos poucos, pois vi no manejo da ciência muitíssimos exemplos espantosos do contrário”.

140/141 Φ: “Então podes levar isso mais / adiante”.

Eu: “Espero. Mas não deixes que nos distanciemos da magia”.

Φ: “Por que então te aferras tão teimosamente a teu propósito de aprender da magia, se afirmas que deixaste tua razão em casa? Ou a consequência não faz parte de tua razão?”

Eu: “Muito bem – eu vejo, ou melhor, parece que és um sofista bem esperto, que me conduz habilidosamente em volta de casa e me leva novamente ao portão”.

Φ: “Isto te parece assim porque julgas tudo do ponto de vista de teu intelecto. Se quiseres desistir por um momento de tua razão, também tua consequência desistirá”.

Eu: “Isto é uma prova de aprendizagem bem difícil. Mas se eu quiser ser adepto, então isto também deve ser, para que se cumpra a exigência. Eu sou todo ouvidos”.

Φ: “O que queres ouvir?”

Eu: “Tu não me seduzes. Eu só espero pelo que vais dizer”.

Φ: “E se eu não disser nada?”

Eu: “Bem – então eu me retiro um pouco decepcionado e penso que ΦΙΛΗΜΩΝ é no mínimo uma raposa esperta, da qual se poderia aprender alguma coisa”.

Φ: “Com isso, rapaz, aprendeste alguma coisa de magia”.

Eu: “Isto preciso primeiro digerir. É de fato algo surpreendente. Eu havia imaginado a magia de forma diferente”.

Φ: “Disso podes concluir que entendes muito pouco de magia e que suas concepções a respeito dela são incorretas”.

Eu: “Se isto deveria ser assim, ou é assim, devo confessar que abordei o problema de modo totalmente errado. Parece então que ele não anda pelo caminho da compreensão comum”.

Φ: “Isto também não é realmente o caminho da magia”.

Eu: “Mas tu não me desencorajaste disso; ao contrário, ardo de desejo de aprender mais. O que sei disso até agora é essencialmente negativo”.

Φ: “Com isso conheceste um segundo ponto principal. Antes de tudo deves saber que a magia é o negativo daquilo que podemos conhecer”.

Eu: “Também isto, meu caro ΦΙΛΗΜΩΝ, é um pedaço difícil de digerir que me causa complicações nada insignificantes. O negativo daquilo que podemos conhecer? Com isso achas certamente que não o possamos conhecer, ou? Aqui termina minha compreensão”.

Φ: “Este é o terceiro ponto que deves reconhecer como essencial, isto é, que também não tens nada a compreender”.

Eu: “Bem, reconheço que isto é novo e estranho. Portanto, na magia não há nada para se compreender”.

Φ: “Exato. A magia é exatamente tudo aquilo que não se compreende”.

Eu: “Mas como então, por todos os diabos, deve-se ensinar e aprender a magia?”

Φ: “A magia não deve ser ensinada nem aprendida. É tolice tua querer aprender magia”.

Eu: “Então a magia é em suma um embuste”.

Φ: “Não te enganes. Fizeste novamente uso de tua razão”.

Eu: “É difícil ser irracional”.

Φ: “Igualmente difícil é a magia”.

Eu: “Isto é um bocado difícil. Parece-me então que é condição indispensável para o adepto esquecer totalmente sua razão”.

Φ: “Sinto muito, mas é assim”.

Eu: “Ó deuses, isto é grave”.

Φ: “Não é tão grave quanto pensas. Com a idade, a razão diminui por si mesma, pois é uma contrapartida útil dos instintos, que são mais fortes na juventude do que na velhice. Já viste alguma vez um mago jovem?”

Eu: “Não, o mago é inclusive proverbialmente velho”.

Φ: “Tu vês que tenho razão”.

Eu: “Mas então as perspectivas do adepto são ruins. Ele tem de esperar a velhice para chegar a conhecer os segredos da magia”.

Φ: “Se ele renunciar mais cedo à sua razão, também mais cedo poderá chegar ao conhecimento de algo útil”.

Eu: “Isto me parece uma experiência perigosa. Não se pode renunciar sem mais à razão”.

Φ: “Também não se pode / ser um mágico sem mais”. 141/142

Eu: “Tu tens armadilhas danadas”.

Φ: “O que queres? Isto é magia”.

Eu: “Velho demônio, tu me fazes ter inveja até da velhice caduca”.

Φ: “Vê só: um jovem que gostaria de ser um ancião! E por quê? Gostaria de aprender a magia, mas não o ousa por causa de sua juventude”.

Eu: “Tu estendes uma rede cruel, velho armador de ciladas”.

Φ: “Talvez queiras esperar mais alguns aninhos com a magia, até que teus cabelos se tenham tornado grisalhos e teu juízo tenha diminuído por si”.

Eu: “Gostaria de não ouvir teu deboche. Eu me deixei apanhar como um bobo na tua armadilha. Não posso aprender nada de ti”.

Φ: “Mas talvez bobo já seria um avanço no caminho para a magia”.

Eu: “Além do mais, o que realizas no mundo todo com tua magia?”:

Φ: “Eu vivo, como estás vendo”.

Eu: “Isto também fazem outros idosos”.

Φ: “E tu viste como?”

Eu: "Sim, e não foi uma visão agradável. Mas em ti também o tempo deixou suas marcas".

Φ: "Isto eu sei".

Eu: "Portanto, onde estão tuas vantagens?"

Φ: "São aquelas que não vês".

Eu: "O que são vantagens que a gente não vê?"

Φ: "São aquelas que a gente tem".

Eu: "Como denominas essas vantagens?"

Φ: "Denomino-as magia".

Eu: "Tu te movimentas num círculo vicioso. O diabo deve te ajudar".

Φ: "Estás vendo? Isto também é uma vantagem da magia: nenhuma vez o diabo me ajuda. Tu fazes progressos no conhecimento da magia de tal forma que devo acreditar que tens bom talento para isso".

Eu: "Eu te agradeço, ΦΙΛΗΜΩΝ, basta, estou zonzo. Adeus!"

Saio do jardim e sigo pela estrada abaixo. Há pessoas paradas em grupos por ali que me olham furtivamente. Ouço murmurarem às minhas costas: "Vede, ali vai ele, o discípulo do velho ΦΙΛΗΜΩΝ. Conversou longamente com o velho. Ele aprendeu alguma coisa. Ele conhece os mistérios. Se eu soubesse ao menos o que ele sabe agora". "Calai-vos, loucos malditos", gostaria de gritar-lhes, mas não posso, pois não sei se realmente não aprendi alguma coisa. E pelo fato de eu calar, acreditam firmemente desde então que eu recebi de ΦΙΛΗΜΩΝ a magia negra.

[269] [2] [IH 142] *É um erro acreditar que existem* práticas mágicas que podem ser aprendidas. Não se pode entender a magia. Entender só se pode o racional. Mas a magia é o irracional que não se pode entender. O mundo não é só racional, mas também irracional. Assim como se pode abrir o racional do mundo com a razão à medida que o racional do mundo vem ao encontro da compreensão, assim também se encontra o incompreensível e o
142/143 irracional. /

Este encontro é mágico e absolutamente incompreensível. A compreensão mágica é aquilo que se chama não compreensão. Tudo o que tem efeito mágico é incompreensível, e o incompreensível tem muitas vezes efeito mágico. O efeito incompreensível, nós o chamamos de mágico. O mágico sempre me engloba, sempre me envolve, abre espaços que não têm portas e conduz para onde não há nenhuma saída. O mágico é bom e mau, e não é bom nem mau. A magia é perigosa, pois o irracional confunde, atrai e produz efeito, e eu sou sempre sua primeira vítima.

No racional não precisamos de nenhuma magia, por isso nossa época não usou mais a magia. Só os irracionais fizeram uso dela para substituir sua falta de razão. Mas é muito irracional não juntar o racional com a magia, pois os dois nada têm a ver um com o outro. Por meio da junção, os dois são deteriorados. Por isso aqueles irracionais sucumbem com razão ao supérfluo e ao desprezo. Por isso também uma pessoa racional de nossa época jamais se servirá da magia[270].

Mas é outra coisa que abriu em si o caos. Nós precisamos da magia para podermos receber ou chamar o mensageiro e a comunicação do não compreensível. Nós reconhecemos que o mundo consistia de razão e insensatez, e nós entendemos que nosso caminho precisava não só da razão, mas também da insensatez. Esta separação é aleatória e depende do nível da compreensão. Mas pode-se ter certeza de que sempre a maior parte do mundo ainda nos é incompreensível. Incompreensível e irracional devem ser idênticos para nós, ainda que não o sejam necessariamente em si, pois uma parte do incompreensível só é atualmente incompreensível, podendo amanhã ser talvez racional. Mas enquanto não o entendemos, é também irracional. À medida que o não compreensível em si é racional, pode-se tentar imaginá-lo com êxito, mas à medida que é irracional em si, / precisa-se da prática mágica para 143/144
explorá-lo.

A prática mágica consiste em tornar compreensível o incompreensível de certa forma não compreensível. A maneira mágica não é arbitrária, pois isto seria compreensível, mas é resultado de razões incompreensíveis. Falar de razões também não está certo, pois as razões são racionais. E também não se pode falar de destituído de razões, pois disso nada mais se poderia afirmar: a maneira mágica se rende. Quando abrimos o caos, também a magia se rende.

Pode-se ensinar o caminho que leva ao caos, mas não se pode ensinar a magia. A respeito dela só se pode calar, que parece ser o melhor ensinamento. Este ponto de vista é desconcertante, mas assim é a magia. A razão cria desordem e obscuridade[271]. Na tradução mágica do incompreensível precisa-se inclusive da razão, pois só através da razão pode ser criado o compreensível. Mas como é preciso empregar nisso a razão, ninguém pode dizer que o fato já se realizou quando nós apenas tentamos expressar o que significa para nós a abertura do caos[272].

A magia é uma espécie de vida. Quando a gente deu o melhor de si para dirigir o carro e então percebe que um outro maior o dirige, nesse caso produz-se o efeito mágico, pois ninguém consegue conhecê-lo com antecedência; o mágico é precisamente o sem-lei, que acontece sem regra fixa, fortuitamente, por assim dizer. Mas a condição é que a gente se aceite totalmente e nada desperdice, a fim de transferir tudo para o crescimento da árvore. A isso pertence também a estupidez, da qual cada um tem grande medida, e também a falta de gosto que é para muitos seu maior aborrecimento.

Por isso é condição indispensável da vida uma certa solidão e afastamento para o próprio bem e o dos outros, caso contrário não podemos / ser suficientemente nós mesmos. Será 144/145
inevitável certa vagarosidade na vida, que é como uma parada. A incerteza de tal vida será sem dúvida o mais sufocante, mas ainda assim tenho de conciliar sempre as duas forças conflitantes de minha alma e mantê-las numa fiel união até o fim de minha vida, pois o mago chama-se ΦΙΛΗΜΩΝ e sua mulher, ΒΑΥΚΙΣ. Aquilo que o Cristo manteve separado em si mesmo e, através de seu exemplo, nos outros, isto eu mantenho unido, pois quanto mais uma das metades de meu ser luta pelo bem, tanto mais rapidamente a outra metade se encaminha para o inferno.

Quando havia terminado o mês dos Gêmeos, as pessoas falavam para sua sombra: "Tu és eu", pois haviam considerado antes seu espírito como uma segunda pessoa em torno delas. Assim as duas se tornavam uma só e desse encontro surgiu algo poderoso, isto é, a primavera da consciência, que chamamos de cultura e que durou até o tempo do Cristo[273]. O peixe designava, porém, o momento em que o unido se separou, segundo a lei eterna do movimento

269 Nota marginal do volume caligráfico: "Jan. 1924". Isto parece referir-se à data em que esta passagem foi transcrita para o volume caligráfico. Neste ponto, o texto escrito fica em tamanho maior, com mais espaço. Neste tempo, Cary Baynes começou sua transcrição.

270 Em *Tipos psicológicos* (1921) Jung escreveu: "A razão só pode fornecer o equilíbrio àquele cuja razão já é um órgão de equilíbrio... O homem, via de regra, precisa ter também o oposto de um de seus estados para então posicionar-se necessariamente no meio" (OC, 6, § 435).

271 O *esboço* continua: "A prática mágica desagrega-se portanto em duas partes: a primeira é a exploração do caos, a segunda é a tradução da essência no compreensível" (p. 484).

272 O *esboço* continua: "A participação da razão na magia é muito pequena. Isto vai aborrecê-lo. Idade e experiência são necessárias. A incontrolável sofreguidão e medo da juventude, bem como sua virtude, tão necessária a ela, impedem a atração conjunta e secreta de Deus e do demônio. Com demasiada facilidade serás puxado para um ou outro lado, cegado ou paralisado" (p. 484).

contrário, num mundo inferior e mundo superior. Quando a força do crescimento começa a desaparecer, o unido se divide em seus opostos. O Cristo lançou o inferior no inferno, pois ele luta contra o bem. Isto teve que ser assim. Mas o separado não pode ficar separado para sempre. Vai unir-se de novo, e em breve o mês de Peixes estará terminado[274]. Nós pressentimos e entendemos que o crescimento precisa de ambos, por isso mantemos bem juntos o bem e o mal. Como sabemos que adentrar demais no bem significa também adentrar por demais no mal, mantemos unidos os dois[275].

Mas assim perdemos a direção, e o curso não é mais da montanha para o vale, mas cresce tranquilamente do vale para a montanha. Aquilo que não podemos mais impedir ou esconder é nosso
145/146 fruto. A torrente que flui torna-se lago e mar / que não têm escoadouro, ou seja, suas águas sobem para o céu como vapor e caem das nuvens como chuva. O mar é uma morte, mas também o lugar da ascensão. Isto é ΦΙΛΗΜΩΝ, que rega seu jardim. Nossas mãos foram amarradas, e cada qual deve ficar sentado calmamente em seu lugar. Ele sobe invisível e cai como chuva sobre terras distantes[276]. A água sobre a terra não é nenhuma nuvem que devesse chover. Só grávidas podem dar à luz, não aquelas que ainda devem conceber[277].

[IH 146] *Que segredo, porém, me dás a entender*, ó ΦΙΛΗΜΩΝ, com teu nome? Tu és realmente o amoroso que certa vez acolheu os deuses peregrinantes pela terra, quando todas as outras pessoas lhes negaram pousada. Tu és aquele que, sem o saber, deste acolhida aos deuses que, em agradecimento, transformaram tua choupana num templo de ouro, enquanto o dilúvio ia tragando por toda parte. Tu vivias para além quando o caos irrompeu. Tu te tornaste o servidor do santuário, quando os deuses eram invocados em vão por seus povos. De fato, o amoroso vive para além. Por que não víamos isto? Em que momento se revelaram os deuses? Quando ΒΑΥΚΙΣ quis servir aos honrados hóspedes seu único ganso, a estupidez abençoada, a ave se refugiou junto aos deuses, então os deuses se deram a conhecer a seus pobres hospedeiros que ofereciam a última coisa que tinham. Portanto eu vi que o amoroso vive para além, e que é ele que dá pousada aos deuses sem saber que eram deuses[278].

Verdadeiramente, ó ΦΙΛΗΜΩΝ, não vi que tua choupana é um templo e que tu mesmo, ΦΙΛΗΜΩΝ, tu e ΒΑΥΚΙΣ sois
146/147 os servidores do santuário. / Realmente esta força mágica não se pode ensinar nem se pode aprender. Isto nós temos ou não temos. Eu conheço o último de teus segredos: tu és um amante. Tu conseguiste unir o separado, ligar o superior e o inferior. Não o sabíamos nós há muito tempo? Sim, nós o sabíamos; não, não o sabíamos. Tudo foi sempre assim, e no entanto nunca foi assim. Por que tive de percorrer longas estradas até chegar a ΦΙΛΗΜΩΝ, se ele devia ensinar-me o que todo mundo já sabe há muito tempo? Ah, nós já sabemos tudo desde os tempos remotos, e no entanto jamais o saberemos até que seja alcançado. Quem esgota o mistério do amor?

[IH 147] *Sob que máscara, ó* ΦΙΛΗΜΩΝ, tu te escondes? Tu me parecias um amante. Mas os meus olhos se abriram e eu vi que és um amante de tua alma, que protege temerosa e ciosamente seu tesouro. Existem aqueles que amam pessoas, aqueles que amam as almas das pessoas e aqueles que amam a própria alma. Um desses últimos é ΦΙΛΗΜΩΝ, o hospedeiro dos deuses.

Tu estás deitado ao sol, ó ΦΙΛΗΜΩΝ, como uma cobra que se engole a si mesma. Tua sabedoria é sabedoria de serpente, fria, com uma pitada de veneno, terapêutica em pequena dose. Tua magia paralisa e, por isso, faz pessoas fortes, que se arrebentam a si mesmas. Mas elas te amam, elas são gratas a ti, amante da própria alma? Ou elas te amaldiçoam por causa de teu veneno mágico de serpente? Elas ficam ao longe, sacodem a cabeça e cochicham entre si.

Tu és ainda uma pessoa, ΦΙΛΗΜΩΝ, ou / é antes uma pessoa 147/148
aquele que é um amante de sua própria alma? Tu és hospitaleiro, ΦΙΛΗΜΩΝ, tu recebeste em tua choupana os peregrinos sujos sem saber quem eram. Tua casa tornou-se um templo de ouro, e eu saí de tua mesa realmente insaciado? O que tu me deste? Tu me convidaste para uma refeição? Tu reluziste multicolorido e emaranhado e, em parte nenhuma, tu te deste a mim como vítima. Tu escapaste de meu ardil para te pegar. Não te encontrei em parte alguma. Ainda és uma pessoa? Tu és bem mais da espécie das serpentes.

Eu quis pegar-te e arrancá-lo de ti, pois os cristãos aprenderam a comer também o seu Deus. E o que acontece com Deus, não vai acontecer também muito mais às pessoas humanas? Eu olho para a vastidão da terra e não ouço mais do que lamúrias e não vejo outra coisa a não ser pessoas que se devoram mutuamente.

Ó ΦΙΛΗΜΩΝ, tu não és cristão. Tu não te deixaste devorar e não me devoraste. Por isso não tens salas de aula, nenhum pórtico e nenhum aluno que fica em rodas falando do mestre e sorve suas palavras como a água da vida. Tu não és cristão nem pagão, um não hospedeiro hospitaleiro, um hospedeiro dos deuses, um que vive para além, um eterno, o pai de todas as verdades eternas.

Mas será que eu saí realmente insaciado de junto de ti? Não, eu me afastei de ti porque estava realmente saciado. Mas o que foi que comi? Tuas palavras não me deram nada. Tuas palavras me abandonaram a mim mesmo e à minha dúvida. E assim eu me comi. E por isso, ó ΦΙΛΗΜΩΝ, não és um cristão, pois te alimentas de ti mesmo e obrigas as pessoas a fazerem o mesmo. Isto é para elas a coisa mais desagradável, porquanto de nada têm mais nojo os animais humanos do que de si mesmos. Por isso preferem devorar todas as criaturas que rastejam, que saltam, que nadam e que voam, e até mesmo sua própria espécie, antes de se roerem a si mesmos. Mas este alimento é eficaz, e logo torna a pessoa

273 É uma referência à concepção astrológica do mês, ou éon, platônico de Peixes, que se baseia na precessão dos equinócios. Cada mês platônico consiste de um signo zodiacal e dura aproximadamente 2.300 anos. Jung discute o simbolismo ligado a isto em *Aíon* (OC, 9/2), capítulo 6. Observa ele que, por volta de 7 a.C., houve uma conjunção de Saturno e Júpiter, que representava uma união de opostos extremos, o que colocaria o nascimento de Cristo em Peixes. O signo de Peixes (em latim *Pisces*) é muitas vezes representado por dois peixes nadando em direções opostas. Sobre os meses platônicos, cf. HOWELL, A. *Jungian Synchronicity in Astrological Signs and Ages*. Wheaton: Quest Books, 1990, p. 125s. Jung começou a estudar astrologia em 1911, durante seus estudos de mitologia, e aprendeu a fazer horóscopos (Jung a Freud, 8 de maio de 1911, *Sigmund Freud – C.G. Jung Briefwechsel*, p. 465) [ed. inglesa, p. 421]. Quanto às fontes de Jung para a história da astrologia, ele citou nove vezes, em sua obra posterior, o livro *L'Astrologie grecque*, de Auguste Bouché-Leclerq (Paris: Ernest Leroux, 1899).

274 Isto se refere ao fim do mês platônico de Peixes e ao começo do mês platônico de Aquário. A data precisa é incerta. Em *Aíon* (1951), Jung observou: "Astrologicamente falando, o início do próximo éon deverá situar-se entre 2000 e 2200, dependendo do ponto de vista que se escolher" (OC, 9/2, § 149, nota 88).

275 Em Aion (1951), Jung escreveu: "Se o éon de Peixes foi governado, ao que tudo indica, principalmente pelo tema arquetípico do 'irmãos inimigos', por coincidência, com a aproximação do mês platônico imediato, isto é, de Aquário, coloca-se o problema da união dos opostos. Já não se trata mais de volatilizar o mal como mera 'privatio boni', mas de reconhecer sua existência real" (OC, 9/2, § 142).

276 O *esboço* continua: "O tempo invernal das chuvas começou com Cristo. Ele ensinou às pessoas o caminho do céu. Nós aprendemos o caminho da terra. Por isso, nada é tirado do evangelho, mas acrescentado" (p. 486).

277 O *esboço* continua: "Nosso esforço era dirigido para a inteligência e supremacia espiritual, por isso cultivamos em nós tudo o que é inteligente. Mas a quantidade extraordinária de estupidez, que está em toda pessoa, caiu no desprezo e na renegação. Mas se aceitarmos em nós o outro, levaremos também para cima a estupidez típica de nosso ser. A estupidez é uma cavalgadura das pessoas. Ela tem algo de divino em si, algo da idiotice gigantesca do mundo. Por isso a estupidez é realmente grande. Ela mantém afastado de nós tudo o que nos pudesse induzir à inteligência. Faz com que fique incompreendido tudo o que não precisaria normalmente de compreensão. Esta estupidez típica manifesta-se no pensamento e na vida. Algo surdo, algo cego, isto traz para perto de nós os destinos necessários e mantém longe de nós a virtude irmanada com a sensatez. É a estupidez que divide e separa os germes misturados da vida, de modo a vermos claramente demais o que é bom e mau, o que é racional e irracional. Mas muitas pessoas são também lógicas em sua irracionalidade" (p. 487).

278 Neste parágrafo, Jung apresenta o clássico relato de Filêmon e Báucis, tirado das *Metamorfoses*.

saciada. Por isso, ó ΦΙΛΗΜΩΝ, nós nos levantamos saciados de tua mesa.

Tua maneira, ó ΦΙΛΗΜΩΝ, é instrutiva. Tu me deixas numa escuridão salutar, onde nada preciso enxergar nem procurar. Tu não és nenhuma luz que brilha nas trevas[279], nenhum redentor
148/149 que estabelece uma verdade eterna e assim apaga a / luz noturna do intelecto humano. Tu deixas espaço para a estupidez e gracejo do outro. Tu queres, ó abençoado, regar o jardim do outro, mas regas as flores de teu próprio jardim. Quem precisa de ti pergunta-te e, ó sábio ΦΙΛΗΜΩΝ, eu suponho que também tu perguntas àquele de quem precisas, e tu pagas aquilo que recebes. O Cristo tornou as pessoas ávidas, pois desde então esperam de seu redentor dádivas sem contraprestação. O dar presentes é tão infantil quanto o poder. Quem presenteia arroga-se poder. A virtude do dar de presente é o manto cerúleo do tirano. Tu és sábio, ó ΦΙΛΗΜΩΝ, tu não presenteias. Tu queres as flores de teu jardim e que cada coisa cresça por si mesma.

Eu louvo, ó ΦΙΛΗΜΩΝ, tua ausência da dimensão de salvador; tu não és nenhum pastor que vai atrás da ovelha perdida, pois acreditas na dignidade da pessoa, que não é necessariamente uma ovelha. Mas se ela for uma ovelha, tu lhe deixas o direito e a dignidade da ovelha, pois por que deveriam ovelhas ser transformadas em pessoas? Na verdade, existem pessoas em número suficiente.

Tu conheces, ó ΦΙΛΗΜΩΝ, a sabedoria das coisas vindouras, por isso és velho, muitíssimo velho, e assim como me sobrepujas em anos, também sobrepujas em futuro o presente, e o tempo de teu passado é incomensurável. Tu és legendário e inatingível. Tu foste e serás, retornando periodicamente. Invisível é tua sabedoria, insciente tua verdade, inverídica em qualquer tempo, e assim mesmo verídica em toda a eternidade, mas tu regas com água viva, mediante a qual se abrem as flores de teu jardim, uma água estelar, um orvalho da noite.

De quem precisas, ó ΦΙΛΗΜΩΝ? Tu precisas das pessoas por causa das pequenas coisas, pois tudo o que é maior e o máximo estão em ti. O Cristo mimou as pessoas, pois ensinou-lhes que só seriam salvas em Um, isto é, Nele, o Filho de Deus, e desde então as pessoas exigem sempre mais as coisas maiores do outro, principalmente sua salvação, e quando em algum lugar uma ovelha se
149/150 transviou, / ela acusa o pastor. Ó ΦΙΛΗΜΩΝ, tu és uma pessoa humana e provas que as pessoas não são ovelhas, pois tu guardas o maior em ti, por isso flui para teu jardim água fecunda de cântaro inesgotável.

[IH 150] *Tu és solitário, ó* ΦΙΛΗΜΩΝ, não vejo nenhum discípulo e nenhuma associação em torno de ti, a própria ΒΑΥΚΙΣ é apenas tua outra metade. Tu vives com as flores, árvores e pássaros, mas não com pessoas. Não deverias tu viver com pessoas? Ainda és uma pessoa humana? Não queres saber nada das pessoas? Não vês como formam rodinhas, inventam boatos e contam fábulas infantis a teu respeito? Não queres ir até elas e dizer-lhes que és uma pessoa e um ser mortal como elas e que gostarias de amá-las?

Ó ΦΙΛΗΜΩΝ, tu ris? Eu te entendo. Faz pouco ainda que entrei em teu jardim e queria arrancar de ti o que eu tinha de entender por mim mesmo. Ó ΦΙΛΗΜΩΝ, eu entendo: eu fiz de ti imediatamente um salvador que se deixa comer e que prende por meio de presentes. Assim são as pessoas, pensas tu; elas todas são ainda cristãs, mas elas querem mais: te querem assim como és, caso contrário não serias para elas ΦΙΛΗΜΩΝ, e ficariam inconsoláveis se não encontrassem um portador de suas lendas. Por isso também haveriam de rir se tu fosses a elas e dissesses que és um mortal como elas e que desejas amá-las. Se fizesses isso, não serias ΦΙΛΗΜΩΝ. Elas te querem ΦΙΛΗΜΩΝ, mas não um mortal a mais, que sofre do mesmo mal que elas.

Eu te compreendo, ó ΦΙΛΗΜΩΝ, tu és um verdadeiro / amante, 150/151
pois tu amas tua alma por amor às pessoas; elas precisam de um rei que vive por si e que não deve sua vida a ninguém. É assim que te querem. Tu satisfazes o desejo do povo e desapareces. És um recipiente das fábulas. Tu te sujarias se fosses até as pessoas como um ser humano, pois todas elas haveriam de rir e chamar-te de mentiroso, porque ΦΙΛΗΜΩΝ não é um ser humano.

Eu vi, ó ΦΙΛΗΜΩΝ, aquela ruga em teu rosto: houve um tempo em que eras jovem e querias ser uma pessoa entre as demais pessoas. Mas os animais cristãos não gostaram de tua humanidade pagã, pois sentiram em ti aquele de quem precisavam. Elas procuram sempre o Assinalado, e, quando o pegam alhures em liberdade, elas o prendem numa gaiola de ouro e lhe tiram a força de sua masculinidade, de modo que fica sentado paralítico e calado. Então o louvam e inventam fábulas sobre ele. Eu sei que chamam isto de veneração. E quando não encontram o Verdadeiro, têm ao menos um Papa, cujo ofício é representar a divina comédia. Mas o Verdadeiro sempre desmente a si mesmo, pois não conhece nada maior do que ser uma pessoa humana.

Tu ris, ó ΦΙΛΗΜΩΝ? Eu te compreendo: passou o tempo de seres uma pessoa como as outras. E porque tu amavas de fato o ser humano, decidiste livremente ser ao menos a pessoa que os outros queriam de ti. Por isso eu te vejo, ó ΦΙΛΗΜΩΝ, com nenhuma pessoa, mas com flores, árvores, pássaros e com todas as águas correntes e paradas que não sujam teu estado de ser humano. Pois para as flores, as árvores, os pássaros e as águas não és ΦΙΛΗΜΩΝ, mas uma pessoa. Mas que solidão, que estado de
inumanidade! / 151/152

[IH 152] *Por que ris, ó* ΦΙΛΗΜΩΝ, *não consigo entender. Contudo, não vejo o ar azul de teu jardim? As sombras maravilhosas que te rodeiam? O sol que choca em torno de ti fantasmas azuis do meio dia?*

Tu ris, ó ΦΙΛΗΜΩΝ? Ah, eu te entendo: fugiu-te a humanidade, mas sua sombra surgiu para ti. É bem maior e mais gloriosa a sombra da humanidade do que a própria humanidade. As sombras azuis do meio-dia dos mortos! Sim, lá está tua humanidade, ó ΦΙΛΗΜΩΝ, tu és um mestre e amigo dos mortos. Eles ficam suspirando à sombra de tua casa, eles moram sob os galhos de tuas árvores. Eles bebem o orvalho de tuas lágrimas, eles se aquentam na bondade de teu coração, eles têm fome das palavras de tua sabedoria, que lhes soa cheia, cheia de ressonância vital. Eu te vi, ó ΦΙΛΗΜΩΝ, na hora do meio-dia, com sol alto, tu estavas de pé e falavas com uma sombra azul, havia sangue pisado em tua testa e tormento grandioso a abscurecia. Eu posso adivinhar, ó ΦΙΛΗΜΩΝ, quem era teu hospede da refeição do meio-dia[280]. Como fui tão cego, eu demente!

Aqui estás, ó ΦΙΛΗΜΩΝ! Mas onde estou eu? Vou seguindo meu caminho, meneando a cabeça, e as pessoas olham para mim e
eu calo. Ó silêncio desesperador! / 152/153

[IH 153] Ó *senhor do jardim! Eu vejo tuas árvores escuras de longe num sol escaldante. Minha estrada leva aos vales onde moram os seres humanos. Eu sou um pedinte andarilho. E eu me calo.*

Matar profetas inferiores traz lucro ao povo. Se quiser assassinar, gostaria de matar seus profetas. Quando a boca dos deuses se

279 Comparar com Jo 1,5, onde Cristo é descrito como "a luz que brilha nas trevas, mas as trevas não a compreenderam".
280 Cf. a fantasia de Jung, de 1º de junho de 1916, em que o hóspede de Filêmon era Cristo (cf. abaixo, p. 359).

cala, cada qual pode ouvir sua própria fala. Quem ama o povo se cala. Quando só mais os mestres do erro ensinam, o povo matará os mestres do erro e assim, no caminho de seus pecados, incidirá até mesmo na verdade. Só depois da noite mais escura faz-se dia. Encobri, portanto, as luzes e calai, para que a noite fique escura e silenciosa. O sol se levanta sem nossa ajuda. Só quem conhece o erro mais negro sabe o que é luz.

Ó senhor do jardim! De longe brilha para mim teu arvoredo mágico. Eu vene-
153/154 *ro teu envoltório enganador. Tu, pai de todas as luzes e iluminador do erro.* / [281]
[Ilustração 154][282]

Prossigo em meu caminho. Um aço bem fino, endurecido em dez fogos, escondido debaixo da túnica, é meu companheiro. Trago no peito uma cota de malha, disfarçada sob o manto. De noite conquistei o amor das cobras, adivinhei seu enigma. Sento-me a seu lado sobre as pedras quentes do caminho. São astutas e terríveis, mas sei como cativá-las, aqueles diabos frios que picam no calcanhar as pessoas incautas. Tornei-me seu amigo e toco para elas uma flauta de som suave. Mas minha caverna eu a enfeito com suas peles luzidias. Prosseguindo em meu caminho, cheguei a um rochedo avermelhado sobre o qual estava deitada uma cobra multicolorida. Como já tivesse aprendido do grande Filêmon a magia, tomei minha flauta e toquei para ela uma canção mágica, que a fez acreditar ser ela a minha alma. Quando
154/155 estava suficientemente enfeitiçada, / [Ilustração 155][283] {2}{1}[284]
disse-lhe eu: "Minha irmã, minha alma, o que dizes tu? Mas ela falou, lisonjeada, e por isso com paciência: "Eu faço crescer capim sobre tudo o que fazes".

Eu: "Isto soa confortador e parece não significar muita coisa".

C: "Queres que eu diga muita coisa? Eu também posso ser banal como tu sabes, e me dou por satisfeita com isso".

Eu: "Tenho dificuldade em aceitar isto. Eu acreditava que
155/156 estavas em íntima conexão com todo o além / [285], com o máximo
e o mais incomum. Por isso pensei que banalidade lhe seria coisa estranha".

C: "A banalidade é meu elemento vital".

Eu: "Se eu afirmasse isto de mim, seria bem menos surpreendente".

C: "Quanto mais incomum tu fores, mais comum posso ser eu. Um verdadeiro repouso para mim. Acho que sentes que hoje não preciso atormentar-me".

Eu: "Sinto-o e estou preocupado que tua árvore ao final não produza mais nenhum fruto para mim".

C: "Já preocupado? Não sejas tolo e deixa-me descansar".

Eu: "Percebo que te contentas com o banal. Mas não acho que sejas trágica, minha prezada amiga, pois agora já te conheço bem melhor do que antigamente".

C: "Tu te tornas inconveniente. Temo que teu respeito esteja desaparecendo".

Eu: "Estás com medo? Creio que seria supérfluo. Estou bastante informado sobre a contiguidade entre o *pathos* e o banal".

C: "Percebeste portanto a linha serpentiforme do tornar-se anímico? Viste como logo se faz dia, logo se faz noite? Como se alternam água e terra seca? E que todo convulsivo é prejudicial?"

Eu: "Acho que eu o vi. Sobre esta pedra quente, quero ficar ao sol por algum tempo. Talvez o sol me choque".

Mas a cobra aproximou-se devagar, envolveu habilidosa e sinistramente meus pés[286]. Anoiteceu e a noite chegou. Eu falei com a cobra e lhe disse: "Não sei o que dizer. Cozinha-se em todas as panelas".

[287]C: "Uma refeição está sendo preparada".

Eu: "Um jantar?"

C: Uma confraternização com toda a humanidade".

Eu: "Uma horripilante e doce ideia de ser ao mesmo tempo comensal e comida desse jantar"[288].

C: "Isto foi também o maior prazer do Cristo!"

Eu: "Como tudo flui de modo santo e pecador, quente e frio para dentro um do outro! Loucura e razão querem casar-se, cordeiro e lobo pastam juntos pacificamente[289]. Tudo é sim e não. Os opostos se abraçam. Olham-se mutuamente nos olhos e se alternam. Reconhecem num prazer torturante seu ser uno. Meu coração está repleto de luta furiosa. As ondas de uma torrente clara e escura apressam-se em precipitação umas contra as outras. Semelhante coisa nunca senti antes".

C: "Isto é novo, meu caro, ao menos para ti".

Eu: "Tu caçoas. Mas lágrimas e sorriso são uma coisa só [290]. / 156/157
Ambas as coisas se passaram comigo e eu estou em rígida tensão. O amoroso chega até o céu e igualmente alto chega aquilo que se opõe.

281 Nota marginal do volume caligráfico: "O Bhagavadgita diz: sempre que há um declínio da lei e um aumento da iniquidade, eu apareço. Para salvar os piedosos e destruir os malfeitores, para estabelecer a lei eu nasço em cada época". A citação é do cap. 4, versos 7-8 do *Bhagavad Gita*. Krishna está instruindo Arjuna a respeito da natureza da verdade.

282 Inscrição na ilustração "ΠΡΟΦΗΤΩΝ ΠΑΤΗΡ ΠΟΛΥΦΙΛΟΣ ΦΙΛΗΜΩΝ" [Pai dos profetas, amável Filêmon]. Mais tarde Jung pintou outra versão deste quadro como mural num dos quartos de sua torre em Bollingen. Em particular, acrescentou a seguinte inscrição em latim no lado direito da ilustração: "[Hermes: Compreendei, filhos da sabedoria, que esta Pedra preciosa clama dizendo:] Protege-me, e eu te protegerei. Dá-me o que é meu, a fim de que eu te ajude. Pois Sol é meu e seus raios estão no mais íntimo de mim; mas Luna me pertence e minha luz supera toda luz e minhas virtudes são superiores a todas as virtudes. Dou muitas riquezas e prazeres aos homens que os desejam e, quando procuro alguma coisa, eles a reconhecem. Levo-os a compreender e faço com que possuam a força divina. Eu gero a luz, mas a escuridão também pertence à minha natureza. Embora meu metal seja seco, todos os corpos precisam de mim, porque eu os umedeço. Removo sua ferrugem e extraio sua substância. Por isso nada há no mundo de melhor e mais digno de veneração do que minha união com meu Filho". O texto é tirado de um texto alquímico, o *Rosarium Philosophorum*, e Jung citou algumas destas linhas em *Psicologia e Alquimia* (OC, 12, § 99, 140, 155). O *Rosarium*, publicado pela primeira vez em 1550, foi um dos mais importantes textos da alquimia europeia e trata dos meios de produzir a pedra filosofal. Continha uma série de xilogravuras de figuras simbólicas, que Jung usou em 1946 para elucidar a psicologia da transferência: *A psicologia da transferência. Comentários baseados em uma série de figuras alquímicas* (1946, OC, 16).

283 Em "Aspectos psicológicos da Core" (1951) Jung descreveu anonimamente este quadro como "11. Ela [a *anima*] aparece numa igreja, no lugar em que havia antes um altar, de estatura acima do comum, mas com a face velada". Ele comentou: "O sonho 11 restaura a *anima* na igreja cristã, não porém como um ícone, mas como o próprio altar. Este é o lugar do sacrifício e, ao mesmo tempo, receptáculo das relíquias consagradas" (OC, 9/1, § 369, 380). No lado esquerdo está a palavra árabe para "filhas". Inscrição na orla da ilustração: "Dei sapientia in mysterio quae abscondita est quam praedestinavit ante secula in gloriam nostram quam nemo principum huius seculi cognovit. Spiritus enim omnia scrutatur etiam profunda dei". Esta é uma citação de 1Cor (2,7-10) (Jung omitiu "Deus" antes de "ante secula"). As partes citadas são marcadas aqui em itálico: "Mas nós falamos *a sabedoria de Deus em mistério, sabedoria escondida, que Deus preordenou antes dos séculos para nossa glória*: a qual nenhum dos príncipes deste mundo conheceu; pois, se a tivessem conhecido, não teriam crucificado o Senhor da glória. Mas, como está escrito: o olho não viu nem o ouvido ouviu, nem penetraram no coração do homem as coisas que Deus preparou para aqueles que o amam. Mas Deus revelou-as a nós por seu Espírito: *pois o Espírito perscruta todas as coisas, até mesmo as profundezas de Deus*". Inscrição em cada lado do arco: "Spiritus et sponsa dicunt veni et qui audit dicat veni et qui sitit veniat et qui vult accipiat acquam vitae gratis". O texto é do Ap 22,17: "O Espírito e a esposa dizem: Vem. E aquele que ouve diga: Vem. E aquele que tem sede venha. E quem quiser receba de graça a água da vida". Inscrição acima do arco: "ave virgo virginum" (Salve, virgem das virgens!). Este é o título de um hino medieval.

284 29 de janeiro de 1914.

285 A partir deste ponto, no volume caligráfico, tornou-se menos coerente a coloração, por parte de Jung, das iniciais em vermelho e azul. Algumas foram acrescentadas aqui por questão de coerência.

286 Esta linha não está no *Livro Negro* 4, onde a voz não é identificada como a cobra.

287 31 de janeiro de 1914.

288 Em *Mysterium Coniunctionis* (1955/1956), Jung observa: "Se o conflito projetado deve ser sanado, precisa ele retornar à alma do indivíduo, onde ele se originou de modo inconsciente. Quem quiser dominar esta ruína, deve celebrar uma ceia consigo mesmo, comendo sua própria carne e bebendo seu próprio sangue, isto é, deve reconhecer e aceitar o outro dentro de si" (OC, 14/2, § 176).

289 Cf. Is 11,6: "Então o lobo será hóspede do cordeiro, e o leopardo se deitará com o cabrito; o bezerro, o leãozinho e o animal cevado estarão juntos, e um menino os conduzirá".

290 Nota marginal: "XIV AUG. 1925". Isto parece referir-se à data em que esta passagem foi transcrita no volume caligráfico. No outono de 1925, Jung foi para a África com Peter Baynes e George Beckwith. Saíram da Inglaterra em 15 de outubro e chegaram de volta em Zurique no dia 14 de março de 1926.

Os dois se mantêm enlaçados e não desejam separar-se, pois o excesso de sua tensão parece significar o último e máximo de possibilidade sentimental".

C: "Tu te expressas de modo patético e filosófico. Sabes que tudo isso também pode ser dito de maneira bem mais simples. Poder-se-ia dizer, por exemplo, que és amado pelos caracóis até chegar Tristão e Isolda"[291].

Eu: "Sim, eu sei, mas apesar disso –"

C: "Será que a religião ainda te atormenta? De quantos escudos ainda precisas? Dize-o com toda franqueza".

Eu: "Tu não me atinges".

C: "Pois então, o que acontece com a moral? Moral e imoral tornaram-se hoje também uma coisa só?"

Eu: "Tu caçoas, minha irmã e demônio ctônico. Mas devo dizer-te que aqueles dois que se mantêm enlaçados e que chegam até o céu são também o bem e o mal. Não estou brincando, mas gemo porque alegria e dor soam estridentemente em consonância".

C: Mas onde está a tua inteligência? Ficaste completamente tolo. Poderias resolver tudo em pensamento".

Eu: "Minha inteligência? Meu pensar? Já não tenho inteligência. Tornou-se insuficiente para mim".

C: "Tu renegas tudo em que acreditas. Esqueces completamente quem és. Renegas até mesmo o Fausto, que passou pela marcha silenciosa dos fantasmas".

Eu: "Eu não posso mais. Meu espírito também é um fantasma".

C: "Bem o vejo. Tu segues meus ensinamentos".

Eu: "Infelizmente assim é, e isto me causa uma alegria dolorosa".

C: "Tu fazes de teus sofrimentos um prazer. Estás deturpado, cego; pois então sofre, maluco".

Eu: "Esta desgraça vai alegrar-me".

Neste momento, a cobra ficou raivosa e deu um bote na direção do meu coração, mas quebrou suas presas venenosas na minha armadura escondida[292]. Decepcionada, recolheu-se e disse sibilando: "Tu te comportas realmente como se fosses inatingível".

Eu: "Isto vem do fato de eu ter aprendido a pisar com o pé esquerdo sobre o direito e vice-versa, o que outras pessoas fizeram inconscientemente desde sempre".

Então a cobra se endireitou de novo, colocou a parte da cauda
157/158 como por acaso / diante da boca, para que eu não pudesse ver as presas venenosas quebradas, e disse orgulhosa e calmamente[293]: "Portanto, tu finalmente o percebeste?" Mas sorrindo eu lhe disse: "A linha serpentiforme da vida não podia escapar-me por muito tempo".

[2] [IH 158] Onde estão fidelidade e fé? Onde confiança tépida? Tudo isto encontras entre as pessoas, mas não entre pessoas e cobras, mesmo que sejam cobras anímicas. Mas em toda parte onde existe amor, há algo de serpentino. O próprio Cristo comparou-se a uma serpente[294], e seu irmão infernal, o Anticristo, é o próprio velho dragão[295]. O extra-humano que se manifesta no amor é da natureza da cobra e do pássaro, e muitas vezes a cobra enfeitiça o pássaro e raras vezes o pássaro leva a melhor sobre a cobra. A pessoa está neste intermédio. O que te parece pássaro, para o outro é cobra, e o que te parece cobra é pássaro para o outro. Por isso só te identificarás com o outro no humano. Se queres tornar-te, há uma luta entre pássaros e cobras. E só quando queres ser, serás pessoa para ti mesmo e para os outros. Aquele que está em processo de tornar-se pertence ao deserto ou a uma prisão, pois está no extra-humano. Quando as pessoas querem tornar-se, comportam-se como animais. Ninguém nos salva do mal do tornar-se, a não ser que passemos livremente pelo inferno.

Mas por que agi assim como se aquela cobra fosse minha alma? Certamente porque minha alma era uma cobra. Este conhecimento deu à minha alma nova aparência, e eu decidi que doravante eu a enfeitiçaria e a submeteria ao meu poder. As cobras são espertas, e eu queria que minha cobra anímica dividisse comigo sua esperteza. Nunca a vida foi tão problemática como agora, uma noite de tensão sem objetivo, um ser uno no ser direcionado um contra o outro. Nada se movimenta, nem Deus, nem o demônio. Dirigi-me então à cobra que estava deitada ao sol, como se em nada pensasse. Não se viam seus olhos, pois pestanejava na brilhante
luz do sol, e / [Ilustração 159][296] / {3} [1] eu lhe falei[297]: "Como 158/160
será agora, já que Deus e o demônio se tornaram um só? Eles concordaram em paralisar a vida? A luta dos opostos pertence às condições indispensáveis da vida? E fica parado quem conhece e vive o ser uno dos opostos? Ele tomou totalmente o partido da verdadeira vida e não age mais como se pertencesse a um partido e devesse combater os outros, mas ele é ambos e pôs um fim à sua contenda. E pelo fato de haver tirado este peso da vida, tirou-lhe também o impulso?"[298]

Então a cobra se virou e disse mal-humorada: "Verdadeiramente, tu me afliges. A oposição sempre foi para mim um elemento vital.

291 A narrativa, datada do século XII, do romance adulterino entre o cavaleiro cornualhês, Tristão, e a princesa irlandesa, Isolda, foi recontada em muitas versões, até a ópera de Wagner, à qual Jung se refere como um exemplo da forma visionária de criação artística ("Psicologia e poesia", 1930. OC, 15, § 142).

292 Esta frase não está no *Livro Negro* 4.

293 Esta frase não está no *Livro Negro* 4.

294 Jung comentou a comparação de Cristo com a serpente em *Transformações e símbolos da libido*. OC, B, § 585 e em *Aion* (1951). OC, 9/2, § 291).

295 Cf. *Transformações e símbolos da libido*. OC, B, § 585.

296 Legenda da ilustração: "D. IX januarii obiit Hermannus Sigg aet.s. 52 amicus meus" [9 de janeiro de 1927, morreu meu amigo Hermann Sigg, aos 52 anos de idade]. Jung descreveu esta ilustração como "uma flor luminosa no centro, com estrelas girando ao seu redor. Em volta da flor, paredes com oito portões. O todo concebido como uma janela transparente". Esse mandala se baseia num sonho registrado em 2 de janeiro de 1927 (cf. acima, p. 217). Ele também desenhou o "mapa da cidade", onde fica clara a relação entre o sonho e a pintura (cf. Apêndice A). Ele reproduziu anonimamente isto em 1930, no "Comentário a 'O segredo da flor de ouro'", do qual é tomada esta descrição. Reproduziu-a novamente em 1952, e acrescentou o seguinte comentário: "A rosa no centro é representada como um rubi, cuja circunferência foi concebida como uma roda ou um muro circundante com pórticos (a fim de que o que está dentro não saia e o nada de fora possa entrar). O mandala é um produto espontâneo da análise de um paciente". Depois de contar o sonho, Jung acrescentou: "O sonhador diz: 'Tentei pintar este sonho, mas, como de costume, saiu algo bem diferente. A magnólia tornou-se um tipo de rosa de vidro e sua cor era de um rubi claro. Ela brilha como uma estrela de quatro raios. O quadrado representa o muro que cerca o parque e ao mesmo tempo uma rua que circunda o parque quadrado. Neste começam quatro ruas principais e de cada uma saem oito ruas secundárias, as quais se encontram num ponto central de brilho avermelhado, à semelhança da Étoile de Paris. O conhecido mencionado no sonho mora em uma casa de esquina, numa dessas Étoiles'. O mandala reúne, pois, os temas clássicos: flor, estrela, círculo, praça cercada (*temenos*), planta de bairro de uma cidade com uma cidadela. 'O todo me parece uma janela que se abre para a eternidade', escreve o sonhador" ("O simbolismo do mandala". OC, 9/1, § 655). Em 1955/1956, usou esta mesma expressão para designar a ilustração do si-mesmo (*Mysterium coniunctionis*. OC, 14, § 418). No dia 7 de outubro de 1932, Jung mostrou este mandala num seminário e o comentou no dia seguinte. Neste relato, afirma que o desenho do mandala *precedeu* o sonho: "Vocês se lembram provavelmente do quadro que lhes mostrei ontem à noite, a pedra central e as pequenas joias ao seu redor. Talvez seja interessante que lhes fale sobre o sonho em conexão com o quadro. Eu fui o perpetrador desse mandala num tempo em que não tinha a mínima ideia do que era um mandala, e em minha extrema modéstia pensei que eu era a joia no centro e que aquelas pequenas luzes eram certamente pessoas muito simpáticas que acreditavam que elas também eram joias, só que menores... Eu tinha um bom conceito de mim, pensando que era capaz de expressar a mim mesmo assim: meu centro maravilhoso aqui e eu estando bem em meu coração". Ele acrescentou que não reconhecia de imediato que o parque era a mesma coisa que o mandala que havia desenhado e comentou: "Agora Liverpool é o centro da vida – *liver* (fígado) é o centro da vida – e eu não sou o centro, eu sou o louco que vive em algum lugar escuro, sou uma daquelas pequenas luzes laterais. Desta forma, meu preconceito ocidental de eu ser o centro do mandala foi corrigido – de que sou tudo, sou o espetáculo todo, o rei, o deus" (*The Psychology of Kundalini Yoga*, p. 100). Em *Memórias*, Jung acrescenta outros detalhes (p. 235-236).

297 1º de fevereiro de 1914.

298 No *Livro Negro* 4, também consta: "Eu te faço hoje esta pergunta, minha alma" (p. 91). Aqui a cobra é substituída pela alma.

Isto deves ter percebido. Com tuas inovações desapareceu esta minha fonte de força. Não consigo seduzir-te com *pathos* nem irritar-te com banalidade. Estou algo confusa".

Eu: "Se estás confusa, queres que eu te dê conselhos? Mergulha-me de preferência nos fundamentos mais profundos a que tens acesso e pergunta ao Hades ou ao celestial, talvez lá saibam dar algum conselho".

C: "Tu ficaste autoritário".

Eu: "A necessidade é ainda mais autoritária do que eu. Preciso viver e poder movimentar-me".

C: "Tu tens o vasto mundo. O que desejas perguntar ao além?"

Eu: "Não sou levado pela curiosidade, mas pela necessidade, eu não retrocedo".

C: "Eu obedeço, mas resistindo. Este estilo é novo e inusitado para mim".

Eu: "Lamento, mas a necessidade urge. Dize à profundeza que nossa situação é difícil, por cortarmos da vida um órgão importante. Como sabes, não sou o culpado, pois me levaste premeditadamente a este caminho".

C: [299] "Tu poderias ter recusado a maçã".

Eu: "Deixa de brincadeira. Tu conheces aquela história melhor do que eu. Para mim ela é séria. É preciso que haja ar. Põe-te a caminho e pega o fogo. Já faz tempo demais que está escuro ao meu redor. És preguiçosa ou covarde?"

C: "Estou indo à obra. Vai pegando o que eu trouxe lá de baixo"[300].

[IH 160] Devagar levanta-se no recinto vazio o trono de Deus, em seguida vem a Santíssima Trindade, o céu inteiro, depois todo o inferno e, ao final, o próprio satanás. Ele resiste e se aferra ao
160/161 seu além. Não quer / abandoná-lo. O mundo superior é para ele muito fresco.

C: "Consegues segurá-lo bem?"[301]

Eu: "Bem-vindo, habitante quente das trevas! Minha alma te trouxe com violência para cima?"

S: [302]"O que significa este barulho? Protesto contra este arrancar violento".

Eu: "Fica calmo. Eu não te esperava. Vieste por último. Pareces ser a parte mais pesada".

S: "O que queres de mim? Não preciso de ti, companheiro malcriado".

Eu: "É bom que te tenhamos. Tu és o mais vivo de toda a dogmática"[303].

S: "O que me importa teu lero-lero? Some depressa. Estou com frio".

Eu: "Ouve bem, aconteceu-nos alguma coisa, nós unimos os opostos. Entre outros, também fizemos com que tu fosses um com Deus"[304].

S: "Senhor Deus, foi este o barulho abominável? Que estupidez aprontastes?"

Eu: "Desculpe, mas isto não foi tão estúpido. A união é um princípio importante. Nós colocamos um fim nesta disputa interminável, a fim de finalmente termos as mãos livres para a verdadeira vida".

S: "Isto cheira a monismo. Eu tomei nota de alguns desses senhores. Para eles foram aquecidas câmaras especiais".

Eu: "Tu te enganas. Conosco as coisas não acontecem tão racionalmente. Também não temos nenhuma verdade definitiva[305]. Trata-se antes de um fato notável e estranho: depois da união dos opostos aconteceu – o que é inesperado e incompreensível, que nada mais aconteceu. Tudo ficou em paz um com o outro, mas totalmente imóvel, e a vida transformou-se numa paralisação".

S: "Ah, seus imbecis, aprontastes algo bem bonito".

Eu: "Tua zombaria é desnecessária. Isto aconteceu com intenção séria".

S: "Nós chegamos a sentir esta vossa seriedade. A ordem do além está abalada nas suas fundações".

Eu: "Percebes, portanto, que se trata de coisa séria. Quero uma resposta à minha pergunta sobre o que deve acontecer agora nesta situação. Não sabemos mais nada daqui para frente".

S: "Aqui um bom conselho fica caro, mesmo quando se gostaria de dá-lo. Vós sois loucos deslumbrados, uma gente descarada. Por que fostes meter as mãos nisso? Como quereis entender a ordem do mundo?"

Eu: "Quando nos acusas, parece que isto te aborrece de modo especial. Vê, a Santíssima Trindade está serena. As inovações não parecem contrariá-la.

S: "Bem, a Trindade é tão irracional, que não / se pode confiar 161/162
em suas reações. Eu te desaconselho veementemente a tomar a sério de qualquer maneira aqueles símbolos"[306].

Eu: "Agradeço-te o conselho bem-intencionado. Mas pareces interessado. Nós poderíamos esperar de tua proverbial inteligência um julgamento imparcial".

S: "Não estou sendo parcial. Tu mesmo podes julgar. Se examinares este absolutismo em toda a sua serenidade sem vida, podes facilmente perceber que a situação e paralisação causadas por tua indiscrição têm grande semelhança com o absoluto. Se eu te aconselho contra isso, coloco-me totalmente do teu lado, pois nem tu consegues suportar esta paralisação".

Eu: "Como? Tu estás do meu lado? Isto é estranho".

S: "Não há nada de estranho nisso. O absoluto sempre foi desfavorável ao ser vivo. Eu, no entanto, sou o verdadeiro mestre da vida".

Eu: "Isto é suspeito. Tu reages de modo muito pessoal".

S: "Eu não reajo de modo pessoal. Sou totalmente a vida sem descanso, apressada. Nunca estou satisfeito, nunca sereno. Eu derrubo tudo e reconstruo rapidamente. Sou egoísmo, avidez de fama, prazer de realizações, sou a fonte de novas ideias e ações. O absoluto é enfadonho e vegetativo".

Eu: "Eu quero acreditar em ti. Portanto, o que aconselhas?"

S: "O melhor que te posso aconselhar é: faze com que toda tua inovação prejudicial volte à posição anterior o quanto antes possível".

Eu: "O que se ganhará com isso? Teríamos de recomeçar desde o início e chegaríamos impreterivelmente uma segunda vez à mesma conclusão. O que se aprendeu uma vez não pode ser intencionalmente não sabido e fazê-lo não acontecido. Teu conselho não é conselho nenhum".

S: "Mas não podeis existir sem bipartição e sem contenda. Deveis inquietar-vos por alguma coisa, tomar um partido, vencer oposições, se quiserdes viver".

299 *Livro Negro* 4: "Tu brincas comigo de Adão e Eva" (p. 93).
300 Nota marginal no volume caligráfico: "Visio".
301 *Livro Negro* 4: "Satanás com chifres e rabo sai de um buraco escuro, eu o puxo pelas mãos" (p. 94).
302 O interlocutor agora é satanás.
303 Para o relato de Jung sobre o significado de satanás, cf. *Resposta a Jó* (1952). OC, 11/4.
304 Jung discutiu longamente a questão da união dos opostos em *Tipos psicológicos* (1921), cap. V, "O problema dos tipos na arte poética". A união dos opostos acontece através de produção do símbolo da reconciliação.
305 Em vez dessa frase, o *Livro Negro* 4, tem: "Conosco não transcorre tudo tão intelectualmente e eticamente em geral como no monismo" (p. 96). A referência é ao sistema monista de Ernst Haeckel, que Jung criticava.
306 Cf. JUNG. "Tentativa de uma interpretação psicológica do dogma da Trindade" (1940). OC, 11.

Eu: "Isto não ajuda em nada. Nós nos vemos também na oposição. Estamos fartos deste jogo".

S: "E, com isso, da vida".

Eu: "Parece-me que se trata daquilo que chamas de vida. Teu conceito de vida tem algo de escalada e algo de derrocada, de
162/163 afirmação e dúvida, de um deambular incessante, / [Ilustração
163/164 163][307] / de desejo irrefletido. Falta-te o absoluto e sua paciência longânime".

S: "Correto, minha vida borbulha, espumeja e levanta ondas agitadas, é puxar para si e jogar fora, desejo veemente e desassossego. Isto por acaso é vida?"

Eu: "Mas o absoluto também vive".

S: "Isto não é vida. É paralisação ou, melhor dito, equivalente à paralisação: vive infinitamente devagar e desperdiça milênios, exatamente como o estado miserável que vós criastes".

Eu: "Tu me acendes uma luz. Tu és vida pessoal, mas a paralisação aparente é a vida longânime da eternidade, a vida da divindade. Desta vez me aconselhaste bem. Eu te deixo livre. Boa viagem!"

[IH 164] Satanás deslizou rapidamente como uma toupeira para dentro de seu buraco. Os símbolos da Trindade e seu séquito erguem-se calma e serenamente ao céu. Eu te agradeço, cobra, tu trouxeste à tona para mim o justo. Sua linguagem é compreendida universalmente, pois ela é pessoal. Podemos novamente viver, uma longa vida. Podemos desperdiçar milênios.

[IH 164/2] [2] Onde começar, ó vós deuses? No sofrimento, na alegria ou no sentimento intermédio malsucedido? O começo é sempre a coisa menor, ele inicia no nada. Quando começo lá, vejo a gota "algo" que cai no mar do nada. É preciso começar sempre lá bem embaixo, onde o nada se amplia em liberdade ilimitada[308]. Ainda não aconteceu nada, o mundo ainda precisa começar, o sol ainda não nasceu, a terra firme ainda não está separada das águas[309]. Ainda não subimos nas costas de nossos pais, pois também nossos pais ainda não se tornaram. Faleceram há pouco e descansam no seio de nossa Europa sanguinária.

Nós estamos na amplidão, unidos à cobra, e pensamos na
164/165 pedra que poderia tornar-se a pedra angular da construção, / que ainda não conhecemos. A coisa mais antiga? Serve para símbolo. Nós queremos coisa palpável. Estamos cansados das teias que o dia tece e a noite desfaz. O diabo deve fazê-lo, o guerrilheiro imbecil de falsa inteligência e mãos ávidas? Ele apareceu, o monte de esterco em que os deuses esconderam seu ovo. Eu gostaria de afastar de mim, com um pontapé, o lixo, se não fosse o grão de ouro no coração nojento da figura disforme.

Para o alto, pois, filho das trevas e do mau cheiro! Como seguras firme no lixo e entulho da eterna cloaca! Eu não tenho medo de ti, mas te odeio, irmão de tudo o que é detestável em mim. Hoje deves ser forjado com pesados martelos, de modo que esguiche do teu corpo o ouro dos deuses. Teu tempo se esgotou, teus anos estão contados e hoje chegou teu juízo final. Teus envoltórios devem estourar, teu cerne, o de ouro, queremos tomá-lo nas mãos e livrá-lo da sujeira pegajosa. Tu deves sofrer frio, demônio, pois nós te forjaremos a frio. O aço é mais duro que o ferro. Deves sujeitar-te à nossa forma, ladrão da maravilha divina, arremedo de mãe, que enches teu corpo com o ovo dos deuses e assim ganhas peso. Nós somos amaldiçoados em ti, não por tua causa, mas por causa do cerne de ouro.

Que figuras prestativas emergem de teu corpo, abismo ladroeiro? São certamente espíritos elementares, vestindo capas amarrotadas, cabiros de figura grotesca, divertida, nova e mesmo assim velha, anã, enrugada, portadora pouco vistosa de artes secretas, dona da sabedoria ridícula, primeiras formações do ouro informe, vermes que saem do ovo libertado dos deuses, coisa primitiva, não nascida, ainda invisível. O que significa para nós vosso aparecimento? Quais são as novas artes que trazeis à luz, vindas da câmara escura e inacessível, da gema solar do ovo dos deuses? Vós ainda tendes raízes no solo como plantas e sois caricaturas ani-
malescas / do corpo humano, vós sois loucos engraçados, sinistros, 165/166
iniciantes e terrenos. Não entendemos vossa natureza, gnomos, almas objetivas. Tendes vosso começo no mais inferior. Quereis ser gigantes, pequenos polegares? Fazeis parte do séquito do filho da terra? Sois os pés terrenos da divindade?

O que quereis? Falai![310]

Os cabiros: "Nós viemos saudá-lo como o senhor da natureza inferior".

Eu: "Estais falando comigo? Sou vosso senhor?"

Os cabiros: "Tu não o eras, mas o és agora".

Eu: "Vós o dizeis. Está pressuposto. Mas o que significa vossa comitiva?"

Os cabiros: "Nós não levamos isto para portadores de baixo para cima. Nós somos os sucos que sobem de maneira secreta, não por força, mas sugados e que por indolência nos gruda naquilo que cresce. Nós conhecemos os caminhos desconhecidos e as leis insondáveis da matéria viva.

307 Legenda da ilustração: "1928. Ao pintar este quadro, que mostra o castelo de ouro bem armado, mandou-me Richard Wilhelm de Frankfurt o texto chinês, com mil anos de idade, sobre o castelo amarelo, o germe do corpo imortal. Ecclesia catholica et protestantes et seclusi in secreto. Aeon finitus" [A Igreja Católica e os protestantes envoltos em segredo. O fim de um éon]. Jung descreve a ilustração como "uma flor luminosa no centro. com estrelas girando a seu redor. Em volta da flor, paredes com oito pórticos. O todo concebido como uma janela transparente". Jung reproduziu isso anonimamente em 1930 no "Comentário ao 'Segredo da flor de ouro'", do qual é tirada esta descrição. Reproduziu-o novamente em 1952, em "O simbolismo do mandala" e acrescentou o seguinte comentário: "Representação de uma cidade medieval, com fossos de água, ornamentos e igrejas numa disposição de quatro raios. A cidade interna também é cercada de muros e fossos, semelhante à cidade imperial em Pequim. Toda a construção abre-se aqui em direção ao centro, representado por um castelo com teto de ouro. Este também é cercado por um fosso de água. O chão em torno do castelo é coberto de ladrilhos pretos e brancos. Eles representam os opostos que assim se reúnem. Este mandala foi feito por um homem de idade madura... Tal imagem não é estranha à simbologia cristã. A Jerusalém celeste do *Apocalipse* de São João é conhecida de todos. No mundo das ideias indianas encontramos a cidade de Brahma no Monte Meru, montanha do mundo. Podemos ler na *Flor de ouro*: 'O livro do Castelo Amarelo diz: No campo de uma polegada quadrada da casa de um pé quadrado podemos ordenar a vida. A casa de um pé quadrado é a face. Na face, o campo da polegada quadrada, o que poderia ser senão o coração celeste? No meio da polegada quadrada mora a glória. Na sala púrpura da cidade de jade mora o deus do vazio supremo e da vida'. Os taoístas chamam este centro de 'terra dos antepassados ou Castelo Amarelo'" (OC, 9/1, § 691). Sobre este mandala, cf. PECK, J. *The Visio Dorothei*: Desert Context, Imperial Setting, Later Alignments. Zurique: C.G. Jung Institute, Zurique 1992, p. 183-185. [Tese de diplomação].

308 Esta linha se conecta com o começo do Sermo I, *Aprofundamentos* (cf. adiante, p. 346).

309 Referência ao relato da criação no livro do Gênesis.

310 Os cabiros eram divindades celebradas nos mistérios da Samotrácia. Eram considerados os promotores da fertilidade e os protetores dos marinheiros. Creuzer (*Symbolik und Mythologie der alten Völker*, 1810-1823) e Schelling (*Über die Gottheiten von Samothrake*, 1815) acham que eles são as primeiras divindades da mitologia grega, das quais todas as demais se derivam. Jung tinha exemplares de ambos os livros. Eles aparecem no *Fausto*, de Goethe, parte 2, At. 2. Jung discutiu os cabiros em *Transformações e Símbolos da libido* (1912. OC, B, § 209-211). Em 1940, Jung escreveu: "Os cabiros são verdadeiramente as forças secretas da imaginação criadora, os duendes que trabalham subterraneamente na região subliminar de nossa psique, para prover-nos de 'ideias súbitas', e que, à maneira dos coboldes, pregam todos os tipos de peças, roubando de nossa memória e inutilizando datas e nomes que 'tínhamos na ponta da língua'. Eles se encarregam de tudo quanto a consciência e as funções de que ela dispõe não dispensaram... Uma consideração mais atenta permitirá que descubramos precisamente nos motivos primitivos e arcaicos da função inferior determinadas significações e relações simbólicas significativas, sem que zombemos dos cabiros como se fossem ridículos Pequenos Polegares sem importância; pelo contrário, devemos suspeitar que eles encerram um tesouro de sabedoria escondida ("Tentativa de uma interpretação psicológica do Dogma da Trindade", 1940. OC, 11, § 244). Jung comentou a cena dos cabiros em *Fausto*, em *Psicologia e alquimia* (1944) (OC, 12, § 203s.). O diálogo com os cabiros, que tem lugar aqui, não se encontra no *Livro Negro* 4, mas está no esboço manuscrito. Pode ter sido escrito separadamente; e, neste caso, teria sido escrito antes do verão de 1915.

Nós trazemos nela para cima aquilo que dormita no terroso, que está morto e mesmo assim penetra no que está vivo. Nós fazemos devagar e facilmente o que tu te esforças em vão por fazer à tua maneira humana. Nós realizamos aquilo que para ti é impossível".

Eu: "O que devo deixar para vós? Que esforço posso poupar-vos? O que não devo fazer, e que vós fazeis melhor?"

Os cabiros: "Tu esqueces a inércia da matéria. Queres arrancar para cima com força própria o que só pode subir lentamente, prender-se sugando, colando-se interiormente. Abandona o esforço, senão prejudicas nosso trabalho".

Eu: "Devo eu confiar em vós, não confiáveis, servos e almas servis? Metei mãos à obra. Assim seja".

[311][IH 166] "Parece-me que vos dei um longo prazo. Não desci até vós, não perturbei vossa obra. Eu vivi à luz do dia e fiz a obra do dia. O que fizestes vós?"

Os cabiros: "Nós carregamos para cima, nós construímos. Colocamos pedra sobre pedra. Assim estás seguro".

Eu: "Eu sinto chão firme. Eu me estico para cima".

166/167 Os cabiros: "Nós te forjamos uma espada / reluzente, com a qual podes cortar o nó que está te prendendo".

Eu: "Eu seguro com firmeza a espada em minha mão. Levanto o braço para o golpe".

Os cabiros: "Nós também colocamos diante de ti o nó entrelaçado como arte diabólica, pelo qual estás fechado e lacrado. Dá um golpe, só uma lâmina pode parti-lo".

Eu: "Deixai-me ver o nó, o multiplamente entrelaçado! É realmente uma obra-prima de natureza impenetrável, um raizame engenhoso e naturalmente emaranhado em seu crescimento! Só a mãe natureza, a tecelã cega, pode produzir tal emaranhado. Um grande novelo e milhares de pequenos nós, tudo artisticamente enovelado, enrolado, enraizado, realmente um cérebro humano! Estou vendo claramente? O que fizestes? Estais colocando diante de mim o meu cérebro! Destes-me uma espada na mão para que sua lâmina brilhante divida meu próprio cérebro? O que estais pensando?"[312]

Os cabiros: "O seio da natureza teceu o cérebro, o seio da terra deu o ferro. E assim a mãe natureza te deu as duas coisas: entrelaçamento e separação".

Eu: "Misterioso! Vós quereis fazer-me carrasco de meu cérebro?"

Os cabiros: "Isto te é próprio como o senhor da natureza inferior. O ser humano está entrelaçado em seu cérebro e a ele também foi dada a espada para cortar o emaranhado".

Eu: "O que é o emaranhado de que falais? O que é a espada que deve separar?"

Os cabiros: "O emaranhado é tua loucura, a espada é a superação da loucura"[313].

Eu: "Frutos do demônio, quem vos diz que estou louco? Fantasmas da terra, raízes de barro e lama, não sois vós os filamentos de meu cérebro? Trepadeiras de tentáculos de polvo, canais de sucos desordenadamente misturados, parasita em cima de parasita, sugados para cima e enganados para cima, trepados uns sobre os outros secretamente de noite, para vós serve a lâmina reluzente de minha espada. Vós quereis convencer-me a vos abater? Pensais em autodestruição? Como pode ser que a natureza gere para si criaturas que querem destruir a si mesmas?"

Os cabiros: "Não vaciles. Nós precisamos da destruição, pois nós mesmos somos o emaranhado. Quem quiser conquistar a nova terra, / destrói as pontes atrás de si. Não nos deixes sobreviver por mais tempo. Somos milhares de canais nos quais tudo corre outra vez de volta para seus começos". 167/168

Eu: "Devo cortar minhas próprias raízes? Matar meu próprio povo cujo rei sou eu? Devo fazer secar minha própria árvore? Vós sois realmente filhos do diabo".

Os cabiros: "Dá o golpe, nós somos servos que querem morrer pelo seu senhor".

Eu: "O que vai acontecer se eu der o golpe?"

Os cabiros: "Então não és mais teu cérebro, mas estás além de tua loucura. Não vês que tua loucura é teu cérebro, o terrível emaranhado e enlaçamento nas junções das raízes, nas redes de canais, a embrulhada de fios. A concentração no cérebro te torna louco. Dá o golpe! Quem encontrou o caminho sobe para além de seu cérebro. No cérebro és anão; para além do cérebro, ganhas estatura de gigante. Somos realmente filhos do diabo, mas não foste tu que nos forjaste no calor e na escuridão? Assim temos algo de sua e de tua natureza. O diabo diz que tudo o que subsiste também merece perecer. Como filhos do diabo queremos destruição, mas como tuas criaturas queremos nossa própria destruição. Pela morte queremos ressurgir em ti. Nós somos raízes que sugam de todas as partes, então tens tudo de que precisas, por isso corta-nos, arranca-nos".

Eu: "Devo perder-vos como servos? Como senhor, preciso de empregados".

Os cabiros: "O senhor serve a si mesmo".

Eu: "Filhos incoerentes do diabo, com estas palavras selastes vosso destino. Minha espada vos fira e que este golpe produza efeito para sempre".

Os cabiros: "Ai, ai! Aconteceu o que temíamos, o que desejávamos".

/ [Ilustração 169] / [IH 171] Eu coloquei meu pé sobre a nova 168/171
terra. Nada do que foi levado para cima deve fluir de volta. Ninguém deve destruir o que construí. Minha torre é de ferro e sem brecha. O diabo está engastado no fundamento. Os cabiros o construíram e sobre o pináculo da torre foram sacrificados pela espada os mestres de obra. Assim como uma torre sobrepuja o cume da montanha sobre a qual está, assim estou acima de meu cérebro do qual eu nasci. Tornei-me duro e não posso mais voltar ao que era antes. Não fluo mais de volta. Sou o senhor de mim mesmo. Admiro minha glória. Sou forte, belo e rico. As vastas terras e o céu azul se estenderam ao meu redor e se curvam à minha glória. Não sirvo a ninguém e ninguém me serve. Eu sirvo a mim mesmo e me sirvo a mim. Por isso tenho aquilo de que preciso[314].

Minha torre cresceu imperdível pelos milênios. Mas ela pode tornar-se universal e será universal. Poucos entendem minha torre, pois ela está num alto monte. Mas muitos a verão / e não a 171/172
entenderão. Por isso minha torre permanecerá sem uso. Ninguém subirá em suas paredes lisas. Ninguém tentará voar de seu telhado pontiagudo. Só quem encontra a entrada escondida para a montanha e sobe através dos caminhos errados das entranhas consegue entrar na torre e alcançar a glória do espectador e daquele que vive por si mesmo. Isto foi conseguido e realizado. Não se tornou

311 Nota marginal no volume caligráfico: "Depois disso, deixei o assunto em banho-maria por três semanas".

312 Em "O símbolo da transformação na missa" (1941), Jung observou que o motivo da espada desempenhou papel importante na alquimia e discutiu seu significado como instrumento de sacrifício, suas funções divisivas e separativas. Observou que "A espada alquimista opera a *solutio* ou *separatio elementorum*, pela qual o estado inicial caótico é novamente estabelecido, de forma que, por meio de uma nova *impressio formae* ou *imaginatio*, é produzido um corpo novo, mais perfeito" (OC, 11/3, § 357s.).

313 Aqui a ideia de superar a loucura se aproxima da distinção de Schelling entre a pessoa que é vencida pela loucura e a pessoa que tudo faz para governar a loucura (cf. nota 89, p. 238).

314 Nota marginal no volume caligráfico: "accipe quod tecum est. in collect. Mangeti in ultimis paginis" [recebe o que está contigo. Nas últimas páginas da colet. Mangeti]. Isto parece referir-se a *Bibliotheca chemica curiosa, seu rerum ad alchemiam pertinentium thesaurus instructissimus*, de J.J. Manget (1702), uma coletânea de textos alquimistas. Jung possuía um exemplar dessa obra, que tinha algumas tiras de papel dentro e alguns sublinhados. A observação de Jung refere-se provavelmente à última xilogravura do *Mutus Liber*, que conclui o volume um de *Bibliotheca chemica curiosa*, uma representação do término do opus alquímico, com um homem sendo levado ao alto pelos anjos, enquanto outro jaz prostrado no chão.

por remendos do pensamento humano, mas foi forjado a partir do calor abrasador das entranhas, os próprios cabiros levaram a matéria para a montanha e consagraram a construção com seu sangue, como os únicos que conheciam o mistério de seu surgimento. Eu a criei a partir do além inferior e superior e não a partir da superfície do mundo. Por isso é nova e estranha e ultrapassa a planície habitada pelo ser humano. Esta é a fortaleza e o começo[315].

[IH 172] Eu me reconciliei com a cobra do além. Aceitei em mim todo o além. A partir disso construí meu começo. Quando esta obra havia terminado, alegrei-me e acometeu-me uma curiosidade de saber o que ainda poderia haver no meu além. Por isso,
172/173 dirigi-me à minha cobra e lhe perguntei / amigavelmente se ela não queria rastejar para cima e trazer-me notícias do que acontecia no além. Mas a cobra estava esgotada e disse que não tinha vontade nenhuma para tanto.

{4}[1][316] Eu: "Não quero forçar nada, mas, talvez, quem sabe? vamos experimentar coisas interessantes". A cobra ainda titubeou por um instante e depois desapareceu na profundeza. Logo ouvi sua voz: "Eu cheguei, acredito, ao inferno. Aqui há um enforcado". Um homem feio em sua aparência e com o rosto deformado está diante de mim. Tem orelhas de abano e uma corcunda. Ele diz: "Sou um envenenador que foi condenado a morrer na forca".

Eu: "O que fizeste, pois?"

Ele: "Eu envenenei meus pais e minha mulher".

Eu: "Por que fizeste isto?"

Ele: "Em louvor a Deus".

Eu: "Como? Em louvor a Deus? O que queres dizer com isto?

Ele: "Primeiramente tudo acontece, daquilo que acontece, para a glória de Deus, e, em segundo lugar, eu tive minhas próprias ideias".

Eu: "O que aprontaste então?"

Ele: "Eu a amava e queria tirá-la de uma vida miserável e levá-la rapidamente para a bem-aventurança eterna. Eu lhe dei um sonífero forte, forte demais".

Eu: "Não visaste nisso também teu próprio benefício?"

Ele: "Eu fiquei sozinho e fui muito infeliz. Queria continuar vivendo por amor a meus dois filhos, para os quais eu previa um futuro melhor. Corporalmente, eu era mais saudável que minha
173/174 mulher, por isso / eu queria continuar vivendo".

Eu: "Tua mulher estava de acordo com o assassinato?"

Ele: "Não, ela certamente não estaria, mas não sabia de minhas intenções. Infelizmente, o assassinato foi descoberto e eu fui condenado à morte".

Eu: "Reencontraste agora, no além, teus familiares?"

Ele: "Isto é uma história estranhamente incerta. Eu supunha com razão que estava no inferno. De vez em quando me parecia que minha mulher também estava aqui, às vezes também não o sabia ao certo, assim como não estava certo de mim mesmo.

Eu: "Como é isso? Conta mais".

Ele: "Às vezes parece que fala comigo e eu lhe respondo. Mas até agora não falamos do assassinato nem de nossos filhos. Só falamos de vez em quando um com o outro e então sempre de coisas banais, de coisas simples de nossa vida cotidiana de outrora, mas tudo muito impessoal, como se nada mais tivéssemos um com o outro. Eu mesmo não entendo como isto é de fato. De meus pais percebo menos ainda; minha mãe, acredito eu, nunca a encontrei. Meu pai esteve uma vez aqui e falou de seu cachimbo, que havia perdido em algum lugar".

Eu: "Mas como passas o teu tempo?"

Ele: "Acho que conosco não há tempo, por isso não se pode passá-lo. Não acontece absolutamente nada".

Eu: "Mas isto não é / sobremaneira enfadonho?" 174/175

Ele: "Enfadonho? Nunca havia pensado nisso. Enfadonho? Talvez, em todo caso não há nada de interessante. Na verdade, tudo é indiferente".

Eu: "O diabo não vos atormenta?"

Ele: "O diabo? Não vi nada dele".

Eu: "Mas tu vens do além e não saberias contar nada? Isto é pouco provável".

Ele: "Quando eu ainda tinha um corpo, também pensei muitas vezes que seria bem interessante falar com alguém que voltasse depois da morte. Agora não acho nada nisso. Como se diz, conosco tudo é impessoal e puramente objetivo. Acho que é assim que se diz".

Eu: "Mas isto é desesperador. Presumo que estejas no mais profundo do inferno".

Ele: "Como quiser! Posso ir? Adeus".

Ele desapareceu de repente. Mas eu me dirigi à cobra[317] e falei "O que significa esta visita enfadonha vinda do além?"

C: "Eu o encontrei no lado de lá, andando às cegas como tantos outros. Eu o peguei e trouxe para cima. Quer parecer-me que é um bom exemplo".

Eu: "Mas é tudo tão descolorido no além?"

C: "Parece; lá só existe movimento quando passo para o outro lado. De resto, tudo flutua só como sombra para cima e para baixo. Falta totalmente o pessoal".

Eu: "O que acontece então com esse maldito pessoal? Recentemente, satanás causou-me / forte impressão, como se fosse a 175/176
quintessência do pessoal".

C: "Naturalmente, ele é o eterno adversário, pois nunca consegue harmonizar vida pessoal com vida absoluta".

Eu: "Não é possível então unir esses opostos?"

C: "Eles não são opostos, apenas diferenças. Tu também não chamarás o dia de oposto ao ano, ou o alqueire de oposto ao côvado".

Eu: "Isto é evidente, mas algo enfadonho".

C: "Como sempre, quando a gente fala do além. E será cada vez mais, sobretudo desde que nivelamos os opostos e nos casamos. Eu acho que os mortos estão prestes a desaparecer".

[IH 176] {2} O diabo é a soma da escuridão da natureza humana. Para ser segundo a imagem de Deus, esforça-se aquele que vive na luz, pela imagem do diabo, aquele que vive na escuridão. Pelo fato de eu querer viver na luz, apagou-se para mim o sol, quando toquei a profundeza. Ela era escura e serpentina. Eu me liguei a ela e não a venci. Minha parte da degradação e submissão eu a tomei sobre mim, à medida que me juntava à natureza serpentina.

Se não tivesse / assumido a natureza serpentina, o diabo, a 176/177
quintessência de toda natureza serpentina, teria conservado este pedaço de poder sobre mim. Nela o diabo teria encontrado um ganho para obrigar-me a pactuar com ele, assim como astuciosamente ele iludiu Fausto[318]. Mas eu me antecipei a ele, unindo-me à cobra como um homem se une a uma mulher.

315 Em *Tipos psicológicos* Jung comentou o simbolismo da torre em sua abordagem da visão da torre no *Pastor de Hermas* (OC, 6, § 439s.). Em 1920, Jung começou a planejar sua torre em Bollingen.

316 2 de fevereiro de 1914.

317 O *Livro Negro* 4, tem "alma" (p. 110).

318 No *Fausto*, de Goethe, Mefistófeles faz um pacto com Fausto de que ele o serviria na vida sob a condição de que Fausto o servisse no além (l. 1655).

Assim tirei ao diabo a possibilidade da influência que sempre passa apenas pela própria natureza serpentina[319], que nós atribuímos normalmente ao diabo, em vez de a nós mesmos. Mefistófeles é satanás revestido de sua natureza serpentina. O próprio satanás é a quintessência do mal, e por isso sem sedução, jamais sensato, mas só negação sem força de convencimento. Assim resisti à sua influência destruidora, agarrei-o e o soldei firmemente. Sua posteridade me servia e eu a sacrifiquei pela espada.

Assim fiz uma construção sólida. Por meio disso consegui eu mesmo firmeza e durabilidade e pude resistir às oscilações do pessoal. Desta maneira foi salvo em mim o imortal. À medida que eu puxava para fora de meu além a escuridão para dentro do dia, esvaziei meu além. Assim desapareceram as reivindicações dos mortos, pois ficaram saciados.

177/178 / Já não sou ameaçado pelos mortos, uma vez que aceitei suas reivindicações ao aceitar a cobra. Mas com isso também introduzi em meu dia algo mortal. Porém era necessário, pois a morte é a coisa mais escura de todas as coisas, o que não pode mais ser anulado. A morte me outorga durabilidade e firmeza. Enquanto eu só queria satisfazer minhas pretensões, eu era pessoal e, por isso, vivo no sentido do mundo. Mas quando admiti em mim as reivindicações dos mortos e as satisfiz, renunciei a meu esforço pessoal primitivo, e o mundo teve de me tomar como um morto. Pois um frio intenso sobrevém àquele que, no excesso de seu esforço pessoal, reconheceu a reivindicação dos mortos e procurou satisfazê-la.

Sente perfeitamente então como se um veneno secreto tivesse paralisado a vitalidade de suas relações pessoais, mas do outro lado, em seu além, cala-se a voz dos mortos; a ameaça, o medo e a agitação terminam. Pois tudo o que antes aguardava famelicamente nele, vive agora com ele em seu dia. Sua vida é bela e rica, pois ele é ele mesmo.

Repugnante, porém, é aquele que sempre deseja apenas a feli-
178/179 cidade do outro, pois ele / atrofia a si mesmo. Assassino é aquele que deseja forçar o outro à bem-aventurança, pois ele mata seu próprio crescimento. Louco é aquele que elimina por amor seu amor. Este está pessoalmente no outro. Seu além é cinzento e impessoal. Ele se impõe a outros, por isso tem a sina de impor-se a si mesmo num frio nada. Aquele que aceitou as reivindicações dos mortos desterrou sua repugnância para o além. Não mais se impõe avidamente aos outros, vive solitário, em beleza, e fala com os mortos. Mas uma vez também a reivindicação dos mortos é satisfeita. Quando então ainda se persiste na solidão, o belo desaparece no além e o desolador entra no aquém. Depois de uma fase branca vem uma preta, sempre estão aí céu e inferno[320].

{5} [1] [IH 179] Quando havia encontrado a beleza em mim e comigo mesmo, falei à minha cobra[321]: "Olho para trás como sobre um trabalho realizado".

Cobra: "Nada ainda está terminado".

Eu: "Como achas? Nada terminado?"

C: "Agora que está começando".

Eu: "Tenho a impressão de que mentes".

C: "Com quem estás discutindo? Tu o sabes melhor?"

179/180 Eu: "Eu não sei / nada, apenas já me familiarizei com a ideia de que tínhamos alcançado um objetivo, ainda que provisório. Se até os mortos estão terminando, o que ainda resta por vir?"

C: "Então precisam primeiramente os vivos começar a viver".

Eu: "Esta observação poderia ser profunda, mas parece que se limita a uma piada".

C: "Estás ficando atrevido. Eu não estou brincando. Primeiramente, a vida tem de começar".

Eu: "O que tu entendes por vida?"

C: "Eu digo, a vida ainda tem de começar. Tu não te sentiste vazio hoje? Chamas isto de vida?"

Eu: "É verdade o que dizes. Mas eu me esforço por achar tudo tão bom quanto possível e dar-me facilmente por satisfeito".

C: "Isto também poderia ser bastante cômodo. Mas tu precisas e deves ter maiores pretensões".

Eu: "Tenho horror disso. Nem ouso pensar que eu mesmo possa satisfazê-las, mas também não confio em que tu poderias satisfazê-las. Pode ser que esteja novamente confiando pouco em ti. Responsável por isso pode ter sido o fato de eu te achar há pouco tão humanamente abordável e gentil".

C: "Isto não prova nada. Só não penses que poderias envolver-me de alguma forma e incorporar-me a ti".

Eu: "Então, como vai ser? Estou pronto".

C: "Tu tens direito a um pagamento pelo / que se terminou 180/181
até agora".

Eu: "Doce pensamento que deve haver um pagamento por isso".

C: "Eu te dou o pagamento na ilustração. Vê".

[IH 181] Elias e Salomé! A rotação completou-se, e os portões do mistério abriram-se de novo. Elias conduz Salomé, a vidente, pela mão. Ela baixa os olhos ruborizada e amorosa.

E: "Aqui te dou Salomé. Que seja tua".

Eu: "Por amor de Deus – o que farei com Salomé? Eu já sou casado, e nós não vivemos entre os turcos"[322].

E: "Ó homem sem expediente, como és tardo. Não é ela um belo presente? A cura dela não é obra tua? Não queres aceitar seu amor como pagamento bem merecido por teu esforço?"

Eu: "Parece-me que é um presente estranho, antes um peso do que uma alegria. Estou feliz pelo fato de Salomé me ser agradecida e me amar. Eu também a amo – de certa forma. Além do mais, o trabalho que ela me deu foi – literalmente falando – mais arrancado de mim do que se eu o tivesse prestado de livre e espontânea
vontade. Se esta tortura, involuntária de minha parte, / teve um 181/182
resultado tão bom, já estou muito satisfeito".

Salomé para Elias: "Deixa-o, é um homem esquisito. Sabe Deus quais são seus motivos de assim proceder, mas parece que para ele o assunto é sério. Eu não sou feia e sou com certeza desejável para muitos". Dirigindo-se a mim: "Por que me recusas? Eu quero ser tua empregada e te servir. Quero cantar e dançar em tua presença, quero tocar alaúde para ti, vou consolar-te quanto estiveres triste, vou rir contigo quando estás alegre. Quero guardar em meu coração os teus pensamentos. Vou beijar as palavras que disseres para mim. Todo dia vou colher rosas para ti, e todos os meus pensamentos vão esperar sempre por ti e estar contigo".

Eu: "Agradeço teu amor. É belo ouvir falar de amor. É música, a saudade distante e antiga. Tu vês que minhas lágrimas caem sobre tuas boas palavras. Gostaria de ajoelhar-me diante de ti e beijar cem vezes tua mão, porque ela me quis dar amor. Tu falaste com tanta beleza sobre o amor. Nós não nos cansamos jamais de ouvir falar de amor.

319 No *esboço corrigido* consta: "de mim com a cobra" (p. 251).
320 Nota marginal no volume caligráfico: "Ainda não havia percebido que eu mesmo era este assassino".
321 9 de fevereiro de 1914. O *Livro Negro* 4, tem "alma" (p. 114).
322 A poligamia é prática comum na Turquia. Foi oficialmente abolida por Ataturk em 1926.

Sal: “Por que só falar? Quero ser tua, pertencer toda a ti”.

Eu: “Tu és como a cobra, que me envolveu e espremeu meu
182/183 sangue[323]. / Tuas palavras doces me envolvem, e eu fico como um crucificado”.

Sal: “Por que sempre ainda um crucificado?”

Eu: “Não vês que necessidade inexorável me pregou na cruz? É a impossibilidade que me paralisa”.

Sal: “Não queres superar a necessidade? É de fato uma necessidade o que tu assim chamas?[324]

Eu: “Escuta, eu duvido que seja teu destino pertencer a mim. Não quero imiscuir-me na vida que te pertence, pois nunca poderei ajudar-te a levá-la até o fim. E o que ganhas se eu tiver que relegar-te como uma roupa usada?”

Sal: “Tuas palavras são terríveis. Mas te amo tanto que eu mesma poderia também relegar-me quando teu tempo tivesse chegado”.

Eu: “Sei que seria para mim o maior tormento deixá-la partir assim. Mas se tu podes fazê-lo por mim, também eu o posso por ti. Eu prosseguiria sem queixa, pois não esqueço aquele sonho onde vi meu corpo deitado sobre pregos pontiagudos e meu peito sendo triturado por uma roda de bronze. Tenho de pensar neste sonho sempre que penso no amor. Se for preciso, estou pronto”.

Sal: “Não quero semelhante sacrifício. Queria trazer-te alegria. Não posso ser alegria para ti?”

183/184 Eu: “Eu não sei – talvez – / talvez também não”.

Sal: “Tenta ao menos”.

Eu: “A tentativa equivale à ação. Pois tentativas são caras”.

Sal: “Não queres pagar por mim?”

Eu: “Estou um pouco fraco, sem forças, depois do que sofri por ti, para estar em condições de realizar outras tarefas por ti. Não poderia suportá-lo”.

Sal: “Se não me quiseres tomar, então nem eu te posso tomar?”

Eu: “Não se trata do tomar, mas se se tratar de alguma coisa, então é do dar”.

Sal: “Eu me dou a ti. Só me aceita”.

Eu: “Se só dependesse disso! Mas o envolvimento com o amor! Só pensar nisso é horrível”.

Sal: “Tu exiges que eu seja e ao mesmo tempo não seja. Isto é impossível. O que te falta?”

Eu: “Falta-me força para tomar nos ombros mais um destino. Já tenho o suficiente para carregar”.

Sal: “Mas, se eu te ajudar a carregar este peso?”

Eu: “Como podes? Terias que carregar a mim, um peso rebelde. Não devo eu mesmo carregá-lo?”

E: “Tu dizes a verdade. Cada qual carrega seu peso. Quem impõe aos outros sua carga é seu escravo[325]. A ninguém seja tão pesado carregar a si próprio”.

Sal: “Mas, Pai, não poderia eu ajudá-lo a carregar seu peso ao menos por um trecho?”

184/185 E: “Então ele seria teu escravo”. /

Sal: “Ou meu senhor e dono”.

Eu: “Isto não quero ser. Tu deverás ser uma pessoa livre. Não consigo suportar escravos nem senhores. Eu gosto de pessoas”.

Sal: “E eu não sou uma pessoa?”

Eu: “Sê teu próprio senhor e teu próprio escravo, não pertenças a mim, mas a ti. Não carregues o meu fardo, mas o teu. Assim me deixarias minha liberdade humana, uma coisa que para mim tem mais valor do que o direito de propriedade sobre uma pessoa”.

Sal: “Estás me mandando embora?”

Eu: “Não estou te mandando embora. Tu não gostarias de ficar longe de mim. Mas não me dês de teu desejo, e sim de tua plenitude. Não posso saciar tua pobreza, assim como não podes acalmar meu desejo. Se tiveres uma abundante colheita, dá-me alguns frutos de teu pomar. Se sofres de excesso, beberei do chifre transbordante de tua alegria. Eu sei que será um alívio para mim. Eu só posso me saciar à mesa dos saciados, não nas travessas vazias dos saudosos. Eu não roubarei de mim o meu salário. Tu não possuis nada, como podes dar? Tu exiges enquanto dás. Elias, ancião, ouve: tu tens uma gratidão estranha. Não dês de presente tua
filha, mas coloca-a de pé / sobre as próprias pernas. Ela gostaria de 185/186
dançar, cantar ou tocar o alaúde para as pessoas, e elas gostariam de atirar-lhe aos pés suas moedas cintilantes. Salomé, agradeço teu amor. Se me amas de verdade, dança diante da multidão, agrada as pessoas, para que elogiem tua beleza e tua arte. E se tiveres feito rica colheita, atira-me uma de tuas rosas pela janela, e se a fonte de tua alegria transborda, dança e canta também para mim uma vez. Eu desejo muito a alegria das pessoas, sua saciedade e satisfação e não sua indigência”.

Sal: “Que homem duro e incompreensível és tu!”

E: “Tu mudaste muito desde a última vez que te vi. Falas outra língua que, para mim, soa estranha”.

Eu: “Meu prezado ancião, acredito realmente que me aches mudado, mas contigo também parece ter havido uma mudança. Onde está tua cobra?”

E: “Ela se perdeu. Acho que foi roubada de mim. Desde então as coisas andam tristes conosco. Portanto, eu teria ficado contente se tu ao menos tivesses aceito minha filha”.

Eu: “Eu sei onde está tua cobra. Ela está comigo. Nós a tiramos do submundo. Ela / me dá solidez, sabedoria e força mágica. Nós
precisamos dela no mundo superior, caso contrário o submundo 186/187
teria tido a vantagem de prejudicar-nos”.

E: “Ai de ti, ladrão maldito, Deus te castigue”.

Eu: “Tua maldição é impotente. A quem possui a cobra não atinge maldição nenhuma. Portanto, ancião, sê inteligente: quem possui a sabedoria não é ávido de poder. Só possui o poder aquele que não o exerce. Salomé, não chores, só é felicidade aquilo que tu crias e não aquilo que recebes. Desapareceu, meus amigos aflitos, já é tarde da noite. Elias, toma o falso brilho de poder de tua sabedoria e tu, Salomé, por amor ao nosso amor, não te esqueças de dançar”.

[2][326] Quando tudo havia terminado em mim, voltei inesperadamente para o mistério, para aquele primeiro aspecto dos poderes do além do espírito e da cobiça. Assim como eu alcancei o prazer em mim e o poder sobre mim, assim Salomé perdeu o prazer nela mesma, mas aprendeu o amor ao próximo, e Elias perdeu o poder de sua sabedoria, mas aprendeu a reconhecer o espírito do próximo. Assim, Salomé perdeu o poder da sedução e / tornou-se amor. Uma 187/188
vez que ganhei o prazer em mim, quero também o amor a mim. Isto seria demais e colocaria um anel de ferro em torno de mim, que me sufoca. Como prazer, aceito Salomé; como amor, eu a rejeito. Mas ela quer vir a mim. Como – devo também ter amor a mim mesmo? O amor, acredito eu,

323 Nota marginal no volume caligráfico: “No cap. XI do jogo do mistério” (cf. acima, p. 251).

324 O *Livro Negro* 4, continua: [Eu]: “Meus princípios – soa estúpido – perdoai-me –, mas eu tenho princípios. Não penseis que são princípios insípidos de moral, mas são conhecimentos que a vida me impôs”. [Alma]: “Que princípios?” (p. 121-122).

325 O tema da moral de senhor e escravo aparece com destaque no primeiro ensaio da obra de Nietzsche: *A genealogia da moral*. Petrópolis: Vozes, 2009 [Trad. de Mario Ferreira dos Santos].

326 No Volume Caligráfico há um espaço em branco para uma inicial com base histórica.

pertence ao próximo. Mas meu amor quer vir a mim Tenho medo dele. O poder de meu pensamento gostaria de afastá-lo de mim para o mundo, para as coisas, para as pessoas. Pois alguma coisa deve unir as pessoas, alguma coisa tem de ser ponte. Pior tentação, quando até mesmo meu amor quer vir a mim! Mistério, abre tua cortina para o novo! Eu quero levar a termo este combate. Sobe, serpente, do abismo escuro!

{6}[327] [1] Ouço Salomé continuar chorando. O que ela quer ainda, ou o que eu quero ainda? Isto é um pagamento maldito que me destinaste, um pagamento no qual não se pode tocar sem sacrifício; e que exige ainda maior sacrifício quando se tocou nele.

Cobra[328]: "Queres então viver sem sacrifício? A vida não te deve custar alguma coisa?"

Eu: "Creio que já paguei. Eu rejeitei Salomé. Isto não é sacrifício suficiente?"

C: "Para ti muito pouco. Como se diz, tu deves ser exigente".

Eu: "Tu queres dizer certamente com tua maldita lógica: exi-
188/189 gente no sacrifício? Não o entendi / assim. Eu me enganei em minha vantagem. Dize-me: não é suficiente que eu empurre meu sentimento para o plano de fundo?"

C: "Tu não empurras teu sentimento para o plano de fundo, mas é bem melhor para ti não ter que continuar quebrando a cabeça por Salomé".

Eu: "É complicado quando se diz a verdade. É esta a razão de Salomé estar ainda chorando?"

C: "Sim. É esta a razão".

Eu: "E o que se pode fazer?"

C: "Oh, tu queres fazer? Pode-se também pensar".

Eu: "Certo, o que se deve pensar? Confesso que não sei pensar nada neste caso. Talvez tenhas alguma sugestão. Tenho a impressão de que eu deveria subir para além de minha cabeça. Isto não o posso. O que achas?"

C: "Não acho nada, nem tenho sugestão".

Eu: "Então pergunta aos do além, vai ao inferno ou ao céu, talvez lá exista alguma sugestão".

C: "Sou puxado para cima".

Então a cobra transformou-se num pequeno pássaro branco que se elevou para as nuvens onde desapareceu. Eu o acompanhei por longo tempo com o olhar[329].

O pássaro: "Estás me ouvindo? Estou longe. O céu é distante. O inferno está bem mais próximo da terra. Eu encontrei algo para ti, uma coroa abandonada. Ela estava numa estrada nos espa-
189/*esboço* ços incomensuráveis do céu, uma coroa de ouro". Já está em[330] / minhas mãos, uma coroa régia de ouro. Na parte interna estão gravadas letras, o que dizem?

"O amor não acaba jamais"[331].

Um presente do céu! Mas o que significa?

P: "Eu estou aqui, estás satisfeito?"

Eu: "Em parte – agradeço-te em todo caso o presente significativo. Mas é enigmático, e teus presentes tornam-me por fim desconfiado".

P: "Mas o presente vem do céu".

Eu: "É muito bonito, mas tu conheces a conclusão a que chegamos sobre céu e inferno".

P: "Não exageres. Há contudo uma diferença entre céu e inferno. Eu creio que devo julgar pelo que vi: que no céu acontece tão pouco como no inferno, mas provavelmente de um outro modo. Também o que não acontece não pode acontecer de um modo especial".

Eu: "Tu falas em enigmas, que podem tornar alguém doente se ele os considerar de forma trágica. Dize-me: o que achas da coroa?"

P: "O que acho? Nada. Ela na verdade fala por si".

Eu: "Ou seja, pelas palavras que contém?"

P: "Exatamente; isto não te parece evidente?"

Eu: "De certa forma. Mas isto mantém a pergunta horrivelmente *in suspenso*".

P: "Mas isto, sem dúvida, é intencional".

Aqui, o pássaro se transforma, de repente, de novo na cobra[332].

Eu: "Tu estás ficando nervoso".

Cobra[333]: "Só para com aquele que não é um comigo".

Eu: "Isto certamente não o sou. Mas como se poderia? É horrível ficar dependurado dessa forma no ar".

C: "É difícil demais esse sacrifício? Deves também poder ficar dependurado quando queres resolver problemas. Vê, por exemplo, Salomé!"

Eu (para Salomé): "Eu vejo, Salomé, que ainda choras. Ainda não estás calma. Eu estou dependurado e amaldiçoo este meu estar dependurado. Estou dependurado por amor a ti e a mim. Inicialmente estava crucificado, agora só estou dependurado – menos elegante, mas não menos doloroso[334]. Perdoa-me por ter querido acalmar-te; eu pensava em salvar-te, como naquela vez em que, através de meu autossacrifício, curei tua cegueira. Talvez eu tenha que ser decapitado pela terceira vez por ti, como teu antigo amigo João, que nos apresentou o Cristo sofredor. És tu insaciável? Ainda não vês nenhum caminho para te tornares sensata?"

Sal: "Meu amado, que culpa tenho eu? Renunciei totalmente a ti".

Eu: "Então, por que continuas chorando? Sabes que não posso suportar ver-te sempre em lágrimas".

Sal: "Eu pensei que eras invulnerável, desde a época em que possuis a vara da cobra".

Eu: "O efeito da vara parece-me duvidoso. Pelo menos em uma coisa a vara da cobra me ajuda: não me sufoco, apesar de estar enforcado. A vara de condão me ajuda sem dúvida a suportar o estar enforcado, embora seja um benefício e uma ajuda horríveis. Não queres pelo menos cortar a corda?"

Sal: "Como poderia? Estás dependurado tão alto[335]. Tão alto na copa da árvore da vida, onde não posso alcançar. Não podes ajudar a ti mesmo, tu, conhecedor da sabedoria das cobras?"

Eu: "Tenho que ficar dependurado por muito tempo ainda?"

Sal: "Tanto tempo, até que tenhas imaginado um auxílio para ti".

Eu: "Diz-me, ao menos, o que achas da coroa que meu pássaro anímico pegou do céu?"

Sal: "O que dizes? A coroa? Tu tens a coroa? Felizardo! E ainda te queixas de quê?"

Eu: "Um rei enforcado trocaria de boa vontade com qualquer pedinte não enforcado da estrada".

Sal (em êxtase): "A coroa! Tu tens a coroa!"

Eu: "Salomé, tem compaixão de mim. O que devo fazer com a coroa?"

Sal (em êxtase): "A coroa – tu deves ser coroado! Que felicidade para mim e para ti!"

327 11 de fevereiro de 1914.
328 No *Livro Negro* 4, esta figura é identificada como "alma" (p. 131).
329 Esta frase foi acrescentada no *esboço*, p. 533.
330 A transcrição para a versão caligráfica do *Liber Novus* termina aqui. O que segue é transcrito diretamente do datiloscrito do *esboço* (p. 533-556).
331 É uma passagem de 1Cor 13,8. Próximo ao fim de sua vida, Jung citou-a novamente em suas reflexões sobre o amor ao final de *Memórias* (p. 405ss.). No *Livro Negro* 4, a inscrição é em letras gregas (p. 134).
332 Esta frase foi acrescentada no *esboço* (p. 534).
333 Esta figura não é identificada como a cobra no *Livro Negro* 4.
334 Em *Transformações e símbolos da libido* (1912), Jung comentou o motivo do enforcamento no folclore e na mitologia (OC, B, § 358).
335 Falta uma página no *Livro Negro* 4, cobrindo o fim desse diálogo e o parágrafo seguinte.

Eu: "Ah, o que tens a ver com a coroa? Não posso entendê-lo e sofro tormento indizível".

Sal (cruel): "Fica enforcado até entenderes".

Eu me calo e estou dependurado bem alto acima do chão em galho balouçante da árvore divina, para que assim já os antepassados não pudessem abandonar o pecaminoso. Minhas mãos estão amarradas e eu estou completamente desamparado. Estou dependurado há três dias e três noites.

Donde poderia vir ajuda? Ali está pousado meu pássaro, a cobra que vestiu sua roupa branca de penas.

Pássaro: "Nós vamos buscar ajuda das nuvens que passam por sobre a tua cabeça, se não conseguirmos ajuda de outro modo".

Eu: "Queres buscar ajuda das nuvens? Como é possível?"

P: "Eu vou tentar".

O pássaro voou qual cotovia, foi ficando cada vez menor até desaparecer nas densas nuvens cinzentas que cobriam o céu. Eu o acompanhei com olhar saudoso e não vi mais nada do que o céu infindo, coberto de nuvens cinzentas sobre mim, impenetravelmente cinzento, uniformemente cinzento e ilegível. Mas a inscrição na coroa – ela é legível. "O amor não acaba jamais" – significa o eterno enforcamento? Não foi à toa que fiquei desconfiado quando meu pássaro trouxe a coroa, a coroa da vida eterna, a coroa do martírio – coisas ominosas que são perigosamente ambíguas.

Estou cansado, não só cansado de estar dependurado, mas da luta pelas imensidades. Lá longe, debaixo dos meus pés, no chão da terra, está a coroa enigmática, reluzindo em fulgores de ouro. Eu não estou pairando, não, estou dependurado, ou, pior, estou suspenso entre céu e terra – e não posso ficar saciado do estar dependurado –, pudesse eu ao menos saciar-me disso para sempre, mas o amor não acaba jamais. É realmente verdade que o amor não deve acabar jamais? O que foi boa-nova para aqueles, é o que para mim?

"Isto depende do conceito", disse de repente um velho corvo que, não longe de mim, esperando o banquete fúnebre, está pousado num galho, filosoficamente mergulhado em si mesmo.

Eu: "Como depende do conceito?"

Corvo: "De teu conceito e daquele conceito de amor".

Eu: "Eu sei, velha ave agourenta, tu pensas em amor celestial e terreno[336]. O amor celestial seria bem bonito, mas nós somos seres humanos, e eu me decidi, já que somos seres humanos, ser uma pessoa íntegra e correta.

Corvo: "Tu és um ideólogo".

Eu: "Raça estúpida de corvos, afasta-te de mim".

Bem perto do meu rosto movimenta-se um galho, uma cobra preta enrolou-se nele e me olha com o opaco brilho perolífero de seus olhos. Não é a minha cobra?

Eu: "Irmã e vara preta de condão, de onde vens? Pensei que tivesses voado como pássaro para o céu, e agora estás aqui? Trazes ajuda?"

Cobra: "Eu sou apenas uma minha metade. Não sou uma, mas duas, sou o um e o outro. Estou aqui apenas como o serpentino, o mágico. Mas a magia não ajuda aqui em nada. Eu me enrolei neste galho sem nada que fazer, esperando o desenrolar das coisas. Tu podes precisar de mim em vida, mas não no enforcamento. No pior dos casos, estou disposta a levá-lo para o Hades. Conheço o caminho para lá".

No ar, diante de mim, condensou-se uma figura negra, satanás, com um sorriso sarcástico. Gritou-me: "Isto provém da conciliação dos opostos! Renega e imediatamente estarás cá embaixo sobre a terra verdejante".

Eu: "Eu não renego, não sou imbecil. Se isto tiver que ser assim, que assim seja".

C: "Onde está tua inconsequência? Por favor, lembra-te dessa importante regra da arte de viver".

Eu: "A inconsequência foi satisfeita com o fato de eu estar dependurado aqui. Vivi até o tédio segundo a inconsequência. O que queres mais?"

C: "Mas talvez inconsequência no lugar certo?"

Eu: "Para! O que sei eu do que é lugar certo e errado?"

Satanás: "Quem lida tão soberanamente com os opostos sabe o que é esquerdo e direito".

Eu: "Cala a boca, intrometido! Se pelo menos viesse meu pássaro branco e me trouxesse ajuda, estou com medo, estou ficando fraco".

C: "Não sejas bobo, a fraqueza também é um caminho, a magia vai à desforra".

Satanás: "O quê? Não tens coragem para enfrentar a fraqueza? Queres ser pessoa humana completa, e as pessoas não são fortes?"

Eu: "Meu pássaro branco, não encontras o caminho de volta? Foste embora porque comigo não dá para viver? Oh, Salomé! Lá vem ela. Vem até mim, Salomé! Outra noite se passou. Não te ouvi chorar, mas estive enforcado e ainda estou".

Sal: "Não chorei mais, pois felicidade e infelicidade equilibram em mim sua balança".

Eu: "Meu pássaro branco foi embora e ainda não voltou. Não sei nada e não entendo nada. Isto tem a ver com a coroa? Fala!"

Sal: "O que devo falar? Pergunta a ti mesmo".

Eu: "Não consigo, meu cérebro é como chumbo, só posso choramingar por ajuda. Não sei se tudo está desmoronando, ou se tudo está quieto. Minha esperança está em meu pássaro branco. Ah, não é possível que ser pássaro é o mesmo que estar enforcado".

Satanás: "Conciliação dos opostos! Igual direito para todos e para tudo! Doidices!"

Eu: "Ouço um pássaro chilrear! És tu? Voltaste?"

Pássaro: "Se amas a terra, estás enforcado; se amas o céu, estás pairando".

Eu: "O que é terra? O que é céu?"

P: "Tudo embaixo de ti é terra, tudo acima de ti é céu. Voas quando aspiras ao que está acima de ti, estás enforcado se aspiras ao que está embaixo de ti".

Eu: "O que há acima de mim? O que há embaixo de mim?"

P: "Acima de ti, o que está adiante de ti; embaixo de ti, o que está para trás de ti".

Eu: "E a coroa? Desvenda-me o enigma da coroa".

P: "A coroa e a cobra são opostos e um. Não viste a cobra coroando a cabeça do crucificado?"

Eu: "Infelizmente não te entendo".

P: "Qual foi a palavra que a coroa te trouxe? 'O amor não acaba jamais' – este é o mistério da coroa e da cobra".

Eu: "E Salomé? O que vai acontecer com Salomé?"

P: "Tu vês, Salomé é como tu és. Voa, então crescerão asas nela".

As nuvens se dividem, o céu está cheio de arrebol do terceiro dia que terminou[337]. O sol mergulha no mar, e com ele deslizo do cimo da árvore para a terra. Silenciosa e pacificamente cai a noite.

[2] O medo toma conta de mim. A quem levastes para a montanha, cabiros? E a quem ofereci sacrifício em vós? Vós elevastes

336 Swedenborg descreveu o amor celestial como consistindo em "amar os usos por causa dos usos, ou os bens por causa dos bens, que um homem realiza pela Igreja, por sua pátria, pela sociedade humana e por um concidadão", diferenciando-o do amor a si mesmo e do amor ao mundo (*Heaven and its Wonders and Hell. From Things Heard and Seen.* Londres: Swedenborg Society, 1920, § 554s. [Trad. de J. Rendell]).

337 Segundo o relato bíblico da criação, o mar e a terra foram separados no terceiro dia.

a mim mesmo qual torre, fizestes de mim uma torre sobre rochedos inacessíveis, de mim fizestes minha igreja, um mosteiro, meu lugar de suplício, minha prisão. Estou preso em mim mesmo e sou julgado. Em mim sou meu próprio sacerdote e comunidade, juiz e sentenciado, Deus e sacrifício humano.

Ai, cabiros, que obra realizastes! Fizestes nascer do caos uma lei terrível que não pode mais ser abolida. Foi entendida e aceita.

O término do que foi produzido em segredo se aproxima. O que eu vi, eu o descrevi em palavras da melhor maneira que pude. As palavras são pobres e não foram embelezadas. Mas, a verdade é bela e a beleza é verdadeira?[338]

É possível falar do amor com belas palavras, mas da vida? E a vida está acima do amor. Mas o amor é a mãe indispensável da vida. A vida não deve nunca ser forçada para dentro do amor, mas, sim, o amor para dentro da vida. O amor pode estar sujeito ao tormento, mas não à vida. Enquanto o amor anda prenhe da vida, deve ser bem valorizado; mas se tiver parido a vida, tornou-se um invólucro vazio e sucumbe à transitoriedade.

Eu falo contra a mãe que me carregou, eu me afasto do seio gerador[339]. Não falo mais por causa do amor, mas por causa da vida.

A palavra se tornou difícil para mim, mal consegue soltar-se da alma. Portões de bronze se fecharam. Fogos se queimaram e viraram cinza. Fontes se esgotaram, e onde havia mares, há terra seca. Minha torre está no deserto. Feliz daquele que pode estar só em seu deserto. Ele vive mais além.

Não é o poder da carne que deve ser quebrado, mas o do amor, por causa da vida, pois a vida está acima do amor. Uma pessoa precisa de sua mãe até que sua vida se tenha tornado. Então se separará dela. Assim também a vida precisa do amor, até que se tenha tornado, então vai separar-se dele. Dura é a separação da criança de sua mãe, mas ainda mais dura é a separação da vida do amor. O amor procura o ter, mas a vida gostaria do mais além.

O começo de todas as coisas é o amor, mas o ser das coisas é a vida[340]. Esta distinção é terrível. Por que, espírito da profundeza escura, me obrigas a dizer: quem ama não vive, e quem vive não ama? Eu disse sempre o contrário! Será que tudo deve ser transformado em seu oposto?[341] Será mar onde está o templo de ΦΙΛΗΜΩΝ? Sua ilha sombreada afundará no solo mais profundo? No redemoinho do dilúvio em recuo, que antes engolia todas as terras e povos? Será solo marinho onde se ergue o Ararat?[342]

Que palavras abomináveis murmuras, filho mudo da terra? Queres desfazer o abraço de minha alma? Tu, meu filho, te imiscuis nisso? Quem és? E quem te dá a força? Tudo o que ambicionei, tudo o que arranquei de mim mesmo tu queres novamente inverter e anular? Tu és o filho do diabo para quem todo o sagrado é odioso. Surges avassalador. Tu me incutes medo. Deixa alegrar-me com o abraço de minha alma e não perturbes o sossego do templo.

Ai, tu me penetras com força paralisante. Mas eu não quero teu caminho. Devo cair impotente a teus pés? Diabo e filho do diabo, fala! Tua mudez é insuportável e de burrice assustadora.

Eu ganhei minha alma, e o que foi que ela me gerou? A ti, monstro, um filho, ah – um terrível produto abortivo, um tartamudo, um cabeça de bagre, um sáurio primitivo. Queres ser o rei do mundo? Queres cativar os homens orgulhosos e livres, enfeitiçar as belas mulheres, arrasar os castelos, abrir violentamente as naves das antigas catedrais? Um mudo, uma rã de olhos arregalados e preguiçosos que carrega espiroquetas sobre a superfície de sua lastimável cabeça. E tu queres chamar-te meu filho? Não és meu filho, mas o filho do diabo. O pai do diabo entrou no seio de minha alma e tornou-se carne em ti.

Eu te reconheço, ΦΙΛΗΜΩΝ, tu, o mais astuto de todos os enganadores! Tu me lograste. Minha virgem alma gerou para ti o verme asqueroso. ΦΙΛΗΜΩΝ, maldito charlatão, tu simulaste mistério para mim, colocaste em volta de meus ombros o manto de estrelas, representaste comigo uma comédia amalucada de Cristo, tu me dependuraste, com piedade ridícula, na árvore como Odin[343], tu me fizeste imaginar runas para desenfeitiçar Salomé, e enquanto isso geraste com minha alma o verme nascido do pó. Embuste atrás de embuste! Charlatanice demoníaca inconcebível!

Tu me deste poder mágico, me coroaste, me coroaste com o brilho do poder, para que eu, qual José, fosse um pai fictício de teu filho. Colocaste um ovo de basilisco no ninho da pomba.

Minha alma, prostituta adúltera, tu ficaste prenhe desse bastardo! Estou desonrado, eu, pai caricato do anticristo! Como desconfiei de ti! E quão miserável foi minha desconfiança que não conseguiu imaginar a magnitude dessa infâmia!

O que partiste em dois? Partiste em dois o amor e a vida. Dessa partição e terrível separação nasceu a rã e o filho da rã. Visão ridícula e abominável! Aparecimento inevitável!

Eles estarão sentados na beira da água doce e escutando o canto noturno das rãs, pois seu Deus nasceu como um filho da rã.

Onde está Salomé? Onde a pergunta irrespondível do amor? Nenhuma pergunta mais, meu olhar se volta para além, para as coisas que virão, e Salomé está onde eu estou. A mulher segue seu mais forte, não a ti. Assim ela gera para ti filhos, no bem e no mal.

{7} [1] Como eu estivesse de tal modo sozinho sobre a terra, cercado por nuvens de chuva e pela noite que caía, veio rastejando até mim minha cobra[344] e me contou uma história:

"Era uma vez um rei que não tinha filhos. Mas gostaria de ter um filho. Por isso foi procurar uma mulher sábia que morava na floresta, na qualidade de bruxa, e lhe confessou todos os seus pecados, como se ela fosse um sacerdote nomeado por Deus. Após a confissão, ela lhe falou: 'Senhor rei, o senhor fez o que não deveria ter feito. Mas como aconteceu,

338 O poema de John Keat "Ode to a Grecian Urn" termina assim: "Beauty is truth, truth beauty, – that is all /. Ye know on earth, and all ye need to know".

339 Em *Transformações e símbolos da libido* (1912. OC, B), Jung argumenta que no decorrer do desenvolvimento psicológico, o indivíduo tem de libertar a si mesmo da figura da mãe, como representada nos mitos heroicos (cf. cap. VI, "A luta pela libertação da mãe").

340 Em *Transformações e símbolos da libido* (1912), ao discutir seu conceito de libido, Jung se refere ao significado cosmogônico de Eros na *Teogonia* de Hesíodo, que ele vincula à figura de Fanes no orfismo e a Kama, o Deus hindu do amor (OC, B, § 223).

341 Em sua obra posterior, Jung deu importância à "enantiodromia", o princípio de que todas as coisas se transformam em seus opostos, que ele atribuiu a Heráclito. Cf. *Tipos psicológicos* (1921). OC, 6, § 793s.

342 No relato bíblico do dilúvio, a arca acabou pousando sobre o Monte Ararat (Gn 8,4). Ararat é uma elevação vulcânica inativa na Armênia (atual Turquia).

343 Na mitologia nórdica, Odin foi traspassado por uma lança e dependurado na árvore do mundo, Yggdrasill, onde ficou por nove noites, até que encontrou as runas, que lhe deram força.

344 23 de fevereiro de 1914. No *Livro Negro* 4, o diálogo é com a alma e esta seção começa com Jung perguntando-lhe o que a está impedindo de voltar ao seu trabalho, e ela lhe diz que é sua ambição. Ele pensava que a havia superado, mas a alma disse que ele simplesmente a havia negado, e por isso lhe conta a história que segue (p. 171). A 13 de fevereiro de 1914, Jung deu uma conferência "Zur Traumsymbolik" para a Sociedade Psicanalítica de Zurique. De 30 de março a 13 de abril, Jung partiu de férias para a Itália.

acontecido está, e vamos ver o que de melhor lhe pode reservar o futuro. Tome meio quilo de banha de lontra, enterre-o na terra e deixe que se passem nove meses. Depois abra a cova e veja o que achará'. O rei foi para casa envergonhado e desolado porque se havia humilhado diante da bruxa na floresta. Mas obedeceu à instrução dela, cavou de noite um buraco no jardim e colocou dentro dele um pote de banha de lontra, que havia conseguido a muito custo.

Deixou passar nove meses. Decorrido este tempo, foi novamente de noite ao mesmo lugar, onde estava enterrado o pote, e o desenterrou. Para seu maior espanto, encontrou dentro dele uma criança dormindo; mas a banha havia desaparecido. Tirou a criança e levou-a satisfeito para sua esposa. Ela a levou imediatamente ao peito e veja – seu leite veio em abundância. A criança ia crescendo, tornou-se grande e forte. Desenvolveu-se num homem mais alto e mais forte do que todos os outros.

Quando chegou a idade de vinte anos, apresentou-se diante do pai e disse: 'Eu sei que tu me geraste através de magia e eu não nasci como os demais homens. Tu me criaste pelo arrependimento de teus pecados, e isto me tornou forte. Não nasci de mulher, e isto me fez inteligente. Sou forte e inteligente e por isso exijo de ti a coroa do reino'. O rei ficou assustado com a sabedoria de seu filho e ainda mais com a exigência impetuosa do poder real. Calou-se e pensou: 'O que foi que te gerou? Banha de lontra. Quem te carregou? O ventre da terra. Eu te tirei de um pote, uma bruxa me humilhou'. Decidiu então fazer com que seu filho fosse morto.

Mas como seu filho era mais forte do que todos os outros, ele o temia e por isso pensou em recorrer a um ardil. Foi novamente procurar a bruxa na floresta e lhe pediu conselho. Ela disse: 'Senhor rei, dessa vez o senhor não me confessou nenhum pecado, porque deseja cometer um pecado. Aconselho que enterre novamente um pote com banha de lontra e deixe isto na terra durante nove meses. Depois, desenterre-o e veja o que aconteceu'. O rei fez exatamente o que a bruxa lhe recomendou. A partir daí seu filho foi ficando cada vez mais fraco e, quando o rei, após nove meses, foi ao lugar onde estava enterrado o pote, pôde também abrir a sepultura para seu filho. Colocou o defunto na cova junto do pote vazio.

Mas o rei ficou desolado e, como não conseguiu dominar sua desolação, foi de noite novamente até a bruxa e lhe pediu conselho. Ela disse: 'Senhor rei, o senhor quis um filho, mas quando o filho quis ser o rei e tinha a força e inteligência para tanto, o senhor não quis mais filho nenhum. Por isso perdeu seu filho. Por que se queixa? O senhor teve tudo que queria'. O rei falou: 'Tens razão. Eu o quis assim. Mas não queria esta desolação. Não conheces um remédio para o remorso?' Falou a bruxa: 'Senhor rei, vá à sepultura de seu filho, encha novamente o pote com banha de lontra e, após nove meses, vá ver o que encontrará no pote'. O rei fez tudo de acordo com a instrução e, desde então, ficou alegre e não sabia por quê.

Passados os nove meses, desenterrou o pote; o cadáver havia sumido e, no pote, jazia um menininho a dormir, e ele reconheceu que a criança era seu filho falecido. Ele tomou o menininho consigo, e a partir desse momento ele cresceu numa semana tanto quanto as crianças crescem num ano. Passadas vinte semanas, o filho veio novamente perante o pai e exigiu seu reino. Mas o pai já sabia por experiência e há muito tempo como tudo aconteceria. Mal o filho acabara de expressar seu desejo, o velho rei levantou-se de seu trono, abraçou com lágrimas de alegria seu filho e ele mesmo o coroou rei. E o filho, feito rei, mostrou-se grato a seu pai e o honrou sumamente enquanto ainda viveu".

Mas eu disse à minha cobra: "Realmente, minha cobra, eu não sabia que também és uma contadora de contos de fadas. Mas dize-me: como devo interpretar teu conto de fadas?".

C: "Imagina que és o velho rei e tens um filho".

Eu: "Quem é o filho?"

C: "Ora, eu pensei que tivesses falado agora mesmo de um filho que te dá pouca alegria".

Eu: "Como? Tu não estás pensando – devo coroar a ele?"

C: "Sim, quem mais seria?"

Eu: "Isto é sinistro. O que se passa com a bruxa?"

C: "A bruxa é uma mulher maternal da qual deverias ser filho, pois tu és em ti mesmo uma criança que se renova".

Eu: "Ai de mim, será impossível tornar-me homem algum dia?"

C: "Ser homem o bastante, para mais além ser criança, a plenitude. Por isso precisas da mãe".

Eu: "Tenho vergonha de ser criança".

C: "Com isso, matas o filho. Alguém dormindo precisa da mãe, pois tu não és mulher".

Eu: "Esta verdade é espantosa. Eu pensava e esperava poder ser totalmente um homem".

C: "Isto não o podes por amor ao filho. Gerar significa: mãe e filho".

Eu: "A ideia de ter de permanecer criança é insuportável".

C: "Por amor a teu filho, tens de ser criança e deixar-lhe a coroa".

Eu: "A ideia de ter de permanecer criança é humilhante e destruidora".

C: "Um antídoto eficaz contra o poder![345] Não te irrites contra o permanecer criança, senão te irritas contra o filho[346], que é o que mais desejas".

Eu: "É verdade, eu quero o filho e viver para mais além. Mas o preço é alto".

C: "Mais alto está o filho. Tu és menor e mais fraco do que o filho. É uma verdade amarga, mas não se pode poupá-la. Não fiques amuado, as crianças têm de ser bem-comportadas".

Eu: "Maldita zombaria!"

C: "Homem da zombaria! Eu tenho paciência contigo! Que minhas fontes jorrem para ti e te forneçam a bebida da salvação, quando a seca exaurir toda a terra e todos vierem a ti para implorar-te a água da vida. Portanto, submete-te ao filho".

Eu: "Onde devo pegar a imensidade? Meu saber e poder são limitados, minha força não basta".

Então a cobra movimentou-se, enrolou-se como um nó e falou: "Nunca perguntes pelo amanhã, o hoje deve bastar-te. Não precisas preocupar-te com os meios. Deixa tudo crescer, deixa tudo brotar; o filho cresce por si mesmo".

[2] O mito entoa só para a vida, não para o canto, ele canta para si mesmo. Eu me submeto ao filho, ao gerado magicamente, ao irrealmente nascido, ao filho da rã, ao filho que está na beira da água, falando com seus pais e escutando seu canto noturno. Ele é deveras misterioso e superior em força a todos os homens. Nenhum homem o gerou, nenhuma mulher o pariu.

345 O *Livro Negro* 4, traz "ambição" (p. 180).
346 O *Livro Negro* 4, traz "obra" em vez de "filho" nas poucas linhas a seguir (p. 180).

O absurdo penetrou na mãe primitiva, e em solo profundo cresceu o filho. Ele desabrochou e foi morto. Ele ressuscitou, gerado novamente de modo mágico e cresceu mais agora do que antes. Eu lhe dei a coroa que unifica o separado. E assim ele unifica para mim o separado. Eu lhe dei o poder, e então passou ele a comandar, pois supera a todos os outros em força e inteligência.

Não o quero por vontade livre minha, mas por dedução lógica. Nenhuma pessoa une o inferior e o superior. Mas ele, que não se tornou como um ser humano e, no entanto, tem a figura de um ser humano, conseguiu uni-lo. Meu poder está paralisado, mas eu continuo a viver em meu filho. Eu deixo de lado a preocupação, ele deseja governar os povos. Eu estou só, os povos o aclamam. Eu era poderoso, agora sou impotente. Eu era forte, agora estou fraco. Pois ele recolheu em si toda a força Tudo se inverteu.

Eu amava a beleza dos belos, a inteligência dos inteligentes, a força dos fortes; eu ria da tolice dos tolos, eu desprezava a fraqueza dos fracos, a avareza dos avarentos e odiava a ruindade dos maus. Mas agora tenho de amar a beleza dos feios, a avareza dos tolos e a fortaleza dos fracos. Tenho de admirar a ignorância dos inteligentes, tenho de respeitar a fraqueza dos fortes e a avareza dos generosos, tenho de prezar a bondade dos maus. Onde ficam zombaria, desprezo, ódio? Eles se transferem para o filho com sinais do poder. Sua zombaria é sangrenta, como brilha seu olho que despreza! Seu ódio é fogo em chamas! Invejável filho dos deuses, quem ousaria não te obedecer?

Ele me fez em dois, ele me cortou. Ele conserva unido o separado. Sem ele eu me fiz pedaços, mas minha vida continuou com ele. Meu amor ficou comigo.

E assim entrei com olhar sombrio na solidão, cheio de rancor e revolta contra o poder do filho. Como pôde meu filho usurpar meu poder? Fui até meus jardins e me sentei num lugar solitário sobre as pedras, à beira da água e pensei coisas negras. Chamei a cobra, minha companheira noturna, que estava deitada comigo sobre as pedras em algum lusco-fusco e me falava com sabedoria de cobra. Mas emergiu então da água meu filho, grande e poderoso, com a coroa na cabeça e juba de leão, pele luzidia de cobra envolvia seu corpo e ele falou assim comigo[347]:

{8} [1] "Estou vindo a ti e exijo tua vida".

Eu: "O que significa isto? Por acaso viraste um Deus?"[348]

Ele: "Eu subo novamente, tornei-me carne, agora volto para o grande brilho e resplendor, para o eterno ardor do sol e te deixo tua terrenidade. Tu ficas com os seres humanos. Estiveste tempo suficiente em comunidade imortal. Tua obra pertence à terra".

Eu: "Que modo de falar! Não te revolveste no mais terreno e mais subterrâneo?"

Ele: "Eu me tornei homem e animal e subo agora de novo para meu lugar".

Eu: "Onde é teu lugar?"

Ele: "Na luz, no ovo, no sol, no mais íntimo estar forçado um sobre o outro, no eterno calor da ansiedade. Assim nasce o sol em teu coração e lança seus raios pelo frio mundo afora".

Eu: "Como te transfiguras?"

Ele: "Vou desaparecer de tua visão. Deves viver em negra solidão; pessoas – não deuses – devem iluminar tua escuridão".

Eu: "Como és duro e nobre! Eu gostaria de molhar teus pés com minhas lágrimas, enxugá-los com meus cabelos – eu deliro, sou uma mulher?"

Ele: "Também uma mulher, também uma mãe que engravida. Dar à luz te aguarda".

Eu: "Ó Espírito Santo, manda-me uma centelha de tua luz eterna".

Ele: "Tu carregas a criança".

Eu: "Eu sinto o tormento, o medo e o desamparo da parturiente. Tu te afastas de mim, meu Deus?"

Ele: "Tu tens a criança".

Eu: "Minha alma, ainda és tu? Tu, cobra, tu sapo, tu menino gerado através da magia que minhas mãos enterraram, tu, o caçoado, desprezado e odiado que me apareceu numa forma disparatada? Ai daqueles que contemplam sua alma e a apalpam com as mãos. Eu estou impotente em tua mão, meu Deus!"

Ele: "As grávidas pertencem ao destino. Deixa-me partir, subo para os espaços eternos".

Eu: "Não ouvirei mais tua voz? Ó maldita ilusão! O que pergunto? Tu falarás de novo comigo amanhã, vais tagarelar constantemente no espelho".

Ele: "Não blasfemes. Eu estarei presente e não presente. Tu me ouvirás e não me ouvirás. Eu serei e não serei".

Eu: "Falas de maneira horrivelmente enigmática".

Ele: "Esta é minha linguagem e eu te deixei a compreensão. Ninguém tem teu Deus como tu mesmo. Está o tempo todo contigo, e tu o vês no outro, e assim ele nunca está contigo. Tu queres apoderar-te daquelas pessoas que parecem possuir o teu Deus. Tu verás que elas não o possuem, que só tu o possuis. Assim estás sozinho com pessoas, na multidão, e assim mesmo só. Solidão com muitos – pensa nisso!"

Eu: "Depois disso eu deveria calar-me, mas não posso; meu coração sangra quando vejo como tu te afastas de mim".

Ele: "Deixa-me partir. Voltarei em forma renovada. Vês o sol como ele desaparece vermelho nas montanhas? A obra deste dia está terminada, e novo sol vai voltar. Por que te lamentas pelo sol de hoje?"

Eu: "A noite deve começar?"

Ele: "Ela não é a mãe do dia?"

Eu: "Eu desejaria desesperar por causa dessa noite".

Ele: "O que lamentas? É o destino. Deixa-me partir, minhas asas estão crescendo, e o desejo da luz eterna cresce poderosamente em mim para o alto. Não podes prender-me por mais tempo. Segura tuas lágrimas e deixa-me subir com alegria. Tu és um agricultor, pensa em tua plantação. Estou ficando leve, como um pássaro levanta voo no céu da manhã. Não me prendas, não lamentes, já estou pairando, o grito de vida brota em mim, não posso retardar por mais tempo meu prazer máximo. Devo ir para cima – realizou-se, está rompido o último laço, minhas asas me levam para cima. Eu mergulho no mar da luz. Tu que estás embaixo, sempre mais distante, mais crepuscular – tu desapareces de minha vista".

Eu: "Para onde foste? Aconteceu algo. Estou paralítico. Deus não desapareceu de mim?"

Onde está o Deus?

O que aconteceu?

Que vazio, que vazio abissal! Devo eu comunicar às pessoas como tu desapareceste? Devo pregar o evangelho da solidão abandonada por Deus?

Deveríamos todos ir para o deserto e cobrir nossa cabeça de cinzas, uma vez que Deus nos abandonou?

347 19 de abril de 1914. O parágrafo precedente foi acrescentado no *esboço*.
348 No *Livro Negro* 5, este diálogo é com a alma (p. 29s.).

Acredito e confesso que o Deus[349] é alguma coisa diferente de mim.

Ele levantou voo com alegria rejubilante.

Eu estou na noite dos sofrimentos.

Não mais um Deus[350], mas sozinho comigo mesmo.

Fechai-vos agora, portões de bronze que eu abri para dar vazão ao dilúvio da destruição e da morte sobre os povos, que eu abri para ajudar o Deus em seu nascimento.

Fechai-vos, montanhas vos soterrem, mares vos afoguem[351].

Eu cheguei ao meu si-mesmo[352], uma figura insegura e lastimável. Meu eu! Eu não desejei este sujeito para meu companheiro. Eu me encontrei com ele. É preferível uma mulher má ou um cão feroz, mas o próprio eu – fiquei horrorizado!

[353]Uma obra é necessária sobre a qual se pode desperdiçar dezenas de anos, necessariamente se deve desperdiçar. Eu tenho de recuperar um pedaço de Idade Média em mim. Terminamos mal e mal a Idade Média no outro. Tenho de começar cedo, naquele tempo em que os eremitas desapareceram[354]. Ascese, inquisição, tortura estão à mão e se impõem. O bárbaro precisa de meios bárbaros de educação. Meu eu, tu és um bárbaro. Quero viver contigo, por isso vou arrastá-lo através de todo um inferno medieval, até que sejas capaz de tornar suportável a vida contigo. Deves ser recipiente e mãe geradora da vida, portanto vou purificar-te.

A pedra-de-toque é o estar só consigo mesmo.

Este é o caminho[355]. [p. 190]

---

349 No *Livro Negro* 5: "alma" (p. 37).
350 No *Livro Negro* 5: "com minha alma" (p. 38).
351 Este parágrafo foi acrescentado no *esboço*.
352 *Esboço corrigido*: "a mim mesmo" (p. 555).
353 O restante foi acrescentado no *esboço* (p. 555s.).
354 Em 1930 Jung afirmava: "Um movimento de volta à Idade Média é uma espécie de regressão, mas não é pessoal. É uma regressão histórica, uma regressão ao passado do inconsciente coletivo. Isto sempre ocorre quando o caminho para a frente não está livre, quando há um obstáculo diante do qual recuamos; ou quando precisamos tomar algo do passado a fim de escalar o muro à nossa frente" (*Visions*. Vol. 1, p. 148). Por esse tempo, Jung começou a trabalhar intensamente sobre a teologia medieval (cf. *Tipos psicológicos* [1921]. OC, 6 cap. 1: "O problema dos tipos na história do pensamento antigo e medieval").
355 Neste ponto, o *esboço manuscrito* tem: "Finis", contornado por um quadrado (p. 1.205).

Aprofundamentos

Aprofundamentos

{1} Eu resisto, eu não posso aceitar esse nada vazio que eu sou. O que sou? O que é meu eu? Eu sempre pressuponho meu eu. Agora ele está diante de mim – eu diante do meu eu. Falo agora contigo, meu eu:

[1]Nós estamos sozinhos e nosso estar junto corre o perigo impreterível de tornar-se monótono. Temos de fazer alguma coisa, pensar num passatempo: por exemplo, eu poderia educar-te. Comecemos com teu defeito principal que me ocorre de imediato: tu não tens verdadeiro apreço por ti mesmo. Não tens nenhuma boa qualidade da qual te possas orgulhar? Tu achas que é necessário arte para isto. Mas artes a gente também pode aprender de alguma forma. Por favor, faze isto. É difícil para ti – mas todo começo é difícil[2]. Logo o saberás melhor. Tu duvidas? Isto nada adianta. Deves podê-lo, caso contrário não poderei viver contigo. Desde que o Deus ressuscitou e não sei em que céu de fogo ele se expande para fazer não sei o que, dependemos um do outro. Por isso precisas pensar em melhorar, senão nossa vida comum vai tornar-se insuportável. Portanto, cobra ânimo e valoriza-te! Não queres?

Figura lamentável! Vou atormentar-te um bocado se não te esforçares. Por que te queixas? Talvez te fosse benéfica a chibata?

Isto penetra na própria carne? Mas ainda um – e mais um. Que gosto tem? De sangue, sem dúvida? De algo medieval *in maiorem Dei gloriam?*[3]

Ou queres amor, ou que outro nome se lhe dê? Pode-se também educar com amor quando surras nada conseguem. Devo, pois, amar-te? Apertar-te carinhosamente contra mim?

Creio realmente que bocejas.

Como, tu queres falar? Mas não vou permitir que fales, senão vais afirmar afinal que és minha alma. Mas saibas que minha alma está com o verme de fogo, com o filho de rã que voou para o sobrecéu, para as fontes superiores. Sei eu o que ele faz lá? Mas tu não és a minha alma, mas meu simples e vazio nada. – Eu, este ser antipático, ao qual nem mesmo se pode negar o direito de não dar valor a si mesmo.

Com você é possível ir ao desespero: teus melindres e tua cobiça ultrapassam qualquer medida razoável. E contigo é que devo viver? Devo sim, desde que aconteceu a maravilhosa desgraça que me deu um filho e o tomou.

Lamento ter de dizer-te uma verdade como esta. Sim, tu és ridiculamente melindroso, teimoso, rebelde, desconfiado, pessimista, covarde, desleal contigo mesmo, venenoso, vingativo; sobre teu orgulho infantil, tua ambição de poder, teu desejo de dominar, tua ambição ridícula, sede de glória quase não se pode falar sem sentir-se mal.

Fica mal para ti todo fingimento e presunção, mas abusas deles a pleno vapor.

Crês que é uma diversão e não antes um nojo viver contigo? Não, três vezes não! Mas eu prometo esticar-te no torniquete e tirar-te o couro aos poucos. Eu te darei oportunidade de mudar de pele.

Tu, exatamente tu, quiseste cortar o mesmo na casaca de outras pessoas?

Vem cá, vou costurar-te um remendo na pele para que sintas como é bom.

Queres queixar-te de que os outros te fizeram injustiça, não te entenderam, te interpretaram mal, te ofenderam, te preteriram, não te deram o devido valor, te acusaram injustamente e o que mais? Vês nisso tua vaidade, tua vaidade eternamente ridícula?

Tu te queixas de que o tormento ainda não tenha chegado ao fim?

Digo-te que ele mal começou. Não tens paciência nem seriedade. Só onde se trata de tua diversão, elogias tua paciência. Prolongarei por isso ao dobro o tormento para que aprendas a ter paciência.

Achas a dor insuportável, mas existem coisas que doem mais ainda e podes causá-las a outros com a maior singeleza e te escusas como sendo desconhecimento.

Mas tu aprenderás a calar. Para tanto vou arrancar-te a língua com a qual zombaste, blasfemaste e – pior ainda – enganaste. Quero especificar todas as tuas palavras injustas e blasfemas e costurá-las a teu corpo para sentires como machucam as palavras más.

Admites que também achas divertido este tormento? Vou aumentar esta diversão até que vomites de prazer, para que saibas o que é ter diversão no tormento próprio.

Tu te revoltas contra mim? Vou apertar mais o torniquete. Vou esmigalhar os teus ossos até que não sobre resistência neles.

Pois eu vou me virar contigo – sim, eu preciso – cuida-te, diabo – tu és meu eu com o qual tenho de me arrastar até a sepultura. Pensas que eu quero carregar em torno de mim esse traste pelo resto de minha vida? Se tu não fosses meu eu, há muito tempo já te teria feito em pedaços.

Mas estou condenado a arrastar-te através de um purgatório, para que te tornes algo mais aceitável.

Invocas a ajuda de Deus?

O velho e amoroso Deus morreu[4], e é bom assim, senão ele teria compaixão de tua pecaminosidade arrependida e estragaria minha execução com indulgência. Tu precisas saber que ainda não surgiu nenhum Deus de amor ou um Deus amoroso, mas um verme de fogo arrastou-se para o alto, uma figura gloriosamente assustadora, que fez chover fogo sobre a terra, causando gritaria generalizada[5]. Portanto, invoca Deus, e ele vai queimar-te com fogo para remissão de teus pecados. Força-te até suar sangue. Esta cura tu a necessitas há muito tempo. Sim – os outros sempre cometem injustiça –, e tu? Tu és o inocente, o justo. Precisas defender o teu bom direito e tens um bom e amoroso Deus a teu lado, que sempre perdoa pecados misericordiosamente. Os outros têm de chegar ao conhecimento, tu te apossaste de todo conhecimento desde sempre e estás plenamente convencido de teu direito. Portanto, clama com todas as forças a teu bom Deus – ele vai ouvir-te e fazer cair fogo sobre ti. Não percebeste ainda que teu Deus se tornou um verme de fogo com crânio chato, que se arrasta sobre a terra com um calor abrasador?

Tu querias ficar por cima. Dá para rir. Estavas por baixo. Estás por baixo. Quem realmente és? Um refugo que me causa nojo.

Será que estás algo impotente? Vou colocar-te num canto, onde podes ficar deitado até que voltes novamente a ti. Se não sentires mais nada, o procedimento não serve de nada. Temos de agir conforme as regras da arte. Está realmente a teu favor que, para tua revisão, há necessidade de meios tão bárbaros, teu progresso parece ser mínimo desde a baixa Idade Média.

[6]Tu te sentes hoje quebrado, rebaixado, inferior? Queres que te diga por quê?

---

1 19 de abril de 1914.
2 "Todos os começos são difíceis", provérbio do Talmud.
3 "Para a maior glória de Deus". Lema dos jesuítas de então.
4 Cf. abaixo, nota 91, p. 348.
5 As referências a este Deus nas páginas seguintes não estão no *Livro Negro* 5.
6 20 de abril de 1914. No mesmo dia, Jung renunciou à presidência da Associação Psicanalítica Internacional (*Sigmund Freud C.G. Jung Briefwechsel*, p. 613).

Tua ambição não tem limites. Tuas razões não são objetivas, mas para satisfazer tua reputação. Não trabalhas em prol da humanidade, mas para teu interesse pessoal. Não buscas o aperfeiçoamento da questão, mas o reconhecimento geral e a preservação de teus privilégios. Eu te prestarei homenagens com uma coroa pontiaguda de ferro, que tem os dentes no interior e que penetram na tua carne.

E agora chegamos ao rematado embuste que praticas com tua esperteza. Falas habilidosamente, abusas de tua capacidade, descolores, atenuas, reforças, divides luz e sombra e anuncias em voz alta tua honestidade e íntegra boa-fé. Exploras a boa-fé dos outros, tu os prendes maliciosamente em tuas armadilhas e ainda falas de tua superioridade benfazeja e da felicidade que tu significas para os outros. Tu representas modéstia e não mencionas teus méritos, na esperança certa de que algum outro o faria por ti, e ficas desiludido e chateado quando isto não acontece.

Pregas hipocritamente serenidade. Mas quando se trata disso, és sereno? Não, mentes. Tu te consomes em raiva e tua língua fala punhais frios e sonhas com vingança.

Tu és maldoso e invejoso. Não desejas ao outro a luz do sol, pois gostarias de dividi-lo com aqueles que tu favoreces, porque eles te favorecem. Invejas toda prosperidade em torno de ti e afirmas descaradamente o contrário.

Em teu íntimo pensas impiedosa e normalmente só e sempre o que te convém e nisso não te sentes nem no mínimo responsável pela humanidade. Mas és responsável pela humanidade em tudo que pensas, sentes e fazes. Não simules para mim nenhuma diferença entre pensar e agir. Tu te apoias só no proveito imerecido de não ser obrigado a dizer ou fazer aquilo que pensas ou sentes.

Mas tu és descarado em tudo quando ninguém te vê. Se algum outro te dissesse isto, ficarias mortalmente ofendido, mesmo sabendo que é verdade. Queres censurar os erros dos outros? Para que melhorem? Mas confessa, tu melhoraste? Donde tiras o direito de julgar os outros? Onde está teu autojulgamento? E onde estão os bons fundamentos que sustentam isto? Teus fundamentos são teias mentirosas que encobrem um canto sujo. Julgas os outros e lhes mostras o que deveriam fazer. Isto o fazes porque não tens nenhuma ordem contigo mesmo, mas porque não és limpo.

E então – como pensas na verdade? Parece-me que pensas até mesmo em pessoas, sem considerar sua dignidade humana; ousas pensar nelas e utilizá-las como peças em teu tabuleiro, como se fossem aquilo que pensas que são? Já te passou uma vez pela cabeça que com isso praticas um ato ignominioso de violência, tão perverso quanto aquele que condenas nos outros, ou seja, de que amam os semelhantes como dizem, mas que na realidade os exploram em seu proveito? Teu pecado cresce no escondido, mas não é menor nem menos cruel e corriqueiro.

Mas vou trazer à luz o teu oculto, desavergonhado! Vou espezinhar tua superioridade.

Não me fales de teu amor. O que chamas de amor está encharcado de egoísmo e cobiça. Porém falas dele com palavras altissonantes, mas quanto mais enfáticas as palavras, mais lamentável é o teu chamado amor. Não me fales nunca de teu amor. Mantém tua boca fechada. Ela mente.

Quero que fales de tua vergonha e que, ao invés de palavras altissonantes, provoques um ruído dissonante diante daqueles cuja consideração quiseste conquistar à força. Tu mereces desprezo, não consideração.

Quero extinguir de ti teu conteúdo do qual te orgulhavas, para que fiques vazio como um vaso derramado. Não deves mais ter orgulho de nada a não ser de teu vazio e miserabilidade. Devias ser vaso da vida, portanto imola teus ídolos.

A ti não pertence a liberdade, mas a formalidade, não a força, mas o suportar e receber.

Deves fazer do menosprezo de ti mesmo uma virtude que eu estenderei diante das pessoas como um tapete. Elas pisarão nele com pés sujos e verás que és mais sujo do que todos os pés que pisam sobre ti.

[7]Quando eu te domar, besta, darei oportunidade a outros para também eles domarem suas bestas. O domar começa em ti, meu eu, em nenhum outro lugar. Não que tu, irmão estúpido eu, tivesses sido especialmente selvagem. Há quem seja mais selvagem. Mas eu preciso açoitar-te até que suportes a selvageria dos outros. Então posso viver contigo. Quando alguém te faz injustiça, vou judiar-te até o sangue, até que tenhas perdoado a injustiça sofrida, e não só com os lábios, mas também em teu coração mau com sua irritabilidade perversa. Tua irritabilidade é tua forma específica de violência.

Por isso escuta, irmão em minha solidão, eu aprontei todo tipo de torturas para ti, se resolveres novamente ser irascível. Deves sentir-te inferior. Deves suportar que chamem tua limpeza de sujeira e que ambicionem tua imundície, que considerem generosidade teu esbanjamento e louvem tua cobiça como virtude.

Enche tua taça com a bebida amarga da inferioridade, pois não és tua alma. Tua alma está junto ao Deus em chamas e subiu queimando até a abóbada do céu.

Assim mesmo continuarás irascível? Percebo que arquitetas planos secretos de vingança e armas intrigas malvadas. Mas és um bobalhão, não podes vingar-te do destino. Será como açoitar infantilmente o mar. Constrói antes melhores pontes, nisso podes ocupar tua mente.

Gostarias de ser compreendido? Era só o que faltava! Compreende a ti mesmo, então estás suficientemente compreendido. Com isso terás bastante trabalho. Filhos pequenos querem ser compreendidos. Compreende a ti mesmo; esta é a melhor proteção contra a irritabilidade e ela saciará teu desejo infantil de ser compreendido. Queres novamente transformar outras pessoas em escravos de tua cobiça? Mas sabes que eu devo viver contigo e que não vou mais tolerar em ti semelhante estado deplorável[8].

{2} Depois que falei para meu eu essas e muitas outras palavras zangadas, percebi que comecei a suportar o estar sozinho comigo mesmo. Mas muitas vezes ainda insurgiu-se em mim a irascibilidade e todas as vezes tive de me açoitar por causa disso. E eu o fiz por tanto tempo até que tivesse desaparecido também a alegria nesta autotortura[9].

7 21 de abril de 1914.

8 Jung descreveu a autocrítica apresentada nesta seção de abertura como confrontação com a sombra. Em 1934, escreveu: "aquele que olha o espelho da água vê em primeiro lugar sua própria imagem. Quem caminha em direção a si mesmo corre o risco do encontro consigo mesmo. O espelho não lisonjeia, mostrando fielmente o que quer que nele se olhe; ou seja, aquela face que nunca mostramos ao mundo, porque a encobrimos com a *persona*, a máscara do ator. Mas o espelho está por detrás da máscara e mostra a face verdadeira. Esta é a primeira prova de coragem no caminho interior, uma prova que basta para afugentar a maioria, pois o encontro consigo mesmo pertence às coisas desagradáveis que evitamos enquanto pudermos projetar o negativo à nossa volta. Se formos capazes de ver nossa própria sombra, suportá-la, sabendo que ela existe, já teríamos resolvido uma pequena parte do problema. Teríamos, pelo menos trazido à tona o inconsciente pessoal" ("Sobre os arquétipos do inconsciente coletivo". OC, 9, § 43-44).

9 Este parágrafo não ocorre no *Livro Negro 5*. Em 30 de abril de 1914, Jung renunciou à cátedra na Faculdade de Medicina da Universidade de Zurique.

[10]Escutei então na noite uma voz que vinha de longe, a voz de minha alma. Ela falou: "Como estás longe!"

Eu: "És tu, minha alma? De que altura e de que distância estás falando?"

A: "Eu estou sobre ti. Minha distância é uma distância de mundo. Fiquei com a propriedade do sol. Recebi a semente do fogo. Onde estás? Mal posso divisar-te em tua neblina".

Eu: "Estou aqui embaixo, sobre a terra tenebrosa, em fumaceira escura, que nos deixou o sol, e meu olhar não te alcança. Mas tua voz me soa mais próxima".

A: "Eu o percebo. A gravidade da terra me impregna, uma frescura úmida me envolve, sou acometido pela lembrança cinzenta de padecimentos antigos".

Eu: "Não desças para a fumaceira e para a escuridão da terra. Gostaria que alguma coisa daquilo em que ainda toco conservasse a propriedade do sol. Caso contrário perco a coragem de continuar vivendo cá embaixo na escuridão da terra. Deixa que ao menos escute tua voz. Nunca mais vou desejar ver-te em carne. Deixa-me uma palavra! Tira-a da profundeza, de onde talvez me venha ao encontro o medo".

A: "Isto eu não posso, pois de lá jorra a fonte de tua produção".

Eu: "Tu vês minha insegurança".

A: "O caminho inseguro é o caminho bom. Nele estão as possibilidades. Sê firme e produze".

Eu escutei o bater de asas. Eu sabia que o pássaro estava subindo mais alto, para além das nuvens, no brilho de fogo da divindade expandida.

[11]Voltei-me para meu irmão, o eu; estava parado, muito triste e olhava para o chão, soluçava e teria preferido estar morto, pois o peso de tristeza imensa o afligia. Mas saiu de mim uma voz e disse as palavras: "É duro – as vítimas caem à direita e à esquerda – e tu estás crucificado por amor à vida".

E eu disse ao meu eu: "Meu irmão, que sabor tem para ti esta conversa?"

Ele suspirou fundo e lamentou: "Ela é amarga, e me sobrevém grande sofrimento".

Ao que respondi: "Eu sei, mas não dá para mudar". Eu, porém, não sabia o que, pois ainda ignorava o que o futuro reservava (isto aconteceu a 21 de maio de 1914). No cúmulo da tristeza, olhei para as nuvens no alto, gritei por minha alma e a interroguei. Escutei perfeitamente sua voz amiga e clara que respondeu:

"Sou tomado de muita alegria. Levanto-me mais alto, minhas asas crescem".

A estas palavras, fui tomado de amargura e gritei: "Tu vives do sangue do coração humano".

Ouvi que ela ria – ou não riu? "Nenhuma bebida me é mais agradável do que o sangue vermelho".

Fui tomado de raiva incontida e gritei: "Se não fosses minha alma que seguiu a Deus para as paragens eternas, eu diria que és o mais terrível flagelo dos seres humanos. Mas quem toca em ti? Eu sei, coisa divina não é coisa humana. O divino consome o humano. Eu sei, esta é a dureza, esta é a atrocidade, quem te tocou com as mãos não consegue mais eliminar o ardor de suas mãos. Eu estou à tua mercê".

Ela respondeu: "Não fiques zangado, não te queixes. Não ligues para os sacrifícios cruentos. Não se trata de tua dureza, de tua atrocidade, mas de necessidade. O caminho da vida está semeado de gente caída em combate".

Eu: "Sim, eu vejo, é um campo de batalha. Meu irmão, o que há contigo? Tu gemes?"

Respondeu então meu eu: "Por que não deveria eu gemer e soluçar? Eu me carrego de mortos e não dou conta de arrastar seu número".

Mas não entendi meu eu e por isso falei o seguinte: "Tu és um pagão, meu amigo! Não ouviste que foi dito: deixai que os mortos enterrem seus mortos?[12] Por que queres carregar-te com mortos? Tu não os levarás mais longe se os arrastares".

Meu eu falou então em voz lamuriosa: "Mas tenho pena dos pobres caídos em combate, eles não chegam à luz. Talvez se eu os arrastar – ?"

Eu: "Pensas o quê? Suas almas alcançaram o tanto quanto puderam. Então atingiram o destino. Conosco vai acontecer o mesmo. Tua compaixão é doentia".

Mas a minha alma gritou de longe: "Deixa-lhe a compaixão. A compaixão une morte e vida".

Estas palavras de minha alma me surpreenderam. Ela falava de compaixão, ela que, sem compaixão, subiu para o alto em companhia do Deus, e eu lhe perguntei:

[13]"Por que fizeste isso?"

Pois minha irritabilidade humana não compreendeu a atrocidade daquela hora. Ela respondeu:

"Não tenho a obrigação de estar em vosso mundo. Eu me sujo na lama de vossa terra".

Eu: "E eu não sou terra? Não sou lama? Cometi um erro que te obrigou a seguir o Deus para os páramos superiores?"

A: "Não! Foi necessidade interior. Eu pertenço ao alto".

Eu: "Ninguém sentiu nesse teu desaparecimento uma perda irreparável?"

A: "Ao contrário. Tu ganhaste muito com isso".

Eu: "Se eu considerar meu sentimento humano a respeito disso, poderiam surgir-me dúvidas".

A: "O que percebeste? Por que deve ser sempre falso aquilo que vês? Esta é tua injustiça específica, que não podes deixar de te fazer sempre de tolo. Não podes ao menos uma vez permanecer em teu caminho?"

Eu: "Tu sabes que eu duvido por amor às pessoas".

A: "Não, por amor à tua fraca vontade, por amor à tua dúvida e descrença. Permanece em teu caminho e não fujas de ti mesmo. Existe uma intenção divina e uma intenção humana. As duas se cruzam nas pessoas tolas e esquecidas de Deus, às quais por vezes tu também pertences".

Como eu não pudesse ver a que tudo isso se referia, sobre o que a alma falava e de que minha alma sofria (pois isto aconteceu dois meses antes da eclosão da guerra), queria entender tudo como acontecimento pessoal meu, não conseguindo por isso compreender tudo nem acreditar em tudo. Pois minha fé é fraca. E eu acho que é melhor que em nosso tempo a fé seja fraca. Nós somos frutos daquela infância em que a fé pura e simples era o meio mais indicado de levar a pessoa ao bem e ao razoável. Portanto, se quiséssemos também hoje ter novamente uma fé forte, voltaríamos assim para aquela infância primitiva. Mas nós temos tanta ciência e tanto ímpeto de conhecimento em nós que precisamos mais do conhecimento do que da fé. Mas a firmeza da fé haveria de perturbar nosso conhecimento. A fé pode ser algo forte, mas é algo vazio e muito pouco convivido pelo ser humano todo, se nossa vida com Deus se fundamenta exclusivamente na fé. Podemos nós de fato crer pura e simplesmente? Parece-me

10 8 de maio de 1914. Há uma lacuna nos registros do *Livro Negro* 5, entre 21 de abril e 8 de maio, assim as discussões mencionadas no parágrafo anterior parece que não foram registradas.

11 21 de maio de 1914.

12 Mt 8,21-22: "E outro de seus discípulos lhe disse: 'Senhor, deixa-me ir primeiro enterrar meu pai'. Jesus, porém, lhe respondeu: 'Segue-me e deixa que os mortos enterrem seus mortos'".

13 23 de maio de 1914.

muito pouco. Pessoas que têm inteligência não podem crer pura e simplesmente, mas devem buscar o conhecimento com todas as suas forças. A fé não é tudo, nem o conhecimento. A fé não nos dá a certeza e a riqueza do conhecimento. A vontade de conhecer às vezes nos afasta demais da fé. As duas coisas têm de chegar ao equilíbrio.

Mas é também perigoso crer demais, porque hoje cada qual tem de procurar seu próprio caminho e nele tropeçar num além cheio de coisas fortes e estranhas. Com fé em demasia, eu poderia facilmente tomar tudo literalmente e não seria nada mais que um louco. A infantilidade da fé falha com relação às nossas necessidades atuais. Precisamos do conhecimento discernidor para esclarecer a confusão que o descobrimento da alma veio trazer. Por isso talvez seja preferível aguardar melhores conhecimentos antes de aceitar tudo com muita fé[14].

A partir dessa reflexão, disse eu à alma: "Deve-se aceitar tudo isto? Sabes em que sentido o pergunto. Não é maneira estúpida ou incrédula perguntar isso, mas é uma dúvida de categoria mais elevada".

Respondeu ela: "Eu te entendo – mas deve ser aceito".

E eu: "Assusta-me o isolamento dessa aceitação. Tenho horror da loucura que acomete o solitário".

Ela respondeu: "Como bem sabes, eu já te predisse há muito a solidão. Não precisas temer a loucura. O que eu te predigo tem validade".

Essas palavras me encheram de intranquilidade, pois senti que não poderia aceitar o que minha alma predisse, porque eu não o entendi, Eu queria entendê-lo sempre em relação a mim mesmo. Por isso falei à alma:

"Que medo incompreensível me atormenta?"

"É tua descrença, tua dúvida. Não queres acreditar na magnitude dos sacrifícios que são exigidos. Mas isto vai até o sangue. Grandes coisas exigem grandes coisas. Tu queres sempre ainda ser pequeno demais. Não te falei de desamparo? Queres ter vida melhor que os outros?"

"Não", respondi. "Não é este o caso. Mas eu temo fazer uma injustiça às pessoas, seguindo meu próprio caminho".

"De que desejas escapar?", disse ela; "não existe escapatória. Tens de andar teus caminhos, sem ligar para os outros, não importa que sejam bons ou maus. Tu colocaste tua mão sobre o divino, o que aqueles não fizeram".

Eu não podia aceitar essas palavras, pois temia ser iludido. Por isso também não queria aceitar esse caminho que me forçava a uma conversa ambígua com minha alma. Eu teria preferido falar com pessoas. Mas sentia a compulsão para o isolamento e temia ao mesmo tempo a solidão de meu pensar que abandonou todos os trâmites costumeiros[15]. Estando a pensar assim, a alma me falou: "Não te predisse solidão tenebrosa?"

"Eu sei", respondi, "mas não imaginava que viria assim. Tem de ser assim?"

"Tu só podes dizer sim. Nada há que fazer, a não ser tratar de teu assunto. Quando algo tem de acontecer, só acontecerá dessa maneira".

"Portanto não adianta revoltar-se contra a solidão?", gritei.

"Não adianta nada. Deves estar forçado em tua obra."

Quando minha alma falou assim, aproximou-se de mim um velho de barba branca e rosto preocupado[16]. Perguntei-lhe o que queria de mim. Ele respondeu:

"Sou um anônimo, um dos muitos que viveram na solidão e morreram. Isto exige de nós o espírito da época e a verdade reconhecida. Olha para mim – isto tens que aprender. Tiveste uma vida muito boa"[17].

"Mas", repliquei eu, "isto é ainda uma necessidade em nosso tempo tão multiplamente diverso?"

"É verdadeiro hoje como ontem. Não esqueças nunca que és um ser humano e por isso tens que sangrar em prol da humanidade. Cultiva com denodo a solidão e sem resmungar, para que tudo amadureça a seu tempo. Deves ficar sério e por isso despede-te da ciência. Hás nela infantilidade demais. Teu caminho vai para a profundeza. A ciência é por demais superficialidade, somente palavras, apenas instrumento. Mas tu precisas ir à obra"[18].

Eu não sabia a qual obra. Pois tudo era escuro. Tudo ficou difícil e duvidoso, uma tristeza infinda se apoderou de mim e permaneceu muitos dias sobre mim. Então ouvi, certa noite, a voz do velho. Ele falava devagar e ponderadamente, as frases que dizia me pareceram desconexas e tremendamente absurdas, de modo que fui tomado novamente pelo medo da loucura[19]. Disse literalmente as seguintes palavras:

[20]"Ainda não é noite todos os dias. O pior vem por último.

A mão que bate por primeiro bate melhor.

A tolice brota dos poços mais profundos e abundantemente como o Nilo.

A manhã é mais bela que o anoitecer.

A flor exala perfume até que feneça.

A geada vem o mais tarde possível na primavera, caso contrário não encontra seu destino".

Essas frases que o velho disse para mim na noite de 25 de maio de 1914 pareceram-me de uma incongruência terrível. Senti que meu eu se transformou em dores. Ele gemeu e se queixou do peso dos mortos que caía sobre ele. Era como se tivesse que arrastar milhares de mortos.

Esta tristeza não terminou até 24 de junho de 1914[21]. Durante a noite, minha alma me disse: "O maior torna-se o menor". Depois disso, nada mais foi dito. E então estourou a guerra. Abriram-se então meus olhos sobre muita coisa que eu havia vivido antes, e isto me deu também a coragem de dizer tudo o que escrevi nas partes anteriores deste livro.

{3} A partir daí, calaram-se as vozes da profundeza durante todo um ano. Mas novamente no verão, quando andava sozinho de barco pelas águas, vi uma águia-pesqueira mergulhando diante

14 Esses dois últimos parágrafos não ocorrem no *Livro Negro* 5. Em *Transformações e símbolos da libido* (1912), Jung escreveu: "Eu acho que a fé deveria ser substituída pelo entendimento" (OC, B, § 356). Em 5 de outubro de 1845 Jung escreveu a Victor White: "Eu comecei minha carreira repudiando tudo o que cheirasse a fé" (LAMMERS, A.C. & CUNNINGHAM, A. (orgs.). *The Jung-White Letters*. Londres: Philemon Series/Routledge, 2007, p. 6).

15 24 de maio de 1914. As linhas iniciais deste parágrafo não ocorrem no *Livro Negro* 4.

16 O *Livro Negro* 4, continua: "É como um velho santo, um dos primeiros cristãos que viveram no deserto" (p. 77).

17 No *esboço* manuscrito de "Aprofundamentos", há aqui uma nota a mão: 27/11/17, que parece referir-se à data em que esta parte do manuscrito foi composta.

18 O *Livro Negro* 5, continua: [Eu]: "Eu sou escolástico?" [Alma]: "Isto não, mas científico, a ciência é uma nova versão da escolástica. Isto deve ser superado"./ [Eu]: "Ainda não basta? Com isso não contrario demais o espírito da época, se eu me declarar livre de toda ciência?/ [Alma]: "Tu não deves separar-te totalmente, mas imagina que a ciência seja apenas tua linguagem"./ [Eu]: "Em que profundeza pedes que eu entre?"/ [Alma]: "Sempre acima de ti e para além do presente"./ [Eu]: "Eu quero, mas o que vai acontecer? Muitas vezes tenho a impressão de que não posso mais"./ [Alma]: "Tu deves recuperar o tempo perdido. Abre espaço. Muitas pessoas consomem o teu tempo"./ [Eu]: "Vem também este sacrifício? Tu deves, tu deves" (p. 79-80).

19 Este parágrafo não se encontra nos *Livros Negros*.

20 25 de maio de 1914.

21 O *Livro Negro* 5, continua: "Bah, este livro! Novamente eu te tenho – banal e doentio, louco e divino, meu inconsciente posto por escrito! Tu me forçaste a ficar de joelhos outra vez. Aqui estou, dize o que tens a dizer!" (p. 82). Esta é a única referência ao inconsciente nos *Livros Negros*, 2 a 7.

de mim; ela tirou da água um peixe muito grande e sumiu com ele nas alturas[22]. Ouvi a voz de minha alma que dizia: "Isto é um sinal de que o inferior será trazido para cima".

Logo depois, numa noite de outono, ouvi a voz do velho (e dessa vez percebi que era ΦΙΛΗΜΩΝ[23]. Ele disse: [24]"Vou virar-te com força. Vou dominar-te. Vou cunhar-te como uma moeda. Vou comercializar contigo. Que te comprem e te vendam[25]. Deves passar de mão em mão. Não terás vontade própria. Serás vontade de todo mundo. O ouro não é senhor por vontade própria e assim mesmo o dominador da totalidade, desprezado e ávido, exige um soberano do tipo implacável: está deitado e espera. Quem o vê deseja-o avidamente. Ele não corre atrás. Fica quieto, com semblante ofuscante, bastando a si mesmo, um rei que não precisa demonstrar seu poder. Todos procuram isso, poucos o encontram, mas também o menor pedaço é altamente valorizado. Isto não passa, não é desperdiçado. Cada qual o toma onde o encontrar e cuida com medo para não perder a menor parte dele. Cada qual nega que depende disso, mas assim mesmo estende sua mão secreta e desejosamente para ele. O ouro precisa demonstrar sua necessidade? Ela é demonstrada pela cobiça humana. Ele pergunta: quem me toma? Quem o toma, este o tem. O ouro não se mexe. Ele dorme e brilha. Seu brilho perturba os sentidos. Sem palavras, promete tudo o que parece desejável ao ser humano. Ele incentiva o destruidor a destruir, ao que sobe ajuda na subida[26].

Um tesouro reluzente é amontoado, só espera quem o tome. Que sacrifício o homem não faz por amor ao ouro? Ele não aguarda nem abrevia o sacrifício do homem – quanto mais demorado o esforço, mais valorizado. Ele nasce das entranhas da terra, da lava fundida. É extraído devagar, oculto em veios, em meio a pedras. O homem emprega toda a sua perspicácia para desenterrá-lo e ter dele cada vez mais".

Mas eu gritei, pasmo: "Que conversa mais desconexa, ó ΦΙΛΗΜΩΝ!"

[27]Mas ΦΙΛΗΜΩΝ continuou:

"Não só ensinar, mas também negar, pois por que ensinei eu? Se eu não ensinar, também não preciso negar. Mas se tiver ensinado, preciso depois negar. Pois quando ensino, dou ao outro o que ele devia tomar. Bom é o que ele conquista, mau, porém, é o que recebe de presente, o que não foi conquistado. Dissipar a si mesmo significa: querer oprimir a muitos. Quem presenteia tem segundas intenções, porque também seu propósito é perverso. Ele é obrigado a anular seus presentes e a negar sua virtude.

O peso do silêncio não é maior do que o peso de mim mesmo, que eu gostaria de carregar sobre teus ombros. Por isso falo e ensino. O ouvinte que se defenda contra minha astúcia que pretende impor-lhe minha carga.

A melhor verdade também é um embuste tão habilidoso que eu mesmo me enredo nela enquanto não perceber o valor de um ardil bem-sucedido".

Novamente fiquei assustado e gritei: "Ó ΦΙΛΗΜΩΝ, as pessoas se enganam a teu respeito, por isso tu as enganas. Mas quem te adivinha, adivinha a si mesmo".

[28]Mas ΦΙΛΗΜΩΝ ficou quieto e se retirou para a névoa tremeluzente da inconsciência. Ele me abandonou a meus próprios pensamentos. E eu pensei que havia necessidade de levantar altas paredes de separação entre os seres humanos, menos para protegê-los das ofensas mútuas do que das virtudes mútuas. Pareceu-me que a chamada moral cristã do nosso tempo favorecia ainda o deslumbramento mútuo. Como pode cada qual carregar o fardo do outro quando o máximo que se pode esperar de uma pessoa é que ela mesma carregue no mínimo seu próprio fardo.

Mas no deslumbramento está sem dúvida o pecado. Se eu assumir a virtude abnegada, torno-me o tirano egoísta do outro pelo qual sou forçado a submeter-me uma outra vez a mim mesmo, para fazer de um outro o senhor, o que sempre me deixa uma impressão ruim e que não traz nenhum benefício para o outro. Através desse jogo de troca-troca, a sociedade vai se mantendo, mas a alma do indivíduo é prejudicada, pois a pessoa aprende assim a viver sempre do outro, em vez de viver de si mesma. Parece-me, quando possível, que nós não deveríamos entregar-nos, mas incentivar e mesmo forçar o outro a fazer o mesmo. Mas o que acontece se todos se entregam? Seria uma loucura!

Não é que seja uma coisa bela e agradável viver com seu si-mesmo, mas serve para a redenção do si-mesmo. Além do mais, é possível abandonar-se a si mesmo? Com isso nós somos dominados por nós mesmos. Isto é o contrário da aceitação de si mesmo. Quando nós dominamos por nós mesmos – e isto acontece a cada um que entrega a si mesmo – então vivemos pelo si-mesmo. Nós não vivemos o si-mesmo, ele se vive[29].

A virtude abnegada é uma alienação antinatural da própria natureza que, dessa forma, se vê privada do seu desenvolvimento. É um pecado alienar o outro através de ostentação da virtude própria, de seu si-mesmo, como, por exemplo, tomar sobre si a carga dele. Esse pecado se volta contra nós mesmos[30].

---

22 3 de junho de 1915. Nesse meio tempo, Jung escreveu o *esboço* dos livros anteriores do *Liber Novus*. No dia 28 de julho de 1914, Jung deu uma palestra sobre "A importância do inconsciente na psicopatologia" num congresso da British Medical Association em Aberdeen. De 9 de agosto até 22 de agosto, Jung esteve no serviço militar em Luzerna por 14 dias. De 1º de janeiro de 1915 a 8 de março de 1915, Jung esteve no serviço militar em Olten por 64 dias. Entre 10 e 12 de março trabalhou no transporte dos inválidos (Jung's militar service books, AFJ).

23 Esta frase não está no *Livro Negro* 6.

24 14 de setembro de 1915. No verão e outono de 1915, Jung tratou de sua correspondência com Hans Schmidt sobre a questão dos tipos psicológicos. Sua última carta a Schmidt, de 6 de novembro, indica uma mudança que pode ser entendida como um sinal da volta à elaboração de suas fantasias nos *Livros Negros*. "O entendimento é um poder terrivelmente prendedor, como que um verdadeiro assassinato da alma, tão logo elimine diferenças importantes. O cerne do indivíduo é um mistério da vida, que desaparece quando é 'entendido'. Por isso, também, é que *os símbolos querem conservar seu mistério*, não o são assim só porque aquilo que está em seu fundamento não pode ser entendido claramente... Todo entendimento, que é uma associação com pontos de vista em geral, tem o elemento diabólico dentro de si e mata... Por isso temos de ajudar as pessoas num estágio posterior da análise a chegarem àqueles símbolos ocultos e que não devem ser desvendados, dentro dos quais está guardado o cerne de sua vida, como a tenra semente dentro da casca dura. Sobre isso não deveria haver, na verdade, entendimento algum, ainda que, de certa forma, algum fosse possível. Se o entendimento disso for possível em geral e evidente, então o símbolo está maduro para a destruição, pois não protege mais o cerne que está, por assim dizer, pronto a crescer para além da casca. Compreendo agora um sonho que tive certa vez e que me deixou muito impressionado: eu estava no meu jardim e havia cavado uma rica fonte de água e que jorrava com abundância. Tive de cavar então uma canaleta e um buraco bem fundo para nele armazenar a água e conduzi-la novamente para o interior da terra. Por isso nos é dada a graça dos símbolos não desvendáveis e indizíveis, pois ela nos protege contra a possibilidade de o demônio engolir a semente da vida" (BEEBE, J. & FALZEDER, E. (orgs.). *The Jung-Schmid Letters* [Philemon Series – no prelo).

25 O *Livro Negro* 5, continua: "Hermes é teu *dáimon*" (p. 87).

26 Jung discutiu o simbolismo alquímico do ouro em suas obras sobre a psicologia da alquimia. Cf. *Mysterium coniunctionis*. OC, 14/2, § 5s.

27 15 de setembro de 1915.

28 17 de setembro de 1915.

29 Em *Assim falava Zaratustra*, Nietzsche escreveu: "Ele (o *Selbst*) se informa também com os olhos dos sentidos, ele escuta também com os ouvidos do espírito. Sempre está à escuta e assim se informa o próprio ser: compara, submete, conquista, destrói. Ele reina e é também o soberano do Eu. Detrás de teus pensamentos e sentimentos, meu irmão, há um amo mais poderoso, um guia desconhecido, que se chama 'o próprio Ser'" (Primeira parte: "Dos que desprezam o corpo", p. 51). A passagem está sublinhada como no exemplar de Jung. Há também linhas na margem e pontos de exclamação. Ao comentar esta passagem em 1935, em seu seminário sobre *Zaratustra*, Jung disse: "Eu já estava muito interessado no conceito do eu, mas não estava seguro sobre como deveria entendê-lo. Fiz minhas anotações quando topei com estas passagens e elas me pareceram muito importantes [...]. O conceito do eu continuou a causar-me boa impressão [...]. Pensei que Nietzsche supunha uma espécie de coisa-em-si por trás do fenômeno psicológico [...]. Vi também, então, que ele estava produzindo um conceito do eu que era semelhante ao conceito oriental; é uma ideia de Atman" (*Nietzsche's Zaratustra*. Vol. 1, p. 391).

30 Em *Assim falava Zaratustra*, Nietzsche escreveu: "Vós andais muito solícitos ao redor do próximo e o manifestais com belas palavras. Mas eu vos digo: vosso amor ao próximo é o vosso mau amor a vós mesmos./ Fugis de vós em busca do próximo e quereis converter essa fuga numa virtude; mas eu penetro em vosso 'desinteresse'" ("Do amor ao próximo". Primeira parte, p. 89. Sublinhado conforme o exemplar de Jung).

É submissão bastante, mais do que bastante, quando nos submetemos ao nosso si-mesmo. A obra da redenção tem de começar sempre por nós, se é que se pode ter realmente a ousadia de pronunciar tão grande palavra. Sem amor a nós mesmos, esta obra não pode ser realizada. Aliás, tem ela de ser feita de fato? Certamente não, quando nós conseguimos suportar a situação dada e quando nós não nos sentimos necessitados de redenção. O incômodo sentimento de necessidade de redenção pode tornar-se às vezes demais a alguém. Procuramos então livrar-nos dele, mas assim caímos na obra da redenção.

Parece-me que nos é sumamente proveitoso, e até mesmo necessário, eliminar todo o belo brilho da ideia de redenção, caso contrário mentimos de novo a nós mesmos, porque a palavra nos agrada e porque através da grande palavra se espalha um belo clarão em torno do assunto. Mas pode-se, no mínimo, ter dúvida se a obra da redenção é em si um assunto bonito. Os romanos não acharam muito palatável o judeu crucificado, e o sombrio fanatismo das catacumbas, que se cercou de símbolos pobres e bárbaros, não tinha para eles o fascinante esplendor, ainda que sua curiosidade perversa estivesse desperta para tudo o que era bárbaro e subterrâneo.

Eu penso que é o mais acertado e mais sensato dizer que se cairá, por assim dizer, sem querer na obra redentora quando se quer fugir da necessidade de redenção como um mal aparentemente insuportável de um sentimento não superável. Este passo para a obra redentora não é bonito nem agradável e nem difunde um brilho convidativo. E o caso é tão difícil e angustiante que a gente deve contar-se entre os doentes e não entre os supersadios que querem doar a outros sua superabundância.

Por isso não devemos também usar o outro para nossa redenção supostamente própria. O outro não é escada para nossos pés. Nós devemos de preferência ficar fechados em nós. A necessidade de redenção gosta de expressar-se através de uma necessidade maior de amor com o qual julgamos poder tornar felizes outras pessoas. Mas por isso estamos mergulhados até o pescoço em nossa cobiça e ambição para mudar nosso estado. E para este fim amamos o outro. Se já tivéssemos conseguido nosso fim, o outro nos deixaria frios. Mas é verdade que também precisamos do outro para nossa própria redenção. Talvez nos preste espontaneamente sua ajuda, já que estamos numa situação de doença e desamparo. Nosso amor a ele não é nem deve ser desinteressado. Seria mentira. Pois o objetivo é a redenção própria. O amor desinteressado só é verdadeiro enquanto a pretensão do si-mesmo puder ser imprensada contra a parede. Mas haverá um momento em que chegará a vez do si-mesmo. Quem gostaria de entregar-se ao amor de semelhante si-mesmo? Com certeza, somente alguém que ainda não sabe o quanto de abuso e amargura, de injustiça e veneno esconde em si o si-mesmo de um ser humano que esqueceu seu si-mesmo e fez dele uma virtude.

No sentido do si-mesmo, o amor desinteressado é um verdadeiro pecado.

[31]Nós precisamos ir muitas vezes a nós mesmos para reconstituir a conexão com o si-mesmo, pois é rompida com extrema facilidade, não só através de nossos vícios, mas também através de nossas virtudes. Pois tanto os vícios quanto as virtudes querem sempre viver externamente. Mas devido ao constante viver fora de nós perdemos o si-mesmo e assim nos tornamos também secretamente egoístas em nossos melhores esforços[32]. O que desprezamos em nós, mistura-se de maneira secreta ao nosso agir com os outros.

Através da união com o si-mesmo chegamos ao Deus[33].

Isto devo dizê-lo, não apelando à opinião dos antigos. Nem desse ou daquele, mas porque eu assim o experimentei. Aconteceu-me assim. E aconteceu de uma forma tal que eu não esperava nem desejava. A experiência de Deus nessa forma me foi inesperada e indesejada. Gostaria de dizer que fora um engano e teria com muita satisfação negado essa experiência Mas não posso negar que ela se apossou de mim acima de todas as medidas e de imediato atuou sobre mim. Se for uma ilusão, então a ilusão é meu Deus. Então meu Deus está para mim na ilusão. E mesmo que isto fosse a maior amargura que me pudesse acontecer, deveria assim mesmo confessar esta experiência e reconhecer nela o Deus. Não tenho nenhuma intenção e nenhuma objeção suficientemente fortes que excedam a força dessa experiência. E se o próprio Deus se tivesse revelado em inconcebível abominação, eu não poderia confessar outra coisa senão ter experimentado nisso o Deus. Sei inclusive que não é tão difícil estabelecer uma teoria que explique suficientemente minha experiência e a adicione a coisas já conhecidas. Eu mesmo poderia estabelecer essa teoria e dar-me intelectualmente por satisfeito com isso, mas essa teoria não conseguiria eliminar a mínima parte da certeza de um ter experimentado o Deus. Nessa certeza da experiência reconheci o Deus. Não posso reconhecer nisso outra coisa senão ele. Não quero crê-lo nem preciso crê-lo, e também não poderia crê-lo. Como seria possível crer em semelhante coisa? Meu espírito deveria estar totalmente transtornado para crer em tais coisas. Segundo sua total natureza, são sobremaneira improváveis. Não só improváveis, mas também impossíveis à nossa compreensão. Só um cérebro doente pode produzir tais ilusões. Comparo esses doentes aos que foram acometidos de loucura e alucinações. Mas devo dizer que o Deus nos faz doentes. Na doença eu experimento o Deus. Um Deus vivo é a doença de nossa razão. Ele enche a alma de êxtase. Ele nos enche de caos oscilante. A quantos Deus vai quebrar?

O Deus nos aparece num determinado estado da alma. Por isso chegamos a Deus por cima do si-mesmo[34]. [35]O si-mesmo não é o Deus, ainda que cheguemos a Deus através do si-mesmo. O Deus está atrás do si-mesmo, acima do si-mesmo, também é o próprio si-mesmo quando ele aparece. Mas ele aparece como nossa doença da qual precisamos nos curar[36]. Temos de curar-nos de Deus, pois Ele também é nossa pior ferida.

Deus tem primeiramente todo o poder no si-mesmo, pois o si-mesmo está todo no Deus, porque nós não estivemos no si-mesmo. Temos de puxar o si-mesmo para o nosso lado. Por isso devemos lutar com Deus pelo si-mesmo. Pois o Deus é um movimento inconcebivelmente forte que arrasta consigo o si-mesmo para o ilimitado, para a dissolução.

Por isso, quando Deus nos aparece, ficamos a princípio impotentes, deslumbrados, partidos, doentes, envenenados com veneno fortíssimo, mas no êxtase da máxima saúde.

31 18 de setembro de 1915.

32 Em 1941, Jung observou: "A integração, ou processo de encarnação do si-mesmo, é preparada, como já indicamos, pela consciência através da conscientização de pretensões egoístas, ou seja, o indivíduo percebe os seus motivos e procura formar uma ideia objetiva e a mais completa possível de sua própria natureza" ("O símbolo da transformação na missa". OC, 11, § 400). Isto corresponde ao processo retratado aqui na seção de abertura de "Aprofundamentos".

33 O *Livro Negro* 5 continua: "céu e inferno unidos entre si" (p. 92). Cf. Jung, "O símbolo da transformação na missa" (1941) : "Então o si-mesmo atua como uma *unio oppositorum*, constituindo assim a experiência mais direta do divino que se possa exprimir em termos psicológicos" (OC, 11, § 396).

34 Em 1921, Jung escreveu a respeito do si-mesmo: "Enquanto o eu for apenas o centro do meu campo consciente, não é idêntico ao todo de minha psique, mas apenas um complexo entre outros complexos. Por isso distingo entre *eu* e *si-mesmo*. O eu é o sujeito apenas de minha consciência, mas o si-mesmo é o sujeito do meu todo, também da psique inconsciente" (*Tipos psicológicos*. OC, 6, § 796). Em 1928, Jung descreveu o processo de individuação como "tornar-se si-mesmo" (Verselbstung) ou "o realizar-se do si-mesmo" (Selbstverwirklichung) (*Estudos sobre psicologia analítica*. OC, 7, § 266). Jung definiu o si-mesmo como o arquétipo da ordem e observou que as representações do si-mesmo não se distinguiam das imagens-de-Deus (cap. IV "O si-mesmo", em *Aion*. OC, 9/2). Em 1944, observou que escolhera o termo porque este conceito é "suficientemente determinado para dar uma ideia da totalidade e insuficientemente determinado para exprimir o caráter indescritível e indefinível da totalidade... Na linguagem científica, o termo si-mesmo não se refere nem a Cristo, nem a Buda, mas à totalidade das formas correspondentes, e cada uma dessas formas é um *símbolo do si-mesmo*" (*Psicologia e alquimia*. OC, 12, § 20).

35 A seção seguinte é reelaborada do *Livro Negro* 5, e por isso é difícil separá-la dele.

36 Em 1929, Jung escreveu: "Os deuses tornaram-se doença. Zeus não governa mais o Olimpo, mas o plexo solar, e produz espécimes curiosos que visitam o consultório médico" (*Estudos alquímicos*. OC, 13, § 54).

Mas nesse estado não há lugar para nenhuma demora, pois todas as forças de nosso corpo se consomem como banha na chama. Por isso temos que aspirar a libertar o si-mesmo de Deus, para que possamos viver[37].

[38]É possível e inclusive fácil para nossa razão negar o Deus e falar só de doença. Assim assumimos a parte doentia e podemos também curá-la. Mas será uma cura com perda. Perdemos uma parte da vida. Continuamos sem dúvida a viver, mas como paralisados por Deus. Onde ardeu o fogo, estão cinzas mortas.

Eu acredito que tenhamos a escolha: eu preferi as maravilhas vivas do Deus. Peso diariamente o todo de minha vida e ainda assim o brilho incandescente de Deus significa para mim uma vida maior e mais plena do que a cinza da racionalidade. A cinza é para mim suicídio. Eu poderia talvez apagar o fogo, mas não posso negar diante de mim mesmo a experiência de Deus. Não posso desvincular-me dessa experiência. Também não quero, pois quero viver. Minha vida se quer ela mesma toda inteira.

Por isso devo servir ao meu si-mesmo. Tenho de ganhá-lo assim. Mas devo ganhá-lo para que minha vida se torne total. Pois me parece pecado atrofiar a vida onde existe a possibilidade de vivê-la na totalidade. Por isso o serviço ao si-mesmo é um serviço a Deus e à humanidade. Quando eu mesmo me suporto, alivio a humanidade de meu peso e curo meu si-mesmo do Deus.

Eu devo libertar meu si-mesmo de Deus[39], pois o Deus que eu experimentei é mais que amor, ele é também ódio; mais do que beleza, ele é também horror; mais do que sabedoria, ele é também insensatez; mais do que poder, ele é também impotência; mais do que onipresença, ele é também minha criatura.

Mas na noite seguinte escutei novamente a voz de ΦΙΛΗΜΩΝ que disse[40]:

"Aproxima-te, entra na sepultura do Deus. O lugar de teu trabalho deve ser no próprio jazigo. O Deus não deve morar em ti, mas tu no Deus".

[41]Essas palavras me perturbaram, pois eu havia pensado anteriormente em livrar-me de Deus. Mas ΦΙΛΗΜΩΝ aconselhou-me a entrar mais fundo no Deus.

Desde que o Deus se elevou para os espaços superiores, também ΦΙΛΗΜΩΝ ficou diferente. Inicialmente foi para mim um mago que vivia num país distante, mas depois senti sua proximidade e, desde que o Deus se elevou, sei que ΦΙΛΗΜΩΝ me embriagou e me inspirou uma linguagem estranha a mim mesmo e um outro sentir. Tudo isto desapareceu quando o Deus se elevou e só ΦΙΛΗΜΩΝ possuía aquela linguagem. Mas eu senti que ele trilhava outros caminhos e não o meu. A grande maioria do que escrevi nas primeiras partes deste livro foi ΦΙΛΗΜΩΝ que me inspirou[42]. Por isso fiquei como que embriagado. Mas agora percebi que ΦΙΛΗΜΩΝ assumiu uma forma separada de mim.

{4} [43]Passadas algumas semanas, vieram a mim três sombras, mortos, como percebi em seu hálito frio. A primeira figura era a de uma mulher. Aproximou-se de mim e fez soar um leve zumbido, o zumbido das asas do escaravelho. Nisso a reconheci. Quando ainda estava viva, guardou para mim o mistério do Egito, os vermelhos discos solares e o canto das asas douradas. Ela permaneceu qual sombra e sua voz soava como um estertor e suspiro longínquos, e eu mal conseguia entender suas palavras. Ela disse:

"Era noite quando eu morri – tu ainda vives no dia – ainda há dias e anos diante de ti – o que irás começar? – Concede-me a palavra – pena que não possas ouvir! Como é difícil – dá-me a palavra!"

Respondi atônito: "Não conheço a palavra que procuras".

Mas ela gritou: "O símbolo, o meio, precisamos do símbolo, temos sede dele, faze luz para nós".

"De onde? Como posso? Não conheço o símbolo que desejas".

Ela veio agressivamente sobre mim: "Tu podes, procura".

E neste momento foi-me colocado na mão o sinal, e eu o olhei com espanto ilimitado. Falou-me então em voz alta e amigável[44]:

"Ei-lo, este é Hap, o símbolo que nós queríamos, de que precisávamos. Ele é repugnantemente simples, totalmente primitivo, naturalmente semelhante a Deus, o outro polo de Deus. É exatamente desse polo que precisamos".

"Por que precisais do Hap?"[45], retruquei.

"Ele está na luz, o outro Deus está na noite".

"Ah", respondi, "o que dizes, amada? O Deus do espírito está na noite? É o Filho? O filho dos sapos? Ai de nós, se for o Deus de nosso dia!"

Mas a falecida disse triunfante:

"Ele é o Deus da carne, o Deus do sangue, ele é o extrato de todos os sucos corporais, o espírito da semente e das entranhas, das partes genitais, da cabeça, dos pés, das mãos, das juntas, dos ossos, dos olhos e ouvidos, dos nervos e do cérebro, ele é o espírito da escória e da secreção".

"Tu vens da parte do demônio?", gritei cheio de horror, "onde fica minha luz brilhante dos deuses?"

Mas ela disse: "O corpo continua sendo teu, amado, teu corpo vivo. Do corpo vem o pensamento iluminador".

"De que pensamento estás falando? Não conheço este pensamento", disse eu.

"Rasteja por aí, como verme, como serpente, uma vez aqui, outra lá, uma salamandra cega das cavernas".

"Então estou certamente enterrado vivo. Que nojo! Que podridão! Tenho de me sugar nisso qual sanguessuga?"

"Sim, beber sangue", disse ela. "Sugar, encher-te no cadáver, há sucos nele, nojentos sim, mas nutritivos. Não deves entender, mas sugar'.

"Maldito nojo! Não, três vezes não", gritei para cima.

Mas ela disse: "Isto não deve aborrecer-te, nós precisamos desse alimento, do suco vital das pessoas, pois nós queremos ter parte em vossa vida. Assim podemos aproximar-nos de vós. Nós gostaríamos de informá-los sobre o que vos faria falta em conhecer".

37 O *Livro Negro* 5, continua: "O Deus tem o poder, não o si-mesmo. Não se deve pois lamentar a impotência, mas ela é o estado de como ele deve estar./ O Deus age por si. Isto se deve deixar a ele. O que fazemos ao si-mesmo, nós o fazemos a Deus./ Se deturparmos o si-mesmo, deturpamos também a Deus. É um serviço a Deus servir a si mesmo. Com isso aliviamos a humanidade de nós mesmos. "Que cada um carregue o fardo do outro" tornou-se mera imoralidade. Que cada qual carregue seu fardo, isto é o mínimo que se pode exigir de uma pessoa. Podemos, no máximo, mostrar ao outro como carregar seu próprio fardo./ Dar todos os seus bens aos pobres significa educar os pobres para a preguiça./ Compaixão não é ser o carregador do fardo dos outros, mas ser um educador enérgico. A solidão conosco mesmos não tem fim. Ela apenas começou" (p. 92-93).

38 Os quatro parágrafos seguintes não se encontram nos *Livros Negros*.

39 No exemplar de Jung dos *Schriften und Predigten* de Eckhart, a frase do vol. I, p. 202, "dass die Seele auch Gott verlierem müsste" [que a alma deveria também perder a Deus] está sublinhada e há uma tira de papel onde está escrito: "Seele muss Gott verlieren" [A alma deve perder a Deus] (*Meister Eckharts Schriften und Predigten* – Aus dem Mittelhochdeutschen übersetzt und herausgegeben von Herman Büttner. 2 vols. [s.l.]: Eugen Diederichs, 1912, p. 222).

40 No *Livro Negro* 5, a voz não é identificada como a de Filêmon.

41 Os dois parágrafos seguintes não ocorrem nos *Livros Negros*.

42 O *esboço* manuscrito de "Aprofundamentos" continua: "~~dito através de mim~~" (p. 37).

43 2 de dezembro de 1915.

44 Em lugar deste parágrafo, o *Livro Negro* 5, tem: "Um falo?" (p. 95). Não há menção a Hap no *Livro Negro* 5. As referências seguintes podem estar relacionadas com isso. Em *The Egyptian Heaven and Hell*, Wallis Budge observa que "o falo de seu Pepi é Hap" (vol. 1, p. 110). Ele observa que Hap é um filho de Hórus (p. 491 – nesta passagem Jung colocou um sinal na margem em seu exemplar). Anotou também que "no *Livro dos mortos* estes quatro filhos de Hórus desempenham papéis muito destacados e os mortos procuravam conseguir seu auxílio e proteção a todo custo, tanto por meio de oferendas como por meio de orações [...]. Os quatro filhos de Hórus distribuíam entre si a proteção dos mortos, e já na V dinastia descobrimos que eles presidiam à vida dele no mundo inferior" (ibid. – sublinhado como no exemplar de Jung) (Londres: Kegan Paul/Trench and Trubner, 1905).

45 O *Livro Negro* 5, tem: "desse polo de Deus" (p. 95).

"Isto é loucura refinada! De que estás falando?"

[46]Ela me lançou aquele olhar que me deu naquele dia em que a vi pela última vez entre os vivos e em que, insciente do significado, me mostrou algo do mistério que os egípcios nos legaram. E assim me falou:

"Faze-o por nós. Lembras-te de minha doação, dos discos solares vermelhos, das asas douradas e da coroa da vida e da permanência? Imortalidade, disso seria necessário saber".

"O caminho que leva a este saber é inferno".

[47]E a este respeito mergulhei em meditação triste, pois eu pressentia o difícil e mal-entendido, a imprevisível solidão desse caminho. E após longa luta contra todas as fraquezas e covardias em mim, decidi tomar sobre mim esta solidão do sagrado erro e da verdade válida para sempre[48].

E três noites depois, chamei a falecida e lhe pedi:

"Ensina-me a respeito do conhecimento dos vermes e das criaturas que rastejam, abre-me as trevas do espírito".

Ela sussurrou: "Dá-me sangue, para que eu beba e saiba falar. Mentiste ao dizer que entregarias o poder ao Filho?"

"Não, não menti. Mas eu disse algo que não entendi".

"Feliz de ti", disse ela, "se podes dizer o que não entendes. Escuta, pois: Hap[49] não é o fundamento, mas o cerne da igreja que ainda está submersa. Precisamos dessa igreja, pois dentro dela podemos viver convosco e partilhar de vossa vida. Vós nos excluístes para vosso próprio prejuízo".

"Dize-me: Hap é o símbolo da igreja em que esperas ter comunidade com os vivos? Fala, por que demoras?"

Ela suspirou e disse com voz sumida:

"Dá-me sangue, eu preciso de sangue"[50].

"Toma do sangue do meu coração", disse-lhe eu.

"Eu te agradeço. Isto é vitalidade. O ar do mundo das sombras é ralo, pois nós pairamos sobre o oceano do ar como pássaros sobre o mar. Muitos passaram dos limites, flutuando sobre caminhos indeterminados, topando por acaso com mundos estranhos. Mas nós que ainda estamos próximos e incompletos, gostaríamos de mergulhar no mar do ar e de volta para a terra, para o que está vivo. Não tens uma forma de animal em que eu pudesse entrar?"

"Como?", perguntei espantado. "Gostarias de ser meu cachorro?"

"Se for possível, sim", respondeu, "eu gostaria até mesmo de ser teu cachorro. Tu és de valor indizível para mim, toda minha esperança que ainda se prende à terra. Eu gostaria ainda de ver terminado o que abandonei cedo demais. Dá-me sangue, muito sangue".

Desesperado, eu falei: "Então bebe, bebe para que se torne o que deve ser".

Ela balbuciou com voz hesitante: "Brimo[51] – é assim que a chamais muito bem – a velha – com isso começa – que deu à luz o filho – o poderoso Hap que nasceu de sua vulva e ambicionava a mulher do céu que se abaulava sobre a terra, pois Brimo em cima e embaixo engloba o filho[52]. Ela o dá à luz e o puxa para cima. Nascido do inferior, fecunda o superior, pois a mulher é sua mãe, e a mãe é sua mulher".

"Maldito ensinamento! Não basta o terrível mistério?", gritei cheio de revolta e aversão.

"Quando o céu está grávido e não pode mais reter seu fruto, dá à luz uma pessoa que carrega o peso dos pecados – esta é a árvore da vida e da permanência sem fim. Dá-me teu sangue! Ouve! Terrível é este enigma: quando Brimo, a celeste, esteve grávida, deu à luz o dragão, a placenta primeiro, e depois o filho, Hap, e aquele que Hap traz. Hap é a revolta do inferior, mas do superior vem o pássaro e pousa na cabeça de Hap. É a paz. Tu és vaso. Fala, céu derrama tua chuva. Tu és uma casca. Cascas vazias não derramam, elas recolhem. De todos os cantos aflui em abundância. Digo-te que novamente se aproxima uma noite. Um dia, dois dias, muitos dias terminaram. A luz do dia desce e ilumina a sombra, mesmo uma sombra do sol. A vida se transforma em sombra, e a sombra toma vida, a sombra que é maior do que tu. Pensaste que tua sombra fosse teu filho? Ao meio-dia ele é pequeno, pela meia-noite enche o céu"[53].

Mas eu estava esgotado, desesperado e não conseguia mais ouvir, por isso falei à falecida:

[54]"Então trazes para cima até mim o filho assustador que morava debaixo das árvores junto à água? É ele o espírito que os céus derramam, ou é o verme sem alma que a terra deu à luz? Ó céu – ó regaço tenebroso! Quereis sugar meu sangue todo por amor à sombra? Será que o humano deve perecer tão completamente no divino? [55]Devo viver com sombras, ao invés de com vivos? Será que todo o anseio pelos vivos deve pertencer a vós, mortos? Tivestes vosso tempo de viver? Não o aproveitastes? Será que um vivo deve dar sua vida para vós, já que não vivestes o eterno? Falai, sombras mudas, que estais diante de minha porta e pedis meu sangue!"

Então a sombra dos mortos levantou a voz e disse: "Tu vês – ou ainda não vês o que os vivos fazem com tua vida. Eles a tiram de ti. Mas comigo tu te vives, pois eu pertenço a ti. Pertenço a teu séquito e comunidade invisíveis. Acreditas que os vivos te veem? Eles só veem tua sombra, não a ti – tu servo carregador, tu vaso –".

"Que conversa é essa? Estou entregue a vós? Não me iluminará mais nenhum dia? Tornar-me-ei sombra com corpo vivo? Vós não tendes forma e nada de palpável; de vós emana um frio sepulcral, um hálito do vazio. Deixar-me enterrar vivo – que ideia é essa? Parece-me cedo demais, primeiro tenho de morrer. Tendes o mel que alegra meu coração e o fogo que aquece minhas mãos? Vós sois o quê? Sombras tristes? Vós, assombrações de crianças! Por que quereis meu sangue? De fato, sois piores do que as pessoas. As pessoas dão pouco, mas o que dais vós? Criais aquilo que vive? O belo aconchegante, a alegria? Ou tudo isso deve ir para o vosso Hades tenebroso? O que ofereceis por isso? Mistérios? A pessoa viva pode viver disso? Vossos segredos eu os considero uma farsa, se a pessoa viva não pode viver deles".

Mas a sombra interveio e gritou: "Calma, ó impetuoso, tu me tiras o fôlego. Nós somos sombras, torna-te sombra e saberás o que nós damos".

46 Este parágrafo não está no *Livro Negro* 5.
47 5 de dezembro de 1915.
48 Este parágrafo não está no *Livro Negro* 5.
49 O *Livro Negro* 5, tem: "O Phallus" (p. 100). Cf. o sonho da infância de Jung sobre o rito do falo no templo subterrâneo, p. 4 acima.
50 Cf. acima, nota 223, p. 304.
51 Em 1912, Jung analisou os mistérios de Hécate, que floresceram em Roma pelo final do século IV. Hécate, a deusa da magia e dos encantamentos, guardava o mundo inferior e era considerada a causadora da loucura. Era identificada com Brimo, uma deusa da morte (*Transformações e símbolos da libido*. OC, B, § 586ss.).
52 Em *Transformações e símbolos da libido* (1912), Jung referiu-se a Nut, a Deusa do Céu egípcia, que se estendia como um arco sobre a terra, dando à luz o deus Sol todos os dias (OC, B, § 364).
53 Este parágrafo foi reelaborado a partir do *Livro Negro* 5.
54 7 de dezembro de 1915.
55 9 de dezembro de 1915.

"Não quero morrer para descer até vossas escuridões".

"Mas", disse ela, "tu não precisas morrer. Basta que te deixes enterrar".

"Na esperança da ressurreição? Não façais pilhérias".

Mas ela falou serena: "Tu pressentes o que vem. Tranca tríplice diante de ti e invisibilidade – para o inferno com teus pressentimentos e sentimentos! Tu ao menos não nos amas, portanto saímos menos caros em ficar do que as pessoas que se revolvem em teu amor e paciência e fazem de ti um bobo".

"Meus mortos, parece-me que falais minha linguagem".

Respondeu-me ela com ironia: "Amar as pessoas – e tu! Que engano! Isto significa apenas que desejas fugir de ti mesmo. O que isto aproveita às pessoas? Tu as seduzes e incitas à megalomania à qual tu sucumbes".

"Mas sinto pena, me dói, lamento, eu desejo, toda ternura geme, meu coração tem anseio por".

Mas ela, impassível: "Teu coração pertence a nós. O que queres com ele entre as pessoas? Autodefesa contra as pessoas – para que andes com os próprios pés, não com as muletas das pessoas. As pessoas precisam dos despretensiosos, mas desejam sempre o amoroso para poderem fugir de si mesmas. Isto deve acabar. Por que vão os loucos para terras distantes e pregam o evangelho aos negros, que eles mesmos ridicularizam em seu país? Como podem esses clérigos hipócritas falar de amor, amor de Deus e aos seres humanos, quando provam com o mesmo evangelho o direito da guerra e da injustiça assassina? Como podem ensinar os outros, se eles mesmos estão enterrados até o pescoço na lama preta do embuste e autoenganação? Será que limparam sua própria casa? Será que reconheceram seu próprio demônio e o expulsaram? Pelo fato de não fazerem nada disso, pregam o amor para poderem fugir de si mesmos, para fazer ao outro o que deveriam fazer a si mesmos. Mas o amor tão exaltado, direcionado para o próprio si-mesmo, queima como fogo. Isto o perceberam esses hipócritas e mentirosos – também tu – e preferiram amar os outros. Isto é amor? Isto é hipocrisia mentirosa[56]. Em ti mesmo começa sempre, em todas as coisas e sobretudo com o amor. Acreditas que alguém que se prejudica impiedosamente a si mesmo vai fazer o bem ao outro com seu amor? Não, certamente não o crês. Sabes inclusive que com isso ele só ensina ao outro como nós devemos prejudicar a nós mesmos, a fim de poder forçar a manifestação da compaixão dos outros. Por isso deves ser sombra, pois é disso que precisam as pessoas. Como podem libertar-se da hipocrisia e loucura de seu amor, se tu não o podes? Pois tudo começa em ti mesmo. Mas teu cavalo ainda não consegue deixar de relinchar. Pior ainda, tua virtude é um abanar de rabo de cachorro, um resmungar de cachorro, um lamber de cachorro, um latir de cachorro, e isto tu chamas de amor às pessoas! Mas amor é: carregar e suportar a si mesmo. É assim que começa. Trata-se na verdade de ti; ainda não foste calcinado; outros fogos ainda precisam sobrevir a ti, até que tenhas aprendido a aceitar e amar tua solidão.

"Por que perguntas pelo amor? O que é o amor? Viver sobretudo, isto é mais que amor. A guerra é amor? Tu ainda deves ver para o que o amor às pessoas é suficientemente bom – um meio como todos os outros meios. Por isso sobretudo solidão, até que toda a brandura contigo mesmo se tenha queimado. Precisas aprender o congelamento"[57].

"Só vejo sepulturas diante de mim", respondi, "que vontade maldita está sobre mim?"

"A vontade de Deus, que é mais forte do que tu, servo, vaso. Caíste nas mãos do maior. Ele não conhece compaixão. Vossas máscaras cristãs caíram, os véus que cegavam vossos olhos. O Deus ficou de novo forte. O jugo dos homens é mais leve que o jugo de Deus, por isso cada qual quer impor um jugo ao outro por compaixão. Mas quem não cai nas mãos dos homens, sucumbe ao Deus. Feliz dele e ai dele! Não há saída!"

"Isto é liberdade?", gritei.

"A maior liberdade. Só Deus sobre ti, através de ti mesmo. Consola-te com este e aquele o tanto quanto podes. O Deus corre o ferrolho de trancas que não podes abrir. Deixa teus sentimentos ganir como cachorrinhos. No alto estão ouvidos surdos".

"Mas não existe nenhuma revolta por amor aos homens?"

"Revolta? Tenho de rir de tua revolta. O Deus só conhece poder e criação. Ele comanda e tu fazes. Teus medos são ridículos. Só existe uma estrada, a estrada do exército da divindade".

Foram essas palavras impiedosas que a falecida[58] me falou. Como eu não quisesse obedecer a ninguém, tive de obedecer a esta voz. E ela falou palavras impiedosas a respeito do poder de Deus. Tive de aceitar essas palavras[59]. Nós temos de saudar uma nova luz, um sol vermelho – sangue, um milagre doloroso. Ninguém me obriga, só a vontade alheia comanda em mim, e eu não posso fugir, pois não encontro razão para isso.

O sol que me apareceu flutuou num mar de sangue e lamentos, por isso falei à falecida:

"Deve ser o sacrifício da alegria?"

Mas a falecida respondeu: "O sacrifício de toda alegria, na medida em que a fazes para ti. A alegria não deve ser feita nem procurada, ela deve vir quando precisa vir. Eu exijo teu serviço. Não deves servir a teu demônio pessoal. Isto acarreta sofrimento exagerado. A verdadeira alegria é simples, vem e existe por si, não é procurada cá ou lá. Por causa do perigo de ver noite escura diante de ti, tens de dedicar teu serviço a mim e não procurar nenhuma alegria. A alegria nunca é preparada de antemão, mas existe por si, ou não existe. Tu só tens a cumprir tua obrigação, e nada mais. A alegria vem do cumprimento e não da ambição. Eu tenho o poder. Eu ordeno, tu obedeces".

"Eu temo que tu me possas destruir". Mas ela respondeu: "Eu sou a vida que só destrói o imprestável. Toma cuidado para não seres um instrumento imprestável. Tu mesmo queres comandar? Vais levar teu navio a um banco de areia. Constrói tua ponte, pedra sobre pedra, mas não queiras comandar um navio. Tu te desnorteaste e te desnorteias se quiseres fugir de meu serviço. Sem mim não há salvação. O que sonhas e por que hesitas?"

Respondi: "Tu vês que estou cego e não sei onde começar".

"Isso começa sempre no próximo. Onde está a Igreja? Onde está a comunidade?"

"É clemência pura", gritei irritado, "o que falas de uma Igreja. Sou por acaso um profeta? Como poderia arrogar-me semelhante coisa? Sou apenas um ser humano que não tem o direito de querer saber tudo melhor do que os outros".

Mas ela retrucou: "Eu quero a Igreja, ela é necessária para ti e para os outros. O que mais queres fazer com aqueles que eu curvo a teus pés? O belo e o natural vão achegar-se ao horrendo e escuro e vão mostrar caminhos. A Igreja é algo natural. A ceri-

56 Jung foi crítico dos missionários cristãos (cf. "O problema psíquico do homem moderno", 1931. OC, 10, § 185).

57 O *Livro Negro* 5, continua: [A falecida]: "depois que o demônio te precedeu. Agora não é tempo de amor, mas de ação".// [Eu]: "O que estás dizendo de ação? Que tipo de ação?"// [A falecida]: "Tua obra".// [Eu]: "Como, minha obra? Minha ciência, meu livro?"// [A falecida]: "Isto não é teu livro, é o livro. A ciência é aquilo que fazes. Isto deve ser feito sem tardar. Não há retrocesso, só para frente. Lá pertence teu amor. Ridículo – teu amor! Tu deves ser capaz de deixar morrer".// [Eu]: "Deixa ao menos mortos ficarem em torno de mim".// [A falecida]: "Mortos o suficiente, tu estás cercado".// [Eu]: "Não estou percebendo nada disso".// [A falecida]: "Tu vais percebê-los".// [Eu]: "Como? Como posso fazer isso?"// [A falecida]: "Vai em frente. Tudo vai dar certo. Hoje não, mas amanhã" (p. 116-117).

58 O *esboço manuscrito* de "Aprofundamentos" tem "alma" (p. 49), e o parceiro do diálogo nesta seção é mudado da alma para a falecida.

59 20 de dezembro de 1915.

mônia sagrada precisa ser desatada e tornar-se espírito. A ponte deve levar para além do humano[60], intocável, distante e arejada. Existe uma comunidade dos espíritos, fundada sobre sinais exteriores com sentido seguro".

"Para", gritei, "isto não é para entender, é inconcebível".

Mas ela continuou: "Vós tendes necessidade da comunhão com os mortos e os mortos também. Não te mistures com nenhum morto, mas afasta-te deles e dá a cada um o que lhe pertence. Os mortos pedem vossas orações de expiação".

Depois de dizer essas palavras, levantou sua voz e conclamou os mortos em meu nome:

"Mortos, eu vos convoco.

Sombras dos que partiram, vós que saístes do tormento da vida, aproximai-vos!

Meu sangue, o suco de minha vida, seja vossa comida e vossa bebida.

Alimentai-vos de mim, para que tenhais vida e fala.

Vinde, vós tenebrosos e sem paz, vou reanimar-vos com meu sangue, o sangue de um vivente, para que tenhais vida e fala em mim e através de mim.

O Deus me obriga a dirigir-vos esta oração para que ganheis vida. Já vos deixamos sós por tempo demais.

Vamos estabelecer juntos a aliança da comunidade para que a figura viva e morta se torne uma só e que o passado continue a viver no presente.

Nossa ambição nos arrebata para o mundo dos vivos, e nós estamos perdidos em nossa ambição;

Vinde beber do sangue vivo, bebei até a saciedade, para que fiquemos livres da força inextinguível e impiedosa de nossa ambição viva pelo visível, palpável e atualmente existente.

Bebei de nosso sangue da ambição, que gera maldades como guerra, discórdia, feiura, violência e insaciabilidade.

Tomai e comei, este é meu corpo que vive para vós. Tomai e bebei, este é meu sangue cujo desejo flui por vós.

Aproximai-vos e celebrai uma ceia comigo para minha e vossa redenção.

Eu preciso da comunidade convosco, para que não sucumba à comunidade dos vivos, à minha e vossa cobiça que deseja insaciavelmente e por isso gera maldade.

Ajudai-me a nunca esquecer que meu desejo e fogo sacrificial é por vós.

Vós sois minha comunidade. Eu vivo para os vivos aquilo que posso viver. Mas o supérfluo de minha ambição pertence a vós, sombras. Nós precisamos de vossa vida em comum.

Sede-nos propícios e abri nosso espírito trancado, para que nos tornemos participantes da luz redentora. Que assim seja!"

Quando a falecida terminou esta oração, voltou-se novamente para mim e disse:

"Grande é a necessidade dos mortos. O Deus não precisa de nenhuma oferta de oração. Ele não tem favor nem desfavor. Ele é bondoso e temível, mas não é bondoso e temível, porém vos parece assim. Mas os mortos ouvem vossa oração, pois ainda são de natureza humana e não estão livres de favor e desfavor. Não entendes isso? A história da humanidade é mais velha e mais sábia do que tu. Houve alguma vez algum tempo em que os mortos não eram? Ledo engano! Faz pouco tempo que as pessoas começaram a esquecer os mortos e pensavam que haviam começado somente agora a verdadeira vida e entraram em delírio".

{5} Depois que a falecida pronunciou todas essas palavras, desapareceu. Eu mergulhei em tristeza e sombria confusão. Quando levantei novamente os olhos, vi minha alma nos espaços superiores, pairando iluminada pelo brilho distante da divindade[61]. Gritei:

"Tu sabes o que aconteceu. Vês, isto ultrapassa a força e compreensão de uma pessoa. Mas vou aceitá-lo por amor a ti e a mim. Ser crucificado na árvore da vida, ó amargura! Ó silêncio doloroso! Não fosses tu, minha alma, que tocas o céu ígneo e a plenitude eterna, o que seria de mim?

Eu me lanço às feras humanas – ó tormento mais inumano! Tenho de fazer com que minha virtude, minha melhor capacidade sejam açoitadas porque também elas ainda são espinho no olho do animal humano. Não morte com a maior boa vontade, mas sujamento e dilaceração do mais belo por amor à vida.

Será que não existe em parte alguma uma ilusão salutar para proteger-me da ceia com o cadáver? Os mortos querem viver de mim.

Por que me consideraste como aquele que deve beber o estrume liquefeito da humanidade que escorreu do cristianismo?

Ó minha alma, não basta para ti a contemplação da plenitude do fogo? Queres ainda subir totalmente para a luz branca e incandescente? Para dentro de qual sombra de horror tu me empurras para baixo? O lodaçal do demônio não é tão profundo que sua lama chega a sujar até mesmo tua roupa brilhante?

Donde tiras o direito de cometer tal infâmia comigo? Deixa que passe por mim o cálice da terrível imundície[62]. Mas se esta não for tua vontade, sobe acima do céu incandescente e faze tua queixa e derruba o assento de Deus, o terrível, anuncia o direito dos homens também diante dos deuses e vinga neles a infâmia da humanidade, pois só os deuses conseguem incitar o homem-verme[63] para o ato gigantesco de horror. Deixa que eu tenha o suficiente com meu destino e deixa que as pessoas administrem o destino humano.

Ó minha mãe humanidade, afasta de ti o horrível verme-Deus, o carrasco das pessoas. Não o veneres por causa de seu terrível veneno – uma gota basta – e o que é uma gota para ele? – ele, para quem é igual toda plenitude e todo vazio?"

Mas quando pronunciei essas palavras, percebi que ΦΙΛΗΜΩΝ estava atrás de mim e que me havia inspirado estas palavras. Ele colocou-se ao meu lado, invisível, e eu senti a presença do bom e do belo. Ele falou-me com voz mansa e profunda:

[64]"Tira, ó homem, também o divino de tua alma, tanto quanto possível. Que farsa demoníaca ela faz contigo, arrogando-se ter poder divino sobre ti. Ela é uma criança malcriada e ao mesmo tempo um demônio sedento de sangue, uma torturadora sem igual de pessoas porque possui divindade. Por quê? De onde? Porque lhe prestas veneração. O mesmo querem os mortos. Por que não se calam? Porque não passaram para o além. Por que desejam sacrifícios? Para poderem viver. Mas por que ainda querem viver com os homens? Porque querem dominar. Não se realizaram em sua voracidade de poder, uma vez que morreram como pessoas na vontade de poder. Uma criança, um ancião, uma mulher ruim, um espírito dos mortos, um demônio são seres que querem ser mantidos com disposição. Teme a alma, despreza-a, ama-a, assim como aos deuses. Oxalá fiquem longe de nós! Mas por tudo que é sagrado não os percas! Pois perdidos são mais traiçoeiros do que as cobras, mais sedentos de sangue do que o tigre, que ataca pelas costas os incautos. Uma pessoa que se perde torna-se animal, uma alma perdida

60 Cf. nota 8, p. 230.
61 8 de janeiro de 1916. Este parágrafo não está no *Livro Negro* 5.
62 No Getsêmani, Cristo disse: "Pai, se for possível, afasta de mim este cálice, contudo não se faça como eu quero, mas como tu queres" (Mt 26,39).
63 Cf. Jó 25,6: "quanto menos o homem, esse verme, e o filho de Adão, essa larva?"
64 10 de janeiro de 1916.

torna-se demônio. Agarra-te à alma com amor, com temor, com desprezo, com ódio, sem perdê-la de vista. Ela é um tesouro infernal-divino que só pode ser guardado atrás de paredes de ferro e na cova mais profunda. Ela sempre quer sair e irradiar beleza reluzente. Presta atenção, logo serás traído! Nunca encontramos uma mulher mais infiel, mais ardilosa, mais perversa do que tua alma. Como louvar o milagre de sua beleza e perfeição? Não está ela no esplendor da juventude imperecível? Seu amor não é vinho inebriante e sua sabedoria, esperteza antiquíssima de serpente?

Protege as pessoas dela e a ela das pessoas. Ouve seu lamento na prisão e o que ela canta, mas não a deixes fugir, ela se tornará imediatamente uma prostituta. Como seu cônjuge, és abençoado através dela e nela amaldiçoado. Ela pertence ao gênero demoníaco dos anões e gigantes e só tem parentesco longínquo com a raça humana. Se quiseres entendê-la humanamente, vais enlouquecer. O excesso de tua raiva, de teu desespero e de teu amor pertence a ela, mas também só o excesso. Se lhe deres este excesso, a humanidade será libertada do elfo. Pois quando não vês tua alma, então a vês no teu próximo e por causa disso ficarás furioso, pois este mistério demoníaco e este fantasma do inferno mal podem ser compreendidos.

Observa o ser humano fraco em sua miséria e tormento, que os deuses escolheram para sua caça selvagem – rasga o véu cheio de sangue que a alma perdida teceu em torno do ser humano, a rede horrenda que a portadora da morte trançou, e toma conta da prostituta divina que ainda não pode recuperar-se de seu pecado original e que busca avidamente imundície e poder com fascinação enlouquecida. Prende-a como uma cadela no cio, que gostaria de misturar seu sangue nobre com qualquer vira-lata. Captura-a, finalmente já é o bastante. Deixa-a provar de teus tormentos para que ela chegue a sentir o ser humano e seu martelo que ele arrebatou dos deuses[65].

Que no mundo das pessoas domine o ser humano. Suas leis pretendem valer. Não trates as almas, os demônios e deuses segundo sua maneira, trazendo o exigido. Mas não carregues nenhuma pessoa com isso, não exijas e não esperes nada dela daquilo com que te enganam teus demônios e teus deuses da alma, mas suporta, cala e faze piamente o que corresponde à tua espécie. Não deves agir no outro, mas em ti, a não ser que o outro peça ajuda ou opinião. Entendes o que o outro faz? Nunca – como o poderias? Donde tiras o direito de opinar ou agir sobre o outro? Tu desleixaste de ti mesmo, teu jardim está cheio de erva daninha e tu queres ensinar ordem a teu vizinho e apontar-lhe defeitos.

Por que deves calar sobre o outro? Porque há o suficiente que falar de teus próprios demônios. Mas quando opinas e ages sobre o outro, sem que ele tenha pedido opinião ou conselho, tu o fazes porque não consegues diferenciar-te de tua alma. Por isso sucumbes à pretensão dela e a ajudas em sua prostituição. Ou acreditas que deves emprestar tua força humana à tua alma ou aos deuses, ou que seja mesmo uma obra útil e piedosa querer realçar no outro os deuses? Cego, isto é pretensão cristã. Os deuses não precisam de tua ajuda, adorador ridículo de ídolos que te sentes a ti mesmo como um deus e queres formar, melhorar, censurar, educar e criar pessoas. És tu mesmo perfeito? – Por isso fica quieto e faze tua obrigação e considera diariamente tua insuficiência. Tu mesmo tens a maior necessidade de tua ajuda, deves guardar prontos para ti opinião e bom conselho e não correr qual prostituta para o outro com compreensão e vontade de ajudar. Não precisas fazer o papel de Deus. O que são os demônios que não atuam por si próprios? Portanto, deixa que atuem, mas não através de ti, senão és tu mesmo um demônio no outro. Deixa-os entregues a si mesmos e não venhas logo com amor canhestro, preocupação, cuidado, conselho e outras pretensões. Pois com isso farias o trabalho dos demônios, tu mesmo te tornarias um demônio e, assim, furioso. Mas os demônios se alegram com a fúria de pessoas desamparadas que querem ajudar os outros e dar-lhes conselho. Portanto fica quieto, completa a maldita obra redentora em ti mesmo, então os demônios têm de esfalfar-se eles mesmos e também todos os teus concidadãos que não se diferenciam de sua alma e se deixam imitar pelos demônios. É terrível abandonar-se aos concidadãos deslumbrados? Seria terrível se pudesses abrir os seus olhos. Mas tu só poderias abrir seus olhos se eles te pedissem opinião e ajuda. Se não pedirem, é que eles não precisam de tua ajuda. Contudo, se impuseres a eles a tua opinião, és um demônio para eles e aumentas seu deslumbramento, dando-lhes um mau exemplo. Cobre tua cabeça com o manto da paciência e do silêncio, senta-te e deixa que o demônio execute sua obra. Se ele produzir alguma coisa, produzirá coisa maravilhosa. Assim estás sentado debaixo de uma árvore frutífera.

É bom saberes que os demônios gostariam de instigá-lo para sua obra, que não é a tua. E tu, estúpido, acreditas que sejas tu mesmo, e que isto seja tua obra. Por quê? Porque não consegues diferenciar-te de tua alma. Mas tu és diferente dela, não tens de promover a prostituição com outras almas, como se tu mesmo fosses uma alma, mas tu és uma pessoa impotente que precisa de toda sua força para o aperfeiçoamento próprio. Por que olhas para os outros? O que vês neles, está negligenciado em ti. Deves ser o guarda diante da prisão de tua alma. Tu és o eunuco de tua alma, que a protege dos deuses e dos homens, ou que protege os deuses e os homens dela. Ao homem fraco é dado o poder, um veneno que paralisa até mesmo os deuses, assim como à pequena abelha, muito inferior a ti em força, é dado um ferrão venenoso e doloroso. Tua alma poderia apoderar-se desse veneno e assim tornar-se perigosa até mesmo aos deuses. Portanto cuida da alma, diferencia-te dela, pois não só teus concidadãos, mas também os deuses precisam viver".

Após ΦΙΛΗΜΩΝ ter terminado, dirigi-me à minha alma que, durante o discurso de ΦΙΛΗΜΩΝ, se havia aproximado do alto e lhe falei:

"Escutaste bem o que ΦΙΛΗΜΩΝ disse? Agrada-te este tom? Gostas de seu conselho?"

Mas ela disse: "Não zombes, senão machucas a ti mesmo. Não te esqueças de me amar".

"Sinto dificuldade em coadunar ódio e amor", respondi. Ela disse: "Eu entendo, mas tu sabes que é a mesma coisa, ódio e amor são indiferentes para mim. Como a toda mulher de minha espécie, importa-me menos a forma e muito mais que tudo seja meu e de mais ninguém. Tenho inveja também da lebre que dás aos outros. Eu quero tudo, pois preciso de tudo para a grande viagem que pretendo fazer depois de teu desaparecimento. Preciso providenciar tudo a tempo. Até lá tenho de estar aparelhada e ainda falta muita coisa".

"E tu concordas que eu te lance na prisão?", perguntei.

"Naturalmente", respondeu ela, "lá tenho sossego e posso recolher-me. Teu mundo humano me torna ébria – tanto sangue humano – eu poderia embriagar-me dele até o delírio. Portas de ferro, paredes de pedra, escuridão fria e comida quaresmal – isto é a delícia da redenção. Não pressentes meu tormento, quando a embriaguez de sangue toma conta de mim, me lança sempre de

65 Em *Poetic Edda*, o gigante Thrym roubou o martelo do deus Thor.

novo na matéria viva a partir de uma terrível compulsão criativa que outrora me aproximou do inanimado e que acendeu em mim o terrível desejo de procriação. Afasta-me do elemento conceptivo, do feminino ardente do grande vazio. Força-me para a estreiteza onde encontro resistência e minha própria lei. Onde possa pensar na viagem, no nascer do sol do qual a falecida falou e nas asas de ouro que se agitam e ecoam. Recebe o agradecimento – querias agradecer-me? Estás deslumbrado. Expresso-te meu maior agradecimento".

Encantado com essas palavras, exclamei: "Como és divinamente bela!" Mas ao mesmo tempo fui tomado de raiva[66]: "Ó amargura! Tu me arrastaste através de um inferno de ilusões, me martirizaste simplesmente até a morte – e eu estou ávido de teu agradecimento. Sim, estou sensibilizado pelo fato de me agradeceres. A natureza canina está em meu sangue. Por isso sou amargo – no que me diz respeito, pois – o que isto te sensibiliza! És divina e demasiadamente grande, como quer que sejas. Eu sou apenas teu porteiro castrado, não menos preso do que tu. Fala, concubina do céu, monstro divino! Não te pesquei do brejo? O que te parece o buraco escuro? Fala sem sangue, canta com força própria, engordaste o suficiente nas pessoas?

Minha alma se contorceu, revirou-se qual verme pisado e gritou: Misericórdia, tem piedade!"

"Compaixão? Já tiveste alguma vez compaixão de mim? Tu, torturadora de animais! Nunca passaste além de um capricho compassivo. Viveste de devorar pessoas e bebeste meu sangue. Ficaste gorda com isso? Aprenderás a ter respeito diante do sofrimento do animal humano? O que desejais vós, almas e deuses, sem as pessoas? Por que exigis sempre mais delas? Fala, prostituta!"

Ela soluçou: "Perco a fala. Estou horrorizada com tua queixa".

"Desejarias ficar séria? Querias refletir um pouco? Aprender modéstia ou alguma outra virtude humana; natureza anímica desalmada? Não – tu não tens alma, porque és a própria alma, monstro infernal. Gostarias de uma alma humana? Devo eu por acaso tornar-me tua alma terrena para que recebas uma alma? Tu vês, eu frequentei a tua escola. Aprendi como nós nos comportamos como alma, exemplarmente ambígua, misteriosamente mentirosa e hipócrita".

Enquanto falava essas coisas à minha alma, ΦΙΛΗΜΩΝ ficou parado a certa distância. Mas agora aproximou-se, colocou a mão sobre meu ombro e falou em meu nome:

"Bendita sejas, virgem alma, louvado seja teu nome. És a escolhida entre as mulheres. És a genitora de Deus. Louvada sejas tu! Honra e glória a ti para sempre!

Tu moras em templo de ouro. De longe vêm os povos e te louvam. Nós, teus servos, esperamos tua palavra.

Bebemos vinho tinto, oferecendo-te um sacrifício de bebida em memória da ceia de sangue que celebraste conosco.

Preparamos uma galinha preta como oferta de comida em memória às pessoas que se aproximaram de ti.

Convidamos nossos amigos para a ceia sacrificial, trazemos coroas de louros e rosas em recordação da despedida que celebraste de teus servos e servas desolados.

Seja este dia uma festa de alegria e de vida, em que tu, bendita, inicias o caminho de volta da terra dos homens que ensinaste a ser almas.

Tu segues o Filho que foi para cima e para o além.

Tu nos levas para cima como tua alma e te colocas diante do Filho de Deus, conservando teu direito imorredouro como ser anímico.

A alegria está conosco, o bem te acompanha. Nós te fortalecemos. Estamos na terra dos homens e vivemos".

Depois que ΦΙΛΗΜΩΝ terminou, minha alma olhou triste e satisfeita, hesitante, mas apressada, preparou-se para nos deixar e subir novamente, satisfeita pela liberdade adquirida. Mas eu adivinhei algo estranho nela, algo que ela procurava esconder de mim. Por isso não deixei que partisse e falei[67]:

"O que ainda te retém? O que escondes? Talvez um vaso de ouro, uma joia que roubaste dos homens? Não fulgura uma pedra preciosa, um brilho de ouro através de teu manto? Qual é a beleza que roubaste enquanto bebias o sangue das pessoas e comias seu sagrado corpo? Fala a verdade, pois vejo a mentira em teu rosto".

"Eu não tirei nada", respondeu ela de pronto.

"Tu mentes, queres incriminar a mim onde tu cometeste um erro. Passou o tempo em que roubavas impune as pessoas. Devolve tudo que é herança sagrada delas e de que te apossaste. Roubaste o servo e o mendigo. Deus é rico e poderoso, dele podes tirar. Sua riqueza não conhece perda. Mentirosa infame, quando finalmente vais parar de atormentar tua humanidade e de roubar?"

Ela me olhou com aquele olhar inocente de pomba e disse com brandura:

"Eu não te incriminei. Eu te quero muito bem. Respeito teu direito. Valorizo tua humanidade. Não tiro nada de ti. Não oculto nada de ti. Tu possuis tudo e eu nada".

Eu falei: "Mentes desavergonhadamente. Possuis não só aquela peça magnífica que me cabe, mas tens, além disso, acesso aos deuses e à plenitude eterna. Por isso, devolve, enganadora".

Então ela ficou irritada e respondeu:

"Como te atreves? Não te conheço mais. Estás completamente louco e mais: estás sendo ridículo, um filhote de macaco que estende sua mão para tudo o que brilha. Mas eu não deixo que tirem o que é meu".

Cheio de raiva, gritei: "Mentes, mentes, eu vi o ouro, a luz fulgurante da joia, eu sei, isto é meu. Não haverás de carregar isto embora. Devolve!"

Ela desatou em choro teimoso e disse: "Não vou devolvê-lo, é muito precioso para mim. Queres roubar-me o último enfeite?"

"Enfeita-te com o ouro dos deuses, mas não com as raras preciosidades das pessoas que moram na terra. Deves experimentar a pobreza celeste, depois que pregaste por tanto tempo a teu povo a pobreza e a necessidade terrenas, como um autêntico e verdadeiro clérigo mentiroso, que enche sua barriga e bolsa e fala de pobreza".

"Tu me atormentas horrivelmente". Lamentou-se ela. "Deixa-me ao menos esta. Vós, humanos, tendes bastante disso. Não posso ficar sem esta, incomparável, e devido a ela até mesmo os deuses invejam os homens".

"Não serei injusto", respondi. "Mas dá-me o que me pertence, e vai esmolar o que disto precisas. O que é? Fala!"

"É pena que não possa reter isso e escondê-lo! É amor, amor humano caloroso, sangue, o sangue vermelho e quente, a fonte sagrada da vida, a união de todo o separado e desejado".

Eu disse: "Portanto é o amor de que vos apropriastes como de um direito e propriedade naturais, quando deveríeis esmolá-lo. Vós vos embriagais do sangue das pessoas e as deixais secar. O

66 11 de janeiro de 1916.
67 13 de janeiro de 1916. O parágrafo precedente não ocorre no *Livro Negro* 5.

amor é meu. Eu quero amar e não vós através de mim. Vós rastejareis para fora e por isso esmolareis como cachorros. Por causa disso levantareis vossas mãos, abanareis o rabo como cachorros famintos. Eu tenho a chave. Serei um administrador mais justo do que vós, deuses ímpios. Vós vos apertareis em torno da fonte de sangue, em torno do milagre propício, e trareis convosco vossos dons para receber aquilo de que precisais. Eu tomo conta da fonte sagrada para que nenhum deus dela se aposse. Os deuses não conhecem medida nem graça. Embriagam-se com as bebidas mais preciosas. Ambrosia e néctar[68] são a carne e o sangue das pessoas, verdadeiramente um alimento nobre. Dissipam a bebida em embriaguez, o bem do pobre, pois eles não têm deus nem alma, que seriam seus juízes. Arrogância e imoderação, dureza e falta de amor são vossa natureza. Cobiça por amor à cobiça, poder por amor ao poder, prazer por amor ao prazer, imoderação e insaciabilidade, é nisso que sois reconhecíveis, demônios.

Sim, ainda tendes que aprender, diabos e deuses, demônios e almas, a rastejar no pó por amor ao amor, a fim de que consigais agarrar em algum lugar e junto a alguém um pouquinho da doçura da vida. Aprendei dos homens humildade e orgulho por amor ao amor.

Deuses, vosso filho primogênito é o ser humano. Ele gerou para si um filho de Deus assustadoramente belo-feio, que é toda a vossa renovação. Mas este mistério realizou-se também em vós; vós vos gerastes um filho do homem, que é minha renovação, não menos magnífico-horroroso e sua soberania vai servir também a vós".

Aproximou-se ΦΙΛΗΜΩΝ, levantou sua mão e disse[69]:

"Ambos, Deus e homem, são enganados, enganadores, abençoados que abençoam, poderosos sem poder. Novamente o todo eterno e rico se divide em céu da terra e céu dos deuses, em mundos inferiores e mundos superiores. Novamente se separa o que foi dolorosamente unificado e constrangido sob um jugo só. Multiplicidade interminável tomou o lugar desse uno comprimido num conjunto, pois só a variedade é riqueza, flor, floração, colheita".

Passou-se uma noite e um dia, e, quando chegou novamente a noite e olhei ao meu redor, vi que minha alma hesitava e esperava. Por isso disse a ela[70]:

"O que há? Ainda estás aí? Não encontraste teu caminho, ou não encontraste as palavras que me pertencem? Como veneras tua alma terrena, o ser humano? Lembra-te do que suportei e sofri por ti, como me desgastei, como estive prostrado diante de ti e me virei, como te dei meu sangue! Tenho uma reclamação a fazer-te: deves aprender a respeitar o ser humano, pois eu vi a terra que está prometida ao ser humano, a terra onde corre leite e mel[71].

Eu vi a terra do amor prometido.

Eu vi o brilho do sol sobre aquela terra.

Eu vi as matas verdes, os vinhedos amarelos e as aldeias das pessoas.

Eu vi as montanhas elevando-se ao céu com os campos suspensos do filho eterno.

Eu vi a fertilidade e a felicidade da terra.

Mas em lugar nenhum vi a felicidade das pessoas.

Minha alma, tu obrigas o homem mortal a trabalhar e sofrer para teu bem-estar. Exijo de ti que faças tua parte para a felicidade terrena do ser humano. Lembra-te disso! Falo em meu nome e em nome dos seres humanos, pois tua é nossa força e glória. Teu é o reino e nossa terra prometida. Portanto realiza, empregando tua plenitude. Eu me calarei, sim, eu me perderei de ti, depende de ti, podes realizar o que é negado ao ser humano fazer. Estou esperando. Esforça-te por encontrá-lo. Onde fica tua felicidade, se não cumpres tua obrigação de trazer a felicidade ao ser humano? Pensa nisso! Tu trabalharás para mim, e eu me calo".

"Pois bem", disse ela, "vou pôr mãos à obra. Mas tu deves construir o lugar do derretimento. Coisa velha, quebrada, gasta pelo uso, imprestável e destruída joga no tacho do derretimento, para que se renove e sirva para novo uso.

É tradição, costume dos primeiros pais, prática desde tempos antigos. É adaptação a uso novo. É prática e incubação na fornalha de fundição, uma retomada do interior, do represamento quente, onde são tiradas ferrugem e fragilidade através do calor do fogo. É cerimônia sagrada, ajuda para mim, a fim de que minha obra tenha sucesso.

Toca a terra, aperta tua mão na matéria, molda-a com cuidado. Grande é o poder da matéria. Hap não veio da matéria? A matéria não é o preenchimento do vazio? Enquanto moldas a matéria, eu moldo tua felicidade. Não duvidas do poder de Hap. Como podes duvidar do poder de sua mãe, a matéria? A matéria é mais forte do que Hap, pois Hap é o filho da terra. A matéria mais dura é a melhor, tu deves moldar a matéria mais duradoura. Isto dá força ao pensamento.

{6} Eu fiz, como minha alma sugeriu, e moldei na matéria os pensamentos que ela me deu. Ela me falou muitas vezes e demoradamente da sabedoria que está por trás de nós[72]. Mas uma noite ela chegou de repente com o hálito da intranquilidade e do medo e gritou[73]: "O que vejo? O que esconde o futuro? Fogo chamejante? Um fogo nos ares espera – ele se aproxima – uma chama – muitas chamas – uma maravilha quente – como se inflamam muitas luzes? Meu amado, é a graça do fogo eterno – a exalação do fogo baixa sobre ti!".

Mas eu gritei horrorizado: "Temo coisa assustadora e terrível, o medo toma conta de mim, pois temíveis foram as coisas que me anunciaste antes – tudo deve ser quebrado, queimado, destruído?"

"Paciência", disse ela, e olhou friamente para fora, "há fogo sobre ti, um mar de calor desmedido".

"Não me tortures – que segredos horríveis possuis? Fala, eu te peço. Ou mentes de novo, maldito espírito torturador, monstro enganador? O que significam teus fantasmas fraudulentos?"

Mas ela respondeu serena: "Eu quero também teu medo".

"Para quê? Para me torturar?"

Mas ela continuou: "Para apresentá-lo ao senhor deste mundo[74]. Ele exige o sacrifício de teu medo. Ele te julga digno desse sacrifício. Ele[75] te é propício".

"Propício a mim? O que significa isso? Eu gostaria de esconder-me dele. Minha face teme o senhor desse mundo, pois ela está

68 Na mitologia grega, ambrosia e néctar eram a comida e a bebida dos deuses.
69 Esta frase não está no *Livro Negro* 5.
70 14 de janeiro de 1916. Este parágrafo não está no *Livro Negro* 5.
71 Em Ex 3, Deus aparece a Moisés na sarça ardente e promete tirar seu povo do Egito e levá-lo a uma terra onde corre leite e mel.
72 Cf. Apêndice C, 16 de janeiro de 1916. É um esboço preliminar da cosmologia dos *Septem Sermones*. A referência de Jung à elaboração de seus conceitos de alma na matéria parece referir-se à composição do *Systema Munditotius* (cf. Apêndice A). Para um estudo sobre isto, cf. JEROMSON, B. "*Systema Munditotius* and *Seven Sermons*: symbolic collaborators in Jung's confrontation with the dead". *Jung History*, 1/2, 2005-2006, p. 6-10. • "The sources of Systema Munditotius: mandalas, myths and a misinterpretation". *Jung History*, 2/2, 2007, p. 20-22.
73 18 de janeiro de 1916.
74 O quadro *Systema munditotius* tem uma legenda ao pé: "Abraxas dominus mundi" [Abraxas o senhor do mundo].
75 O *Livro Negro* 5, tem: "Abraxas" (p. 181).

marcada, traz um sinal, ela viu o proibido. Por isso temo o senhor desse mundo".

"Mas tu deves ir à sua presença; ele percebeu o teu medo".

"Tu me provocaste este medo. Por que me traíste?"

"Foste chamado a seu serviço".

Mas eu reclamei e disse: "Destino três vezes maldito! Por que não podes deixar-me oculto? Por que ele me escolheu para o sacrifício? Milhares se prontificaram a ele de boa vontade. Por que justamente eu? Eu não posso, eu não quero".

Mas a alma falou: "Tens a palavra que não pode ficar oculta".

"O que significa minha palavra? É o balbucio da criança, é minha pobreza e impotência, meu não poder de outra forma. E é isto que desejas arrastar para diante do senhor desse mundo?"

Mas ela olhou fixamente para longe e disse: "Eu vejo a superfície da terra e fumaça se estende sobre ela – um mar de fogo vem rolando do norte, incendiando cidades e aldeias, lança-se sobre as montanhas, atravessa o vale, queima as matas – as pessoas deliram – tu caminhas diante do fogo com a roupa queimada e o cabelo chamuscado, teus olhos contemplam tudo perdidamente, tua língua está seca, tua voz está rouca e dissonante – caminhas apressado para frente, anuncias aquilo que se aproxima, sobes as montanhas, vais a todo vale, murmuras palavras de pavor e anuncias o tormento do fogo. Carregas a marca do fogo, e as pessoas ficam horrorizadas diante de ti. Elas não veem o fogo, não acreditam em tuas palavras, mas veem tua marca e pressentem em ti, sem saber, o mensageiro do tormento que arde. Que fogo? Perguntam, que fogo? Tu gaguejas, balbucias, o que sabes sobre o fogo? Eu olhei as brasas, vi a chama incandescente. Que Deus nos salve para o além".

"Minha alma", gritei desesperadamente, "fala, explica-me o que devo anunciar: o fogo? Que fogo?"

"Olha para cima, vê a chama que arde sobre tua cabeça – olha para cima, os céus ficam vermelhos".

Com essas palavras, minha alma desapareceu.

Mas eu fiquei durante muitos dias na intranquilidade e confusão. Minha alma se calou e não se podia vê-la[76]. Mas uma noite, um bando sombrio bateu à minha porta e eu tremi de medo. Apareceu, então, minha alma e disse apressadamente: "Eles estão aí e vão arrombar tua porta".

"Será que esta manada ruim vai invadir o meu jardim? Serei saqueado e atirado na rua? Tu fazes de mim um macaco e brinquedo de crianças. Por que, meu Deus, devo ser libertado desse inferno de loucos? Mas eu vou acabar com vossas tramas malditas, ide para o inferno, malucos. O que quereis comigo?"

Mas ela me interrompeu e disse: "O que estás falando? Cede a palavra à escuridão".

Eu retruquei: "Como posso confiar em ti? Trabalhas para ti, não para mim. Para que serves, se não consegues proteger-me contra essa confusão do diabo?"

"Fica quieto", disse ela, "senão destróis a obra".

Quando disse essas palavras, ΦΙΛΗΜΩΝ aproximou-se de mim com veste branca de sacerdote e colocou a mão sobre meu ombro[77]. Falei então à escuridão: "Falai, vós mortos". E logo gritaram em uníssono[78]: "Nós voltamos de Jerusalém, onde não encontramos o que procurávamos[79]. Pedimos entrada junto a ti. Tu ansiaste por nós. Não teu sangue, tua luz. É isto".

Então ΦΙΛΗΜΩΝ levantou sua voz, deu-lhes uma lição e disse[80] (e esta é a primeira instrução dos mortos)[81]:

"Ouvi, pois: Eu começo no nada. O nada é o mesmo que a plenitude. Na infinitude há tanto o cheio quanto o vazio. O nada é cheio e vazio. Vós podeis também dizer outra coisa do nada como, por exemplo, que é branco ou preto, que não existe, ou que existe. Uma coisa eterna e sem fim não tem qualidades, porque possui todas as qualidades.

---

76 29 de janeiro de 1916.

77 30 de janeiro de 1916. A frase precedente não ocorre no *Livro Negro* 5.

78 Sobre o significado dos *Sermones* que seguem, Jung disse a Aniela Jaffé que as discussões com os mortos formavam o prelúdio àquilo que ele iria posteriormente comunicar ao mundo e que o conteúdo deles antecipava seus livros posteriores. "Então e a partir de então os mortos vieram a ser para mim, cada vez mais claramente, as vozes do não respondido, do não dissolvido e não redimido". As perguntas que ele era solicitado a responder não provinham do mundo circundante, mas dos mortos. Um dos elementos que o surpreendeu foi o fato de que os mortos pareciam não saber mais do que sabiam quando morreram. Seria de presumir que eles haviam alcançado um conhecimento maior. Isto explicava a tendência dos mortos a invadir a vida e por que, na China, eventos familiares importantes precisam ser comunicados aos ancestrais. Ele sentia que os mortos estão esperando as respostas dos vivos (*MP*, p. 258-259; *Memórias*, p. 228). Cf. acima nota 134 (p. 243) sobre Cristo pregando aos mortos nos infernos.

79 Cf. acima, p. 294, em que os anabatistas mortos guiados por Ezequiel estavam dirigindo-se a Jerusalém para rezar nos lugares santos.

80 Esta frase não ocorre no *Livro Negro* 5. Quanto à relação de Filêmon com os *Sermones*, Jung contou a Aniela Jaffé que ele compreendeu Filêmon nos *Sermones*. Foi aqui que Filêmon perdeu sua autonomia (*MP*, p. 25).

81 A versão caligráfica e a versão impressa dos *Sermones*, feitas por Jung, trazem o subtítulo: "As sete instruções dos mortos. Escritas por Basílides em Alexandria, cidade onde o Oriente toca o Ocidente. Traduzidas do texto original grego para a língua alemã". Basílides foi um filósofo cristão de Alexandria, na primeira metade do século II. Pouco se sabe sobre sua vida e de seus ensinamentos subsistiram apenas fragmentos (e nenhum de seu próprio punho), que apresentam um mito cosmogônico. Para os fragmentos existentes e comentário, cf. LAYTON, B. (org.). *The Gnostic Scriptures*. Nova York: Doubleday, 1987, p. 417-444. De acordo com Charles King, Basílides era egípcio de nascimento. Antes de sua conversão ao cristianismo, "seguiu as doutrinas da gnose oriental e procurou [...] combinar as doutrinas da religião cristã com a filosofia gnóstica. [...] Para isso escolheu expressões inventadas por ele e símbolos criativos" (*The Gnostics and their Remains*. Londres: Bell and Daldy, 1864, p. 33-34). De acordo com Layton, o mito gnóstico clássico tem a seguinte estrutura: "Ato I. A expansão de um primeiro princípio solitário (deus) para um pleno universo (espiritual) não físico. Ato II. Criação do universo material, incluindo as estrelas, os planetas, a terra e o inferno. Ato III. Criação de Adão, Eva e seus filhos. Ato IV. História subsequente da raça humana" (ibid., p. 13). Assim, em seu esboço mais amplo, os *Sermones* de Jung são apresentados em forma análoga a um mito gnóstico. Jung trata de Basílides em *Aíon* (1951). Credita aos gnósticos o mérito de ter encontrado expressões simbólicas adequadas do Self e observa que Basílides e Valentim "foram fortemente influenciados pela experiência natural íntima. Por isso eles são, como os alquimistas, uma verdadeira mina daqueles símbolos resultantes da evolução posterior da ação do Evangelho. Mas suas ideias constituem igualmente compensações para a assimetria divina introduzida pela doutrina da '*privatio boni*', inteiramente na linha das conhecidas tendências modernas do inconsciente de fabricar símbolos de totalidade para transpor a brecha entre a consciência e o inconsciente [...]" (OC, 9/2, § 428). Em 1915, ele escreveu uma carta a um amigo dos seus tempos de estudante, Rudolf Lichtenhan, que escrevera um livro intitulado *Die Offenbarung im Gnosticismus* (1901). Da resposta de Lichtenhan, datada de 11 de novembro, aparece que Jung pedira informações sobre a concepção de diversos personagens humanos no gnosticismo e sua possível correlação com a distinção feita por William James entre personagens insensíveis e personagens compassivos (JA). Em *Memórias*, Jung disse: "De 1918 até 1926, aproximadamente, eu me ocupara seriamente com os gnósticos, pois também eles haviam topado com o mundo primitivo do inconsciente. Haviam-se ocupado com seu conteúdo e imagens, que notoriamente foram contaminados com o mundo dos instintos" (p. 239). Jung já estava lendo literatura gnóstica no decorrer das leituras preparatórias para *Transformações e símbolos da libido*. Houve um extenso corpo de comentários sobre os *Septem Sermones*, o que proporciona alguma análise valiosa. No entanto, esses comentários devem ser tratados com cautela, já que abordaram os *Sermones* sem a vantagem do *Liber Novus* e dos *Livros Negros* e, não menos importante, dos comentários de Filêmon, que, juntos, proporcionam um esclarecimento contextual crítico. Os estudiosos discutiram a relação de Jung com o gnosticismo e o Basílides histórico, outras possíveis fontes e paralelos para os *Sermones* e a relação dos *Sermones* com as obras posteriores de Jung. Cf. especialmente MAILLARD, C. *Les Septem Sermones aux Morts de Carl Gustav Jung*. Nancy: Presses Universitaires de Nancy, 1993. Cf. tb. RIBI, A. *Die Suche nach den eigenen Wurzeln*: Die Bedeutung von Gnosis, Hermetik und Alchemie für C.G. Jung und Marie-Louise von Franz und deren Einfluss auf das moderne Verständnis dieser Disziplin. Berna: Peter Lang, 1991. • SEGAL, R. *The Gnostic Jung*. Princeton: Princeton University Press, 1992. • QUISPEL, G. "C.G. Jung und die Gnosis". *Eranos-Jahrbuch*, 37, 1968 [reimpresso em SEGAL]. • BRENNER, E.M. "Gnosticism and Psychology: Jung's Septem Sermones ad Mortuos". *Journal of Analytical Psychology*, 35, 1990. • HUBBACK, J. "VII Sermones ad mortuos". *Journal of Analytical Psychology*, 11, 1966. • HEISIG, J. "The VII Sermones: Play and Theory". *Spring*, 1972. • OLNEY, J. *The Rhizome and the Flower*: The Perennial Philosophy, Yeats and Jung. Berkeley: University of California Press, 1980. • HOELLER, S. *The Gnostic Jung and the Seven Sermons to the Dead*. Wheaton, Ill.: Quest, 1982.

"Nós chamamos o nada ou a plenitude de *Pleroma*[82]. Nele cessam pensar e ser, pois o eterno e sem fim não tem qualidades. Nele não há ninguém, pois então seria distinto do Pleroma e teria qualidades que o distinguem como alguma coisa do Pleroma.

"No Pleroma não há nada e tudo; não vale a pena refletir o Pleroma, pois isto significaria: dissolver a si mesmo.

"A *criatura* não está no Pleroma, mas em si. O Pleroma é o começo e o fim da criatura[83]: ele os impregna como a luz do sol impregna o ar por toda parte. Ainda que o Pleroma perpasse tudo, a criatura não participa disso, assim como um corpo totalmente transparente não fica claro nem escuro por causa da luz que o impregna.

"Mas nós mesmos somos o Pleroma, pois somos uma parte do eterno e infinito. Mas não temos parte nisso; estamos muito distantes do Pleroma, não no espaço ou no tempo, mas na *essência*, enquanto nos distinguimos na essência do Pleroma como criatura limitada no tempo e no espaço.

"Mas enquanto partes do Pleroma, ele também está em nós. Mesmo no mínimo ponto, o Pleroma é infindo, eterno e total, pois pequeno e grande são qualidades nele contidas. É o nada que é total em toda parte e ininterrupto. Por isso falo só simbolicamente da criatura como de uma parte do Pleroma, pois na verdade o Pleroma não é dividido em parte nenhuma, pois ele é o nada. Nós somos também o Pleroma todo, pois simbolicamente o Pleroma é o menor ponto, apenas aceito, não existente em nós e no firmamento ilimitado em torno de nós. Mas então por que falamos do Pleroma, se ele é tudo e nada ao mesmo tempo?

"Falo disso para começar em algum lugar e para tirar-vos a ilusão de que em algum lugar fora ou dentro haja de antemão algo firme ou de alguma forma determinado. Todo o chamado firme ou determinado é apenas relativo. Só é firme e determinado o que é possível de ser modificado.

"Mas o modificável é a criatura, portanto ela é a única coisa firme e determinada, pois ela tem qualidades, sim, ela mesma é uma qualidade.

"Nós levantamos a questão: como surgiu a criatura? As criaturas originaram-se, mas não a criatura, pois ela é a qualidade do próprio Pleroma, assim como a não criação, a morte eterna. A criatura é sempre e em toda parte, a morte é sempre e em toda parte. O Pleroma tem tudo, diferenciação e indiferenciação.

"A diferenciação[84] é a criatura. Ela é distinta. Diferenciação é sua natureza, por isso ela também diferencia. Por isso o ser humano diferencia, pois sua natureza é diferenciação. Por isso distingue também as qualidades do Pleroma, que não existem. Ele as distingue a partir de sua natureza. Por isso o ser humano precisa falar das qualidades do Pleroma, que não existem.

"Vós dizeis: o que adianta falar disso? Tu mesmo disseste que não adianta refletir sobre o Pleroma.

"Eu vos disse isto para vos libertar da ilusão de que se pode refletir sobre o Pleroma. Quando distinguimos as qualidades do Pleroma, falamos então a partir de nossa diferenciação e sobre nossa diferenciação, e nada dissemos sobre o Pleroma. Mas é necessário falar sobre nossa diferenciação, para que possamos diferenciar-nos o bastante. Nossa natureza é diferenciação. Se não formos fiéis a esta natureza, não nos diferenciaremos o bastante, por isso temos de diferenciar as qualidades.

"Vós perguntais: 'qual é o mal de a gente não se diferenciar?' Se não diferenciarmos, passamos para além de nossa natureza, para além da criatura e caímos na indistinção, que é a outra qualidade do Pleroma. Caímos dentro do próprio Pleroma e renunciamos a ser criatura. Sucumbimos à dissolução no nada. Isto é a morte da criatura. Portanto, morremos na medida em que não distinguirmos. Por isso o empenho natural da criatura dirige-se à distinção, luta contra a igualdade primordial, perigosa. Isto se chama *principium individuationis*[85]. Este princípio é a essência da criatura. Nisso podeis ver por que a indistinção e o não diferenciar são um grande perigo para a criatura.

"Por isso precisamos distinguir as qualidades do Pleroma. As qualidades são os pares de opostos como

"o operante e o inoperante,
o cheio e o vazio,
o vivo e o morto,
o diferente e o igual,
o claro e o escuro,
o quente e o frio,
a força e a matéria,
o bem e o mal,
o belo e o feio,
o uno e o múltiplo, etc.

"Os pares de opostos são as qualidades do Pleroma que não existem, porque se anulam. Já que nós mesmos

---

82 Pleroma, ou plenitude, é um termo tirado do gnosticismo. Desempenhou um papel central no sistema valentiniano. Hans Jonas observa que "Pleroma é o termo corrente para designar a multiplicidade plenamente explicada das características divinas, cujo número padrão é trinta, formando uma hierarquia e constituindo, juntas, o domínio divino" (*The Gnostic Religion*: The Message of the Alien God and the Beginnings of Christianity. Londres: Routledge, 1992, p. 180). Em 1929, Jung disse: "Os gnósticos [...] expressaram isto como Pleroma, um estado de plenitude no qual os pares de opostos, sim e não, dia e noite, estão unidos; depois, quando eles 'vêm a ser', é ou dia ou noite. No estado de 'promessa' antes de virem a ser, eles são não existentes, não há nem branco nem preto, nem bom nem mau" (McGUIRE, W. (org.). *Dream Analysis*: Notes of the Seminar given in 1928-1930. Princeton/Londres: Princeton University Press/Routledge, 1984, p. 131 [Bollingen Series]. Em seus escritos posteriores, Jung usou o termo para designar um estado de preexistência e potencialidade, identificando-o com o bardo tibetano: "Por isso ele deve acostumar-se com a ideia de que o tempo é um conceito relativo que, a rigor, deveria ser completado pela noção da existência 'simultânea' de bardo ou pleromática de todos os processos históricos. Aquilo que existiu como 'processo' eterno no Pleroma surge, no tempo, como sequência aperiódica, ou seja, numa repetição muitas vezes irregular" [*Resposta a Jó* (1952). OC, 11/4, § 629. Cf. tb. § 620, 624, 675, 686, 727, 733, 748]. A distinção que Jung estabelece entre o Pleroma e a criação tem alguns pontos de contato com a diferenciação feita por Mestre Eckhart entre a divindade e Deus. Jung teceu comentários sobre isto em *Tipos psicológicos* (OC, 6, § 429s.). A relação entre o Pleroma de Jung e Eckhart é discutida por Maillard. Op. cit., p. 118-120. Em 1954 Jung equiparou o Pleroma à noção do "unus mundus" [o mundo uno] do alquimista Gerard Dorn (*Mysterium coniunctionis*. OC, 14/2, § 325). Jung adotou esta expressão para designar o postulado transcendental da unidade subjacente à multiplicidade do mundo empírico (ibid., § 413s.).

83 Em *Tipos Psicológicos* (1921), Jung descreveu o "Tao" como "o ser criador, que fecunda como o pai e dá à luz como a mãe. É o princípio e o fim de todos os seres" (OC, 6, § 412). A relação do Pleroma de Jung com o Tao chinês é analisada por Maillard, op. cit., p. 75. Cf. também, PECK, J. *The Visio Dorothei*: Desert Context, Imperial Setting, Later Alignments, p. 179-180.

84 Lit. *Unterschiedenheit*. Cf. *Tipos psicológicos* (1921). OC, 6, § 778, "Diferenciação" (Differenzierung).

85 O *principium individuationis* é uma noção tomada da filosofia de Arthur Schopenhauer. Este definiu o espaço e o tempo como o *principium individuationis*, observando que havia tomado a expressão da escolástica. O *principium individuationis* era a possibilidade da multiplicidade (*The World as Will and Representation* [1819]. 2 vols. Nova York: Dover, p. 145-146 [trad. de E.J. Payne]). O termo foi usado por Eduard von Hartmann, que viu sua origem no inconsciente. Designava a "Einzigkeit" [unicidade] de cada indivíduo contraposta ao "All-Einiges Unbewusste [inconsciente único]" (*Philosophie des Unbewussten*: Versuch einer Weltanschauung. Berlim: C. Dunker, 1869, p. 519). Em 1912, Jung escreveu: "A diversidade nasce através da individuação. Este fato dá uma profunda justificação psicológica a boa parte da filosofia de Schopenhauer e de Hartmann" (*Transformações e símbolos da libido*. OC, B, 289). Numa série de ensaios e apresentações posteriores em 1916, Jung desenvolveu seu conceito de individuação ("A estrutura do inconsciente". OC, 7: "Individuação e coletividade". OC, 18/2). Em 1921, Jung definiu-a da seguinte maneira: "O conceito de individuação desempenha papel não pequeno em nossa psicologia. A individuação, em geral, é o processo de formação e particularização do ser individual e, em especial, é o desenvolvimento do indivíduo psicológico como ser distinto do conjunto, da psicologia coletiva. É portanto um processo de diferenciação que objetiva o desenvolvimento da personalidade individual" (*Tipos psicológicos*. OC, 6, § 853).

somos o Pleroma, temos também em nós todas essas qualidades; já que o fundamento de nossa natureza é a distinção, temos as qualidades em nome e em sinal da distinção, isto significa:

"Primeiro: as qualidades estão em nós distintas entre si e separadas, por isso não se anulam, mas são operantes. Por isso somos a vítima dos pares de opostos. Em nós o Pleroma está desunido.

"Segundo: as qualidades pertencem ao Pleroma e nós só podemos possuí-las ou vivê-las em nome e em sinal da distinção. Mas devemos distinguir-nos das qualidades. No Pleroma elas se anulam, em nós não. A diferenciação delas liberta.

"Quando lutamos pelo bem e pelo belo, esquecemos nossa natureza, a distinção existe e nós sucumbimos às qualidades do Pleroma como aquelas que formam os pares de opostos. Nós nos esforçamos para alcançar o bom e o belo, mas abrangemos ao mesmo tempo o mau e o feio, pois eles são um no Pleroma com o bem e o belo. Mas quando ficamos fiéis à nossa natureza, ou seja, à distinção, então nos diferenciamos do bom e do belo e, por isso, também do mau e do feio, e não caímos no Pleroma, ou seja, no nada e na dissolução[86].

"Vós objetais: tu disseste que o diferente e o idêntico são também qualidades do Pleroma. O que acontece quando lutamos pela diferenciação? Somos então fiéis à nossa natureza? E devemos sucumbir então também à igualdade, quando lutamos pela diferenciação?

"Não deveis esquecer que o Pleroma não possui qualidades. Nós as criamos através do pensar. Se, portanto, lutardes pela diferenciação, igualdade ou outras propriedades quaisquer, lutais por pensamentos que vos provêm do Pleroma, ou seja, pensamentos sobre as qualidades não existentes do Pleroma. Ao correr atrás desses pensamentos, caís novamente no Pleroma e chegais à diferenciação e à igualdade ao mesmo tempo. Não vosso pensamento, mas vossa natureza é distinção. Por isso não deveis lutar pela diferenciação como vós a pensais, mas por *vossa natureza*. Por isso só existe basicamente uma luta, isto é, a luta pela própria natureza. Se tivésseis esta luta, não precisaríeis saber nada sobre o Pleroma e suas qualidades e chegaríeis ao objetivo certo graças à vossa natureza. Mas como o pensar se afasta da natureza, tenho de ensinar-vos o conhecimento com o qual podeis refrear vosso pensar".

[87]Os mortos desapareceram murmurando e reclamando, e sua gritaria ecoou na distância.

[88]Mas eu me voltei para ΦΙΛΗΜΩΝ e disse: "Meu pai, deste um ensinamento maravilhoso. Os antigos não aprenderam coisa semelhante? E não foi uma heresia condenável, igualmente longe do amor e da verdade? Por que ensinas semelhante doutrina a este bando que o vento da noite arrebatou dos campos escuros de sangue do Ocidente?"

"Meu filho", respondeu ΦΙΛΗΜΩΝ, "esses mortos terminaram sua vida cedo demais. São aqueles que procuravam e por isso ainda pairam sobre suas sepulturas. Sua vida ficou incompleta, pois não conheciam o caminho para além daquilo que a fé lhes destinou. Mas como ninguém os instruía, devo eu fazê-lo. Isto é o mandamento do amor, pois queriam ouvir, ainda que murmurem. Mas por que lhes ensino a doutrina dos antigos? Ensino-lhes dessa forma porque sua fé cristã renegou e perseguiu certa vez precisamente essa doutrina. Mas eles mesmos renegaram a fé cristã e por isso tornaram-se aqueles que a fé cristã também renegou. Isto eles não sabem, e por isso devo ensinar-lhes, para que sua vida se complete e eles possam entrar na morte".

"Mas, sábio ΦΙΛΗΜΩΝ, acreditas no que ensinas?"

"Meu filho", respondeu ΦΙΛΗΜΩΝ, "por que fazes esta pergunta? Como poderia eu ensinar aquilo em que acredito? Quem me daria o direito de ter semelhante fé? Trata-se do que sei dizer, não porque o creio, mas porque o sei. Se soubesse coisa melhor, ensinaria coisa melhor. Mas devo ensinar uma fé àqueles que renegaram a fé? E eu te pergunto: é bom acreditar em coisa melhor quando não se sabe coisa melhor?"[89]

Respondi: "Mas tens certeza de que as coisas se comportam exatamente assim como dizes?"

A isto ΦΙΛΗΜΩΝ respondeu: "Não sei se é melhor o que nós conseguimos saber. Mas eu não sei coisa melhor e por isso estou certo de que essas coisas se comportam assim como eu digo. Se elas se comportassem de outra maneira, eu diria outra coisa, pois eu as conheceria de outro modo. Mas essas coisas se comportam assim como eu as conheço, pois meu conhecimento é precisamente estas próprias coisas".

"Meu pai, estás absolutamente certo de que não erras?"

"Não há erro nessas coisas", respondeu ΦΙΛΗΜΩΝ, "há apenas diferentes graus de conhecimento. As coisas são assim como as conheces. Só em teu mundo as coisas são sempre diferentes de como as conheces, por isso só existem erros em teu mundo".

Após estas palavras, ΦΙΛΗΜΩΝ inclinou-se, tocou a terra com a mão e desapareceu.

{7} Na noite seguinte estava ΦΙΛΗΜΩΝ comigo e os mortos se aproximaram; ficaram ao longo das paredes e gritaram[90]: "Queremos saber sobre Deus. Onde está Deus? Deus está morto?"[91]

Mas ΦΙΛΗΜΩΝ falou (e esta é a segunda instrução dos mortos):

"Deus não está morto, está vivo como sempre. Deus é criatura, pois é algo determinado e por isso distinto do Pleroma. Deus é qualidade do Pleroma e tudo o que eu disse da criatura vale também para ele.

"Mas ele se distingue da criatura pelo fato de ser bem mais indistinto e indeterminável do que a criatura. É menos diferenciado do que a criatura, pois o fundamento de sua natureza é a plenitude operante, e só na medida em que é determinado e diferenciado é ele criatura e, nesta medida, é a explicação da plenitude atuante do Pleroma.

"Tudo o que não distinguimos cai no Pleroma e se anula com seu oposto. Por isso quando não diferenciamos Deus, a plenitude atuante fica anulada para nós.

"Deus é também o próprio Pleroma, assim como qualquer outro minúsculo ponto no criado e no incriado é o próprio Pleroma.

86 A noção de vida e de natureza sendo constituída por opostos e polaridades ocupou um lugar central na *Naturphilosophie* de Schelling. A noção de que o conflito psíquico assumia a forma de um conflito de opostos e a cura representava a solução dos mesmos ocupou um lugar eminente na obra posterior de Jung (cf. *Tipos psicológicos*. OC, 6, cap. V [1921]. • *Mysterium coniunctionis* [1955/1956]. OC, 14).

87 Os parágrafos seguintes até o fim desta seção não ocorrem no *Livro Negro 6*.

88 Na versão publicada dos *Sermones*, estes comentários que seguem cada sermão não aparecem, nem aparece Filêmon: tem-se suposto que a pessoa que profere os sermões seja Basílides. Estes comentários foram acrescentados em *Aprofundamentos*.

89 Em sua entrevista à TV BBC de 1919, John Freeman perguntou a Jung: "Você agora acredita em Deus?" Jung respondeu: "Agora? [Pausa.] Difícil de responder. Eu *sei*. Eu não preciso acreditar. Eu sei". McGUIRE, W. & HULL, R.F.C. C.G. *Jung Speaking*: Interviews and Encounters. Princeton: Princeton University, 1977, p. 428 [Bollingen Series]. A afirmação de Filêmon aqui parece constituir o pano de fundo para esta muito citada e discutida afirmação. Esta ênfase na experiência direta está também de acordo com o gnosticismo clássico.

90 13 de janeiro de 1916. Esta frase não está no *Livro Negro 6*.

91 Para a discussão de Nietzsche sobre a morte de Deus, cf. *A gaia ciência* (1882, § 108 e 125) e *Assim falava Zaratustra* (Quarta parte: "Em disponibilidade", p. 325ss.). Para a discussão de Jung sobre isso, cf. "Psicologia e religião" (1938), § 142s. Jung comentou: "Ao dizer 'Deus está morto', Nietzsche enunciou uma verdade válida para a maior parte da Europa" (ibid., § 145). A esta afirmação de Nietzsche, Jung observou: "Mas seria mais correto dizer: 'Ele tirou nossa imagem e onde vamos encontrá-la de novo'?" (ibid.). Passa então a discutir o motivo da morte e desaparecimento de Deus em conexão com a crucifixão e ressurreição de Cristo.

"O vazio operante é a natureza do demônio. Deus e demônio não são as primeiras manifestações do nada, que chamamos de Pleroma. É indiferente se o Pleroma existe ou não existe, pois ele mesmo se anula em tudo. Não é assim com a criatura. Na medida em que Deus e demônio são criaturas, não se anulam, mas permanecem um contra o outro como opostos operantes. Não precisamos de nenhuma prova de sua existência, basta que tenhamos de falar deles constantemente. Mesmo que os dois não existissem, a criatura, por causa de sua natureza da distinção, sempre os distinguiria a partir do Pleroma.

"Tudo o que a distinção tira do Pleroma é par de opostos, por isso sempre pertence a Deus também o demônio[92].

"Esta pertença é tão íntima e, como o experimentastes, tão indissolúvel em vossa vida como o próprio Pleroma. Isto vem do fato de ambos estarem bem próximos do Pleroma, no qual se anulam todos os opostos e se tornam um.

"Deus e o demônio se distinguem pelo cheio e vazio, geração e destruição. O *operante* lhes é comum. O operante os une. Por isso o operante está acima dos dois e é um Deus acima de Deus, pois une a plenitude e o vazio em sua atuação.

"Este é um Deus que não conhecíeis, pois os homens o esqueceram. Nós o chamamos com o seu nome *ABRAXAS*[93]. Ele é ainda mais indeterminado do que Deus e o demônio.

"Para distinguir Deus dele, chamamos Deus de *HELIOS* ou Sol[94]. Abraxas é atuação, nada se lhe opõe a não ser o irreal; por isso sua natureza atuante se desenvolve livremente. O irreal não existe e não faz resistência. Abraxas está acima do sol e acima do demônio. Ele é o provável improvável, o irrealmente atuante. Se o Pleroma tivesse uma natureza, Abraxas seria sua manifestação.

"Ele é a própria atuação, mas nenhuma atuação determinada, mas atuação em geral.

"Ele é irrealmente atuante, porque não tem nenhuma atuação determinada.

"Ele é também criatura, uma vez que é distinto do Pleroma.

"O sol tem uma atuação determinada, bem como o demônio, por isso nos parecem bem mais atuantes do que o indeterminado Abraxas.

"Ele é força, duração, mudança".

[95]Aqui os mortos levantaram grande tumulto, pois eram cristãos.

Mas como ΦΙΛΗΜΩΝ tivesse acabado seu discurso, os mortos voltaram também um após outro para a escuridão, e o barulho de sua revolta foi sumindo aos poucos ao longe. Como tudo estivesse quieto agora, dirigi-me a ΦΙΛΗΜΩΝ e exclamei:

"Tem piedade de nós, ó mais sábio! Tu tiras das pessoas os deuses aos quais elas podiam rezar. Tiras do mendigo a esmola, do faminto o pão, do friorento o fogo".

ΦΙΛΗΜΩΝ respondeu e disse: "Meu filho, esses mortos tiveram de rejeitar a fé dos cristãos e por isso não adoravam mais a nenhum Deus. Devo então ensinar-lhes um Deus no qual possam crer e ao qual possam rezar? Eles já repudiaram isso. Por que o repudiaram? Tiveram de repudiá-lo porque não podiam fazer outra coisa. E por que não conseguiram fazer outra coisa? Porque o mundo, sem que as pessoas o soubessem, entrou naquele mês do grande ano em que só se pode acreditar naquilo que se conhece[96]. Isto é bastante duro, mas um remédio para a longa doença que resultou do fato de se acreditar no que não se sabia. Eu lhes ensino o Deus que conheço e que eles conhecem, sem dele estar conscientes, um Deus em que não acreditam e ao qual não rezam, mas que eles conhecem. Este Deus eu ensino aos mortos, pois eles solicitaram entrada e ensinamento. Mas não o ensinei às pessoas vivas, pois não solicitaram meu ensinamento. Por que haveria então de ensinar-lhes? Por isso também não tirei delas nenhum ouvinte bondoso de orações, nenhum pai do céu. O que importa aos vivos a minha loucura? Os mortos precisam da redenção, pois muitos deles esperam pairando sobre suas sepulturas e desejam o conhecimento que a fé e a rejeição da fé sufocaram. Mas quem ficou doente e se aproxima da morte, este quer o conhecimento e apresenta o pedido".

Respondi: "Parece-me que ensinaste às massas um Deus assustador e terrível, ao qual não importam o bem e o mal, o sofrimento e a alegria das pessoas".

"Meu filho", disse ΦΙΛΗΜΩΝ, "não viste que esses mortos tiveram um Deus de amor e o rejeitaram? Devo eu ensinar-lhes um Deus de amor? Eles tiveram de rejeitá-lo após terem rejeitado há muito o Deus do mal, que chamam de demônio. Por isso precisam conhecer um Deus para o qual todo o criado não é nada, porque ele mesmo é o criador e todo criado e também a destruição de todo o criado. Eles não rejeitaram um Deus que é um pai, um amante, bondoso e belo? Um Deus ao qual atribuíram determinadas qualidades e um determinado ser? Por isso preciso ensinar-lhes um Deus ao qual nada pode ser atribuído, que tem todas as qualidades e, com isso, nenhuma, porque eu e eles só podemos conhecer um Deus assim".

"Mas como, ó meu pai, podem as pessoas entrar em acordo com um Deus assim? O conhecimento de tal Deus não é o rompimento do vínculo humano e de toda comunidade que se baseia no bem e no belo?"

ΦΙΛΗΜΩΝ respondeu: "Esses mortos rejeitaram o Deus do amor, do bem e do belo, eles tiveram de rejeitá-lo e assim rejeitaram a união e comunidade no amor, no bom e no belo. E assim mataram-se mutuamente e dissolveram a comunidade das pessoas. Devo eu ensinar-lhes o Deus que os uniu no amor e que eles rejeitaram? Por isso ensino-lhes o Deus que dissolve a união, que despedaça todo o humano, que cria poderosamente e destrói com força. A quem o amor não une, a este força o medo".

Tendo ΦΙΛΗΜΩΝ dito estas palavras, curvou-se rapidamente para o chão, tocou-o com a mão e desapareceu.

{8} Na noite seguinte[97] aproximaram-se novamente os mortos como névoa dos pântanos e gritaram:

"Fala-nos mais a respeito do Deus supremo".

92 Cf. "Interpretação psicológica do Dogma da Trindade" (1940). OC, 11/2, § 284s.

93 Em 1932, Jung comentou sobre Abraxas: "O símbolo gnóstico Abraxas, um nome inventado que significa trezentos e sessenta e cinco [...], os gnósticos o usavam como nome de sua divindade suprema. Era um deus do tempo. A filosofia de Bergson, a *durée créatrice*, é uma expressão da mesma ideia". Jung descreveu-o de uma maneira que ecoa sua descrição aqui: "Assim como este mundo arquetípico do inconsciente coletivo é extremamente paradoxal, sempre sim e não, essa figura de Abraxas significa o início e o fim, ela é vida e morte, e por isso é representada por uma figura monstruosa. Ela é um monstro porque é a vida da vegetação no decurso de um ano, a primavera e o outono, o verão e o inverno, o sim e não da natureza. Por isso Abraxas é realmente idêntico ao Demiurgo, o criador do mundo. E como tal é certamente idêntico ao Purusha ou a Shiva" (16 de novembro. *Visions Seminar*. Vol. 2, p. 806-807). Jung acrescentou que "Abraxas é geralmente representado com a cabeça de um pássaro, o corpo de um homem e a cauda de uma serpente, mas existe também o símbolo da cabeça de leão com corpo de dragão, a cabeça coroada com os doze raios, numa alusão ao número dos meses" (ibid. 7 de junho de 1933, p. 1.041-1.042). De acordo com Santo Ireneu, Basílides afirmava que "o monarca deles chama-se Abrasaks e é por isso que este (monarca) traz em si o número 365" (LAYTON (org.). *The Gnostic Scriptures*, p. 425). Abraxas ocupou um lugar proeminente na obra de DIETERICH, A. *Abraxas* – Studien zur Religionsgeschichte des späten Altertums. Leipzig, 1891. Jung estudou esta obra com atenção no início de 1913 e seu exemplar contém anotações. Jung possuía também um exemplar de *The Gnostics and their Remains* de Charles King (Londres: Bell and Daldy, 1864) e encontram-se anotações marginais ao lado desta passagem à p. 37, discutindo a etimologia de Abraxas.

94 Na mitologia grega, Helios é o Deus Sol. Jung analisou as mitologias solares em *Transformações e símbolos da libido* (1912. OC, B, § 177ss.) e também em sua palestra conclusiva inédita sobre Opicinus de Canistris, na conferência de Eranos em Ascona em 1943 (JA).

95 Os parágrafos seguintes até o fim desta seção não ocorrem no *Livro Negro* 6.

96 A referência é aos meses platônicos. Cf. nota 273, p. 315.

97 1º de fevereiro de 1916.

E ΦΙΛΗΜΩΝ aproximou-se, ficou de pé e disse (e esta é a terceira instrução dos mortos)[98]:

"Abraxas é um Deus difícil de se conhecer. Seu poder é o maior, pois o ser humano não o vê. Do sol tira o *summum bonum*[99]; do demônio tira o *infimum malum*, mas de Abraxas, a *VIDA* indeterminada sob todos os aspectos, que é a mãe do bem e do mal[100].

A vida parece ser menor e mais fraca do que o *summum bonum*, razão por que é difícil também pensar que Abraxas supere até mesmo o sol em poder, que é a fonte radiosa de toda força vital.

"Abraxas é o sol e ao mesmo tempo a garganta eternamente sugadora do vazio, do diminuidor, do fragmentado, do demônio.

O poder de Abraxas é duplo. Mas vós não o vedes, pois aos vossos olhos levanta-se o voltar-se um contra o outro desse poder.

"O que o Deus-Sol fala é vida, o que o demônio fala é morte.

"Mas Abraxas fala a palavra digna de veneração e maldita, a vida e a morte ao mesmo tempo.

"Abraxas gera verdade e mentira, o mal e o bem, luz e trevas na mesma palavra e no mesmo ato. Por isso ele é terrível.

"É magnífico como o leão no momento em que abate sua vítima. É belo como um dia primaveril.

"Sim, ele é o próprio grande Pã e o pequeno.

"Ele é Príapo.

"Ele é o monstro do submundo, um pólipo com mil braços, enrodilhamento de cobra, fúria.

"Ele é o hermafrodita dos tempos imemoriais.

"Ele é o senhor dos sapos e rãs que moram na água e sobem à terra, que cantam em coro ao meio-dia e à meia-noite.

"Ele é o cheio que se une ao vazio.

"Ele é o coito sagrado.

"Ele é o amor e seu assassino.

"Ele é o santo e seu traidor.

"Ele é a luz mais brilhante do dia e a noite mais profunda da loucura.

"Olhar para ele significa cegueira.

"Conhecê-lo significa doença.

"Adorá-lo significa morte.

"Temê-lo significa sabedoria.

"Não se opor a ele significa redenção.

"Deus mora atrás do sol, o demônio mora atrás da noite. O que Deus traz à luz, o demônio o puxa para dentro da noite. Mas Abraxas é o mundo, seu próprio tornar-se e cessar. Para cada dom do Deus-Sol, o demônio coloca uma maldição.

"Tudo o que pedis do Deus-Sol gera um ato do demônio. Tudo o que criais com o Deus-Sol dá ao demônio a força da ação.

"Este é o terrível Abraxas.

"Ele é a criatura mais forte e nele se assusta a criatura de si mesma.

"Ele é a manifesta contradição da criatura contra o Pleroma e seu nada.

"Ele é o pavor do filho diante da mãe.

"Ele é o amor da mãe pelo filho.

"Ele é o encanto da terra e a atrocidade do céu.

"O ser humano fica imóvel em sua presença.

"Diante dele não há pergunta nem resposta.

"Ele é o ato de amor da criatura.

"Ele é a manifestação da diferenciação.

"Ele é o amor do ser humano.

"Ele é a linguagem do ser humano.

"Ele é o brilho e a sombra do ser humano.

"Ele é a realidade ilusória"[101].

[102]Aqui uivaram e se enfureceram os mortos, pois eles eram imperfeitos.

Mas quando sua gritaria cessou, eu disse a ΦΙΛΗΜΩΝ: "Meu pai, como devo entender esse Deus?"

ΦΙΛΗΜΩΝ respondeu dizendo:

"Meu filho, por que queres entender? Este Deus é para ser conhecido, não para ser entendido. Quando o entenderes, então podes dizer que ele é isto ou aquilo, ou não isto e não aquilo. Assim o seguras no côncavo da mão e por isso tua mão tem de rejeitá-lo. O Deus que eu conheço é isto e aquilo, mas também este outro e aquele outro. Por isso ninguém pode entender este Deus, e sim conhecê-lo, e é por isso que falo dele e o ensino".

"Mas", respondi, "este Deus não traz confusão desesperadora à mente das pessoas?"

ΦΙΛΗΜΩΝ falou: "Esses mortos rejeitaram a ordem da unidade e da comunidade, pois rejeitaram a fé no pai do céu que julga com medida justa. Eles tiveram de rejeitá-lo. Por isso ensino-lhes o caos que não tem substância e é totalmente sem limites, mas que tem afinidade com a justiça e injustiça, mansidão e dureza, paciência e raiva, amor e ódio. Pois como posso ensinar diferentemente do que o Deus que eu conheço e que eles conhecem, sem ter consciência dele?"

Perguntei: "Por que, ó sublime, chamas de Deus o eternamente incompreensível, o terrível contraditório da natureza?"

ΦΙΛΗΜΩΝ respondeu: "Que outro nome lhe daria? Se fosse lei a natureza superior do que acontece no todo e no coração das pessoas, eu o chamaria sem dúvida de lei. Mas isto também não é nenhuma lei e sim acaso, anomalia, pecado, erro, tolice, negligência, loucura, ilegalidade. Por isso não posso chamá-lo de lei. Vós sabeis que isto deve ser assim e sabeis ao mesmo tempo que não devia ser assim e numa outra vez também não é assim. Isto é superpoderoso

98 Esta frase não está no *Livro Negro* 6.

99 Aristóteles definiu a felicidade como o bem supremo (*Summum Bonum*). Em sua *Summa Theologica*, Tomás de Aquino identificou-a com Deus. Jung considerava a doutrina do *Summum Bonum* a fonte do conceito da *privatio boni*, que, em sua opinião, havia levado à negação da realidade do mal. Cf. *Aíon* (1951) (OC, 9/2, § 80, 94). Por isso ela é contrabalançada aqui com o *Infimum Malum*.

100 No *Livro Negro* 6 (cf. Apêndice C), Jung observa que Abraxas é o Deus das rãs e que "o Deus das rãs ou dos sapos, o anencéfalo, é a fusão do Deus cristão com satanás" (cf. abaixo, p. 367). Em seus escritos posteriores, Jung sustentou que a imagem do Deus cristão era unilateral por deixar fora o fator do mal. Estudando as transformações históricas das imagens de Deus, ele tentou corrigir isto (especialmente *Aíon* e *Resposta a Jó*). Em sua nota sobre como *Resposta a Jó* foi escrito, Jung escreveu que em *Aíon* ele havia "criticado a ideia da *privatio boni*, [...] pois essa ideia não se coaduna com os conhecimentos psicológicos. A experiência psicológica mostra-nos que aquilo que chamamos de 'bem' se contrapõe a um 'mal' igualmente substancial. Se o 'mal' não existe, então tudo o que existe seria forçosamente 'bom'. Segundo o dogma, nem o 'bem' nem o 'mal' têm sua origem no homem, pois 'o maligno' existiu antes do homem, como um dos 'filhos de Deus'. A ideia da *privatio boni* só começou a desempenhar um certo papel na Igreja depois do aparecimento de Manes. Antes do maniqueísmo, Clemente de Roma ensinava que Deus governava o mundo com uma mão direita e com uma mão esquerda; pela mão direita ele entendia Cristo e pela mão esquerda, satanás. A concepção de Clemente é evidentemente *monoteísta*, pois une os contrários em um só Deus. Mais tarde, porém, o cristianismo se torna dualista, na medida em que a parte dos opostos personificada em satanás é separada [...]. Se o cristianismo reivindica para si a condição de religião monoteísta, a hipótese dos opostos presentes em Deus se faz necessária" (1956. OC, 11/4, p. 474-475).

101 Em 1942, Jung observou: "O conceito de um Deus que tudo abarca tem de incluir necessariamente o seu oposto. A coincidência, no entanto, não pode ser muito radical, porque então Deus se anularia. A ideia da coincidência dos opostos tem que ser completada ainda por seu contrário, a fim de alcançar o pleno paradoxo e, consequentemente, a validade psicológica" ("O espírito Mercurius". OC, 13, § 256).

102 Os parágrafos seguintes até o fim desta seção não ocorrem no *Livro Negro* 6.

e acontece como uma lei eterna e, numa outra vez, um vento atravessado sopra uma poeirinha na engrenagem e este nada é um superpoder, mais pesado do que uma montanha de ferro. Por isso sabeis que a lei eterna também não é nenhuma lei. Portanto não posso chamá-la de lei. Mas como denominá-la de outra forma? Eu sei que a linguagem humana nunca chamou de outro modo o ventre materno da incompreensão senão de Deus. Na verdade, este Deus é e não é, pois do ser e do não ser procede tudo que foi, que é e que será". Depois que ΦΙΛΗΜΩΝ disse a última palavra, tocou com a mão a terra e se dissolveu.

{9} Na noite seguinte os mortos acorreram cedo, encheram com resmungos o recinto e disseram:

"Fala-nos de deuses e demônios, maldito".

ΦΙΛΗΜΩΝ apareceu, ficou de pé e falou (e esta é a quarta instrução dos mortos)[103]:

"O Deus-Sol é o bem supremo; o demônio, o oposto. Assim tendes dois deuses. Mas há muitas coisas supremas e boas e muitos males enormes. Entre estes há dois deuses-demônios, um é o *Ardente*, o outro é o *Crescente*.

"O ardente é *EROS* na forma de chama. A chama dá luz porque se consome[104].

"O crescente é a *ÁRVORE DA VIDA*. Germina e, o crescer, se acumula de coisas vivas[105].

"Eros se inflama e morre. Mas a árvore da vida cresce lenta e constantemente, por tempo incomensurável.

"O bem e o mal estão unidos na chama.

"O bem e o mal estão unidos no crescimento da árvore, em suas divindades, vida e amor se opõem.

"Incontável como a multidão das estrelas é o número de deuses e demônios.

"Cada estrela é um Deus e cada espaço que uma estrela ocupa é um demônio. Mas o vazio do todo é o Pleroma.

"A manifestação do todo é Abraxas, só o irreal se opõe a ele.

"Quatro é o número dos deuses principais, pois quatro é o número das medidas do mundo.

"Um é o começo, o Deus-Sol.

"Dois é o Eros, pois ele une dois e se expande em luz.

"Três é a árvore da vida, pois ela enche o espaço de formas corpóreas.

"Quatro é o demônio, pois ele abre todo o trancado; desfaz todo o formado e corporal; ele é o destruidor que tudo reduz ao nada.

"Feliz de mim, a quem foi dado conhecer a multiplicidade e diversidade dos deuses. Ai de vós que substituís esta incompatível multiplicidade pelo Deus único. Assim criais o tormento da não compreensão e a mutilação da criatura, cuja natureza e meta é a diferenciação. Como podeis ser fiéis à vossa natureza se quereis fazer do múltiplo um só? O que vós fazeis com os deuses também acontece a vós. Vós todos sereis tornados iguais e assim fica mutilada vossa natureza[106].

"A igualdade prevalece por causa do ser humano e não por causa de Deus, pois os deuses são muitos, ao passo que poucos são os seres humanos. Os deuses são poderosos e suportam sua diversidade, pois como as estrelas estão na solidão e numa distância colossal uns dos outros. Os seres humanos são fracos e não suportam sua diversidade, pois moram próximos uns dos outros e necessitam da comunidade para poderem suportar sua singularidade[107]. Por amor à redenção, ensino-vos o que é rejeitado e, por causa dele, fui rejeitado.

"A multiplicidade dos deuses corresponde à multiplicidade dos seres humanos.

"Inúmeros deuses aguardam a condição humana.

Inúmeros deuses já foram seres humanos. O ser humano partilha da natureza dos deuses. Ele vem dos deuses e vai para Deus.

"Assim como não adianta refletir sobre o Pleroma, não adianta venerar a multiplicidade dos deuses. E menos ainda venerar o primeiro Deus, a plenitude operante e o *summum bonum*. Através de nossa oração, não conseguimos acrescentar nada a isso, nem dele tirar, pois o vazio operante engole tudo[108]. Os deuses brilhantes formam o mundo celeste, que é múltiplo e infinitamente disperso e crescente. Seu senhor supremo é o Deus-Sol.

"Os deuses escuros formam o mundo terrestre. São simples e infinitamente decrescentes e minguantes. Seu senhor mais ínfimo é o demônio, o espírito lunar, satélite da terra, menor, mais frio e mais morto do que a terra.

"Não há diferença entre o poder dos deuses celestes e terrestres. Os celestes aumentam de tamanho, os terrestres diminuem. Incomensurável é a orientação de ambos".

[109]Aqui os mortos interromperam a fala de ΦΙΛΗΜΩΝ com risadas furiosas e gritos sarcásticos e, ao se afastarem aos poucos, sua discórdia, zombaria e risadas sumiram na distância. Voltei-me para ΦΙΛΗΜΩΝ e disse:

"Ó ΦΙΛΗΜΩΝ, tenho a impressão de que te enganas. Parece-me que ensinas uma crua superstição, que os nossos pais superaram de modo feliz e glorioso, aquela multiplicidade de deuses que só um espírito que não consegue libertar seu olhar das amarras dos apetites presos às coisas sensuais pode produzir".

"Meu filho", respondeu ΦΙΛΗΜΩΝ, "esses mortos rejeitaram o único Deus altíssimo. Como posso ensinar-lhes o único e não múltiplo Deus? Eles deveriam acreditar em mim. Mas rejeitaram a fé. Portanto, ensino-lhes o Deus que eu conheço, o múltiplo, o expandido, que é o objeto e ao mesmo tempo o seu reflexo, e eles também o conhecem, mesmo que dele não tenham consciência.

103 3 de fevereiro de 1916. Esta frase não está no *Livro Negro* 6.

104 Em 1917, Jung escreveu um capítulo sobre "A teoria sexual" em *A psicologia dos processos inconscientes*, que apresentou uma crítica da compreensão psicanalítica do erótico. Em sua revisão deste capítulo em 1928, reintitulado "A Teoria do Eros", acrescentou: "O erotismo [...], por um lado, pertence à natureza primitiva e animal do homem. [...] Por outro lado, está ligado às mais altas formas do espírito. Só floresce quando espírito e instinto estão em perfeita harmonia. [...] 'Eros é um grande demônio', declara a sábia Diotima a Sócrates. [...] Eros não é a totalidade da natureza em nós, mas é pelo menos um dos seus aspectos mais importantes" (OC, 7, § 32-33). No *Banquete*, Diotima instrui Sócrates sobre a natureza de Eros. Ela lhe diz: "'Ele é um grande espírito, Sócrates. Todas as coisas classificadas como espírito situam-se entre deus e ser humano'. 'Que função eles têm?', perguntei. 'Eles interpretam e levam mensagens dos humanos aos deuses e dos deuses aos humanos. Eles transportam preces e sacrifícios da parte dos humanos e, da parte dos deuses, ordens e dons em retribuição pelos sacrifícios. Sendo intermediários entre os outros dois, os espíritos preenchem a lacuna entre eles e possibilitam ao mundo formar um todo interconectado. Servem de intermediários para toda adivinhação, para os conhecimentos sacerdotais no sacrifício, nos ritos e nas fórmulas mágicas, e para toda profecia e feitiçaria. Os deuses não fazem contato direto com os humanos; eles se comunicam e conversam com os humanos (seja na vigília ou no sono) totalmente por intermédio dos espíritos" (Londres: Penguin, 1999, 202e-203a [trad. de C. Gill]). Em *Memórias*, Jung refletiu sobre a natureza de Eros, descrevendo-o como "um *kosmogonos*, um criador e pai-mãe de toda consciência" (p. 406). Esta caracterização cosmogônica de Eros precisa ser distinta do uso que Jung faz do termo para caracterizar a consciência das mulheres. Cf. nota de rodapé n. 161, p. 246.

105 Em 1954, Jung escreveu um longo estudo sobre o arquétipo da árvore: "A árvore filosófica" (OC, 13).

106 O *Livro Negro* 6, continua: "Os mortos: 'Tu és um pagão, um politeísta'" (p. 30).

107 5 de fevereiro de 1916.

108 No *Livro Negro* 6, o hóspede escuro (cf. abaixo, p. 355) entra aqui.

109 Os parágrafos seguintes até o fim não constam no *Livro Negro* 6.

"Esses mortos deram nome a todos os seres, aos seres no ar, na terra e na água. Eles pesaram e contaram os objetos. Eles contaram tantos e tantos cavalos, vacas, ovelhas, árvores, terra plana, fontes; dizem que isto é bom para este objetivo e que aquilo é bom para aquele objetivo. O que fizeram com a árvore digna de veneração? O que aconteceu com a rã sagrada? Viram eles seus olhos dourados? Onde está a expiação pelas 7.777 reses cujo sangue derramaram, cuja carne devoraram? Fizeram penitência pelo metal sagrado que cavaram do ventre da terra? Não, eles deram nome, pesaram, contaram e repartiram todas as coisas. Fizeram disso o que quiseram. E o que fizeram! Tu viste aquilo que tem a força – mas exatamente assim deram às coisas poder e não o sabiam. Mas o tempo chegou em que as coisas falam. O pedaço de carne pergunta: quantas pessoas? O pedaço de metal pergunta: quantas pessoas? O navio pergunta: quantas pessoas? O carvão pergunta: quantas pessoas? A casa pergunta: quantas pessoas? E as coisas se levantam, contam, pesam, repartem e devoram milhões de pessoas.

"Vossa mão estendeu-se sobre a terra e tirou o sagrado brilho, pesou e contou os ossos das coisas. Não é o Deus uno, único e simples, o relegado, jogado num monturo, brilho conglomerado, a única coisa dos mortos e dos vivos? Sim, este Deus nos ensinou a contar e pesar ossos. Mas o mês desse Deus caminha para seu fim. Um novo mês está diante da porta. Por isso tudo teve de ser assim e por isso tudo precisa mudar.

"Não uma multiplicidade de deuses que eu tenha inventado! Mas vários deuses que erguem sua voz forte e rasgam a humanidade em pedaços sangrentos. Tantas pessoas pesadas, contadas, separadas, partidas e devoradas. Por isso falo de muitos deuses, assim como falo de muitas coisas, pois eu os conheço. Por que os chamo de deuses? Por causa de seu superpoder. Sabeis alguma coisa desse superpoder? Hoje é o tempo em que poderíeis conhecer algo a respeito.

"Os mortos riem de minha loucura. Mas teriam levantado a mão assassina contra seus irmãos, se tivessem feito expiação pela rês de olhos aveludados? Se tivessem feito penitência pelo metal reluzente? Se tivessem prestado homenagem à árvore sagrada?[110] Se tivessem reconciliado a alma da rã de olhos dourados? O que falam os mortos e as coisas vivas? Quem é maior, o ser humano ou os deuses? Realmente, este sol tornou-se uma lua e ainda não se formou um novo sol a partir das dores de parto da última hora da noite".

Terminadas estas palavras, ΦΙΛΗΜΩΝ curvou-se sobre a terra, beijou-a e disse: "Mãe, que teu filho seja forte". Ergueu-se a seguir, olhou para o céu e disse: "Como é escura tua sede da nova luz". Depois desapareceu.

{10} Na noite seguinte vieram os mortos com barulho e em aglomeração, zombaram e gritaram: "Ensina-nos, doido, a respeito da Igreja e da comunidade sagrada".

ΦΙΛΗΜΩΝ apresentou-se diante deles, ficou de pé e falou[111] (e esta é a quinta instrução dos mortos):

"O mundo dos deuses se manifesta na espiritualidade e na sexualidade. Os celestiais aparecem na espiritualidade, os terrenos na sexualidade[112].

"A espiritualidade concebe e acalenta. Ela é feminina e por isso a chamamos de *MATER COELESTIS*, a mãe celestial[113]. A sexualidade gera e cria. Ela é masculina e por isso a chamamos de *PHALLOS*[114], o pai terreno[115]. A sexualidade do homem é mais terrena, a da mulher é mais espiritual. A espiritualidade do homem é mais celeste, ela visa ao maior.

"A espiritualidade da mulher é mais terrena, visa ao menor.

"Mentirosa e demoníaca é a espiritualidade do homem, que visa ao menor.

"Mentirosa e demoníaca é a espiritualidade da mulher, que visa ao maior.

"Cada uma deve ir para o seu lugar.

"Homem e mulher tornam-se demônio um para o outro quando não separam seus caminhos espirituais, pois a natureza da criatura é a diferenciação.

"A sexualidade do homem vai para o terreno, a sexualidade da mulher vai para o espiritual. O homem e a mulher tornam-se demônio um para o outro quando não separam sua sexualidade.

"O homem conhecerá o menor, a mulher o maior.

"O ser humano deve distinguir-se da espiritualidade e da sexualidade. Que chame a espiritualidade de mãe e a coloque entre o céu e a terra. Que chame a sexualidade de Phallos e o coloque entre si mesmo e a terra, pois a mãe e o Phallos são demônios supra-humanos que revelam o mundo dos deuses. São mais eficientes para nós que os deuses porque têm maior afinidade com a nossa natureza[116]. Se não vos diferenciardes da sexualidade e da espiritualidade e não as considerardes como entidades acima de vós, sucumbireis a elas como qualidades do Pleroma. A espiritualidade e a sexualidade não são qualidades vossas, não são coisas que possuís e abrangeis, mas elas vos possuem e vos abrangem, pois são demônios poderosos, formas de manifestação dos deuses, e por isso coisas que vos ultrapassam e subsistentes em si. Ninguém tem uma espiritualidade para si ou uma sexualidade para si, mas está sob a lei da espiritualidade e da sexualidade. Por isso ninguém escapa desses demônios. Vós deveis considerá-los como demônios e como coisa e perigo comuns, como peso comum, que a vida vos impôs. E assim a vida também é para vós coisa e perigo comuns, como também os deuses e, em primeiro lugar, o terrível Abraxas.

"O ser humano é fraco, por isso é indispensável a comunidade; se a comunidade não estiver sob o signo da Mãe, estará no signo de Phallos. Nenhuma comunidade é sofrimento e doença. Comunidade é em cada um desmembramento e dissolução.

"A diferenciação leva à vida solitária. A vida solitária se opõe à comunidade. Mas por causa da fraqueza das pessoas em relação aos deuses e demônios e à sua lei insuperável, a comunidade é necessária. Por isso tende tanta comunidade quanto for preciso, não por causa das pessoas, mas por causa dos deuses. Os deuses vos obrigam à comunidade. O tanto que vos obrigam, o tanto de comunidade é preciso haver, mais do que isso vem do mal.

"Na comunidade cada um se subordina ao outro, para que a comunidade se mantenha, pois vós precisais dela.

"Na vida solitária cada um se sobrepõe ao outro, a fim de que cada qual se encontre e evite a escravidão.

110 Isto pode referir-se à chegada do cristianismo à Germânia, no século VIII, quando as árvores sagradas eram derrubadas.
111 A frase não está no *Livro Negro* 6.
112 No seminário de 1925, Jung disse: "A sexualidade e a espiritualidade são pares de opostos que precisam uma da outra" (*Analytical Psychology*, p. 29).
113 O *Fausto* de Goethe termina com uma visão da Mater Gloriosa. Em sua conferência, "Faust und die Alchemie", Jung falou o seguinte: "Por *Mater coelestis* não precisamos entender Maria ou a Igreja católica. Seria bem mais uma Afrodite urânia, como em Agostinho e Pico de Mirandola é a *Beatissima mater*". In: GERBER-MÜNCH, I. *Goethes Faust*: Eine tiefenpsychologische Studie über den Mythos des modernen Menschen. Mit dem Vortrag von C.G. Jung, Faust und die Alchemie. Küsnacht: Verlag Stiftung für Jung'sche Psychologie, 1997, p. 37.
114 O *Livro Negro* 6, tem "Phallus" (p. 41), assim como está na versão manuscrita dos *Septem Sermones* (p. 21).
115 Em *Transformações e símbolos da libido* (1912), Jung observou: "O falo é um ser que se movimenta sem membros, que vê sem olhos, que conhece o futuro; e, como representante simbólico da força criadora espalhada por toda parte, reivindica a imortalidade" (OC, B, § 209). Prossegue discutindo deuses fálicos.
116 O *Livro Negro* 6, continua: "A mãe é o vaso. O falo é a espada" (p. 43).

"Na comunidade deve vigorar renúncia, na vida solitária, a prodigalidade.

"A comunidade é profundeza, a vida solitária é elevação.

"A medida justa na comunidade purifica e conserva.

"A medida justa na vida solitária purifica e aumenta.

"A comunidade nos dá calor, a vida solitária nos dá luz"[117].

{11} Quando ΦΙΛΗΜΩΝ terminou, os mortos ficaram em silêncio e não saíram do lugar, mas olharam para ΦΙΛΗΜΩΝ como quem espera alguma coisa. Quando ΦΙΛΗΜΩΝ viu que os mortos ficaram calados e esperavam, levantou-se novamente e falou (e esta é a sexta instrução dos mortos)[118]:

"O dáimon da sexualidade aproximou-se de nossa alma como serpente. Ela é metade alma humana e se chama pensamento-desejo.

"O dáimon da espiritualidade baixou para dentro de nossa alma como o pássaro branco. Ele é metade alma humana e se chama desejo-pensamento.

"A serpente é uma alma terrena, semidemoníaca, um espírito e aparentada com os espíritos dos mortos. Como esses, também ela vagueia pelas coisas da terra e faz com que tenhamos medo dela ou que elas despertem nossa cobiça. A serpente é de natureza feminina e procura sempre a companhia dos mortos, que estão presos à terra, que não encontraram o caminho mais além, ou seja, da vida solitária. A serpente é uma prostituta que faz orgias com o demônio e os maus espíritos, um tirano cruel e espírito torturador, sempre seduzindo a pior companhia. O pássaro branco é uma alma semiceleste do ser humano. Fica junto à Mãe e às vezes desce. O pássaro é masculino e pensamento operante. É puro e solitário, um mensageiro da Mãe. Ele voa alto sobre a terra. Comanda a vida solitária. Traz notícias dos distantes, que viveram antes e já estão consumados. Leva nossa palavra à Mãe lá em cima. Ela intercede, admoesta, mas não tem poder contra os deuses. Ela é um recipiente do sol. A serpente desce e paralisa com astúcia o dáimon fálico ou lhe dá uma picada. Ela leva para cima os pensamentos superastutos do terreno, que rastejam através de todos os buracos e se prendem sugantes em toda parte com avidez. Apesar de ela não querer, tem de ser útil a nós. Ela escapa de nosso controle e nos mostra assim o caminho que não encontraríamos só com nossa inteligência".

[119]Tendo ΦΙΛΗΜΩΝ terminado, os mortos olharam com desprezo e disseram: "Chega de falar de deuses, dáimones e almas. No fundo, já sabíamos disso há muito".

Mas ΦΙΛΗΜΩΝ sorriu e respondeu: "Vós, pobres na carne, ricos no espírito, a carne era bem gorda, o espírito bem magro. Mas como conseguis algo da luz eterna? Vós zombais da minha loucura que também vós possuís: zombais de vós mesmos. O conhecimento livra do perigo. Mas a zombaria é o reverso de vossa fé. O preto é menos que o branco? Vós rejeitastes a fé e conservastes a zombaria. Fostes portanto libertados da fé? Não, vós vos prendestes à zombaria e assim novamente à fé. E por isso sois miseráveis".

Mas os mortos se revoltaram e gritaram: "Não somos miseráveis, somos inteligentes, nosso pensar e sentir são puros como água cristalina. Nós prezamos nossa razão. Nós zombamos da superstição. Acreditas que tuas velhas loucuras nos atingiram? Velho, tu foste acometido por um delírio infantil; de que nos serve?"

ΦΙΛΗΜΩΝ respondeu: "O que ainda serve a vós? Eu vos liberto daquilo que ainda vos prende à sombra da vida. Levai esse conhecimento convosco, acrescentai esta loucura à vossa inteligência, esta irracionalidade à vossa razão e encontrareis a vós mesmos. Se fôsseis humanos, teríeis começado vossa vida e vosso caminho da vida entre a razão e a irracionalidade e viveríeis a luz eterna, cuja sombra vivestes antecipadamente. Mas como sois mortos, este conhecimento vos liberta da vida, tira de vós a ânsia pelo ser humano e liberta vosso si-mesmo dos envoltórios que colocavam luz e sombra em torno de vós. A compaixão pelo ser humano se apossará de vós e saireis da torrente para a terra firme. Saireis da eterna reviravolta para o rochedo estável do descanso. O círculo da duração fluente se rompe, a chama sucumbe sobre si mesma.

"Eu acendi um fogo violento, eu dei ao assassino uma faca, eu abri feridas cicatrizadas, eu acelerei todo movimento, dei ao demente mais uma bebida inebriante, tornei o frio superfrio, o calor superquente, a falsidade mais falsa, o bem ainda melhor, a fraqueza ainda mais fraca.

"Este conhecimento é a machadinha do sacrificante".

Mas os mortos gritaram: "Teu conhecimento é uma loucura e uma maldição. Tu queres tocar a roda para trás? Ela vai estraçalhá-lo, mistificador!"

ΦΙΛΗΜΩΝ respondeu: "Assim aconteceu. A terra ficou novamente verde e fecunda com o sangue do sacrifício, flores desabrocharam, a onda murmura na areia, uma névoa prateada está parada no sopé da serra, um pássaro da alma aproximou-se do ser humano, a enxada retine no campo e o machado, no mato, um vento sopra através das árvores, e o sol brilha no orvalho da grandiosa manhã, os planetas contemplam o nascimento, da terra emergiu o que tem muitos braços, as pedras falam e o capim murmura. O ser humano encontrou-se, e os deuses viajam pelos céus, a plenitude gera a gota de ouro, o feito de ouro que paira alado".

Então os mortos se calaram, olharam fixamente para ΦΙΛΗΜΩΝ e se afastaram sem fazer barulho. Mas ΦΙΛΗΜΩΝ curvou-se até o chão e disse: "Foi bem-sucedido, mas não completado. Fruto da terra, brota, eleva-te, e tu, céu, derrama a água da vida".

Depois disso, ΦΙΛΗΜΩΝ desapareceu.

[120]Eu estava bem confuso, quando, na noite seguinte, ΦΙΛΗΜΩΝ aproximou-se de mim, pois eu o havia chamado, e lhe disse: "O que fizeste, ΦΙΛΗΜΩΝ? Que fogo ateaste? O que despedaçaste? A roda das criações está parada?"

Ele respondeu: "Tudo está andando seu caminho costumeiro. Nada aconteceu e, no entanto, aconteceu um doce e indizível mistério: saí do círculo giratório".

"O que dizes? Tuas palavras movem meus lábios, em meus ouvidos soa tua voz, meus olhos te veem a partir de mim. Realmente, tu és um mago. Tu saíste do círculo giratório? – Que confusão! Tu és eu, eu sou tu? Não o senti como se a roda das criações tivesse parado, e tu dizes que saíste do círculo giratório? Estou bem entrançado sobre a roda – eu sinto o girar veloz – e mesmo assim a roda das criações está parada para mim. O que fizeste, pai? Ensina-me!"

ΦΙΛΗΜΩΝ então falou: "Eu subi para o lugar firme e o levei comigo e salvei do movimento da onda, da circulação dos nascimentos e da roda giratória do eterno acontecer. Ele está seguro. Os mortos receberam a loucura do ensino, foram cegados pela verdade e enxergam através do erro. Eles o conheceram e senti-

117 O *Livro Negro* 6, continua: "Na comunidade vamos à origem, que é a mãe./ Na solidão vamos ao futuro, que é o falo gerador" (p. 46). Em outubro de 1916, Jung deu duas palestras no Clube de Psicologia sobre a relação da individuação com a adaptação coletiva (OC, 18). Este tema dominou as discussões no Clube naquele ano.

118 Este parágrafo não está no *Livro Negro* 6.

119 Os parágrafos seguintes até o final da seção não se encontram no *Livro Negro* 6.

120 Esta seção não consta no *Livro Negro* 6.

ram e se arrependeram, voltarão e vão implorar com humildade. Pois o que rejeitaram vai tornar-se para eles o mais precioso".

Eu queria fazer ainda uma pergunta a ΦΙΛΗΜΩΝ, pois o enigma me afligia. Mas ele já havia tocado o solo e desaparecido. A escuridão da noite esteve muda e não me respondeu. Minha alma ficou em silêncio, meneou a cabeça e não sabia dizer nada sobre o mistério que ΦΙΛΗΜΩΝ havia insinuado, mas não revelado.

{12} Passou-se outro dia e veio a sétima noite.

Os mortos vieram de novo, dessa vez com aspecto deplorável e falaram: "Mais algo; esquecemos de mencionar isso, ensina-nos sobre o ser humano".

ΦΙΛΗΜΩΝ apresentou-se a mim, ficou de pé e falou[121] (e esta é a sétima instrução dos mortos)[122]:

"O ser humano é uma porta através da qual entrais do mundo dos deuses, demônios e almas para dentro do mundo interior, do mundo maior para dentro do mundo menor. Pequeno e nulo é o ser humano, já se encontra atrás de vós e novamente estais no espaço infinito, na infinitude menor ou interior.

"Numa distância incomensurável está uma estrela solitária no zênite.

"Este é o único Deus desse ser humano, este é seu mundo, seu Pleroma, sua divindade.

"Neste mundo, o ser humano é o Abraxas que gera seu mundo e o engole.

"Esta estrela é seu Deus e sua finalidade.

"É seu Deus que o guia.

"Nele o ser humano vai para o descanso.

"Para ele se dirige a longa viagem da alma após a morte, nele brilha como luz tudo o que o ser humano retira do mundo maior.

"A este único reza o ser humano.

"A oração aumenta a luz da estrela,

"lança uma ponte sobre a morte,

"prepara a vida para o mundo menor e aplaca o desejo sem esperança do mundo maior.

"Quando o mundo maior fica frio, a estrela arde.

"Nada há entre o ser humano e seu único Deus, enquanto o ser humano consegue desviar seus olhos do espetáculo flamejante de Abraxas.

"O ser humano aqui, e Deus lá.

"Fraqueza e nulidade aqui, eterna força criadora lá.

"Aqui escuridão total e frio úmido,
lá pleno sol"[123].

[124]Quando ΦΙΛΗΜΩΝ terminou, os mortos silenciaram. O peso caiu deles e subiram como fumaça sobre o fogo do pastor que durante a noite vigiou seu rebanho.

Mas eu me voltei para ΦΙΛΗΜΩΝ e disse: "Magnífico, tu ensinaste que o ser humano é uma porta? Uma porta através da qual passa a tropa dos deuses? Através da qual flui a torrente da vida? Através da qual flui para dentro todo futuro e vai para o infindo do passado?"

ΦΙΛΗΜΩΝ respondeu: "Esses mortos acreditavam na transformação e evolução do ser humano. Estavam convencidos de sua nulidade e transitoriedade. A nulidade lhes era mais plausível do que isto, e mesmo assim sabiam que o ser humano cria até seus deuses e por isso sabiam que os deuses não valiam nada. Por isso precisam aprender o que não sabiam, de que o ser humano é uma porta pela qual se espreme para passar o comboio dos deuses e o vir a ser e desaparecer de todos os tempos. Ele não o faz, ele não o cria, ele não o suporta, pois ele é o ser, o único ser, pois ele é o momento do mundo, o momento eterno. Quem conhece isto está sobre brasas, torna-se fumaça e cinza. Ele perdura, e sua transitoriedade cessou. Tornou-se um sendo. Vós sonhastes com a chama, como se ela fosse a vida. Mas a vida é permanência, a chama se apaga. Isto levei para o além, isto salvei do fogo. Isto é o filho da flor do fogo. Viste em mim que eu mesmo sou feito do fogo eterno da luz. Mas eu sou quem salvou para ti os grãos pretos e dourados e sua luz azul das estrelas.

Tu, ser eterno – o que é comprimento e curteza? O que é momento e duração eterna? Tu, ser, és eterno em cada momento. O que é tempo? Tempo é o fogo que arde, consome e se apaga. Eu salvei o sendo do tempo, livrei-o do fogo do tempo e da escuridão temporal, dos deuses e demônios".

Mas eu lhe disse: "Magnífico, quando me darás de presente o tesouro preto e dourado e sua luz azul de estrela?"

ΦΙΛΗΜΩΝ respondeu: "Quando tiveres entregue à sagrada chama tudo o que pode queimar"[125].

{13} Quando ΦΙΛΗΜΩΝ disse estas palavras, saiu da sombra da noite uma figura preta com olhos dourados[126]. Levei um susto e gritei: "És um inimigo? Quem és tu? Donde vens? Nunca te vi antes! Dize o que queres".

---

121 8 de fevereiro de 1916. Esta frase não está no *Livro Negro* 6.

122 Esta frase não consta no *Livro Negro* 6.

123 Em 29 de fevereiro de 1919, Jung escreveu uma carta a Joan Corrie e comentou sobre os *Sermones*, com especial referência ao último: "O criador primordial do mundo, a cega libido criadora, vê-se transformada em homem através da individuação; e deste processo, que se assemelha à gravidez, surge uma criança divina, um Deus renascido, já não mais disperso nos milhões de criaturas, mas sendo um só e este indivíduo e ao mesmo tempo todos os indivíduos, o mesmo em você e em mim. A Dra. L[ong] tem um livrinho: VII *Sermones ad mortuos*. Ali você encontra a descrição do Criador disperso em suas criaturas e, no último sermão, você encontra o início da individuação, da qual surge a criança divina. [...] A criança é um novo Deus, nascido concretamente em muitos indivíduos, mas estes não o sabem. Ele é um Deus 'espiritual'. Um espírito em muitas pessoas, e no entanto um só e o mesmo em toda parte. Mantenha-se fiel ao tempo de você e você experimentará suas qualidades" (reproduzido no diário de LONG, C. *Countway Library of Medicine*, p. 21-22).

124 Os parágrafos seguintes até o final não se encontram no *Livro Negro* 6.

125 Em setembro de 1916, Jung manteve conversas com sua alma que fornecem ulterior elaboração e esclarecimento sobre a cosmologia dos *Sermones*. 25 de setembro: [Alma]: "Quantas luzes queres ter, três ou sete? Três é o íntimo e moderado, sete é o geral e abrangente". [Eu]: "Que pergunta! E que decisão! Devo ser honesto: minha tendência é para as sete luzes". [Alma]: "Portanto queres as sete? Isto eu imaginava. Isto leva para a amplidão – luzes frias". [Eu]: "É disso que preciso: refrescamento, ar fresco. Basta de calor sufocante. Medo demais e liberdade de menos da respiração. Dá-me as sete luzes". [Alma]: "A primeira luz significa o Pleroma. / A segunda luz significa o Abraxas. / A terceira, o sol. / A quarta, a lua./ A quinta, a terra. / A sexta, o falo. / A sétima luz, a estrela". [Eu]: "Por que faltam o pássaro, a mãe celeste e o céu?" [Alma]: "Eles estão todos incluídos na estrela. Quando olhas para a estrela, olhas através deles. Eles são as pontes para a estrela. Eles formam a única sétima luz, a mais nobre, a que paira, que com um ruidoso bater de asas se levanta, liberta do abraço do feitiço da luz, com 6 galhos e 1 flor, em que jazia cochilando o Deus estelar./ As seis luzes estão sós e formam a multiplicidade, a outra luz é única e constitui a unidade, ela é a flor do alto da árvore, o ovo sagrado, o embrião do mundo, a quem foram dadas asas para que possa chegar a seu lugar. Do uno procede sempre de novo o múltiplo e do múltiplo, o uno" (*Livro Negro* 6, p. 104-106). 28 de setembro: [Alma]: "Então vamos tentar: há algo a respeito do pássaro dourado. Não é o pássaro branco, mas o dourado. Ele está em outro lugar. O branco é um bom *daimon*, mas o pássaro dourado está acima de ti e abaixo de teu Deus. Ele voa adiante de ti. Eu o vejo no éter azul, voando atrás da estrela. Ele é algo de ti. Ele é ao mesmo tempo seu próprio ovo que te contém. Se percebes o que digo, então pergunta". [Eu]: "Explica-me mais. Ele me dá uma sensação ruim". [Alma]: "O pássaro dourado não é nenhuma alma, é todo o teu ser. Os seres humanos também são pássaros dourados, não todos, outros são vermes e apodrecem na terra. Mas alguns são pássaros dourados". [Eu]: "Continua, eu temo meu nojo. Deixa sair o que acumulaste". [Alma]: "O pássaro dourado está pousado na árvore das 6 luzes. A árvore nasce da cabeça do Abraxas, e Abraxas nasce do Pleroma. Tudo de onde nasce a árvore acaba por florir como uma luz, transformado como um útero da flor do ponto mais alto do pássaro dourado do ovo. A árvore da luz é em primeiro lugar uma planta, ela se chama indivíduo; este nasce da cabeça do Abraxas, sua ideia, uma ideia entre inúmeras. O indivíduo é mera planta sem flores, nem frutos, uma passagem para a árvore das 7 luzes. O indivíduo é o primeiro degrau da árvore da luz. Brilhante, dele floresce o próprio Fanes, Agni, um fogo novo, um pássaro dourado. Isto vem depois do indivíduo, ou seja, quando ele está novamente unido ao mundo, então o mundo floresce a partir dele. Abraxas é o impulso, indivíduo distinto dele, a árvore das 7 luzes, mas o símbolo do indivíduo unido ao Abraxas. Nisto aparece Fanes que voa à frente, ele, o pássaro dourado./ Tu te unes a Abraxas através de mim. Primeiramente tu me dás teu coração, pois vives através de mim. Eu sou a ponte até Abraxas. Assim a árvore da luz se torna em ti e tu mesmo na árvore da luz e Fanes sai de ti. Isto previste, mas não entendeste. Naquele tempo também tu tiveste que separar-te de Abraxas para tornar-te indivíduo, contraposto ao impulso. Agora vem a união com o Abraxas. Isto passa por mim. Isto não podes fazer. Por isso deves ficar comigo. A união com o Abraxas físico passa pela mulher humana, mas a união com o Abr. espiritual passa por mim, por isso deves estar comigo" (*Livro Negro*, 6 p. 114-120).

126 No *Livro Negro* 6, esta figura entra em 5 de fevereiro, no meio dos *Sermones* (p. 35s.). Cf. nota 108, p. 351 acima.

O preto respondeu: "Venho de longe. Venho do Oriente e sigo o fogo brilhante que me precede, ΦΙΛΗΜΩΝ. Não sou teu inimigo, sou teu amigo. Minha pele é negra e meu olho irradia ouro".

"O que trazes?", perguntei com medo.

"Trago renúncia – renúncia da alegria e compaixão do ser humano. Participação cria indiferença. Compaixão, mas não participação – Compaixão com o mundo e um querer sossegado em relação ao outro.

"A compaixão permanece incompreensível, por isso funciona.

"Longe da cobiça, não conhece medo.

"Longe do amor, ama o todo".

Olhei para ele com medo e disse: "Por que és escuro como terra dos campos e negro como o ferro? Eu tenho medo de ti; estou muito magoado, o que me fizeste?"

"Tu podes chamar-me de morte – a morte que surgiu com o sol. Eu venho com sofrimento silencioso e longo descanso. Eu coloco o invólucro da armadura sobre ti. No meio da vida começa a morte. Coloco ao redor de ti invólucro sobre invólucro, de forma que teu calor jamais se apague".

"Tu trazes tristeza e desalento", respondi, "eu queria estar entre os seres humanos".

Mas ele falou: "Como um envolvido vais até o ser humano. Tua luz brilha na noite. Tua natureza solar separa-se de ti e começa tua natureza de estrela".

"Tu és cruel", suspirei.

"O simples é cruel, ele não se concilia com o múltiplo".

Com essas palavras, desapareceu o enigmático negro. Mas ΦΙΛΗΜΩΝ olhou sério para mim e com olhar carregado. "Tu o viste direito, meu filho? Tu ainda ouvirás falar dele. Agora vem, para que eu realize o que o negro te prediz".

Assim falando, tocou meus olhos, abriu minha visão e me mostrou o mistério incomensurável. Eu olhei por muito tempo até poder compreendê-lo: mas o que foi que eu vi? Vi a noite, vi a terra escura e acima estava o céu reluzindo com o brilho de inúmeras estrelas. E vi que o céu tinha a forma de uma mulher, seu manto de estrelas era séptuplo e a cobria totalmente.

E assim que acabei de vê-lo, ΦΙΛΗΜΩΝ falou:

[127]"Mãe, que estás no círculo mais elevado, sem nome, que envolves a mim e a ele e que salvas a mim e a ele dos deuses: ele quer tornar-se teu filho.

"Queiras aceitar seu nascimento.

"Faze com que se renove. Eu me separo dele[128]. O frio cresce e sua estrela brilha com maior claridade.

"Ele precisa de filiação.

"Tu deste à luz a serpente divina, tu a libertaste pelas dores do parto, eleva este ser humano à condição de filho, ele precisa da mãe".

Veio então uma voz de longe[129] e era como uma estrela cadente:

"Não posso aceitá-lo como filho. Que se purifique antes".

ΦΙΛΗΜΩΝ perguntou[130]: "Qual é sua impureza?"

A voz respondeu: "É a mistura: que se abstenha do sofrimento e da alegria humanos. Que persevere na separação até que a renúncia seja completa e ele esteja livre da mistura com os seres humanos. Então poderá ser aceito como filho".

Neste momento apagou-se minha visão. ΦΙΛΗΜΩΝ foi embora e eu fiquei sozinho. Obediente, persisti na separação. Mas na quarta noite vi uma figura estranha, um homem com manto comprido, turbante e olho de vidro, sorriu inteligente e bondosamente como a figura de um médico sábio[131]. Aproximou-se de mim e disse: "Eu venho falar-te de alegria". Mas eu disse: "Queres falar-me de alegria? Estou sangrando das milenárias feridas da humanidade".

Ele respondeu: "Eu trago a cura. Mulheres me ensinaram esta arte. Elas sabem curar crianças doentes. A ferida dói? A cura está próxima. Ouve um bom conselho e não te revoltes".

Perguntei: "O que queres? tentar-me? zombar de mim?"

"O que te parece?", interrompeu-me. "Eu te trago a delícia do paraíso, o fogo curador, o amor das mulheres"[132].

Perguntei: "Pensas na descida ao brejo dos sapos?[133] A dissolução no múltiplo, a dispersão, a dilaceração?"

Enquanto eu assim falava, o velho transformou-se em ΦΙΛΗΜΩΝ, e eu vi que era o mago que me tentava. Mas ΦΙΛΗΜΩΝ continuou falando comigo[134]:

"Tu ainda não viveste a dilaceração. Tu deves ser partido, rasgado em pedaços e espalhado por todos os ventos. As pessoas se preparam para a Última Ceia contigo".

"O que sobrará então de mim", gritei.

"Nada que não tua sombra. Tu serás um curso de água que se derrama sobre as terras. Ele procura todos os vales e corre para a profundeza".

Perguntei então muito triste: "Mas onde fica minha individualidade?"

"Tu a roubarás de ti mesmo", respondeu ΦΙΛΗΜΩΝ[135], "tu segurarás em mãos trêmulas o reino invisível, ele lança suas raízes para baixo, para dentro das trevas sombrias e mistérios da terra, galhos folhosos manda ele para os ares dourados.

"Animais moram em seus galhos.

"Pessoas descansam à sua sombra.

"Seu murmúrio força de baixo para cima.

"Uma desilusão de mil milhas de comprimento é a seiva da árvore.

"Ela vai ficar verde por longo tempo.

"O silêncio está em sua copa.

"Silêncio em suas raízes profundas".

[136]Dessas palavras de ΦΙΛΗΜΩΝ entendi que ele tinha de ficar fiel ao amor para acabar com a mistura que nasce do amor não vivido. Entendi que a mistura é uma coação que entra no lugar da dedicação espontânea. Através da dedicação espontânea surge,

127 17 de fevereiro de 1916. No *Livro Negro* 6, este discurso é proferido pelo próprio Jung (p. 52).
128 O *Livro Negro* 6, tem aqui: "Eu precisava de uma nova sombra, pois conhecia o tremendo Abraxas e me afastei dele" (p. 52).
129 No *Livro Negro* 6, esta voz é identificada como "mãe" (p. 53).
130 No *Livro Negro* 6, isto é dito por Jung (p. 53).
131 21 de fevereiro de 1916. Em vez disso, o *Livro Negro* 6, tem: [Eu]: "Um turco? Donde vens? És um adepto do Islã? Que mensagem me trazes de Maomé?"// [Visitante]: "Falo-te de poligamia, das howris e do paraíso. Disso deves ouvir".// [Eu]: "Fala e termina logo com este tormento" (p. 54).
132 A versão deste diálogo no *Livro Negro* 6, inclui o seguinte intercâmbio: [Eu]: O que há com essa poligamia, as howris e o paraíso?" [Visitante]: "Muitas mulheres são muitos livros. Cada mulher é um livro, cada livro é uma mulher. A howri é uma ideia, e a ideia, uma howri. O mundo das ideias é o paraíso, e o paraíso é o mundo das ideias. Maomé ensina que o fiel é recebido no paraíso pelas howris. Os germânicos diziam coisa semelhante" (p. 56) (cf. o Corão, 56,12-39). Na mitologia nórdica, as valquírias escoltavam o herói morto na guerra ao Valhalla e lá cuidavam dele.
133 24 de fevereiro de 1916.
134 Esta declaração não está no *Livro Negro* 6.
135 28 de fevereiro de 1916.
136 Os dois parágrafos seguintes não constam no *Livro Negro* 6.

como ensinou ΦΙΛΗΜΩΝ, a ruptura ou dilaceração. Esta é a supressão da mistura. Através da dedicação espontânea desfaz-se, portanto, a coação. Por isso devo ficar fiel ao amor, e pela dedicação espontânea a ele sofro dilaceração e obtenho assim a filiação da grande mãe, isto é, a natureza estelar, a libertação da subordinação a pessoas e coisas. Se estiver subordinado a pessoas e coisas, minha vida não pode progredir para alcançar seus objetivos, e eu mesmo não posso chegar à minha própria e mais profunda natureza. Também a morte não pode começar em mim como nova vida, mas só consigo sentir medo diante da morte. Eu tenho de ficar fiel ao amor, pois como poderia chegar de outro modo à ruptura e dissolução da coação? Como poderia experimentar de outro modo a morte, do que através do fato de ficar fiel ao amor e assumir sobre mim livremente a dor e todo o sofrimento do amor? Enquanto não me entregar livremente à dilaceração, ficam partes de meu si-mesmo secretamente com pessoas e coisas que me ligam a elas e assim sou obrigado, quer queira quer não, a ter parte nelas, estar com elas misturado e ligado a elas. Só a fidelidade ao amor e a entrega espontânea ao amor podem desfazer esta vinculação e mistura e trazer de volta a mim aquelas partes de meu si-mesmo que estavam secretamente com as pessoas e coisas. Só assim cresce a luz da estrela, só assim chego à minha natureza estelar, ao meu si-mesmo mais autêntico e mais íntimo, que é simples e único.

É difícil ficar fiel ao amor, pois ele está acima de qualquer pecado. Quem quiser ficar fiel ao amor deve vencer também o pecado. Não é muito fácil ver que se comete um pecado, que se caiu num pecado. Mas por causa da fidelidade ao amor vencer o pecado também é difícil, tão difícil, que meu pé hesitou em prosseguir.

Quando chegou a noite, ΦΙΛΗΜΩΝ aproximou-se de mim com roupa marrom e segurando na mão um peixe prateado. Ele disse: "Vê, meu filho, eu fisguei e peguei este peixe e o trouxe para ti, para te consolar". Quando olhei para ele surpreso e inquiridor, vi que estava parada no escuro, à porta, uma sombra, trajando roupa de nobre[137]. Seu rosto estava pálido e sangue havia corrido nas rugas da testa. Mas ΦΙΛΗΜΩΝ ajoelhou-se, tocou o chão e disse à sombra[138]: "Meu senhor e meu irmão, abençoado seja teu nome. Tu fizeste o máximo conosco: tu criaste homens e animais, tu deste tua vida pelos homens, para que recebam a salvação. Teu espírito esteve conosco por longo tempo. E ainda agora os homens olham para ti e imploram tua compaixão, suplicam a graça de Deus e o perdão dos pecados através de ti. Tu não te cansas de atender os homens. Louvo tua paciência divina. Os homens não são ingratos? Sua avidez não tem limites? Querem ainda mais de ti? Já receberam muito, mas continuam pedindo.

Vê, meu senhor e meu irmão, eles não me amam, mas cobiçam a ti com avidez, assim como cobiçamos os bens do próximo. Eles não amam o próximo, mas o cobiçam. Se fossem fiéis a seu amor, não cobiçariam. Mas quem dá estimula a cobiça. Eles não queriam aprender o amor? A fidelidade ao amor? a espontaneidade da dedicação? Mas eles exigem, cobiçam, esmolam de ti e não tiraram nenhum exemplo de tua vida sublime. Eles bem que a imitaram, mas não viveram sua própria vida assim como tu viveste a tua. Tu mostraste através de tua vida sublime como cada qual tinha de tomar sobre si sua própria vida, fiel à sua própria natureza e a seu próprio amor. Não perdoaste a adúltera?[139] Não te sentaste com prostitutas e cobradores de impostos?[140] Não infringiste a lei do sábado?[141] Tu viveste tua própria vida, mas as pessoas não o fazem; elas só rezam a ti, pedem a ti e te lembram que tua obra está inacabada. Mas tua obra estaria acabada se o ser humano carregasse sua própria vida sem imitação. As pessoas ainda são infantis e esquecem de agradecer, pois ainda não conseguem dizer: "Gratos, nosso Senhor, pela salvação que nos trouxeste. Nós a assumimos, nós lhe demos um lugar em nosso coração e aprendemos a continuar tua obra em nós por nós mesmos. Amadurecemos através de tua ajuda, para levar adiante a obra da salvação em nós. Gratos, tua obra está assumida em nós, entendemos teu ensinamento redentor, nós completamos em nós o que começaste por nós com esforços de sangue. Não somos filhos ingratos que cobiçam os bens dos pais. Gratos, nosso senhor, vamos negociar com teu talento e não enterrá-lo na terra, estender sempre de novo nossas mãos desamparadas e lembrar-te para completar tua obra em nós. Nós queremos tomar sobre nós teus esforços e tua obra, para que tua obra se complete e possas repousar tuas mãos cansadas, como um trabalhador após um longo dia de dura jornada. Bem-aventurado o morto que descansa ao término de sua obra.

"Eu gostaria que as pessoas falassem assim contigo. Mas elas não têm nenhum amor a ti, meu senhor e meu irmão. Elas não te concedem o prêmio do descanso. Deixam tua obra incompleta, eternamente necessitadas de tua compaixão e de tua solicitude.

"Mas eu, meu senhor e meu irmão, acredito que tu completaste tua obra, pois quem entregou sua vida, toda sua verdade, todo seu amor, toda sua alma, este completou sua obra. O que alguém pode fazer pelos homens, tu o fizeste e completaste. Agora chega o tempo em que cada um tem de fazer sua própria obra da redenção. A humildade envelhece, e um novo mês começou"[142].

[143]Quando ΦΙΛΗΜΩΝ terminou, levantei os olhos e vi que o lugar, onde a sombra havia estado, estava vazio. Virei-me para ΦΙΛΗΜΩΝ e disse: "Meu pai, tu falaste dos seres humanos. Eu sou um ser humano, perdoa-me!"

Mas ΦΙΛΗΜΩΝ se dissolveu na escuridão, e eu resolvi fazer o que tinha obrigação de fazer. Assumi toda a alegria e todo o sofrimento de minha natureza e fiquei fiel ao meu amor para sofrer aquilo que sobrevém a cada um a seu modo. Fiquei sozinho e com medo.

{14} Numa noite, quando tudo estava quieto, escutei um murmúrio como que de sete vozes e, algo mais nitidamente, distingui a voz de ΦΙΛΗΜΩΝ, como se estivesse fazendo um discurso. Prestando mais atenção, entendi suas palavras:

[144]"Depois que eu tinha engravidado o ventre do submundo e a serpente divina nasceu, fui até os seres humanos e vi todas as suas lamentações e loucuras. Eu vi que se matavam e procuravam razões para seu agir. Faziam isso porque não sabiam fazer outra coisa ou coisa melhor. Pelo fato de estarem acostumados a não fazer nada a que não pudessem atribuir alguma razão, inventaram razões que os obrigavam a continuar matando. "Parai, vós não tendes juízo", disse o sábio. "Então parai e verificai os prejuízos que causais", disse o inteligente. Mas o louco riu, pois durante a

137 I.e., Cristo.
138 12 de abril de 1916. No *Livro Negro* 6, esta fala não é atribuída a Filêmon.
139 Cf. Jo 8,1-11.
140 Cf. Mt 21,31-32.
141 Cf. Jo 9,13s.
142 A referência é aos meses platônicos. Cf. acima, nota 273, p. 315
143 Os próximos seis parágrafos não ocorrem no *Livro Negro* 6.
144 As duas próximas passagens também ocorrem em "Sonhos", segundo registros de meados de julho de 1917, introduzidas pelas palavras "Partes do próximo livro" (p. 18).

noite recebeu honras. Por que as pessoas não veem sua loucura? A loucura é uma filha do Deus. Por isso as pessoas não conseguem parar de matar, pois assim servem à serpente divina sem saber. Por amor ao serviço à serpente divina vale a pena entregar sua vida. Por causa disso desejais ser reconciliados. Mas seria bem melhor viver apenas do Deus. Mas a serpente divina quer sangue humano. Isto a alimenta e a torna luzidia. Não matar e não querer morrer é um engano a Deus. Assim o ser vivente tornou-se um enganador de Deus. O vivente consegue sua vida através da mentira. Mas a serpente quer ser enganada, pela esperança de ter sangue: quanto mais pessoas roubaram dos deuses sua vida, tanto mais floresceu o campo semeado de sangue da serpente para a colheita. O Deus fica forte pelo assassinato de pessoas. A serpente fica quente e fogosa pelo excesso de satisfação. Sua gordura queima em chama ardente. A chama torna-se a luz das pessoas, o primeiro raio de um sol renovado, ele, a luz que por primeiro apareceu".

O que ΦΙΛΗΜΩΝ ainda falou, eu não o consegui entender. Refleti longamente em suas palavras, que ele falou evidentemente aos mortos, mas fiquei apavorado com os horrores que acompanham um renascimento de Deus.

[145]E logo a seguir vi em sonhos Elias e Salomé. Elias parecia preocupado e assustado. Por isso, quando na noite seguinte toda a luz se havia apagado e todo ruído vivo se calado, chamei Elias e Salomé para me prestarem contas. Elias adiantou-se e falou:

"Fiquei fraco, estou pobre, um excedente de meu poder passou para ti, meu filho. Tiraste demais de mim. Tu te afastaste demais de mim. Eu escutei coisas estranhas e incompreensíveis, e a tranquilidade de minha profundeza foi destruída".

Perguntei então: "O que tu ouvias? que vozes escutavas?"

Elias respondeu: "Escutava uma voz cheia de confusão, uma voz apavorante, cheia de advertências e coisas incompreensíveis".

"O que dizia", perguntei, "ouviste as palavras?"

"Confusamente, era embaraçada e desconcertante. A voz falou primeiramente de uma faca, que corta algo ou talvez ceife, talvez as uvas que vão para a adega. Talvez tenha sido aquele da roupa vermelha que pisou o lagar onde jorra o sangue[146]. De repente era uma voz do ouro que jaz embaixo e que mata o que ele toca. Então foi a voz do fogo que queima assustadoramente e que deve inflamar-se neste tempo. E então era uma palavra blasfema, que eu não gostaria de pronunciar".

"Uma palavra blasfema? Qual foi?", perguntei.

Respondeu: "Uma palavra sobre a morte de Deus. Só existe um Deus, e Deus não pode morrer"[147].

Eu falei: "Estou surpreso, Elias. Não sabes o que aconteceu? Não sabes que o mundo vestiu roupa nova? Que o Deus único morreu e que muitos deuses e muitos demônios tornaram-se novamente seres humanos? Realmente, eu me admiro; admiro-me ao extremo! Como é possível que tu não o soubesses? Não sabes nada do que aconteceu de novo? Tu conheces o futuro. Tu tens o dom da previsão. Ou não deverias saber o que acontece? Negas afinal aquilo que existe?"[148]

Então Salomé me tomou a palavra: "O que existe não dá nenhum prazer. O prazer só vem do novo. Também tua alma gostaria de um novo homem – ha – ha – ela gosta de variação. Tu não lhe dás prazer suficiente. Nisto ela é incorrigível e por isso tu a consideras maluca. Nós só amamos o vindouro, não o sendo. Só o novo nos dá prazer. Elias não pensa no sendo, só no vindouro. Por isso ele o conhece."

Respondi: "O que ele conhece? Que fale!"

Elias falou: "Eu já disse as palavras: a figura que vi estava cheia de sangue, era vermelha, da cor do fogo, cintilante como ouro. A voz que ouvi era como trovão distante, como o soprar impetuoso do vento na floresta, como um terremoto. Não era a voz de um Deus, mas como um ruído pagão, um chamado que meus primitivos pais conheciam bem, mas que eu nunca havia escutado. Soava antediluviano, como saindo de uma floresta para um litoral distante; nela ressoavam todas as vozes da selva. Este ruído era apavorante, mas harmônico".

Interrompi: "Meu bom velho, tu ouviste bem como eu pensei. Que maravilha! Queres que te conte a respeito disso? Eu te disse que o mundo tinha recebido uma nova face. Uma cobertura nova foi lançada sobre ele. Estranho é que tu não o saibas!

"Velhos deuses ficaram novos. O Deus único está morto – sim, realmente, ele morreu. Ele se partiu na diversidade e assim o mundo ficou rico da noite para o dia. E também aconteceu algo à alma individual – quem gostaria de descrevê-lo! Mas assim também os homens ficaram ricos da noite para o dia. Como é possível que não soubesses disso?

"Do Deus único fizeram-se dois, um múltiplo, cujo corpo consiste de muitos deuses, e um único, cujo corpo é um ser humano, e assim mesmo é mais brilhante e mais forte do que o sol.

"O que devo dizer-te da alma? Não percebeste que ela se tornou múltipla? Ela tornou-se a mais próxima, mais próxima, próxima, distante, mais distante, a mais distante, e mesmo assim é uma como era antes. Inicialmente dividiu-se numa serpente e num pássaro, então em pai e mãe e depois em Elias e Salomé – O que há contigo, meu bem? Isto te abalou? Sim, tu precisas entender que já estás bem afastada de mim, de tal forma que não te posso ter como minha alma; pois se pertencesses à minha alma, deverias saber o que acontece. Por isso preciso separar-te a ti e Sabine de minha alma e colocar-vos entre os demônios. Vós estais amarrados ao antiquíssimo e sempre constante, por isso também nada sabeis a respeito do ser das pessoas, mas apenas do passado e do futuro.

"Mas apesar disso foi bom que atendestes ao meu chamado. Tomai parte naquilo que existe. Pois aquilo que existe deve ser assim, para que possais ter parte nele".

Mas Elias interveio de mau humor: "Esta multiplicidade não me agrada. Não é fácil assimilar essa ideia".

E Salomé disse: "Só o simples é prazeroso. Não há nada que pensar".

Respondi: "Elias, não precisas pensar nisso. Não se trata de pensar, mas de contemplar. É um quadro".

E para Salomé eu disse: "Salomé, não é verdade que só o simples é prazeroso, com o tempo se torna até monótono. Na verdade, encanta-te a variedade".

---

145 3 de maio de 1916.
146 Cf. acima, p. 300.
147 Cf. acima, p. 348.
148 Em *Memórias, sonhos, reflexões*, Jung afirmou: "As figuras do inconsciente são também 'ininformadas' e têm necessidade do homem ou do contato com a consciência para adquirir o saber. Quando comecei a me ocupar com o inconsciente, as 'figuras imaginárias' de Salomé e de Elias desempenharam um grande papel. Em seguida passaram a um segundo plano para reaparecer cerca de dois anos mais tarde. Para meu grande espanto, elas não tinham sofrido a menor mudança; falavam e se comportavam como se nesse ínterim absolutamente nada tivesse ocorrido. Entretanto os acontecimentos mais inauditos tinham-se desenrolado em minha vida. Foi-me necessário, por assim dizer, recomeçar desde o início para lhes explicar e narrar tudo o que se passara. De início fiquei bastante espantado. Só mais tarde compreendi o que tinha acontecido: as figuras de Salomé e Elias haviam nesse meio tempo soçobrado no inconsciente e em si próprias – poder-se-ia também dizer, fora do tempo. Elas ficaram sem contato com o eu e suas circunstâncias variáveis e 'ignoravam' por essa razão o que se passara no mundo da consciência" (p. 355).

Mas Salomé voltou-se para Elias e disse: "Pai, parece-me que os seres humanos nos superaram. Ele tem razão. A variedade é mais prazerosa. O uno é simples demais e sempre o mesmo"[149].

Elias olhou-a triste e disse: "O que será do uno? Existe ainda o uno quando está ao lado da multiplicidade?"

Respondi: "Este é teu erro, que se tornou velho e grisalho, de que o uno exclui o múltiplo. Existem muitas coisas únicas. A multiplicidade das coisas únicas é o único Deus múltiplo, cujo corpo consiste de muitos deuses. A solicitude da coisa única, porém, é o outro Deus, cujo corpo é um ser humano, mas cujo espírito é grande como o mundo".

Mas Elias sacudiu a cabeça e disse: "Isto é novo, meu filho. O novo é bom? É bom o que foi, e o que foi será. Não é esta a verdade? Já existiu algo novo? E o que chamais de novo foi bom alguma vez? Tudo continua sempre idêntico, mesmo que lhe deis nome novo. Não existe o novo; não pode haver nada de novo; como poderia então prever? Eu olho para o passado e vejo nele o futuro como num espelho. E eu vejo que não acontece nada de novo; é tudo mera repetição do que foi desde os tempos de outrora[150]. O que é vosso ser? Uma aparência, uma luz que cresce, mas que amanhã não existe mais. Terminou como se nunca tivesse existido. Vem, Salomé, vamos. Nós nos desnorteamos no mundo dos seres humanos".

Mas Salomé olhou para trás e me sussurrou ao ir embora: "O ser e a multiplicidade me agradam, mesmo que não sejam novos e não durem para sempre".

Assim desapareceram os dois na escuridão da noite, e eu voltei ao peso daquilo que significava meu ser. E eu tentei fazer corretamente tudo que me parecia ser tarefa e trilhar todo caminho que parecia ser necessário para mim. Mas os meus sonhos se tornaram pesados e carregados de medo, e eu não sabia por quê. Certa noite aproximou-se de mim minha alma, parecia assustada, e disse[151]: "Escuta-me: estou em grande aflição, o filho do ventre tenebroso me oprime. Por isso teus sonhos são pesados, pois tu sentes o tormento da profundeza, a dor de tua alma e o sofrimento dos deuses".

Respondi: "Posso ajudar? Ou é desnecessário que uma pessoa humana se apresente como intermediária dos deuses? É presunção ou deve um ser humano tornar-se o salvador dos deuses, depois que os homens foram redimidos pelo intermediário divino?"

"Tu falas a verdade", disse minha alma, "os deuses precisam do intermediário e salvador humano. Com isso, o ser humano prepara seu caminho da passagem para o além e para a divindade. Eu te dei um sonho horrível para que teu rosto se voltasse para os deuses. Eu fiz que saíssem deles tormentos, para que te lembrasses dos deuses sofredores. Tu fazes demais pelos seres humanos; deixa para lá os seres humanos e volta-te para os deuses, pois eles são os regentes do teu mundo. Na verdade tu só podes ajudar os seres humanos através dos deuses, não diretamente. Abranda o tormento ardente dos deuses".

Perguntei-lhe: "Mas dize, onde devo começar? Eu sinto seu tormento, igual ao meu, e no entanto não é o meu, real e irreal ao mesmo tempo".

"Nisto está a questão a ser distinguida", respondeu minha alma.

"Mas como? Meu espírito falha. Tu deves sabê-lo".

"Teu espírito falha rápido", disse ela, "mas é exatamente de teu espírito humano que os deuses precisam".

"E eu do espírito dos deuses", retruquei, "estamos em maus lençóis".

"Não, tu és muito impaciente; só comparação paciente traz a salvação, não a decisão apressada para um lado. É preciso trabalho".

Perguntei-lhe então: "De que sofrem os deuses?"

Respondeu: "É que tu deixaste para eles o tormento, e desde então vêm sofrendo".

"Bem-feito!", exclamei. "Judiaram bastante do ser humano. Agora devem pagar por isso".

Ela respondeu: "Mas se o tormento também te atingir? O que ganhaste então? Não podes deixar aos deuses todo o sofrimento, senão eles te puxam para dentro dele. Pois, apesar de tudo, eles possuem o poder. Mas devo confessar que também o ser humano possui um estranho poder sobre os deuses através de seu espírito".

A isso respondi: "Reconheço que o tormento dos deuses me atingiu; e por isso reconheço também que tenho de me curvar diante dos deuses. Qual é o desejo deles?"

"Eles querem obediência", disse ela.

"Seja!", respondi, "mas tenho medo de seu desejo; por isso eu digo: eu quero o que posso. Não quero absolutamente retomar sobre mim todo o tormento que tive de deixar aos deuses. Nem mesmo Cristo tirou o tormento de seus seguidores, mas até o aumentou. Reservo-me algumas condições. Isto os deuses devem reconhecer e orientar seu desejo por elas. Não existe mais obediência incondicional, pois o ser humano deixou de ser um escravo dos deuses. Ele tem dignidade diante dos deuses. Ele é um membro tão importante que nem os deuses o podem perder. Não existe mais sucumbência aos deuses. Portanto, que façam ouvir seu desejo. A comparação fará então o resto, para que cada qual tenha a parte que lhe cabe".

Respondeu então minha alma: "Os deuses querem que tu faças, por amor a eles, aquilo que sabes que não queres fazer".

"Isto eu imaginava", gritei, "naturalmente é isto que querem os deuses. Mas fazem os deuses também aquilo que eu quero? Eu quero os frutos do meu trabalho. O que fazem os deuses por mim? Querem que seus objetivos se realizem, mas onde fica a realização de meu objetivo?"

Levantou-se então uma voz que disse: "Tu és incrivelmente teimoso e rebelde. Lembra-te de que os deuses são fortes".

Respondi: "Eu sei disso, mas já não existe obediência incondicional. Quando empregarão sua força em meu favor? Eles querem também que eu coloque minhas forças a seu serviço. Onde está seu serviço? No fato de serem atormentados? O ser humano sofreu dores infernais, mas os deuses não estavam satisfeitos e, insaciáveis, imaginavam novos tormentos. Deixaram que o ser humano ficasse tão obcecado que acreditou que não existiam deuses e que só existia um único Deus, que era um pai amoroso, de modo que hoje, quando alguém luta com os deuses, é chamado de maluco. E assim prepararam também esta vergonha para aquele que os reconhece a partir de sua sede ilimitada de poder, pois guiar cegos não é nenhuma arte. Eles pervertem até mesmo seus escravos".

"Tu não queres obedecer aos deuses", gritou minha alma horrorizada.

Respondi: "Acredito que já tenha acontecido mais do que o suficiente. Exatamente por isso os deuses são insaciáveis, porque recebem oferendas demais: os altares da humanidade ofuscada exalam vapores de sangue. Escassez traz satisfação, não a superabundância. Gostariam de aprender junto ao ser humano a escassez. Quem faz para mim? Esta é a pergunta que tenho a formular. De forma nenhuma faço aquilo que os deuses deveriam fazer. Pergunta aos deuses o que eles acham de minha proposta?"

Dividiu-se então minha alma, como pássaro levantou voo para os deuses superiores e como serpente desceu rastejando para os deuses inferiores. Passado pouco tempo, veio ela novamente e disse aflita: "Os deuses estão revoltados pelo fato de que não queres obedecer".

"Isto pouco me importa", respondi. "Eu fiz tudo para apaziguar os deuses. Eles deveriam fazer também a parte deles. Dize isto a eles. Eu posso esperar. Não vou mais permitir que mandem sobre mim. Os deuses deveriam pensar numa contraprestação, tu podes ir. Amanhã vou chamar-te para que me contes o que os deuses resolveram".

149 O resto deste diálogo não consta no *Livro Negro* 6.
150 Cf. acima, nota 261, p. 311.
151 31 de maio de 1916.

Quando minha alma foi embora, percebi que ela estava assustada e preocupada, pois ela pertence ao gênero dos deuses e demônios e gostaria de me converter sempre para sua espécie, assim como minha humanidade gostaria de me convencer de que eu pertenço à sua estirpe e que deveria servi-la. Quando adormeci, minha alma veio novamente e desenhou-me astuciosamente no sonho como um chifrudo na parede, tentando amedrontar-me diante de mim mesmo. Na noite seguinte, porém, chamei minha alma e lhe disse: "Tua astúcia foi descoberta. Ela foi em vão. Tu não me metes medo. Agora fala e apresenta tua mensagem".

Ela falou: "Os deuses cederam. Tu quebraste a obrigatoriedade da lei. Por isso eu te desenhei como um diabo, pois ele é o único entre os deuses que não se curva a nenhuma coação. Ele é o revoltoso contra a lei eterna, da qual também existem exceções, graças a seu procedimento. Por isso também é possível deixar de fazer alguma coisa. Para tanto ajuda o demônio. Mas isto não deve acontecer sem que se tenha pedido antes o conselho dos deuses. Este desvio de caminho é necessário, caso contrário sucumbes à sua lei apesar do demônio".

Então a alma se aproximou de meu ouvido e sussurrou: "Os deuses estão até mesmo contentes por poderem às vezes fechar um olho, pois no fundo sabem muito bem que ficaria difícil para a vida se não houvesse nenhuma exceção da lei eterna. Por isso a tolerância para com o demônio".

Em seguida levantou a voz e gritou: "Os deuses te são propícios e aceitaram tua oferenda".

Ajudou-me então o demônio a me purificar da mistura na coação, e a dor da unilateralidade perpassou meu coração e a ferida da dilaceração me queimou.

{15} [152]Foi num dia quente de verão, por volta do meio-dia; passeava pelo jardim e quando cheguei à sombra da árvore alta, encontrei ΦΙΛΗΜΩΝ andando feliz no odor do capim. Quando eu quis aproximar-me dele, saiu do outro lado uma sombra azul[153], e quando ΦΙΛΗΜΩΝ a viu, falou assim: "Eu te encontro no jardim, amado. O pecado do mundo deu beleza a teu rosto.

"O sofrimento do mundo endireitou tua figura.

"Tu és realmente um rei.

"Tua púrpura é sangue.

"Teu arminho é neve do gelo dos polos.

"Tua coroa, que carregas na cabeça, é o astro solar.

"Bem-vindo ao jardim, meu senhor, meu amado, meu irmão!"

Perguntou a sombra: "Ó Simão Mago ou outro nome que tenhas, tu estás no meu jardim, ou eu estou no teu?"[154]

ΦΙΛΗΜΩΝ respondeu: "Tu estás, ó senhor, em meu jardim. Helena, ou outro nome que lhe queiras dar, e eu somos teus servos. Tu poderás ficar conosco. Simão e Helena tornaram-se ΦΙΛΗΜΩΝ e ΒΑΥΚΙΣ e assim somos agora hospedeiros dos deuses. Nós demos hospedagem a teu verme assustador. E como vieste, nós te acolhemos. Nosso jardim é o que te rodeia"[155].

A sombra disse: "Este jardim não é meu? O mundo dos céus e dos espíritos não é meu?"

ΦΙΛΗΜΩΝ respondeu: "Tu estás, meu senhor, aqui no mundo dos seres humanos. Os seres humanos estão mudados. Não são mais os escravos e não mais os enganadores dos deuses e não mais os enlutados em teu nome, mas eles oferecem hospedagem aos deuses. Antes de ti veio o verme horrível[156], que tu conheces muito bem, teu irmão enquanto és de natureza divina, teu pai enquanto foste de natureza humana[157]. Tu o afastaste de ti quando ele te deu conselho inteligente no deserto. Tu aceitaste o conselho, mas o verme tu o afastaste de ti: ele encontrou um lugar conosco. Mas onde ele está, também tu estarás[158]. Quando eu era Simão, tentei fugir dele com a astúcia da magia e assim fugi de ti. Agora que dei um lugar ao verme no meu jardim, vens tu a mim".

A sombra disse: "Caio no poder de tua astúcia? Tu me prendeste secretamente? Não foi trapaça e mentira tua arte desde sempre?"

Mas ΦΙΛΗΜΩΝ respondeu: "Reconhece, ó senhor e amado, que tua natureza é também a da serpente[159]. Não foste também levantado no lenho como a serpente? Não entregaste teu corpo, como a serpente sua pele? Não exerceste a arte da cura como a serpente? Antes de tua subida, não desceste ao inferno? E não viste lá teu irmão trancado no abismo?"[160]

Falou então a sombra: "Tu dizes a verdade. Não mentes. Mas ,– sabes o que te trago?"

"Não sei", respondeu ΦΙΛΗΜΩΝ, "só sei de uma coisa: aquele que é o hospedeiro do verme precisa também de seu irmão. O que me trazes, meu belo hóspede? Lamento e horror foi o presente do verme. O que nos darás tu?"

Respondeu a sombra: "Eu te trago a beleza do sofrimento. É disso que precisa quem é hospedeiro do verme".

---

152 1º de junho de 1916.

153 No *Livro Negro* 6, esta figura é identificada como Cristo (p. 85).

154 Simão Mago (1º século) era um mago. Nos Atos dos Apóstolos (8,9-24), após tornar-se cristão, quis comprar de Pedro e Paulo o poder de transmitir o Espírito Santo (Jung considerava este relato uma caricatura). Outros relatos sobre ele encontram-se no livro apócrifo *Atos de Pedro* e em escritos dos Padres da Igreja. É tido como um dos fundadores do gnosticismo, e no século II surgiu uma seita simoniana. Diz-se que viajava sempre com uma mulher, reencarnação de Helena de Troia, que ele encontrou num bordel de Tiro. Jung cita isto como exemplo da figura da *anima* ("Alma e terra". OC, 10, § 75). Cf. QUISPEL, G. *Gnosis als Weltreligion*. Zurique: Origo Verlag, 1951, p. 51-70. • MEAD, G.R.S. *Simon Magus*: An Essay on the Founder of Simonianism Based on the Ancient Sources with a Reevaluation of His Phisosophy and Teachings. Londres: The Theosophical Publishing House, 1892.

155 Em *Memórias* Jung comentou: "Ao longo das peregrinações oníricas encontra-se mesmo muitas vezes um velho acompanhado por uma moça; e em numerosos relatos míticos encontram-se exemplos desse mesmo par. Assim, segundo a tradição gnóstica, Simão, o Mago, peregrinava com uma jovem que tirara de um bordel. Ela se chamava Helena e era tida como uma reencarnação de Helena de Troia. Kingsor e Kundry, Lao-tse e a dançarina são exemplos do mesmo caso" (p. 217).

156 I.e., satanás.

157 No *Livro Negro* 6, esta frase soa assim: "Antes de ti veio teu irmão, ó senhor, o verme horrível, que tu afastaste de ti quando ele no deserto te dava conselho inteligente com voz sedutora" (p. 86).

158 O *Livro Negro* 6, continua: "pois ele é teu irmão imortal" (p. 86).

159 Jung comentou a serpente como alegroria de Cristo em Aion (1952, OC, 9/2, § 369, 385 e 390).

160 Cf. acima, p. 243.

Epílogo†

1959

Trabalhei neste livro por 16 anos. O conhecimento da alquimia, em 1930, afastou-me dele. O começo do fim veio em 1928, quando Wilhelm me enviou o texto da “Flor de Ouro”, um tratado alquimista. Então o conteúdo deste livro encontrou o caminho da realidade e eu não consegui mais continuar o trabalho. Ao observador superficial isto parecerá uma loucura. E teria se tornado isso mesmo, se eu não tivesse conseguido deter a força dominadora das experiências originais. Com a ajuda da alquimia pude finalmente ordená-las dentro de um todo. Soube sempre que essas experiências continham algo precioso e por isso não sabia fazer coisa melhor do que lançá-las num livro “precioso”, isto é, valioso, e desenhar as imagens que me apareciam na revivescência – tão bem quanto possível. Sei que foi tremendamente inadequado este empreendimento, mas apesar do muito
190/191 trabalho e desvios, fiquei fiel, mesmo que nunca outra / possibilidade...

† Isto aparece na p. 190 da versão caligráfica do *Liber Novus*. A transcrição caligráfica foi abruptamente interrompida no meio de uma frase na p. 189. Isto aparece depois, na página seguinte, no manuscrito normal de Jung. Isto por sua vez foi interrompido abruptamente no meio da frase.

Apêndice A

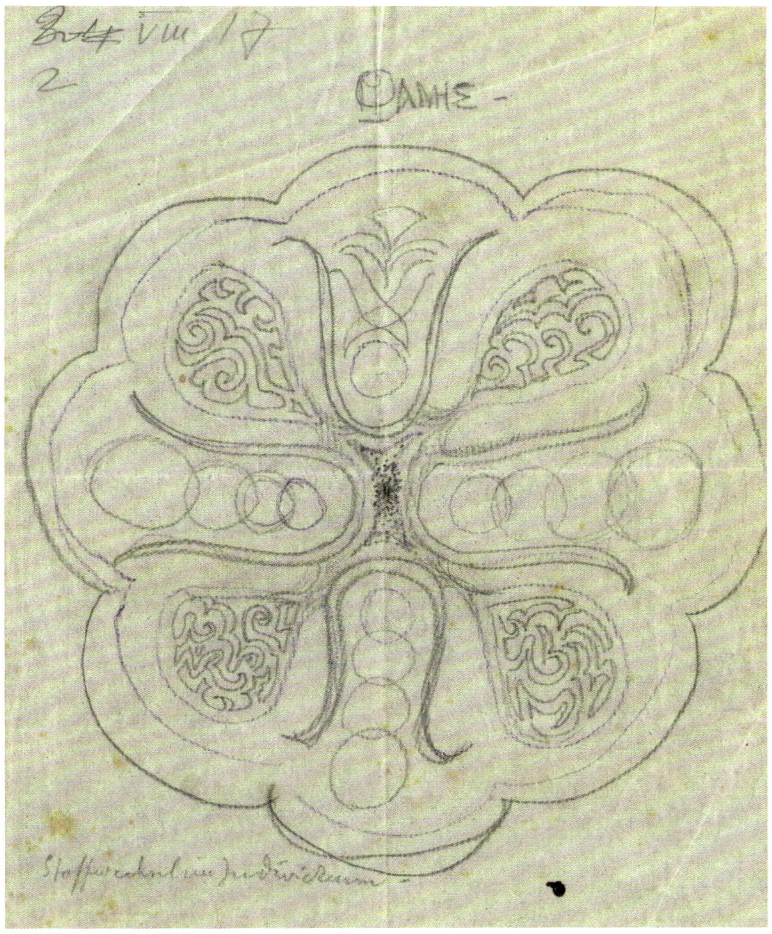

Esboço de mandala 1 parece ser o primeiro da série, datado de 2 de agosto de 1917. É a base da ilustração 80. A legenda no alto da ilustração é "ΦΑΝΗΣ [Phanes]" (cf. nota 211, p. 301). Legenda na parte inferior: "Stoffwechsel in Individuum" [metabolismo no indivíduo] (19,4cm x 14,3cm).

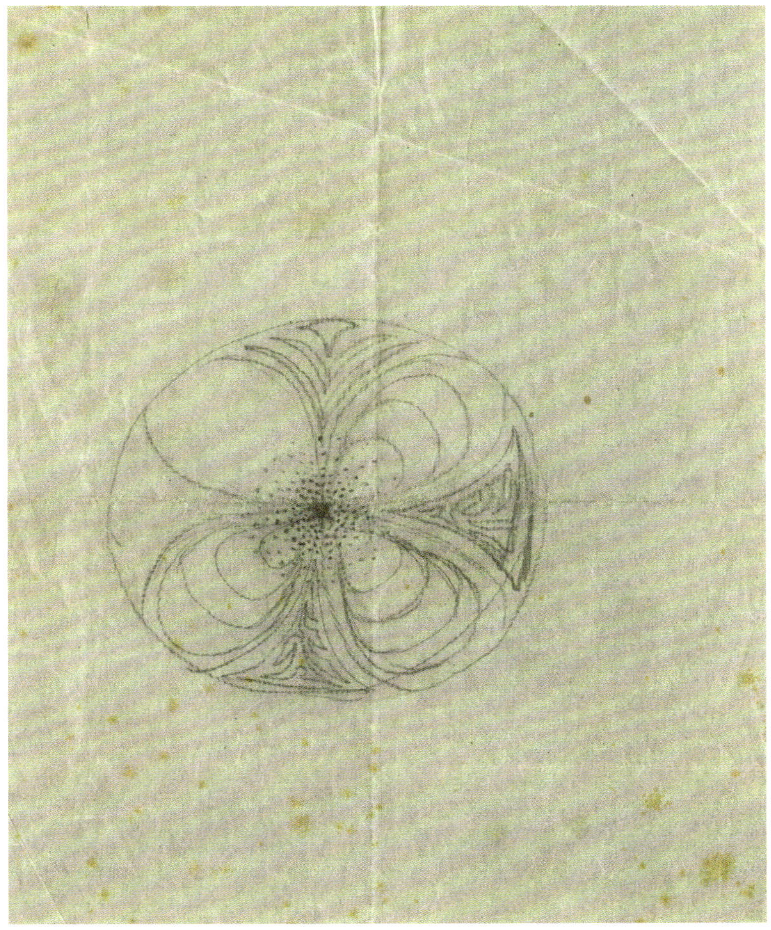

Esboço de mandala 2 é o reverso do *esboço de mandala 1* (19,4cm x 14,3cm).

Esboço de mandala 3 é datado de 4 de agosto de 1917 e 8 de agosto de 1917 e é a base da ilustração 82 (14,9cm x 12,4cm).

Esboço de mandala 4 é datado de 6 de agosto de 1917. Sobre estes esboços cf. introdução, p. 206 (20,3cm x 14,9cm).

Esboço de mandala 5 é datado de 1º de setembro de 1917 e é a base da ilustração 89 (18,2cm x 12,4cm).

Esboço de mandala 6 é datado de 10 de setembro de 1917 e é a base da ilustração 93 (14,9cm x 12,1cm).

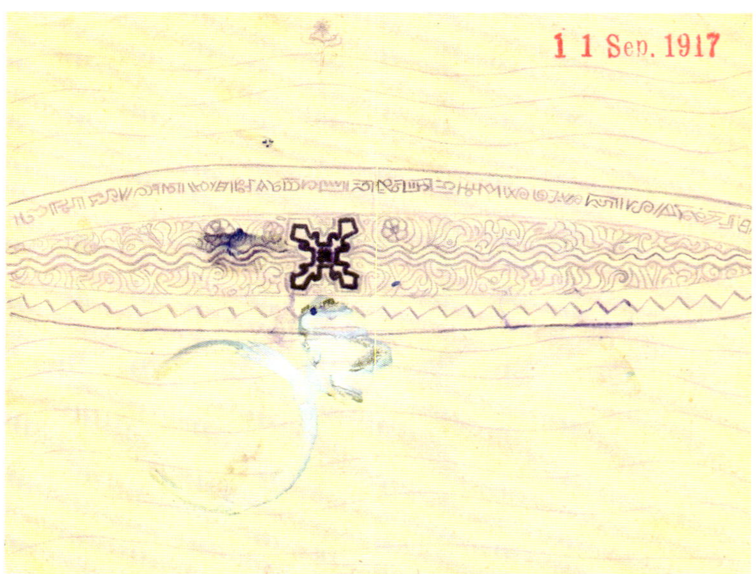

Esboço de mandala 7 é datado de 11 de setembro de 1917 e é a base da ilustração 94 (12,1cm x 15,2cm).

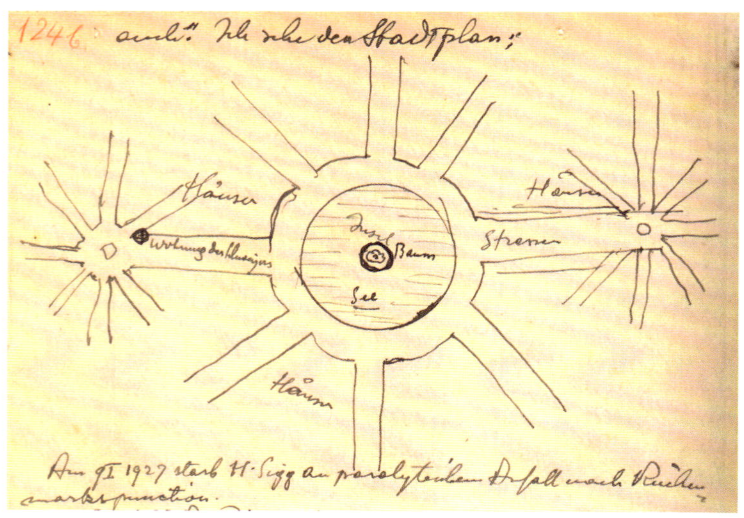

O *plano da cidade* é tirado do *Livro Negro 7*, p. 124b, e retrata a cena do sonho de "Liverpool". Este esboço é a base da ilustração 159, ligando o sonho ao mandala. Texto na ilustração, a partir da esquerda: "Residência do suíço"; *em cima* "Casas"; *embaixo* "Casas", "Ilha"; (embaixo) "Lago", "Árvore", "Ruas", "Casas" (13,3cm x 19,1cm).

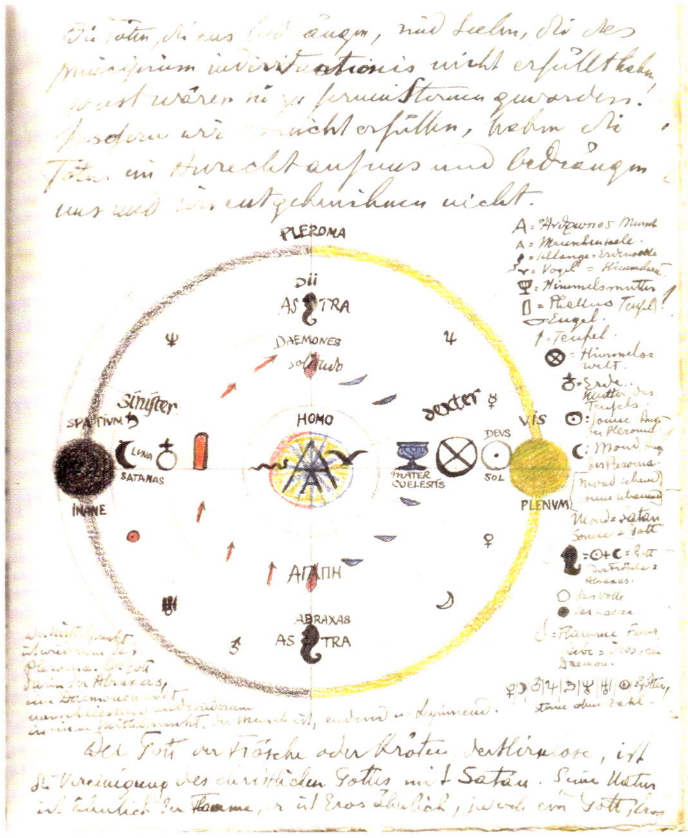

O *Esboço do "Systema Munditotius"* é tirado do *Livro Negro* 5, p. 169 (cf. Apêndice C, p. 370 para ulterior discussão) (22,9cm x 17,8cm).

Legenda da ilustração:

* Anthropos, ser humano
* Alma humana
* Serpente/Cobra = Alma terrena
* Pássaro = Alma celestial
* Mãe celestial
* Falo (Demônio)
* Anjo
* Demônio
* Mundo celestial
* Terra, Mãe do demônio
* Sol, Olho do Pleroma
* Lua, Olho do Pleroma
* [Lua, oculada]
* [Sol, olhando]
* Lua = Satanás
* Sol = Deus
* Deus das Rãs = Abraxas
* a Plenitude
* o Vazio
* Chama, Fogo, Amor = Eros, um dáimon
* = Deuses, estrelas sem número

O ponto no meio é novamente o Pleroma. O Deus nele é Abraxas, um mundo de dáimones o cerca e novamente num ponto no meio está a humanidade, terminando e começando.

Esboço da primeira página do *Liber Secundus* (cf. p. 1) (38,7cm x 27,3cm). O texto caligráfico é tirado de um mito babilônico da criação, reproduzido em GRESSMAN, H. (org.). *Altorientalische Texte und Bilder zum Alten Testament*. Vol. 1 (Tübingen: J. Mohr, 1909, p. 4s.), que Jung citou em 1912 em *Transformações e símbolos da libido* (OC, B, § 383). O teor é o seguinte: "Mãe Huber que formou todas as coisas / providenciou uma arma irresistível ao dar à luz uma serpente gigante com dente pontiagudo / implacável em todos os sentidos. Ela encheu o próprio corpo com sangue e não com veneno / e copulou com furiosos tritões gigantes em fertilidade. Fê-los brilhar com brilho terrível / fê-los empinar-se. Todos os que os viam definhavam horrivelmente / seus corpos erguiam-se sem eles fugindo".

Systema Munditotius. (30cm x 34cm). Em 1955 o *Systema Munditotius* de Jung foi publicado anonimamente num fascículo especial de *Du* dedicado às conferências de Eranos. Numa carta de 11 de fevereiro de 1955 a Walter Corti, Jung afirmou explicitamente que não quis que seu nome aparecesse com ele (JA). E acrescentou os seguintes comentários: "Ele descreve as antinomias do microcosmo dentro do mundo macrocósmico com suas antinomias. No ponto mais alto, a figura do jovem rapaz dentro do ovo alado, chamado Erikapaios ou Phanes e lembrando assim uma figura espiritual dos deuses Deuses órficos. Sua antítese escura nas profundezas é designada aqui como Abraxas. Ele representa o *dominus mundi*, o senhor do mundo físico, e é um criador-do-mundo de natureza ambivalente. Brotando dele vemos a árvore da vida, chamada *vita* ("vida"), enquanto sua contraparte superior é uma árvore da luz na forma de um candelabro de sete braços chamado *ignis* ("fogo)") e *Eros* ("amor"). Sua luz aponta para o mundo espiritual da criança divina. Também a arte e a ciência pertencem a esta esfera espiritual, a primeira representada como uma serpente alada e a segunda como um rato alado (como atividade de cavar buracos!). — O candelabro baseia-se no princípio do número espiritual três (duas-vezes-três chamas com uma grande chama no meio), ao passo que o mundo inferior de Abraxas é caracterizado pelo cinco, o número do homem natural (os duas-vezes-cinco raios de sua estrela). Os animais do mundo natural que o acompanham são um monstro demoníaco e uma larva. Isto significa morte e renascimento. Uma outra divisão do mandala é horizontal. À esquerda vemos um círculo indicando o corpo ou o sangue, e dele surge uma serpente, que se enrosca no falo, enquanto princípio generativo. A serpente é escura e clara, significando a região escura da terra, a lua e o vazio (por isso chamada Satanás). A parte clara de rica plenitude está à direita, onde do círculo brilhante *frigus sive amor dei* [frio ou o amor de Deus] a pomba do Espírito Santo alça voo, e a sabedoria (*Sophia*) derrama água de uma dupla taça para a esquerda e para a direita. — Esta esfera feminina é a do céu. — A grande esfera caracterizada por linhas ou raios em ziguezague representa um sol interior; dentro desta esfera está repetido o macrocosmo, mas com a região superior e a região inferior invertidas como num espelho. Estas repetições devem ser imaginadas como infinitas em número, tornando-se cada vez menores até chegar ao núcleo mais profundo, o microcosmo atual".

Apêndice B
Comentários

p. 86-89[1]

Período da vida
Masculino
Enantiodromia do tipo de vida

É difícil forçar esta ilustração a uma declaração. Mas seu tipo é de tal forma alegórico, que deveria falar. Distingue-se das vivências anteriores pelo fato de ser muito menos vivida do que contemplada. Todos os quadros que reuni sob o título "Jogo dos mistérios" são bem mais do tipo alegórico do que propriamente vivências. Contudo, não são alegorias intencionais, não foram provocadas intencionalmente para apresentar numa pintura algo velado ou fantástico, mas apareceram como visão. Só mais tarde, na revisão, tive a impressão sempre mais forte de que não se podia compará-las com as vivências relatadas em outros capítulos. Essas imagens são evidentemente concepções personificadas de ideias inconscientes. Isto provém de seu caráter de imagem. Elas também me incentivaram mais à reflexão e interpretação do que as outras vivências às quais eu não podia fazer justiça com o pensar, porque são simplesmente coisa vivida. As imagens do "Jogo dos mistérios", porém, personificam princípios que são acessíveis ao pensar e à compreensão intelectual e, correspondendo a seu tipo alegórico, também estimulam a semelhante tentativa de explicação.

O lugar da ação é uma escura profundeza da terra, evidentemente uma representação da profundeza interior sob a dimensão do espaço consciente ou do campo de visão psíquica. O mergulhar numa tal profundeza corresponde ao desvio do olhar espiritual das coisas externas e sua concentração na profundeza escura interior. Através do olhar para o escuro surge, de certa forma, uma vivificação do pano de fundo anteriormente escuro. Uma vez que a contemplação da escuridão acontece sem expectativa consciente, o pano de fundo psíquico não vivido tem uma oportunidade de deixar aparecer seus conteúdos, não importando os pressupostos conscientes.

As vivências precedentes indicam que estavam disponíveis fortes movimentos psíquicos que a consciência não conseguiu abranger. Duas figuras entram no campo visual, não esperadas pela consciência, em compensação são características do espírito mitológico que está na base da consciência: o velho sábio e a jovem. Esta combinação é uma imagem que volta eternamente ao espírito humano. O velho representa um princípio espiritual, que poderíamos chamar de Logos, e a jovem, um princípio sensual não espiritual, que poderíamos chamar de Eros. Um rebento do Logos é o Nous, o intelecto, que desfez a mistura através do sentimento, do pressentimento e da sensação. Em compensação, o Logos contém esta mistura. Mas ele não é o produto dessa mistura, caso contrário seria uma atividade psíquica inferior e animal, mas ele comanda a mistura de tal forma que as quatro atividades básicas da psique se subordinam a seu princípio. É um princípio autônomo da forma, que significa compreensão, intuição, previsão, legislação e sabedoria. Por isso a figura de um velho profeta é uma alegoria adequada para este princípio, pois o espírito profético reúne em si todas essas propriedades. Por outro lado, o Eros é um princípio que contém igualmente uma mistura de todas as atividades básicas da alma e as comanda também, contudo sua finalidade é bem outra. Ele não é doador da forma, mas preenchedor da forma, ele é o vinho que se despeja no recipiente; ele não é o leito e o rumo da torrente, mas o ímpeto das águas que nela correm. O Eros é cobiça, desejo, força, exaltação, prazer, paixão. O Logos é ordem e perseverança, o Eros é soltura e movimento. São dois poderes básicos da alma que formam um par de opostos e que se condicionam mutuamente.

Na velhice do profeta está expressa a perseverança, mas o movimento se traduz na juventude da moça. Sua essência suprapessoal está expressa no fato de serem figuras que fazem parte da história geral da humanidade; não pertencem a uma pessoa, mas são um conteúdo espiritual dos povos desde tempos remotos. Cada qual as possui, por isso as encontramos sempre de novo em pensadores e poetas.

Essas imagens primordiais têm um poder secreto, que atua tanto sobre a razão quanto sobre a emoção da pessoa humana. Onde quer que surjam mexem com alguma coisa na pessoa que está ligada ao misterioso, passado há muito tempo e cheio de pressentimentos. Uma corda soa, cuja vibração repercute em cada peito humano; pois em cada um moram essas imagens primordiais porque fazem bem a todas as pessoas[2]. Este poder secreto é como um feitiço, como magia, que causa tanto elevação quanto sedução. Esta é a característica própria das imagens primordiais: elas agarram as pessoas lá onde ela é apenas ser humano e uma força se apodera dela como se a aglomeração do povo a empurrasse. E isto acontece, mesmo quando a razão e o sentimento se levantam contra isso. O que é a força do indivíduo contra a voz de todo o povo dentro dele? Ele está enfeitiçado, capturado, devorado. Ninguém exprime melhor este estado de coisas do que a cobra. Ela significa tudo o que é perigoso e mau, noturno e sinistro, que está ligado tanto ao Logos quanto ao Eros, enquanto podem atuar como os princípios escuros e incógnitos do espírito inconsciente.

A casa expressa morada fixa, ficando entendido o fato de que Logos e Eros moram permanentemente em nós.

Salomé é apresentada como filha de Elias. Exprime-se com isso o procedimento da sucessão. O profeta é seu genitor, ela procede dele. Sendo-lhe atribuída como filha, indica-se assim uma subordinação do Eros ao Logos. Ainda que esta relação, assim como aparece na persistência dessa imagem primordial, seja muito frequente, ela é assim mesmo um caso peculiar que não possui validade geral. Pois quando se trata de dois princípios que se encontram numa relação de oposição, um não pode provir do outro e desse modo ser dependente do primeiro. Por isso Salomé não é evidentemente uma encarnação (totalmente) perfeita do Eros, mas uma bastarda do mesmo. (Esta suposição se confirma mais tarde.) Que ela é realmente uma alegoria imperfeita do Eros manifesta-se também no fato de ser cega. O Eros não é cego, pois ele dispõe, assim como o Logos, de todas as atividades básicas da alma. A cegueira significa sua imperfeição e a falta de uma qualidade essencial. Devido à sua deficiência, depende do pai.

As paredes que brilham de modo confuso indicam algo desconhecido, talvez valioso, que desperta a curiosidade e atrai sobre si a atenção. Dessa maneira, a participação criadora fica ainda mais sufocada na imagem, pela qual se torna possível uma vivificação ainda maior do pano de fundo escuro. Devido ao aumento da atenção, forma-se a imagem de um objeto que expressa muito bem a concentração, isto é, a imagem de um cristal que é usado desde tempos antigos para a geração de visões. As figuras inicialmente incompreensíveis ao observador produzem acontecimentos obscuros em sua alma, que de certa maneira estão ainda mais fundas

1 Os números das páginas referem-se ao *esboço corrigido*. Correspondem às p. 245-248 acima.

2 Jung emprega aqui uma metáfora usada por Jacob Burkhardt para descrever as imagens primordiais de Fausto e Édipo, que ele citou em *Transformações e símbolos da libido* (1912. OC, B, § 56n.).

(semelhantemente à visão do sangue) e para cuja percepção há necessidade de um meio auxiliar como o cristal. Mas com isso, como ficou dito, não se exprime nada além de uma concentração mais forte da atenção criadora.

Uma figura, completa e transparente em si, como a do profeta, desperta menos curiosidade do que a figura inesperada de uma cega Salomé, podendo-se esperar então que o processo criador se volte em primeiro lugar para o problema do Eros. Esta é a razão por que aparece primeiramente uma imagem de Eva, bem como da árvore e da serpente. Isto significa obviamente a sedução, cujo elemento já está claro na figura de Salomé. A sedução produz um movimento ulterior para o lado do Eros. Disso surge o pressentimento de muitas possibilidades aventureiras, do qual é imagem perfeita a viagem sem rumo de Ulisses. Esta imagem é estímulo e convite para o prazer empreendedor; é como se uma porta se abrisse para uma nova possibilidade e que conseguisse libertar o olhar da estreiteza e profundeza escuras em que estava preso. Abre-se por isso a visão para um jardim ensolarado, cujas árvores de flores vermelhas representam ampliação do sentimento erótico e cujo poço significa uma fonte perene. A umidade refrescante do poço, que não causa embriaguez, aponta para o Logos. (Por isso Salomé fala também mais tarde dos "poços" profundos do Profeta.) Indica-se com isso que a ampliação do Eros significa também uma fonte do conhecimento. E então Elias começa a falar.

O Logos tem sem dúvida o poder neste meu caso, pois Elias diz que ele e sua filha são um desde sempre. Mas Logos e Eros não são um, e sim dois. Mas neste caso o Logos ofuscou o Eros e o submeteu a si. Se for assim, surgirá a necessidade de libertar o Eros do sufoco do Logos, para que o primeiro consiga de novo sua face. Por isso Salomé voltou-se para mim, porque o Eros está necessitado de ajuda e porque eu também fui transposto para a contemplação dessa imagem. A alma do homem está mais inclinada para o Logos do que para o Eros; este caracteriza mais a natureza da mulher. A opressão do Eros pelo Logos explica não só a cegueira do Eros, mas também o fato estranho em si de que o Eros é representado pela figura pouco simpática de Salomé. Salomé significa más qualidades. Ela lembra não só o assassinato do Santo, mas também a complacência incestuosa do pai.

Um princípio tem sempre a dignidade da independência. Mas quando se lhe tira esta dignidade, fica rebaixado e assume uma forma ruim. Sabemos que as atividades e qualidades psíquicas que são retiradas pela opressão do desenvolvimento degeneram e se transformam em vícios. No lugar de uma atividade cortês entra um vício manifesto ou secreto e assim nasce uma desunião da personalidade consigo mesma, que significa um sofrimento moral ou uma verdadeira doença. Para quem quer libertar-se desse sofrimento só há um caminho: precisa assumir a parte oprimida de sua psique, precisa até amar sua inferioridade e seu vício, para que o degenerado volte a encontrar o caminho do desenvolvimento. Mas isto é extremamente difícil e duvidoso.

Onde o Logos domina, lá existe ordem, mas teimosia demais. A alegoria do paraíso, onde não há nenhuma luta e, por isso, também nenhum desenvolvimento, é bem adequada aqui. Neste estado o movimento reprimido degenera, seu valor se perde. Este é o assassinato do Santo, e o assassinato acontece porque, como Herodes, o Logos não consegue proteger o Santo por fraqueza própria, porque não sabe fazer outra coisa do que agarrar-se em si mesmo, gesto pelo qual provoca o Eros para sua degeneração. Só a desobediência a este princípio dominador leva para fora desse estado de teimosia não evolutiva. A história do paraíso se repete e por isso também a serpente se enrosca no alto da árvore, porque Adão deve ser tentado para a desobediência.

Todo desenvolvimento passa por cima do não desenvolvido, mas capaz de desenvolvimento. No seu estado não desenvolvido ele quase não tem valor, ao passo que o desenvolvido representa um valor muito elevado, que é indiscutível. Deve-se renunciar a este valor, ao menos aparentemente, para que se possa assumir o não desenvolvido. Mas este está na mais franca oposição ao desenvolvido, que talvez represente nossa melhor e mais elevada contribuição. Por isso, o assumir do não desenvolvido é como um pecado, como um passo em falso, uma degeneração, uma descida para um degrau mais baixo, mas na verdade um feito maior do que a perseverança num estado ordenado à custa do outro lado de nossa natureza, que desta maneira está exposta à corrupção.

p. 103-119[3]

O lugar da ação é o mesmo da primeira ilustração. A indicação de que 'uma cratera fortalece a impressão de uma grande profundeza que alcança de certa forma o interior da terra, que não é inativa, mas que expele violentamente um conteúdo.

Uma vez que o Eros é em princípio o problemático na maioria dos casos, surge Salomé cega, tateando *para a esquerda* seu caminho. Também aparentes minúcias são de importância em tais imagens visionárias. Esquerdo é o lado do desfavorável. Indica-se assim que o Eros tem a tendência de não ir para a direita, que é o lado da consciência, da vontade consciente e da escolha consciente, mas para aquele lado em que está o coração que também está menos submetido à nossa vontade consciente. Este movimento para a esquerda é sublinhado pelo fato de vós também seguirdes a serpente. A serpente é o poder mágico, cujo aparecimento se dá sempre onde instintos animalescos são despertados em nós de maneira incompreensível. Eles dão ao movimento do Eros a fatídica energia que nós sentimos como mágica. A atividade mágica é um feitiço e enfatização de nosso pensar e sentir através de obscuros movimentos instintivos de natureza animal.

O movimento para a esquerda é cego, isto é, sem objetivo e sem propósito. Precisa por isso de orientação, mas não da intenção consciente e sim da orientação do Logos. Elias chama Salomé de volta. Sua cegueira é uma doença, e doença requer cura. O preconceito contra ela é enfraquecido ao menos em parte por uma observação mais atenta dela. Ela parece inocente, por isso talvez se deva atribuir sua maldade à sua cegueira.

Pelo chamamento de volta de Salomé, o Logos proclama seu poder sobre o Eros. Também a serpente lhe obedece. Ela está deitada diante do Logos e do Eros, para reforçar o poder e o significado dessa ilustração. Consequência natural desse espetáculo mágico e poderoso da união do Logos e do Eros é a pequenez e insignificância fortemente sentidas do eu e que se manifesta na sensação da infantilidade.

Parece que o movimento para a esquerda, seguindo o cego Eros, não é possível e de certa forma não permitido sem a interferência do Logos. Seguir cegamente um movimento é, do ponto de vista do Logos, um pecado, porque é uma unilateralidade e, além do mais, vai contra a lei de que o ser humano deve sempre lutar pelo maior grau de consciência. Pois nisso consiste sua humanidade. A outra coisa ele a tem em comum com o animal. Também Jesus diz: "Quando sabes o que fazes, és bem-aventurado, mas quando não sabes o que fazes, és amaldiçoado[4]. Este movimento para a esquerda só seria possível e permitido se disso resultasse uma concepção consciente, *visível*. Sem a interferência do Logos, porém, é impossível o estabelecimento de semelhante concepção.

3 Isto corresponde às p. 245-248 acima.

4 Esta frase é uma inserção apócrifa no Evangelho de Lucas 6,5, do Codex Bezae: "Homem, quando sabes realmente o que fazes, bem-aventurado és tu; mas se não, és amaldiçoado e um transgressor da lei". ELLIOT, K.J. (org.). *The Apocryphal New Testament*, p. 68. Em 1952, Jung citou isto em *Resposta a Jó* (OC, 11/4, § 696).

O primeiro passo para a formação da concepção é a conscientização do objetivo ou da intenção do movimento. Por isso pergunta Elias pela intenção do eu. E este tem de reconhecer a cegueira, isto é, a ignorância a respeito da intenção. A única coisa reconhecível é uma ânsia, um desejo de resolver a confusão manifestada na primeira ilustração.

Esta conscientização causa um leve toque de felicidade em Salomé. É compreensível porque conscientização e tornar visível significa a cura de sua cegueira. Com isso se dá um passo à frente na direção do objetivo do Eros.

O eu persiste a princípio em seu lugar inferior, pois devido à sua ignorância não vê o desenvolvimento ulterior de seu problema. Também não saberia indicar a direção a seguir, pois até agora nunca dirigiu seu olhar para dentro da profundeza de seu substrato psíquico, mas só para o exterior e consciente, e só reconheceu como grandeza ativa a força da consciência e do mundo consciente, negando assim de modo semiconsciente os movimentos de seu interior. Colocado diante de sua própria profundeza, semelhante eu só pode experimentar sofrimento. Foi tão firme sua fé em seu mundo superior consciente, que uma descida para dentro da profundeza do si-mesmo seria um delito, uma infidelidade aos ideais conscientes.

Mas como aquele desejo de resolver a confusão é maior do que as relutâncias contra a própria inferioridade, o eu confiou-se à orientação do Logos. Como não se vê nada que possa dar uma resposta à questão formulada, maior profundeza deverá ser aberta. Isto acontece novamente com a ajuda do cristal, isto é, através da máxima concentração da atenção que aguarda. A primeira imagem que aparece no cristal é a mãe de Deus com o filho.

Esta imagem está evidentemente em conexão com e em oposição à visão da Eva na primeira ilustração. Assim como Eva representa a tentação da carne e a maternidade carnal, a mãe de Deus encarna a virgindade carnal e a maternidade espiritual. A primeira direção seria um movimento do Eros para a carne, a última direção seria um movimento para o espírito. Eva é a expressão do lado carnal, enquanto Maria a expressão do lado espiritual do Eros. Enquanto o eu só via Eva, era cego. Mas a conscientização abriu um aspecto espiritual do Eros. No primeiro caso, o eu tornou-se um Ulisses em sua rota perdida, que encontra seu desfecho na volta do homem envelhecido ao ventre materno, Penélope.

No último caso, o eu é apresentado como Pedro como a pedra escolhida sobre a qual deveria ser construída a Igreja. Esta ideia é apoiada pelas chaves como símbolo do poder de ligar e desligar e transferido para a figura do papa como o representante de Deus na Terra, com a tríplice coroa.

Sem dúvida, o eu entra aqui num movimento em direção ao poder espiritual. Isto se explica pela unilateralidade do movimento. O aspecto de Eva conduz à aventureira viagem errante, à Igreja e a Calipso. O aspecto da mãe de Deus, no entanto, desvia o desejo da carne e o dirige para a veneração humilde do espírito. Na carne, o Eros está subordinado ao erro, mas no espírito ele se levanta acima da carne e sobre a inferioridade do erro carnal. Torna-se por isso quase imperceptível na forma de amor ao espírito do poder sobre a carne e assim sai da casca do amor. O poder espiritual, que acredita amar o espírito, mas que de fato e na verdade é um domínio da carne. Quanto mais for poder, tanto menos é amor. Quanto menos for amor ao espírito, tanto mais é poder carnal. E assim o amor ao espírito torna-se, devido a seu poder sobre a carne, um instinto mundano de poder em forma espiritual.

O Cristo venceu o mundo ao tomar sobre si o sofrimento do mundo. Mas Buda venceu as duas coisas: o prazer e o sofrimento do mundo, afastando de si prazer e sofrimento. E assim entrou num não ser, no estado em que não há volta. Buda é um poder espiritual ainda maior, que também não se regozija mais com o domínio da carne, tão profundamente mergulharam atrás dele prazer e dor. A paixão, que em sua autossuperação ainda é tão poderosa em Cristo e que precisa de si mesma sempre de novo e sempre em maior quantidade para o triunfo da superação própria, migrou para fora do Buda e queima a seu redor como fogo chamejante. Ele está intocado e é intocável.

Quando o eu vivo se aproxima desse estado, sua paixão vai deixá-lo, mas não vai morrer. Alguém por acaso não é sua paixão? E o que acontece com sua paixão quando ela abandona o eu? O eu é a consciência, e a consciência só tem olhos dianteiros. Nunca vê o que está às suas costas. Mas lá concentra-se na paixão que ele venceu na frente. Não conduzido pelo olho da razão, não atenuado pela humanidade, transforma-se o fogo na Kali devastadora e sedenta de sangue, que consome a vida do homem de dentro, como diz o mantra de seu serviço sacrificial: "Salve, Kali, deusa de três olhos, figura horrível, em cujo pescoço está pendurada uma corrente de crânios humanos. Saudada sejas tu com este sangue".

Certamente Salomé tem de desesperar com este desfecho de que o Eros gostaria de transformar-se em espírito, pois o Eros não pode prescindir da carne. Se o eu se revolta contra a inferioridade na carne, também se revolta sua alma feminina, que corporifica tudo o que a consciência gostaria de reprimir contra o espírito. Assim também este caminho leva a um desfecho na oposição. Por isso o eu volta de sua contemplação das figuras que corporificam sua desunião.

Novamente Logos e Eros estão juntos, como se tivessem superado o conflito entre espírito e carne. Parece que conhecem a solução. O movimento para a esquerda, que no começo da ilustração saía do Eros, procede agora do fogo. Ele acolhe o movimento para a esquerda, a fim de terminar com olhos que enxergam aquilo que começou com cegueira. A princípio ele conduz para uma escuridão maior, mas que de alguma forma é iluminada pela luz avermelhada. A cor vermelha indica o Eros que não dá nenhuma luz clara, mas ao menos uma possibilidade de reconhecer algo, talvez só porque leva a pessoa a uma situação em que possa conhecer alguma coisa se o Logos a socorrer.

Elias encosta-se no leão de mármore. O leão como animal régio significa poder. A rocha significa firmeza inabalável. Assim são expressos o poder e a firmeza do Logos. Novamente começa em primeiro lugar a conscientização, e dessa vez em maior profundidade e renovado envolvimento. O eu sente tanto mais sua pequenez, pelo fato de estar aqui ainda mais longe de seu mundo conhecido, onde tem consciência de seu valor e de sua importância. Aqui não há nada que lhe lembre sua importância. Por isso está naturalmente dominado por tanto ser diferente, que fica totalmente privado de seu arbítrio. A figura de Elias assume o processo da conscientização.

Como indicam as visões do cristal, a ideia que devia levar à consciência é uma ideia com poder espiritual, isto é, o eu caiu na tentação de querer arrogar-se o ser profeta. Mas esta ideia encontrou tão grande recusa, que não conseguiu impor-se contra a consciência. Ficou por isso atrás da cortina. Como o eu não pudesse seguir cegamente o Eros, queria ao menos trocar esta perda pela posse do poder espiritual – um procedimento que podemos observar com muita frequência na vida das formas! Mas também é quase inevitável que tão grande perda, como a do Eros, force as pessoas, ao menos no campo do poder, a buscar um sucedâneo. Isto acontece de maneira tão sutil e esperta, que o eu nem mesmo percebe o truque. Por isso, mesmo seguindo as regras da posse do poder, semelhante eu não pode ficar feliz, porque não é ele que possui o poder, mas é o poder demoníaco que o possui. Teria sido fácil para o eu apossar-se neste caso da realidade com que a figura de Elias se impôs com tanta plasticidade e tomar para si esta figura como merecedora de personalidade. Mas a conscientização impediu esta fraude.

O surgimento de figuras vivas não deve ser tomado em sentido pessoal, ainda que se esteja naturalmente inclinado a assumir de certa forma a responsabilidade sobre elas. Mas elas pertencem na verdade tanto como tampouco à nossa personalidade, como a posse das mãos e dos pés. O simples fato de que mãos e pés estão disponíveis não é determinante da personalidade. Se existe algo de determinante neles, é apenas sua condição individual. Assim é determinante para o eu que o velho e a jovem sejam designados precisamente como Elias e Salomé; poderiam também chamar-se Simão Mago e Helena. Mas é significativo que tenham aspecto bíblico. Isto faz parte, como ficará demonstrado mais tarde, das características da confusão psíquica dominante neste momento.

Com a conscientização da ideia sedutora do poder espiritual vem à baila de novo a questão do Eros, de novo numa forma nova: a possibilidade indicada por Eva, bem como a corporificada por Maria, fica excluída. Permanece então a terceira possibilidade, que evita o extremo da carne assim como o do espírito, isto é, a relação filial: Elias, o pai; Salomé, a irmã; o eu, o filho e irmão. Esta solução corresponde à ideia cristã de filiação. A mãe que ainda falta é completada de maneira terrivelmente ardilosa por Salomé como Maria. O efeito sobre o eu também está de conformidade com isso. A solução cristã através da filiação tem inegavelmente algo de libertador, porque parece ter alguma coisa de bem possível. Em cada pessoa ainda está vivo o filial; na pessoa idosa é inclusive a última coisa que ainda está viva. Devido à sua inesgotável vitalidade e imperdibilidade é possível recorrer a todo tempo ao filial. Pode-se tornar inofensivo tudo, mesmo a coisa mais perigosa, através da retroversão para o filial. Nós já o fazemos muitas vezes na vida comum. Consegue-se até mesmo domesticar uma paixão reconduzindo-a ao filial, e talvez mais frequentemente a chama da paixão sucumba a um lamento filial. Portanto há muitas ocasiões em que o filial pode aparecer como solução satisfatória, inclusive no efeito profundo de nossa educação cristã, que grava em nós a ideia de filiação através de centenas de fórmulas de oração e de hinos.

Tanto mais destruidora deve ser a observação de que Maria era a mãe comum. Pois assim a solução filial fica prejudicada já no surgimento, e despertada diretamente a ideia: se Maria é a mãe, *então o eu deve ser inevitavelmente Cristo*. A solução filial teria um retrocesso fomentado por todo tipo de especulação: Salomé já não seria perigosa, pois seria a irmãzinha. Elias seria o pai fiel e preocupado cuja sabedoria e prudência poderiam deixar o eu entregue a si mesmo com confiança filial.

Mas esta é a malfadada desvantagem da solução através da filiação: cada filho gostaria de crescer. Faz parte do ser infantil o desejo veemente e a impaciência pelo futuro de adulto. Se voltarmos ao ser criança por medo dos perigos do Eros, a criança desejará desenvolver-se segundo o poder espiritual. Mas se fugirmos para a infância por medo dos perigos do espírito, sucumbiremos à prepotência erótica do poder.

O estado da filiação espiritual é uma passagem no qual nem todos conseguem persistir. É compreensível que neste caso é o Eros que mostra ao eu a impossibilidade de continuar criança. Poder-se-ia pensar que não seria muito difícil ter de renunciar ao estado de filiação. Mas só pensa assim aquele que não tem clareza sobre as consequências da renúncia à filiação. Não é apenas a perda das concepções cristãs de antigamente e das possibilidades religiosas que elas proporcionam – esta perda é suportada facilmente por muitos –, mas a renúncia se refere àquela atitude que vai mais fundo e que ultrapassa em muito a concepção cristã, que dá ao indivíduo uma direção certa e experimentada de sua vida e pensamento. Mesmo que alguém se tenha afastado há muito da prática religiosa cristã e já não pense em arrepender-se dessa perda, comporta-se intuitivamente como se as premissas originais ainda valessem. Não pensa que uma cosmovisão preterida deva ser substituída por outra e sobretudo não tem clareza de que nossa moral de hoje é minada pelo abandono da concepção cristã. A renúncia à filiação significa que não há mais apoio intuitivo e habitual aos pontos de vista morais vigentes até agora. Pois o ponto de vista válido até agora proveio do espírito da cosmovisão cristã.

Nossa atitude para com o Eros, por exemplo, é, apesar de toda a liberdade de espírito, ainda o ponto de vista cristão antigo. Nele não podemos permanecer sossegadamente sem questionamentos e dúvidas, caso contrário permaneceremos no estado de filiação. Se rejeitarmos apenas o aspecto dogmático, a libertação do tradicional é apenas intelectual, enquanto nosso sentimento mais profundo segue o velho caminho como até agora. A maioria não percebe o estado de bipartição em que entram através desse procedimento. Mas as futuras gerações vão sentir isso mais e mais. Mas quem o percebe descobre com espanto que, abandonando a filiação, cai para fora do tempo atual e que não pode mais seguir nenhum dos caminhos tradicionais. Ele fica em terra nova que não tem parâmetro nem limites. Falta-lhe aquela orientação, uma vez que abandonou toda e qualquer orientação tradicional. Mas este reconhecimento preocupa só uns poucos, pois a grande maioria consegue contentar-se com sua imperfeição, e a imbecilidade de seu estado espiritual não os perturba. Mas a indiferença e a inatividade não são características de todos. Haverá sempre alguém que preferirá procurar amparo na coragem do desespero do que permanecer no estado de uma cosmovisão que nada tem a ver com seu procedimento habitual de agora. Vai preferir aventurar-se em terra escura e sem caminho, correndo o risco de nela sucumbir, mesmo que toda sua covardia se revolte contra isso.

Quando Salomé diz que a mãe comum é Maria e assim dá a entender que o eu é Cristo, fica expresso precisa e claramente que o eu abandonou o estado da filiação cristã e se colocou no lugar de Cristo. Naturalmente nada seria mais absurdo do que admitir que com isso o eu se arroga uma importância exagerada; ao contrário, ele se coloca numa posição sobremaneira inferior. Antes ele tinha o privilégio de estar com toda a humanidade no séquito de um poderoso, mas agora trocou isto pela solidão e desaparecimento. Ele é estranho e solitário em seu mundo, como Jesus em sua época, mas sem possuir as altas qualidades daquele grande homem. A oposição ao mundo exige grandeza, mas o eu sente sua pequenez quase ridícula. Daí se explica o espanto do eu ao ouvir as revelações de Salomé.

Quem se aliena da concepção cristã, e se aliena totalmente, entra no que parece não ter chão firme, numa solidão extrema, sobre a qual não é possível enganar-se. Certamente gostaríamos de convencer-nos de que nem tudo é tão difícil assim. Mas é difícil, sim. A solidão é a pior coisa que pode acontecer ao instinto gregário do ser humano, sem falar do terrível ônus que coloca sobre si. Destruir é fácil, mas reconstruir é difícil.

Termina assim esta imagem com um sentimento de tristeza, mas que está em contradição com a chama alta, queimando sossegadamente, enlaçada pela serpente. Este quadro significa devoção junto com coação mágica, expressa pela serpente. Através disso é apresentada, ao inquieto sentimento de dúvida e de medo, uma contrapartida eficaz, como se alguém dissesse: "Certamente teu eu está cheio de inquietação e dúvida, mas em ti queima mais forte ainda a chama permanente da devoção, e mais poderosa é a coação de teu destino".

p. 127-150[5]

Os pressentimentos de forte impacto da segunda ilustração precipitaram o eu num caos de dúvidas. Por isso nasceu um desejo compreensível de elevar-se por sobre a confusão para uma clareza maior. Isso está expresso na ilustração pela crista de pedra que se eleva alcantilada. O Logos parece concordar. O que acontece em primeiro lugar é a imagem de dois opostos, expressos na figura de serpentes, bem como na separação de dia e noite. A claridade do dia significa o bem, a escuridão significa o mal. Como poderes impositivos, ambas têm a forma de serpente. Nisso está oculta uma ideia que adquire grande importância no que se segue: não causaria menos espanto a alguém encontrar uma serpente branca ou negra. A cor não interfere no medo. Indica-se com isso que, sob determinadas circunstâncias, o poder perigoso e encantador é importante tanto ao bem quanto ao mal. Por conseguinte não seria de considerar aqui o bem como um princípio que fica essencialmente atrás em periculosidade do mal. Em qualquer caso, o eu não poderia tampouco tomar a decisão de aproximar-se da serpente branca ou negra, apesar de acreditar que sob todas as circunstâncias, poderia ou deveria confiar-se mais ao bem do que ao mal. Mas aqui o eu fica parado no meio, como que fascinado, e contempla a luta dos dois princípios – dentro dele.

Na verdade, o fato de o eu conservar a posição intermédia já significa um avanço do mal, pois é uma ruptura com o bem, quando a gente não se entrega incondicionalmente a ele. Isto está expresso no ataque da serpente negra. Mas na verdade, o fato de o eu não tomar parte no mal é uma vitória do bem. Isto está expresso no fato de a serpente negra receber uma cabeça branca.

O desaparecimento da serpente significa que a oposição de bem e mal tornou-se inativa, isto é, que ao menos perdeu sua importância imediata. Para o eu, isto significa uma libertação do poder incondicional do ponto de vista moral costumeiro em prol de uma posição intermédia, livre dos opostos. Mas com isso nada se ganha ainda em clareza e vista geral; por isso a ascensão é continuada até uma última altura, que talvez proporcione a desejada vista geral.

5 Refere-se às p. 251-254.

Apêndice C

O que se segue é um excerto do *Livro Negro*, 5, que dá uma ideia preliminar da cosmologia dos *Septem Sermones*.

16 I 16

Tremendo é o poder do Deus.

"Experimentarás ainda mais dele. Estás na segunda era. A primeira era está superada. Este é o tempo do domínio do filho, que tu chamas o Deus-sapo. Uma terceira era seguirá, a era da distribuição e do poder equilibrado".

Minh'alma, para onde foste? Foste para os animais?

"Eu ligo o superior ao inferior. Eu ligo Deus e animal. Algo em mim é animal, algo é Deus, e um terceiro é humano. Abaixo de ti, a serpente; dentro de ti, o homem; acima de ti, Deus. Depois da serpente vem o falo, depois a terra, depois a lua e depois o frio e o vazio do espaço sideral.

Acima de ti vem o pombo ou a alma celestial, onde amor e previsão se unem, assim como se unem na serpente o veneno e a esperteza. A esperteza é razão diabólica, que sempre detecta coisas menores e encontra buracos onde tu não os suspeitas.

Se eu não consistir na união do inferior e do superior, eu me decomponho em três partes: *serpente*, e nela ou em alguma outra forma animal eu vagueio, vivendo a natureza de forma demoníaca, incutindo temor e desejo. A *alma humana*, que sempre vive contigo. A alma celestial, que como tal vive com os deuses, distante de ti e desconhecida a ti, aparece em forma de pássaro. Então, cada uma dessas três peças é independente.

Do outro lado de mim está a mãe celestial. Sua contraparte é o falo. Sua mãe é a terra, seu alvo é a mãe celestial.

A mãe celestial é a filha do mundo celestial. Sua contraparte é a terra.

O mundo celestial é iluminado pelo sol espiritual. Sua contraparte é a lua. E assim como a lua é a transição para a morte do espaço, o sol espiritual é a transição para o pleroma, o mundo superior da plenitude. A lua é o olho divino do vazio, assim como o sol é o olho divino do cheio. A lua que vês é o símbolo, como o é também o sol que vês. Sol e lua, isto é, seus símbolos, são Deuses. Existem ainda outros Deuses, seus símbolos são os planetas.

A mãe celestial é um daimon, abaixo da posição dos Deuses, uma habitante do mundo celestial.

Os Deuses são favoráveis e adversos, impessoais, almas de astros, influências, forças, ancestrais de almas, senhores no mundo celestial, tanto no espaço quanto na força. Não são perigosos nem bondosos, são fortes, mas flexíveis, esclarecimentos do pleroma e do vazio eterno, figurações dos atributos eternos.

Seu número é incontável e leva ao uno essencial superior, que contém em si todos os atributos, mas que não possui nenhum atributo, um nada e um tudo, a completa dissolução do homem, morte e vida eterna.

O homem surge através do principium individuationis. Ele busca individualidade absoluta, e assim ele condensa cada vez mais a dissolução absoluta do pleroma. Assim ele transforma o pleroma em um ponto, que contém a maior tensão e é, ele mesmo, uma estrela brilhante, imensuravelmente pequena, assim como o pleroma é imensuravelmente grande. Quanto mais o pleroma é condensado, mais forte se torna a estrela do indivíduo. Ela está envolta em nuvens brilhantes, um astro no devir, comparável a um pequeno sol. Ela expele fogo. Por isso é chamada εγω συμπλανοζ υμιν αςτηρ.[1] Igual ao sol, que também é uma estrela desse tipo, um Deus e ancestral das almas, a estrela do indivíduo é, igual ao sol, um Deus e ancestral das almas. De vez em quando, é visível, exatamente como eu a descrevi. Sua luz é azul, como a de uma estrela distante. Ela está lá longe no espaço, fria e solitária, pois está além da morte. Para alcançar a individualidade, precisamos de uma grande parte de morte. Por isso está escrito: θεοι εστε,[2] pois assim como os homens que dominam a terra são inúmeros, são inúmeros também os astros, os Deuses como senhores do mundo celestial.

Este Deus é aquele que sobrevive à morte dos homens. Aquele para o qual a solidão é céu irá para o céu; aquele para o qual a solidão é inferno irá para o inferno. Aquele que não levar a cabo o principium individuationis não se tornará Deus, pois não suporta a individualidade.

Os mortos que nos assediam são almas que não cumpriram o principium individuationis, caso contrário teríamos nos tornado estrelas distantes. Na medida em que não o cumprimos, os mortos têm um direito a nós e nos sitiam, e não temos como escapar deles. [Ilustração][3]

O Deus das rãs ou dos sapos, o acéfalo, é a união do Deus cristão com Satanás. Sua natureza é semelhante à chama, semelhante a Eros, mas um Deus; Eros é apenas um daimon.

O *Deus uno*, que é digno de adoração, está no centro.

Deves adorar apenas um Deus. Os outros Deuses não importam. *Abraxas deve ser temido*. Por isso foi uma libertação quando ele se separou de mim. Não precisas buscá-lo. Ele te encontrará, como também Eros. Ele é o Deus do espaço sideral, muito poderoso e terrível. Ele é o impulso criativo, ele é figura e figuração, tanto matéria quanto força, por isso acima de todos os Deuses claros e escuros. Ele arranca as almas e as lança na procriação. Ele é criador e criatura. Ele é o Deus que sempre se renova, no dia, no mês, no ano, na vida humana, na era, em povos, no vivo, em astros. Ele obriga, é implacável. Quando o adoras, tu fortaleces seu poder sobre ti. Assim, ele se torna insuportável. Terás um trabalho terrível de se livrar dele. Quanto mais tu te livrares dele, mais tu te aproximas da morte, pois ele é a vida do universo. Ele, porém, é também a morte universal. Por isso, cais vítima dele novamente, não na vida, mas na morte. Por isso, lembra-te dele, não o adores, mas também não acredites que consegues escapar dele, pois ele te cerca. Deves estar no meio da vida, envolto pela morte.

---

1 "Sou uma estrela perambulando contigo por aí" – Uma citação da Liturgia de Mitra (DIEDERICH, A. *Eine Mithrasliturgie*. Leipzig, B.G. Teubner, 1903, p. 8, 1.5). Jung gravou a continuação dessa oração em sua pedra em Bollingen.

2 "Vós sois deuses"; cf. Jo 10,34: "Eles responderam: 'Por nenhuma obra boa te apedrejamos, mas sim pela blasfêmia, pois sendo homem te fazes Deus'. Jesus respondeu: 'Não está escrito em vossa Lei: Eu disse: vós sois Deuses?'"

3 Esboço do Systema Munditotius; cf. Apêndice A.

Estendido como um crucificado, tu estás pendurado nele, o terrível, o sobrepoderoso.

Mas tens em ti o Deus *uno*, o maravilhosamente belo e bondoso, o solitário, o astral, o imóvel, que é mais velho e mais sábio do que o pai, aquele que tem uma mão segura, que te guia em toda escuridão e em todos os pavores da morte do terrível Abraxas. Ele dá paz e alegria, pois ele está além da morte e além das mudanças. Ele não é servo nem amigo de Abraxas. Sim, ele mesmo é um Abraxas, mas não para ti, mas em si mesmo e em seu mundo distante, pois tu mesmo és um Deus, que habita espaços distantes e se renova em suas eras e criações e povos, igualmente poderoso para eles quanto Abraxas é poderoso para ti.

Tu mesmo és criador de mundos e criatura.

Tens o Deus *uno*, tu te tornas o teu Deus *uno* no número infinito dos Deuses.

Como um Deus, tu és o grande Abraxas de teu mundo. Como homem, porém, és o coração do Deus uno, que aparece ao seu mundo como o grande Abraxas, o temido, o poderoso, aquele que doa loucura, que distribui a água da vida, o espírito da árvore da vida, o daimon do sangue, aquele que traz a morte.

Tu és o coração sofredor de teu Deus-estrela *uno*, que é Abraxas para o seu mundo.

Portanto, visto que és o coração do teu Deus, busca-o, ama-o, vive para ele. Teme o Abraxas, que rege o mundo dos homens. Aceita ao que ele te obriga, pois ele é o senhor da vida deste mundo e ninguém escapa dele. Se não o aceitares, ele te torturará até a morte, e o coração de teu Deus sofrerá, assim como o Deus *uno* de Cristo sofreu o pior em sua morte.

O sofrimento da humanidade é sem fim, pois sua vida é sem fim. Pois não há fim onde ninguém enxerga que existe um fim. Quando a humanidade acabar, não haverá ninguém que vê seu fim e ninguém que poderia dizer que a humanidade tem um fim. Assim, ela não tem um fim para si mesma, mas apenas para os Deuses.

A morte do Cristo não tirou nenhum sofrimento do mundo, mas sua vida nos ensinou muito, ou seja: que o Deus *uno* se agrada quando o indivíduo vive sua própria vida contra o poder de Abraxas. Através disso, o Deus *uno* se livra do sofrimento da terra, no qual seu Eros o lançou; pois quando o Deus *uno* viu a terra, ele a desejou para a procriação e esqueceu que já lhe havia sido dado um mundo no qual ele era o Abraxas. Assim o Deus uno se tornou homem. Por isso, o Deus uno eleva o homem até si e para dentro de si, para que o uno volte a ser completo.

No entanto, a libertação do homem do poder de Abraxas não ocorre quando o homem se esquiva do poder de Abraxas – ninguém pode se esquivar dele – mas quando ele se subjuga a ele. Até Cristo teve que se subjugar ao poder de Abraxas, e Abraxas o matou de forma cruel.

Apenas se viveres a vida poderás livrar-te disso. Portanto, viva-a na medida em que te cabe. Na medida em que a vives, cais também vítima do poder de Abraxas e de suas terríveis enganações. Na mesma medida, porém, o Deus-estrela em ti adquire desejo e força, quando o fruto da enganação e da decepção dos homens cai sobre ele. Dor e decepção enchem o mundo de Abraxas com frieza, todo o teu calor vital afunda aos poucos até as profundezas de tua alma, até o centro dos homens, onde brilha a luz estelar distante e azul do teu Deus uno.

Quando foges de Abraxas porque tens medo, tu foges da dor e da decepção, e assim permaneces preso a Abraxas com temor, *i. e.*, com amor inconsciente, e teu Deus *uno* não pode se inflamar. Mas através de dor e decepção tu te redimes, pois por conta própria teu desejo cai na profundeza como uma fruta madura, seguindo a gravidade, buscando o centro, onde é gerada a luz azul do Deus-estrela.

Portanto, não fujas de Abraxas, não o busques. Tu sentes sua compulsão, não resistas, para que tu possas viver e assim pagar o teu resgate.

As obras de Abraxas devem ser cumpridas, pois, contempla isto, em teu mundo tu mesmo és Abraxas e obrigas tua criatura ao cumprimento de tuas obras. Aqui, onde és uma criatura sujeita a Abraxas, deves aprender a cumprir as obras da vida. Lá, onde tu és Abraxas, tu obrigas as tuas criaturas.

Perguntas por que tudo é assim? Entendo que isso te parece questionável. O mundo é questionável. Ele é a loucura infinitamente grande dos Deuses, e sabes que ela é infinitamente sábia. Certamente é também uma blasfêmia, um pecado imperdoável e, por isso, também o amor e a virtude mais sublimes.

Então vive a vida, não fujas de Abraxas, contanto que ele te obrigue e tu sejas capaz de reconhecer sua necessidade. Em um sentido eu te digo: não o temas, não o ames. Em outro sentido eu te digo: teme-o, ama-o. *Ele é a vida da terra*, isso diz o bastante.

Precisas do conhecimento da multiplicidade dos Deuses. Não podes reunir tudo em um único ser. Como não és um com a multiplicidade dos homens, assim também o Deus uno não é um com a multiplicidade dos Deuses. Esse Deus uno é o bondoso, o amoroso, o orientador, o curador. A ele pertence todo o teu amor e adoração. É a ele que deves orar, com ele és um, ele está perto de ti, mais perto do que a tua alma.

Eu, tua alma, sou tua mãe, que te envolve carinhosa e terrivelmente, aquela que te nutre e corrompe, eu preparo para ti o bom e o veneno. Eu sou tua intercessora junto a Abraxas. Eu te ensino as artes que te protegem contra Abraxas. Eu estou entre ti e Abraxas, que envolve tudo. Eu sou teu corpo, tua sombra, tua ação neste mundo, tua manifestação no mundo dos Deuses, teu brilho, teu sopro, teu cheiro, tua força mágica. Tu me invocas quando desejas viver com os homens, mas invocas o Deus *uno* quando queres te elevar acima do mundo dos homens para alcançar a solidão divina e eterna do astro.